LA GUERRE DE CENT ANS

DU MÊME AUTEUR

Les archives (P.U.F., 1959 ; 3e édition 1975).

Un conseiller de Philippe le Bel : Enguerran de Marigny (P.U.F., 1963).

Cartulaire et actes d'Enguerran de Marigny (Imprimerie nationale, 1965).

Les finances pontificales à l'époque du grand schisme d'Occident (De Boccard, 1966).

De Marco Polo à Christophe Colomb (Larousse, livre de poche, 1968).

Histoire de la Normandie, en collaboration (Privat, 1970).

Les contribuables parisiens à la fin de la guerre de Cent Ans (Droz, 1970).

Finance et fiscalité au bas Moyen Age (C.D.U.-S.E.D.E.S., 1971).

Paris au XVe siècle (Diffusion Hachette, 1974).

Le commerce fluvial dans la région parisienne au XVe siècle (Imprimerie nationale, 1975).

Philippe le Bel (Fayard, 1978).

François Villon (Fayard, 1982).

Le Temps des principautés (Fayard, 1984).

De l'or et des épices (Fayard, 1987).

JEAN FAVIER
de l'Institut

LA GUERRE DE CENT ANS

Fayard

Introduction

Voici l'histoire d'une guerre. Une guerre de Cent Ans, si tant est qu'on puisse voir dans cet affrontement de cinq ou six générations autre chose que le dernier acte d'une guerre de trois cents ans ouverte au temps de la belle duchesse Aliénor. Une guerre dont on peut se demander si elle a bien duré cent ans ou si ce siècle n'a pas vu tout simplement se succéder quelques conflits aussi différents par leur nature que limités dans leur extension. Sur le long terme que choisit l'historien quand il veut discerner les tendances et analyser les mutations profondes de la société, la guerre s'inscrit parmi les facteurs multiples d'une dépression économique aussi bien que d'une construction politique. Dans le temps court qui est celui de l'histoire vécue, la guerre est-elle présente ailleurs qu'en des batailles rangées aussi rares que rarement décisives ?

Le temps de l'historien, c'est à la fois celui dans lequel il trouve les moyens de son observation des phénomènes et celui dans lequel ces mêmes phénomènes ont été ressentis et vécus. Or la guerre, qui s'inscrit dans le temps long comme l'écho des tensions profondes et comme le paroxysme occasionnel des mouvements séculaires, n'est pas moins connue dans le temps court comme l'une des crises, et une crise parfois déterminante, de la discontinuité historique.

Pour soucieux qu'il soit de ne pas demeurer à la surface d'une analyse des temps révolus, l'historien se doit de porter attention aux espoirs et aux échecs, aux joies et aux souffrances, qui sont à l'échelle de l'homme.

La fortification d'une ville, et la ruine d'un hameau ont beau n'appartenir qu'à l'horizon limité, c'est l'horizon des hommes. La dévastation d'une récolte ou la décimation d'une armée ne sont peut-être que le fait d'un instant, mais à voir dévaster on cesse de semer, et l'armée qui attend de se battre coûte aussi cher au pays que celle qui se fait tuer. Indispensable à l'historien lorsqu'il embrasse l'évolution des forces profondes, le long terme donne mal son échelle à l'histoire de ce qu'ont vécu et ressenti les hommes. Deux années de disette et une année de surproduction ne font un équilibre économique que sur les graphiques en moyennes mobiles du statisticien. Au vrai, cela fait des morts et des ruines, des spéculateurs et des chômeurs. Il appartient à l'historien de choisir les moyens de son analyse dans les deux dimensions du mouvement séculaire et de la journée des hommes.

Expression des mouvements profonds autant que phénomène en soi, la guerre devient facteur déterminant des infléchissements de l'histoire dès lors que le noble et le clerc, le bourgeois et le paysan se mettent à penser et à se comporter en fonction de cette guerre. Qu'elle soit réelle ou supposée ne change rien à l'affaire. La guerre est souvent plus proche dans les esprits que dans la réalité cartographiée. Fille de la mémoire parce que née des dévastations anciennes et des combats racontés, la psychose de guerre est le produit du bruit qui court, de la crainte déraisonnable et de l'excitation collective. Tel village qui n'a jamais vu un soldat a-t-il pour autant échappé à la guerre si cinq générations y ont tremblé et si l'on y a renoncé à investir dans le renouvellement des bâtiments et des outils ? Il est des déserts qu'a suffi à vider la rumeur publique. Et bien des chevauchées ont nui par l'idée qu'on s'en est faite, plus que par le dégât réel sur une route large d'une lieue.

Nier qu'un siècle de guerre soit autre chose qu'une ride de l'histoire serait donc oublier ce que doit aux attitudes mentales, individuelles et collectives, l'évolution des formes de la vie sociale. L'art d'aimer et l'art de mourir tiennent autant à ces attitudes que le dessin des routes commerciales et le flux de l'exode rural.

La guerre de Cent Ans, c'est l'affrontement de deux puissances dans un long contrepoint auquel participent tous les sujets que sont les préoccupations des hommes, celles d'un premier président comme celles d'un tisserand. Au fil de ce contrepoint, on passe d'une guerre à l'autre, et non seulement de la guerre de Flandre à celle de Bretagne ou de la chevauchée normande à la bataille de Gascogne. On passe aussi d'un conflit successoral à un affrontement national, d'une guerre féodale à une guerre monarchique. Après la guerre où l'emportent les archers vient celle où dominent les canonniers. Et cependant, c'est toujours le même conflit, dont un siècle renouvelle le visage en renversant parfois les positions.

Contrepoint, interaction, imbrication, c'est au vrai un tissu de correspondances subtiles. La crise politique de la monarchie des Valois, longtemps mal assurée et souvent ébranlée, ne cesse d'interférer avec la crise interne de la chevalerie française, une crise d'inadaptation politique et économique autant que militaire. Les causes profondes de mutation, comme la dépression démographique et ses effets sur l'économie rurale et sur les salaires, s'allient et se combinent avec le jeu rapide, sur le court terme, des ruptures superficielles qui résultent des faits de guerre. Là encore, les pertes et les ruines de la guerre ont, dans le temps long, de moindres conséquences que le lent bouleversement des structures de la famille, de la production ou du financement. Dans le temps des hommes, elles ponctuent ce bouleversement ou l'infléchissent, le rendent perceptible ou le contrarient au point de le cacher. Il n'est pas sûr que la grande flambée des salaires, au lendemain de la Peste noire, ait laissé les contemporains persuadés qu'ils vivaient un siècle de stagnation économique.

De même voit-on se répondre, dans le secret des cœurs comme dans le tumulte des assemblées, le drame des consciences religieuses qui tient à la brisure de l'Église dans le Schisme et le drame des consciences politiques qui tient à la coupure de la France, née des rivalités des princes autant que de la défaite. L'un et l'autre s'inscrivent comme un simple moment dans le long terme de la naissance et de l'identification du gallicanisme, comme dans celui de l'affrontement des droits de la Couronne et des droits du sang royal. Leur conjonction est l'affaire d'une génération.

Voyant ces groupes qui se font et se défont, on serait tenté de traiter toutes les solidarités politiques en termes d'alliance. Mais qu'elles s'opposent ou se conjoignent, on distingue fort bien les solidarités contractuelles qui font la vassalité, et qui se jouent des appartenances nationales, et les fidélités éphémères, beaucoup plus individuelles mais non moins — implicitement — contractuelles, qui constituent la clientèle des princes, une clientèle que commence de colorer le nationalisme. Dès lors que les affrontements tournent à la guerre, un troisième sujet s'introduit dans ce développement du contrepoint : le métier des armes. Il pousse les professionnels de la guerre à se battre pour qui les paie ou contre qui ne les paie plus, troublant ainsi, sans l'interrompre le moins du monde, le jeu des fidélités anciennes et des nouvelles dépendances.

Ajoutons ces liens de solidarité ou, au contraire, ces affrontements d'intérêt que crée la parenté. Hérités d'alliances anciennes par la filiation ou résultant d'unions récemment négociées, les liens familiaux sont à la fois facteur et enjeu des relations sociales, celles des princes comme celles des bouchers. Jalonnant ce livre, quelques tableaux généalogiques — tableaux et non arbres généalogiques exhaustifs — soulignent les cas où la parenté s'inscrit parmi les forces profondes de l'histoire.

Dans ce grand remuement des hommes et des idées, l'expression littéraire ou artistique intervient aussi comme le reflet des mentalités collectives. Derrière la volonté de l'écrivain ou de l'artiste, il y a tout un temps avec ses espoirs et ses angoisses, ses admirations et ses haines, ses réalités et ses fantasmes.

Il n'est pas dans le propos de ce livre de toucher à toute l'histoire de ce siècle, à cheval sur les siècles, qui s'ouvre quand vieillit le sire de Joinville et qui s'achève quand Philippe de Commines s'éveille à la curiosité. Des lettres et des arts, bien des œuvres majeures n'y paraissent point pour la seule raison qu'elles ont paru sans relation directe avec la guerre de Cent Ans. D'autres eussent peut-être estimé qu'elles avaient là leur place. Mais cette histoire de la guerre n'est pas une anthologie de la France médiévale, et même les anthologies se fondent sur les choix d'un homme. Pas plus qu'on n'y trouvera les contre-courbes du gothique flamboyant et les amples drapés de Claus Sluter, on n'entendra dans ce livre le débat ecclésial sur les rapports du Concile et du Saint-Siège. Mais on verra la danse macabre, qui est un fruit de la guerre comme de la peste, et l'on entendra le dramatique débat sur l'obédience du pape avignonnais, qui divise la France politique suivant des clivages transposés en d'autres domaines par le fait que les mêmes hommes s'engagent en des combats divers.

De même que l'histoire d'une guerre n'est pas seulement celle des combattants, l'histoire d'une crise nationale ne se limite pas aux turbulences de la capitale. Le lecteur pourrait donc regretter de se retrouver si souvent sur les bords de la Seine, entre l'hôtel Saint-Paul et le palais de la Cité, autour de cette place de Grève qui est à la fois un lieu de réunion et une institution de la vie commerciale. Car les Français qui ont vécu la guerre, ceux qui l'ont faite ou qui en ont souffert, ce sont les neuf Français sur dix dont le village ou la ville n'est même pas nommé dans ce livre.

La volonté de l'historien, quelque désireux qu'il soit d'élargir son horizon et d'éviter une vision parisienne de l'histoire de France, ne saurait toutefois effacer les réalités de la France médiévale. Paris compte, selon les moments, de cent à deux cent mille habitants, alors que les très grandes villes de la province française en comptent de vingt à quarante mille. Seuls, les Parisiens constituent aux états généraux un groupe de pression capable de s'ériger en quatrième ordre. Seuls ils tiennent à la fois la tribune et la rue. Et c'est bien à Paris que s'est joué, au temps d'Étienne Marcel comme sous la vague des Cabochiens, le destin de la paix et celui de la monarchie.

Notre contrepoint historique fait donc place à l'incessante reprise du facteur parisien dans un développement où Paris ne vit que de la province mais où la province voit une part de son histoire déterminée à Paris. Il est juste de dire qu'elle l'est par des Parisiens de date souvent fraîche. La capitale offre un cadre, mais les protagonistes de l'action qui se joue sont la France entière. Paris, c'est Étienne Mar-

cel et son ascendance de grands bourgeois parisiens, mais c'est aussi Jouvenel, Cauchon, Gerson et tant d'autres pour qui la capitale se situait sur les chemins de la promotion. Au reste, qui dira si le Parisien Bedford et sa femme Anne de Bourgogne sont anglais ou français ?

La chronologie règne sur cette histoire d'un siècle de guerre. Plus qu'en d'autres moments, la logique de l'histoire s'y fonde sur la succession des temps. Les conséquences de la défaite s'inscrivent naturellement après celle-ci, comme les conditions de la paix précèdent la trêve et le traité. La crise frumentaire est aussi liée à la Peste noire qui la suit et à la Jacquerie qui lui succède, en attendant la réaction des possédants parisiens et le discrédit qui suit le retournement politique du roi de Navarre, qu'elle l'est, dans une histoire diachronique de la vie rurale, à la stagnation séculaire des prix céréaliers et au mouvement multiséculaire d'exode rural. On ne s'étonnera donc pas d'un plan qui privilégie le rapport de succession dans le temps. Il préserve aussi, dans l'analyse, le temps vécu par l'homme et sa complexité dans le moyen terme. Car tout s'articule pour les contemporains : les divisions de la Chrétienté bicéphale, la réforme de l'Église et les réticences face à la puissance temporelle d'Avignon, la réforme du royaume et la dénonciation des dilapidations financières, l'hostilité au duc Louis d'Orléans et l'engagement dans le parti de Bourgogne, la compromission avec les émeutiers cabochiens, la collusion finale avec l'Anglais. Tout cela forme, pour les mêmes hommes, une chaîne politique, une série d'engrenages mentaux.

Illustres ou obscurs, les acteurs de l'histoire ont vécu cet ensemble de motivations et de comportements et l'ont vécu dans le même temps, le conscient et l'inconscient participant au même mouvement. Le gentil seigneur siégeant à la Cour d'Amour ordonnée pour départager les admirateurs et les détracteurs d'un Roman de la Rose *soudain ébranlé par Christine de Pisan eût été bien étonné d'apprendre que l'affaire était liée aux ambitions italiennes du frère de Charles VI, voire aux séquelles réformistes des élans franciscains contre les splendeurs temporelles de la nouvelle Babylone. Il n'empêche qu'elle l'était.*

L'histoire s'interdit de juger, non de comprendre les hommes. Mais à comprendre les individus et les groupes humains dans la totalité de leur univers mental, peut-être le lecteur révisera-t-il certains jugements hérités de l'histoire ou de l'historiographie, des jugements qu'il importe de nuancer dans le temps et dans l'espace, de situer hors des références morales ou politiques qui sont l'anachronisme par excellence.

Qu'est-ce que la guerre ? Pas la même chose à Bordeaux et à Paris, non plus qu'à Béziers ou à Verneuil. Certainement pas la même chose à Harfleur et à Domrémy. Qu'est-ce qu'un Anglais? Pas la même chose pour Geoffroy d'Harcourt en 1350, pour l'Archiprêtre en 1360, pour Cauchon en 1420, pour Nicolas Rolin en 1435. L'idée qu'en a le négociant bordelais n'est pas celle du paysan normand.

Le visage des hommes est lui-même plus nuancé qu'il n'y paraît au premier abord, surtout lorsque l'imagerie traditionnelle a plus ou moins imposé ses dessins. Que penser de Charles le Mauvais frustré de son héritage champenois, d'Étienne Marcel dupé par son propre monde ou de Bertrand du Guesclin si souvent prisonnier? Peut-être faut-il voir sous une nouvelle lumière des personnages en apparence tout d'une pièce, comme Harcourt ou Jeanne d'Arc, aussi bien que des hommes au destin complexe comme Cauchon ou Richemont. D'ailleurs, Jeanne est-elle la même face à l'inertie du dauphin Charles, au réalisme politique de la reine Yolande, à la subtile cruauté des clercs, au scepticisme des capitaines, à l'enthousiasme des hommes d'armes?

Le principal personnage de ce livre, c'est cependant celui qu'on chercherait vainement à l'index. C'est cet homme sans chronique qui a vécu entre le début du XIVe et le milieu du XVe siècle les vingt ou trente années qui sont la vie de ceux qui survivent à l'enfance. Il s'est battu, à moins qu'il n'ait tremblé. Il était de l'émeute, à moins qu'il n'ait haussé les épaules. Il a changé d'avis sans bien le savoir. A la guerre comme à la trêve il a gagné sa vie ou tout perdu. Il a grogné.

Tisserand de Gand derrière Artevelde ou écorcheur de la Grande Boucherie derrière Caboche, villageois exaspéré avec le Grand Ferré ou soldat en quête d'embauche avec Villandrando, badaud content du vin qui coule à la fontaine des jours de fête ou curieux du pendu du jour, il a fait la guerre de Cent Ans tout autant que le duc Philippe — « Père, gardez-vous... » — et presque autant que le professionnel La Hire. Cette guerre qu'il a faite un peu, il en a beaucoup parlé. Il n'a pas toujours compris. Nous essaierons de le comprendre.

Paris, 15 mai 1980.

CHAPITRE PREMIER

Les Origines

Capétiens et Plantagenêts.

La guerre de Cent Ans, ce n'est pas un siècle de guerre qui s'ouvre au temps d'Édouard III et de son fils aîné le Prince Noir. C'est le troisième et dernier siècle d'une guerre commencée au temps des premières croisades, au temps d'une princesse qui s'appelait Aliénor – ou Éléonore – et que l'héritage de son père avait faite duchesse d'Aquitaine. Aliénor était belle, intelligente, volontaire. Un mariage politique fit d'elle une reine de France, mais le pieux Louis VII était homme fort ennuyeux et Aliénor se savait capable de séduction.

On était en 1152. Déjà, Louis VII avait été tourné en dérision lors de la deuxième croisade: sa femme s'était, au su de toute la cour, éprise de son oncle Raymond de Poitiers. Revenue de Terre sainte, Aliénor était tombée dans les bras du jeune et élégant Henri Plantagenêt, comte d'Anjou et duc de Normandie.

A accepter le ridicule, le Capétien perdait tout poids politique dans une France où le pouvoir royal demeurait fragile. Au reste, Aliénor ne lui avait encore donné aucun fils. On trouva sans peine quelques évêques flanqués d'un groupe de barons fidèles pour s'apercevoir que le roi et la reine étaient cousins. Le mariage célébré quinze ans plus tôt était nul. La dignité royale était sauve.

Deux ans plus tard, Henri Plantagenêt mettait la main sur la couronne d'Angleterre. Le roi de France avait désormais pour vassal un roi, et cette couronne royale donnait une autre dimension au duc de Normandie, maître par sa femme du duché d'Aquitaine.

Il fallut trente ans à Philippe Auguste pour briser ce redoutable rival. Il fallut prendre en 1204 Château-Gaillard, défaire en 1214 à Bouvines une coalition soutenue par l'empereur germanique, écraser en même temps l'armée aquitaine du Plantagenêt. Maître de la Normandie, de l'Anjou et du Poitou, le Capétien devenait enfin le premier seigneur de son royaume.

Vainqueur longanime en 1242, saint Louis renonça à jeter l'Anglais hors de France : le Plantagenêt n'était pas à proprement parler l'Anglais, et le roi scrupuleux qu'était saint Louis n'osait priver Henri III d'une Guyenne qui demeurait, après tout, l'héritage de sa grand-mère Aliénor. En 1286, un traité régla les derniers désaccords, qui portaient sur le Quercy et la Saintonge. On put croire qu'une guerre de cent cinquante ans s'achevait.

Pour longtemps encore, et par-delà les luttes inutiles d'un Philippe le Bel trop occupé ailleurs pour s'offrir le luxe de l'intransigeance en face de son adversaire vaincu, l'Anglais était en France parce qu'à Bordeaux régnait un duc en qui nul ne voyait vraiment un étranger mais dont tout le monde savait qu'au-delà de la mer il portait une couronne royale. Fort de la Gascogne, de l'Agenais, de la Saintonge et de tout ce qu'avait naguère possédé le Capétien en Limousin, Quercy et Périgord, le duc-roi était, dans la France méridionale, un rival à l'hommage incertain.

Dans le fief d'un quelconque baron, le roi de France n'aurait déjà manqué aucune occasion de rappeler qu'il était à la fois le seigneur supérieur de la pyramide féodale — le « suzerain » — et le souverain d'un État indifférent aux réseaux féodaux. A plus forte raison — et à proportion du risque — les officiers royaux ne manquaient-ils aucune occasion de rappeler aux Aquitains qu'ils étaient du royaume de France, et au duc d'Aquitaine qu'il était à la fois, comme tout un chacun, vassal et sujet du Capétien. Le duc d'Aquitaine était roi, mais le roi, en Aquitaine, c'était le roi de France, non celui d'Angleterre.

Plus qu'une escarmouche dans ce conflit, alors vieux de deux siècles, la « guerre de Saint-Sardos » fut une véritable répétition générale de ce qui allait être la guerre de Cent Ans. L'affaire était banale et pouvait le demeurer. On s'employa à la dramatiser.

Au cœur de l'Agenais, le village de Saint-Sardos était sans le moindre doute au duc Édouard II. Dominant la vallée du Lot et constituant un verrou possible du confluent du Lot et de la Garonne, il n'en était pas moins une proie de choix pour les gens du roi de France, qui s'aperçurent opportunément que le village avait pour seigneur le prieur de Sarlat. Un vassal de l'Anglais s'était permis d'y construire une bastide fortifiée. Charles de Valois s'en alla, pour le compte de son neveu le roi Charles IV, saisir la bastide et le territoire de Saint-Sardos. Les Gascons répliquèrent, reprirent les lieux et firent pendre les officiers du roi de France.

Charles IV feignit de ne pas entendre les propos conciliants de son beau-frère Édouard II, qui désavouait à cor et à cri le zèle passablement intempestif de ses gens. Le 1er juillet 1324, prétextant de ce que le duc n'avait pas encore prêté son hommage pour la Guyenne, le Parlement confisquait le duché. Charles de Valois fut chargé d'occuper le pays, ce qu'il fit en peu de temps, nulle défense ne se manifestant vraiment. Hormis Bordeaux, Bayonne et Saint-Sever, les Français mirent la main sur tout le duché, puis s'en trouvèrent bien embarrassés.

Édouard II avait assez d'ennuis en Angleterre, où ses hommes ne songeaient à rien de moins qu'à l'évincer du trône. Il sacrifia sans peine les principes pour sauver la Guyenne. Négocié par l'intermédiaire de la papauté, le traité de 1325 stipula que les officiers du duché seraient dorénavant nommés par le roi de France, le roi-duc n'ayant plus que la possibilité de désigner les simples châtelains. On transigea sur l'hommage : il fut prêté, mais non par le roi d'Angleterre en personne. Le prince Édouard, le futur Édouard III, fut chargé de la chose.

Le duc de Guyenne semblait désormais distinct du roi d'Angleterre, et la question de Guyenne pouvait être considérée comme résolue. Charles IV bloqua tout en n'accordant au prince Édouard, pour fief et donc pour prix de son hommage, qu'une Guyenne réduite aux régions voisines du littoral. L'Agenais restait au Capétien. Naturellement, Édouard II refusa de s'incliner et trouva commode de désavouer son fils. Charles IV n'attendait que cela : il confisqua derechef le duché.

La chute d'Édouard II et l'avènement d'Édouard III changèrent les conditions de la négociation. Le 31 mars 1327, Édouard III recouvrait son duché contre promesse d'une indemnité de guerre. Encore fallait-il rendre en fait les places fortes que tenaient depuis trois ans les officiers du roi de France.

A regarder la carte, une chose est évidente : trente ans de harcèlement avaient fait passer sous la ferme autorité du Capétien les riches terres de l'Agenais et du Bazadais, le Périgord et le Limousin. Du duché reconnu à Henri III par le traité de Paris de 1259, son arrière-petit-fils Édouard III ne conservait, de la Charente à l'Adour, que les régions côtières de Saintonge et de Gascogne. Bordeaux, centre nerveux et place forte de l'économie aquitaine, se trouvait coupé de son arrière-pays. La partie continentale de l'ancien État Plantagenêt était tout bonnement menacée d'asphyxie.

Sur le terrain, la situation était pire. Tous les prétextes semblaient bons aux officiers du roi de France pour retarder la remise des territoires rendus par le traité de 1325. Les vassaux aquitains du duc-roi jouaient à fond la carte de leur autonomie et favorisaient les temporisations que permettaient les arguties du droit féodal. Tout était matière à conflit et tout conflit conduisait à la justice du suzerain, autrement dit au Parlement de Paris, cette « Cour du roi » dont la seule existence rappelait au Plantagenêt qu'en Guyenne il n'était ni suzerain ni souverain.

Autant d'appels, autant d'enquêtes. Les officiers du roi de France ne cessaient de tracasser les gens du roi-duc, et l'amour-propre de celui-ci devait s'accommoder de fournir à chaque occasion les justifications de sa présence et les comptes de sa gestion.

L'HOMMAGE D'ÉDOUARD III.

La seule réplique du vassal humilié, c'était de tergiverser pour l'hommage qu'il devait à nouveau puisque son seigneur le roi de France venait de changer. Philippe VI dépêcha des ambassadeurs à Londres pour y rappeler l'obligation vassalique. L'hommage créait un lien personnel, d'homme à homme : aussi bien qu'un changement de vassal, le changement de seigneur voulait un nouvel hommage.

Mais le changement de seigneur qui venait de se produire en 1328 avait ceci de particulier que le fils du comte de Valois succédait sur le trône de France au dernier des Capétiens. Même si Édouard III, à peine roi d'Angleterre, n'avait guère songé à convoiter le trône laissé vacant par la mort du troisième fils de Philippe le Bel, l'idée de prêter hommage à son cousin Philippe de Valois avait tout pour lui déplaire. Sa mère n'était-elle pas la fille de Philippe le Bel, et la terrible Isabelle ne déclarait-elle pas que son fils « qui était né de roi » ne ferait jamais hommage à un « fils de comte » ?

Le roi de France consulta son Conseil, lequel opina qu'on ne pouvait encore confisquer le duché mais qu'il était licite d'en saisir les revenus jusqu'à l'hommage. Une nouvelle citation fut portée en Angleterre. La procédure de confiscation était, une fois de plus, engagée.

Édouard III se souciait peu d'une guerre sur le continent alors qu'en Angleterre son pouvoir était battu en brèche. Il céda. On annonça qu'il prêtait hommage pour la Guyenne.

La rencontre eut lieu à Amiens, en juin 1329. Le roi d'Angleterre vint en grande compagnie. Il avait fallu deux jours pour faire passer de Douvres à Wissant les chevaux de l'escorte : mille chevaux, disait-on. Philippe de Valois n'était pas en reste et c'est au milieu d'une cour extraordinaire qu'il accueillit son cousin. Les anciens évoquèrent la fête qu'avait été, seize ans plus tôt, la « chevalerie » du roi de Navarre. Froissart devait recueillir l'écho de la fête nouvelle :

> Le roi Philippe était tout appareillé et pourvu pour le recevoir. Le roi de Bohême, le roi de Navarre et le roi de Majorque

étaient près de lui, et si grand foison de ducs, de comtes et de barons que merveille serait à rappeler. Car là étaient tous les douze pairs de France, venus pour le roi d'Angleterre festoyer, et aussi pour être personnellement et faire témoin à son hommage.

On honorait le roi d'Angleterre, mais on veillait à ce que l'acte qui lui rappelait son infériorité ne manquât pas de témoins !

La fête dura huit jours, et elle fut magnifique. Édouard fit son hommage le 6 juin, les mains dans les mains de son seigneur le roi Philippe VI. Mais celui-ci fit consigner que l'hommage n'était pas prêté pour les terres détachées du duché de Guyenne par Charles IV, pour l'Agenais en particulier. De son côté, Édouard III protesta que son hommage n'impliquait nullement qu'il renonçât à revendiquer ces terres. L'hommage, certes, était prêté ; mais il l'était avec tant de réserves, tant de conditions, tant de restrictions qu'il ne résolvait rien. Dès ce moment, Philippe mit à l'étude le projet d'une nouvelle exigence : un hommage aux contours moins incertains. En février 1330, une conférence d'experts se réunit à Paris, dossiers sur table. Entre-temps, Édouard III avait fait faire des recherches dans ses archives pour savoir à quoi l'hommage prêté l'engageait au juste.

Le plus malaisé était de définir cette Guyenne pour laquelle se prêtait l'hommage. Trois années passèrent en échanges d'ambassadeurs. Évêques, barons ou légistes, les négociateurs étaient aussi précisément au fait des antécédents connus par les archives que d'une situation actuelle éprouvée par les uns et les autres en Guyenne même. Mais dresser la carte d'un fief fait de droits enchevêtrés se révélait malaisé — c'est encore, au XXe siècle, la pierre d'achoppement des cartographes — et les vassaux aquitains du duc avaient tout intérêt à compliquer l'affaire en se trouvant de bonnes raisons de dépendre directement du roi de France.

Chaque roi cherchait à gagner du temps pour mieux assurer sa couronne toute neuve avant une éventuelle épreuve de force ; on n'avait donc aucune peine à s'accorder au moins sur une chose : la trêve était sans cesse prolongée. En juillet 1330 on frôla l'accord, puis soudain la crise, car Édouard refusa de comparaître devant le Parlement. La médiation du pape Jean XXII le sauva : le pontife n'avait fait que céder au plaisir d'intervenir dans les affaires anglaises.

On crut à nouveau toucher à la paix en 1331 lorsque Édouard III céda derechef sur le principe pour sauver son fief : le 30 mars, par un acte scellé qu'il fit porter à son cousin Valois, le roi-duc reconnaissait qu'il devait pour la Guyenne un hommage lige, autrement dit un hommage préférentiel : aucun autre hommage, aucun traité ne pourrait prévaloir contre l'hommage prêté au roi de France :

> Pour qu'au temps à venir il n'y ait jamais discorde ni question à faire le dit hommage, nous promettons en bonne foi, pour nous et nos successeurs ducs de Guyenne qui seront pour le temps, que le dit hommage se fera en cette manière.
>
> Le roi d'Angleterre, duc de Guyenne, tiendra ses mains entre les mains du roi de France. Et celui qui adressera les paroles au roi d'Angleterre, duc d'Aquitaine, et qui parlera pour le roi de France dira ainsi : « Vous devenez homme lige au roi de France, mon seigneur, qui est ci, comme duc de Guyenne et pair de France, et vous lui promettez porter foi et loyauté ! Dites : voire ! »
>
> Et le roi d'Angleterre, duc de Guyenne, et ses successeurs diront : « Voire ! »
>
> Alors, le roi de France recevra le dit roi d'Angleterre et duc de Guyenne au dit hommage lige, à la foi et à la bouche, étant saufs son droit et le droit d'autrui...
>
> Ainsi sera fait et renouvelé toutes les fois que l'hommage se fera. Et de ce, fait le dit hommage, nous et nos successeurs ducs de Guyenne baillerons lettres patentes scellées de notre grand sceau si le roi de France le requiert.

Sur ce, Édouard III passa en France. Pour déjouer la surveillance de ses barons et peut-être même celle de ses conseillers, c'est sous le déguisement d'un marchand, et accompagné de quinze chevaliers seulement, que le Plantagenêt s'embarqua à Douvres ; pour expliquer son absence, il avait fait annoncer qu'il allait en pèlerinage. En avril 1331, quelque part près de Pont-Sainte-Maxence, il rencontrait Philippe VI. Cinq jours plus tard, il était de retour à Douvres.

De quoi les deux rois parlèrent-ils ? D'abord de l'hommage, décidément lige. Ensuite de la Guyenne. Édouard se fit promettre de l'argent pour prix de la destruction abusive du château de Saintes. Il obtint aussi de ne pas raser les forteresses que la trêve de 1327 lui faisait obligation de démolir. Il rattrapait en quelque sorte sur le terrain ce qu'il perdait dans la politique des principes.

Les choses semblaient donc s'arranger. Chacun était à peu près content, y compris le pape : la concorde des souverains chrétiens était la première condition de cette croisade attendue depuis quarante ans. On parla même d'un mariage français pour celui qu'on allait appeler, quelques années plus tard, le Prince Noir. Assemblé à Winchester en septembre 1331, le Parlement anglais — cet organe représentatif et politique qui n'a rien à voir avec son homonyme français, qui n'est qu'une cour de justice – jugea toutefois que le Plantagenêt ne pouvait aussi allégrement s'accommoder d'une Guyenne fort amputée. Le Parlement d'Angleterre n'avait rien à dire dans les affaires de Guyenne, mais c'est à lui qu'il fallait demander des crédits quand les choses tournaient mal sur le continent. Édouard III ne pouvait donc mépriser l'avis : il convenait de poursuivre les négociations. Peut-être obtiendrait-on ainsi l'Agenais.

Pendant que se succédaient à Paris les ambassades anglaises, les incidents se multipliaient sur le terrain. A plusieurs reprises, on frôla une guerre dont il était cependant évident que ni l'un ni l'autre des rois ne voulait pour le moment. Les officiers du roi de France malmenaient en Saintonge les marchands londoniens et taxaient indûment leurs cargaisons de vin sur la Garonne. Les gens de Douvres pillaient un bateau de pêche français malencontreusement échoué. Par représailles, un bateau de Douvres qui relâchait à Calais était saisi sans autre forme de procès. Les tracasseries ne cessaient pas sur toutes les frontières de ce qui restait à l'Anglais en Guyenne, et la restitution des châteaux naguère pris par Charles de Valois traînait en longueur.

En 1334, on crut un instant que la paix était faite. L'archevêque de Canterbury et les autres ambassadeurs anglais venaient de regagner leurs hôtels parisiens sous les acclamations du bon peuple lorsque le roi les fit rappeler au palais de la Cité : il entendait préciser que l'Écosse de David Bruce était comprise dans la paix. Jamais on n'y avait jusque-là songé.

Les Anglais n'avaient aucun pouvoir pour négocier sur l'affaire d'Écosse. Ils regagnèrent Londres en se jugeant dupés.

Les affaires d'Écosse.

Depuis quarante ans, en effet, l'Écosse était à la fois une épine dans l'épiderme anglais et un pion dans la politique française. Philippe le Bel avait joué de l'Écosse contre Édouard Ier, à qui le fait d'avoir arbitré en faveur de John Baillol la difficile succession de Marguerite d'Écosse ne procurait même pas la fidélité de ce roi-vassal. On avait vu le roi de France intervenir en faveur de Baillol vaincu et obtenir sa libération. On avait vu William Wallace, chef des barons insurgés contre l'étroite tutelle anglaise, trouver refuge en France après sa défaite de 1298. L'entrée du Saint-Siège dans ce jeu de l'Angleterre et de l'Écosse avait ouvert à Philippe le Bel de plus larges horizons politiques : le chancelier Pierre Flote avait pu, à Rome, menacer tout ensemble le pape Boniface VIII et les négociateurs anglais d'une intervention directe en faveur de l'Écosse si le roi d'Angleterre s'obstinait à soutenir ces autres rebelles à une autorité royale qu'étaient en France les Flamands. La scandaleuse connivence du pape à l'encontre de la Flandre avait été le fruit de ce marchandage.

La paix franco-anglaise dissuada, un temps, le roi de France des interventions trop voyantes. Les princesses capétiennes se succédaient sur le trône d'Angleterre; il n'était plus question de soutenir ouvertement des rebelles. En 1305, Philippe le Bel laissa prendre et exécuter Wallace sans même faire mine de le défendre. Mais la lutte incessante qu'Édouard II dut mener contre les barons écossais et le nouveau roi Robert Bruce — l'ancien compétiteur de Baillol — contribua à tenir l'Anglais loin de la Guyenne. Conflits de frontières, brèves expéditions militaires, harcèlement sur le terrain, l'Écosse fut pour Édouard II, dont l'armée de chevaliers fut écrasée en 1314 à Bannockburn par une charge de paysans écossais armés de solides piques, un véritable abcès de fixation qui assura à la France une relative tranquillité.

Édouard III reprit l'affaire en 1333. Mais il y mit une infinie patience. A quoi servait un duché de Guyenne lointain, mal défini et à coup sûr amoindri, si l'Angleterre était battue en brèche dans son île même par une Écosse résolument indépendante? Philippe VI, dont la longueur du conflit écossais servait les desseins, préféra laisser ses alliés traditionnels se débrouiller seuls. Le Valois ne pouvait prendre le risque de nouveaux embarras dans une France où il savait son pouvoir encore faible. La Flandre avait beau ménager ses relations avec l'Écosse, la laine anglaise était nécessaire à l'industrie drapante des grandes villes flamandes. Le roi de France se contenta d'observer.

Une nouvelle fois, la force assura la soumission provisoire des Écossais. Philippe VI avait, dans l'immédiat, gagné la paix. A long terme, il était perdant: l'alliance du roi David Bruce eût été plus utile à la France si Bruce avait été plus fort et s'il avait eu des raisons de se montrer reconnaissant.

Les pourparlers, cependant, s'enlisaient. A peine Philippe VI avait-il promis aux ambassadeurs anglais une rapide restitution des terres aquitaines qu'il écrivait à ses officiers locaux de ne point s'en occuper pour l'instant. Envoyés par les deux rois en Guyenne pour y tirer au clair le détail des restitutions légitimes, des commissaires se heurtèrent à la mauvaise volonté la plus évidente. Les juristes compliquaient les choses à plaisir et les barons se souciaient peu du droit, sinon de la procédure qui leur permettait de tout bloquer en multipliant les appels.

La diplomatie pontificale s'intéressait plus aux affaires d'Écosse qu'à celles de Guyenne. Benoît XII voyait à juste titre dans la guerre anglo-écossaise le principal risque de conflit européen, dès lors que le roi de France pouvait s'en mêler de nouveau. Le comte de Namur, celui de Gueldre, celui de Juliers étaient impliqués en Écosse par les contingents qu'ils mettaient à la disposition d'Édouard III. Les marins de Dieppe et de Rouen se risquaient à la course contre ceux de Southampton, et l'on pouvait raisonnablement situer la prochaine guerre autour de la Manche, non vers Saint-Sardos.

En donnant à la question écossaise le premier rang dans leurs préoccupations, le pape et ses nonces faisaient indirectement le jeu du roi de France. Celui-ci pouvait se contenter d'offrir à David Bruce, réfugié en France, l'hospitalité glaciale de Château-Gaillard. Ce qui importait, ce n'était pas tant le succès des Écossais que la menace qu'ils faisaient planer sur l'Angleterre : Édouard III n'en finissait pas de faire assiéger des châteaux et de conclure ces trêves inutiles où le pape voyait à chaque fois le moyen de la future croisade d'Orient.

Le pouvoir de Philippe VI était mieux assuré qu'aux jours de son avènement. Il ne tint aucun compte de ce que beaucoup prirent pour un fâcheux présage : la tempête qui renversa, en juillet 1336, tous les préparatifs de la fête ordonnée pour la naissance de son deuxième fils. Les temporisations n'étaient plus nécessaires. En cette année 1336, Philippe VI de Valois prit des initiatives.

En mars, il était à Avignon, où le nouveau pape Benoît XII – le cistercien Jacques Fournier – commençait d'élever la puissante forteresse qui marquait sa détermination de demeurer là, loin des tourbillons politiques de Rome mais également hors d'un royaume de France où son indépendance eût été mal assurée. L'entretien du pape et du roi fut une joute à front retourné : le roi voulait qu'on fît partir sur-le-champ la croisade, le pape jugeait l'affaire pour l'heure impossible. La prudence pontificale était à tous égards fondée : profondément divisé, l'Occident n'avait pas les moyens d'une telle entreprise. Le Valois, qui était sincère dans son désir, fut vexé : il avait été convenu, deux ans plus tôt, qu'il serait le chef de l'expédition...

La flotte française était prête en Méditerranée. Puisqu'on n'allait plus en Orient, on la fit passer en mer du Nord. L'Angleterre trembla. Édouard III mit ses côtes en état d'alerte. Les shérifs eurent pour consigne d'armer de toute urgence la population. Tous les hommes valides de seize à soixante ans furent requis. Le Parlement vota un subside sans se faire prier.

Benoît XII avait déjà retenu le roi de France sur le chemin de la croisade. Il s'efforça de le retenir sur celui de l'Écosse. Vers le début d'avril 1337, Philippe VI reçut d'Avignon une lettre dont il eût avec avantage médité la leçon de politique :

> En ces temps de troubles, où des conflits éclatent dans toutes les parties du monde, il faut longuement réfléchir avant de s'engager. Il n'est pas difficile d'entreprendre une affaire. Mais il faut d'abord savoir – c'est une question de science et de réflexion – comment on la terminera et qu'elles en seront les conséquences.

Le roi de France affecta d'ignorer la leçon. Ses ambassadeurs tenaient en Angleterre une conférence avec ceux de David Bruce et une délégation de barons écossais. On y parla plus de la guerre que de la paix. Édouard III, qui apprit la chose, ne pouvait se faire d'illusions : son cousin de France se posait en ennemi.

Benoît XII était aussi patient que le Valois était impulsif. Il imposa une nouvelle fois sa médiation, calma non sans peine les ardeurs de Philippe VI. Il empêcha en revanche l'empereur Louis de Bavière de former contre la France une coalition dans laquelle Édouard III eût tenu sa place, puis de former avec la France une entente qui eût menacé le Saint-Siège. Un tel équilibre demeurait fragile, et la course aux armements reprit de plus belle, gênée seulement par le manque d'argent dont souffraient l'un et l'autre gouvernement.

Au printemps de 1337, la guerre semblait inévitable. Ni Philippe VI, ni Édouard III, ni Louis de Bavière n'étaient prêts à la moindre concession.

La révolte des Flamands.

En Flandre, cependant, les positions du roi de France pouvaient passer pour fortes. Les guerres du temps de Philippe le Bel, les « matines de Bruges » et le massacre de Courtrai, la victoire royale de Mons-en-Pévèle et le dur traité d'Athis (1305), le long contentieux autour des clauses inapplicables de ce traité, tout cela semblait oublié. Oubliés aussi, les « osts » de Flandre, ces expéditions militaires que Philippe le Bel et ses fils avaient à plusieurs reprises menées, à grands frais, pour faire céder les Flamands.

L'adversaire le plus coriace du Capétien au temps du comte de Flandre Robert de Béthune avait été son fils Louis de Nevers. Le hasard voulut que celui-ci mourût quelques mois avant son père. A Robert de Béthune succéda donc son petit-fils, lui-même appelé Louis de Nevers. Comte de Flandre en 1322, ce prince allait jouer la carte royale et s'appuyer délibérément à l'intérieur sur l'aristocratie d'affaires, dont on sait qu'elle avait traditionnellement partie liée avec le roi de France.

Son arrière-grand-père Guy de Dampierre et son grand-père Robert de Béthune avaient su tourner à leur profit, contre les empiètements du pouvoir royal, les tensions sociales qu'engendrait un développement économique fondé sur l'industrie textile. Louis de Nevers, que compromettait son alliance avec le patriciat, offrit au contraire une cible de choix dès que se manifestèrent les premiers remous sociaux.

La révolte de 1323 ne fut d'abord qu'un grondement diffus à travers les campagnes de la Flandre maritime. Quelques officiers du comte, quelques châtelains furent molestés. L'affaire ne prit une autre tournure que le jour où Bruges s'insurgea. Bruges, c'était le grand port industriel, riche de sa population — peut-être trente mille habitants — comme d'un mouvement portuaire favorable au brassage des idées et des hommes.

Bruges était dans un camp, Gand se rangea dans l'autre. Les Gantois gardaient un souvenir plutôt amer de ce qu'il en avait coûté aux autres villes flamandes de suivre en 1302 l'exemple de Bruges. Ypres, en revanche, suivit Bruges, par hostilité de principe contre les Gantois. La concurrence des draperies, déjà sensibles à la crise, se transposait en rivalités politiques. Furnes, Dixmude, Poperinghe firent cause commune avec Bruges. C'était la guerre civile.

Bien que le comte de Flandre fût cette fois leur adversaire, les gens des métiers se souvenaient de Courtrai : foulons et tisserands y avaient infligé à la chevalerie française une correction où les haines sociales tenaient autant de place que la volonté politique de diminuer l'influence sociale dans le comté. Vingt ans après, le souvenir en demeurait assez vif pour conforter l'audace du petit peuple.

Pendant cinq ans, les insurgés battirent la campagne. Les villages brûlaient, les villes tremblaient. Les hommes du comte — les collecteurs d'impôt en premier lieu — se terraient quand ils n'avaient pas pris la fuite. Les patriciens une nouvelle fois exilés, leurs maisons furent abattues. Bientôt, on ne compta plus les morts : nobles et riches bourgeois égorgés au coin d'une rue aussi bien que paysans et artisans rossés à mort en leur particulier ou massacrés en bataille rangée. Au total, ce furent plutôt cinq ans de troubles, de rixes, d'émotions fugitives, voire d'anarchie, que cinq ans de révolution ou de guerre en campagne.

Les structures économiques de l'industrie flamande réservaient un rôle de premier plan au marchand patricien, à la fois financier, bailleur de fonds et organisateur de la production. Le système se trouvait aggravé par l'alourdissement des exigences fiscales du comte : pour résister à l'administration tentaculaire du roi de France, le comte de Flandre avait dû renforcer sa propre administration et grossir les moyens de son gouvernement. Pesant sur un pays que les mauvaises récoltes avaient conduit à la misère et où l'inadaptation des productions menait au chômage, cette fiscalité avait sans peine fait l'union du petit peuple de la Flandre maritime contre tout ce qui avait plus ou moins le visage du pouvoir. Révolte de la médiocrité économique, le mouvement tournait à la révolte contre l'ordre social et contre les hiérarchies établies.

L'Église n'échappait pas à la fureur populaire. L'un des meneurs, Jacques Peyte, assurait qu'il pendrait de sa main jusqu'au dernier des prêtres.

Ce n'était donc pas la colère aveugle de misérables au bord de la famine. Les non-imposables se révoltent rarement contre l'impôt, et les manœuvres se préoccupent peu de changer la société. C'était bien plutôt l'action organisée des couches moyennes de la population urbaine et rurale, de ceux qui avaient connu les bienfaits de la prospérité et ressentaient durement les débuts de la récession, de ceux qui avaient quelque chose à défendre du fisc et quelque rôle à défendre dans la société : petits patrons et ouvriers indépendants, petits propriétaires paysans aux limites de la sécurité économique.

Comme trente ans plus tard face aux Jacques, les rivalités internes du monde féodal s'estompèrent. L'union des princes se fit contre les croquants. En 1328, voyant qu'il ne s'en sortirait pas tout seul, le comte de Flandre profita de l'hommage qu'il rendait à son nouveau seigneur Philippe VI pour lui demander son aide. Retrouvant, en juin 1328, le jeune roi à l'occasion du sacre, il renouvela sa plainte : bourgeois et manants bafouaient en Flandre l'ordre voulu par Dieu. Tout ce que le royaume comptait de barons était à Reims ; on en profita. Malgré les réticences de ceux qui gardaient souvenir d'expéditions vaines parce que improvisées, l'impétueux Philippe de Valois décida de marcher sur-le-champ contre les Flamands révoltés. On convoqua l'armée pour le mois suivant à Arras. La plupart des barons n'eurent même pas le temps de rentrer chez eux avant de prendre leur rang dans l'ost royal.

Philippe VI, lui, avait été prendre l'oriflamme à Saint-Denis. On exposa au-dessus de l'autel la châsse de saint Denis et celle de saint Louis. Le nouveau roi de France engageait ainsi, non sans solennité, l'avenir de sa couronne. L'enjeu, c'était la confiance que pouvaient avoir les princes, ses vassaux, dans ce qui avait toujours été la réciproque de la fidélité vassalique : la protection de leur seigneur.

Les insurgés furent attaqués de deux côtés à la fois. Fidèles au comte et au roi, les Gantois attaquèrent Bruges, immobilisant à la défense de cette ville une bonne partie des forces de l'insurrection. Le roi et le comte aggravèrent la panique en confiant aux maréchaux l'organisation d'un raid qui ravagea la Flandre occidentale, jusqu'aux portes de Bruges. Pendant ce temps, le gros de l'armée marchait sur Cassel.

Le 23 août, retranchés sur la hauteur — 157 mètres — du Mont-Cassel, les insurgés virent à la fois se déployer devant eux la force du roi et brûler à l'horizon leurs villages ; la « bataille » du roi comptait vingt-neuf bannières ; celle du comte d'Artois vingt-deux.

Ils avaient choisi comme chef un paysan, ou plutôt un petit propriétaire paysan, Nicolas Zannequin. Celui-ci voulut jouer au chevalier. Il envoya des messagers pour proposer au roi de fixer « jour de bataille ». On lui répondit par le mépris. Ils étaient « gens sans chef », étrangers aux hiérarchies du monde de la guerre. La subtile ordonnance de la bataille médiévale n'était pas pour eux. On les rosserait, tout bonnement.

Les maréchaux étaient rentrés. Il faisait une chaleur étouffante et le soir venait. Sans considération pour ces manants qui voulaient en découdre, on décida que la journée était finie et qu'il était grand temps de se dégourdir les jambes. Les chevaliers du roi délacèrent leurs armures, passèrent de belles robes et entreprirent de se rafraîchir.

Les insurgés profitèrent de ce qu'on ne faisait même pas attention à eux. A l'improviste, ils attaquèrent le camp royal. Avant qu'on eût donné l'alerte, ils se trouvèrent parmi les tentes.

Les soldats du roi, les « hommes de pied » recrutés et soldés étaient surpris en pleine sieste. Ils trouvèrent le salut dans une fuite où les aiguillonnait le souvenir du carnage fait à Courtrai aux dépens de leurs pères par les gens des métiers de Flandre. On retrouva l'infanterie royale, à peu près regroupée, le lendemain à Saint-Omer. Il était temps pour elle de revenir.

Car à Cassel la chevalerie française s'était vite ressaisie. Les premiers, ceux qui avaient une arme à portée de main avaient riposté à l'assaut des vilains. Les autres attrapèrent tant bien que mal qui un chapeau, qui une cuirasse. Coiffé d'un chapeau de cuir, le roi s'était porté à cheval sur le front de l'armée, où l'on voyait flotter au vent sa longue cotte bleue brodée de fleurs de lis d'or.

Les barons avaient perdu l'habitude de voir le roi de France payer de sa personne au fort de la bataille. Une telle attitude semblait imprudente aux conseillers de Philippe le Bel. Elle avait coûté si cher à saint Louis et à son royaume ! A Crécy d'abord, à Poitiers ensuite, l'avenir devait donner raison à Philippe le Bel et à ses conseillers. Mais en ce 23 août 1328, Philippe VI de Valois manifestait aux barons son mépris du danger. Au reste, la bataille de Courtrai avait été l'affaire du roi, engagé jusque-là par sa politique d'empiétements systématiques sur les prérogatives politiques des barons. Celle de Cassel était l'affaire de toute la féodalité. Ce qu'avait vécu le comte de Flandre depuis cinq ans, aucun des barons n'avait envie de le supporter à son tour. L'infanterie s'était débandée, la chevalerie sauva l'honneur. Elle y avait quelque intérêt et le savait fort bien.

La riposte française avait contraint les hommes de Zannequin à se former en cercle, coude à coude. C'était s'interdire tout repli. Menés par le comte de Hainaut, les chevaliers du roi entamèrent autour du cercle une charge tournante où les têtes volaient au bout des longues épées. En ce combat rapproché les arcs ne servaient de rien, et les couteaux tendus des piétons flamands étaient dérisoires contre les longues épées qui fauchaient au galop. L'un après l'autre, les rangs des insurgés s'effondrèrent en un amas de corps décapités.

De ceux qui avaient ainsi offert au roi de France la bataille, il n'y eut pas un survivant. Un vent de terreur passa sur les villes révoltées.

L'armée royale alla incendier Cassel. Ypres préféra ne pas attendre son tour et fit sa soumission. Bruges suivit. Le roi en avait assez fait : il laissa le comte de Flandre rétablir son autorité et regagna Paris. L'affaire se terminait dans le sang des exécutions capitales. Louis de Nevers y suffisait.

Philippe VI avait en effet à exploiter sa victoire, et pas seulement en Flandre. Pour peu qu'une habile propagande exploitât la chose, Cassel allait apparaître comme une sorte de « jugement de Dieu ». Philippe de Valois était bien le successeur du Philippe le Bel de Mons-en-Pévèle. Pour les barons comme pour le menu peuple, la victoire ajoutait à la légitimité du Valois. La fête qui marqua son retour fut à la mesure de l'enjeu.

Le roi de France à la couronne encore incertaine n'avait pas seulement remporté un succès de politique intérieure. Les malheureux insurgés de la Flandre maritime venaient, en une soirée, de procurer à Philippe VI une auréole de roi vainqueur, et il y avait là de quoi faire réfléchir le cousin d'Angleterre.

C'est cependant sur un tout autre plan que se situait le principal profit de la victoire, un profit combien plus appréciable, à long terme, dans la balance des destins politiques. A la tête de la féodalité française, Philippe VI de Valois venait, à peine sacré, de rendre son autorité à l'un de ses grands vassaux. Le comte de Flandre, l'un de ces princes traditionnellement jaloux du pouvoir souverain, avait eu recours à celui-ci. Et il s'en était trouvé bien : le roi avait joué son rôle de protecteur.

Protecteur de l'autorité bafouée, il s'était avéré celui de l'ordre aristocratique. Un peu partout, depuis quarante ans, le menu peuple des villes et parfois des campagnes était animé de soubresauts inquiétants. Les difficultés économiques ne cessaient de croître depuis ces étés pourris de 1315-1317 dont on semblait ne pouvoir se remettre. Bref, l'inquiétude gagnait ceux qui avaient à défendre leur état social, leur indépendance économique, leur droit à commander et à juger. Et voilà que le nouveau roi, en une journée, rétablissait l'ordre et rendait aux plus menacés l'espoir de la sécurité.

On était loin, en cette fin d'août 1328, de ces mouvements insurrectionnels dont la noblesse avait agité, en tant de provinces, les derniers mois du règne de Philippe le Bel et pratiquement tout le règne de Louis X. Il avait fallu, par ces chartes aux Normands, aux Champenois, aux Picards et à tant d'autres, rassurer la féodalité que ne laissait pas d'inquiéter la montée du pouvoir monarchique. Il avait fallu, pour voir la fin de ces mouvements, confirmer privilèges et coutumes, promettre la stabilité monétaire, jurer qu'on ne lèverait plus l'impôt que consenti. Pour avoir la paix, le Capétien avait dû céder à ses barons.

Face à une autre menace, autrement grave pour leur autorité, le roi de France apparaissait maintenant comme le garant de ces mêmes barons. Pour celui qui venait tout juste de recevoir d'eux sa couronne, une couronne au droit encore incertain, la chose avait son prix.

La fin des Capétiens.

Fils de roi (Philippe III), frère de roi (Philippe IV le Bel), oncle de rois (Louis X, Philippe V, Charles IV, Édouard II), gendre de roi (Charles Ier d'Anjou) puis gendre d'empereur (Baudouin de Courtenay, empereur de Constantinople), ainsi a-t-on parfois défini Charles de Valois pour le railler : fils, frère, oncle, gendre de rois, jamais roi. Charles de Valois avait vécu entouré de couronnes. Pour lui-même, il avait rêvé d'un royaume d'Aragon dans lequel, en 1285, il avait à peine eu le temps de se faire, avant la déroute, sacrer par un cardinal qui lui imposa son chapeau rouge, faute de couronne. Il avait rêvé de la couronne de Constantinople, et de celle du Saint-Empire romain germanique. Il avait été vicaire pontifical en Italie. Il avait gouverné Florence, dominé le conseil royal de ses neveux, conquis la Guyenne...

De tout cela, son fils aîné Philippe n'avait reçu en héritage que les comtés de Valois, d'Anjou et du Maine. A la mort de Charles de Valois, en 1325, la couronne de saint Louis était encore aux Capétiens.

Le droit dynastique avait cependant connu bien des avatars en une génération. Au début du siècle, encore, nul n'aurait eu l'idée de demander comment se transmettait la Couronne. Depuis Hugues Capet, le roi de France n'avait jamais manqué du fils grâce auquel la continuité était assurée. Louis VII, encore, avait usé en 1179 du vieux procédé de l'association, en faisant sacrer de son vivant son fils Philippe Auguste. Quarante ans plus tard, Philippe Auguste avait jugé l'hérédité suffisamment entrée dans les mœurs pour ne pas se soucier d'associer le futur Louis VIII. Il savait bien que nul ne contesterait à Louis VIII son droit à la Couronne.

De l'élection primitive, il restait un vestige, un simple souvenir liturgique plus qu'un geste politique : l'acclamation du roi par les grands, lors du sacre. On avait acclamé avant l'onction sacrée jusqu'à Louis VIII. Au sacre de saint Louis, en 1226, on acclama après l'onction. Ce qui faisait le roi, désormais, ce n'était plus la voix des barons.

Dans les fiefs, grands et petits, la succession féminine s'était cependant glissée à bien des reprises, faute d'héritier mâle. L'Aquitaine avait eu une duchesse — Aliénor — et des comtesses avaient régné sur Toulouse et sur la Champagne, aussi bien que sur la Flandre et sur l'Artois. Mahaut, comtesse d'Artois, siégeait précisément à la Cour des pairs depuis 1302.

Hors du royaume, on avait vu les femmes jouer un rôle déterminant dans la dévolution de la couronne anglaise aussi bien que de la couronne du royaume latin de Jérusalem. Et Jeanne de Navarre avait apporté son royaume de Navarre à son époux Philippe le Bel.

L'idée qu'une femme prenne place sur le trône de France n'avait en soi rien qui pût choquer profondément les barons. On ignorait qu'il y eût une loi salique. Le roi de France était un homme parce que les fils passaient avant les filles et qu'il y avait toujours eu un homme pour hériter la couronne de France.

Philippe le Bel allait sur ses quarante-cinq ans, que le problème de la masculinité ne l'avait pas encore préoccupé. Il avait trois fils, bien mariés, sans compter une fille, Isabelle, reine d'Angleterre par son mariage avec Édouard II.

L'aîné des fils, Louis le Hutin, était roi de Navarre depuis la mort de sa mère. Il devait être, à la mort de son père, roi de France et de Navarre. Sa femme, Marguerite de Bourgogne, lui avait donné une fille, mais elle était jeune et rien n'interdisait d'espérer des fils. Quant aux puînés, Philippe le Long et Charles le Bel, respectivement comtes de Poitiers et de la Marche, ils avaient épousé deux filles de Mahaut d'Artois et du comte Othon de Bourgogne, Jeanne et Blanche. Philippe le Bel pouvait croire sa succession assurée.

Tout s'effondra au printemps de 1314, quand éclata l'affaire des brus du roi. Un peu délaissées par leurs maris, les princesses s'étaient diverties sans eux. Marguerite de Bourgogne avait fait son amant d'un jeune chevalier nommé Gautier d'Aunay. Le frère de Gautier, Philippe d'Aunay, devint à son tour l'amant de Blanche d'Artois. Sans participer aux fredaines de sa sœur et de sa belle-sœur, Jeanne d'Artois était au courant de tout.

On sait la brutalité de la réaction royale : les frères d'Aunay jugés sommairement et exécutés avec un raffinement de cruauté, Marguerite de Bourgogne morte de froid dans la tour de Château-Gaillard, Blanche d'Artois purgeant dix ans de prison avant de finir ses jours en religion. Jeanne d'Artois elle-même mit quelque temps à se tirer d'affaire.

Pour la succession dynastique, le coup était dur. La mort de la reine Marguerite, délibérément provoquée, allait quand même permettre au roi de Navarre, héritier de la couronne de France, de se remarier. Mais, dans l'immédiat de cet été 1314, le futur roi de France était sans femme et sans fils. Tout juste avait-il une héritière, Jeanne, à qui on ne pouvait refuser l'héritage de cette Navarre venue au Capétien par une femme. Mais l'infidélité de Marguerite pouvait un jour justifier des doutes quant à la légitimité de Jeanne. Il y avait déjà là de quoi se préoccuper.

Pour ce qui était de la France, on ne pouvait songer à laisser régner la petite Jeanne. C'eût été prendre le risque d'une crise politique particulièrement grave. Quelque prince, pour légitimer sa révolte, pouvait être tenté d'accuser la reine de bâtardise. Dans l'été de 1314, Jeanne ne passait pas pour incarner au mieux l'avenir de la couronne de France.

La sécurité successorale s'effondrait. Philippe le Bel avait trois fils, mais pas un petit-fils. Et il avait moins de chances que six mois plus tôt d'en avoir un jour. L'heure approchait peut-être d'un choix entre les descendants en ligne féminine – à travers quelles alliances ? – et les cousins Valois ou Évreux.

La maladie frappa le roi à l'automne, sans lui laisser d'illusions. Il était trop tard pour prendre envers la couronne les dispositions successorales qui eussent requis du temps pour la réflexion et sans doute une assemblée de barons et de prélats pour le consentement qu'imposait la prudence. Le roi de Navarre allait hériter la France. Pour sa propre succession, il lui appartiendrait d'y pourvoir. Du moins Philippe le Bel mourant avait-il le moyen de faire connaître ses préférences dans un domaine où il statuait sans l'avis de quiconque : il innova dans le droit des apanages.

Un apanage, c'était un bien, et normalement un fief – duché, comté, seigneurie – que le roi démembrait de son domaine pour le donner à l'un de ses fils puînés, en avance sur l'heure de l'héritage. Il s'agissait de veiller à ce que le futur roi ne laissât pas dans le besoin ses frères que n'avantageait pas l'ordre des naissances. Louis VIII avait ainsi distribué l'Artois, le Poitou et l'Anjou. Moins généreux, saint Louis avait donné à l'un le Valois, à l'autre, le Perche, à un autre Clermont-en-Beauvaisis. Philippe III fit son deuxième fils comte de Valois, son troisième comte d'Évreux. Philippe le Bel avait déjà donné à ses puînés le Poitou et la Marche.

Par lettres patentes scellées le jour même de sa mort, le 29 novembre 1314, il révisa le statut de l'apanage de Poitou. Faute d'héritier mâle, le Poitou reviendrait à la couronne de France. La clause de masculinité faisait son apparition.

> Regardant qu'il pourrait advenir que le dit Philippe, ou aucun de ses hoirs ou successeurs comtes de Poitiers, pourraient mourir sans hoir mâle de leur corps, laquelle chose nous ne voudrions pas ni que la comté fût en main de femelle, sur ce avons ordonné ainsi comme il s'ensuit, c'est à savoir que, au cas que le dit Philippe ou aucun de ses hoirs comte de Poitiers mourrait sans laisser hoir mâle de son corps, nous voulons et ordonnons que la comté de Poitiers retourne à notre successeur roi de France et soit rejointe au domaine du royaume.

Louis X eut tout juste le temps de se remarier. Après dix-huit mois de règne, il mourut, le 5 juin 1316, laissant enceinte la nouvelle reine Clémence de Hongrie. L'enfant fut un fils, ce Jean Ier qui vécut cinq jours en novembre et dont la mort arrangea trop certains princes pour que le bon peuple ne parlât pas d'une mort étrange.

Entre-temps, le deuxième fils de Philippe le Bel avait fait valoir son droit. Philippe de Poitiers était à Lyon. Il revint en juillet et s'imposa tout de suite comme régent au « Conseil des Grands » qui s'était chargé à l'improviste du gouvernement dès la mort de Louis X. Une assemblée de princes, d'évêques et de barons le confirma dans cette « garde » du royaume. Si la reine accouchait d'un fils, Philippe aurait la régence pendant la minorité ; ainsi avait-on fait, jadis, pour Blanche de Castille. Mais l'enfant serait roi dès sa naissance.

Pour le cas où la reine donnerait le jour à une fille, l'assemblée se déchargeait de toute décision définitive sur une autre assemblée, qu'il faudrait réunir quand les filles seraient « venues à leur âge », c'est-à-dire à treize ans. La couronne de France demeurerait « en la garde » du régent jusqu'à ce qu'on sache... si les filles en voulaient. Plaisante question, quand on pense que le duc de Bourgogne, frère de Marguerite et oncle de la jeune Jeanne, protestait déjà au nom de sa nièce contre le fait qu'on ne lui remettait pas tout de suite la Champagne, ce grand fief qui faisait l'autre moitié de l'héritage de Navarre venu aux Capétiens par une femme.

En 1316, donc, on hésitait. On n'osait pas dire que Jeanne aurait le tout si elle n'avait pas de frère, mais on n'osait pas davantage dire qu'elle n'avait aucun droit. Qu'il y eût deux filles ou qu'il y en eût une — si l'autre mourait — ne changeait rien : on verrait plus tard qui, du régent ou de la princesse parvenue à ses treize ans, recevrait la couronne. Étonnante perspective d'interrègne, certes, mais moins étonnante pour des gens qui venaient de voir pendant un demi-siècle la couronne impériale vacante.

Philippe de Poitiers, lui, jouait le mouvement et se comportait comme si l'affaire était déjà gagnée. Avant même la naissance de Jean Ier, le régent passait à un graveur parisien commande d'un sceau royal, un sceau à l'effigie souveraine « en majesté », dont il pourrait user sans plus attendre si la reine accouchait d'une fille. Sinon, comment expliquer le fait qu'à la mort de Jean Ier le sceau de Philippe V se soit trouvé en un instant tout gravé ?

Cette mort de Jean le Posthume bouleversa tout. Il avait régné cinq jours ; donc il avait régné. Ce dont il allait être question n'était plus, en novembre, la succession de Louis X, tant bien que mal réglée par l'assemblée de juillet. Il s'agissait de la succession de Jean Ier, et, pour celle-ci, rien n'était prévu.

Depuis juin, un élément nouveau était apparu dans la conjoncture politique. Philippe le Long était, en juin, à deux semaines de marche de Paris. En novembre, il était là. Il assembla sur-le-champ les grands qu'avait attirés à Paris la naissance royale. A son oncle Charles de Valois et à son frère Charles de la Marche, qui renâclaient, il déclara qu'il se considérait comme « le plus droit héritier du royaume ». Dès la fin de novembre, il prenait le titre de roi et sortait du coffre son beau sceau tout neuf. Le 9 janvier, à Reims, il recevait l'onction.

Il manquait du monde à la cérémonie. Le duc de Guyenne Édouard II s'était excusé. Le duc de Bretagne s'excusa plus tard. Eudes de Bourgogne ne s'excusa pas : le duc avait quitté Paris avec fracas parce qu'on refusait de faire droit à sa nièce Jeanne. Pendant qu'on sacrait à Reims un roi dont il songeait à être le gendre, le duc de Bourgogne s'occupait de coaliser les mécontents et n'hésitait pas à comploter avec les rebelles flamands. On le calma, l'année suivante : Jeanne de Navarre, sa nièce, reçut une rente de quinze mille livres, et lui-même obtint pour sa fiancée, fille du nouveau roi, la promesse des comtés d'Artois et de Bourgogne dont le roi était naturellement héritier à la mort de sa belle-mère Mahaut.

On prit une précaution qui n'en était pas une : Jeanne de Navarre devait, à sa douzième année, ratifier ce traité qui la déshéritait de la Navarre et de la Champagne. Tout l'héritage de la première Jeanne de Navarre, la femme de Philippe le Bel, était donc soldé pour quinze mille livres.

Philippe V avait obtenu que la couronne fût détournée de la tête de sa nièce. La masculinité introduite par Philippe le Bel pour un apanage tendait ainsi à s'établir pour le royaume. Mais ce serait mal juger des situations que de supposer le problème résolu dès 1316. L'assemblée de juillet n'avait rien tranché. Moins nombreuse et moins organisée encore, celle de novembre ne s'était inclinée que devant une situation de fait : Philippe de Poitiers était déjà au pouvoir.

Jeanne avait le tort d'être une fille, mais elle avait aussi celui d'être une enfant. Peut-être avait-elle de surcroît celui d'être fille d'une reine adultère. Philippe de Poitiers avait pour lui d'être un homme fait, capable du métier de roi. Son père l'avait introduit aux affaires. A la guerre comme dans les arcanes de la diplomatie royale, il s'était fait connaître des princes. L'homme était intelligent, fin, volontaire. Il avait su y faire.

Charles de la Marche, le troisième fils de Philippe le Bel, avait été hostile à l'avènement de Philippe V. Avec un frère comte, il eût pu rivaliser pour dominer le Conseil d'une reine-enfant. Il ne pouvait songer qu'à un rôle effacé dans le Conseil d'un frère roi. Il n'en succéda pas moins à ce frère, en 1322, selon le même principe. Philippe V laissait quatre filles ; nul ne songea à faire de l'une d'elles une reine de France. Charles le Bel prit la couronne comme si la chose allait de soi. Nul ne pipa mot.

Six ans de règne, et l'histoire de se renouveler. Lorsqu'il mourut, le 1er février 1328, Charles IV laissait une veuve — sa troisième femme — enceinte de sept mois. Il avait pris ses dispositions : si la reine lui donnait un fils posthume, celui-ci serait roi sous la régence du cousin Philippe de Valois ; si l'enfant était une fille, les pairs et les grands barons choisiraient pour roi celui dont le droit leur semblerait le meilleur. On ne saurait mieux se laver les mains...

Philippe de Valois.

La situation de 1328 n'est pas l'exact reflet de celle de 1316. A cette date, Philippe de Poitiers était à la fois le plus proche parent adulte, le plus proche parent mâle et le plus âgé des proches parents. Charles était plus jeune, Isabelle encore plus jeune, Jeanne une enfant. Les autres n'étaient que des cousins.

En 1328, Philippe de Valois n'est ni le plus proche sur l'arbre généalogique — c'est Isabelle, reine d'Angleterre — ni le plus direct, car les derniers Capétiens ont laissé des filles, qui ont maintenant des époux. Mais le comte de Valois est le plus proche parent mâle, et il a trente-cinq ans. Il est l'aîné des hommes de la famille, et c'est bien ainsi que tous le considèrent. Il passe pour sage. Il a bonne réputation de chevalier courageux. Soucieux du droit des autres comme du sien, il a l'estime des barons, qui se reconnaissent assez bien en lui.

Au lendemain des obsèques de Charles IV, les grands se réunissent. Déjà, semble-t-il, Valois a pris le titre de régent. Peut-être même en usait-il pendant que son royal cousin agonisait. L'assemblée, dans son ensemble, ne peut que s'incliner devant les faits.

Dès ce moment, les juristes que l'on consulte ne manquent pas de manifester leur hésitation : l'exclusion délibérée des femmes est-elle vraiment fondée ? Parmi les docteurs en droit civil ou en droit canonique qui siègent avec les grands du royaume, d'aucuns lancent un nouveau nom dans le débat : Édouard III, roi d'Angleterre n'est pas seulement le petit-fils de Philippe le Bel, il en est le seul descendant mâle. Le Valois n'est que le neveu de Philippe le Bel...

On trouve, naturellement, moyen de réfuter l'argument. Si les femmes avaient droit à la couronne, la fille de Louis X aurait pour elle l'aînesse. Or on l'a écartée. Si les femmes n'ont pas droit à la couronne, ainsi qu'il semble, comment Édouard III tiendrait-il de sa mère un droit que celle-ci n'a pas ?

Et puis, si l'on admet le droit d'Édouard III, la confusion sera bientôt complète. On verra bientôt se dresser contre lui les fils que ne manqueront pas d'avoir les filles de Louis X, de Philippe V et de Charles IV. Né quatre ans plus tard, le fils de l'une d'elle, Charles le Mauvais, rappellera souvent aux dépens de Jean le Bon sa qualité de petit-fils de Louis X.

Au vrai, on s'attarde assez peu à disputer de la chose. L'essentiel est ailleurs : les barons français ne veulent pas d'un prince étranger, petit-fils de France ou non. Qu'importe s'il parle le français mieux que l'anglais ! On pourrait en dire autant de bien des rois, familiers de la cour parisienne.

> Il n'avait jamais été vu ni su que le royaume de France eût été soumis au gouvernement du roi d'Angleterre.

Ajoutons ce que taisent les barons dans leurs assemblées, mais non dans leurs conciliabules. Ils ne refusent pas un roi. Ils savent bien qu'il en faut un. Mais un roi trop puissant n'est pas ce que cherchent des féodaux ligués, quinze ans plus tôt, contre les abus de la monarchie. Car la situation d'Édouard III est paradoxale. Il a été porté au trône d'Angleterre, un an plus tôt, par une révolte qui allait se conclure par l'assassinat de son père Édouard II. Encore bien jeune – dix-sept ans – pour assumer réellement le pouvoir, il est totalement dominé par sa mère, Isabelle de France, une femme à la forte personnalité, et par un baron que tout le monde sait être l'amant de la reine, Roger Mortimer. Or le baronnage français a été

L'HÉRITAGE

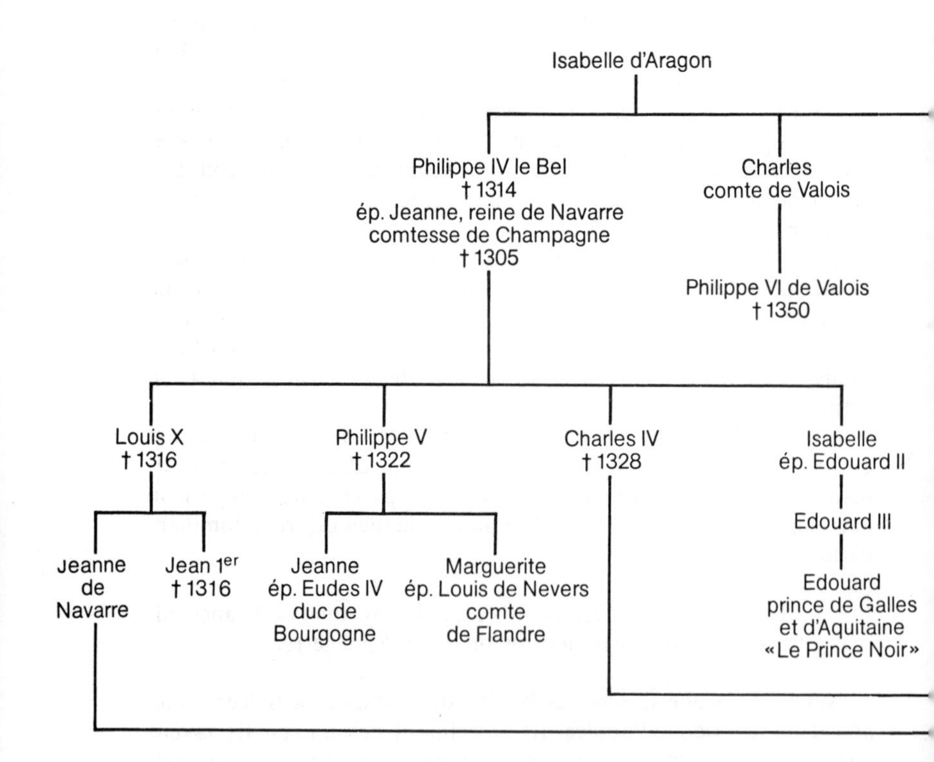

Isabelle d'Aragon
Philippe IV le Bel
† 1314
ép. Jeanne, reine de Navarre
comtesse de Champagne
† 1305
Charles
comte de Valois
Philippe VI de Valois
† 1350
Louis X
† 1316
Philippe V
† 1322
Charles IV
† 1328
Isabelle
ép. Edouard II
Edouard III
Edouard
prince de Galles
et d'Aquitaine
«Le Prince Noir»
Jeanne
de
Navarre
Jean 1er
† 1316
Jeanne
ép. Eudes IV
duc de
Bourgogne
Marguerite
ép. Louis de Nevers
comte
de Flandre

DE FRANCE

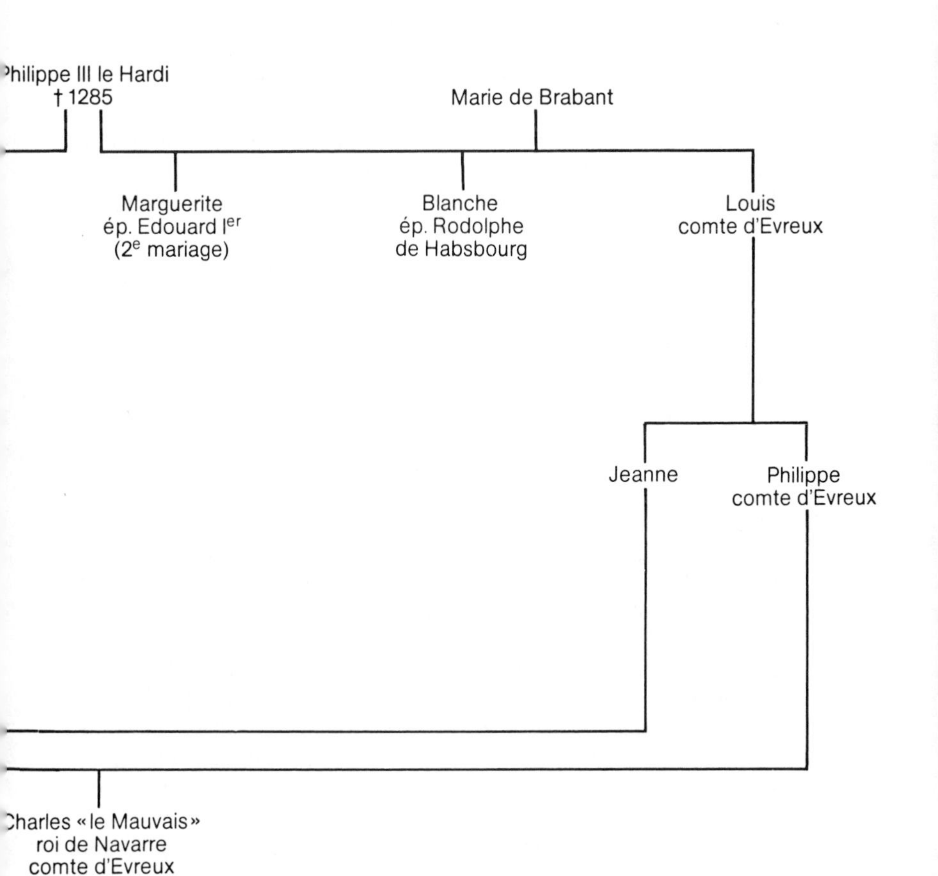

Philippe III le Hardi
† 1285
Marie de Brabant
Marguerite
ép. Edouard Ier
(2e mariage)
Blanche
ép. Rodolphe
de Habsbourg
Louis
comte d'Evreux
Jeanne
Philippe
comte d'Evreux
Charles «le Mauvais»
roi de Navarre
comte d'Evreux

témoin, à Paris, d'une liaison qu'Isabelle ne cherchait même pas à cacher, et il s'en est offusqué.

En bref, Édouard III est trop faible pour revendiquer avec quelque chance de succès la couronne de son grand-père Philippe le Bel, mais il est virtuellement trop puissant pour que les féodaux français puissent voir leur intérêt dans l'union des deux couronnes de France et d'Angleterre sur la tête de ce faible jeune homme.

Les grands assemblés en février 1328 trouvent donc plus naturel de choisir en leur sein. Les candidats à l'héritage n'y manquent pas, mais nul ne songe vraiment à s'opposer au comte Philippe de Valois. Des mâles en ligne masculine, il est l'aîné : il est fils de Charles qui se disait dans ses actes « fils de roi de France, comte de Valois ». Dès lors qu'on a exclu la fille de Louis X en 1316, Philippe de Valois succède en 1328. L'archevêque Jean de Marigny — frère de cet Enguerran pendu en 1315 — le dit sans ambages devant tous les prélats et barons en mal de justification, adaptant l'Évangile à l'héraldique en une figure de rhétorique familière de la scolastique :

Les lis ne filent pas.

L'enfant qu'on attendait fut une fille. On pouvait croire que Philippe de Valois allait se trouver roi par le fait même. Il n'en fut rien, et le régent dut encore, en avril, négocier avec les barons. Peut-être mit-il dans cette ultime négociation, dont l'enjeu était cette fois assuré, plus de prudence encore qu'en février. Il était cependant sans inquiétude : au moment où la reine veuve allait accoucher, il se risquait à voyager en Normandie.

A ce régent que nul n'a vraiment discuté, la couronne coûte encore des concessions en terres et en argent, la promesse d'une intervention en Flandre — ce sera Cassel — et celle d'une prompte répression des abus administratifs, ces mêmes abus dont Philippe le Bel promettait jadis la correction pour obtenir l'adhésion du royaume à sa lutte contre le pape Boniface VIII. En ces jours où, pour la première fois depuis 987, la couronne de France est vraiment l'objet d'une sorte d'élection, le prétendant se fait prudent. Ce n'est pas lui qui, comme naguère son cousin Philippe V, commanderait prématurément la fabrication d'un sceau royal à son nom. Il attendra d'être sacré à Reims, le 29 mai 1328, pour substituer au sceau gravé deux ans plus tôt à la mort de son père Charles — on y voyait le comte de Valois à cheval, l'épée haute — une matrice toute neuve à l'effigie du souverain, en majesté sur son trône gothique.

Édouard III et ses quelques partisans ne se sont fait aucune illusion. La France veut un roi « natif du royaume ». Mais il n'oublie pas. Il commence de parler du jour où il pourra recouvrer ses « droits et héritages ». Dès le mois de mai 1328, il fait rappeler à Philippe VI qu'il est « droit héritier » du royaume de France. Ensuite, il lui faut céder : c'est l'hommage prêté à Amiens pour la Guyenne. Édouard sauve par cet hommage ce qui lui reste de Guyenne, mais il reconnaît par là son cousin Valois comme roi de France.

Lorsque, des deux côtés de la Manche, on se sentira glisser vers la guerre, Édouard et son entourage se reprendront à invoquer les droits du fils d'Isabelle de France. Le Parlement réuni à Nottingham en septembre 1336 évoquera la nécessité de défendre les droits du roi. La « loi des mâles » n'est pour rien dans cette marche à la guerre, mais elle va procurer plus qu'un prétexte : une justification.

Notons qu'à ce moment de l'affaire, personne n'a encore eu l'idée saugrenue d'invoquer la vieille loi des Francs saliens, bien oubliée des juristes eux-mêmes. De ce texte, révisé pour la dernière fois au temps de Charlemagne, rien ne concernait l'organisation de la puissance publique. Comme toutes les lois « barbares », comme celle des Visigoths ou comme celle des Burgondes, la loi des Francs posait les bases des relations sociales, organisait le régime des biens, tarifait les amendes et les compositions pécuniaires – les dommages-intérêts – par quoi devaient se terminer les affaires les plus diverses, du meurtre au vol de chevaux, de l'éborgnement aux fiançailles rompues. A l'article qui traite de la dévolution successorale de la terre « libre », il était dit que les femmes étaient exclues. Le premier qui s'en souvint et l'appliqua à la couronne de France fut, aux lendemains de la défaite de Poitiers, un chroniqueur en mal d'originalité.

L'héritage de Navarre.

Pour le reste de l'héritage, cependant, c'est-à-dire pour la Navarre et la Champagne, les princes français ne s'accommodent pas aussi facilement de laisser faire le Valois. A la mort de Louis X et à celle de Philippe V, on a préféré le frère à la fille. Charles IV, qui vient de mourir en 1328, a été roi de France et de Navarre. Mais la fille de Louis X a grandi depuis qu'en 1316 les grands du royaume de France l'ont écartée de tout l'héritage. Elle a renoncé, elle a été indemnisée. Mais elle n'a pas confirmé, à sa majorité, son renoncement à la Navarre, renoncement qui n'était pourtant que provisoire.

Si les filles héritent en Navarre – comment dire le contraire ? – elle est l'aînée des petites-filles de la reine Jeanne de Navarre, l'épouse de Philippe le Bel. Et elle a maintenant un mari capable de se muer en champion : son cousin Philippe d'Évreux, fils du second frère de Philippe le Bel. Si la branche des Valois s'éteignait, Philippe

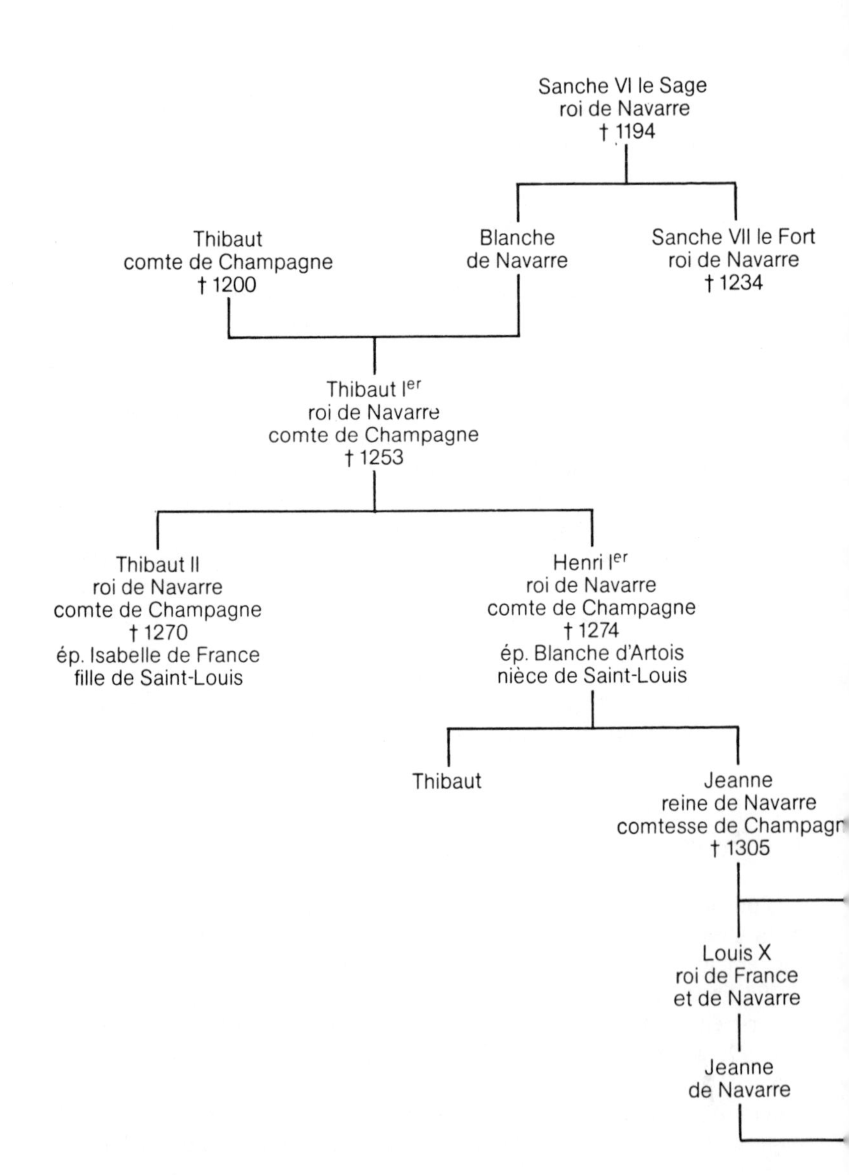
Sanche VI le Sage
roi de Navarre
† 1194
Thibaut
comte de Champagne
† 1200
Blanche
de Navarre
Sanche VII le Fort
roi de Navarre
† 1234
Thibaut Ier
roi de Navarre
comte de Champagne
† 1253
Thibaut II
roi de Navarre
comte de Champagne
† 1270
ép. Isabelle de France
fille de Saint-Louis
Henri Ier
roi de Navarre
comte de Champagne
† 1274
ép. Blanche d'Artois
nièce de Saint-Louis
Thibaut
Jeanne
reine de Navarre
comtesse de Champagn
† 1305
Louis X
roi de France
et de Navarre
Jeanne
de Navarre

DE NAVARRE

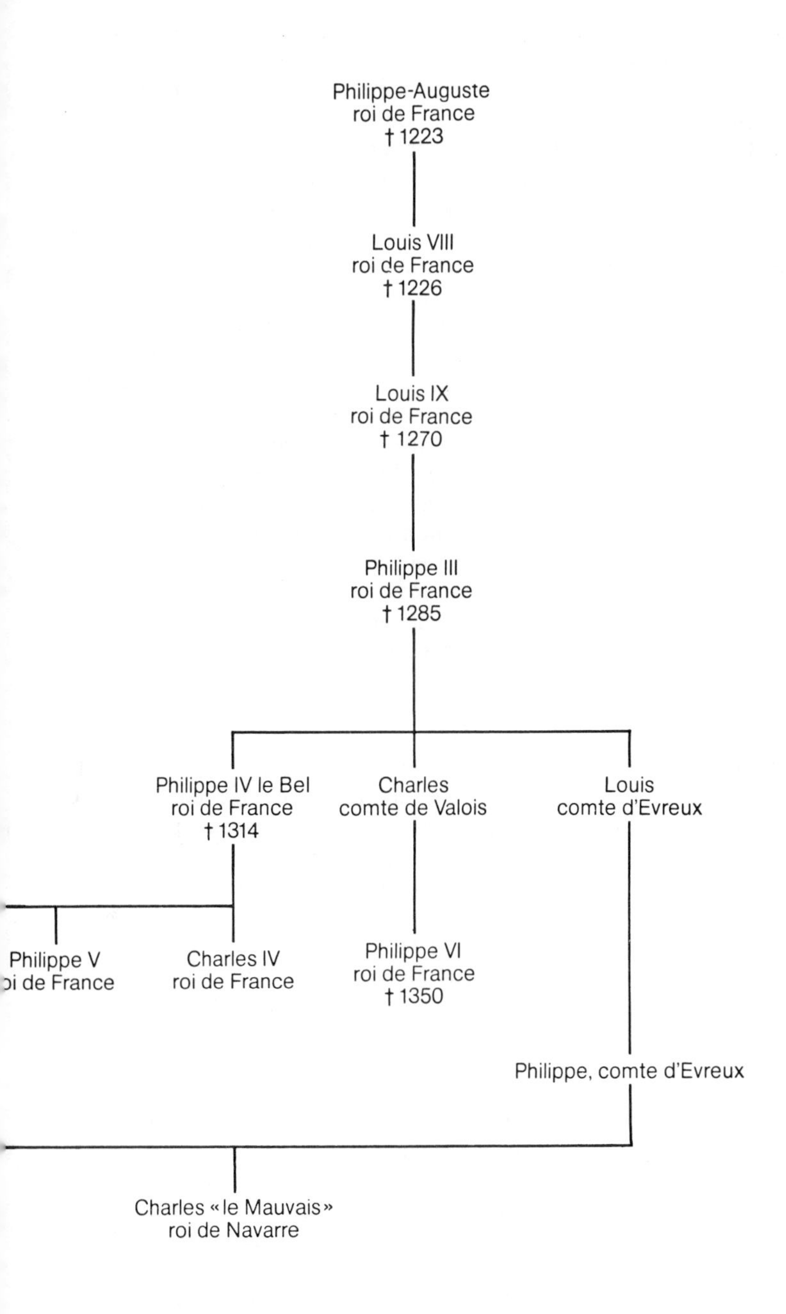
Philippe-Auguste
roi de France
† 1223
Louis VIII
roi de France
† 1226
Louis IX
roi de France
† 1270
Philippe III
roi de France
† 1285
Philippe IV le Bel
roi de France
† 1314
Charles
comte de Valois
Louis
comte d'Evreux
Philippe V
oi de France
Charles IV
roi de France
Philippe VI
roi de France
† 1350
Philippe, comte d'Evreux
Charles « le Mauvais »
roi de Navarre

d'Évreux serait l'aîné des mâles. Alors que, pour la première fois depuis Hugues Capet, la couronne de France se transmet par cousinage, Philippe d'Évreux enrage de n'être que le second des cousins. Au moins en va-t-il différemment pour la Navarre et la Champagne.

Contre Philippe d'Évreux et sa femme, il y a le chœur des filles de Philippe V et de Charles IV. Ces rois ont, eux aussi, été rois de Navarre, et leurs filles n'ont pas renoncé, comme l'a fait Jeanne ou plutôt comme on l'a fait pour elle, à l'héritage navarrais de leur père et de leur grand-mère. Dans la longue série des petites-filles de la reine Jeanne qui porta la Navarre chez les Capétiens, vaut-il mieux être l'aînée, ou vaut-il mieux être la fille de celui qui a régné en dernier ? Naturellement, les filles des deux derniers Capétiens s'entendent à rappeler qu'elles n'ont pas, comme Jeanne, été indemnisées.

Ces filles ont des champions. Eudes, duc de Bourgogne, a épousé l'aînée des filles de Philippe V et met son influence dans la balance. Tout le monde sait que la mère du duc était fille de saint Louis : dès lors qu'on parle du droit des femmes, Eudes de Bourgogne et sa femme cumulent les titres. Quant aux enfants du dernier roi, Charles IV, ils ont pour champion leur propre mère, la reine Jeanne d'Évreux, troisième femme du malheureux mari jadis berné par Blanche d'Artois. On voit donc apparaître ici d'un autre côté cette famille d'Évreux qui devient, avec l'avènement des Valois, la première branche collatérale de la maison de France mais qui porte, par ses alliances matrimoniales, les couleurs des Capétiens directs.

Dans tout cela, on a fort peu parlé des Navarrais. Or la capitale de la Navarre, c'est Pampelune, non Paris. Las d'être objets de marchandages à Paris, les Navarrais sont avant tout désireux d'avoir de nouveau un souverain à part entière. Ils ne peuvent concevoir la Navarre comme une annexe de la France.

Alors qu'on s'arrangeait sans eux, les barons navarrais font savoir qu'ils récusent tous les règlements successoraux échafaudés depuis 1316. En tout état de cause, ils ne prêteront hommage, disent-ils, qu'à la fille du fils aîné de leur ancienne reine. Sans exception, les Navarrais sont pour Jeanne et son mari Philippe d'Évreux.

Ils ne peuvent guère s'interroger sur le principe de la succession féminine. Une reine a porté la Navarre en France. Si sa descendance n'est assurée que par une fille, qu'importe ? Jeanne la jeune est aussi capable que sa grand-mère Jeanne. Ce qui pousse la France vers la masculinité, c'est-à-dire la crainte d'un passage hasardeux de la couronne en des familles imprévisibles, la Navarre n'en est plus à le craindre. La France ne veut pas avoir pour roi un étranger ? La Navarre, elle, est bien passée, en un siècle, aux Champenois, puis aux Capétiens...

Il y a plus, cependant. Reine de France, Jeanne de Navarre a continué de s'occuper des affaires champenoises, mais on ne saurait dire qu'elle ait gardé beaucoup de son temps pour la Navarre. La femme de Philippe le Bel pouvait de Paris régner sur Troyes, non sur Pampelune. Son fils Louis X a hérité les deux royaumes mais s'est surtout soucié de la France. Les barons de Navarre en ont assez d'être une dépendance de la Couronne de France. Les Champenois, eux, étaient venus s'établir dans leur royaume d'outre les Pyrénées. Avec la dynastie française, la Navarre risque de n'être plus qu'un morceau de France. Lorsqu'ils manifestent leur choix en faveur des Évreux, les Navarrais se cherchent un roi à plein temps, et un roi qui doive à sa couronne navarraise d'être roi.

Philippe VI peut transiger sur la Navarre, non sur la Champagne. Il y a un siècle à peine, les comtes de Champagne faisaient planer la plus grave des menaces sur le domaine royal, et la moindre alliance des Champenois mettait en danger la Couronne. Que le même prince soit le comte de Champagne et le premier des barons normands, voilà ce que le nouveau roi de France ne peut accepter. Tant pis pour la Navarre, la sécurité de Paris est à ce prix.

Le grand conseil assemblé en avril 1328 à Saint-Germain-en-Laye procède donc à une division de l'héritage navarrais : les Évreux auront la Navarre – avec une couronne royale qui n'est pas sans faire plaisir à ceux qui ont vu passer si près d'eux la couronne de France – et le Valois gardera la Champagne et la Brie, à charge d'une compensation.

Philippe VI a levé la menace d'un voisin dangereux à l'est. Mais il y avait jusqu'ici un vassal du roi de France à la vassalité problématique parce qu'il était lui aussi roi, hors du royaume de France : c'était Édouard III. Il y en a maintenant un second. Le plus grand des barons normands est lui-même roi.

Quant aux Évreux, ils ont grandement tort d'accepter que la compensation ne soit pas immédiatement fixée. Ils échangent la Champagne et la Brie contre l'incertain. Lorsqu'en 1336 on donnera un contenu à cette compensation, on la verra se réduire à la baronnie normande de Mortain et, pour un temps seulement, au comté d'Angoulême. Le fils de Philippe d'Évreux et de Jeanne de Navarre se souviendra un jour d'avoir été volé. Ce fils, qui regrettera d'être né trop tard pour avoir part à l'héritage capétien, portera pour l'histoire le nom de Charles le Mauvais.

Né en 1332, Charles d'Évreux sera comte d'Évreux à la mort de son père : par lui, il est petit-neveu de Philippe le Bel. Il sera roi de Navarre à la mort de sa mère : il est par elle petit-fils de Louis X. Descendant en ligne masculine de Philippe III, tout comme Philippe VI de Valois, il est plus lié que celui-ci, en ligne féminine, aux derniers Capétiens. Tant qu'on s'en tient à la masculinité, il n'aura rien à dire. Si l'Anglais met celle-ci en doute, Charles d'Évreux-Navarre se glissera dans la brèche.

ROBERT D'ARTOIS.

L'affaire d'Artois, cependant, procure à Philippe VI un ennemi nouveau, totalement étranger aux rivalités qui se manifestent autour de la couronne de France, mais porté à s'en mêler pour venger sa propre frustration.

Mort à la bataille de Courtrai en 1302, Robert II d'Artois, le neveu de saint Louis, laissait une succession douteuse pour la seule raison que son fils Philippe l'avait précédé dans la tombe. Au lieu de ce fils – mort à la bataille de Furnes en 1298 – qui l'eût emporté sans contestation possible sur sa sœur Mahaut, Robert n'avait pour héritier mâle qu'un petit-fils, lui-même appelé Robert. Nul, à la Cour du roi, ne soutenait ce garçon de quinze ans.

Mahaut, en revanche, était l'épouse du précieux Othon IV de Bourgogne, ce prince désabusé qui allait laisser le Capétien mettre la main, presque sans coup férir, sur cette terre d'empire inespérée qu'était la comté de Bourgogne, autrement dit la Franche-Comté. On avait besoin d'Othon, Mahaut était déjà puissante, et saint Louis, en le donnant à son frère Robert, n'avait nullement stipulé que l'apanage d'Artois fût réservé aux mâles. On sait qu'une telle clause n'apparaît dans le droit dynastique français que, pour le Poitou, le jour de la mort de Philippe le Bel.

Le droit, même, semble favorable à Mahaut. La coutume d'Artois ignore la représentation du fils héritier par le petit-fils. Le survivant des enfants, fille ou garçon, l'emporte. Le roi et les pairs se trouvent donc d'accord pour donner l'Artois à Mahaut et pour laisser son neveu Robert se contenter d'un comté qui en était à peine un : Beaumont-le-Roger.

Depuis, Robert d'Artois n'a pas manqué une occasion de se déclarer spolié. En 1316, dans le grand mouvement d'agitation féodale, il est à la tête des barons d'Artois en lutte contre la comtesse. De Philippe V, avec qui il fait sa paix, il obtient même une enquête, qui aboutit fâcheusement à confirmer la décision de 1302 : la Cour des pairs, en mai 1318, déboute à nouveau Robert de ses prétentions au comté.

Le neveu de Mahaut n'est encore qu'un mécontent. Pour l'essentiel, c'est en prince français qu'il se comporte, et en loyal vassal de ses cousins capétiens. Philippe V a beau être le gendre de Mahaut, il charge Robert d'Artois de diverses missions. Charles IV, à son tour, le comble de faveurs et de cadeaux. Un brillant mariage a fait de lui, en 1318, le gendre de Charles de Valois et de feue Catherine de Courtenay, l'héritière du titre impérial de Constantinople. Robert d'Artois est donc le beau-frère de ce Philippe de Valois qui monte sur le trône en 1328.

Il est d'ailleurs de ceux qui ont porté bien haut les couleurs du comte de Valois au Conseil de février 1328. Philippe VI s'en souvient : il le fait pair de France, il lui donne pension sur pension. Au Conseil, Robert d'Artois est écouté. Dans l'entourage royal, il passe pour l'homme qui a l'oreille du roi. Pour l'opinion publique, il est l'ami du roi, son compagnon. Il pourrait se contenter d'une telle position.

Robert juge, bien au contraire, que le moment est venu de reprendre sa vieille querelle contre sa tante Mahaut. Celle-ci l'a naguère emporté, juge-t-il, par la faveur. La faveur a tourné. Les temps sont propices. De surcroît, il y a du nouveau dans un domaine où la coutume fait la loi – n'a-t-on pas invoqué, en 1302, la coutume d'Artois pour évincer Robert ? – et où les précédents font la coutume. Le comte de Flandre Robert de Béthune vient de laisser son comté à Louis de Nevers, l'aîné de ses petits-fils, non à ceux de ses fils qui ont survécu à leur aîné. Robert d'Artois peut légitimement penser que la coutume sera désormais marquée, pour lui-même, de ce précédent si proche dans le temps comme dans l'espace.

Ce nouvel épisode présente tous les aspects d'un conflit féodal : alliances entre les princes, intervention du suzerain, jugement de la Cour. Robert a mis de son côté le duc de Bretagne et le comte d'Alençon, frère du roi. C'est un atout. Il s'est acoquiné avec ceux que l'autoritarisme de Mahaut a jetés, en Artois même, dans une sorte de complot permanent.

Une ancienne amie du puissant conseiller de Mahaut, Thierry d'Hirson, offre à point ses services. Elle s'appelle Jeanne de Divion. Dans le procès qui s'annonce, Robert d'Artois va devoir prouver qu'au mariage de son père Philippe le comte Robert II a manifesté sa volonté que la succession d'Artois aille à la descendance de Philippe plutôt qu'à celle de Mahaut. Jeanne de Divion s'offre à procurer les témoins.

Pour leur défense, plus tard, ces témoins diront tous qu'ils ont hésité à refuser un témoignage au prince qui leur semblait toutpuissant auprès du roi.

La mort de Mahaut, en novembre 1329, précipite les choses. Philippe VI prend le comté d'Artois sous sa garde, en attendant de rendre, la Cour assemblée, une sentence définitive que tout laisse prévoir favorable à Robert. C'est d'ailleurs un baron délibérément brouillé avec la vieille comtesse, Ferri de Picquigny, que le roi

L'HÉRITAGE

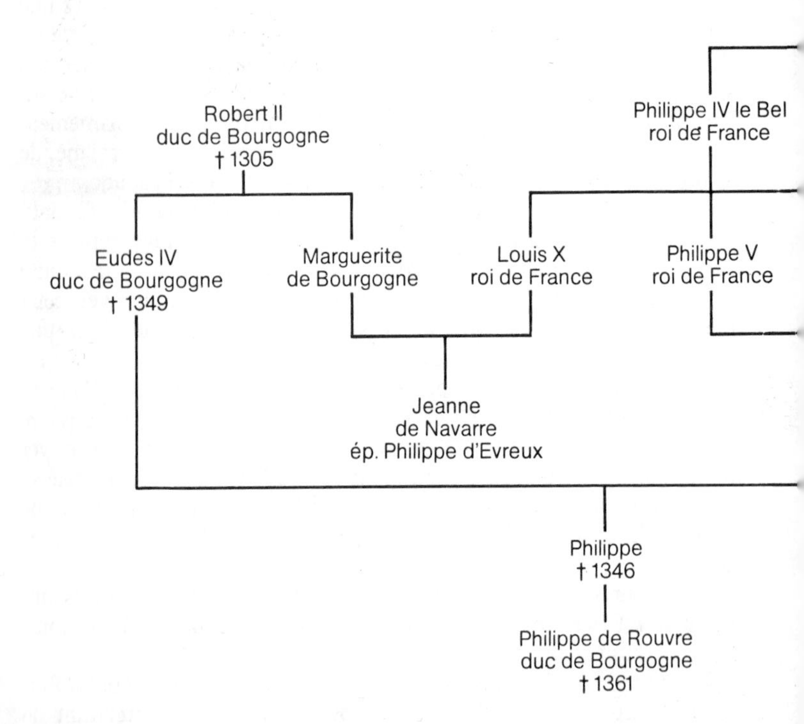

Robert II
duc de Bourgogne
† 1305
Philippe IV le Bel
roi de France
Eudes IV
duc de Bourgogne
† 1349
Marguerite
de Bourgogne
Louis X
roi de France
Philippe V
roi de France
Jeanne
de Navarre
ép. Philippe d'Evreux
Philippe
† 1346
Philippe de Rouvre
duc de Bourgogne
† 1361

’ARTOIS

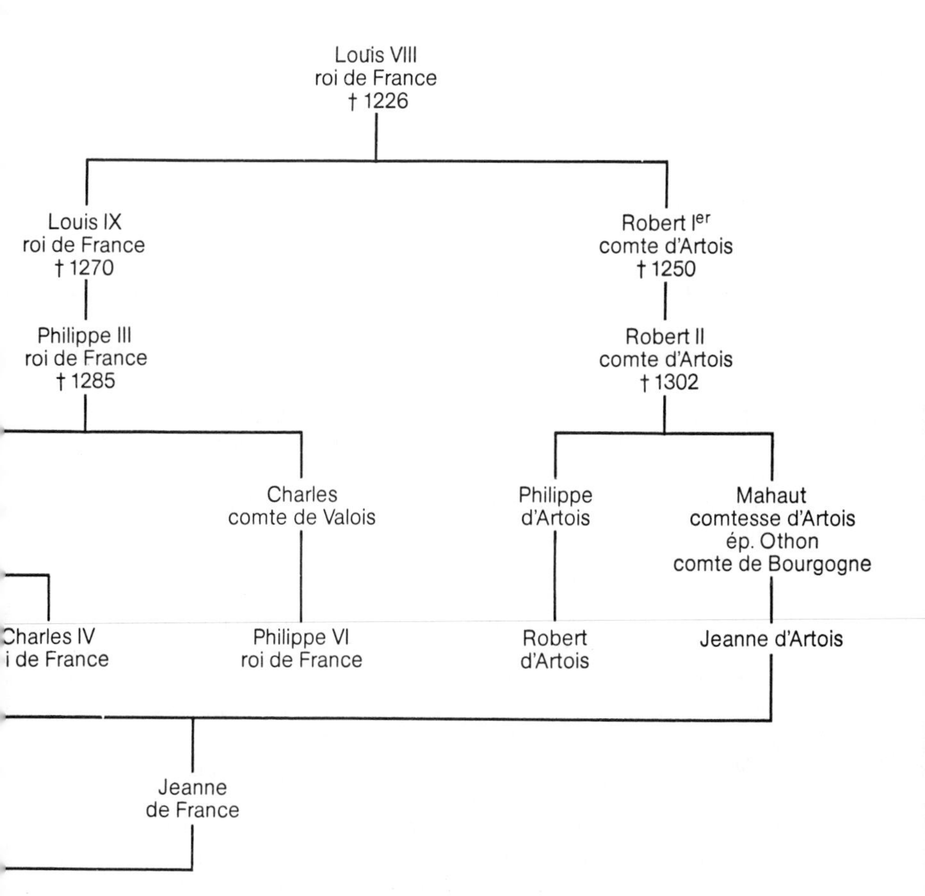

Louis VIII
roi de France
† 1226
Louis IX
roi de France
† 1270
Robert Ier
comte d'Artois
† 1250
Philippe III
roi de France
† 1285
Robert II
comte d'Artois
† 1302
Charles
comte de Valois
Philippe
d'Artois
Mahaut
comtesse d'Artois
ép. Othon
comte de Bourgogne
Charles IV
i de France
Philippe VI
roi de France
Robert
d'Artois
Jeanne d'Artois
Jeanne
de France

nomme gouverneur de l'héritage en instance. Quant à l'héritière de Mahaut, c'est la veuve de Philippe V, cette Jeanne d'Artois jadis impliquée dans l'adultère de ses sœur et belle-sœur ; elle est admise à prêter un hommage provisoire, d'autant plus provisoire qu'elle meurt peu après. Et d'aucuns d'opiner que cette mort arrange fort à point les affaires de Robert.

En fait, la mort de Jeanne d'Artois conforte surtout le principal adversaire de Robert à la Cour des pairs : le duc de Bourgogne, dont la femme, fille de Philippe V, devient héritière d'Artois si Robert est à nouveau débouté.

L'affaire est à ce point embrouillée et divise à ce point la Cour que Philippe VI envisage un moment de s'en tirer de la pire manière : en gardant pour lui l'Artois et en indemnisant tous les ayants droit, Robert d'Artois et Eudes de Bourgogne. En refusant l'impôt nécessaire au paiement des indemnités, les états d'Artois bloquent tout. Il est bien évident que la population ne gagnerait rien à une telle solution.

Force est donc d'en finir avec le procès, puisque le compromis se révèle impossible, faute d'argent. On reprend la procédure. Le 14 décembre 1330, les clercs du Parlement font à l'audience l'expertise des documents fournis par Robert d'Artois à l'appui de ses dires : ils sont faux. Des faux grossiers. Le faussaire est vite dénoncé : c'est Jeanne de Divion.

On devine le tollé. Les plus fermes appuis de Robert baissent la garde. Le roi, sur-le-champ, l'abandonne. On entend triompher le duc Eudes de Bourgogne et son beau-frère Louis de Nevers, le comte de Flandre. La Cour, jugeant au civil, rend immédiatement un premier arrêt : Robert d'Artois n'a aucun droit sur l'héritage de son grand-père. Pour la troisième fois, il a perdu.

Mais une action au criminel commence maintenant, qui offre à tous les pêcheurs en eau trouble l'occasion d'un vaste déballage de ragots et de rancœurs. L'issue d'un tel procès était prévisible, car la confection de faux actes royaux est un crime de lèse-majesté. Si la justice du roi ne sanctionne pas avec la plus grande sévérité l'introduction dans les rapports sociaux d'actes royaux faux ou falsifiés, où sera la crédibilité du sceau royal ? Le roi ne peut transiger avec ceux qui ruinent l'un des moyens essentiels d'expression de sa puissance souveraine : la juridiction, qui se traduit par le scellement d'actes authentiques. Le 6 octobre 1331, Jeanne de Divion monte sur le bûcher.

On ne pouvait éviter de citer à comparaître Robert d'Artois. Il a vu le danger et a préféré s'éclipser. Au reste, il est désormais seul. A tort ou à raison, la production de faux passe pour l'aveu d'une cause indéfendable. Bien rares sont ceux qui, tels l'abbé de Vézelay, font savoir au prince maladroit que, faux documents ou pas, son droit sur l'Artois demeure fondé.

Robert est également ruiné. Il se targue peut-être d'obtenir sans peine du crédit de quelques financiers de la place de Paris. Les bourgeois en question se pressent d'aller assurer le roi qu'il n'en est rien.

En voulant trop prouver, Robert d'Artois a scellé son malheur. Le 6 avril 1332, la Cour des pairs le condamne au bannissement. Seul parmi tous les pairs, le duc de Bretagne Jean III a voté contre la sentence.

Dans l'immédiat, la déconfiture de l'arrière-petit-neveu de saint Louis ne saurait avoir d'effet sur les relations franco-anglaises. Édouard III a cédé sur la question de l'hommage, ce qui signifie qu'il a abandonné toute revendication sur la couronne de France. Il s'est reconnu, pour son duché aquitain, ou pour ce qu'il en reste, l'homme lige de son cousin Philippe VI. Or il est une place à prendre dans le Conseil du roi de France : celle, prééminente, qu'occupait jusqu'ici Robert d'Artois. On comprend que les grands barons qui, suivant en cela Eudes de Bourgogne, ont récemment marqué quelque sympathie à l'Anglais fassent subitement marche arrière.

Robert d'Artois n'en choisit pas moins, après diverses pérégrinations à Namur, à Louvain, à Bruxelles et même à Avignon, de porter sa clientèle en Angleterre. Ce n'est pas là l'effet d'une inclination, mais il y a peu d'autres possibilités. Si quelqu'un peut être un jour l'instrument de la vengeance du comte Robert, c'est bien le cousin anglais. Car Robert ne s'avoue pas vaincu :

> Par moi a été roi. Et par moi en sera démis.

Déguisé en marchand, il atteint l'Angleterre au printemps de 1334. Le travail de sape va commencer. Édouard III a beau s'être entendu avec son cousin de France, il ne demande qu'à écouter celui qui lui promet de mirifiques alliances s'il veut se faire rendre raison. Ce que Robert d'Artois dit en clair au roi d'Angleterre, aucun baron français ne le lui a jusqu'ici dit : le fils d'Isabelle de France est plus proche héritier des Capétiens que le comte de Valois. Édouard n'avait pas besoin qu'on le lui dise pour le penser. Il n'empêche que les propos de Robert avivent son ambition.

La marche a la guerre.

C'est alors que toutes les pièces de l'échiquier se mettent à jouer ensemble. Au printemps de 1336, l'Angleterre tremble à l'idée d'une invasion française : pour que le Valois ne vienne pas se mêler de près à l'affaire écossaise, il convient d'aller l'attaquer sur le continent. En mettant en doute la légitimité de Philippe VI, Robert d'Artois ne fournit qu'un argument de plus. Au vrai, la guerre est inévitable, déjà, depuis deux siècles. Depuis le temps d'Aliénor, duchesse d'Aquitaine, vassale de France et épouse d'Angleterre.

En d'autres occasions, on a tout fait pour éviter la guerre ou pour la clore. Saint Louis jadis, Philippe le Bel naguère ont hésité à spolier l'héritier légitime des anciens ducs d'Aquitaine. Mettre par la force un terme à l'affaire de Guyenne semblait aux Capétiens une sorte de déni de justice qu'un suzerain pouvait difficilement se permettre. Envahir la Guyenne pour contraindre le vassal à la soumission, oui. Lui prendre la terre de ses ancêtres, non. Tout juste se permettait-on de réduire celle-ci à une portion congrue.

Le Plantagenêt, dans le même temps, paraissait soucieux de s'engager le moins possible en des guerres aquitaines où il avait de toute évidence plus à perdre qu'à gagner. On était loin de la coalition mise en déroute à Bouvines et à La Roche-aux-Moines en 1214, cette coalition par laquelle l'impétueux Jean sans Terre et ses alliés de Flandre et d'Empire avaient tenté d'opérer contre le domaine royal et la capitale du Capétien une opération en tenailles. Aux prises avec les Écossais, avec les Gallois, avec les barons anglais eux-mêmes, le roi d'Angleterre avait longtemps cherché la paix sur ses frontières de Guyenne.

Et voilà que soudain les attitudes se renversent. C'est la marche à la guerre. Édouard s'avise que ses barons s'ennuient : en faisant dériver vers le continent leur besoin d'action et leur soif de profits, il met pour un temps sa couronne à l'abri des complots. Depuis vingt ans, la cour d'Angleterre est un nœud de vipères. Les clans se sont affrontés pour le pouvoir. Chaque favori a représenté les intérêts d'un groupe ou d'un autre. On a vu au zénith l'amant du roi, Hugues Despenser, puis l'amant de la reine, Roger Mortimer. Les exécutions ont succédé aux exécutions, les complots aux complots. Édouard commence de raisonner comme jadis Urbain II prêchant la Croisade : au lieu de se battre entre eux et contre le pouvoir établi par Dieu, qu'ils aillent donc au-delà des mers contre l'ennemi commun !

Philippe VI, pour sa part, est un prince ambitieux, qui cherche à organiser son gouvernement et qui découvre ce dont son oncle Philippe le Bel a fait, vingt ans plus tôt, l'amère expérience après sa victoire sur les Flamands : la paix, c'est la pauvreté. Nul, en ce début du XIVe siècle, n'est encore prêt à comprendre qu'un gouvernement a besoin d'autres ressources permanentes que celles dont le domaine royal pourvoit le roi en tant qu'il est un seigneur foncier. Certes, comme le Capétien, le Valois jouit d'une véritable fortune territoriale, grâce à quoi le roi de France peut tenir son rang parmi les féodaux. La vie de cour, la chasse, la dot des filles, l'adoubement des fils, la munificence envers les princes comme la charité envers les pauvres, tout cela est assuré mieux que convenablement. Le roi-seigneur est à l'aise ; le roi-suzerain ne l'est pas moins.

Ce qui n'est pas assuré, c'est le fonctionnement de l'État. Le roi-souverain doit marchander ses moyens de gouvernement. Une administration de plus en plus présente, une justice – et surtout une justice d'appel – qui est le meilleur instrument de l'extension des prérogatives royales aux dépens de la féodalité, une garantie royale étendue aussi bien sur les transactions des marchands étrangers en France que sur les accords entre bourgeois pour le partage du gouvernement municipal, tout cela suppose un pouvoir royal doté de finances régulières : des finances autres que le revenu domanial du roi-propriétaire et le revenu féodal du roi qui en appelle aux facultés de ses vassaux.

Or les revenus « extraordinaires » du souverain, la coutume ne les concède que pour le « commun profit », pour la défense du royaume. Ils sont, depuis Philippe le Bel, l'équivalent officiellement reconnu d'un service militaire dû par les sujets en cas de danger. Ce service, le roi peut préférer le lever en argent plutôt qu'en hommes mal équipés et mal entraînés.

Au temps de la guerre de Flandre, et surtout dans les années sombres qui suivent le désastre de Courtrai (1302), la fiscalité s'est abattue sur la France. Jamais on n'avait connu cela. Trois ans plus tard, on s'apercevait pour la première fois que la victoire et la paix privaient le roi de ces finances extraordinaires grâce auxquelles il avait pu supporter, avec les guerres, les charges de l'État. Ces années de la paix retrouvée ont été celles des expédients à courte portée : les Juifs et les Lombards, les templiers et les bourgeois des bonnes villes font tour à tour l'expérience de l'emprunt forcé.

Dire que Philippe VI cherche la guerre par besoin d'argent serait excessif. Le vrai est qu'il voit ce qu'on gagne à la préparer. De la décime qu'accorde le pape sur les revenus des églises – afin de financer la préparation de la croisade et, en attendant, d'achever en Occident ce qui l'empêche – à l'impôt sur les biens fonciers ou sur les transactions qu'octroient les états généraux ou provinciaux pour concourir à la défense de l'intérêt commun, tout est lié à la notion d'un royaume en armes pour la bonne cause.

Un Philippe VI qui sait sa couronne encore insuffisamment assurée, et qui doit ménager ceux qui l'ont porté au trône, ne peut négliger les profits politiques d'un conflit armé. Les lauriers cueillis à Cassel en 1328 ont beaucoup fait pour la légitimité du choix dynastique. Ils ont vieilli.

CHAPITRE II

Une croissance interrompue

Les deux rois sont cousins. Barons de haut lignage aussi bien que simples écuyers, bien des nobles ont leurs fiefs, leurs alliances et leurs parentés également répartis de part et d'autre de la Manche. La chancellerie anglaise use du français pour les actes qu'on ne veut pas rédiger en latin. Et il y a autant de clercs anglais dans la nation « anglaise » de l'Université de Paris que dans les collèges d'Oxford et de Cambridge.

DIFFÉRENCES.

Tout cela ne doit pas cacher la profonde différence des deux pays. L'homme d'armes anglais qui débarque sur le continent – il parle plus souvent l'anglo-saxon ou le gallois que le français de ses chefs – s'avise très vite de ces différences au hasard des chevauchées et des tavernes. Quant au Français moyen des villes et des campagnes, il commence par détester l'Anglais parce qu'il est soldat, et il finit par le haïr parce qu'il est anglais. Les hommes du Prince Noir ne sont pas des occupants. En bien des régions, ceux de Bedford le seront.

Ce que les acteurs de cette histoire ont le moins facilement perçu, ce sont les différences de structure politique. Pour le bien voir, il leur manque le recul du temps. Mais on entrevoit le fait que les états généraux de Philippe VI et de Jean le Bon échouent à mettre en place un contrôle politique de l'action du roi, alors que le Parlement anglais a pu le faire : les états ne sortent pas de la rivalité à court terme des groupes de pression.

L'observateur venu d'outre-Manche est en revanche frappé par l'extraordinaire densité du peuplement dans le royaume du Valois. Il ne l'est pas moins par l'importance des villes et du phénomène urbain.

L'Angleterre compte un peu plus de trois millions d'habitants, peut-être trois millions et demi. Dans le même temps, le royaume de France en a quinze millions, vingt ou vingt-deux dans les limites actuelles de la France. Les Valois sont riches en hommes, en sujets, en justiciables, en contribuables.

L'inégalité dans l'espace est la même dans les deux pays, si tant est qu'on puisse chiffrer un peuplement qui s'exprime dans les documents seigneuriaux en nombre de tenanciers, dans les documents judiciaires en nombre d'assesseurs, dans les documents fiscaux en nombre de « feux ». Encore ces feux ne sont-ils qu'une unité familiale d'imposition dont la coïncidence avec le réel s'use à mesure que le temps passe. Au début du XIVe siècle, un feu est encore une famille, un feu fumant. Mais en certaines campagnes c'est un groupe presque patriarcal : tous les descendants groupés autour de l'ancien. En d'autres, et dans la plupart des villes, c'est un foyer conjugal, fait des parents et des enfants à marier, quand le feu n'est pas fait d'une veuve ou d'une héritière demeurée seule. A la fin du siècle, on parle encore de « feu », mais ce n'est plus qu'une base de répartition, le chiffre qui qualifie le village, la paroisse ou le diocèse, un chiffre qu'on multiplie par un coefficient pour établir le total de l'impôt exigible : tant de sous par feu, cela signifie pour la ville tant de sous multiplié par le nombre de feux, mais cela n'implique nullement que chaque famille paie tant de sous. On discute du nombre de feux, on le marchande.

Dans la longue histoire des relations entre le roi et ses contribuables, on ne cesse, à la fin du XIVe et pendant le XVe siècle, d'augmenter ou plus souvent de diminuer le nombre de feux de la province, de la sénéchaussée, du diocèse, de la ville, de la paroisse. La raison n'en est pas que les habitants sont plus ou moins nombreux, mais qu'ils sont prospères ou ruinés, qu'un membre du Conseil royal les protège, ou que les officiers locaux ont d'autres amis.

Malgré l'incertitude de nos chiffres, on peut dire qu'en Normandie, en Ile-de-France ou en Picardie, certains secteurs comptent plus de cent habitants au kilomètre carré, et qu'il en va de même sur les terres grasses du comté de Leicester. Certains terroirs n'ont jamais été si peuplés et ne retrouveront jamais le peuplement des années 1300. Les hommes s'installent dans les zones inondables des basses vallées côtières. L'habitat dépasse, et de loin, les niveaux actuels sur les pentes du Massif central : dans les Monts-Dore, on rencontre des établissements permanents jusqu'à 1100 mètres d'altitude.

Les choses changent parfois en quelques heures de marche. Il y a quinze familles au kilomètre carré sur les terres cultivables du Bas-Languedoc, autour de Narbonne ou de Béziers ; au mieux, il y en a trois dans les Corbières voisines aussi bien que dans les Causses. On compte dix-neuf feux au kilomètre carré du côté de Gonesse, treize vers Villeneuve-Saint-Georges et vers Montlhéry, six seulement autour de Chevreuse.

C'est alors le terme d'une formidable poussée. Depuis trois siècles, les hommes se multiplient. Ils défrichent la forêt, améliorent leur outillage, s'organisent pour une meilleure chance de survie. La maladie a régressé, la peur aussi. La population de la France a doublé, celle de l'Angleterre triplé. Les contemporains de Philippe de Valois ont appris que tout était possible. A la dilatation du monde ils ne voient pas de limites, pas plus qu'à l'élancement des nefs gothiques. Laon culminait à 24 mètres, Notre-Dame de Paris à 32 mètres, Chartres à 37 mètres. On est à 48 mètres à la clé de voûte de Beauvais. Trois siècles de croissance et de progrès ont créé des habitudes.

Le monde est plein, mais les contemporains ne le savent pas. Ils ignorent qu'ils vont buter sur un climat trop rigoureux, sur une technologie insuffisante. Ils sont à la limite des rendements possibles, à la limite des capacités d'échanges. Le temps des croisades et des grandes cathédrales, des défrichements massifs et de la poussée démographique a été celui d'un grand espoir. Les hommes du XIVe siècle vont déchanter, à la mesure de cet espoir soudain brisé.

Les Anglais font sur le continent une autre découverte : celle d'un pays fortement urbanisé. A travers la France qu'ils sillonnent, la ville est toujours présente. Elle l'est, matériellement, à l'horizon des hommes. Avec son enceinte, ses clochers, ses tours, elle surplombe le plat pays. Elle protège la route, le défilé, le pont. Elle procure au port son rayonnement vers l'arrière-pays. Mais elle n'est pas moins présente dans le système des relations sociales et économiques. Elle est marché, tribunal, spectacle. Elle produit, elle consomme. Elle incite et elle exploite. L'argent des villes anime la vie des campagnes. Le dynamisme des entrepreneurs industriels et des négociants de la ville ajoute au ressort premier de l'expansion rurale : le besoin de manger.

L'Angleterre compte peu de grandes villes. Londres approche des cinquante mille habitants. York et Bristol en ont dix ou quinze mille. Ailleurs, ce ne sont que de grosses bourgades : trois mille, cinq mille habitants. Même le port de Southampton, que visitent déjà les navires italiens et que fréquentent depuis longtemps tous les marins de la Manche et de la Mer du Nord, n'en est pas encore à développer de véritables fonctions urbaines.

Bien sûr, l'ouest et le centre de la France n'atteignent pas la densité urbaine qui caractérise déjà le Nord industriel, les grandes vallées fluviales, voire un Midi encore très marqué par la civilisation romaine. Il n'empêche qu'aucune région de France n'ignore ce qu'est la vraie ville, celle qui, riche de dix ou quinze mille habitants, unit toutes les fonctions – intellectuelles, religieuses, administratives, financières – qui caractérisent le fait urbain. De grands nœuds routiers comme Lyon, de grands ports comme Marseille – politiquement hors du royaume – et de grands centres industriels comme Arras ou Douai atteignent cette importance. D'autres en approchent, et notamment les grandes cités épiscopales : Reims, Albi, Évreux et tant d'autres.

Avec trente ou quarante mille habitants, trois villes prennent l'allure de véritables capitales. De fait, Bordeaux, Rouen et Toulouse rivalisent volontiers avec Paris. L'Université de Toulouse dispute à la Sorbonne le droit d'exprimer l'avis des intellectuels du royaume. L'Échiquier de Rouen se veut cour souveraine. Bordeaux tire habilement profit d'une situation politique particulière, autant que d'un contrôle très étroit du principal trafic international de la France, celui du vin.

Paris domine cependant de très haut le réseau de villes qui s'étend sur la France. La décision s'y prend, les carrières y aboutissent, les intérêts s'y nouent. Avec deux cent mille habitants – 61 098 feux lors du recensement fiscal de 1328 – Paris est une sorte de monstre démographique, à la fois place financière, marché international, port de transit régional, métropole intellectuelle et universitaire, capitale politique et administrative. Très loin devant Milan, Florence et Venise qui approchent les cent mille habitants, Paris est la première ville d'Occident.

La croissance s'inscrit aussi dans le paysage. Les anciens terroirs ont été élargis, de nouveaux se sont créés au cœur de la forêt ou de la lande. Le recul de la forêt commence de mettre en danger l'équilibre précaire de la culture et de l'élevage. Chacun mange à sa faim, mais les charpentiers cherchent désormais en vain les belles poutres. On ne parle plus de la Laye ou de la Bière, mais de la forêt de Saint-Germain ou de la forêt de Fontainebleau. Dans la vue des hommes, le village et le terroir l'emportent maintenant sur la forêt.

La dernière vague des défrichements individuels vient de créer, un peu partout mais surtout dans les régions littorales ou montagneuses, des habitats marginaux, isolés, qui ne parviennent pas à se doter de l'autonomie qui fait le village. De nouvelles paroisses rurales, il n'en est plus guère question depuis le XIIIe siècle. Le temps des villeneuves est passé. Ça et là, on recule même. En Picardie, en Artois, en Beaujolais, s'amorce un repli déjà sensible dans l'espace comme dans la préoccupation des hommes. Après quelques années seulement de culture, des « essarts » sont rendus à la friche.

DYNAMISMES.

Alors que se fige l'étendue des terres cultivées, le paysage s'enracine en bien des régions : de nouvelles haies viennent souligner l'individualisme paysan et affirmer un certain type d'économie. C'est le bocage qui apparaît ainsi, dans l'Ouest en particulier — Bretagne, Maine, Charente — mais aussi dans le Jura et sur les croupes du Massif central. Il ne cessera de s'étendre pendant trois siècles. En réaction contre la nécessaire organisation, plus ou moins communautaire, des populations groupées en agglomération et contre les droits de la communauté — en matière d'élevage notamment — sur les terres de chacun de ses membres, une mentalité nouvelle se manifeste, que souligne l'inscription dans le paysage de ce qui est signe et moyen de l'appropriation individuelle, la clôture. Elle est sécurité pour les troupeaux et protection pour les cultures, elle se dresse pour les bêtes ou contre les bêtes, elle est faite de haies vives ou de longs murs de pierres sèches. Mais elle n'a qu'un seul sens : chacun chez soi.

Les débuts d'un capitalisme rural favorisent à certains égards le mouvement de clôture et la naissance du paysage bocager. Le paysan peut disposer d'un outillage meilleur. S'il doit emprunter, il a d'autres recours que les notables de son village. Son endettement le fait tout aussi dépendant qu'avant, mais il dépend moins de la communauté villageoise. Chacun se débrouille de son côté.

Dans cet univers qui touche à ses limites, l'homme bouge tout autant qu'à l'époque où s'élargissaient ses horizons. Le mouvement ne cesse pas, qui pousse les paysans ambitieux ou faméliques vers les profits — supposés ou réels — de la ville, et qui conduit de la petite à la grande ville le marchand audacieux et l'avocat de talent. Victime d'une démographie catastrophique, la ville se renouvelle sans cesse. Car on naît peu, à la ville. L'instabilité des situations professionnelles multiplie les célibataires, manœuvres à la journée ou domestiques sans famille. La ville, et surtout la grande ville, n'est pas riche de ses enfants, elle l'est des enfants nombreux de la campagne voisine, cette campagne où la terre manque dès lors qu'on n'allonge plus les champs.

Une journée de marche — trente ou quarante kilomètres — suffit à définir le rayon d'attraction de la petite ville, une attraction faite de voyages antérieurs et de cousins établis dans la place. Mais on trouve à Périgueux des Bretons et des Picards, des Basques et des Béarnais. La métropole, elle, rayonne bien au-delà, au gré des traditions, des fidélités politiques et des routes économiques, voire, en quelques cas, d'une publicité délibérée. Paris se peuple d'un flux régulier de Normands, d'Angevins, de Picards, de Champenois, de Bretons, d'Auvergnats. Tout le Languedoc contribue à peupler de jour en jour Toulouse. Le grand axe méridien de la vallée du Rhône et de la Saône fournit en Languedociens, en Provençaux, en Savoyards, en Bourguignons, en Comtois et en Lorrains, clercs et laïcs, cette ville de célibataires qu'est par excellence l'Avignon des papes.

Petite ou grande, la ville fait éclater son enceinte. Une enceinte qui date souvent du temps de Philippe Auguste et qu'un siècle de paix relative n'a guère poussé les habitants à entretenir. Le mur s'écroule, les brèches s'élargissent, les portes ont perdu leurs vantaux. Autour, les maisons hors les murs s'agglutinent. Indéfendables en cas de siège, elles sont d'admirables voies d'approche pour d'éventuels assiégeants. Mais, hormis sur les fronts bien connus, celui de Guyenne, celui de Flandre et quelques autres, qui se soucie vraiment, vers 1340, de prévoir une guerre de siège?

Paris déborde de toutes parts, vers Saint-Germain-des-Prés et Saint-Sulpice par-delà une porte de Bucy qui ne sert plus à rien, vers le Temple et vers Montmartre au-delà d'une enceinte en partie effondrée. Rouen s'étend vers Saint-Ouen, Orléans vers Saint-Aignan. Le réveil sera dur quand il faudra, de toute urgence et à grands frais, réparer, reconstruire, agrandir ces fortifications qui seront, dans les premières décennies de la guerre, la grande dépense des municipalités françaises.

Moulins et fours à pain, tanneries et tuileries, tout ce que les citadins refusent dans une enceinte où l'espace se fait rare s'est établi à l'aise aux portes de la ville. Celle-ci ne saurait plus vivre sans ses faubourgs. Ils sont la place libre, autant que la liberté d'entreprendre à l'écart des contraintes corporatives qui s'exercent sur les activités proprement urbaines.

La France est riche en hommes. Elle ne l'est pas moins des ressources de son sol. Normands et Picards exportent normalement leur blé vers l'Angleterre et les pays du Nord. Le vin de Gascogne est l'une des importations essentielles de Southampton et de Bruges. Le sel de Peccaïs, d'Hyères et de Berre se vend à Gênes, celui de Bourgneuf – et aussi celui de Guérande – dans toute l'Europe du Nord, jusqu'à Bergen et à Novgorod. Mettant en œuvre des flottes entières, ces trafics font aussi la fortune des centres de distribution régionale comme Paris, Arras ou Toulouse. Ils engendrent des brassages humains, des mouvements d'argent, des correspondances régulières, tous moyens par lesquels l'homme du XIVe siècle prend, mieux que ses prédécesseurs, la mesure du monde. On voit à La Rochelle des Allemands, à Rouen des Portugais. Flamands, Normands, Bretons,

Anglais, Bayonnais, Castillans même, relâchent à Bordeaux. Les banquiers toscans tiennent le haut du pavé parisien, et il y aura bientôt plus de banquiers lucquois à Paris qu'à Lucques.

L'élevage suffit à fournir la viande aussi bien que les bêtes de trait. Les pêcheurs de Dieppe et de Boulogne approvisionnent le tiers de la France en caques de harengs. On chasse dans les forêts, on pêche dans les étangs et les rivières. La France se nourrit.

Pour une industrie qui n'est vraiment développée qu'en Flandre — où c'est surtout la laine anglaise qui approvisionne les métiers à tisser — les Français trouvent chez eux l'essentiel de leurs matières premières. La laine de Normandie, celle de Languedoc et celle de Provence suffisent aux tissages locaux, la guède de Picardie et le pastel de Languedoc font sans peine, pour la teinture des draps bleus, concurrence aux onéreux produits tinctoriaux de l'Orient. La France manque d'étain, il est vrai, et le bronze n'est pas son fort, mais elle produit son fer, en Normandie et en Champagne, dans les Alpes et dans les Pyrénées. Elle a du cuivre en Lyonnais ; du plomb, aussi, en Lyonnais de même qu'en Comminges.

On ne manque pas d'énergie. Toutes les rivières sont maintenant équipées de moulins, autrement dit de roues à tout faire. L'un moud le blé, l'autre foule le drap. Le moulin attise le foyer des forges et des fourneaux, entraîne la scie, martèle le fer, écrase le chanvre. Il est l'âme de la papeterie naissante.

Du minerai, du bois, de l'eau, voilà qui suffit à peupler les villages de « fèvres » aux multiples compétences et les villes d'artisans plus spécialisés, ferrons, couteliers, chaudronniers et affûteurs en tout genre. Les métiers se différencient. La technicité triomphe.

Ce qui bloque encore bien des progrès économiques, c'est la stagnation technologique : on n'a guère fait de découvertes depuis un millier d'années. L'Occident vient enfin de découvrir, dans la seconde moitié du XIIIe siècle, cette poudre à canon dont les premières applications véritables datent des années 1320. On vient de généraliser, vers la même époque, deux outils qui ouvrent à l'Europe les routes maritimes : la boussole grâce à quoi l'on peut s'éloigner des côtes, et le gouvernail d'étambot — dans l'axe du navire — qui affranchit le marin de la sujétion des vents. Le capitalisme aidant — on s'associe pour armer un navire — les tonnages pourront croître sans que diminue la maniabilité.

Pour le reste, tout est connu, ou presque, depuis l'Antiquité. On sait faire jouer les rouages qui transmettent l'énergie ou modifient le mouvement. On connaît les roues dentées, les « lanternes » à barreaux parallèles, les leviers. Seule apparition en ce temps, mais apparition notable alors que toute la force procède de la roue des moulins quand elle ne vient pas de l'homme ou de l'animal, on met au point l'arbre à cames qui transforme le mouvement et le fait rectiligne. La fin du siècle verra une autre invention déterminante : celle du couple manivelle-bielle, c'est-à-dire du mouvement alternatif.

Si l'on invente peu, on bricole beaucoup. Ainsi s'améliore quand même l'outillage, celui du paysan et celui de l'artisan. La charrue gagne sur l'araire, le vérin à vis sur le levier, le vilebrequin sur la pointe rougie au feu.

La circulation des hommes, des informations et des marchandises n'a pas fait d'autre progrès que celui des tonnages maritimes. Un cavalier fait rarement plus de cinquante kilomètres par jour ; un chariot de transport ou une litière de voyage n'en font normalement pas trente. Le navire en couvre cent ou cent cinquante, mais ses routes contournent les terres, et il souffre autant des attentes au chargement que des journées où l'on espère le vent. Selon le temps qu'il fait et la longueur du jour, le chariot met deux ou trois semaines de Toulouse à Paris. Le bateau met trois mois pour aller de Venise à Bruges. C'est dire l'immobilisation des capitaux investis et la faiblesse des rendements financiers.

De toutes parts, cependant, des mutations s'amorcent, qui vont bouleverser le visage de la France et la vie des Français. Elles vont aussi remodeler la carte des activités économiques et troubler les rapports sociaux fixés en un temps d'expansion déjà révolu.

La vie et la mort.

Le phénomène leur échappe naturellement dans sa complexité. Mais les hommes de ce temps ne sont pas inconscients, face à ce monde saturé où les lendemains sont problématiques. Il est bien conscient, le paysan qui, par-delà Carême et Avent, retarde du printemps à l'automne et de l'automne au printemps suivant un mariage qu'il souhaite comme garçon mais qu'il redoute comme maître d'un lopin de terre : si exiguë soit-elle, il faudra un jour partager cette terre entre les héritiers. L'artisan ne tergiverse pas moins, qui se sait patron d'un atelier capable de nourrir son homme, non d'entretenir deux ou trois familles. Et tout le monde sait ce qu'il en coûte de se marier, car il est indécent de convoler sans régaler parents et voisins. Le riche renâcle, le pauvre diffère. Le curé y perd, et la morale aussi. Le concubinage coûte moins cher que le mariage.

Tant que le chômage ne menace pas, les plus pauvres ont le vivre et le couvert assurés s'ils restent garçons : le manouvrier, le journalier des travaux agricoles, le valet des métiers urbains savent qu'ils ne peuvent fonder une famille sans un endettement que leurs bras, seuls, garantissent. Prendre femme, c'est donc se livrer au maître pieds et poings liés. Ne parlons pas de la fille à qui son mari rappellera cent fois qu'il l'a prise sans dot.

Il est, heureusement, de « bons maîtres ». On connaît des compagnons qui, au jour de leurs noces, font ripaille aux frais d'un patron qui les compte un peu dans sa famille. Mais il est des misérables, des compagnons qui passent leur vie dans une soupente, apaisant de temps à autre leur tempérament avec une prostituée à bon marché, des journaliers qui ne connaissent, de leur vie, d'autre chaleur que celle des bêtes dont ils partagent l'étable ou l'écurie. On ne multiplie pas l'indigence autour d'une marmite trop petite, et tout le monde n'a pas sa marmite à soi.

Le bourgeois s'en tire mieux, même s'il entend ne pas diviser à l'excès le capital hérité ou amassé. Il se marie tard, souvent après la trentaine. Il épouse une fille jeune, qu'il fait rapidement mère. A dix-huit ans, la fille non mariée commence à prendre rang parmi les préoccupations sérieuses de l'honnête négociant et de l'avocat bien établi. Les enfants se succèdent, mais beaucoup moins vite que l'on ne croit souvent en songeant un peu facilement qu'il en pourrait naître un par an. Pendant tout le temps où elle allaite, la mère est stérile, et cela, déjà, suffirait à espacer notablement les naissances. Un rien de ces pratiques que l'Église réprouve mais que les jeunes femmes reçoivent de leur mère suffit à allonger encore, pour certaines, l'entre-deux-naissances. Dix-huit mois, deux ans, c'est la moyenne. Au-delà, la femme ferait quand même mauvaise figure.

La mort en couches n'est hélas pas un mythe. On se remarie. Le veuf n'y a aucune peine, et l'écart d'âge entre les conjoints s'accroît souvent à la faveur de ces remariages. Mais le mari vieillit, et les épousailles d'un quadragénaire et d'une jeunette font à la fin une veuve et non un veuf.

Si elle n'apporte rien, la veuve pourrait bien rester en peine. Les secondes noces sont en revanche assurées si elle hérite, si elle tient boutique et outillage, si elle transmet à son soupirant le droit à l'exercice du métier de son premier mari. La veuve de vingt-cinq ou trente ans se remarie assez bien, pourvu qu'elle soit sage, si l'on songe que la célibataire du même âge n'a quasiment plus de chances. Le vieux mari ne nourrit d'ailleurs aucune illusion. Mais que la veuve ne fasse pas trop la difficile :

> Si vous avez un autre mari après moi, mon amie, vous devrez avoir grand soin de lui. J'insiste, car, quand une femme a perdu son premier mari, ce n'est pas sans peine que, faisant retour sur sa condition, elle trouve le second à sa convenance.

C'est dire en clair que l'on épouse la veuve par intérêt. Si le deuxième mari valait le premier, il ferait comme lui : il épouserait une jeune fille.

Les années passent. Le ménage qui vieillit ensemble espace les naissances bien avant la ménopause. C'est le temps de la continence. Au reste, l'honnête femme aime mieux voir son mari gagner de temps à autre les étuves où sont les filles à l'heure, voire entretenir une maîtresse pas trop exigeante, qu'être encore enceinte à quarante ans.

Main-d'œuvre gratuite ou bouche inutile selon l'humeur et le métier, la vieille fille est au foyer de son père ou de son frère. La veuve aisée vit de son revenu et régente ses gendres. Moins favorisée est la veuve qui doit tout à ses enfants ; ils le lui font sentir. Certaines ne survivent qu'en acceptant la charité ou en louant leur corps. Quant aux fils cadets que l'on n'a guère poussés au mariage, ils sont valets de leur frère, ils cherchent une moindre misère comme salariés d'autrui, ils offrent leur bras à un capitaine en mal de constituer une compagnie.

Bien sûr, il y a des familles exceptionnelles. Vingt enfants, et de la même mère, cela se rencontre. C'est rare. Le plus souvent, la femme qui n'est pas morte en couches pourra se vanter si elle a donné six ou huit enfants à son mari. Deux, trois ou quatre auront survécu. Mais ce sont là des chiffres moyens, qu'il faut pondérer : un peu plus à la campagne, où les maladies contagieuses de l'enfance ne prennent pas toujours la forme épidémique dont souffre l'enfance citadine, un peu moins à la ville chez le bourgeois malthusien, beaucoup moins chez le pauvre qui hésite à se marier et qui voit ses enfants, lorsqu'il en a, pâtir à la fois du manque d'hygiène et de la sous-alimentation. Lorsque vient pour le père l'âge de songer à son testament, il ne lui reste que deux ou trois enfants. Toutes couches sociales confondues – mais hors les pauvres qui n'ont aucune disposition à prendre – les 187 familles de Périgueux que les testaments nous permettent de connaître ont compté 491 enfants encore vivants à l'âge du testament paternel : 2,6 en moyenne.

Avec tous les degrés qui vont de la malnutrition quotidienne à la disette meurtrière, la faim est là, qui frappe et qui menace maintenant une société où trois siècles de cultures élargies et de rendements améliorés l'avaient un peu fait oublier. On l'a bien vu lors de l'effroyable famine des années 1315-1317. Et cependant, la France des années 1340 est encore un pays où chacun trouve normal de manger, plus ou moins agréablement, à sa faim. On mange même assez convenablement. Mais on sait de nouveau que rien n'est jamais assuré.

Le fond de la nourriture, ce sont les « blés », quelle que soit celle des céréales que la nature des sols laisse prédominer ici ou là. Sur la table, cela donne du pain d'orge ou de seigle plus souvent que de blanc froment. On mange la bouillie d'orge ou d'avoine, la galette de sarrasin. Si les blés ne suffisent pas, les châtaignes font une excellente galette, les glands une exécrable bouillie. Comptés comme blés dans l'usage populaire, les pois, fèves et vesces sont la base consistante de bien des repas. Quant à la soupe, elle est aux choux quand on le peut, aux « herbes » — tout est bon — quand les temps sont durs.

Tentons, pour ces Français de la génération de Philippe VI, une sorte de bilan « énergétique ». Farine et farineux y entrent pour une bonne moitié, parfois pour les trois quarts. La viande et le poisson n'y font que trente pour cent chez les gens à l'aise, cinq pour cent chez les moins favorisés de ceux qui mangent à leur faim. Ces proportions, naturellement, varient très sensiblement selon l'année, selon les prix de la saison. Mais on mange quand même assez régulièrement du bœuf, du mouton ou du porc.

Le porc tient ici un rôle essentiel : il est le régulateur de la distribution des calories tout au long de l'année. On le sale, et on répartit sur les douze mois son lard et sa viande. Le saloir, c'est la sécurité des hommes qui savent que les saisons se suivent sans se ressembler. De même qu'il y a peu de gens pour ignorer tout à fait le goût du pain blanc, il y en a peu qui ne puissent manger un peu de viande une ou deux fois par semaine. N'oublions pas la volaille, les œufs, le fromage enfin, cette protéine à bon marché. Ils font l'équilibre de l'alimentation courante. Ils mettent la population à l'abri des carences les plus graves.

Et puis, il y a le poisson. Les pêcheurs de Dieppe et de Boulogne approvisionnent toute la France du Nord en harengs et en maquereaux. La gamme est étendue, de l'esturgeon voué aux tables aristocratiques jusqu'aux seiches qui sont le poisson du pauvre, du hareng saur qu'on achemine par lourdes cargaisons et par convois entiers jusqu'au hareng « nouvelet » qu'un cheval rapide porte tout frais — que dirions-nous de cette fraîcheur ? — sur les tables opulentes où le hareng caqué ferait piètre figure à côté de la baudroie, de l'anguille et du brochet.

Même s'il s'abstient, pour ne pas risquer la corde, de braconner la forêt du seigneur ou les viviers de l'abbé, le contemporain de Philippe de Valois mange de la tanche et de la carpe comme il mange du lapin. On pêche systématiquement le moindre cours d'eau, le plus petit étang. Les villes font argent de leurs fossés en les louant à l'année aux entrepreneurs de pêche. Elles mettent à prix le droit de tendre des lignes à l'aplomb des maisons riveraines, celui de lancer un filet d'une barque amarrée dans le courant, celui de pêcher « à la verge » du haut d'un pont.

Sols et climat font de la France un pays où le vin ne manque jamais. On voit des vignes en Cotentin aussi bien qu'en Picardie. Plus ou moins cher selon l'année et selon la saison, ce vin est souvent médiocre et se conserve fort mal. Rares sont les vins encore agréables à boire au bout de l'an. Ils sont, de toute façon, moins douteux que ne l'est l'eau des rivières et même celle des puits.

Pour accompagner le repas ou pour étancher la soif, le vin est sur toutes les tables et dans toutes les tavernes. Il est la moins mauvaise des potions que prescrivent la médecine des mires et celle des bonnes femmes. Il désaltère l'été, il réchauffe l'hiver. On aurait tort d'oublier cette fonction calorifique du vin : la société médiévale n'a pas encore d'autre tonique.

Tout le monde ne peut s'offrir le vin de Gascogne ou d'Aunis, le vin de Beaune ou d'Auxerrois, bref les grands crus qui voyagent à grand frais. Mais le Parisien fait grand cas du vin de Chaillot et de celui d'Argenteuil, le vin de Laon a ses partisans jusqu'en Hainaut, le vin de Vanves et celui de Clamart satisfont bien des Normands. Comme les côtes du Rhône et celles de Moselle, le val de Loire aligne des vignobles de qualité dont le produit voyage mal, mais qui régalent le pays alentour. En bref, quand le Français ne boit que de l'eau, c'est vraiment que les choses vont mal.

Quant à la cervoise d'orge que l'on brasse dans les régions les plus septentrionales, elle n'a pas encore la qualité des bières anglaises. Mais à Lille ou à Valenciennes, le vin gascon ou bourguignon double son prix par celui des bateaux, des chariots, des courtiers et des marchands de tout rang. La cervoise est ici ce que sont ailleurs les vins locaux : ce que l'on boit dans l'attente du jour où l'on s'offrira un meilleur pichet.

Tout ceci est bien précaire, cependant : si l'on mange à sa faim, si l'on boit à sa soif, on n'a ni marge ni réserves. On a systématiquement donné la préférence à l'orge sur le froment parce que, sur les meilleures terres, le grain d'orge en rend six ou dix. Mais on est aux limites du progrès. Dans la plupart des cas, les rendements ne dépassent pas trois ou quatre fois la semence. Les pratiques rationnelles qui laisseraient tirer un meilleur parti de chaque parcelle du sol cultivable, l'assolement par exemple, n'en sont encore qu'à leurs balbutiements. C'est lentement que progresse à travers la France du Nord l'assolement triennal qui diminue la jachère improductive. Sur les terres pauvres, et plus généralement dans la France méridionale, la rotation biennale des cultures ne s'accompagne encore d'aucune répartition des terres en « soles » systématiquement alternées. Chacun va, chez lui, comme il l'entend. Les chemins de service se multiplient, qui sont autant de labours en moins. L'outillage reste à la mesure de lopins que la nécessité des successions ne cesse de diviser.

C'est dire que l'on n'est jamais sûr de la soudure. A plus forte raison la subsistance du paysan et l'approvisionnement du citadin sont-ils compromis par une mauvaise récolte. Il n'y a pas de réserves. Une mauvaise saison suffit à la catastrophe.

Les dernières illusions datent des années 1300. Manger passait alors pour chose tout à fait normale. La famine, on avait eu le temps de l'oublier. Trois générations étaient passées sans la connaître vraiment : de l'enfance de saint Louis à celle de Philippe VI, on n'avait pas vu le royaume décimé par la faim. L'été pourri de 1315 est donc apparu comme une punition des cieux : un pape molesté, des tem pliers brûlés, un ministre pendu, tout cela appelle vengeance. Molay, Clément V, Philippe le Bel, Marigny se sont rejoints dans la mort. La pluie sans fin d'un été où la récolte pourrit sur place s'inscrit sans peine dans le tableau d'un cataclysme qu'explique aisément l'intervention de la justice immanente. Dans l'hiver, le prix des blés tripla. L'été suivant, on avait remisé les explications surnaturelles. Il fallait bien se rendre à l'évidence : le beau temps n'était pas la donnée permanente que l'on avait crue. Le deuxième hiver fut plus dur que le premier : les dernières réserves avaient fondu. On mourait déjà de faim dans quelques villes du Nord quand un troisième été pourri acheva, en 1317, d'accabler le monde.

On s'en est remis, mais on a pris des habitudes. La tendance au refroidissement général, l'humidité croissante, tout cela devient évident au moins averti des observateurs. Il ne s'agit plus d'élargir les clairières, de conquérir des terres, d'accroître des rendements. Il faut tout simplement protéger les cultures, assurer la semence, répartir le peu qu'on en garde sur les terres les plus fertiles. Le temps n'est plus de labourer n'importe quoi. Le temps des choix est venu.

Les crises de l'industrie.

Si la campagne française est diverse, le monde des villes l'est encore plus. Les grandes villes drapantes de Flandre et d'Artois connaissent déjà la crise, les petites villes vivent dans la demi-insécurité et la demi-euphorie d'une petite prospérité. Déjà, les signes avant-coureurs de la dépression se laissent percevoir de-ci de-là. Les crises monétaires – après 1303, après 1340 – secouent les rentiers, les créanciers, les débiteurs, les locataires. La croissance dont on était inconscient devient perceptible dès lors qu'elle cesse. L'essor démographique s'achève, et les citadins le sentent bien, qui voient leur ville se dépeupler soudain : Périgueux perd plus d'habitants entre 1330 et 1345 qu'il n'en tombera en 1348 sous les coups de la Peste noire.

Le monde de l'industrie connaît sa première crise vraiment grave. Elle frappe l'industrie par excellence du XIIIe siècle, la draperie de laine, ordonnée en deux productions bien hiérarchisées : le drap de luxe produit par les métiers très organisés de quelques grandes villes comme Bruges, Ypres, Gand, Arras, Rouen ou Paris, et le drap très commun des métiers moins structurés de nombreuses petites villes, voire des ateliers ruraux. D'une part un drap épais propre aux amples drapés qui font l'élégance de la longue robe des femmes et des hommes, un drap que l'on teint des précieux colorants de l'Orient. De l'autre un drap mince, offrant moins de chaleur et moins de moelleux, aux couleurs plus ternes. Pour les femmes et les hommes de l'an 1300, il y a le drap pourpre, et il y a la brunette.

Mais les métiers urbains s'enlisent dans les ornières que creusent des réglementations excessives, un protectionnisme aux vues étroites, une fixité des types de production inspirée d'un souci obstiné de la tradition. Drap immuable, couleur immuable, voilà ce qui passe aux yeux des maîtres au sommet de leur fortune pour symbole et moyen du maintien de la qualité. On fabrique à haut prix, mais à quoi bon s'en préoccuper quand la concurrence est corsetée ? Fouler aux pieds vaut mieux que fouler au moulin hydraulique, et le rouet passe pour une dangereuse nouveauté qui compromet la solidité des fils. Ainsi le carcan tue-t-il dans l'œuf toute velléité d'initiative et de renouvellement. Adapter la production à la demande du marché est, dans ces conditions, chose inconcevable. Comme la bonne coutume est celle des anciens, comme la bonne monnaie est celle de saint Louis, comme la bonne chevalerie est celle des croisades, le bon drap est celui de la tradition. Du moins les maîtres des grandes villes drapantes en sont-ils persuadés.

Il y a deux pierres d'achoppement, cependant, sur la voie de cette croissance dans la continuité. L'une est l'obstacle que met le système corporatif au développement d'une industrie capitaliste. Les grands marchands – marchands de laine et marchands de drap, seuls capables de financer l'ensemble de la chaîne de production – reportent leur volonté d'organisation et de financement sur les ateliers des petites villes et des villages. Ils savent qu'il ne faut point songer à intégrer des métiers farouchement indépendants. Ils réalisent donc l'intégration ailleurs. Puisque les règlements ne permettent pas à l'argent d'aller commodément vers l'industrie, l'industrie ira vers l'argent.

L'autre pierre d'achoppement, c'est la rapide évolution de la mode. Aux lourdes robes de naguère, voici que l'on préfère les vêtements légers et les habits ajustés. C'est le temps des premiers pourpoints, celui des hauts-de-chausses, des jaquettes à courtes basques. Abandonnant la longue robe, les femmes superposent cottes et surcots étroitement ajustés. La conséquence de ce goût nouveau, c'est que le beau drap de laine n'est plus le fin du fin. Au-dessus du drap commun, la hiérarchie nouvelle des valeurs de la mode place désormais le drap de soie, généralement importé de Toscane. Les artisans d'Arezzo, de Sienne, de Lucques et de Florence rivalisent pour mêler la soie d'Orient et le fil d'or de Chypre. La broderie s'y ajoute, au gré de tisserands ingénieux. Le drap de soie violet broché d'or dont est fait, vers le milieu du siècle, le pourpoint de Charles de Blois que l'on conserve aujourd'hui à Lyon est tissé en médaillons octogonaux où s'encadrent les aigles et les lions.

Pour ceux dont la prospérité tenait aux draperies de laine les plus prestigieuses, le coup est dur. Bruges, Ypres, Gand, Douai, Saint-Omer, Rouen subissent la récession. Arras se reconvertit dans la tapisserie de haute lisse, à laquelle un ameublement plus raffiné offre d'amples débouchés. La draperie parisienne disparaît purement et simplement : les derniers tisserands de la capitale vont s'établir dans les bourgs voisins, aux portes de la ville qui est leur principal marché, mais hors d'atteinte de deux maux dont ils commencent de sentir le poids : la fiscalité municipale et la réglementation corporative.

En bouleversant le marché européen de la matière première, la guerre des laines vient accélérer une mutation déjà fort avancée. Cependant qu'on n'ose plus compter sur les laines anglaises et que l'Angleterre commence de développer une industrie dont les produits iront encore longtemps à la seule consommation locale, l'industrie des petites villes moins riches d'ancienne notoriété et celle des villages triomphent sans peine sur le continent des grandes draperies urbaines. On en est réduit à filer la laine des moutons flamands et normands, languedociens et provençaux. Les petites draperies ne s'en épouvantent pas, même si ces laines n'ont pas la qualité des laines anglaises. On va bientôt découvrir en France les vertus du mouton mérinos de Castille : certes, les fibres en sont courtes, et moins souples que celles auxquelles l'Angleterre avait habitué les fabricants français, mais les conditions de l'élevage espagnol en font une matière première à bon marché, mieux adaptée aux nouveaux besoins de la clientèle. Les produits seront moins prestigieux, mais ils seront plus variés. Ce qu'on veut, c'est changer.

Cet essor industriel des campagnes, des petits centres – Montivilliers par exemple, en Normandie, ou Termonde en Flandre – et des contrées où une moins longue tradition laisse aux fabricants plus d'initiative – c'est le cas du Brabant, bientôt de la Hollande – offre aux capitalistes un champ d'action nouveau. A la fois marchands de matières premières et de produits finis, bailleurs de fonds d'une chaîne technique qui fait se succéder quinze ou vingt artisans différents au long des six mois que dure la fabrication d'une pièce de drap, ces hommes d'argent se font organisateurs. Tissage, foulage, dégraissage, étirage, tondage et retondage, teinture et finitions, tout cela suppose un coordinateur. Maître des approvisionnements, connaisseur des marchés lointains et informé des variations de la demande, le marchand-fabricant transpose dans le domaine de l'industrie la nécessaire souplesse de l'entreprise commerciale.

On ne parle plus guère du drap de Flandre, en ce milieu du XIVe siècle. Le drap d'Ypres garde encore, pour quelque temps, son prestige, et notamment ce « grand bleu » qui rompt aux plus hauts niveaux du luxe la monotonie des rouges et des bruns. On voit encore des draps de Douai, des lainages de Saint-Omer. Mais la Flandre urbaine ne fait plus prime, et le drap des campagnes flamandes ne s'exporte guère. Le Brabant, la Normandie, la France moyenne l'emportent désormais.

Au sommet de la gamme, c'est l'écarlate de Bruxelles, ce sont les grands draps bruns, les grands « pers », les verts et les violets de Bruxelles et de Malines, dont les vives couleurs font l'élégance des pourpoints serrés et des surcots volant au vent. Le vert-noir de Montivilliers, le marbré de Louviers sont à la mode, comme le « balart » de Lierre. Rouen, Paris, Honfleur, Louvain, Namur procurent des draperies que ne dédaignent ni les comtes, ni les conseillers, ni les banquiers. D'autres tissus moins célèbres ont leur notoriété, comme ce « mêlé » de Provins qui manque peut-être d'originalité mais qui n'est pas le drap de tout le monde.

Tout cela se situe bien au-delà des tissus dont se vêt le bourgeois moyen, l'écuyer mal renté, l'artisan sans chalands. Il y a l'infinie variété des draps de deuxième ordre, des noirs et des brunettes, des rayés et des gris. Draps de Bernay, d'Évreux et de Pont-de-l'Arche, de Falaise et de Saint-Lô, de Beaumont-sur-Oise et de Beauvais, de Warwick et de Courtrai, de Dinant et de Saint-Trond, ils sont le commun du vêtement chaud que nul ne remarque. Dans le nouvel usage des lainages légers que superpose la mode, il y a place pour ces serges de Bayeux, de Valenciennes ou de Lorraine, pour ces étamines de Reims ou d'Auvergne, pour ces bures du Velay.

Mais voici qu'apparaît à l'horizon européen un concurrent redoutable : le drap de Florence. Approvisionnée en laine anglaise grâce aux relations maritimes qui tendent à s'établir entre l'Italie et les pays de la mer du Nord, supportée par la formidable infrastructure financière et commerciale des compagnies florentines, l'industrie toscane — et spécialement florentine — bouleverse très vite la carte de l'économie européenne. La France ne pourra éviter d'en tenir compte. Les draps toscans entrent en force sur un marché déjà bouleversé, cependant que les draps français voient se fermer le marché italien. A travers le marché italien, c'est le marché oriental qui est en cause. Jacques Cœur s'en préoccupera. Dans l'immédiat, ce déséquilibre des échanges avec l'Orient ne peut que retentir sur les flux du métal précieux qui soldent les grands courants commerciaux.

Les routes du commerce.

Ces grands courants tiennent pour une bonne part aux routes, c'est-à-dire aux moyens de transport. Et la carte des routes a beaucoup changé en deux ou trois générations. Un pont construit sur la Reuss a suffi, vers 1237, pour ouvrir à la circulation régulière le col du Saint-Gothard, difficilement accessible jusque-là. Milan est maintenant en relation directe avec Bâle. Dans le même temps, on a vu s'ouvrir la route du Simplon, celle qui unit à la Lombardie les régions de la Saône et de la Moselle. Le Brenner, enfin, offre une voie nouvelle entre la Lombardie et la Vénétie d'une part, l'Autriche et la Bavière de l'autre : une route essentielle, qui relie désormais Vérone à Augsbourg.

La route d'Italie vers l'Allemagne, la route qui unit l'Orient à la mer du Nord, passe maintenant par l'Allemagne moyenne et par le Rhin. Grâce à un monopole de fait des grands cols occidentaux comme le Grand-Saint-Bernard et le Cenis, elle passait jusqu'ici par le Rhône, par la Bourgogne et la Champagne, par la Flandre. Le grand trafic qui animait encore vers 1310 le Valais et la Maurienne perd en trente ans les trois quarts de son importance.

Ce qui subsiste de trafic sur la route méridienne du Rhône et de la Saône, route que vivifie la présence à Avignon de la cour pontificale, se tient pour la plus grande part à l'écart des routes intérieures du royaume de France. Alors que décline l'activité marchande des foires de Champagne, on voit croître celle des deux foires annuelles de Chalon-sur-Saône, la foire « chaude » de la fin août, la « froide » du Carême, qu'encourage l'habile politique du duc de Bourgogne Eudes IV.

La grande route occidentale, celle qui faisait des foires de Champagne la plaque tournante du commerce européen, se serait peut-être défendue, en d'autres temps, en jouant de la permanence des habitudes. Tant de marchands ont, depuis deux siècles, fréquenté les six foires de Troyes, Provins, Lagny et Bar-sur-Aube ! Tant de contrats ont été cautionnés par la juridiction – comtale puis royale – des « gardes des foires » ! Tant de changes ont été soldés aux foires !

Mais les temps ont changé. L'insécurité règne sur les routes de France, et la garantie des Valois ne vaut pas encore celle des Capétiens. Faites-vous rosser sur les bords du Rhône, et voyez qui vous rendra justice...

Les hommes d'affaires s'en tirent en trouvant autre chose, qui leur convient en définitive mieux que l'établissement cyclique des foires champenoises. Ils font de Paris la première place financière du royaume. Paris, c'est le plus large des marchés de consommation; c'est aussi le mieux placé des centres de redistribution. Les Siennois et les Florentins l'ont compris dès le temps de Philippe le Bel, les Lucquois s'installent en force au temps des premiers Valois. Milanais, Génois et Astésans suivront.

Une autre concurrence se dessine dès les années 1320. C'est celle de la voie maritime qui contourne par l'ouest les routes françaises. Italiens et Anglais y trouveront leur compte. C'est autant de trafics en moins pour vivifier l'économie du royaume de France.

Car les progrès de l'art de naviguer font maintenant du commerce maritime une réalité atlantique. La taille et la résistance des navires s'accroissent, les cartes et la boussole affranchissent des parcours côtiers, le gouvernail et l'amélioration des voilures offrent des possibilités meilleures de manœuvre. L'augmentation des tonnages réduit les coûts : pour un pondéreux comme l'alun, le transport de Chio à Bruges ne représente que 16 % de la valeur au détail.

L'hiver n'existe plus guère. Même vers la mer du Nord, la navigation vénitienne ne cesse pratiquement pas. Ce qui rythme le trafic, c'est le caractère saisonnier du fret – sel, poisson, blé – et non l'obstacle ancien des intempéries.

La première caraque génoise a touché Bruges en 1277. On a vu la deuxième à Londres l'année suivante. Vingt ans plus tard, les liaisons entre l'Italie et les ports du Nord deviennent fréquentes. Elles sont régulières vers 1320. La laine anglaise approvisionne l'industrie toscane, et Bruges s'impose comme le grand centre de distribution des produits de la Méditerranée à travers l'Europe du Nord. D'Alexandrie d'Égypte à Novgorod en Russie, le relais maritime est définitivement assuré. Gibraltar a tué les foires de Champagne.

Cela, les Français le voient encore mal, absorbés qu'ils sont par les difficultés politiques à la petite semaine et par la dureté des temps ressentie au jour le jour. Les Bordelais exportent le vin gascon, mais les flottes du vin sont anglaises, non bordelaises. On en dirait autant des flottes qui relâchent à Bourgneuf pour approvisionner en sel les pays du Nord. Cabotage breton, pêche dieppoise, échanges rouennais avec l'Angleterre, ce sont là des entreprises à court rayon. Les Français laissent à d'autres l'audace sur mer et la grande aventure maritime. Génois et Vénitiens d'un côté, Anglais et Hollandais d'un autre, se taillent leur part du grand large. Les Castillans et les Portugais les rattraperont bientôt sur les routes de l'or.

Les routes bougent, les étapes se déplacent. La principale de ces « étapes », c'est celle des laines anglaises. On l'a connue à Saint-Omer, à Bruges, à Anvers. En 1363, elle sera établie à Calais, profitant de la tête de pont fortifiée entretenue à grand frais par Édouard III. C'est à cette étape que les marchands spécialisés, les « staplers », viennent rencontrer les acheteurs de toute l'Europe industrielle. Mais les Italiens ont obtenu de s'approvisionner directement en Angleterre, donc à moindre coût. Il leur en a coûté du bel et bon or, celui qu'ils ont prêté à fonds perdus au roi d'Angleterre à la veille de ses premières campagnes sur le continent.

Mais c'est vers l'est que se développent les grandes foires de la nouvelle Europe. Si les foires de Chalon profitent du déclin des carrefours champenois, les foires de Genève tirent avantage du glissement vers l'est des routes transalpines et celles de Berg-op-Zoom deviennent, aux confins des trafics de la mer et de ceux du Rhin, l'une des places majeures de l'Europe marchande.

Le centre financier de l'Europe de l'Ouest et du Nord, c'est toutefois Bruges, à la fois nœud des initiatives économiques, lieu de rencontre et d'échange, place de règlement et de compensation. Mais Paris superpose les fonctions économiques. Le marché commercial y est à l'échelle du bassin de la Seine et à la mesure des niveaux de consommation d'une capitale, cette capitale qui est aussi centre de décision et d'information économique, autant que de décision politique. L'originalité et l'ampleur de la place financière doit beaucoup au drainage fiscal dont le produit finance une machine administrative déjà très fortement centralisée. Simple relais de Bruges à bien des égards, Paris a sa dynamique propre, faite d'une extraordinaire concentration d'hommes, de capitaux disponibles et d'occasions à saisir.

LA CRISE DE LA SEIGNEURIE.

Le cadre de l'économie industrielle n'est pas seul à craquer, et cela sans attendre la guerre. Le cadre seigneurial de l'économie rurale s'effondre de toutes parts. Là encore, les facteurs internes de crise l'emportent largement sur les agressions extérieures. Celles-ci viendront surtout – comme la Peste noire et les ravages des compagnies – porter le coup fatal à un système déjà miné.

Ce qui s'effondre en premier lieu, c'est le revenu foncier. Voilà deux siècles au moins que sont fixées la plupart des redevances dues par les paysans pour loyer perpétuel de leur « tenure ». Qui devait un denier de « cens » en 1100 doit toujours un denier en 1340. On n'avait pas prévu l'inflation. Entre 1100 et 1340, le denier a perdu les deux tiers de sa valeur. Qu'y peut-on ?

Mais telle seigneurie à laquelle cent livres de revenu conféraient sous Louis VI un pouvoir d'achat de vingt kilogrammes d'argent ne rapporte plus, à la fin du règne de Philippe VI, que la valeur d'un peu moins de trois kilogrammes de métal fin.

Cette lente érosion de la rente est déjà sensible au milieu du XIIIe siècle ; ses effets sont aggravés, au début du XIVe, par la stagnation des prix céréaliers. Les redevances en nature, les « champarts » qui sont le loyer des terres baillées tardivement, alors qu'on entrevoyait déjà le risque d'évanouissement des revenus stipulés en argent, les dîmes comptées en part des gerbes et des fruits, les rentes constituées payables en boisseaux et en setiers, tout cela ne croît pas à l'unisson des coûts que supporte la seigneurie : le coût des services salariés, le coût de l'outillage, le coût de la vie aristocratique, le coût des armes et de la chevauchée.

Même les accidents qui troublent un temps la conjoncture ne suffisent pas à renverser la tendance. Les mortalités — celle de 1315-1317 en premier lieu - font monter le prix du pain parce qu'une main-d'œuvre moins nombreuse, c'est le blé plus cher à la production. Mais, si le blé est plus cher, c'est parce que le salaire des ouvriers agricoles est plus élevé, et parce que les produits industriels sont plus coûteux. Le seigneur qui paie ses ouvriers et le paysan qui renouvelle ses outils de fer savent qu'en définitive la hausse du prix des blés leur rapporte peu. Seules les très grandes seigneuries surmontent l'adversité : celles qui ont un fort excédent commercialisable et peuvent ainsi profiter vraiment des flambées du marché, par-delà l'enflure des coûts de production. Les autres, qui voient leur revenu se dégrader lentement en temps normal, le voient se dégrader tout autant quand la crise interrompt pour quelques mois la stagnation des prix. On comprend que la plupart n'aient pas su analyser les causes réelles du mal. Les crises frumentaires ralentissent quelque peu le déclin du régime seigneurial. Elles ne l'empêcheront pas.

La cohérence interne du domaine se disloque pendant ce temps. La base de tout, c'était la complémentarité des deux parties de la seigneurie, la « réserve » en exploitation directe, la « censive » lotie à des tenanciers. Longtemps, les corvées dues par les tenanciers ont suffi pour l'essentiel à l'exploitation des terres en réserve. Maintenant, il n'y a plus rien à tirer des corvéables, et l'on doit payer des ouvriers agricoles.

Le corvéable, c'est un homme qui doit un certain type de travail pendant un certain temps. Il est rare qu'il doive une certaine tâche.

Deux jours de labour, et non trente sillons. Trois jours de charroi, et non le charroi de cent sacs. Alors, inévitablement, le corvéable est un homme qui vient lentement, qui travaille peu, qui prend le temps de manger et de boire, qui se repose à tout propos, qui décampe dès qu'il peut. Mais il exige d'être nourri convenablement.

La corvée coûte donc assez cher au seigneur qui en bénéficie. Heureux est-il lorsqu'il peut transiger avec des paysans qu'un tel système n'avantage pas pour autant car il les tient hors de leur propre terre, de leur tenure, dans les moments précis où il y a tant à faire. Le travail du seigneur et le travail du paysan sont en concurrence dès lors qu'il faut rentrer la récolte avant la pluie ou vendanger quand le raisin est mûr. Et le paysan aurait, sur sa terre, un autre rendement.

Le tenancier est donc prêt à payer pour ne plus devoir faire passer la moisson du seigneur avant la sienne. Il rachète ses corvées. Au début du XIVe siècle, nombreux sont les villages dont tous les habitants sont « abornés » ou « abonnés » : on a mis des bornes aux obligations.

Mais l'abonnement est fixé en monnaie, et la monnaie fond. Le roi lui-même s'est laissé prendre depuis longtemps, comme ici pour ses domaines normands :

> Item sont là cinq vavasseurs. Sont estimés les services d'iceux à cent sous. A iceux vavasseurs est remis le service qu'ils devaient, les prières (corvées) des charrues et de herse et le charriage des gerbes en août qu'ils devaient, à chacun pour cinquante sous, payables par chacun d'an en an...
>
> Item sont là trois hommes qui doivent deux journées à une charrette, estimées à deux sous six deniers.
>
> Item trois hommes doivent avec trois chevaux aller envers Dieppe à hareng une fois l'an.
>
> Item trois hommes doivent porter le blé au seigneur, quand le seigneur voudra, de Hardouville envers Pavilly, et le foin porter aux champs deux fois l'an, estimé chacun service à quatre sous.
>
> Iceux trois hommes, c'est à savoir Jean Esgagnié, Guillaume Burel et Guillaume Bagot, repérièrent les services qu'ils devaient, chacun pour six sous d'annuelle rente.

Mais le paysan est malin. Bien des communautés villageoises ont trouvé dans les mutations du domaine un moyen pour tout refuser, la corvée et l'abonnement. Il est aisé de s'entêter à vouloir accomplir son obligation et servir de ses bras, quand on sait que le seigneur a fini de lotir les terres sur lesquelles, jadis, se faisait le travail des corvéables. A quoi bon payer, si le seigneur n'a plus de champs à labourer ?

La seigneurie est donc à la merci du salariat. La chose est sans gravité en un temps où la pression démographique fait rechercher l'emploi. Elle devient inquiétante lorsque les salaires montent cependant que plafonnent les prix céréaliers. Le revenu foncier supporte de moins en moins bien les nécessaires investissements qui assureraient l'entretien du fonds. La nécessité de paraître, dans les cours princières aussi bien qu'à la guerre, fait le reste : le seigneur délaisse sa seigneurie et l'exploite sans souci des lendemains. Ne voyant plus dans la terre la source de revenus qu'elle a été par excellence pour les générations passées, l'aristocratie préfère les fruits du service. Service de cour, service dans les offices de justice et d'administration, service à l'armée procurent les gages, les pensions, les soldes, les dons, voire les rançons. La boucle est refermée. Le seigneur est entré dans le circuit de la rétribution.

Il y a bien les nouveaux riches, qui achètent, en mal de considération, les terres dont la vieille féodalité se défait parfois. Bourgeois en quête de placements sûrs sinon fructueux, citadins heureux d'assurer ainsi l'approvisionnement de leur hôtel, ils ne sont pas les entrepreneurs d'un remodèlement des systèmes d'exploitation. Ils ne suffisent pas à renverser le mouvement qui conduit à la dégradation de l'économie seigneuriale. Ces premières acquisitions bourgeoises, achats de cens, de rentes, de droits sur les marchés, ne sont au vrai que des placements : la ville n'a pas encore commencé d'animer profondément la campagne. L'homme d'affaires n'a pas encore pris en main la gestion de la campagne, et le conseiller du roi n'a d'autre ambition, quand il achète une seigneurie entière, que d'imiter son collègue déjà doté par l'hérédité.

Que le propriétaire soit d'ancienne lignée féodale ou qu'il soit acquéreur de fraîche date, le lien se distend entre la terre et son maître ; le château est encore résidence, parfois résidence temporaire, mais il n'est plus le centre du gouvernement agraire. Le seigneur voit moins l'avantage que trouvait son prédécesseur à conserver, pour l'exploiter lui-même, cette « réserve » qui était au cœur de la seigneurie et en assurait la cohésion.

Alors, il achève de lotir. Il reprend ce mouvement commencé avec les premières censives de l'époque franque, ce mouvement interrompu, quelques siècles durant, par un certain équilibre technique autant qu'économique.

Ce n'est pas au paysan moyen, déjà mal à l'aise sur sa tenure, que profitent ces nouveaux lotissements. Il serait bien incapable d'assumer tout à coup l'exploitation de parcelles sensiblement plus vastes que la vieille censive. Le preneur de ces baux nouveaux, le « fermier » ou le « métayer » des anciennes réserves, c'est le coq de village, le bénéficiaire des plus grandes extensions de l'époque précédente, le détenteur des meilleurs outils et des plus robustes attelages. C'est celui dont les capacités d'investissement garantissent la mise en valeur des terres nouvellement baillées. Le paysan riche renforce sa position. Tant pis pour l'autre.

Dans cette France où de lourds nuages roulent sur l'horizon, les fossés ne cessent donc de se creuser. Fossé entre le bourgeois opulent qui passe de la vaisselle d'étain à la vaisselle d'argent et l'ouvrier des industries textiles ou le manœuvre du bâtiment. Ils n'ont plus grand-chose de commun, sinon d'habiter en ville. Fossé, encore, entre le laboureur aisé, propriétaire de ses mancherons et de ses greniers, et le journalier qui complète sur la terre des autres le maigre profit qu'il tire de la sienne. Il y a entre eux toutes les différences qui tiennent à la capacité de s'adapter, à la sécurité des lendemains, à la faculté de progresser.

Dans la crise qui s'ouvre, les uns trouveront le moyen de surnager. Certains y gagneront. Les autres s'enfonceront. Nul ne sait que la guerre sera celle de Cent Ans et que la malnutrition des années pourries va favoriser la Peste noire. Mais tout le monde sent que les temps faciles ne sont plus.

CHAPITRE III

Une guerre mal engagée

Vers la Toussaint de 1337, on vit arriver à Paris Henri Burgersh, évêque de Lincoln. Le prélat était porteur d'un message du roi d'Angleterre adressé à « Philippe de Valois, qui se dit roi de France ». C'était à la fois une rupture de l'hommage prêté à Amiens, une mise en cause de la succession à la couronne de France et une déclaration de guerre.

La course aux alliances.

La marche à la guerre avait été très rapide depuis qu'un an plus tôt le Parlement réuni à Nottingham avait voté le subside demandé par Édouard III pour financer l'entreprise. Le roi d'Angleterre avait armé une flotte de guerre, envoyé des armes en Guyenne. Pour ruiner l'industrie flamande et contraindre les villes drapantes – Ypres, Gand, Bruges, Lille – à se tourner par intérêt vers l'Angleterre, il avait interdit, à la fin de 1336, toute exportation de laine anglaise à destination de la Flandre. Cruel dilemme pour une industrie, que ce choix nécessaire entre ses clients français et ses fournisseurs anglais. Édouard III prenait même des initiatives propres à pérenniser la nouvelle situation économique : en février 1337, il accordait de larges privilèges à tous les ouvriers étrangers qui viendraient s'établir dans les villes anglaises. L'importation de draps étrangers était interdite. L'Angleterre allait vivre sans la Flandre.

Édouard III s'entendait à creuser le fossé entre les principautés du Nord, déjà rivales : il favorisait habilement les exportations anglaises vers le Brabant, dont la jeune industrie – la draperie de Malines et de Bruxelles – commençait de rivaliser efficacement avec celle des grands centres traditionnels de Flandre. Les Brabançons reçurent trente mille sacs de laine, à la seule condition que rien n'en serait cédé aux métiers de Flandre. Peut-être faut-il voir une coïncidence dans le fait que Robert d'Artois, pour l'heure réfugié à la cour d'Angleterre, avait un moment trouvé refuge en Brabant et qu'aux observations du roi de France le duc Jean III de Brabant avait dignement répondu qu'il n'avait pas d'ordres à recevoir. N'étant pas du royaume, Jean III recevait chez lui qui lui semblait bon.

A travers l'Europe rhénane, autrement dit aux confins occidentaux du Saint-Empire romain germanique, la diplomatie du sterling avait déployé une activité ouvertement dirigée contre le roi de France. On avait vu à Valenciennes, aux portes du royaume, les ambassadeurs anglais tenir quelque temps une « bourse aux alliances » où se monnayait la haine du Valois.

Cela suffisait largement pour fonder en droit une sentence contre le duc de Guyenne, qu'il était aisé de convaincre de félonie. Mais Philippe VI négligeait de compter en l'affaire son propre comportement, qui n'était cependant pas celui d'un seigneur modèle. Ne venait-il pas de masser en Normandie sa flotte et de relancer contre Édouard III la résistance des Écossais ? Le roi de France feignit de ne voir que les manœuvres de son vassal aquitain. Le 24 mai 1337, ayant refusé de déférer à la citation, Édouard III était condamné par défaut à la « commise » de son duché.

Un instant, le pape Benoît XII caressa l'espoir d'éviter le pire, cette guerre des deux royaumes qui rendrait illusoires ses projets de croisade. Il obtint du roi de France un sursis à l'exécution de la commise. Philippe VI promit de n'occuper le duché que l'année suivante.

La réplique d'Édouard III fut ce qu'on pouvait attendre : ce fut le défi porté par l'évêque de Lincoln. Tout le monde était d'accord pour la guerre. Une guerre féodale, peut-on dire ; une guerre traditionnelle. Bien qu'Édouard III ait été dès l'abord écarté de la succession capétienne parce qu'il était étranger, la guerre qui éclatait n'avait pas plus l'air d'un conflit entre des nations que les précédents affrontements entre les Capétiens et les Plantagenêts. On allait se battre pour des histoires de captation d'héritage, pour des détournements de fiefs, pour des empiètements du suzerain sur les droits naturels de son vassal, pour des manquements du vassal à la fidélité due en raison de l'hommage.

Le duc de Guyenne est roi d'Angleterre, les alliés écossais du roi de France luttent contre l'Angleterre, l'économie flamande va devoir choisir entre la France et l'Angleterre. On aura très vite l'impression d'une guerre franco-anglaise. Impression renforcée par le fait que la Guyenne est hors d'état de se défendre seule et que, sous l'autorité d'un duc diversement apprécié, les Aquitains sont divisés. C'est en définitive le sterling qui finance la guerre contre le tournois. C'est d'outre-Manche que viendront les raids qui dévasteront la France.

Les Français n'ont cependant pas encore le sentiment de combattre l'Angleterre, non plus qu'ils n'affrontaient l'Allemagne en écrasant à Bouvines les troupes d'Othon de Brunswick. Le temps des nationalismes n'est pas venu pour les contemporains de Philippe VI. On est toujours à l'époque des clientèles féodales. Ce qui va s'affronter, ce sont deux réseaux de solidarités contractuelles – hommage contre protection – que complètent et qu'infléchissent les achats de fidélités temporaires.

La course aux alliances qui définit en cette année 1337 les deux groupes hostiles se joue donc à la fois sur le long terme des liens traditionnels, noués au long des constantes de l'intérêt politique ou économique, et sur le très court terme d'une diplomatie sonnante et trébuchante.

Le terrain par excellence de cette course aux alliances, c'est l'extraordinaire complexe politique qu'il est permis d'appeler – au risque d'un anachronisme – les Pays-Bas. Philippe le Bel et Édouard II s'y sont affrontés. Édouard III réitère la manœuvre, la seule qui prenne le Français à revers du front de Guyenne et fasse ainsi obstacle à une conquête rapide de ce qui reste du duché d'Aquitaine. Mais la Flandre est tout, sauf unie. On a vu le menu peuple des métiers derrière le comte, contre les patriciens qui formaient encore dans les années 1300 le parti du roi de France : les hommes des fleurs de lis, les « léliaerts », comme on disait. On a vu, vingt ans plus tard, le comte soutenu par le roi de France et s'appuyant sur Gand contre la révolte de la Flandre maritime.

Édouard III ne peut tout miser sur un Louis de Nevers qui ne doit son pouvoir en Flandre qu'à l'intervention du Valois. Le souvenir de Cassel gêne la diplomatie anglaise. A lui seul, le comte de Flandre n'est rien. Jouant la division qu'il n'a pas inventée, le roi d'Angleterre fait donc peser sur les métiers le chantage à la crise. Privée de laine anglaise, alors que la laine flamande a cessé depuis longtemps de suffire à l'industrie, la Flandre est vouée au chômage. Les braves gens des villes n'ont pas oublié les clauses financières du traité d'Athis, et ce qu'il leur en a coûté. Mais, puisqu'il leur faut se fâcher avec l'un des rois, autant tenir le parti de celui de qui dépend la prospérité. Il en coûtera, peut-être, encore que Philippe VI ait la sagesse de faire savoir aux Flamands qu'il comprendrait leur neutralité. A prendre l'autre parti, la ruine serait certaine.

Le Brabant a toutes les raisons de se ranger derrière le Plantagenêt. Son indépendance ne passe pas par une alliance française dont il est en revanche assuré qu'elle ferait vite du duché un simple satellite. Le comte de Hainaut, au contraire, a bien des raisons d'épouser la cause anglaise après avoir en 1328 soutenu la candidature du comte de Valois au trône de France : époux de Philippa de Hainaut, Édouard III est son gendre. Pendant quelques mois, le Hainaut s'en tient cependant à une difficile neutralité; puis, voyant la Flandre s'engager délibérément dans l'alliance anglaise, il se range dans le même camp pour ne pas se trouver inutilement isolé. Comme Guillaume de Hainaut est également comte de Hollande et de Zélande, la Flandre se trouve entourée du côté de l'empire, de la mer du Nord à la frontière française, par un état fermement hostile à Philippe de Valois.

Les principautés rhénanes complètent la coalition. Juliers, Limbourg, Clèves et quelques autres cèdent au son des « esterlins » que distribuent avec générosité les ambassadeurs anglais. En ce temps de fidélités contractuelles, la chose n'a rien de déshonorant. Elle n'est que la version moderne du vieux contrat féodo-vassalique : l'échange d'une fidélité contre un fief.

Philippe VI ne peut compter dans cette région que sur de rares survivances d'une influence française portée naguère à son apogée par saint Louis et par Philippe le Bel. A peine fidèle, toujours fragile, Louis de Nevers ne peut dire qu'il apporte l'alliance flamande. Au reste, on l'a assez souvent vu flancher – en 1330, en 1334, en 1336 – pour ne pas trop fonder sur lui. La Flandre lui échappe, et elle échappe au roi. Quant à l'évêque de Liège ou à la ville de Cambrai, ils ne voient guère dans leur alliance avec la France que le moyen de balancer l'influence de leurs trop puissants voisins de Hainaut et de Brabant. Le roi de France a peu à espérer dans les Pays-Bas.

Le jeu est plus subtil du côté de l'empereur. Louis de Bavière cherche en effet dans une politique d'équilibre à sauver ce qui peut l'être de son pouvoir après sa rupture avec le pape. Car le Saint-Empire romain germanique est aux mains d'un excommunié, schismatique de surcroît. Le plus constant des adversaires du pape avignonnais doit donc, pour survivre, disloquer l'entente des princes chrétiens. Mettant à l'encan son amitié, il finit, en août 1337, par vendre son adhésion à la cause du Plantagenêt. Édouard III obtient même de l'empereur le titre de « vicaire impérial en Basse-Germanie » qui fait de lui le représentant officiel de l'autorité impériale sur le Rhin et la Meuse. L'affaire se fêtera, en septembre 1338, à Coblence, au cours de réjouissances magnifiques que donnera l'empereur et que paiera l'Anglais.

Si Benoît XII était plus décidé, cette politique impériale devrait procurer au Valois l'appui pontifical. Mais le pape se contente de protester, croyant toujours qu'il pourra bientôt imposer de nouveau sa médiation. La détermination d'Édouard III a finalement raison de ce désir de paix : c'est le roi d'Angleterre qui, en juillet 1338, rappelle ses ambassadeurs à Avignon.

Édouard, en ces jours-là, se croit tout permis. Il reçoit à Coblence l'hommage des vassaux de l'Empire, à la seule exception de l'évêque de Liège. Il noue des relations avec les voisins orientaux du royaume de France, avec le comte de Genève, avec le comte de Savoie. Même le duc de Bourgogne, toujours amer du choix dynastique de 1328 et de ses séquelles navarraises, en vient à prêter une oreille complaisante aux propos engageants du Plantagenêt.

C'est alors qu'Édouard III vend la peau de l'ours. Il passe commande d'une couronne fleurdelisée. Déjà, il se voit à Reims.

Philippe VI n'est pas en reste. Si elles sont moins nombreuses, ses alliances sont plus utiles à long terme parce que plus solides. De judicieuses distributions de rentes sur le Trésor — excellent procédé, qui permet de suspendre le paiement si la fidélité s'assoupit — ont acquis au Valois l'alliance de plusieurs princes d'Empire comme le comte de Savoie et celui de Genève, un instant tentés par l'alliance anglaise, et comme le comte de Vaudémont ou celui de Deux-Ponts. Comte de Luxembourg et roi de Bohême, Jean l'Aveugle est un habitué de la cour de France : il se range sans hésitation dans le camp français, y entraînant son gendre le duc de Basse-Bavière. Gênes s'engage à fournir des navires et des arbalétriers expérimentés. Le Habsbourg, enfin, marque sa sympathie.

Le plus grand succès de cette activité diplomatique — que mène surtout Mile de Noyers, l'homme à tout faire du roi — est l'alliance du roi de Castille. En décembre 1336, Alphonse XI promet au roi de France un appui maritime qui se révélera fort utile sur l'Atlantique : de Bayonne à la pointe Saint-Mathieu, marins gascons et anglais et marins français et bretons ne manquent pas une occasion d'en découdre, sur mer aussi bien qu'à quai. Quatre ans plus tard, on verra même les navires castillans en mer du Nord.

Les armées.

Les formes politiques du conflit sont donc, pour une ou deux générations encore, très traditionnelles. Il y a loin, en revanche, des armées qui vont s'affronter dès le début des hostilités à ces armées qu'opposaient en 1294 un Édouard Ier et un Philippe le Bel.

C'en est fini du contingent militaire dû par le vassal pour son fief et à proportion de celui-ci, comme c'en est fini de l'infanterie des sergents dus par les communes pour prix de leur inclusion dans le réseau de protection royal. La voie ouverte en France par les décisions prises au lendemain du désastre de Courtrai, la mutation imposée en Angleterre pour la continuation du péril écossais, c'est celle qui conduit à l'armée soldée, à l'armée recrutée par contrat et rémunérée grâce à l'impôt. Cet impôt, le Parlement anglais et les états français l'octroient pour racheter le service armé – cette notion de rachat apparaît en France dès les premières années du XIVe siècle – ou plus simplement parce qu'il faut défendre les intérêts du roi et ceux du « bien commun » en l'occurrence confondus.

L'armée anglaise s'est aguerrie en Écosse. Les gens d'armes que fournissent les capitaines aux termes de leurs contrats sont des professionnels, nobles de la chevalerie anglaise ou gasconne, robustes paysans – souvent gallois – de l'infanterie. Les contrats sont précis, ces « indentures » ainsi nommées parce que les deux textes rédigés sur un même parchemin sont divisés à la lame suivant un tracé en dents de scie qui permet la preuve par le rapprochement des deux parties. On y stipule le nombre des soldats, la durée du service, les modalités de prolongation, les procédures de paiement. Dûment soldés, les capitaines n'ont d'autre intérêt que celui de leur employeur : on ne risque plus les trahisons et les fronts dissociés des siècles précédents.

Le roi de France, lui, fonde encore son infanterie sur les milices communales qui ont fait merveille, un siècle plus tôt, sur le champ de bataille de Bouvines. Mais la débrouillardise des citadins n'envoie pas toujours à l'armée ceux dont le dynamisme manquerait en ville durant le temps des opérations, et les « sergents » procurés par les « feux » ruraux sont rarement de ceux dont la présence est irremplaçable au village, car le temps des combats est aussi celui des travaux agricoles. Quant à la cavalerie, c'est encore pour l'essentiel l'ost féodal, au sein duquel les rivalités politiques sont autant de facteurs d'indiscipline et d'inefficacité. Le roi de France recrute bien quelques mercenaires, quelques coutilliers allemands, quelques arbalétriers génois. Ils ne forment, dans l'armée qui sera celle de Crécy et de Poitiers, qu'une minorité de professionnels.

Depuis le début du siècle, nul ne discute plus vraiment le droit du roi à convoquer, en cas de péril général, non seulement ses vassaux directs – le « ban » – mais aussi les hommes de ses hommes, ceux sur lesquels le droit féodal ne lui reconnaît aucune autorité directe. Cet « arrière-ban » qu'il convoque ou qu'il invoque pour faire payer par chacun un impôt présenté comme le rachat du service, c'est l'une des expressions d'un glissement parmi les principes juridiques de la monarchie. Dès lors qu'il s'adresse à ses arrière-vassaux et aux hommes de ses vassaux par-dessus ceux-ci, le roi se comporte en souverain, en chef de l'État, non plus en suzerain, c'est-à-dire en seigneur supérieur.

Au service effectif d'hommes domiciliés à travers tout le royaume, mal aguerris, peu disciplinés et armés de bric et de broc, le roi de France préfère généralement l'aide financière. Avec le produit de l'impôt, il solde des combattants de métier. Mais l'alternative n'est pas aussi simple qu'il y paraît au premier abord. Les négociations se conduisent région par région, ville par ville, et la réponse des contribuables diffère selon qu'ils sont plus ou moins intéressés à l'issue de la guerre. Ceux qui savent devoir, de toute manière, se défendre eux-mêmes les armes à la main ont peu de goût pour le rachat préalable du service. Ainsi, en 1337, les prudentes gens que sont les bourgeois de Paris :

> Les gens de Paris nous feront en cette présente année, en notre ost que nous entendons avoir à l'aide de Dieu, aide de quatre cents hommes de cheval par l'espace de six mois si nous allons au dit ost en notre propre personne, ou en l'espace de quatre mois si nous n'y allons et que la guerre soit...
>
> Accordé est que tout l'argent qui sera levé des dites impositions ou assiettes sera pris et reçu par la main des gens de la dite ville, et payé par leur main et en leur nom, ou par leurs députés à ce faire, à notre Trésor à Paris.
>
> Et, s'il advenait par aventure qu'il convînt que le commun des gens de la dite ville allât au dit ost par manière d'arrière-ban ou autrement, ou qu'il y eût paix ou trêves, ou qu'on s'en retournât, nous voulons que, dès lors tantôt que l'un des dits cas adviendrait, les dites gens fussent quittes envers nous de payer les dites gens à cheval.

Le roi lui-même hésite. Les données de son choix varient selon les temps, selon les lieux, selon les circonstances. Selon les combattants, aussi, car il est plus aisé de remplacer une horde d'artisans et de paysans tapageurs « comme à la foire » — c'est Philippe de Mézières qui l'écrit — que de substituer une bonne cavalerie à la chevalerie du royaume. On fait racheter le plat pays pour solder des « sergents », mais on convoque le plus souvent les nobles en personne.

Le royaume ne s'en porte que mieux. La saison des combats est aussi celle des moissons et des vendanges. A la ville, où les saisons sont moins marquées, on ne peut songer à dégarnir toute une communauté citadine de ses boulangers, de ses ferrons, de ses maçons.

La noblesse, en revanche, cherche à se battre pour s'illustrer. Leur raison d'être comme nobles et leur éducation portent les auteurs des *Cent ballades* à la guerre, au fait d'armes, à la prouesse.

> Et s'il y a nul compagnon
> Gracieux et de bon renom
> Qui te veuille d'armes requérir,
> Octroie lui, car c'est raison.
> Ainsi pourras honneur conquérir.

Se battre sans motif, mais se battre. Ces mêmes nobles, chevaliers armés ou écuyers en attente d'un adoubement plus ou moins assuré, c'est eux que le roi conservera pour former le noyau de son armée soldée, même lorsque les premières débandades de l'infanterie des communes – à Crécy en particulier – auront convaincu les chefs de l'armée royale que la seule présence des milices sur un champ de bataille ne donne pas l'assurance d'un nouveau Bouvines.

La noblesse est donc là, à la guerre, parce que c'est son devoir et parce que c'est son métier. Le chevalier conduit les hommes de son fief, d'abord en nombre proportionnel à l'importance de ce fief, ensuite en nombre correspondant à son contrat de « retenue » et en proportion de la solde qu'on lui a promise. C'est bien le même chevalier qui sert parce qu'il le doit et parce que le roi a fait « semonce » à tous les nobles du royaume, et qu'on paie pour le garder en armes au-delà du temps qu'il doit, ou pour qu'il serve avec plus d'hommes qu'il n'en doit. Le vassal sous les armes se transforme en un capitaine.

Quand le péril est évident, il est plus aisé de choisir l'autre terme de l'alternative et de convoquer les hommes. L'impôt, c'est la négociation, ce sont les concessions que le roi ne peut refuser sans prendre le risque d'un refus. Ce sont les intermédiaires, les assemblées locales, les notables plus ou moins représentatifs, les états, enfin, généraux ou non. Et les états préfèrent l'impôt parce qu'il leur donne l'occasion d'un marchandage qui les met à même d'organiser un embryon de contrôle politique. Les hommes en armes, eux, viennent plus ou moins vite, mais ils viennent sans marchander. Lorsque le danger est suffisant pour leur enlever toute envie de discuter, le roi a tout à gagner à l'arrière-ban en armes.

Certains découvrent vite que l'état militaire permet de gagner sa vie. Ils sont hommes d'armes, aux ordres d'un capitaine qui les paie à la journée. Ils sont capitaines, payés par le prince qui les emploie, au prorata d'effectifs que l'on vérifie périodiquement. C'est ainsi que les officiers royaux – les maréchaux, le maître des arbalétriers – se font présenter les troupes en des « montres » dont on dresse procès-verbal afin de faire foi lors du paiement des soldes.

Les lettres de retenue, qui sont des contrats d'embauche, stipulent souvent en détail le service attendu et ses conséquences financières. On fixe ainsi la durée de la retenue et parfois son objet, le taux de la solde par tête d'homme d'armes, les modalités de cette avance sur la solde qu'on appelle le « prêt ». Car l'homme d'armes ne veut pas d'un paiement incertain après le service, et le prince ne veut pas d'un service incertain après le paiement. De même fixe-t-on dès la retenue le prix du « restor » que l'on paiera au capitaine pour prix des chevaux fourbus ou tués en service, et l'on se met d'accord à l'avance sur les récompenses qui seront offertes pour les hauts faits et les belles prises.

France et Angleterre, en cette matière, se ressemblent étrangement. Peut-être y a-t-il seulement un peu plus de professionnels dans l'armée anglo-gasconne, parce qu'Édouard III peut difficilement invoquer le péril imminent pour franchir la Manche. Peut-être les « indentures » anglaises sont-elles plus précises. Surtout, elles sont faites pour de plus longues durées : il est plus aisé aux Français de se procurer en France de nouveaux soldats qu'à l'Anglais de remplacer en territoire ennemi ses soldats défaillants.

Nobles privés des occasions de fortune qu'offraient jadis les innombrables guerres entre barons, citadins sans métier, paysans sans terre, voilà ce dont sont faites en bonne partie ces « compagnies », ces « routes » qui sont autant d'entreprises de guerre travaillant pour le plus offrant. Mais n'imaginons pas une armée de marginaux sociaux, de bâtards nobles, de bandits en mal d'échapper à la corde. L'armée n'est ni le dépotoir de la société civile, ni le moyen de promotion de braves n'ayant que leurs bras.

L'exceptionnelle destinée d'un Bertrand du Guesclin, noble va-nu-pieds devenu connétable, a frappé les contemporains par son caractère insolite. Encore ne faudrait-il pas exagérer l'image, car Du Guesclin n'a rien du chenapan de village, et sa famille est des plus estimées. Quant aux bâtards nobles, dont on a souvent écrit que les armées de la guerre de Cent Ans étaient formées, les recensements les plus précis font apparaître qu'ils sont un sur vingt, ou un sur trente, parmi les hommes d'armes à cheval. On aurait tort de généraliser l'exemple de la Gascogne, où s'installe assez vite l'idée qu'un bâtard de bonne famille trouve à l'armée l'occasion de s'employer que ne lui ménage pas le patrimoine familial.

Pour la plupart, la seule promotion sociale – qu'il ne faut pas négliger mais qui ne bouleverse pas la société – sera celle qui portera au rang d'écuyer, au temps de Charles V, des Boit-l'Eau, des Beau-Poil ou des Brigand dont le temps de Philippe VI eût seulement fait des sergents à pied.

Au regard des armées modernes, les troupes que mobilisent les souverains en guerre sont bien peu nombreuses. Dans ses guerres de Gascogne, Philippe VI n'a que rarement engagé plus de six mille gens de pied, plus de quatre mille hommes d'armes à cheval. Une campagne qui mobilise en Flandre – et pour tout le nord du royaume – pendant trois mois plus de vingt mille cavaliers et deux ou trois mille piétons représente un effort financier considérable. Quand le roi négocie l'impôt sans lequel il n'est plus d'armée, c'est ce qu'il demande : une vingtaine de milliers de soldats pendant trois ou quatre mois. Au cœur du conflit, avant comme après Poitiers, il en demandera parfois cinquante mille. Les états de Langue d'oïl iront jusqu'à trente mille hommes servant en permanence pendant un an, et ceux de Langue d'oc jusqu'à dix mille : quarante mille hommes en tout. Voilà ce dont peut disposer au mieux le roi de France pour l'ensemble de son royaume à l'heure du plus grand péril.

Ces chiffres peuvent nous sembler faibles. Pour les contemporains, dix mille hommes, c'est beaucoup. Lorsque le chroniqueur voit passer une troupe de mille hommes, il voit passer une véritable force armée. Comme il est incapable d'imaginer ce que seraient trente mille hommes rangés en bataille, il écrit qu'il a vu trente mille hommes. Il n'est pas malhonnête. Il a simplement voulu dire : beaucoup.

Si notre horizon se rétrécit, les effectifs sont bien moindres. Il y a rarement plus de dix mille combattants sur un champ de bataille. Ces chiffres ne sont guère dépassés que par l'armée de Bouvines en 1340 et celle de Crécy en 1346. A Poitiers, en 1356, les Anglais seront au plus six ou sept mille.

Les sièges retiennent de plus forts effectifs. Édouard III emploiera vingt-cinq mille hommes au siège de Calais. Mais les raids qui sillonnent la France et qui constituent l'ordinaire de la guerre de Cent Ans groupent parfois moins d'un millier d'hommes.

Les ravages de la guerre.

Les théâtres d'opérations seront donc exigus. Ce n'est pas un pays tout entier que ravagent les vagues successives de la soldatesque, amie ou ennemie. Des chevauchées comme celles de Jean de Lancastre ou de Robert Knolles feront de réels dégâts sur quelques lieues de large, au hasard des divagations d'une route dont est fixé l'axe général, non le cheminement. Une bataille comme Crécy ou Poitiers laissera intactes villes et campagnes suffisamment éloignées pour n'avoir pas offert de cantonnement. Au reste, prendre une ville est affaire de temps, et le prix des soldes met le siège au prix des œuvres de prestige. Une ville se contourne plus qu'elle ne se prend.

Il n'empêche que la guerre s'abat cruellement sur des milliers de villages qui ne connaîtront jamais le moindre combat mais dont le seigneur fortifie — et doit fortifier — son manoir aux frais des manants, et sur des centaines de villes que nul n'assiège mais dont l'enceinte sera cependant, pour un siècle, le plus lourd des postes budgétaires. Et l'insécurité des routes paralyse les échanges que laissent subsister les divers interdits qui frappent le trafic des denrées stratégiques, le fer ou les chevaux par exemple.

Constituer des réserves semble vain à qui craint chaque jour le pillage. Quant à l'investissement, il n'y a rien de tel pour le décourager que la peur quotidienne de l'incendie. La guerre paralyse ainsi bien des activités en des lieux qu'elle ne touchera finalement jamais.

Le soldat en guerre n'est d'ailleurs pas plus dangereux que le soldat entre deux embauches. Au moins le premier est-il encadré. Le chapardage, la violence gratuite, la bêtise débordent largement la zone des combats. L'habitude de la guerre laisse croire à bien des soudards que tout leur est permis, et il suffit de dix imbéciles en goguette pour extorquer le magot du paysan, violer la fille et brûler la maison en guise d'adieu.

Même s'il ne ravage rien, le soldat coûte cher au pays qu'il traverse. Les réquisitions sont lourdes, et le paiement en est tardif. Lorsqu'il s'agit de ravitailler une troupe ou de garnir une forteresse en vue d'un siège hypothétique, les fourriers ne lésinent pas. Le pays doit livrer du vin, du blé, de l'orge, de l'avoine, du foin, de la paille, des bûches, des fagots, des chandelles. Qu'on le paie ou non, tout cela manquera à l'habitant dans l'année qui vient. Et, pour peu que les officiers fassent du zèle, la réquisition frappe les collets du chasseur ou les filets du pêcheur. Au moins, si l'on se contentait de prendre ce dont a vraiment besoin l'armée ! Mais le sens de la mesure n'est pas le fort des gens de guerre, et l'on voit un chevalier du comte de Flandre détruire l'écluse d'un vivier plutôt que d'y laisser vivre un seul poisson.

Entre une population plus sensible à l'arbitraire qu'aux besoins de l'armée et des fourriers peu portés à discuter longuement de l'état d'un cheval ou de la qualité d'une queue de vin vermeil, l'incompréhension règne. Souvent, elle tourne au conflit. Pour le paysan qui tremble dans sa masure comme pour le prétendu privilégié qui se croit exempt des réquisitions mais ne parvient pas à en persuader la soldatesque, la réquisition, c'est le vol.

Tel est bien l'avis du prieur de Sainte-Marguerite d'Élincourt, un brave moine clunisien qui s'en vient du Beauvaisis vers Paris dans les années 1340. Son propos est simple, et le met en marge de l'agitation ambiante : il veut poursuivre ses études. Comme son prieuré n'en fait pas un clerc fortuné, c'est en petit train qu'il voyage : deux compagnons font toute l'escorte, le moine « prévôt » de Sainte-Marguerite et un clerc tout juste tonsuré.

A traverser le Beauvaisis, les trois hommes pourraient s'estimer à l'abri des surprises. Le pays est en paix pour l'instant, et le comte de Valois – c'est alors le frère de Philippe VI – est occupé, loin de son comté, à guerroyer en Bretagne pour le compte du roi. Malheureusement, les chevaux commencent de manquer à l'armée, et nos trois moines tombent sur l'un des fourriers du comte, chargé de trouver en

Valois la remonte nécessaire. Le cheval du moine prévôt paraissant à cet officier digne de porter l'un des hommes d'armes de son maître, le prieur juge nécessaire de s'interposer. Le fourrier saisit le cheval, le prieur résiste, le fourrier le rosse.

Incident sans portée, et que nous ignorerions s'il n'avait tourné au procès. Le Parlement eut à en connaître. Le moine voulait qu'on lui payât son cheval, ce qui était simple, et qu'on l'indemnisât des injures subies, ce qui bloquait tout, y compris le paiement du cheval. L'affaire s'acheva par un compromis. Pour le restant de ses jours, le prieur de Sainte-Marguerite, qui n'avait pas vu l'ombre d'un soldat, se jugea victime de l'arbitraire des gens de guerre.

Les choses ne vont pas nécessairement mieux lorsque le clerc ou le bourgeois fait affaire avec l'armée. La guerre, certes, offre de bonnes occasions de profit, mais qui oserait parler de profit à Jean Prévôt, boucher à Amiens, qui voit saisir à un péage tout le troupeau qu'il conduit à l'armée. Il refuse de payer la taxe, jugeant à bon droit que l'approvisionnement de l'armée royale ne paie pas. Mais le garde du péage en a vu d'autres, et met systématiquement en doute de telles affirmations. Si l'on écoutait les marchands, tout ce qui passe serait pour l'armée du roi !

Là encore, on fit de la procédure, et le Parlement donna même raison au boucher, le prévôt des maréchaux de France ayant certifié sous serment la destination des bêtes. Le boucher d'Amiens gagnait, mais entre-temps il avait raté son affaire. Trop heureux était-il que le bétail ne fût pas mort pendant le séquestre.

FORCES ET FINANCES.

Si l'on s'en tient aux effectifs, le roi de France a gagné d'avance. C'est la lutte d'un royaume de quinze à vingt millions d'habitants – dans les limites de la France d'alors – contre un royaume de trois ou quatre millions d'habitants. La géographie met aussi à la charge d'Édouard III ce qu'ignore le Français dès lors qu'il oublie ses velléités d'attaque en Écosse : la perte de temps et d'argent que représente le transport maritime. Hommes, chevaux, armes, matériel, argent même, tout doit franchir la Manche, et toute action sur le continent tient à une infrastructure navale que la vieille organisation des « Cinq Ports » n'est plus en état de procurer. Transporter d'un seul coup quinze mille hommes et huit mille chevaux, c'est une gageure que le Plantagenêt et le Lancastre ne pourront guère tenir que cinq ou six fois en un siècle.

La moindre chevauchée pose à l'Anglais des problèmes d'intendance sans commune mesure avec les moyens du temps. On entend les plaintes qui s'élèvent contre les fourriers, mais on imagine la peine que ceux-ci doivent se donner pour trouver chaque soir la paille des chevaux ou pour repérer des pâturages dont l'insuffisance ne provoque pas la colère des maréchaux et la grogne des capitaines. Faire cantonner trois cents hommes d'armes dans un village est à la limite du possible, en loger trois mille pendant trois jours tient du fait d'armes. A la veille de Poitiers, en 1356, on verra l'armée anglo-gasconne du Prince Noir véritablement menacée par la disette.

L'assaillant anglais souffre d'un autre handicap : la remonte. Car la guerre est grosse consommatrice de chevaux. Même si l'on n'en tue pas. Le coursier qui a porté le chevalier jusqu'au combat est fourbu avant l'heure, et la monture fatiguée met en danger l'homme qui n'a pas sa remonte. Ce coursier de route ou de combat, fleur de coursier d'Angleterre ou d'Italie, haquenée de Normandie ou de Flandre, voire genet d'Espagne, il n'est pas question de le charger du bagage, de lui faire porter l'armure, de lui confier le boire et le manger. Il y faut des roncins, des « sommiers », bons gros chevaux de peine, inaptes à la manœuvre mais capables de porter jour après jour le bagage immédiat qu'on ne laisse pas dans les chariots. Encore faut-il des bêtes pour tirer ces chariots...

Au début de la campagne, il n'est pas d'homme d'armes qui ne dispose de deux ou trois bêtes. Le chevalier en a volontiers quatre ou cinq. Du prince qui l'emploie, il attend évidemment qu'on lui « restaure » les chevaux morts au service. Problème financier, au premier chef, mais aussi hantise technique : le « restor » en argent ne rend pas la bête, nécessaire mais parfois introuvable si le pays s'est vidé aux approches du soldat. Le handicap de l'armée qui sillonne le pays ennemi est ici particulièrement lourd. Les Français s'en rendent souvent compte en Bretagne, les Anglais l'éprouvent dès qu'ils quittent la Gascogne.

Édouard III jouit en revanche d'une supériorité dont ni lui ni son adversaire ne sont sans doute conscients au début des hostilités : seul, il dispose d'une infanterie efficace. L'infanterie du roi de France, ce sont des sergents, médiocrement entraînés à jouer du couteau, renforcés de quelques arbalétriers de métier, souvent génois. Or ces arbalétriers sont peut-être habiles au tir précis et puissant qui fait merveille dans les sièges, mais leurs armes sont lourdes et la manœuvre en est lente. L'armée anglaise, elle, est déjà forte de ses inébranlables coutilliers gallois et de piqueurs redoutables, en action de masse, pour la cavalerie adverse. Surtout, elle donne la préférence à l'arc, une arme peu précise et dont les flèches ne perceront jamais le fer d'une armure, mais une arme rapide — trois flèches dans le temps d'un « carreau » d'arbalète — et dont la légèreté permet toutes les manœuvres tactiques. Ce sera un jeu pour les archers anglais que de culbuter, à Poitiers comme à Crécy, les chevaux d'une armée française cisaillée par la pluie de flèches.

Et puis, dès lors que Philippe VI ne songe plus vraiment à franchir la Manche comme il a pu le vouloir au fort de l'alliance écossaise, l'Anglais a l'initiative.

L'initiative, cela signifie avant tout le droit de mesurer le temps de ses entreprises. Semer en quelques semaines la terreur du Cotentin à Calais coûte moins cher, même s'il faut transporter hommes et chevaux, que de mettre en état de défense cent places fortes dont on ne sait si elles seront sur le passage de la chevauchée. Le coût des garnisons, qui est l'élément écrasant du coût des guerres, est à la charge de l'attaqué, non de l'assaillant éventuel. On a pu calculer qu'en 1371 la seule garnison de Calais absorbe un sixième du revenu global du roi d'Angleterre. L'Anglais a un Calais, le Français en a cent.

Philippe VI est donc obligé de se prémunir en permanence. Il se ruine et ruine ses villes dans la réparation et l'entretien des châteaux et des enceintes fortifiées, dans l'organisation d'un système de garde et de guet, dans la solde de garnisons maintenues douze mois sur douze. Sauf aux frontières de Guyenne, Édouard III ne paie que lorsqu'il attaque. Son lointain successeur Henri VI saura le prix de la conquête lorsqu'il devra à son tour, aux frais du contribuable anglais autant que des Français, défendre des Jeanne d'Arc et des Richemont son tiers de France.

Tout cela ne fait pas que peser sur les villes : le coût de la défense les divise. Chacun veut voir l'enceinte commune en état de supporter un siège, mais chacun entend que ce soit aux frais du voisin. Au sein de chaque communauté urbaine, la muraille conduit à l'affrontement, un affrontement auquel participent les gens du roi, le duc ou le comte s'il y en a un, l'évêque en bien des cas. Des procès s'élèvent pour déterminer à qui il revient d'ordonner les travaux, à qui il appartient de les payer. Le roi et sa justice se font arbitres, mais arbitres intéressés, et l'arbitrage ne fait souvent qu'accroître le mécontentement.

Plus encore que la paix, la guerre est donc affaire d'argent. Comme les revenus domaniaux et féodaux du roi ne sauraient y suffire, l'argent dont il s'agit est celui des contribuables. Au-delà des charges de guerre, le conflit est en soi justification de la ponction fiscale.

Pour le roi d'Angleterre, la procédure est simple, et elle est fixée depuis le début du règne de Henri III : depuis plus d'un siècle. Le roi demande, le Parlement vote. Encore faut-il que les gens des communes n'aient pas le sentiment que la demande est excessive, qu'ils ne mettent pas leur « octroi » au prix d'avantages politiques inacceptables pour le roi, qu'ils ne jugent pas le pays suffisamment écrasé par les impôts déjà établis... Or le poids de la fiscalité ne cesse de s'alourdir sur l'Angleterre. Il a fallu payer la guerre d'Aquitaine et l'interminable guerre d'Écosse. Il a fallu payer cette diplomatie du sterling par laquelle, depuis Édouard Ier, l'Angleterre noue sur le continent les fils de ces alliances mouvantes qui la dispensent souvent d'intervenir en armes mais qui ne tiennent qu'autant que durent les paiements.

Ajoutons l'extraordinaire manque à gagner que représente pour l'économie anglaise la « guerre des laines » contre les métiers de Flandre. Car ce qui est chômage dans les villes industrielles est mévente dans les pays d'élevage. Asphyxier la draperie flamande pour persuader les villes de Flandre que leur intérêt est dans le camp anglais, cela suppose — à peine de s'asphyxier soi-même — la conquête de nouveaux marchés.

Bien sûr, il y a déjà le marché italien. Les flottes venues de Venise, de Gênes et de Pise suffisent à approvisionner les jeunes industries drapières de Toscane et de Lombardie. La compensation est cependant loin de valoir le manque à gagner en Flandre, et l'on voit s'effondrer à la fois en 1336 l'un des revenus réguliers du roi — la « coutume » sur les exportations de laine — et la faculté contributive de tous ceux qui, éleveurs ou marchands, vivent de la laine.

Force est donc à Édouard III de multiplier les expédients, pour un produit des plus maigres. Ainsi est-il vite déçu d'une confiscation générale des laines prêtes à l'exportation : établissant en Brabant, à Anvers, une nouvelle « étape » de distribution des laines sur le continent le roi pensait faire mieux que ses marchands. Il est vite obligé de déchanter. Il faut alors emprunter. Deux grosses compagnies florentines, les Bardi et les Peruzzi, ont jugé habile d'avancer au roi d'Angleterre des sommes considérables : le remboursement de leur créance est au prix de nouveaux prêts. Dans l'immédiat, elles y gagnent quelques privilèges commerciaux qui font naturellement des envieux. Que ne ferait-on pour quelques milliers de sacs de laine ? Cinq ans plus tard, faute de pouvoir se faire rembourser, Bardi et Peruzzi feront faillite.

Édouard III, cependant, tombe aux mains des usuriers. L'archevêque de Trèves donne du crédit, mais il se fait remettre en gage la couronne naguère ciselée en prévision du sacre à Reims. Le roi d'Angleterre escompte vraiment très cher le royaume de France.

Heureusement pour lui, son adversaire Valois n'est pas mieux loti, du moins dans les premières années de la guerre. Lever un impôt pour la défense suppose d'interminables négociations. États provinciaux et — à partir de 1343 — états généraux, assemblées de bailliage et assemblées de diocèse, les organes qui discutent de l'aide et la votent ne dispensent nullement les agents du roi de négocier avec chaque communauté d'habitants. On négocie le mode d'imposition, la portée des exemptions, la procédure de perception. Les ordonnances laisseraient croire qu'il y a un impôt royal. Il y en a, en réalité, mille.

L'aide rentre mal : lentement et incomplètement. Pour obtenir quand même de l'argent, le roi réduit ses prétentions au fur et à mesure de la levée. Dans le marchandage initial, il perd plus sur le plan politique qu'il ne gagne sur celui de la trésorerie. Au terme, mieux vaut ne pas s'entêter quant aux sommes espérées. On renonce à poursuivre et l'on demande un nouvel impôt.

Le plus sûr est encore la décime, ce dixième du revenu net des églises dont les papes d'Avignon font volontiers semblant de croire que le produit en est consacré par le Valois à la préparation de la Croisade. Au reste, mettre ses affaires en ordre n'est-il pas la première démarche de celui qui songe à reconquérir les Lieux-Saints ? Lorsque le roi de France se bat contre l'Anglais, il achève une affaire avant la Croisade... Comment partirait-on pour l'Orient avant d'avoir fait la paix en Occident ?

Pour l'un comme pour l'autre, la situation financière est donc sombre. Les initiatives sont conditionnelles. La surprise est impossible : on ne peut engager la campagne sans l'avoir longuement justifiée. On ne peut davantage entreprendre une action à long terme : les lendemains de la trésorerie ne sont jamais assurés. Alors que commence une guerre dont l'enjeu est plus considérable que jamais, ni Philippe VI ni Édouard III n'ont les moyens de la gagner durablement.

La guerre de Flandre.

Édouard a placé tous ses espoirs dans l'alliance flamande, qui lui procure, pour toute intervention militaire en France, une tête de pont autrement commode que Bordeaux. Entre la Flandre et la Guyenne, le roi de France est pris en tenaille : c'est le vieux rêve évanoui en 1214 à Bouvines.

L'affaire, cependant, commence mal. Prévue pour la fin de 1337, une première expédition est aussitôt décommandée, officiellement pour faire plaisir au pape Benoît XII qui prêche toujours la concorde des princes chrétiens, en réalité parce que l'argent manque. L'année 1338 se passe en pourparlers avec l'Empire. Au printemps de 1339, enfin, le moment semble venu d'engager les hostilités. Mais l'armée débarquée à Anvers et massée en Brabant attendra vainement, tout l'été, l'arrivée des contingents allemands. L'empereur Louis de Bavière n'est pas chiche d'encouragements. Il vient même de faire Édouard III « vicaire impérial ». Il est plus avare d'aide véritable. La situation est inverse de celle qu'a connue en 1297 le comte de Flandre, espérant en vain le secours de son allié anglais.

A l'automne, Édouard marche vers le sud, assiège Cambrai sans succès et demande inutilement un « jour de bataille » à son adversaire. Les Français se tiennent en retrait, quelque part en Artois. L'alliance anglo-impériale en demeurera là.

Pendant ce temps, les navires du roi de France tiennent la mer, harcèlent les convois anglais, font régner la crainte sur les côtes de Gascogne aussi bien que sur celles du Sussex ou du Devonshire. Les amiraux génois Antoine Doria et Charles Grimaldi ont renforcé l'action des Français que conduit Hue Quiéret. Parallèlement, Béhuchet se fait une réputation comme le premier « corsaire » du roi. Véritables opérations de « commando », de brefs débarquements permettent aux Français de brûler Blaye, Portsmouth, Plymouth, Southampton. Cinq des plus beaux navires anglais sont coulés par surprise, en Zélande, au moment où ils débarquent de la laine. En Normandie, où l'on a la mémoire longue, on commence de parler avec insistance de la prochaine conquête de l'Angleterre.

En Flandre, au contraire, le temps travaille pour le Plantagenêt. Le chômage qu'il a volontairement déclenché en suspendant les exportations de laine tourne à l'émeute contre les puissants et les nantis, contre la noblesse et l'aristocratie d'affaires, contre le comte et ses officiers, contre le roi, enfin, dont le comte s'est découvert l'allié voici dix ans. Louis de Nevers aime vivre à Paris ; les Flamands n'apprécient guère la chose. Quelques émissaires du roi d'Angleterre entretiennent donc à peu de frais le feu qui couve. A Ypres, à Bruges, à Gand, ils donnent à souper aux notables, ils se montrent généreux envers les petites gens, ils observent bruyamment l'appauvrissement du pays.

Jacques Van Artevelde est tout le contraire d'un homme dans la misère, mais la crise le touche au cœur de ses intérêts. Ce grand bourgeois, fils d'échevin, sait la solidarité des différents niveaux de l'économie drapière : entrepreneurs et artisans ont cause commune. La Flandre a besoin de laine : toute la Flandre, du plus modeste tisserand au comte lui-même, dont le fisc ne va pas tarder à ressentir les effets de l'appauvrissement général. Dans les mouvements de rue, les artisans crient « Travail ! Liberté ! ». Ces mots ont aussi un sens pour les bourgeois opulents comme Artevelde.

Le 3 janvier 1338, les Gantois s'assemblent et font de lui l'un des capitaines de la ville. Son programme politique est inexistant, mais il connaît la situation : ce qu'il propose, c'est de rétablir la prospérité par divers moyens qui vont de la réforme administrative à l'alliance anglaise.

Pour une fois unie, la Flandre s'insurge contre l'autorité de Louis de Nevers. En avril, une conférence générale des grandes villes drapantes se tient au monastère d'Eeckhoutte. Une commission centrale est mise en place, formée de délégués de chaque ville. En fait, c'est Artevelde qui assume le gouvernement du comté de Flandre.

Louis de Nevers tente bien de reprendre en main les grandes villes. Après deux mois de vains efforts, il avoue son échec. Il l'aggrave même en faisant décapiter un vieux chevalier banneret fort populaire à Gand, Sohier le Courtraisien, arrêté quelques mois plus tôt pour avoir voulu négocier avec les envoyés anglais. Louis de Nevers est bel et bien seul dans son comté de Flandre. Comme en 1328, il se tourne vers son seigneur le roi, qui lui doit protection. En février 1339, le comte de Flandre se réfugie à Paris.

Artevelde sait les erreurs commises dix ans plus tôt, et il n'a aucune envie de recommencer. Il assure l'Angleterre de la neutralité des villes flamandes, obtient quelques envois de laine en échange de cette neutralité, refuse cependant de s'engager plus avant.

De rébellion contre le roi de France, il n'est vraiment question que vers la fin de 1339, quand l'inachèvement de la campagne anglo-impériale en Cambrésis et en Thiérache laisse face à face aux portes de la Flandre les deux armées intactes, ce qui laisse penser que les chevaliers du roi de France pourraient fort bien venir, comme en 1328 à Cassel, rétablir l'autorité du comte.

Mais, à ne pas vouloir s'engager, Jacques Van Artevelde risque de se trouver seul. Le temps des neutralités est passé, et la Flandre ne peut basculer que vers l'Angleterre, à peine de sacrifier son économie. Édouard III est à Anvers. Artevelde s'y rend.

Cet accord anglo-flamand, conclu le 3 décembre 1339 et complété en janvier suivant, est en réalité un marché d'illusionnistes. Les Flamands reconnaissent Édouard comme roi de France et lui promettent une aide armée : on voit mal les métiers de Bruges ou de Gand partir à la conquête du royaume. En contrepartie, l'Anglais accepte de transférer d'Anvers à Bruges l'étape des laines – ce qui fait bon marché de la réaction brabançonne – et promet de rendre à la Flandre, dès qu'il sera en possession de son royaume de France, les trois châtellenies flamandes de Lille, Douai et Orchies transférées jadis à Philippe le Bel en compensation de l'indemnité stipulée par le traité de 1305. Nullement à court de générosité, le roi d'Angleterre offre aussi de financer la défense des villes flamandes et d'y contribuer au besoin par des hommes et des navires. Soyons clair : aucune des parties n'a alors les moyens de tenir ses promesses.

Pour affaiblir encore la portée de ce marché de dupes, le comte de Flandre s'empresse de faire savoir qu'il refuse de cautionner le traité. La chose n'a rien d'étonnant, quand on se rappelle que ce prince vit maintenant à la cour de France. Mais le roi d'Angleterre, qui peut bien mettre en doute la couronne du Valois, ne peut en aucune manière nier la légitimité du comte de Flandre. Édouard est souverain, et il est suzerain; il sait que son interlocuteur Artevelde doit son pouvoir à l'insurrection. Et aucun roi ne peut, sans grand risque pour lui-même, unir longtemps ses forces à celles qui bouleversent l'ordre établi.

Pour l'instant, Édouard III se voit déjà sur le chemin du sacre. Il a toutes les principautés du Nord dans son jeu, et l'un des grands fiefs français le reconnaît déjà pour roi. Il ne s'embarrasse pas de ce que le comte de Flandre ne soit pas partie prenante, et il ne s'attarde pas au fait que l'aveu d'un suzerain par ses arrière-vassaux est en droit féodal plus qu'une irrégularité. Aussi bien les Flamands ne parjurent-ils en rien leurs serments antérieurs : ils sont toujours fidèles au roi de France, mais à un autre roi de France que celui qui règne à Paris.

Le Plantagenêt va maintenant très vite. Il prend le titre de roi de France et d'Angleterre. Il change ses armes en un écartelé de France aux fleurs de lis et d'Angleterre aux trois léopards. Enfin, il convoque le 6 février 1340, à Gand, une cour de tous les vassaux de France.

Aux Flamands près, il s'y trouva seul. Qu'à cela ne tînt : entré dans Gand le 26 janvier, il y reçut le 6 février l'hommage de quelques barons flamands et le serment de fidélité des procureurs de toutes les villes flamandes. A sa place parmi les procureurs, Jacques Van Artevelde rentrait dans le rang. Le fils d'Isabelle de France put un instant croire qu'il régnait sur le royaume de son grand-père Philippe le Bel. Il fit graver un nouveau sceau royal : « Édouard, par la grâce de Dieu, roi de France et d'Angleterre, seigneur d'Irlande. »

C'était brûler les étapes. Les Flamands demeuraient circonspects dans leur fidélité toute neuve. Ils ne faisaient qu'une confiance toute relative aux prêtres anglais qu'Édouard III leur avait promis pour le cas où Benoît XII lancerait contre eux, comme parjures à leur serment de fidélité au Valois, une sentence d'interdit. Ils se méfiaient tout autant de la trésorerie anglaise : ils demandèrent à voir la couleur des « esterlins ». Édouard dut regagner l'Angleterre pour y demander un subside que, les banquiers italiens se faisant tirer l'oreille, les communes marchandèrent sévèrement.

Pendant ce temps, les Gantois avaient pris des otages en feignant de ne retenir que des hôtes. Nul ne s'y trompait : la reine Philippa, alors enceinte, et ses enfants garantissaient bel et bien Artevelde et ses amis contre le risque qu'Édouard les oubliât.

Apprenant que des renforts allaient être expédiés d'Angleterre, Philippe VI dépêcha sa flotte en mer du Nord. Concentrés dans les ports de la Haute-Normandie et de la Picardie, il y eut, dès le mois de mai 1340, quelque deux cents navires prêts à cingler vers le détroit.

L'Écluse.

Une escadre de guerre, en cette année 1340, c'est encore un groupe de navires assez peu typés, dont quelques milliers de balles de laine feraient des bateaux marchands et dont cent hommes armés font un navire de guerre. Au reste, les convois marchands sont protégés, et les marins du négoce n'hésitent pas plus à couler à la hache l'adversaire – un concurrent autant qu'un ennemi – qu'ils n'ont de gêne à le larder de coups de couteau dans les rencontres à quai. N'importe quelle nef de transport fait donc, plus ou moins bien, l'affaire pour la guerre. Au besoin, on prend aussi des bateaux de pêche. De même que dans tous les ports de Cornouaille, du Devonshire ou du Sussex, on arme dans tous les ports de Normandie et de Picardie. Sur les deux cents navires français présents à l'Écluse en juin, il y aura des patrons de vingt-cinq ports, depuis Cherbourg et La Hougue jusqu'à Berck et Boulogne. Il en viendra trente et un de Leure – autrement dit du Havre – et vingt et un de Dieppe. Les produits de l'artisanat naval de Duclair et de Caudebec rejoignent ici, aux ordres des amiraux de France, les barges sorties de l'atelier d'Abbeville.

Pour les gros navires, cependant, et pour ceux que l'on construit spécialement aux fins de la guerre, le Clos des galées jouit d'un monopole de fait. Ce Clos, ce « tersenal », comme disent les contemporains qui cherchent à franciser l'arabe *Dar sanaa,* « maison de l'œuvre », et n'ont pas encore trouvé « arsenal », c'est une création de Philippe le Bel. Sur la rive gauche de la Seine, en aval du pont de Rouen, il occupe un vaste terrain que défend une fortification sommaire. Les forêts de Roumare, de Brotonne et de Rouvray l'approvisionnent en bois d'orme, de chêne et surtout de hêtre pour la construction et la réparation des navires comme pour la fabrication des armes. De même que le chanvre pour la toile et pour les cordages, le fer est également tout proche : c'est celui de Breteuil, de Verneuil, de Rugles.

Les premiers ingénieurs appelés par Philippe le Bel se sont inspirés de l'arsenal de Séville, le plus fameux de son temps. On a vu sur les bords de la Seine des Génois, un Spinola, un Marquese, un Tartaro. Mais on a très vite vu des techniciens français, formés pour une bonne part à l'école des Génois. Dès 1300, ces ingénieurs français ont pris le relais. En 1340, le « garde du Clos des galées » est un certain Thomas Fouques, administrateur et comptable, non ingénieur. Mais il a à ses côtés un véritable technicien, Gilbert Polin, un bourgeois de Rouen dont il semble que toute la vie ait tourné autour du Clos des galées. Il est « clerc des ouvrages de guerre ». Le roi le fera « sergent d'armes ». Son fils sera chevalier. Dans l'escadre qui s'assemble au large des côtes de Flandre vers la fin du printemps, nous voyons Gilbert Polin commandant sa propre nef, la Notre-Dame-la-Nativité, forte de quatre-vingts marins et soldats.

De même que la laine, et non la forme des coques, suffit à faire la nef marchande, ce qui fait la nef de guerre, ce n'est pas tant la forme que l'armement. Armes individuelles dans la plupart des cas, jusqu'à l'avènement des canons à poudre, ce sont d'abord les engins de « trait » : arbalètes légères, d'un pied d'envergure, arbalètes lourdes de deux pieds, arbalètes « à tour » que l'on tend au moulinet. Pour l'abordage qui doit suivre la grêle de viretons et de carreaux d'arbalète, les troupes embarquées sont armées de lances ferrées, de haches et de couteaux. N'oublions pas la protection des combattants : plates d'armure, cottes ferrées, bassinets, gorgerettes, écus, targes, pavois... Et si l'on veut imaginer l'encombrement qui règne à bord, ajoutons au tableau le biscuit, l'eau douce et le vin.

Bateau de pêcheur ou barge de caboteur, une petite nef emporte quarante ou soixante hommes, équipage compris. Cela signifie que l'on dispose à bord de deux ou trois arbalètes simples, de deux ou trois coffres de viretons et de carreaux. Il y en a des dizaines de ce type, depuis la barge Notre-Dame du maître Jean Ligier, d'Abbeville, jusqu'au bargot royal Saint-Frémin.

Une grande nef marchande, une galée du roi comme il en est seulement une ou deux douzaines, c'est cent, cent cinquante ou deux cents hommes. Il y a la Sainte-Catherine et la Saint-Georges, qui sont au roi, aussi bien que la Saint-Julien, qui est au maître Nicole As Coulleux, de Leure, et la Saint-Jean, au maître Guillaume Lefèvre, de Harfleur. De tels navires emportent facilement cinq ou six arbalètes, une vingtaine d'armes d'assaut et de pièces d'armure. Navire amiral, la Saint-Georges a tout un arsenal, dont une part constitue sans doute la réserve générale de l'escadre :

20 plates d'Allemagne,
200 pavois,
15 arbalètes de corps à deux pieds,

2 arbalètes de corps à tour,
10 haussepieds pour tendre les arbalètes,
100 baudriers pour arbalète,
20 paires de gantelets,
1 860 dards ferrés,
675 dards déferrés,
673 forts dards,
42 lances,
440 fers de lance,
997 houes emmanchées,
68 cognées emmanchées,
60 bannières de camelot (tissu léger) aux armes de France,
2 baucents des dites armes,
7 bannières aux armes d'Écosse,
3 bannières aux armes de l'amiral,
2 bannières aux armes de Sire Nicolas Béhuchet,
2 milliers de bochètes pour ferrer dards et lances,
58 milliers de clous mêlés...

On commence même – les Anglais comme les Français – d'embarquer un embryon d'artillerie, ces pots à feu qui lancent encore des flèches aux empennages de métal que l'on appelle des garrots. Dès 1338, Béhuchet en fait placer sur l'un ou l'autre de ses navires.

> Un pot à feu à traire (tirer) garrots à feu, 48 garrots ferrés et empennés en deux caisses, une livre de salpêtre et demi-livre de soufre vif pour faire poudre pour tirer les dits garrots.

Les fines galées méditerranéennes, celles des Génois en particulier, se joignent à cette escadre d'Hue Quiéret et de Nicolas Béhuchet. Il y a là Doria et Grimaldi, Fieschi et Spinola, avec une quarantaine de navires nerveux et maniables, aux équipages expérimentés. Ce sont des professionnels de la guerre maritime : de quoi impressionner les Anglais, plus familiers du convoi marchand que de la course en mer.

La flotte du roi de France a quitté Harfleur, Leure et Le Crotoy dans les derniers jours de mai. Début juin, quelque deux cents bateaux prennent position au large des côtes de Bruges, bloquant l'avant-port de l'Écluse. En aucun cas l'Anglais ne doit passer. On racontera même que les capitaines français en répondent sur leur tête.

> Renforça grandement le roi de France l'armée qu'il tenait sur mer et la grosse armée des écumeurs. Et manda à monseigneur Hue Quiéret et à Barbevaires et aux autres capitaines

> qu'ils fussent soigneux de eux tenir sur les mètes (frontières) de Flandre et que nullement ils ne laissassent le roi d'Angleterre repasser ni prendre port en Flandre. Et si par leur coulpe en demeurait, il les ferait mourir de mâle mort.

La faiblesse de cette marine française, excellente à tous autres égards, c'est son commandement. Deux ans plus tôt, Quiéret était sénéchal de Beaucaire. Peut-être ce Picard aime-t-il la mer, mais il a fait son apprentissage de chevalier sur un cheval, non sur une galée. Philippe VI a fait de lui son amiral lorsqu'il s'est agi, en 1336, d'organiser une expédition en Écosse ; mais l'amiral, dans l'esprit du roi, ce n'est que l'organisateur du transport d'une armée de chevaliers et de sergents. Il s'agit d'aller par mer se battre sur terre, et l'on parle de « l'armée de la mer », non de la marine. En nommant Quiéret, dont les talents d'organisateur sont avérés, le roi n'a pas songé un instant à un affrontement des escadres.

Quant à Nicolas Béhuchet, c'est un génial touche-à-tout. De son premier état, il est administrateur et homme de finances. On l'a vu maître des eaux et forêts, puis trésorier du roi. Dans le même temps qu'il le fait capitaine général de l'armée de mer — de pair avec l'amiral Quiéret — Philippe VI le nomme maître des comptes.

Béhuchet est un homme à l'imagination vive, rapide dans la décision, ardent dans l'action. Depuis deux ans, il a mené avec succès nombre d'opérations de « commando » contre les ports anglais. Son audace et son courage sont connus. Mais de compétence navale, point. S'il a coulé en 1338 les forts navires anglais, c'est pour la bonne raison que les Anglais, surpris, devaient se battre à un contre dix. Devant l'Écluse, il n'en va plus de même. Les forces sont égales.

Quelques mois plus tôt, Béhuchet a dressé un plan de guerre dont l'objectif final est encore l'invasion de l'Angleterre. Il y proposait d'envoyer les Anglais par le fond en ordre séparé, en attaquant les navires au fort de leur activité marchande. L'idée ne manquait pas d'astuce : s'en prendre dans l'été au convoi de sel sur le retour de Bourgneuf et de Guérande, attaquer à l'automne le convoi de vin — de gros porteurs — entre Bordeaux et Southampton, couler pendant ce temps les centaines de petites barges de pêche sur les bancs de hareng. Ensuite, on irait porter secours aux Écossais et ravager les côtes anglaises pour faire bonne mesure.

Pour ce qui est de la tactique, tout reposait sur l'usage de fines galées, rapides et maniables, et sur l'espoir de n'en point trouver de telles parmi les forces anglaises.

> Car une nef virante peut déconfire dix autres nefs.

Malheureusement pour Philippe VI, les Anglais se trouvaient dans les mêmes dispositions. On l'avait bien vu, à la fin de l'hiver, quand il avait fallu dépêcher en Bretagne une flottille de six vaisseaux pour ramener sous escorte à Leure le convoi marchand — six caraques et quarante nefs — qui s'étaient réfugiées là par crainte d'une escadre anglaise. Sachant Arundel dans les parages, les marins français n'osaient ni gagner la Saintonge ni revenir en Normandie...

Devant l'Écluse, les forces sont égales. La décision ne viendra pas d'un déséquilibre. Deux cents navires français font le blocus, montés par vingt mille hommes. Édouard III perd tout s'il laisse à son adversaire la maîtrise de la mer. Il a donc rassemblé toutes ses forces : deux cent cinquante navires, avec quinze mille hommes d'armes à bord, matelots non compris. Pour le temps, ces chiffres sont considérables. C'est donc l'un des plus grands combats navals de l'histoire qui s'ouvre le 24 juin 1340 dans la plus pure tradition des combats terrestres : par une volée de flèches et de viretons.

Les chefs de l'escadre française manifestent immédiatement leur manque de sens tactique. Puisque l'ordre est d'empêcher les Anglais de débarquer, on va tout simplement leur barrer la route de Bruges. Le Génois Barbavera, à qui bien des rencontres avec les Barbaresques ont valu une solide expérience, tente bien de convaincre ses collègues français qu'il faut à tout prix se donner la place de manœuvrer.

> Prenez la pleine mer avec tous vos navires. Si vous restez ici, les Anglais ont pour eux le vent, le soleil et la marée : ils vous serront tant que vous ne pourrez vous aider.

Mais Béhuchet est têtu, et « Barbevaires » n'a à lui que trois galées. L'escadre française demeure là, en panne, voiles abattues et bordage contre bordage. D'une flotte, Béhuchet fait une barricade.

On s'observe. Un instant, les Français peuvent croire que l'ennemi hésite, et ils en font des gorges chaudes. En fait, Édouard III attend l'heure de la marée.

Peu avant midi, la flotte anglaise commence d'avancer, vent en poupe, portée par la marée montante. Coincés à l'entrée du Zwyn, ce bras de mer qui va baigner les quais de Bruges, les Français ne peuvent tenter la moindre manœuvre. Au reste, ni Quiéret ni Béhuchet n'y songent : comble de sottise, ils ont renforcé la barricade en enchaînant les navires sur trois rangs, d'une rive à l'autre du Zwyn. Enfin, et cette bévue va se révéler des plus graves, ils ont oublié que les rives sont peuplées de Flamands et que les Flamands ne sont guère favorables au roi de France. Mieux vaudrait se tenir à distance.

Quatre nefs seulement, les quatre plus grosses, sont libres, à l'avant de la barricade, pour le combat. Quatre nefs anglaises les attaquent.

Dès l'abordage, l'avantage est aux arbalétriers français, qui ont réussi à sauter à bord des navires anglais. Victoire de courte durée, cependant, et l'on s'aperçoit vite que la puissante arbalète, arme de précision s'il en est, ne sert de rien à bout portant. Il faut la bander, la pointer. Pendant ce temps, les archers anglais ont tiré trois flèches, s'esquivant entre chaque tir et jouant en souplesse de tous les obstacles que présente normalement le pont d'un grand bateau.

Après quelques quarts d'heure, la situation des Français est désespérée. Les rangs de navires sont occupés l'un après l'autre. Marins ou arbalétriers, les hommes de Quiéret n'ont d'autre ressource que de se battre au couteau ou à la hache, comme des sergents à pied.

Mais la victoire est chère, et les pertes anglaises sont lourdes. Le navire qui transporte les dames de l'entourage royal est envoyé par le fond. Édouard III a été grièvement blessé en défendant, la hache à la main, le château arrière de la Thomas, son navire amiral, contre un assaut mené par Quiéret et Béhuchet en personne. Là encore, la situation s'est vite retournée : les deux chefs de l'escadre française se retrouvent prisonniers.

Édouard III est vindicatif; les bourgeois de Calais l'éprouveront. Il fait pendre sur-le-champ Béhuchet et, sans laisser Quiéret mourir tranquillement de ses blessures, le fait décapiter, le bord du navire servant de billot.

Pendant que les Anglais enfoncent les premières lignes, les Flamands s'en prennent aux arrières français. Mouvement spontané, peut-on penser, que favorise singulièrement l'inconscience d'un amiral qui arrime ses navires à des rives hostiles.

Chez les Français, c'est la panique. Les noyés s'ajoutent aux tués dont les cadavres jonchent les épaves. Quelques malins réussiront à se faufiler à terre et trouveront le salut dans la fuite. Les Flamands feront un mauvais parti à ceux qu'ils trouveront.

Quelques navires ont pu se dégager : vingt ou trente, semble-t-il, sur deux cents. On compte parmi ces équipages tirés d'affaire le futur noyau dieppois de l'escadre qui va, aux ordres de Robert de Houdetot, de Barbavera et du patron Tartarin — Robert Roussel, de son vrai nom — contribuer efficacement au siège de Nantes.

Quoi qu'il en soit de ces survivants, l'Anglais a désormais la maîtrise de la mer. Avec les Pays-Bas comme avec la Guyenne et la Bretagne, ses relations sont libres. La France va être, pendant trente ans, absente des mers du Ponant.

Mais si l'Écluse est une victoire, c'est dans l'immédiat une victoire stérile. Elle ne donne à Édouard III que le droit de continuer à débarquer pour tenter la conquête de la France. Elle lui ouvre une route; au bout, rien n'est gagné.

En ce même été de 1340, l'armée anglaise perd deux mois à assiéger Tournai pendant que les Français tiennent plus ou moins bien la région lilloise. Édouard III souhaite une bataille rangée, Philippe VI n'y tient pas et garde ses distances. Il a tout intérêt à laisser s'établir en France la crainte d'une invasion anglaise : les contribuables sont de moins en moins rétifs, alors que, de l'autre côté de la Manche, les Communes discutent de plus en plus un impôt dont l'usage n'apparaît pas vraiment fructueux. On le verra bien l'année suivante, lorsqu'Édouard III se fera étriller par le Parlement, alors que Philippe VI pourra, sans susciter de protestations, généraliser en France le système — combien avantageux pour sa trésorerie — de la gabelle du sel : un monopole doublé d'un impôt.

Les coalisés du Nord sont aussi déçus d'Édouard III que celui-ci l'est d'eux. Chacun a beaucoup promis et beaucoup espéré des autres. Le Hainaut revient vers sa prudente neutralité. Le Brabant accepte mal de perdre l'étape des laines. La Flandre a l'étape, mais attend en vain les sacs d'esterlins. Quant à l'empereur Louis de Bavière, il ne trouve pas à l'alliance anglaise les avantages qu'il y pensait trouver, et il commence de s'en détacher : les enjeux essentiels sont, pour lui, en Allemagne et non en France.

Édouard, lui, ne voit pas le royaume des fleurs de lis se tourner vers lui. Il s'est cru roi de France, il est à peu près maître de la Flandre. Encore s'agit-il d'une Flandre où, anglophile par intérêt plus que par conviction, Artevelde se trouve de plus en plus seul. Édouard III a raté son entrée.

Une fois de plus, Benoît XII offre sa médiation, cependant que surgit dans l'affaire un étonnant personnage, Jeanne de Valois. Cette princesse est à la fois la sœur du roi de France, la veuve du comte Guillaume de Hainaut et la mère de la reine d'Angleterre Philippa de Hainaut. Pour l'heure, Jeanne de Valois est abbesse du monastère cistercien des Fontenelles, près de Valenciennes. Elle est donc à pied d'œuvre pour mener une négociation parmi ses proches. Au vrai, elle n'a aucune peine à convaincre son frère et son gendre de prendre le temps de souffler quelque peu. La rencontre officielle des plénipotentiaires a lieu à Esplechin, près de Tournai. Le 25 septembre 1340, la trêve est conclue. La première passe d'armes de la guerre de Cent Ans s'achève dans la confusion.

CHAPITRE IV

LA CHEVAUCHÉE D'ÉDOUARD III

La guerre de toutes parts.

La guerre reprit en 1345, et dans des conditions bien différentes. En cinq ans, l'un des protagonistes avait disparu : Artevelde. L'arbitre Benoît XII avait pour successeur à Avignon un Clément VI qui se souvenait d'avoir, archevêque de Rouen, siégé au Conseil du roi de France. A la Flandre, où s'étaient enlisées les premières armées anglaises, les aléas de la succession de Bretagne substituaient un nouveau théâtre d'opérations, une nouvelle tête de pont anglaise, de nouveaux acteurs.

Clément VI avait obtenu que des pourparlers s'ouvrissent à Avignon même, à la fin de 1344. Il en était résulté un durcissement des positions. Édouard III demandait à garder toute la Guyenne, et en pleine souveraineté. Les Français observaient que, si l'hommage lui pesait parce qu'il était roi, il n'avait qu'à donner le duché en apanage à l'un de ses fils. Si on le lui rendait...

De part et d'autre, l'obstination était la même. Philippe VI oubliait que, confisquée en droit, la Guyenne était encore en fait aux mains du Plantagenêt. Édouard III feignait de croire que le Valois pût accepter que, même dans ses limites restreintes de la fin du XIIIe siècle, le duché ne fît plus partie de la France. En exigeant par-dessus le marché la couronne de France, Édouard était sûr de tout bloquer. Le pape lui-même se lassa.

Jean de Montfort, en appelant au secours le roi d'Angleterre, offrit à celui-ci une base d'opérations qu'il avait vainement cherchée en Flandre : le duché de Bretagne. Sans attendre la fin des trêves, Édouard III s'engagea à fond dans cette affaire de Bretagne. Cela lui donnait, dès 1345, les moyens de la grande entreprise contre le cœur du royaume de France à laquelle les incertitudes de la situation politique dans les Pays-Bas ne lui avaient pas permis de passer cinq ans plus tôt. L'affaire de Flandre avait été une erreur sur un imbroglio, celle de Bretagne était une prise de position stratégique à la faveur d'un imbroglio. Entre les deux, Édouard avait pris le temps de la réflexion.

L'idée d'un débarquement en Flandre n'était pas encore tout à fait étrangère au roi d'Angleterre lorsqu'il commença d'organiser sa campagne de 1345. Bien sûr, le Brabant et le Hainaut avaient abandonné l'alliance anglaise, l'empereur Louis de Bavière l'avait désavouée, les princes allemands se désintéressaient d'elle. Mais c'est en Flandre même que se jouait finalement la partie : Artevelde perdait chaque jour du terrain. La prospérité n'était pas revenue dans les villes drapantes avec le retour des laines anglaises. La crise avait d'autres causes, plus profondes. Même si les métiers reprenaient leur production la draperie d'Ypres et de Gand ne cessait de reculer sur les marchés occidentaux devant les productions de Malines et de Bruxelles. Or l'artisan moyen n'était guère capable d'analyser les causes de cette mutation des structures économiques européennes. Ce qu'il voyait, c'est que, dans cette rivalité avec le Brabant, la Flandre n'avait rien gagné à suivre Artevelde.

Ils avaient évité le pire, mais c'est là chose qui s'oublie vite. En revanche, l'excommunication lancée par le pape contre les Flamands parjures – ils avaient juré fidélité au roi de France – continuait de perturber les esprits. On se demandait, à tous les niveaux de la société flamande, comment sortir de l'affaire.

L'âge d'or promis par Jacques Van Artevelde ne revenait pas, sinon pour lui-même, dont le luxe éclaboussait pas mal de gens. Les rivalités d'antan surgirent de nouveau à l'intérieur du comté. Rivalités politiques, rivalités économiques. Et le comte Louis de Nevers d'en profiter pour se constituer un parti dans les petites villes, là où l'on avait rapidement su profiter des difficultés économiques des grands centres industriels.

Ce que voyant, Artevelde franchit le pas qui menait de la rébellion à la félonie. Il désavoua son seigneur le comte de Flandre et, comme s'il avait quelque titre à cela en droit féodal, il offrit le comté au prince Édouard, fils aîné d'Édouard III : un garçon de quinze ans qui allait bientôt commander les armées de son père et que la postérité devait connaître comme le « Prince Noir ».

Édouard III eut l'imprudence d'accepter ce qu'il savait pourtant être l'un des crimes majeurs que connût la société féodale, une félonie, c'est-à-dire une trahison du seigneur par le vassal qui lui a prêté hommage et juré fidélité. En juillet 1345, le roi d'Angleterre était en Flandre. Il lui fallait exploiter l'avantage, sans plus attendre.

C'était compter sans l'horreur des hommes du Moyen Age pour la démesure. C'était trop. Comme Artevelde, le 17 juillet, regagnait

Gand après une rencontre avec le Plantagenêt, une émeute le renversa. Apprenant la mort de son plus ferme – mais excessif – allié, Édouard comprit que mieux valait ne plus compter sur la Flandre. Il rembarqua.

Pour chercher le contact avec un adversaire qui n'avait cessé en Flandre de se dérober, il avait désormais le choix entre la Bretagne et la Guyenne. Dans les deux cas, c'était un peu loin pour qu'on improvisât le débarquement d'une forte armée. Et ces deux guerres s'annonçaient comme longues, faites de places assiégées et de coups de main sans conséquences véritables dans un écheveau politique difficile à dénouer.

Le comte de Derby et Gautier de Masny pouvaient bien s'enfoncer dans l'intérieur, occuper Bergerac et Aiguillon, La Réole et Montpezat. Ils pouvaient même prendre Angoulême et se montrer au retour devant Blaye, cependant que Thomas Dagworth prenait des châteaux en Bretagne pour le compte du duc Jean IV. C'étaient là guerres d'usure, et Édouard III avait surtout besoin – besoin politique, s'entend – d'une vraie victoire en une vraie bataille. Il lui fallait racheter par un coup d'éclat les armées et les sacs d'esterlins gaspillés en Flandre et en Brabant.

Au printemps de 1346, le duc Jean de Normandie – le futur Jean le Bon – attaquait sur le front gascon avec une armée forte de huit ou dix mille hommes. On venait de perdre Aiguillon, cette place forte qui commandait le confluent de la Garonne et du Lot. Le duc Jean commença par reprendre Angoulême, puis se porta sur Aiguillon qu'il entreprit d'assiéger. L'affaire dura. Jean s'entêta. Pendant qu'une bonne garnison anglo-gasconne bien fortifiée faisait ainsi, sans coup férir et à moindres frais, perdre des semaines à l'armée du roi de France, Derby était libre de ses mouvements.

Fatiguée de la fiscalité royale, lasse aussi des abus d'une administration locale particulièrement avide, la population se tournait en bien des cas vers les Gascons en oubliant qu'ils étaient au roi d'Angleterre. Des évêques passèrent ouvertement dans le camp d'Édouard III. En Périgord, les habitants de Domme ouvrirent eux-mêmes leurs portes à l'armée de Derby. En homme du Nord qui ne comprend pas grand-chose aux liens intimes qui depuis deux siècles unissent ce qui a été l'empire des Plantagenêts, Froissart rapporte les propos sévères des soldats du duc Jean de Normandie :

> Ces Gascons sont Anglais à moitié !

Édouard III n'était pas moins à l'aise, qui surprenait tout le monde en débarquant avec une forte armée, le 12 juillet, à Saint-Vaast-la-Hougue, sur la côte orientale du Cotentin.

La principale raison d'un tel choix se trouvait en Normandie même : c'était l'appel à l'aide lancé par l'un des seigneurs les plus puissants et les mieux possessionnés de la Normandie occidentale, Geoffroy d'Harcourt. Ceci concluait un long chapelet de querelles dans lesquelles Harcourt et les siens avaient plus souvent trouvé le roi de France contre eux que les favorisant. Rival héréditaire de ces Tancarville qui portaient orgueilleusement le titre – vide mais respecté – de « chambellan de Normandie », Geoffroy d'Harcourt avait souffert d'une intervention de Charles IV alors que, les armes à la main, il entendait vider une ultime querelle avec un descendant des Tancarville qui venait, avec l'accord du roi, de lui damer le pion dans une compétition pour la main d'une riche héritière normande. Il s'était encore senti persécuté lorsque le futur Philippe VI, alors comte du Maine, l'avait condamné à une forte amende pour avoir tout simplement violenté un prélat, ce qui passait pour peccadille aux yeux d'un baron quelque peu brutal.

Le désir d'en découdre, joint à celui de se venger, avait conduit Geoffroy d'Harcourt à la rébellion caractérisée. Il avait renforcé la défense de ses forteresses, puis, au début de 1343, il s'en était allé abattre les châteaux de quelques fidèles du roi de France et occuper de force la place de Carentan.

Le Parlement l'avait condamné. Il s'était réfugié hors du royaume, d'abord en Brabant, où le duc Jean III avait été fort heureux de l'accueillir comme il avait naguère accueilli Robert d'Artois, puis en Angleterre où le Plantagenêt lui avait naturellement fait fête. Ses biens étaient confisqués. Que risquait-il, désormais, à trahir un roi de France en qui il ne voyait, de ses yeux de haut baron normand, qu'un allié de ses adversaires dans un imbroglio de conflits féodaux ? Ce n'était pas la trahison d'un Français, c'était le désaveu d'un vassal. Harcourt offrit son hommage à Édouard III.

La pièce maîtresse du système militaire des Harcourt, c'était Saint-Sauveur-le-Vicomte : une forteresse imprenable, dont Geoffroy venait de doubler la garnison et de forcer l'armement. Le Parlement pouvait confisquer en droit les biens du rebelle, nul ne songeait vraiment à conquérir ses châteaux. Au cœur du Cotentin, Saint-Sauveur-le-Vicomte en était la clé stratégique, et Harcourt l'offrait à Édouard III. Pour prendre pied sur le continent au plus près de son adversaire, il n'était pas de terrain plus sûr.

Philippe VI, naturellement, n'attendait pas l'Anglais en Cotentin. On avait cru entendre qu'Édouard III songeait à prendre personnellement la tête de son armée de Guyenne. On raconta même que la flotte partie de Portsmouth n'avait été détournée de la route de Bordeaux que par les vents contraires...

Quant au roi de France, ses préoccupations étaient ailleurs. Il se gardait de la Flandre. Il regardait Aiguillon, où son fils Jean perdait plus de temps à assiéger la place qu'on n'en avait mis à la perdre. Il cherchait à faire pièce en Bretagne aux coups de main du parti de Montfort, coups de main que les trêves conclues le 19 janvier 1343 à Malestroit ne faisaient que raréfier. De la côte normande, il ne s'était guère soucié, et nul n'avait pris soin d'y renforcer les forteresses ou d'y doubler les garnisons des châteaux royaux. Quant aux villes, en Normandie comme ailleurs, elles avaient perdu l'habitude de songer sérieusement à la défense. Partout, les vieilles murailles étaient en piteux état, les portes branlaient, la garde n'était plus assurée. Les agglomérations avaient débordé les enceintes et c'était un jeu que d'atteindre, par des quartiers indéfendables, les points faibles de ces remparts éclatés.

L'ART D'ÉVITER PARIS.

La chevauchée du Plantagenêt commença comme une promenade. Petites journées, joyeuses ripailles. On se levait à la fraîche. On cantonnait de bonne heure, avant midi de préférence, pour éviter les heures chaudes de ce mois de juillet. On trouvait des vivres en abondance chez les fidèles d'Harcourt, et ceux qui auraient pu songer à faire le vide devant l'Anglais étaient pris au dépourvu par ce débarquement inattendu. Le principal souci des chambellans était de trouver assez de vin convenable, le vignoble du Cotentin n'étant pas connu pour sa qualité. Jour après jour, on trouva ce qu'il fallait.

Promenade pour les uns, catastrophe pour les autres. Les soldats se comportaient comme en pays conquis. Les habitants furent atterrés.

> Ils n'avaient jamais eu guerre, ni n'avaient vu gens d'armes. Et adonc voyaient gens tuer sans pitié, maisons ardoir et rober, le pays ardoir et exilier.
>
> Grande partie des riches bourgeois (de Saint-Lô) furent pris et envoyés en Angleterre pour rançonner. Grand foison de commun peuple fut, de la première venue, mort, et plusieurs belles bourgeoises et leurs filles violées, dont ce fut grand pitié.

A peine Philippe VI assemblait-il autour de Paris une armée improvisée que l'on apprenait déjà, après la chute de Saint-Lô, celle de Caen. Pour défendre la ville, le roi avait dépêché quelques secours, hâtivement levés en Normandie et placés sous les ordres du connétable, Raoul de Brienne, comte d'Eu.

Ce fut la première débandade de la guerre de Cent Ans. Soucieux d'éviter un long siège, les défenseurs se portèrent au-devant des Anglais, puis refluèrent en catastrophe vers la ville, sans avoir même engagé le combat. On ne put fermer la porte : Français et Anglais la franchissaient mêlés, s'égorgeant dans la plus grande confusion. Pour n'être pas lardés de flèches par des archers inattentifs aux distinctions sociales, le connétable et ses lieutenants prirent le parti de se rendre pendant qu'il était temps de choisir son vainqueur. Thomas de Hollande se trouva ainsi, sans l'avoir vraiment mérité, propriétaire de prises tout à fait négociables : aux côtés du connétable et du chambellan de Tancarville, il y avait une bonne part du baronnage normand.

Caen brûlait encore qu'Édouard III reprenait sa marche vers l'est. Louviers, qui n'était pas défendable, se rendit à merci. Peu désireux d'immobiliser sa trop petite armée en tentant quelque siège que ce fût, l'Anglais contournait prudemment les villes fortifiées et les châteaux capables de résistance. C'est ainsi qu'échappèrent Évreux et Mantes. Édouard III ne voulait pas occuper la Normandie, il cherchait simplement à passer la Seine après avoir semé la panique.

Il trouva le pont de Vernon, puis celui de Poissy coupés par les Français. Force était donc de lancer un pont de fortune, que des charpentiers construisirent en quelques jours à Poissy. Pendant ce temps, Geoffroy d'Harcourt s'en alla brûler Saint-Cloud.

> Et là bouter le feu, qui est à deux bien petites lieues de Paris, afin que le roi Philippe en pût voir les fumières.

Dans l'entourage du Valois, on trembla pour la capitale. Jamais, depuis le siège par les Normands en 885, et malgré tant de conflits armés avec les grands féodaux voisins, avec les Normands, avec les Angevins, avec les Champenois, jamais les Capétiens n'avaient perdu Paris.

La ville était indéfendable. L'enceinte construite à la fin du XIIe siècle par Philippe Auguste avait été à peine entretenue, tant on avait considéré comme normale, depuis le règne de saint Louis, la tranquillité de Paris. Après un siècle et demi de croissance, la ville débordait de toutes parts. Il y avait même des quartiers où l'enceinte était enserrée dans le nouveau tissu urbain. Entre le Louvre et la porte Saint-Denis – celle-ci se trouvait à peu près au niveau de l'actuelle rue Étienne-Marcel – on ne voyait même plus que la ville était fortifiée.

Les Parisiens se savaient vulnérables, et ils avaient eu le temps d'apprendre comment les Anglais avaient traité les gens de Saint-Lô et ceux de Caen. Il y eut donc un beau tumulte quand ils s'avisèrent que le roi les laissait seuls. Certains parlèrent de démolir le Petit-Pont au sud de Notre-Dame, autrement dit de sacrifier la rive gauche pour sauver la Cité et la rive droite, la ville des affaires et de l'administration.

Édouard III s'était naguère fourvoyé dans sa trop rapide conquête de la Flandre. Il tenait peu à prendre Paris. Pour une randonnée pratiquement coupée de ses bases, c'eût été trop. Au reste, le Plantagenêt pouvait se poser la question : qu'avait-il à faire de Paris ?

Il avait beau se dire roi de France, il savait bien que les grands vassaux de France étaient – actifs ou passifs – aux côtés du Valois. N'avaient-ils pas fait eux-mêmes le succès de sa candidature en 1328 ?

Édouard savait aussi qu'on ne sacre pas les rois de France à Paris. Au siècle suivant, Henri VI devra se contenter de Notre-Dame de Paris, mais ce sacre comptera pour peu au regard de celui du gentil Dauphin à Reims. Pour Édouard III, le sacre, c'est encore Reims. Prendre Paris serait, certes, une victoire, et de quel retentissement ! Mais combien de temps et d'argent cela coûterait-il ? Et quels seraient les lendemains ? Tenir la ville serait plus difficile qu'y entrer.

Le roi d'Angleterre avait convenablement nargué son cousin Valois. Il avait envoyé ses éclaireurs jusqu'à Boulogne et à Bourg-la-Reine. Ayant semé la terreur, il préféra s'éloigner. Plus que de prendre une ville embarrassante, il lui était utile de s'assurer d'une tête de pont plus docile que la Flandre et plus proche des ports anglais que l'incommode Cotentin.

Le pont sur la Seine avait été reconstruit à Poissy en cinq jours. Édouard III décida de marcher vers l'un des ports du Nord, Boulogne ou Calais.

Philippe VI ne l'entendit pas ainsi. Jusque-là, il s'était terré. En Flandre, il avait refusé le combat. En Normandie, il avait laissé faire. Au franchissement de la Seine il n'avait opposé que les faibles contingents des villes picardes. Au vrai, le Valois vivait dans la hantise de la trahison : trahi en Bretagne – du moins le pensait-il – par Olivier de Clisson et en Normandie par Geoffroy d'Harcourt, sentant autour de lui toutes les réticences qui tenaient à son avènement mal fondé, il ne savait sur qui compter vraiment. Nul, en de semblables conditions, n'aurait pris de risques.

Mais voilà que, soudain, les choses changent. En évitant Paris, Édouard III a montré qu'il était au bout de ses capacités du moment, qu'il n'avait dans la capitale aucune de ces complicités qui auraient pu livrer la ville. Parce qu'il marche maintenant vers le Ponthieu, l'Anglais s'avoue moins fort que ne craignait son adversaire.

Alors, Philippe VI se ressaisit. Il concentre à Saint-Denis toutes les forces dont il peut disposer. A marche forcée, il se lance sur les brisées de l'Anglais.

Celui-ci sait son armée inférieure en nombre, et Édouard III n'est pas homme à cultiver la vaine prouesse. Il force les étapes. Devant Beauvais imprenable, il se contente de laisser brûler quelques faubourgs. Il s'attarde quelques heures en vue d'Amiens, mais ce n'est que pour regrouper ses troupes avant de franchir la Somme, dernier obstacle sur la route du Nord.

Les Picards ont vu monter à leurs horizons les colonnes de fumée qui trahissent l'avance anglaise. Philippe VI n'a pas besoin de les convaincre pour qu'ils se gardent. Lorsque, menée par Warwick et Harcourt, l'avant-garde du Plantagenêt veut franchir le pont de Longpré, elle se heurte à une résistance quasi désespérée.

Qu'à cela ne tienne : les Anglais tentent le passage par d'autres ponts. Deux fois, trois fois, c'est partout la même chose. La petite troupe s'épuise en des assauts sans profit. Le temps passe.

On essaie alors de passer en amont, à Picquigny. Là encore, la résistance l'emporte sur une avant-garde légère. Pendant ce temps, Philippe VI atteint Amiens.

Secondé par Jean Chandos, Édouard fait une tentative vers l'ouest, brûle Aumale, cherche à prendre Abbeville. Il n'y renonce qu'en comprenant la détermination du maire, Colart Le Ver, qui fait savoir qu'il est prêt à soutenir un siège. Le siège, c'est l'enlisement : Édouard n'en a pas le temps. Pendant que, près d'Oisemont, Chandos écrase la petite armée levée en Vimeu par le sire de Boubers, le comte de Saint-Pol repousse devant Saint-Valery-sur-Somme les Anglo-normands de Geoffroy d'Harcourt.

Si l'on pense que le roi de France a la supériorité du nombre, il est évident que le temps travaille pour lui. Les Anglais sont fatigués. Ils se savent contournés par la rive droite, où les troupes de Godemar du Fay, bailli de Vermandois, c'est-à-dire de Saint-Quentin, bloquent tous les ponts en aval d'Abbeville. Ils voient, surtout, le gros de l'armée française progresser lentement sur la base du triangle que dessinent la Manche et la Somme. Le 23 août au soir, Édouard III offre cent « nobles » – cent pièces d'or – à qui lui révélera un gué. L'envahisseur est acculé.

Toute la manœuvre du roi de France va échouer à cause d'un pauvre bougre de Mons-en-Vimeu que les malheurs de la guerre ont fait depuis quelque temps prisonnier du roi d'Angleterre.

Gobin Agache – c'est le nom de ce brave homme – n'est pas spécialement partisan du Plantagenêt. Mais il s'est fait prendre et il sait bien que Philippe VI se souciera comme d'une guigne de racheter un Gobin Agache. Un bel avenir de prisonnier sans rançon s'ouvre devant lui. Or il connaît les lieux. Il est né là. Il sort des rangs : il sait un gué, à mi-chemin d'Abbeville et de Saint-Valery.

> Douze hommes là passeraient bien de front, promet-il. Et ce deux fois entre nuit et jour. Et n'auraient de l'eau plus avant que jusqu'aux genoux.
>
> Quand le flux de la mer est en venant, il regorge la rivière si contre-mont que nul ne le pourrait passer. Mais, quand ce flux, qui vient deux fois entre nuit et jour, s'en est tout rallé, la rivière demeure là endroit si petite que on y passe bien aise, à pied et à cheval. Ce ne peut-on faire autre part que là, fors au pont à Abbeville, qui est forte ville et grande et bien garnie de gens d'armes.
>
> Et au dit passage, Monseigneur, que je vous nomme, il y a gravier de blanche marle, forte et dure, sur quoi on peut sûrement charrier. Et pour ce appelle-t-on ce pas le Blanque Taque.

Gobin Agache a gagné sa liberté, celle de ses compagnons de captivité, et cent nobles d'or.

A minuit, Édouard III fait sonner la trompette. Aux premières heures du jour, l'armée s'ébranle : chevaliers, archers, chevaux de somme, chariots. Au soleil levant, ils sont au bord du gué, pour constater que c'est l'heure de la marée haute. Force leur est de perdre là trois heures. Godemar du Fay, à qui le mouvement anglais a été signalé, vient prendre position au débouché du gué. Il a avec lui les contingents de plusieurs villes voisines, Abbeville, Saint-Riquier, Montreuil-sur-Mer, Le Crotoy. Autant de sergents qui vont se battre pendant des heures, sans empêcher pour cela les Anglais de prendre pied sur la rive droite ; ils manqueront cruellement à Philippe VI, le surlendemain, sur le champ de bataille de Crécy.

En ce matin du 24 août, le roi de France parvient à Oisemont. Quelques heures plus tôt, les Anglais étaient encore là, chargeant leurs chariots. Philippe VI a raté sa manœuvre. De peu, certes, mais complètement.

Cependant que le Français — qui dispose, lui, des ponts — s'en va cantonner à Abbeville, l'Anglais exploite sa victoire tactique en n'oubliant pas l'objet principal de sa fuite vers le Nord : se tirer d'affaire après avoir nargué l'adversaire. Il envoie Warwick et un corps de cavalerie vers Le Crotoy. La ville brûle. Les navires qui relâchaient au port sont pris ; les vivres qui se trouvaient à bord vont fort opportunément améliorer l'ordinaire de l'armée anglaise.

CRÉCY.

Le 25 août est un vendredi. Édouard III reprend sa route et franchit la forêt de Crécy, cependant qu'une petite troupe ravage la campagne jusqu'aux portes d'Abbeville. Parvenu à Crécy, le roi d'Angleterre arrête son armée et confère avec ses maréchaux. La position est favorable ; puisqu'il y a désormais peu de chances d'échapper à la poursuite française, autant attendre ici. A l'heure des vêpres, Philippe VI apprend par ses éclaireurs Saint-Venant et Montmorency que, s'il le veut, la bataille est pour le lendemain. Peu lui importe le lieu : il est le plus fort.

Le vendredi soir, il y a grande fête dans les deux camps. Non parce que c'est la Saint-Louis, mais parce que c'est veille de bataille. Action psychologique, s'il en est, que cette fête qui sera pour beaucoup la dernière. La bataille, ce n'est pas n'importe quel combat, n'importe quel affrontement plus ou moins improvisé. La bataille est une liturgie de cette religion qu'est la chevalerie. C'est l'intervention de Dieu dans les affaires des hommes, comme l'est à de moindres niveaux l'ordalie, le jugement de Dieu qui s'exprime par l'épreuve physique. Elle requiert que chacun s'y soit préparé, devant Dieu et devant les hommes. Et le prince se doit de montrer là les qualités qui font le « bon » prince, au sens que prendra le terme quand on l'appliquera au roi Jean II : la générosité, la largesse, le digne traitement de ceux qui servent et vont exposer leur vie au service.

Édouard III est acculé à ce combat qu'il esquivait comme le roi de France, naguère, l'esquivait en Flandre et en Hainaut. Mais il ne convient pas que les barons anglais se sentent à l'avance en état d'infériorité. La fête illumine le camp anglais de l'espoir d'une victoire cependant improbable.

Philippe VI vient de laisser l'ennemi brûler impunément la Normandie et la Picardie. Mais ses barons doivent croire qu'ils ont l'initiative et qu'ils cherchent un loyal combat.

De part et d'autre, on fête d'avance la victoire pour s'en mieux assurer. Chacun des combattants doit savoir qu'il se bat parce qu'il est dans son droit. Dieu est avec lui.

Et nous voici au matin du samedi 26 août. A peine la messe est-elle entendue que Philippe VI est en selle. Pas le moindre plan de bataille. On va sus à l'Anglais.

Celui-ci est, au vrai, moins fier de lui. Il répartit prudemment ses troupes en trois « batailles », trois corps d'armée, qu'il établit sur des positions repérées la veille. L'une, autour du roi, servira de réserve générale, les autres engageront la manœuvre. Le roi d'Angleterre est maître du terrain, c'est vraiment son seul avantage. Le temps que le roi de France chevauche vers Crécy, Édouard forge le moral de ses troupes : il les passe en revue, bavarde avec l'un, rit avec l'autre.

Le soleil est maintenant haut sur l'horizon. On n'entend pas encore les Français. Le roi d'Angleterre se garde de l'énervement, fait rompre les rangs, accorde une heure de détente.

> Il se retira en sa bataille et ordonna que toutes ses gens mangeassent à leur aise et bussent un coup. Ainsi fut fait comme il l'ordonna. Et mangèrent et burent tout à loisir. Et puis retroussèrent pots, barils et pourveances sur leurs chars et revinrent en leurs batailles, ainsi qu'ordonné était par les maréchaux.
>
> Et s'assirent tout à terre, leurs bassinets et leurs arcs devant eux, en eux reposant, pour être plus frais et plus nouvel quand leur ennemi viendrait.

Dans la chaleur qui monte, les Français chevauchent cependant sans se ménager. Partis en éclaireurs, quatre chevaliers font leur rapport : les Anglais attendent. Cette fois, ils n'échapperont pas.

Les éclaireurs sont lucides : les Anglais sont frais et dispos. Au roi qui les en presse, ils donnent leur avis : qu'on regroupe l'armée, qu'on constitue des « batailles » et qu'on prenne le temps de choisir une tactique. A tout cela, la journée passera vite. Qu'on dresse donc le camp, et l'armée du Valois sera aussi fraîche, au matin, que celle du Plantagenêt. De surcroît, on aura toute la journée du lendemain pour exploiter la victoire.

L'avis est sage. Le roi donne l'ordre d'arrêter l'armée dans son mouvement. L'un des maréchaux gagne l'avant-garde. Les groupes de tête s'immobilisent. Les Anglais ne sont pas encore en vue, et une halte est la bien venue en cette chaude journée.

L'autre maréchal a moins de succès avec les hommes qui suivent la route du roi. Dans ces deuxièmes lignes, on ne comprend rien à une manœuvre qui n'en est d'ailleurs pas une. Alors que, peut-être, les premiers rangs sont au contact de l'ennemi, l'idée de s'arrêter à l'arrière semble honteuse à ces bons chevaliers. Le maréchal et ses lieutenants s'époumonent :

> Arrêtez, bannières ! De par le roi. Au nom de Dieu et de monseigneur saint Denis !

C'est en vain qu'ils crient. Les chevaliers bannerets refusent de s'arrêter. Marcher au secours du roi, en danger à l'avant, est un devoir plus impérieux que celui d'obéir. La chevalerie a sacralisé la notion d'honneur, un honneur dont chacun est juge. Non celle de discipline.

Le gros de la troupe talonne maintenant l'avant-garde, qui croit qu'on veut la doubler. Voilà toute l'armée en marche, cependant que les maréchaux baissent les bras et que le roi demande qui commande.

Chacun veut dépasser l'autre pour ne pas perdre sa part de l'honneur de la bataille. Dans la bousculade, on s'aperçoit soudain que l'Anglais est là, devant. L'Anglais qui vient de remonter à cheval et de reprendre dans les rangs la parfaite ordonnance des trois « batailles ». Et les Français s'avisent qu'ils sont tout simplement en ordre de marche — ou plutôt en désordre — et que rien n'a été prévu en fait de tactique.

Certains pensent qu'il est trop tard pour réfléchir et vont de l'avant. D'autres pensent qu'il est enfin temps d'en découdre. Certains songent à s'organiser avant l'attaque, marquent le pas, reculent même, en bousculant ceux qui les suivent. Comme tout à l'heure dans la forêt, ce recul est mal interprété par la deuxième ligne. On croit les premiers au combat, et leur recul passe pour signe de défaite. Alors, ceux qui n'ont rien vu mais se disent qu'on a sûrement besoin d'eux faufilent tant bien que mal leur coursier.

Il est désormais trop tard pour remettre au lendemain la bataille de Crécy. Et Philippe de Valois, qui a l'avantage du nombre mais non le génie de l'organisation, se voit amené au combat qu'il a tant cherché alors que le gros de son armée s'étire encore tout au long de la route d'Abbeville à Crécy. Les Français sont fatigués. Chacun est livré à son initiative.

Les Anglais, eux, sont en position, et ils ont eu le temps de comprendre le terrain. La bataille du Prince Noir est déployée, les archers au premier rang, leurs grands arcs dressés vers le ciel au long des haies. Les hommes d'armes à cheval, les compagnies de lanciers gallois, la cavalerie légère des *hobelars* sont derrière, prêts à charger. La bataille des comtes de Northampton et d'Arundel est encore plus loin, attendant de prendre la relève après le premier assaut. Le roi se tient à l'écart. Ce n'est pas à lui d'engager.

Pour riposter aux flèches anglaises, Philippe VI compte sur les « carreaux » d'arbalète, ces terribles traits aux empennages métalliques dont on a vu les limites tactiques pendant la bataille de l'Écluse. Quand il voit les archers anglais prêts à tirer, il donne l'ordre de faire passer au premier rang les arbalétriers génois embauchés à prix d'or.

Il y a un « mais »: les Génois sont fatigués. Ils ont marché six lieues dans la chaleur. Depuis le matin, ils portent leur arbalète. Cela suffit pour la journée, et ils le disent sans fard. Le comte d'Alençon, frère du roi, l'a belle d'observer qu'on les a payés pour rien:

> On se devait bien charger de cette ribaudaille, qui manque au moment du plus grand besoin !

Un grand vol de corbeaux, qui passe devant l'armée, n'arrange rien : le présage est mauvais. Bien des Français, maintenant, ont peur.

Pendant que Philippe VI et son armée perdent leur temps sans organiser pour autant l'assaut, voilà qu'éclate l'orage qui montait depuis quelque temps dans cette étouffante soirée d'août. Français et Anglais sont trempés. Au moins l'air en est-il rafraîchi. Mais le roi de France n'a pas compris que l'heure tournait en faveur de son adversaire et qu'il vaudrait mieux remettre l'affaire au lendemain. Face au soleil couchant qui aveugle ses hommes, il ordonne enfin l'attaque.

> L'air se commença à éclaircir et le soleil à luire beau et clair. Ainsi l'avaient les Français droit en l'œil, et les Anglais par derrière.

Les Génois sont bien décidés. Pour effrayer les Anglais, ils se mettent à pousser des cris terrifiants. Il en faudrait beaucoup plus pour émouvoir les archers anglais qui font un pas en avant, mettent un genou en terre et font pleuvoir sur les Génois une telle volée de flèches que, diront les témoins, « ce semblait neige ». Sur ce, les bombardes anglaises commencent à tonner.

Édouard III a emporté quelques bouches à feu — trois, peut-être — propres à faire des brèches dans l'enceinte des villes ou des forteresses assiégées, certainement pas à nourrir une bataille. Au prix d'un coup de feu par ennemi mort, la victoire serait chère. Mais la campagne touche à sa fin, et les Anglais ont renâclé devant l'idée d'entreprendre un siège. On n'a donc pas encore eu l'occasion d'utiliser cette artillerie. Édouard III décide de tenter l'expérience.

Les quelques boulets tirés au jugé ne peuvent guère changer le destin des armes. Vieilles comme la guerre, balistes à ressort et catapultes à levier en faisaient bien autant. Les projectiles de la nouvelle artillerie – une livre de fonte, quatre à cinq pouces de diamètre – culbutent un homme et sa monture ; ils ne bousculent pas une troupe.

Mais il y a le bruit, la flamme. Il y a, surtout, la nouveauté. Il n'en faut pas plus pour semer la panique. Les arbalétriers génois en sont les premières victimes.

Ils n'ont eu ni le temps ni la possibilité de tirer. La pluie a tendu au maximum les cordes de leurs arbalètes, qu'ils n'ont pas eu l'idée de protéger, peut-être parce que l'orage leur donnait à penser que le combat était pour le lendemain. Si l'on voulait que les armes retrouvent toute leur élasticité, il faudrait laisser sécher les cordes. Philippe VI n'est même pas informé de la chose. Les Anglais, eux, ont eu le temps de prendre leurs précautions. Sans doute ont-ils une plus grande habitude de la pluie. Leurs arcs sont secs, prêts au tir.

La rage au cœur, les Génois s'aperçoivent qu'ils ne peuvent bander leurs arbalètes ; il n'en faut pas plus pour les inciter à décamper. Plantant là leurs lourdes armes inutilisables, ils se retournent et cherchent une issue.

Philippe VI, à ce moment, se sent trahi. Aux chevaliers qui l'entourent et qui forment un mur derrière les arbalétriers en attendant que ceux-ci ouvrent le combat, il ordonne de tailler en pièces les traîtres. Puisque les Génois ne servent à rien, au moins qu'ils n'encombrent pas le chemin...

Jean de Luxembourg, roi de Bohême, se tient à l'écart : aveugle, il s'est fait conduire sur le champ de bataille avec l'intention de se battre, mais il ne participera vraiment qu'aux derniers affrontements. On lui rapporte l'affaire des Génois. « Pauvre commencement », dit-il. Le massacre des arbalétriers donne aux alliés du roi de France une bien piètre idée de celui-ci.

Face aux archers anglais, il n'y a plus, maintenant, que la cavalerie française. Cuirasses et bassinets la protègent mal des flèches, et ses armes ne lui servent de rien tant qu'on n'en est pas au combat rapproché.

La chevalerie du roi de France.

Ces chevaliers qui s'apprêtent à charger comme l'ont fait leurs ancêtres à Mansourah et leurs pères à Courtrai ou à Mons-en-Pévèle, à quoi ressemblent-ils au juste ? Du croisé et du combattant de Bouvines, ils ont encore l'allure générale : celle d'un cavalier lourd, solidement appuyé sur les étriers dont il s'aide quand il lui faut soudain projeter, à la pointe de la lance, toute sa force vers l'avant. Il est lourd de son armement, et d'abord de cette lance – elle a bien trois mètres de long – faite d'un bois dur et ferré, calée sous le coude droit en attendant le choc effroyable qui, selon l'habileté de l'un ou de l'autre, enverra la cible au sol ou l'assaillant en l'air. Dans le tournoi, où les rangs se croisent à chaque assaut, la lance est de bon usage, et les valets en tendent une autre si la première se brise. Au combat, où la mêlée suit l'assaut, la lance ne sert guère qu'une fois : mieux vaut s'en débarrasser au plus vite et dégainer l'épée.

Cette épée n'est pas moins lourde, avec son épaisse lame à deux tranchants, qu'une chaînette retient si la poignée tourne dans la main. Elle est assez longue pour le combat à cheval, quand le temps de la lance est passé. Elle est assez maniable pour l'escrime à pied, quand le cavalier tombé peut se relever. Bien des chevaliers, et non des moindres, devront à leurs moulinets le salut et parfois la victoire. Mais il n'est pas indigne d'un combattant de bonne race de manier des armes moins chargées de symboles que la grande épée. Il faut des muscles de fer pour faire tournoyer la masse d'armes, cette lourde boule hérissée de pointes, qui s'articule au bout d'une courte chaîne. Quant à la hache, elle sera, aux derniers moments de la bataille de Poitiers, l'arme du roi Jean.

Alourdi de son arsenal offensif, le cavalier n'est pas moins engoncé dans l'armure qui doit le mettre à l'abri des morts intempestives. Car l'idéal du chevalier est de prendre son adversaire pour en tirer rançon, non de le tuer comme font les manants. La morale chevaleresque est sévère pour les rustres des métiers flamands qui ont fait de Courtrai, en 1302, la première d'une longue série d'atroces boucheries ; l'année suivante, on le leur a bien rendu, de même qu'en 1328 à Cassel. On tue des piétons, des sergents et des coutilliers, des archers et des arbalétriers, toutes gens que rien ne différencie vraiment du vilain qui manie le gourdin ou le couteau. On ne tue pas le chevalier ou l'écuyer désarmé ; il est même de bonne guerre de lui faire honneur et de le traiter avec largesse : on ne l'en revend que plus cher aux siens.

C'est là, dans cette armure défensive, toujours trop lourde et jamais assez sûre, que la silhouette du chevalier a le plus changé depuis le temps des croisades. Même s'il figure encore sur les effigies équestres des sceaux, on ne porte plus guère au combat le grand heaume cylindrique qui enserrait la tête et gênait la vue. La plupart des combattants à cheval ont fait leur un casque léger, le bassinet. Une visière s'articule parfois sur les tempes ; on la relève hors des moments de danger.

L'écu, c'est maintenant un bouclier léger, un petit triangle que l'on porte le plus souvent accroché au cou, conservant ainsi l'usage de la main gauche pour guider le cheval. Le grand bouclier du XIe siècle, celui des compagnons de Guillaume le Conquérant que nous montre encore la tapisserie de Bayeux, avait pour fonction de recevoir les javelots, ces lances légères à l'ancienne mode qu'on lançait sans espoir de les récupérer. Ce temps est révolu, et la lourde lance tue comme un boutoir, non comme une flèche. L'écu est alors bien inutile : recevoir un choc de deux cents livres au galop sur l'écu ou en pleine poitrine ne change pas grand-chose : le cavalier se retrouve au sol, assommé. Au mieux peut-on détourner le coup mal porté... Quant aux flèches, que l'écu recevrait avantageusement, elles volent trop vite, et il est vain de chercher à les parer.

Contre la flèche ou le carreau, contre l'épée ou le couteau, il y a l'armure. Mais cette armure est ce que la fait la fortune de chacun. L'armure du riche baron fait rêver le modeste écuyer, souvent mieux armé pour tailler que pour se protéger. La simple cotte de mailles, ce long vêtement de souple fil de fer qui protégeait du tranchant des lames, non des pointes, paraît désormais insuffisante. On la renforce de plaques rigides, propres à dévier les coups, sinon à les arrêter. Il n'est guère de cotte de fer qui ne protège ainsi d'une dure carapace la poitrine, les bras et les jambes. Ce sont des plaques de fer, de cuir bouilli, de corne, finement articulées ou tout bonnement cousues sur les mailles, selon la technique propre ou l'inspiration de l'artisan ou de l'homme d'armes lui-même. Les riches ont des jeux de « plates » qu'ils revêtent carrément sur la cotte de mailles. Les moins aisés se contentent de rembourrer de laine, de coton ou de cuir les parties du corps où le coup fait mal, même lorsqu'il ne blesse pas. De telles armures ne protégeront pas d'un grand coup de lance, elles éviteront peut-être de mourir d'un coup de sabot ou d'avoir les membres brisés d'un coup de houe.

Le cheval, lui, connaît ses derniers combats du Moyen Age. On sait qu'on ne protège pas efficacement un cheval, sauf au tournoi, où nul coutillier ne vient normalement lui scier les tendons. Et l'on va comprendre que la charge de cavalerie à l'ancienne mode est devenue une inutile boucherie en prélude au combat véritable, celui qui décide de la victoire. Quelques « plates » de fer, de corne ou de cuir protègent encore le poitrail ou les articulations ; on y renoncera vite, et le cheval sera tenu à l'écart de l'escrime. Il sera moyen de commandement, d'observation, de reconnaissance. Il sera surtout l'indispensable auxiliaire de toute manœuvre. Sans cheval, pas de surprises, pas de mouvements tournants, pas de routes coupées et de ponts occupés. Mais on se battra à pied. La lance rejoindra, dans la panoplie des tournois, les grands cimiers et les longues cottes armoriées.

En attendant, Crécy est le triomphe des coutilliers, des coupe-jarrets, des archers embusqués dans les bosquets, des piques tendues au travers des chemins comme au tournant des haies. La hache et la massue l'emportent sur la lance et sur l'épée longue.

Édouard III n'est pas un lâche. Son comportement personnel sera toujours irréprochable au regard de l'éthique chevaleresque. Mais là, il n'a pas le choix des moyens. Contre lui, il a le nombre ; pour lui, l'astuce. Il va faire jouer en sa faveur le soleil couchant, les champs coupés de haies, les flèches qui retardent le corps à corps. Il ne peut s'offrir le luxe d'une bataille selon les règles, bien qu'il y soit prêt. Les guerres d'Écosse, menées contre de rudes montagnards ignorant tout de l'art subtil des tournois, ont appris à Édouard III et à ses hommes la souplesse tactique et l'art de s'adapter.

Et puis, si Philippe VI n'est pas un imbécile, c'est un bravache, et nombre de ceux qui l'entourent sont pires que lui.

Leur idéal, c'est celui que définiront encore, un demi-siècle plus tard, dans leurs *Cent Ballades,* quatre chevaliers de haut lignage non dépourvus de mérite littéraire. Il faut être à l'avant-garde avant le combat, à l'arrière-garde après, comme il faut être sur le haut des courtines des villes assiégées.

> Si l'on tient les champs, soyez soigneux
> D'avec ceux de l'avant-garde aller,
> Car c'est le plus aventureux.
> On y peut honneur conquester
> Plus qu'ailleurs.

Le bon chevalier, c'est celui qui multiplie les combats singuliers au cœur de la mêlée ; l'idée d'une stratégie d'ensemble l'effleure rarement. C'est aussi celui qui remet le dernier son épée au fourreau. A Poitiers, Jean le Bon méritera son nom.

Le désastre.

Revenons à Crécy, où l'assaut est donné en cette fin d'après-midi du samedi 26 août 1346. A la pointe de l'épée, les Français ont l'avantage du nombre, mais bien peu réussissent à franchir les barrages d'archers pour engager le fer avec la cavalerie anglaise.

Édouard III a établi son observatoire sur le tertre d'un moulin. C'est de là qu'il voit se réaliser le miracle : sans même s'engager à fond, il est vainqueur. Un écuyer porte le bassinet du roi, prêt à le tendre à son maître s'il fallait charger ; Édouard sera vainqueur sans l'avoir même coiffé. A quoi bon charger ? Cul par-dessus tête, la fleur de la chevalerie française s'effondre au long des haies.

> Bien est vérité que de si grand gent d'armes et de si noble chevalerie, et telle foison que le roi de France avait là, issirent trop peu de grands faits d'armes, car la bataille commença tard, et ainsi étaient les Français lassés et travaillés, ainsi qu'ils venaient.

Dans la pénombre, les archers tirent à vue. A mesure que le temps passe, les combattants ne distinguent plus leurs amis de leurs ennemis. Les chevaux éventrés s'entassent dans le creux des chemins.

Les Français sont épuisés, « travaillés ». Mais l'honneur l'exige : on se laisse massacrer plutôt que de renoncer. A tout le moins vend-on chèrement sa peau. Jean l'Aveugle s'est fait conduire au premier rang. Dans l'obscurité doublement épaisse pour lui, il donne d'immenses coups d'épée. C'est l'heure des prouesses inutiles.

Les Anglais ont assez de sang-froid pour ne pas se risquer dans la nuit à travers une campagne qu'ils connaissent mal. En rangs serrés, ils subissent l'assaut. Tous les risques sont pour l'assaillant, pour ces Français qui chargent à l'aveuglette et se perdent de vue.

Quelques-uns, déjà, font passer l'honneur chevaleresque après l'intérêt politique. Nul ne sait où se trouve Charles de Luxembourg, le fils du roi de Bohême Jean l'Aveugle : celui qui est en train de devenir l'empereur Charles IV a tout bonnement pris le chemin de la retraite. On ne risque pas la couronne du Saint-Empire dans les chemins creux de Picardie.

A la même heure, Jean de Hainaut donne au roi de France un avis tout aussi réaliste : il n'y a plus rien à gagner, il y a tout à perdre. Le centre est enfoncé, l'aile gauche n'existe plus. A l'aile droite, le roi de France n'a pas le choix.

Un instant, on a pu croire que la bataille allait enfin s'engager selon les règles. Un corps de cavalerie français a franchi le barrage. L'arme blanche reprenait ses droits. On a vu le futur Prince Noir menacé. Northampton et Arundel sont arrivés à temps pour le dégager. L'entourage du Prince s'est assez inquiété pour dépêcher au roi un messager, Thomas de Norwich. Mais Édouard III n'a pas cillé :

> — Messire Thomas, mon fils est-il mort, ou atterré, ou si blessé qu'il ne se puisse aider ?
>
> — Nenni, Monseigneur, s'il plaît à Dieu. Mais il est en dur parti d'armes. Ainsi aurait-on bien métier de votre aide.
>
> — Messire Thomas, or retournez devers lui et devers ceux qui vous envoient, et leur dites de par moi qu'ils ne m'envoient meshui requerre pour aventure qui leur advienne, tant que mon fils soit en vie. Et dites-leur que je leur mande qu'ils laissent à l'enfant gagner ses éperons.

L'engagement a peu duré, les archers faisant meilleur ouvrage que la chevalerie. Le porte-oriflamme du roi de France, Mile de Noyers, a pu atteindre la mêlée. Malgré le désir qu'il en avait, Philippe VI n'y est même pas arrivé.

Dans un tel combat, faire des prisonniers serait pure folie. Les Anglais ont à ce sujet des ordres. Quand on est aussi loin de ses bases et qu'on a le nombre contre soi, on ne s'encombre pas. Au reste, les Anglais font bloc. Aller relever un blessé engoncé dans sa cuirasse serait s'exposer aux tirs qui, après le coucher du soleil, font peu de différence entre l'un et l'autre.

Comprenant qu'il n'arrivera plus, dans cette obscurité, à donner quelque ordre que ce soit, Philippe VI prend le parti d'abandonner le combat en laissant dans la tourmente ceux qu'aucun signal n'en tirera plus. Quelques barons sont autour de lui : Hainaut, Montmorency, Beaujeu. Ils seront la piteuse escorte d'un roi qui chevauche maintenant droit devant lui, pendant que ses fidèles achèvent de mourir, et qui s'en vient frapper au pont-levis du château de Labroye.

Le châtelain sait que, vers Crécy, les choses ont mal tourné. Il a vu passer des fuyards. Il ne dort pas. Chargé de garder le fort, non d'aller en campagne, il vit cependant à distance l'excitation de la bataille. Quand il entend la voix du roi, il comprend tout. Le pont s'abaisse, la herse se lève. Au roi et à ses compagnons, le brave homme offre une coupe de vin, propose de nouveaux chevaux, fournit un guide sûr. Car on est vraiment trop près des Anglais pour demeurer à Labroye.

Dans la nuit noire, flanqué tout au plus de cinquante hommes, le roi de France galope vers Amiens. Au petit jour, la troupe est devant l'abbaye du Gard, un monastère de l'ordre de Cîteaux. On est à trois lieues d'Amiens. Il est temps de s'arrêter. Philippe VI voudrait quand même savoir comment, à Crécy, l'affaire s'est terminée.

Ce qu'il apprend, tout au long de ce triste dimanche où, comble de dérision, le comte Amédée de Savoie — celui qu'on appellera le Comte Vert — et ses mille lances rejoignent enfin leur allié le roi de France, c'est le nom de quelques centaines de morts trouvés au matin devant le bois de Crécy. Il y a le duc Raoul de Lorraine et le comte de Flandre Louis de Nevers. Il y a Jean d'Auxerre, Louis de Sancerre, Jean d'Harcourt, Louis de Blois et tant d'autres. Les fidèles du comte de Luxembourg, roi de Bohême, ont été trouvés formant un macabre rempart autour du corps de Jean l'Aveugle. En fin de journée, la nouvelle parvient enfin de ce qu'on n'osait croire : Charles, comte d'Alençon et du Perche, le propre frère du roi de France, a péri, lui aussi, dans le désastre.

Au regard de cette hécatombe, les Anglais n'ont laissé sur le terrain que quelques chevaliers et quelques dizaines d'archers.

Philippe VI a même perdu l'oriflamme, ou plutôt la copie qu'on a prudemment fait broder pour la circonstance, l'original demeurant fort heureusement à Saint-Denis. Apportée jadis par un ange, l'oriflamme est le signe de la mission divine du roi. C'est contre les Infidèles qu'on la déploie, à la rigueur contre des parjures. Philippe de Valois n'a pas hésité à la faire flotter dans un combat contre son cousin, le roi vassal du Saint-Siège. Il est puni.

Le bouc émissaire est rapidement trouvé. Il portera le poids des responsabilités : c'est Godemar du Fay, le bailli qui n'a pas su retenir l'Anglais sur la rive gauche de la Somme. Vaincu par sa propre impatience, par la fatigue de ses troupes, par l'orage et par la nuit, Philippe VI préfère l'être par la trahison. Il est évident que Godemar du Fay a trahi. Tout s'explique.

Godemar est sur le point d'être pendu quand les proches du roi font observer que toute l'armée royale n'a pas, la veille, fait mieux que le bailli de Vermandois. Celui-ci est sauvé : il se retrouvera sénéchal de Beaucaire.

Pendant ce temps, les hérauts d'armes ont fort à faire du côté de Crécy. Ceux du roi d'Angleterre commencent dès le dimanche à identifier les armes peintes sur les armures des morts et à dicter la liste des victimes. Il y a peu de morts anglais, mais il faut les trouver parmi la masse des Français que rien ne distingue au premier coup d'œil. Sur la liste des hérauts anglais, les ennemis de la veille seront confondus. Quant aux hérauts d'armes du roi de France, ils viennent le lundi, mais leur mission principale est de négocier une trêve : il faut enterrer les morts. Tout le monde tombe d'accord pour suspendre les hostilités pendant trois jours.

Calais.

Après y avoir perdu quatre mois, Jean de Normandie venait de lever le siège d'Aiguillon. Ce jour-là, il cantonnait à l'abbaye de Moissac. Il prit à petites journées le chemin de Paris ; la nouvelle de la défaite paternelle l'atteignit alors qu'il traversait le Limousin. Quelques rancœurs politiques aidant, le futur Jean le Bon allait juger avec sévérité la fuite peu chevaleresque du roi Philippe.

Sur les talons du duc de Normandie, les Anglais et les Gascons se précipitèrent. Derby et Albret prirent le château de Taillebourg dont les hautes courtines avaient été témoin, jadis, de la victoire de saint Louis sur Henri III. Ils ravagèrent la Saintonge, entrèrent sans combat dans Saint-Jean-d'Angély, renoncèrent à assiéger Niort, prirent Poitiers et se tinrent pour contents.

Édouard III, cependant, reprenait sa route vers le nord. La victoire ne changeait pratiquement rien à son plan. Certes, il narguait impunément le roi de France. Mais de là à ceindre la couronne des fleurs de lis...

Il fut bientôt devant Calais. Au passage, il avait ravagé les environs de Montreuil, brûlé Étaples, mis à sac la région de Boulogne. Devant Calais, il y avait un choix à faire : rembarquer sans courir le risque d'être pris dans sa victoire, ou s'assurer d'une tête de pont. Édouard n'était plus soumis à la menace immédiate qui planait sur sa chevauchée jusqu'à Crécy. Il crut emporter Calais comme il avait eu Caen : sans mal et en peu de temps. Au reste, le risque d'une surprise, qui l'avait jusque-là dissuadé d'entreprendre un véritable siège, venait de disparaître. En cas de besoin, on pouvait lever le siège de Calais et rembarquer. Point n'était d'ailleurs besoin de faire tuer du monde dans un assaut : l'armée anglaise n'était pas assez nombreuse. Un bon siège suffirait à faire céder la ville.

Édouard établit son camp tout autour de l'enceinte et se protégea sur ses arrières par un nouveau fossé. Puis on attendit. Chacun avait qui sa baraque de bois, qui sa hutte de genêts. Le roi tenait sa cour dans un « hôtel » de planches et de rondins. A la fin d'octobre, la reine Philippa de Hainaut le rejoignit. On donna des fêtes.

Une ville s'organisait ainsi autour de la vraie ville, avec ses halles, ses places publiques, sa boucherie. On avait aménagé un port, par lequel parvenaient la relève et le ravitaillement, quand les galées génoises qui sillonnaient le détroit n'arraisonnaient pas les barges anglaises.

De temps à autre, on lançait une chevauchée à travers la Picardie, aussi bien pour se dégourdir les jambes que pour améliorer l'ordinaire. Guines brûla un jour, Marck un autre. Le temps était jalonné de passes d'armes épisodiques avec des troupes françaises. Victoires d'un jour, sans lendemain, quel que fût le vainqueur.

Les bourgeois de Calais avaient, à l'automne, pensé que leurs murailles les protégeraient de l'assaut. Quand ils virent que le Plantagenêt comptait sur le temps pour faire son œuvre, ils prirent leurs dispositions : quelques centaines de bouches inutiles furent expulsées. « Pauvres gens », disent les chroniqueurs. Habitants modestes, que ne protégeait pas la solidarité bourgeoise ? Gens de dehors, réfugiés ou mendiants ? Il est difficile de savoir. Toujours est-il qu'Édouard III se donna les gants de recevoir ces misérables avec une charité ostentatoire. On les fit boire et manger, on les lesta de trois esterlins d'argent chacun, et on leur montra le chemin du départ. Admirateur du preux Édouard III, le chroniqueur liégeois Jean Le Bel note que ce fut « grand gentillesse », autrement dit le fait d'un véritable noble. L'Anglais venait surtout de démontrer, pour que la chose se répète, qu'il était à l'aise dans sa position d'assiégeant. Les bourgeois de Calais ne pouvaient compter sur la lassitude.

Ils espérèrent pendant quelques semaines : le secours allait venir du roi de France. Malheureusement, celui-ci ne savait où donner de la tête. Il était bafoué en Poitou, où les Anglais lui avaient brûlé ses villes et ses villages, égorgé ses bourgeois et violé ses bourgeoises, se souciant à l'évidence de son droit souverain comme d'une guigne. Il l'était en Picardie, où l'assiégeant manifestait qu'il ne craignait rien. Il l'était enfin à Paris, où les états généraux portaient de violents coups à l'autorité royale et lui marchandaient âprement les moyens du redressement.

En ce printemps de 1347 où les positions semblaient figées devant Calais, nul ne pouvait deviner ce qu'allait être cette ville, pendant deux siècles, dans le système politique et économique de l'Angleterre. Pour le Valois, le siège de Calais n'était guère qu'un échec de plus, un échec inévitable, comme l'avaient été la perte d'Aiguillon et la débâcle de Caen. Rien de plus. Édouard III voulait rembarquer à Calais. A quoi bon l'en empêcher ?

La détermination des bourgeois fit de Calais autre chose qu'une commodité anglaise. Calais devint un enjeu, puis un symbole.

Parler de résistance nationale serait toutefois prématuré. Les bourgeois n'entendaient pas résister à l'étranger, ils craignaient le sort ordinairement réservé par la soldatesque à une ville prise. Pillage, incendie, viol étaient le destin normal. Au moment où Calais tenait tête à Édouard III et où Béthune résistait aux assauts des Flamands, les villages qui brûlaient à travers tout l'Artois faisaient à l'Anglais une mauvaise réclame.

Ce vent de terreur fit pousser les enceintes urbaines comme des champignons. Le Poitou et l'Artois avaient fait les frais de l'expérience ; les autres régions en tirèrent les leçons. Il n'était pas vain de faire la dépense d'un mur solide et d'une porte fermant bien. On remonta les courtines, on ferma les brèches, on renforça les vantaux. Le roi ne souhaitait pas voir retomber sur le Trésor royal cette part du financement de la guerre ; il fut sans peine d'accord pour que le coût de la « fermeté » prît place pour longtemps au premier rang des budgets municipaux.

Comme la sûreté était l'affaire de tous, on s'employa à ce que la dépense le fût aussi. Le roi força les clercs les plus réticents, le Parlement débouta ceux qui aimaient mieux plaider que payer. A Reims, à Troyes, à Dijon, le clergé dut prendre en charge un bon quart de la « fermeté ».

Certaines villes n'avaient jusqu'ici géré que de petits budgets. La charge de l'enceinte donna soudain aux finances municipales une autre dimension. Construction, réparation, agrandissement, entretien, tout cela se situait à un autre niveau financier que le salaire du greffier municipal ou celui de quelques sergents. On ne pouvait plus, désormais, gérer le budget à vue de nez. De ces années 1347-1348 date en bien des villes la tenue des premières comptabilités urbaines, qu'exigeait l'importance nouvelle des sommes dont il fallait rendre compte au roi et au contribuable.

Le temps passait, et la fureur du Plantagenêt allait croissant. Elle fut à son comble lorsque s'effondrèrent les projets de mariage qu'il avait formés pour sa fille. Édouard avait en effet jeté son dévolu sur le jeune Louis de Male, que la mort de son père Louis de Nevers à Crécy faisait maintenant comte de Flandre. Tuer le père, pourvu que ce fût en combat loyal, et prendre le fils pour gendre n'avait rien qui pût gêner un prince du XIVe siècle, habitué à voir les mariages affermir les alliances par lesquelles s'achevaient les guerres commencées avec d'autres alliances. La fin de la guerre de Guyenne n'avait-elle pas, cinquante ans plus tôt, fait de deux princesses capétiennes deux reines d'Angleterre ?

Louis de Male ne voulait pas de l'Anglaise. Il refusa de se prêter à la combinaison. Les communes de Flandre entreprirent de le marier contre son gré. Mais Louis avait envie de régner vraiment ; pour régner sur un comté de Flandre toujours effervescent, il entreprit de jouer une autre carte, celle de son puissant voisin le duc Jean de Brabant. Celui-ci avait aussi une fille à marier.

Les villes de Flandre et celles de Brabant étaient concurrentes sur le marché européen du drap de laine. Pis encore, le Brabant commençait de l'emporter sur la Flandre. Gand, Bruges et Ypres ne pouvaient accepter que le comte Louis passât dans l'obédience du Brabançon. Les bourgeois prirent donc les grands moyens : ils mirent le jeune comte en prison et ne le relâchèrent, après quelques semaines, que sous étroite surveillance et moyennant promesse d'épouser l'Anglaise.

> Il y avait toujours vingt hommes après lui, quelque part qu'il allât, des bourgeois de Flandre. Ils le gardaient si près qu'à peine pouvait-il aller pisser.

On convint d'une rencontre pour conclure l'affaire. Édouard III et la reine Philippa vinrent de Calais jusqu'à Bergues. On amena Louis de Male. Chacun fit à l'autre des politesses. Édouard sut dire à son futur gendre combien il regrettait la mort du comte Louis de Nevers. Au cours de la bataille, crut-il devoir préciser, il ne l'avait à aucun moment vu de ses yeux, ni mort ni vif. Un banquet célébra les fiançailles. On prit date pour le mariage.

Plusieurs jours passèrent en préparatifs. Édouard s'occupa derechef de Calais. Le jeune comte Louis tua le temps à la chasse. La veille du mariage arriva.

L'escorte avait relâché son attention. Le faucon du comte prit son vol. Tout le monde leva le nez, et l'on suivit tant bien que mal, au galop, le vol du rapace. Quand l'attention redescendit vers le sol, on s'aperçut que le comte Louis avait, lui aussi, piqué des deux. Mais c'était sur la route de Paris, et il avait le meilleur cheval de toute la chasse. Le rattraper était chose impossible.

Les Français s'amusèrent beaucoup. Les Flamands se firent pardonner de leur royal allié en brûlant quelques villages autour de Saint-Omer. Planté là avec sa fille à marier, le roi d'Angleterre était plus furieux que jamais.

Il se rendait compte que le temps, maintenant, jouait contre lui. Bien que le roi d'Écosse ait été pris à l'automne précédent, passer un an entier sur le continent était une imprudence politique. L'imprudence coûtait de surcroît fort cher. Pour limitées qu'elles fussent, les échauffourées qui se multipliaient alentour usaient plus vite l'armée du siège que les forces d'une résistance latente à travers le pays. Un assaut était impossible, et le siège n'avançait pas.

Si Calais tenait, c'est parce que les vivres continuaient de parvenir en ville. Assiégés et assiégeants avaient chacun, on l'a vu, leur port. Édouard III renforça son blocus, parvint à couper la voie du ravitaillement.

> Il fit faire un haut château de grand et gros merrien (bois d'œuvre) sur la rive de la mer, et le fit pourvoir de bombardes, d'espingales, d'artilleries et d'autres engins. Et fit mettre sus un fort engin et bien quarante hommes d'armes et deux cents archers, qui gardaient si près le havre et le port de Calais que rien n'y pouvait entrer ni issir que tout ne fût brisé et confondu.

A la fin de juillet 1347, Philippe VI et son armée de secours s'approchèrent de Calais. Le soir où ils cantonnèrent à Sangatte, les bourgeois se crurent sauvés. Édouard III avait de la réplique : il fortifia les dunes de quelques pièces d'artillerie, fit garder le pont de Milais par Derby, venu rejoindre son souverain après une brillante campagne en Guyenne. A gauche et à droite, il n'y avait que les marécages : Philippe VI n'avait le choix qu'entre forcer le pont ou renoncer. Se faire massacrer n'eût apporté aucun secours aux gens de Calais. Les maréchaux conseillèrent de renoncer.

Le Valois tenta une dernière manœuvre : il offrit la bataille à son adversaire. Ou l'Anglais venait en deçà du pont, ou il laissait le passage jusqu'au-delà, et l'on s'affrontait loyalement. La réponse d'Édouard laissa pantois les plénipotentiaires français, qui n'avaient pas vu les choses ainsi :

> Seigneurs, j'ai bien entendu ce que vous me dites de par votre sire. Appelez-le ainsi, s'il vous plaît ; toutefois il tient à grand tort mon héritage.
>
> Vous lui direz de par moi que je suis ici depuis près d'un an,

à son vu et à son su. Plus tôt y fût venu, s'il eût voulu. Mais il m'a laissé ci demeurer si longuement que j'ai dépensé largement du mien. Et je cuide avoir tant fait que brièvement serai seigneur de la bonne ville de Calais.

Ainsi, je ne suis pas conseillé de tout faire à sa devise, ni à son aise, ni à son plaisir. Ni de perdre ce que j'ai conquis ou pense conquérir.

S'il ne peut passer par une voie, qu'il aille par une autre!

On se regarda trois jours. Les Anglais creusaient de nouveaux fossés sur la route des dunes. Les gens de Calais priaient. Les soldats du roi de France se retirèrent finalement vers Arras. Les Anglais s'offrirent le luxe de harceler l'arrière-garde du Valois et de retourner sur le sol ses charrettes de ravitaillement.

Édouard III écrivit à l'archevêque d'York une lettre destinée à la plus large diffusion. Il tenait à ce qu'on sût en Angleterre ce qui s'était passé sur le continent, et il racontait les choses à sa manière : Philippe VI, la veille de la bataille, avait décampé. Les souvenirs de Crécy rendaient évidemment vraisemblable cette version arrangée. En Angleterre, on pavoisa.

A Calais, on mourait de faim depuis six semaines. Les bourgeois pensèrent s'en tirer en négociant leur reddition. Ils avaient fait leur devoir de sujets français, le roi d'Angleterre ne pouvait leur en vouloir. Grande fut leur stupéfaction lorsqu'ils apprirent que le vainqueur n'acceptait aucune condition. Ils avaient sous-estimé la fureur d'un roi tenu en échec depuis un an par des bourgeois. Aux yeux de bien des Anglais, la longueur du siège de Calais ternissait la gloire de Crécy. Édouard III fit savoir aux défenseurs qu'il ferait d'eux ce qu'il voudrait.

Son propos est que vous mettiez tous en sa pure volonté, ou pour rançonner ceux qu'il lui plaira, ou pour faire mourir. Car vous lui avez fait tant de dépit, et le sien dépenser, et foison de ses gens mourir. S'il lui en ennuie, ce n'est pas merveille.

C'était l'annonce du massacre. Mais les barons anglais tentaient de fléchir leur souverain : les rôles pouvaient se trouver renversés, et aucun d'entre eux n'avait envie d'être un jour décapité pour avoir fait son devoir en tenant une place à lui confiée. Le 4 août, le roi transigea : les bourgeois seraient prisonniers, et protégés comme tels. Il se contenterait d'en désigner six, qui paieraient pour les autres.

J'en veux avoir six, des plus gros de la ville, lesquels viendront par devers moi en pure et simple chemise, la hart au col,

> et m'apporteront les clés de la ville. Je ferai d'eux ma pure volonté.

Dans Calais affamé, ce fut un beau tumulte. Pour tous ceux qui ne se sentaient pas des « plus gros », c'était la fin des souffrances. A l'assemblée, Eustache de Saint-Pierre, qui ne se cachait pas d'être le plus riche, se porta volontaire. Un par un, cinq autres se levèrent. Le peuple en larmes les vit quitter la ville sous la conduite des négociateurs.

Les Anglais étaient partagés. Eux aussi avaient souffert. Certains voulaient qu'on pendît les bourgeois. D'autres souhaitaient qu'on les relâchât. Le roi, lui, avait fait son choix. A peine Eustache de Saint-Pierre avait-il prononcé quelques mots qu'Édouard III donnait l'ordre de leur couper la tête à tous les six. Quelques barons parlèrent de pitié. Ils furent priés de se taire.

> Ceux de Calais ont fait mourir tant de mes hommes qu'il faut aussi ceux-ci mourir.

Philippa de Hainaut sauva les bourgeois. Elle était enceinte. Elle se mit à genoux devant le roi. A peine de passer pour un mufle, celui-ci devait céder.

> Dame, j'aimasse mieux que vous fussiez autre part.

On remit les six à la reine, qui leur fit apporter des vêtements. Ils en étaient quittes pour la peur et pour l'humiliation. Mais Calais n'était pas tiré d'affaire. Les hommes d'armes de la garnison se retrouvèrent en Angleterre, dûment rançonnables. Quant aux bourgeois, ils furent purement et simplement chassés. Philippe VI les dédommagea en terres, en maisons et en rentes à travers tout le royaume.

Édouard avait fait savoir qu'on pendrait les pillards. Il lui fallait une ville en bon état, non un tas de cendre et des maisons éventrées. L'entrée du vainqueur se fit donc dans le calme. Les trompettes anglaises remplaçaient les applaudissements. Il n'y avait personne pour applaudir.

Le roi avait consacré onze mois de sa vie à Calais. Il décida de garder la ville. Il y mit une garnison qui allait être, pour lui et ses successeurs, une charge financière considérable. Pour repeupler les maisons désertes, il fit venir d'Outre-Manche quelques marchands, des artisans. Ville anglaise, Calais allait devenir en 1363 l'étape continentale des laines.

COMPTES.

Pour les créanciers grâce auxquels Édouard III avait financé ses premières entreprises, il était cependant trop tard. La dette royale dépassait les deux millions de florins. Au son des premiers échecs en Flandre, les déposants s'étaient alarmés : on savait que Bardi et Peruzzi, pour prix des avantages commerciaux dont ils jouissaient en Angleterre, s'étaient engagés dans l'affaire au-delà de leur masse de manœuvre. A eux seuls, les Bardi avaient avancé quelque 850 000 florins. Pas de victoire, pas de profit. L'Anglais ne rembourserait pas.

A Florence et ailleurs, les déposants s'étaient précipités aux comptoirs des deux grandes compagnies pour retirer leur avoir pendant qu'il en était temps. Les Peruzzi avaient fait faillite dès 1343, en même temps que quelques banques de moindre envergure, parfois entraînées dans la crise sans avoir pourtant participé à l'aventure financière qu'était l'entreprise anglaise. La nouvelle de Crécy, en 1346, arriva trop tard. Au reste, ce n'était rien d'autre qu'une bataille gagnée, qui ne rapportait rien quant aux finances. Au moment où Édouard III mettait le siège devant Calais, les Bardi cessaient à leur tour leurs paiements. Pour la poursuite de la guerre, le roi d'Angleterre n'avait plus de banquiers.

Philippe VI, lui, était vaincu. Pis, il était ridicule. Nargué devant Paris, fugitif à Crécy, incapable de secourir Calais, le roi de France ne pouvait se montrer glorieux. Il avait même été odieux en laissant écraser ses fidèles bourgeois de Calais. Il l'avait été, plus largement, en faisant supporter par ses sujets le coût d'opérations aussi évidemment ratées. Les états de 1347 allaient ne pas lui laisser ignorer ce qu'on en pensait :

> Vous êtes allé en ces lieux honoré, et à grand compagnie, à grands coûts et à grands frais. On vous y a tenu honteusement et ramené vilainement. On vous a toujours fait donner des trêves, bien que les ennemis fussent en votre royaume...
>
> Par de tels conseils, vous avez été déshonoré !

Le fruit amer de la défaite, avec le mépris des sujets et la colère des contribuables, ce fut une crise politique dont la France divisée avait mis en place, depuis le début du siècle, les diverses forces.

Le royaume était ébranlé. En fondant sur lui comme l'un des cavaliers de l'Apocalypse, la Peste noire allait le briser pour longtemps.

CHAPITRE V

Un royaume divisé

Les coups reçus par la France en 1346 eussent été lourds de conséquences pour un royaume uni. Jadis, Courtrai avait été l'humiliation d'une royauté bafouée par des artisans, mais une autorité ferme avait permis une rapide reprise en main. Deux ans plus tard, c'était Mons-en-Pévèle. Entre-temps, le royaume s'était, bon gré mal gré, rangé derrière son roi qui jouait contre Boniface VIII une partie vitale.

Les choses ont changé. Le roi qu'accable le désastre de Crécy et qui renonce à secourir Calais n'est entouré que de soutiens incertains. La rapide victoire de Cassel a tenu, en 1328, le rôle d'un jugement de Dieu en faveur de la nouvelle dynastie, et l'hommage d'Amiens a marqué l'apogée de sa reconnaissance par les hommes. Mais pour entretenir les effets politiques de ces premiers succès, il faudrait un autre homme que Philippe de Valois. Bien avant Crécy et la fuite dans la nuit, la monarchie du Valois a commencé de chanceler sous les coups portés par la médiocrité des gouvernants et par le jeu sans fin des rivalités d'influence.

Philippe VI n'est ni une tête politique ni un capitaine de génie. Porté par son goût naturel pour la chevalerie, il est homme de courage et d'adresse. Bon cavalier, bon manieur d'épée, il est large avec ses amis, généreux envers ses ennemis. Il est fidèle à ceux qui lui sont fidèles. Il a la haine longue contre ceux qui le trahissent.

Il se veut et se proclame raisonnable. Il a trop vu la vanité des emportements aventureux de son père Charles de Valois. Il entend être équitable, loyal. En bref, un preux.

> Le roi fut un moult vaillant homme, et moult usé (expert) d'armes, car de sa jeunesse il les avait accoutumées et continuées.

Ce portrait tracé par Froissart – qui écrit ce qu'on répète en France – est significatif. Philippe est un chevalier, non un roi. Et le malheur des temps veut que le royaume ait à ce moment-là terriblement besoin d'être gouverné.

Le Conseil royal est peuplé de princes, mais chacun se croit là pour veiller sur ses intérêts propres. Les légistes de la haute administration, les grands bourgeois manieurs d'argent, les nobles sans fortune qui n'attendent rien que du roi, tous ceux-là sont de meilleurs serviteurs, mais aucun ne fait vraiment figure de gouvernant. Dans la difficile conjoncture politique de 1328, Philippe VI n'a voulu ni décevoir ceux qui l'ont soutenu ni jeter dans une opposition inutile la plupart de ceux qui ont bien servi les derniers Capétiens. L'entourage politique et administratif du Valois est donc, à la fois, trop nombreux et parfaitement hétérogène. Les intrigues et les conflits vont s'y développer.

Les clientèles s'affrontent vite : celle du duc Eudes de Bourgogne, frère de la reine, compte pour beaucoup dans la vie politique des années qui précèdent la guerre. Fidèle du duc, Mile de Noyers tient rapidement la place d'un conseiller principal du roi ; en 1336, il reçoit l'office très recherché de bouteiller de France. Diplomate avisé, Noyers passe pour l'inspirateur de la mise en défense du royaume et de la quête aux alliances jusqu'ici accaparées par l'Anglais. C'est lui qui, jusqu'en 1344, domine vraiment le Conseil. A la fin du règne, il sera encore, plus ou moins près du roi, le porte-parole de la sagesse politique. Mais Noyers est un homme prudent, qui se garde bien d'accaparer le pouvoir ; la pendaison d'Enguerran de Marigny en 1315 et quelques autres disgrâces suffisent à instruire cette génération des inconvénients d'une faveur trop voyante.

C'est donc en Conseil que Philippe VI gouverne : un Conseil où le chancelier Guillaume Flote, le maréchal Mahieu de Trie – qui sert son cinquième souverain – et l'évêque Jean de Marigny jouent aussi un rôle de premier plan. Le roi absent, le Conseil continue de gouverner pour lui.

Dès lors, rien d'étonnant à ce que, dans les antichambres aussi bien qu'aux états généraux, on se batte pour dominer le Conseil.

La succession de Bretagne.

La première fissure grave dans l'unité du royaume s'ouvre en Bretagne. Alors que vieillissait le duc Jean III, bien des convoitises avaient commencé de se manifester : trois fois marié, Jean III n'avait d'enfants qu'illégitimes. Son frère Guy de Penthièvre était mort dix

L'HÉRITAGE DE BRETAGNE

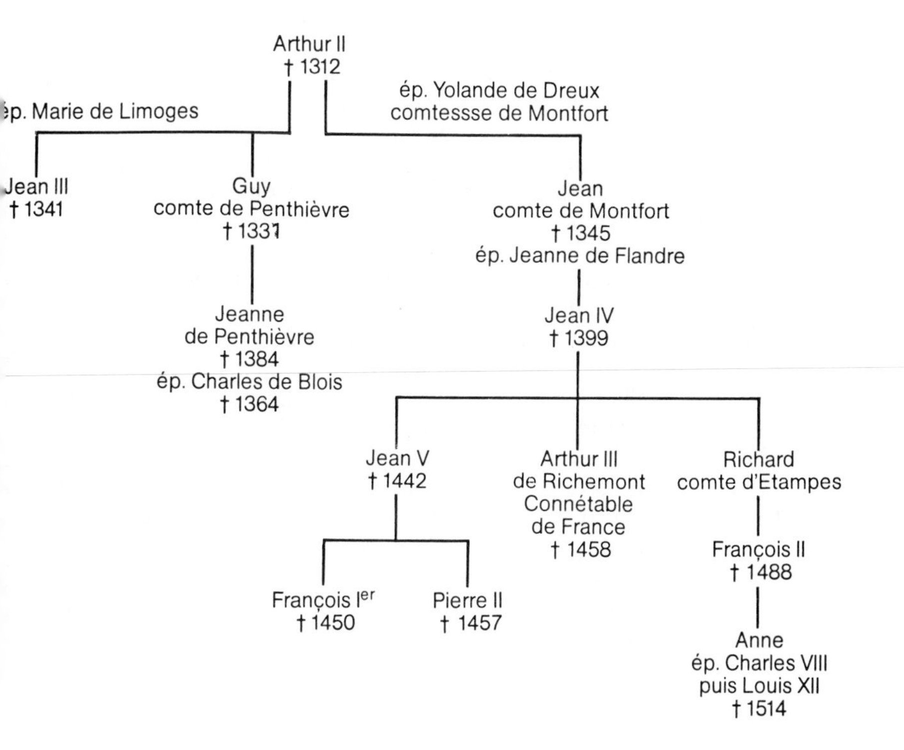
Arthur II
† 1312
ép. Marie de Limoges
ép. Yolande de Dreux
comtessse de Montfort
Jean III
† 1341
Guy
comte de Penthièvre
† 1331
Jean
comte de Montfort
† 1345
ép. Jeanne de Flandre
Jeanne
de Penthièvre
† 1384
ép. Charles de Blois
† 1364
Jean IV
† 1399
Jean V
† 1442
Arthur III
de Richemont
Connétable
de France
† 1458
Richard
comte d'Etampes
François Ier
† 1450
Pierre II
† 1457
François II
† 1488
Anne
ép. Charles VIII
puis Louis XII
† 1514

ans plus tôt. Son demi-frère Jean de Montfort était bien en vie, mais les deux hommes se détestaient.

Le roi avait songé à mettre la main sur le duché, et Jean III n'était pas hostile à une transaction qui eût laissé la Bretagne au Valois et compensé la chose en offrant aux héritiers de Bretagne un duché d'Orléans créé pour l'occasion. L'affaire émut assez les Bretons pour que Jean III n'insistât point. Le seul effet du projet fut de développer en Bretagne un large courant d'hostilité envers le roi de France.

L'héritier direct de Jean III, c'était sa nièce Jeanne de Penthièvre. Aucun doute là-dessus : la coutume de Bretagne admettait la représentation de l'héritier mort par son propre héritier. L'incertitude que l'on avait connue dans la succession d'Artois ne pouvait être invoquée en Bretagne. Mais le vieux duc se méfiait de Jeanne, non pour ce qu'elle était mais parce qu'on ne savait à qui une telle succession apporterait un jour la Bretagne. Malgré la différence des situations juridiques, on retrouvait en Bretagne les mêmes réserves qui avaient conduit, quelques années plus tôt, à l'éviction de Jeanne de Navarre.

Contre Jeanne de Penthièvre, il y avait le droit éventuel de son oncle Jean de Montfort ; s'y rallièrent tous ceux qu'inquiétait Jeanne. Comme on l'avait fait pour la couronne de France vingt ans plus tôt, ils alléguèrent que la représentation pouvait bien gouverner la transmission des fiefs bretons – on pouvait difficilement nier la coutume – mais non celle du duché lui-même.

Par son intérêt personnel pour la couronne de France, Philippe VI était peu porté à proclamer le droit des femmes en matière de succession. Il lui fallait d'autre part admettre la coutume française en ce qu'elle faisait normalement passer, pour les fiefs, les puînés avant la fille de l'aîné. Il avait cependant nuancé sa position depuis qu'en 1337 on avait, après plusieurs projets de mariage – dont l'un avec le frère d'Édouard III et l'autre avec le fils de Philippe d'Évreux, c'est-à-dire avec le futur Charles le Mauvais – et donc d'alliance, donné Jeanne de Penthièvre pour femme à un prince Valois, neveu du roi : Charles de Blois. Sans craindre le paradoxe, le roi de France qui devait son trône au principe nouveau de l'incapacité des femmes se fit le champion de sa nouvelle nièce.

La crise s'ouvrit le 30 avril 1341, quand mourut Jean III. Elle allait durer vingt-trois ans.

Jean de Montfort n'avait, à juste titre, aucune confiance dans le roi. Il lui parut sage de prendre les devants, non sans envoyer à Paris un long mémoire pour la justification de ses droits. N'attendant pas l'arbitrage royal, il s'établit à Nantes, fit une chevauchée jusqu'à Limoges pour y récupérer le trésor ducal que Jean III avait cru mettre là, dans le château de ses ancêtres maternels, à l'abri des convoitises trop brusques, et convoqua finalement à sa cour les vassaux de

Bretagne. A son grand étonnement, la plupart refusèrent de déférer à la convocation.

Montfort était prêt à la guerre, non son concurrent. En quelques semaines, les armes à la main, mais sans avoir à se battre vraiment, il occupa successivement toutes les places fortes du duché. Les sièges les plus longs durèrent huit ou dix jours. Ainsi Jean de Montfort s'assura-t-il des villes portuaires comme Brest, Vannes et Hennebont, des métropoles administratives comme Rennes, des forteresses grâce auxquelles on tenait la campagne, comme Suscinio, Auray et Ploërmel. Seul, Josselin résista : on n'avait pas le temps de s'attarder.

> Chevaucha devers Château Josselin. Mais était si fort qu'il ne le put prendre, et s'en passa outre.

Charles de Blois n'avait pas encore réagi que son concurrent tenait pratiquement toute la Bretagne. Bien pis pour l'homme du roi de France, Montfort savait se rendre populaire.

> Derrière lui, grand foison de chevaliers et écuyers de Bretagne. Et les tenait, par les dons qu'il leur donnait, en amour, et les bonnes villes aussi. Et tenait grand état, et étoffé. Et faisait partout payer bien et largement, sans rien accroire, tant que toutes gens se contentaient de lui et des siens et disaient : « Nous avons bon seigneur, à ce qu'il montre. »

Ceux que le nouveau maître de la Bretagne laissait inquiets préférèrent s'éclipser. Dans les temps incertains, le chevalier du Moyen Age avait un alibi à toute épreuve : il se croisait. L'infidèle ne manquant pas aux frontières de la Chrétienté, on vit des chevaliers bretons s'en aller vers Grenade, vers la Prusse, vers l'Orient.

> Prirent excuse de partir de Bretagne tant que les choses seraient en autre état.

Montfort savait bien que Philippe VI refuserait de recevoir son hommage. Il décida que le roi de France, c'était le Plantagenêt : en juillet de cette même année 1341, il était à Windsor. Édouard III lui fit fête, accepta l'hommage lige et donna à son nouveau vassal l'investiture du duché. Comme en prime, il ajouta le comté anglais de Richmond.

Lorsqu'il regagna le continent, Jean de Montfort apprit qu'on le demandait à Paris. En fait, il était cité devant la Cour des pairs. La comtesse sa femme lui conseilla de ne pas y aller. Il préféra vider l'abcès. Après tout, lui dit-on, les choses seraient quand même plus simples si le Valois voulait bien lui donner l'investiture de la Bretagne.

Il se présenta donc devant le roi, mais avec une évidente circonspection. Dans la grande chambre du palais aux murs couverts de tapisseries, il ne pouvait voir que des visages hostiles. Il y avait Alençon et Normandie, le frère et le fils du roi, quelques princes comme le duc de Bourgogne et celui de Bourbon, les comtes de Blois, de Forez, de Ponthieu, de Vendôme. Il y avait Coucy, Sully, Craon. Toute la fleur du baronnage fidèle au Valois.

Montfort tenta d'esquiver ses responsabilités dans l'affaire de Windsor : le roi était mal informé. Il affirma en revanche que nul n'était meilleur héritier de la Bretagne que lui. N'était-il pas le frère du dernier duc ?

Philippe VI prit son temps. La Cour se prononcerait d'ici quinze jours. Jean de Montfort ne devait en aucun cas quitter Paris d'ici là.

Le prétendant à la Bretagne comprit qu'il allait être débouté et qu'il avait les plus grandes chances de finir ses jours en prison. Son adversaire était neveu du roi. Les dés étaient pipés. Il fit savoir qu'il était malade. Nul ne s'étonna de ne pas le voir pendant quelques jours. Au vrai, il quittait Paris le soir même de sa comparution, avec un ou deux fidèles et peut-être sous le déguisement d'un serviteur. En quelques étapes, de jour et de nuit, il fut à Nantes.

Lorsqu'on s'avisa de la chose, Philippe VI se trouva passablement ridicule. Le vassal félon entrait en rébellion alors qu'on le croyait encore aux arrêts. Les ponts étaient cette fois rompus : Jeanne de Flandre le dit à son époux sans le moindre fard :

> Selon ce que vous avez commencé et entrepris, vous aurez la guerre. Il n'est rien si vrai.

Ses gens l'avaient peu à peu rejoint, quittant Paris l'un après l'autre pour moins attirer l'attention. Riche en hommes, Jean de Montfort ne l'était pas moins en argent : quitte à dilapider très vite le trésor de Jean III, il pouvait engager des soldats. Il passa à l'attaque.

> Il alla, par le conseil de la comtesse, qui bien avait cœur d'homme et de lion, par toutes les cités, les châteaux et les forteresses qui s'étaient rendus à lui, et établit partout bons capitaines et grand planté de soudoyers à pied et à cheval qu'il convenait, grandes pourvoyances de vivres à l'avenant, et paya si bien tous soudoyers que chacun le servait volontiers.

Le 7 septembre 1341, la Cour des pairs réunie à Conflans rendait la sentence que tout le monde attendait : Charles de Blois était admis à prêter hommage pour le duché de Bretagne.

Aussitôt, le duc de Normandie prit la tête d'une forte armée, que renforçaient des mercenaires génois, et vint mettre Charles de Blois en possession de la Bretagne. Ce fut, au début, une promenade victorieuse. On enleva la forteresse de Champtoceaux qui, sur la rive gauche de la Loire, verrouillait la route de Nantes. En novembre, grâce à des complicités que favorisa une maladresse politique de Jean de Montfort, on pénétra par surprise dans Nantes. Montfort, qui se croyait à l'abri, fut fait prisonnier pendant son sommeil.

La guerre des deux Jeanne.

Si Jean de Normandie avait fait quelque effort pour assurer la mainmise du roi son père sur le duché, et si l'affaire ne s'était aussitôt imbriquée dans l'affrontement du Valois et du Plantagenêt, la question de Bretagne eût été sans doute réglée.

Mais Jean de Normandie voyait venir l'hiver : il se tint un peu vite pour content. Il pensait que l'affaire de Bretagne n'était qu'une rivalité de personnes, et que la prise de l'usurpateur y mettait un terme. Négligeant même d'aller jusqu'à Rennes, il s'en retourna à Paris, très fier d'aller au Louvre enfermer son prisonnier. Il laissait derrière lui, à Rennes, une femme dont il sous-estimait les vertus politiques. Jeanne de Flandre, comtesse de Montfort, contre Jeanne de Penthièvre : la guerre des « deux Jeanne » commençait. La Bretagne allait y aggraver ses divisions.

Le camp de Charles de Blois, celui que justifiait le droit de Jeanne de Penthièvre et que fondait en réalité le choix de Philippe VI, c'était le camp de tous ceux à qui un pouvoir royal fort à l'intérieur même du duché garantissait un minimum de liberté face à l'autorité du duc. C'étaient les barons, les évêques, les abbés. C'étaient aussi les paysans de la Bretagne orientale, ces Bretons « gallo » que le roi mettait en quelque sorte à l'abri d'une domination « bretonnante ». Ce parti de Jeanne de Penthièvre, c'était au vrai le parti de ceux qui ne tenaient guère à ce que le duc fût trop fort et à ce que la Bretagne fût trop bretonne.

Derrière Jeanne de Flandre, qui se battait pour son époux et — après la mort de celui-ci en 1345 — pour le petit Jean IV, leur fils, il y avait l'ouest bretonnant, il y avait la force économique des villes bretonnes soucieuses de ne pas voir leurs intérêts sacrifiés à ceux des villes royales, il y avait la masse des notables ruraux, hobereaux de village et recteurs paroissiaux, que le duc ne dérangeait pas mais qu'irritait constamment l'impôt royal et notamment la décime.

C'était aussi le parti de l'Anglais. Car Jeanne de Flandre savait qu'elle ne pouvait s'en tirer seule. Laissant Rennes au fidèle capitaine Guillaume de Cadoudal, elle s'établit à Hennebont, autrement dit dans l'un des ports les mieux défendus. Ce choix intelligent la laissa maîtresse, grâce à la mer, de ses relations extérieures. Très vite, elle négocia.

Dans l'été de 1342, elle dépêchait ses messagers à Édouard III : un véritable appel au secours, qui parvint à Londres à peu près dans le même temps qu'un appel des Gascons hostiles au progrès des Valois. Édouard était assez soucieux des affaires d'Écosse pour ne pas s'engager à la légère sur le continent, mais il était duc de Guyenne, et il comprenait qu'à demeurer dans son île il allait perdre la riche seigneurie qui était tout ce qui subsistait de l'héritage Plantagenêt. Et puis, importuner le Valois n'était-il pas le meilleur moyen de l'empêcher d'aider efficacement les Écossais ?

Intervenir en Bretagne ou en Guyenne, c'était tout un : un soutien au parti des Montfort obligerait Philippe VI à alourdir son effort en Bretagne, donc à alléger sa pression sur la Guyenne. Édouard III faisait donc deux affaires en une : il sauvait son héritage continental et il se faisait un allié en la personne du futur duc de Bretagne.

En plein hiver, il alla montrer sa force. Robert d'Artois, toujours actif dans l'entourage du Plantagenêt, prit, puis perdit Vannes. Grièvement blessé, il fut ramené en Angleterre, où il mourut peu après. Édouard III vint aussi en personne, tenta de prendre Rennes et Nantes, alla saccager Dinan. Mais l'armée anglaise perdait son temps face à un adversaire qui se dérobait. A piller le pays, elle ne gagnait qu'une impopularité dont le parti de Blois allait tirer profit sans se fatiguer. Les légats de Clément VI n'eurent aucune peine à imposer la trêve de Malestroit, conclue le 19 janvier 1343 : les Anglais étaient fatigués, et les Français inquiets de savoir une armée anglaise sur le continent.

A Paris, on se vengea de la peur qu'on avait éprouvée : l'un des grands seigneurs bretons, Olivier de Clisson, fut condamné à mort pour avoir livré Vannes aux Anglais. Il fut décapité en place publique, puis on le pendit, la corde sous les bras, au gibet de Montfaucon. Quelques comparses furent à leur tour exécutés, pour faire bonne mesure.

A compter de ce moment, les protagonistes changèrent. Édouard III ne devait plus apparaître en Bretagne ; Jeanne de Flandre, que les malheurs commençaient de rendre folle, allait finir sa vie en Angleterre, dans le manoir de Tickhill, prison à peine dorée de trente longues années de maladie. Une nouvelle Jeanne, cependant, prenait le relais : Jeanne de Belleville, la veuve de Clisson, qui montait une gigantesque entreprise de course et ruinait ainsi tout un courant du commerce maritime français. Elle ignorait que son fils, lui-même prénommé Olivier, serait un jour connétable de France. Pour l'heure, l'enfant était élevé en Angleterre avec le petit Jean IV, et il y apprenait lentement à haïr celui dont le malheur le faisait compagnon de jeux.

Le sort des armes, lui, demeurait confus. Malgré la trêve, c'était une guerre d'embuscades, de coups de main villageois, de pillages à courte vue. La géographie politique de la Bretagne s'embrouillait à souhait : un village aux uns, le village voisin aux autres. En bien des coins de Bretagne, les habitants vivaient comme s'ils n'avaient pas de duc.

L'échec français était cependant patent, et cela dès 1343. L'armée royale tenait Nantes et Rennes, mais le reste du pays échappait. L'Anglais avait placé ses garnisons dans les villes, nommé les capitaines. Une autre armée, confiée par Philippe VI au duc de Normandie, était tout juste arrivée à temps pour apprendre que les trêves étaient conclues et que la place était prise dans le duché. Si l'autorité du parti de Montfort était battue en brèche par la résistance passive du plat pays, Charles de Blois n'y trouvait guère de profit. Il avait pris Quimper en 1344, et un inutile carnage, à cette occasion, avait suffi pour effacer, chez bien des Bretons peu engagés dans le conflit politique, le souvenir des pillages anglais de l'année précédente.

Philippe VI voulut se montrer chevaleresque. Sur une vague promesse de ne pas retourner en Bretagne, il libéra Jean de Montfort. Celui-ci jugea que la promesse avait été faite sous la contrainte et n'eut rien de plus pressé que de regagner son duché. Il fit savoir qu'il renouvelait son hommage à Édouard III et alla s'enfermer dans Hennebont. C'est là qu'il mourut, en septembre 1345.

Cette mort clarifia la situation. Jeanne de Flandre s'enfonçait dans la folie. Édouard III avait les mains libres. Il prit la tutelle de Jean IV. On comprend l'assurance dont il pouvait faire preuve, l'année suivante, lorsqu'il narguait le Valois sur la Seine. Crécy est dans la suite directe de la guerre des deux Jeanne.

Pendant qu'Édouard prenait Calais et s'assurait là d'une tête de pont commode, et pendant que Derby tenait la frontière de Guyenne, la Bretagne française passait lentement au pouvoir de l'armée anglaise que commandait Thomas Dagworth. Les fidèles de Charles de Blois n'eurent bientôt plus que le comté de Penthièvre derrière eux. Charles tenta bien, en 1347, de prendre La Roche-Derrien, que ses gens venaient de livrer aux Anglais, faute d'avoir été secourus à temps. Dagworth le prit à revers en pleine nuit. La mêlée fut confuse, mais le neveu du roi de France s'y trouva pris. Expédié en Angleterre et enfermé à la Tour de Londres, Charles de Blois ne devait reparaître en Bretagne que cinq ans plus tard.

Il appartenait maintenant à Jeanne de Penthièvre de mener le combat, comme l'avait fait naguère Jeanne de Flandre pour son mari Jean de Montfort. Mais Jeanne de Penthièvre n'avait pas l'étoffe de l'autre Jeanne. Et le roi de France avait assez de soucis à Paris pour ne pas raviver l'affaire de Bretagne. Le duché continua de souffrir, mais les souverains s'en mêlèrent moins. En ruinant le pays, la Peste noire rendit pour un temps impossible toute action d'envergure.

C'est dans cette guerre d'escarmouches que des gens comme Bertrand du Guesclin firent leur apprentissage des armes. Les beaux coups ne manquaient pas, les occasions fructueuses non plus. Des bandes se constituaient, faites de soldats désormais sans solde et de brigands prêts à n'importe quoi, y compris à s'embaucher pour une affaire comme soldats réguliers.

Le grand capitaine qu'était Thomas Dagworth trouva ainsi la mort en août 1350, près d'Auray, dans ce qui n'était qu'une embuscade montée par quelques fidèles de Jeanne de Penthièvre.

Quant au « Combat des Trente », il ne serait qu'une affaire secondaire si les chroniqueurs, de Jean le Bel à Froissart, ne lui avaient assuré un retentissement dans l'histoire en soulignant fortement l'éthique chevaleresque de l'engagement.

Le Combat des Trente, c'est la guerre qui tourne à la fête. C'est la « bataille » au sens que donnent à ce mot les hérauts d'armes quand ils ordonnent le combat selon les règles précises et rigoureuses de l'honneur et de la loyauté. C'est un épisode de la guerre, mais c'est aussi le périlleux divertissement d'une chevalerie qui s'ennuie et que la guerre des chemins creux ne porte pas à l'enthousiasme.

L'initiative vint du capitaine de Josselin, Robert de Beaumont, l'un des féaux du parti de Penthièvre. Vers la mi-mars 1351, il s'en vint devant Ploërmel, où un capitaine allemand du nom de Brandenbourg tenait garnison pour les Montfort avec des Bretons, des Anglais et quelques Allemands. Brandenbourg avait levé son pont et descendu sa herse. Il y avait peu à espérer d'un assaut, et Beaumont n'avait pas les moyens d'assiéger Ploërmel. Il fit héler son adversaire et lui offrit ce qui ressemblait plus à un tournoi qu'à un acte de guerre :

> Y avait-il là-dedans nuls compagnons, ou deux ou trois, qui voulussent jouter de fers de glaives encontre trois, pour l'amour de leurs dames.

A l'évidence, ces gens-là n'étaient point impliqués dans un conflit national. Ils étaient en revanche imprégnés — surtout par ouï-dire — d'une littérature à bon marché où les chansons de geste et les romans de la Table ronde se trouvaient mis au goût du jour. Le même Froissart, que l'affaire des Trente laissera pantois d'admiration, mettra une bonne part de son talent dans un *Méliador* qui est un véritable roman arthurien.

La réponse de l'Allemand fut digne du propos qu'on lui faisait. On allait se battre pour l'honneur, certainement pas pour des enjeux politiques. Brandenbourg dit nettement ce qu'il pensait du duel à deux ou trois imaginé par Robert de Beaumont : cela ne durerait pas à suffisance, et il n'y aurait pas assez de plaisir.

> Leurs amies ne voudraient pas qu'ils se fissent tuer si méchamment que d'une seule joute. Car c'est une aventure de fortune trop tôt passée. Aussi en acquiert-on plus le nom d'outrage et de folie que d'honneur et de prix.
>
> Mais je vous dirai ce que nous ferons s'il vous plaît. Nous prendrons vingt ou trente des compagnons de votre garnison, et j'en prendrai autant de la nôtre. Ainsi allons en un beau champ, là où on ne nous puisse déranger ni empêcher. Et commandons sur la hart (sous peine de la corde) à nos compagnons d'une part et d'autre, et à tous ceux qui nous regarderont, que nul ne fasse aux combattants force ni aide.

C'était, à trente contre trente, le tournoi pour les beaux yeux des belles. Robert de Beaumont l'accepta. Brandenbourg conclut la négociation :

> Là acquerra plus d'honneur qui bien s'y portera que en une joute.

Dans les deux camps, on choisit les trente. Brandenbourg compléta son parti d'Anglais avec quelques Bretons et des Allemands. Tout cela prit trois jours.

Au matin du combat, les champions entendirent la messe, se firent armer, gagnèrent le champ clos. Quatre ou cinq de chaque camp étaient à cheval, les autres à pied. Bien que les Français de Beaumont se soient fait attendre, les Anglais leur firent bon accueil. La bataille pouvait enfin s'engager, dans un grand tintamarre d'armes entrechoquées. On se serait cru à la grande époque.

> Se maintinrent noblement d'une part et d'autre, aussi bien que tous fussent Roland ou Olivier.

On sonna la pause. Il y avait un mort chez les Français, deux chez les Anglais. Les survivants se désarmèrent, burent du vin frais, firent panser leurs plaies. On avait tout son temps. On était entre hommes d'armes de bonne lignée. Profiter de la faiblesse de l'adversaire eût été félonie.

Après la pause, on recommença d'en découdre. Au soir, les Anglais avaient perdu neuf hommes. Brandenbourg était du nombre. Les survivants se rendirent : il eût été déloyal de s'enfuir. Les Français comptaient six morts, sans parler de ceux qui moururent par la suite de leurs blessures.

Jamais, depuis les Croisades, on n'avait ouï parler de semblable haut fait. Pendant des années, on se montra les survivants : leurs visages tailladés disaient leur prouesse. La guerre franco-anglaise était bien loin.

Les barons normands.

Tournons-nous vers la Normandie. La situation y est bien différente. L'agitation bretonne résulte d'un conflit successoral pour la couronne des ducs. L'agitation normande vient de la base. Depuis 1314, elle n'a guère cessé, les barons normands étant fort préoccupés de ne pas voir l'arbitraire royal faire fi de leurs prérogatives fiscales et juridictionnelles. L'insurrection cyclique des Harcourt n'est qu'un exemple entre les plus notables, mais on pourrait citer d'autres noms. C'est ainsi que Jean Malet, sire de Graville, cristallise les mécontentements et anime les petites guerres sur la Basse-Seine.

Raoul de Brienne, lui, joue au prince : en Normandie, il est comte d'Eu, mais il est aussi comte de Guines, châtelain d'Arras et de Lens, possessionné en Poitou comme en Nivernais, en Angleterre comme en Irlande. Il ne se prive pas de mener une politique étrangère indépendante. Il commande en 1335 l'armée française qui doit passer en Écosse, mais comme le « capitaine général » engagé sous contrat, non comme l'obligé du roi. Sa politique normande est avant tout l'une des cases d'un plus vaste jeu.

L'Angleterre est politiquement séparée de la Normandie depuis bientôt un siècle et demi : depuis qu'en 1204 Philippe Auguste l'a conquise sur Jean sans Terre. Mais le monde de Guillaume le Conquérant et de Richard Cœur de Lion a la vie dure. Nombre de grands et moyens propriétaires normands ont encore leur patrimoine réparti de part et d'autre de la Manche, et il n'est guère d'abbaye normande qui n'ait en Angleterre quelque prieuré. Tout ce monde va donc devoir peser ce que coûtera l'adhésion à tel ou tel camp. L'histoire l'a fait anglo-normand ; elle le voue, de quelque côté qu'il penche, à la confiscation.

L'insurrection et la fuite de Geoffroy d'Harcourt, en 1343, a laissé voir la gravité du mal. Philippe VI se sent environné par la trahison. Il lui a fallu faire arrêter quelques chevaliers normands, complices d'Harcourt. Il a dû faire décapiter son compagnon de jeunesse Olivier de Clisson, l'un des rares barons à se trouver également possessionnés en Normandie et en Bretagne. Il a fait exécuter les auteurs d'un audacieux guet-apens tendu à Charles de Blois, puis quelques alliés d'Harcourt trouvés par hasard lors de la prise de Quimper. Pour la justice de Philippe VI, l'année 1343 et le printemps de 1344 sont jalonnés par des têtes qui tombent pour avoir comploté contre l'autorité souveraine.

Les premiers États généraux

C'est pourtant en cette même année 1343 que le roi se voit obligé pour la première fois de convoquer la représentation du royaume, autrement dit les archevêques et évêques, les abbés des monastères et quelques docteurs des universités, les principaux barons et les procureurs élus à cette fin par les bonnes villes.

Le Trésor est vide. La livre tournois s'effondre. En 1336, elle représentait encore 82 grammes d'argent fin ; elle ne vaut plus que 16,6 grammes d'argent à la fin de 1342. L'impôt est encore exceptionnel, le contribuable ne l'oublie pas, et c'est d'un fort mauvais œil qu'il voit se perpétuer cette singularité qu'est le droit du roi à lui prendre son argent. La permanence des charges de l'État, hors du train de vie du souverain et hors de son service personnel, est une idée qui ne fraie que lentement son chemin dans les esprits.

Les sujets du roi voient enchérir les prix, mais à l'exception des prix céréaliers qui eussent rétabli le pouvoir d'achat de la paysannerie et celui des seigneurs fonciers vivant de redevances en nature, dîmes ou champarts. La bourgeoisie des villes voit à la fois s'effondrer, avec l'inflation, ses rentes, ses loyers et ses créances. Bref, tout le monde est mécontent.

En mars 1343, le roi tente deux opérations dont le profit financier est bien loin de compenser le fâcheux effet politique. Il décide de lever, malgré les trêves, l'impôt de quatre deniers pour livre – 4 sur 240 deniers que compte la livre, soit 1,7 % – qui pèse sur les transactions et n'a que la défense du royaume pour justification. Il réorganise la gabelle, c'est-à-dire le contrôle royal sur le commerce du sel, contrôle qui fonde mais justifie mal un prélèvement fiscal sur cette denrée de première nécessité. Instaurée par Louis X en une année de spéculation sur le sel, la gabelle est apparue à ses débuts comme une régulation du marché, favorable aux consommateurs. En trente ans, tout le monde a fini de comprendre que c'est un impôt de plus.

Reste à juguler une crise inflationniste dont nul ne peut concevoir qu'elle participe d'un mouvement séculaire de la conjoncture. Pour tout le monde, la monnaie s'évanouit parce que les finances sont mal gérées. On crie à la spéculation, voire à la trahison. Trouver des boucs émissaires est, certes, plus aisé que remédier au mal.

Aux états généraux réunis à Paris en août, la France est encore représentée dans son entier, celle de langue d'oc aussi bien que celle où pour affirmer on dit « oil », oui. Bientôt, la Langue d'oil et la Langue d'oc se réuniront séparément.

Le roi leur fait une proposition qu'avait déjà faite en son temps l'oncle Philippe le Bel : il frappera des gros et des deniers d'argent analogues à ceux de saint Louis, à cette « bonne monnaie » de saint Louis qui fait figure de référence depuis tantôt quarante ans, mais les états lui accordent de continuer à faire lever l'impôt sur les transactions. L'idée s'installe donc d'une alternative impôt-monnaie, déjà présente dans toutes les chartes provinciales de 1315 : les sujets du roi achètent, au prix de leur contribution aux charges de la monarchie, leur droit à la forte monnaie.

Si les altérations de la monnaie ne procédaient que de l'arbitraire royal et si elles n'avaient pour fin que le profit du Trésor, le marchandage serait fondé. Dès lors que l'inflation tient à l'insuffisance des moyens de paiement et tout particulièrement à l'insuffisance du métal argent, ce genre de propos est une duperie. Le roi le sait fort bien, on ne pourra conserver la forte monnaie, si tant est qu'on puisse la rétablir, car l'équilibre du marché des métaux précieux n'est plus celui du temps de saint Louis. En attendant, il a son impôt.

L'intérêt pousse les délégués aux états vers la forte monnaie. Nobles, prélats, bourgeois, ils sont tous créanciers, propriétaires, investisseurs. La déflation, c'est la revalorisation de leur avoir. L'impôt, en revanche, pèse sur tous. Ceux qui savent s'arranger pour que le poids soit reporté sur les autres n'y sont pas hostiles autant qu'ils le sont à la dévaluation monétaire. Quand on boit le vin de sa vigne et quand on perçoit des loyers, l'impôt sur le vin acheté au pot à la taverne vaut mieux que la faible monnaie.

Car les états sont peuplés de privilégiés. Privilégiés, les nobles et les clercs qui ont leur régime fiscal propre. Privilégiés, les bourgeois qui sont censés représenter tout le reste de la nation et qui, tous, ont à défendre les privilèges économiques concédés à leur ville ou à leur métier. Les Parisiens, en particulier, se préoccupent fort de leur monopole de la navigation commerciale sur la Seine moyenne, entre l'Yonne et l'Oise, et sur ces rivières elles-mêmes. Ils veillent sur la juridiction qu'ils exercent sur toute la vie économique de la capitale et de sa région. Ils n'oublient pas leur capacité à acquérir des fiefs nobles.

Mais ce sont des privilégiés qui se jalousent. Le privilège, c'est le droit au particularisme juridique, et c'est le droit de rogner le privilège d'autrui. Les Parisiens le disent bien :

> Vos gens de votre ville de Paris ont fait finance avec vous pour cause de l'arrière-ban, et il a été ainsi dit et parlé en la dite finance que toutes manières de gens y doivent contribuer.
>
> Et néanmoins le doyen et le chapitre de Paris s'efforcent d'exempter plusieurs habitants de la ville de Paris, disant qu'ils sont leurs « hôtes » (tenanciers) parce que l'un doit un denier et l'autre une maille de cens, ou d'autres sommes, pour leur maison, sans y avoir autre juridiction ou seigneurie...
>
> Les dits doyen et chapitre ont certains sergents qui continuellement servent en l'église de Paris, portant chacun une verge pour leurs offices, lesquels ils disent être francs. Et, sur l'ombre d'iceux sergents, ils prennent des bourgeois de Paris, des plus riches, et leur vendent des sergenteries afin de leur donner franchise pour ce, en défraudant et amenuisant votre droit, et en préjudice et dommage des bonnes gens de votre ville.

Le roi n'en étant pas encore réduit à vendre des privilèges, les Parisiens se voient quand même obligés de faire comme les autres : ils acceptent de payer l'impôt, en échange de quoi le roi rétablit, le 26 octobre 1343, la forte monnaie : il met à un cours de 15 deniers tournois le gros d'argent fin qui courait depuis l'été pour 60 deniers. Naturellement, les débiteurs en tout genre, et particulièrement les locataires, ne manquent pas de faire un beau tintamarre. Ils devaient dix deniers, ou cent. Ils en doivent toujours dix, ou cent. Mais le denier est plus lourd d'argent, et il est aisé de comprendre qu'on en gagnera moins...

Ces états généraux de 1343 n'ont pas vraiment exigé de réformes, au sens où l'on entendait le mot quarante ans plus tôt et où l'on fera de ce mot le leit-motiv des états de 1346. Il ne s'agit pas encore de limiter l'arbitraire monarchique. Le seul frein à l'absolutisme royal, c'est le Conseil, et c'est le roi qui en ouvre les portes.

Quant à améliorer le fonctionnement des rouages de son gouvernement, Philippe VI n'attend pas qu'on le lui prescrive. En avril 1343, déjà, il a publié une ordonnance qui remet en place un certain nombre d'institutions minées par des maux bien connus : le cumul, l'incapacité, l'ambiguïté. L'une des plaies de ce gouvernement, ce sont les actes subreptices par lesquels le roi donne ou accorde, souvent sans le savoir, des biens ou des faveurs dont lui et ses gens ignoreront toujours la valeur ou la portée. A cet égard, le roi est sans illusions : il sait bien que ceux qui le servent y prennent leur profit. Mais il lui faut être servi...

Les officiers — nous dirions les fonctionnaires — ne sont pas représentés en tant que tels aux états, et il est de bonne politique de les sacrifier quelque peu sur l'autel des exigences fiscales. Barons, prélats et marchands sont pour une fois d'accord : tous les malheurs du royaume viennent de ces budgétivores que sont les robins de la justice royale, les nantis de l'administration financière, bref, les serviteurs du roi.

Les états n'ont rien exigé, mais ils ont senti à quel point la politique royale dépendait de leur bon vouloir. Il tient à eux que le roi ait ou n'ait pas les moyens de son gouvernement. De ce moment, l'agitation ne cesse pratiquement plus. Derrière les mêmes mots — réforme, privilèges, franchises — chacun met des réalités différentes. Mais l'idée est dans l'air : pour financer sa guerre et tenir tête aux révoltes qui l'assaillent de toutes parts, le roi est dans le cas de négocier les fondements mêmes de la vie politique.

C'est donc dans un climat de revendication que s'ouvrent, en février 1346, de nouveaux états, réunis cette fois séparément : à Paris la Langue d'oil, à Toulouse la Langue d'oc. Le roi prépare ses campagnes d'Aquitaine et de Bretagne — nul ne peut prévoir celle de Crécy — et manque des ressources nécessaires. De surcroît, il souhaite réorganiser son système fiscal : un « fouage », c'est-à-dire un impôt direct à tant par « feu », remplacerait l'impôt indirect qui pèse sur la vie économique et la paralyse à certains moments, la gabelle du sel aussi bien que les quatre deniers pour livre.

Très vite, cependant, les états s'intéressent surtout au mécontentement croissant des populations à l'encontre des agents royaux, sergents, prévôts, commissaires en tout genre que chaque occasion multiplie aux frais du pays. Le roi fait quelques concessions, en février à Paris, en mai à Toulouse, pour « faire passer » l'impôt. Les grondements, toutefois, ne sont guère apaisés lorsque la défaite de Crécy vient ajouter un nouveau grief : cette fois, on cherche des coupables.

Philippe VI commence par jeter du lest : il sacrifie quelques-uns de ceux qui ont eu part au pouvoir. Jean Poilevilain, grand bourgeois de Paris, maître des monnaies, trésorier du roi, maître des eaux et forêts, est l'un de ces conseillers impopulaires que Crécy précipite en prison et qui devront payer une amende considérable pour conserver leurs biens. Pierre et Martin des Essarts en sont d'autres ; la libération de Pierre des Essarts se paiera cinquante mille livres tournois.

Pierre des Essarts, c'est par excellence le parvenu dont la fortune s'est faite au service du roi. Son père était maire de Rouen, vint à Paris dès le temps de Philippe le Bel, fut pendant près de vingt ans maître à la Chambre des comptes. Lui-même, allié par son mariage à l'une des grandes familles de changeurs parisiens, a fait carrière dans les offices de finance. Il est receveur de la reine, argentier du roi, maître des comptes enfin. Au vrai, il est l'homme d'affaires de Philippe VI comme il a été celui des deux derniers Capétiens. Il prête aux princes. Il gère les finances du roi.

Philippe VI n'a guère de scrupules avec des gens comme Pierre des Essarts. Il en fait arrêter une dizaine. Il les relâchera quelques mois plus tard, sans plus de jugement mais moyennant finance. Ce qu'on leur reproche ? Tout simplement d'avoir fait fortune.

En attendant, l'abbé de Saint-Denis, celui de Marmoutier et celui de Corbie, trois clercs à la réputation d'intégrité bien établie, se voient chargés d'assainir la gestion financière, de remettre un peu d'ordre dans le mouvement des fonds et de reprendre en main la Chambre des comptes. Avec le titre, nouveau, de « généraux députés sur les besognes du roi à Paris », ils sont en fait chargés de réformer la haute administration. Les principaux effets de cette mise au pas seront l'institution d'un contrôle de l'ordonnancement des dépenses – il ne durera qu'un temps – et la distinction, définitive, entre la fonction de contrôle financier impartie à la Chambre des comptes et la fonction de gouvernement financier exercée par le Grand Conseil. Impossible, dorénavant, d'appartenir en même temps à ces deux organismes. On saura mieux qui fait quoi.

Cette ébauche de réforme en profondeur n'empêche nullement les états d'étriller le roi lorsqu'en novembre 1347 il les réunit de nouveau pour en obtenir les moyens de la riposte militaire.

Par mauvais conseil vous avez tout perdu et rien gagné !

Les princes.

Un instant, on peut croire que Philippe VI va, malgré le désastre, reprendre en main la situation. Sur le plan diplomatique, les lendemains de Crécy marquent même un renversement en faveur du roi de France. Le duc de Brabant Jean III, qu'inquiètent depuis longtemps les vagues successives d'agitation dans les grandes villes flamandes et qui ne tient guère à voir la contagion toucher Bruxelles, Malines ou Anvers, a fait des ouvertures dès septembre 1345. Philippe VI n'attendait qu'un signe. Louis de Nevers aussi, qu'une alliance aux Pays-Bas mêmes, soulagerait, en cas d'action nouvelle des communes, d'une trop étroite dépendance envers le roi de France. Retardée par la défaite, la négociation reprend en mai 1347 ; le nouveau comte de Flandre Louis de Male y est partie prenante à la place de son père, mort à Crécy. Et en juin, les accords de Saint-Quentin scellent le nouveau système d'alliances : Louis de Male épousera une fille de Jean III et Henri de Brabant – fils aîné du duc – épousera Jeanne de France, fille du futur Jean le Bon. Leurs enfants seront élevés à la cour de France.

Dans le même temps, l'incertain Louis de Bavière tombe sous le coup des sentences pontificales. Il était déjà excommunié ; en avril 1346, Clément VI le dépose. Et, cette fois, le choix des princes électeurs se porte sur l'un des plus fermes alliés de Philippe VI : Charles de Luxembourg est élu en juillet. C'est le fils de ce Jean l'Aveugle, roi de Bohême, qui est venu mourir à Crécy aux côtés de son ami le roi de France. Sa sœur, Bonne de Luxembourg, a épousé l'héritier de la couronne, le duc Jean de Normandie.

Le nouveau roi des Romains – ainsi appelle-t-on l'empereur avant son couronnement par le pape – a tout intérêt à jouer la carte française, qui devient une carte franco-brabançonne. Car Louis de Bavière n'est pas mort, et Charles IV de Luxembourg ne peut se permettre de demeurer seul dans un jeu politique difficile. D'ailleurs, la personnalité de Jean III de Brabant a tout pour l'attirer : le duc est un sage, que toute l'Europe respecte. Il est aussi le dernier des Carolingiens ; du moins le dit-on. Enfin, l'empereur Charles IV n'aurait rien à gagner à un Édouard III maître de la France et des Pays-Bas. Il s'engage résolument dans l'alliance française. Cependant que Philippe VI traite avec le Brabant, le duc de Normandie mène avec l'empereur élu des négociations qui aboutiront au traité du 7 mai 1347.

Le roi de France peut être satisfait des changements intervenus sur sa frontière orientale. Il a, en revanche, tout lieu de s'inquiéter ailleurs. En Guyenne, le comte de Derby a repris sa progression vers le nord. Il est à Lusignan, à Saint-Maixent, bref, en plein Poitou. Si les choses continuent ainsi, la grande Aquitaine du XIIe siècle, celle de la duchesse Aliénor, sera bientôt reconstituée. Tout le monde sent bien que la trêve conclue, grâce aux légats du pape Annibal Ceccano et Étienne Aubert – le futur Innocent VI – le 28 octobre 1347, trois mois après la chute de Calais, n'est qu'une suspension d'armes très provisoire ; une suspension dont nul ne peut savoir que la Peste noire va la prolonger...

De solution véritable au conflit franco-anglais, point. Les enjeux commencent de se brouiller. En Bretagne, c'est l'enlisement : Charles de Blois a été pris en juin 1347, mais Jeanne de Penthièvre refuse de céder. Il n'y a aucune raison pour que tout cela finisse. Pendant ce temps, la Normandie gronde, l'Artois conteste, la maison d'Évreux revendique. Pour tout emmêler, l'héritier de la Couronne fait déjà des sottises.

Roi improvisé, Philippe de Valois a tout fait pour que le deuxième roi de sa famille ait appris son métier. Le duc Jean a siégé au Conseil. Il a commandé l'armée de Bretagne, puis celle de Guyenne. Il a représenté le roi à Avignon pour le couronnement de Clément VI. Il a mené à bien nombre de pourparlers, aussi bien pour l'union du Dauphiné au patrimoine des Valois que pour l'alliance impériale. Il a appris la guerre, la diplomatie, le gouvernement, et Philippe VI lui a donné en tout cela le meilleur des mentors, le duc Eudes de Bourgogne, frère de la reine.

Le roi n'a cependant pas fait de son fils aîné un aussi grand seigneur qu'il y paraît au premier abord. Duc de Normandie, comte d'Anjou, du Maine et de Poitiers, « seigneur des conquêtes de Languedoc et de Saintonge », le futur Jean le Bon n'est au vrai que le représentant de son père dans ces grands fiefs. Les officiers du roi continuent de les gouverner, et ils les gouvernent pour le roi. Quant aux seigneuries — dispersées à travers tout le royaume — que Philippe VI a réellement données à son héritier pour qu'il en vive, elles sont propres à faire de celui-ci un riche seigneur, non un prince puissant. S'il est aventureux sur les chemins de la guerre, Philippe VI est un homme prudent sur ceux de la politique.

Au lendemain de la défaite, Jean de Normandie porte sa part d'impopularité. N'a-t-il pas immobilisé, en vain, l'armée royale pendant de longues semaines devant Aiguillon ? Au Conseil royal, on juge l'héritier de la Couronne fort mal entouré. On va jusqu'à lui reprocher les conseillers que lui a donnés son père, et en premier lieu le duc de Bourgogne dont l'étoile baisse sur l'horizon politique. On lui reproche aussi, bien sûr, ceux qu'il s'est lui-même donnés.

La crise touche à son paroxysme en mai 1347, lorsque le fils aîné du roi de France se voit dans le cas de demander à son beau-frère le roi des Romains une garantie dynastique. Charles IV de Luxembourg aiderait Jean si d'aucuns cherchaient, le moment venu, à l'empêcher de succéder à son père.

De deux choses l'une : ou les craintes du futur Jean le Bon sont alors fondées, et cela dénote une situation politique bien fragile, ou elles sont vaines, et un tel traité est propre à susciter les plus violentes réactions. Quoi qu'il en soit, l'héritier du trône est moins assuré que jamais de l'avenir dynastique des Valois. La tranquille assurance des chroniqueurs officiels ne peut faire illusion : tout le monde n'a pas pris son parti du choix fait en 1328.

Pendant que se lézarde le trône des Valois, la maison d'Évreux s'efforce de revenir sur les arrangements successoraux qui l'ont lésée. On se rappelle que Jeanne de Navarre, la fille de Louis X et de Marguerite de Bourgogne, a reçu en héritage le royaume de Navarre, cependant que ses oncles s'arrangeaient pour conserver une Champagne à la fois trop prospère et trop proche de Paris pour être laissée à une princesse qui devait nécessairement transmettre un jour son patrimoine à la famille de son mari. Jeanne et ce mari, précisément Philippe d'Évreux, neveu de Philippe le Bel, ont dû se contenter d'un comté d'Angoulême dont le revenu est loin de valoir celui de la Champagne, et d'un comté de Mortain qui fait peut-être l'appoint en valeur financière, non en poids politique. Comme quelques années plus tard pour le duc de Normandie, on a veillé à ce que les Évreux ne puissent avoir en France, d'un seul tenant, une trop vaste principauté. Qu'ils gardent quelque rancœur de l'affaire, c'est l'évidence même.

L'avènement du roi Valois a permis de retoucher les arrangements financiers. Maintenant, les Évreux sont riches. Mais cela n'empêche nullement Jeanne de rappeler en toute occasion qu'on lui a fait tort. En outre, et bien qu'elle ne le dise jamais en public, il est permis de penser qu'elle est faiblement convaincue par le droit des mâles que l'on a inventé contre elle. La reine de Navarre est donc d'autant plus acharnée à revendiquer que son contentieux réel dépasse largement celui qu'elle avoue. Elle obtient une partie du Cotentin. Elle échange finalement le comté d'Angoulême contre des places fortes et des terres en Vexin, aux portes de la capitale : Pontoise, Beaumont-sur-Oise, Asnières-sur-Oise. Du Cotentin à Pontoise en passant par Mortain et, naturellement, par le comté d'Évreux, les plus proches cousins du roi sont en passe de contrôler la Normandie.

Ceci commence d'inquiéter. On le voit bien lorsque le roi empêche le mariage de Jeanne de Penthièvre – héritière possible de la Bretagne, nous le savons – avec Charles d'Évreux, fils de Philippe et de Jeanne. Maître un jour de tout l'héritage normand de la maison d'Évreux, et roi de Navarre de surcroît, ce prince constituerait le plus grave des dangers pour la monarchie française s'il était en outre maître du duché de Bretagne. Jeanne de Penthièvre épouse en définitive Charles de Blois : au moins celui-ci devra-t-il au roi d'être ce qu'il sera.

Nous sommes en 1337. Charles d'Évreux est né en 1332. Il peut bien attendre pour se marier. Mais il n'oubliera jamais qu'on l'a spolié avant sa naissance, et qu'on s'est – à juste titre – méfié de lui avant qu'il sache monter à cheval. Ce prince des fleurs de lis mettra véritablement en danger la couronne des Valois. C'est lui qu'un chroniqueur espagnol, au XVIe siècle, affublera de ce surnom, « Charles le Mauvais », qu'adopteront les historiens français.

Dans l'immédiat, la Navarre se contente de faire cavalier seul. La chose est particulièrement nette dans les temps qui suivent Crécy. Veuve depuis 1343, l'énergique reine Jeanne gouverne son royaume pyrénéen en ne tenant compte que de ses intérêts propres. Peu soucieuse de voir l'Anglais se tourner contre elle après avoir défait le

Valois, elle conclut en mars 1348 une convention par laquelle Édouard III se voit reconnaître le libre droit de passage à travers toutes les terres de la reine-comtesse, laquelle s'engage expressément à interdire l'accès de ses places fortes aux troupes de Philippe VI. Faite pour la Navarre, cette convention ne touche évidemment pas les places normandes de la maison d'Évreux ; elles sont tenues en fief du roi de France. Chacun comprend toutefois qu'entre l'Anglais et le Français la reine Jeanne a déjà fait le choix de la prudence.

Six mois plus tard, Jeanne demande – comme ingénument – à Philippe VI s'il voit quelque inconvénient à ce que le traité entre l'Aragon et la Navarre soit fait contre tous, sans qu'on y porte la mention « sauf contre le roi de France ». Celui-ci a bel et bien perdu l'alliance navarraise.

L'ARTOIS DANS LA MAIN DU ROI.

Pendant que les princes s'agitent et attendent les occasions, la petite féodalité et la bourgeoisie d'affaires grognent de-ci de-là. En Artois notamment, où chacun va répétant que le comté paie l'impôt pour la guerre du roi mais n'en tire pas grand bénéfice au chapitre de la défense. Les Artésiens ont vu passer, entre Crécy et Calais, le roi d'Angleterre et son armée. Ils ont souffert des incessantes randonnées d'une armée qui trompait l'ennui du siège en allant brûler les villages et terroriser les petites villes. Ils n'ont vu ni le roi de France, leur suzerain, ni leur seigneur le duc Eudes IV de Bourgogne, qui a épousé la petite-fille et héritière de Mahaut d'Artois. L'angoisse de ces braves gens n'est pas feinte, telle qu'elle s'exprime dans les lettres que, de ville à ville, les échevins s'écrivent pour s'informer et se conforter. Ne voit-on pas le bailli d'Arras lui-même dépêcher à Gand et à Bruges un espion pour tâcher de savoir ce qui se trame entre les princes ?

Ce que demandent les Artésiens n'a rien de révolutionnaire. Ils voudraient tout bonnement que l'on rattache le comté au domaine royal. Soucieux de ménager le duc de Bourgogne, Philippe VI hésite, écarte l'idée d'un rattachement, au sens strict : il faudrait indemniser le duc. Il évite finalement la crise ouverte en recourant à une procédure ingénieuse : le 2 décembre 1346, il met l'Artois « en sa main ». Autrement dit, il ne spolie pas le duc et ne touche ni à ses droits ni à sa propriété, mais il prend le gouvernement de l'Artois. Tout ceci s'annonce d'ailleurs comme temporaire : « Jusques à tant que nous en ayons autrement ordonné. »

Mesure de circonstance, donc, que cette sorte de saisie, faite avec le consentement du duc de Bourgogne et de sa femme, conscients de l'impasse où les a engagés leur négligence des mois passés. Au regard du droit et de la morale, le seigneur n'a pas le beau rôle, qui a laissé sans protection ses vassaux. Mais l'acte du 2 décembre 1346 crée un précédent dont vont bientôt se souvenir les états généraux : le roi y donne aux Artésiens l'assurance que l'argent levé en Artois sera affecté à la défense de la région.

> Nous voulons que les charges et salaires soient payés ainsi qu'ils étaient avant cette présente ordonnance, et que le surplus des rentes, revenus, profits et émoluments de la dite comté soit mis, employé et converti à garnir et garder les forteresses que notre dit frère (le duc) a en la dite comté.

Trois semaines passent. Le duc se ressaisit. A Maubuisson, il fait le siège du roi. La mainmise royale sur l'Artois est levée. Au reste, les esprits ont eu le temps de se calmer. Mais, dès l'année suivante et à la faveur de la nouvelle et difficile succession d'Artois, Philippe VI se souviendra de l'idée.

Jean le Bon.

Dans cette intense activité diplomatique, Philippe de Valois semble quelque peu ballotté. Celui qui redresse la barque, dans cette année qui suit le désastre de Crécy, c'est l'héritier du royaume, faisant soudain cause commune avec la bourgeoisie d'affaires qui vient d'être malmenée. Fidèles du duc Jean et victimes de la purge de 1346 reparaissent au Conseil, entrent à la Chambre des comptes, occupent les postes élevés de l'administration. Jean achève la négociation sur le dauphiné de Viennois, que le dauphin Humbert II cède, en 1349, au fils aîné du duc de Normandie, ce petit-fils de roi qui sera un jour Charles V. On le voit même, quand meurt la veuve d'Eudes IV, gouverner la Bourgogne.

C'est peut-être la seule victoire réelle, et discrète, de la royauté en ces années où Philippe VI vieillit – on est vieux à cinquante ans, et il en a cinquante-trois à Crécy – mais où la reprise en main du pouvoir met en vedette un duc de Normandie enfin maître de son duché et homme fort du royaume. Lorsque, le 22 août 1350, disparaît le premier des Valois, se produit ce que trente ans d'incertitudes et de revendications sur la dévolution de la Couronne ne pouvaient laisser espérer : Jean II devient roi de France comme si la chose allait de soi.

On tient pour curiosité pure l'idée, née dans le cerveau de la sainte visionnaire Brigitte de Suède et soumise par elle à Clément VI, d'une adoption d'Édouard III par Philippe VI. Pour la sainte, cette solution mettrait fin à tous les maux de la Chrétienté. En réalité, et tout le monde le sait, elle les multiplierait.

Pour la première fois depuis 1328, le roi de France est à nouveau un fils de roi. On sait qu'Édouard III a durement rappelé à son cousin Valois qu'il n'est pas, lui, simple fils de comte.

Jean II a trente et un ans. C'est un homme fait, un homme d'expérience. Il n'a jusque-là donné que de faibles preuves de ses talents politiques et militaires. Son intelligence n'est que moyenne, mais il est instruit, voire cultivé. On a noté en revanche son manque de souplesse intellectuelle et son autoritarisme. Cet homme qui lit beaucoup, qui sait mener une discussion, qui sait entendre les arguments d'autrui et prendre le temps de la réflexion avant de décider, est aussi capable de réactions brusques et de décisions prises à chaud. Peu porté à la violence, il devient intraitable sous l'emprise de la colère. Tantôt indécis, tantôt impulsif, Jean II est surtout incertain.

On va le dire « bon » parce qu'il mène grand train. Pourvu que l'on trouve ailleurs l'argent, il dépense sans compter et régale fastueusement ses amis. Mais cela ne fait-il pas partie de son « état » royal ?

Ce n'est pas le maniaque des grands coups d'épée et l'adepte inconsolable d'une chevalerie anachronique que l'on dépeindra volontiers pour ridiculiser l'ordre de l'Étoile et stigmatiser l'anarchie tactique de la bataille de Poitiers. Mais cet homme de cabinet à la santé fragile, ce dépressif à l'esprit toujours inquiet subit le jeu cyclique d'influences contradictoires et manifeste par secousses sa volonté de n'être aux mains d'aucune faction. C'est un homme d'État, mais un homme d'État maladroit. Entre une noblesse à laquelle toute son éducation le lie et dont tous ses intérêts politiques le séparent, et des conseillers aussi arrivistes qu'avisés, souvent issus de la bourgeoisie d'affaires parisienne que la noblesse ne cesse de dénoncer, le roi Jean trouve mal son équilibre.

Le règne s'ouvre sur un éclat, qu'explique l'atmosphère de trahison dans laquelle a vécu la cour de Philippe VI, mais dont le caractère dramatique suffit à donner la mesure de l'impulsivité royale.

On se souvient du connétable Raoul de Brienne, fâcheusement pris en 1346, devant Caen, dans une débandade qui ressemblait fort peu à une défense. Brienne avait été quatre ans en Angleterre, le temps pour les siens de réunir la rançon. On le vit rentrer vers la Toussaint 1350, et le nouveau roi, qui revenait de son sacre, donna l'impression de lui faire fête. Défaite n'est pas déshonneur, et Brienne avait fait, sans succès mais loyalement, son devoir. Il reprenait sa place à la cour, et c'était l'une des premières.

On n'en fut que plus étonné, quelques jours plus tard, lorsque le prévôt de Paris Alexandre de Crèvecœur fit arrêter Raoul de Brienne en plein hôtel de Nesle, devant le roi. Il était tard. On garda le prisonnier dans une chambre.

De procès, il n'était pas question. On entendit Jean II jurer, le lendemain, qu'il ne dormirait plus tant que vivrait le connétable. A la nuit, on fit appeler le bourreau. Au petit jour suivant, sur le pavé du Louvre, Brienne était décapité.

L'entourage du roi était atterré. Le duc de Bourbon en tête, les barons avaient assisté à l'exécution — beaucoup pensaient : au meurtre — de l'un d'entre eux, et se préparaient au pire. Dans le peuple, où l'on avait moins peur, chacun échafaudait son hypothèse selon l'opinion qu'il croyait avoir du nouveau roi. Les uns assuraient que le connétable avait comploté de livrer aux Anglais, pour parfaire sa rançon, sa forteresse de Guines. C'était, renouvelé de Geoffroy d'Harcourt, le thème de la trahison. On évoquait aussi la trahison en un autre sens, et le chroniqueur liégeois Jean le Bel de rapporter complaisamment ce que les Français n'auraient pour rien au monde écrit noir sur blanc : Brienne payait de sa tête un amour coupable pour la reine de France.

D'autres allaient répétant que le roi n'avait fait que prêter une oreille complaisante aux ambitions de son favori du jour, Charles d'Espagne, que nul ne s'étonna de voir immédiatement nommé connétable.

Descendant d'une branche évincée de la maison royale de Castille, ce prince était né sans terre et avait bâti toute sa fortune sur une irréprochable fidélité au duc de Normandie, dont il avait été le compagnon de jeux. Bon chevalier, il avait belle prestance. Il descendait de saint Louis. Pour le reste, rien ne justifiait les faveurs exceptionnelles dont il jouissait. Ceux qui avaient leur franc-parler imaginèrent que les raisons en étaient inavouables. L'Italien Giovanni Villani parla d'amour « désordonné » ; Froissart fit du connétable un chevalier que le roi « durement aimait ».

Les Brienne étaient alliés à toute la Chrétienté. La solidarité des lignages n'était pas un vain mot dans la chevalerie. La loyauté non plus.

> Les seigneurs et barons de France, du lignage du connétable et autres, furent durement émerveillés quand ils surent ces nouvelles, car ils tenaient le comte pour loyal et prudhomme, sans nulle lâcheté.

Jean II acheva de souder le front commun de ses ennemis par une dernière erreur : à Charles d'Espagne, déjà pourvu du comté de Montfort-l'Amaury et richement marié à la fille de Charles de Blois, il donna de surcroît le comté d'Angoulême, celui-là même dont les Évreux avaient dû se contenter en échange de la Champagne. Autrement dit, le Valois spoliait une deuxième fois Charles de Navarre.

La colère du Navarrais.

Celui-ci avait déjà fait, à contrecœur, un marché de dupes en épousant la fille du roi. La princesse avait huit ans : les enfants ne naîtraient pas avant longtemps. La dot annoncée était considérable, mais Charles n'en voyait rien venir. L'affaire d'Angoulême fit déborder la coupe : Charles « le Mauvais » se jura de tirer vengeance du favori.

Les fidèles du Navarrais se retrouvaient donc dans le même camp que les alliés de Brienne. La carte politique se clarifiait, contre le Valois.

La perte de Guines ne peut, dans un tel contexte, passer pour l'effet du hasard. Jean le Bon avait conservé pour lui ce comté de Guines qu'il venait de confisquer sur Raoul de Brienne. Or, au début de 1352, on apprit à Paris que les Anglais occupaient le château de Guines, l'une des forteresses les plus propres à couvrir la position de Calais. Surprise ? Trahison ? On ne sut, et on ne sait. Les Français protestèrent auprès du légat pontifical : on violait la trêve. Le gouverneur anglais de Calais répliqua que les trêves n'étaient pas violées parce qu'on achetait une maison...

Charles d'Espagne ne se contentait pas de faire fortune, il commençait de se montrer insolent. Le roi et lui-même se croyaient assurés du Navarrais pour la seule raison que ce dernier était maintenant gendre de son royal cousin. C'était oublier qu'épouser la fille du roi de France n'apportait pas grand-chose à un roi de Navarre, déjà prince des fleurs de lis, à qui l'on avait suffisamment expliqué depuis quelques années qu'en France les femmes ne transmettaient pas la Couronne. Le Navarrais ne se croyait tenu à aucune reconnaissance pour la femme-enfant qu'on lui avait donnée.

La paix était fragile. Le connétable la brisa lorsqu'il s'en prit ouvertement au frère cadet du roi de Navarre, Philippe. La haine qui couvait de toutes parts se démasqua subitement. Le roi de France dut s'interposer pour éviter une bagarre au couteau. Philippe de Navarre se retira en menaçant.

Quelque temps plus tard, Charles d'Espagne était en Normandie, près de Laigle, lorsque les frères de Navarre, qui le suivaient à la trace, surgirent à l'improviste avec une petite troupe. Le connétable dormait à l'auberge, sans la moindre protection. Les Navarrais l'occirent et s'en allèrent. On compta quatre-vingts plaies sur le cadavre. C'était le 8 janvier 1354.

A Paris, la nouvelle fit sensation. De grands barons se retirèrent de la cour sur la pointe des pieds. Les choses allaient mal tourner. Comme le parti d'Harcourt, qui avait partie liée avec les Navarrais dans l'affaire de Laigle, le parti de Brienne cachait mal sa joie. Mais la prudence conseillait l'éloignement. Un connétable décapité, l'autre assassiné, cela méritait qu'on y pensât, chacun derrière ses propres remparts, avec un pont-levis en état de marche.

La riposte royale ne se fit pas attendre. Une petite armée vint occuper quelques terres du comté d'Évreux, une autre alla se montrer en Navarre. Les comtes d'Armagnac et de Comminges eussent mis la Navarre à sac, pour la satisfaction du roi de France, sinon pour son profit, si le comte de Foix n'avait fait diversion en attaquant à son tour le comté de Comminges. La confusion régnait à travers les principautés pyrénéennes. Elle n'assainit pas la situation politique à Paris.

Lorsqu'il sut que Charles le Mauvais négociait avec le Prince Noir, fils aîné du roi d'Angleterre, Jean le Bon s'alarma. On avait eu assez peur en 1346 pour ne pas recommencer. Le Navarrais avait très réellement offert ses châteaux normands au roi d'Angleterre et fait savoir aux garnisons anglaises de Bretagne qu'elles seraient les bienvenues en Normandie. La menace était encore plus grave, pour le Valois, qu'au temps de la défection de Geoffroy d'Harcourt.

Le roi Jean s'avisa qu'il était assez seul en l'aventure. Il fut trop heureux d'accepter les offres de médiation de deux personnages pour le moins douteux. L'un était Robert de Lorris, l'un des grands bourgeois de Paris que l'on a déjà vus, tel Pierre des Essarts, trafiquer de tout, y compris de leur influence. Robert de Lorris était chambellan du roi, et l'un de ses hommes à tout faire. Il était aussi le gendre de Pierre des Essarts, et par là même le beau-frère d'un certain Étienne Marcel dont l'astre montait alors au firmament parisien. L'autre était un ancien avocat, juriste à l'intelligence vive, à l'ambition sans frein, à la parole véhémente : Robert Le Coq, pour l'heure évêque de Laon. Un combinard et un démagogue, mais tous deux de haute volée, voilà ce qu'étaient les négociateurs.

Il en résulta le traité de Mantes. Conclu le 22 février 1354, six semaines seulement après l'assassinat du connétable Charles d'Espagne, c'était un modèle de fausse paix.

Dans l'immédiat, le roi de Navarre sortait gagnant de l'affaire. Par vicomtés entières, il recevait une bonne partie de cette Normandie dont il était déjà le plus grand baron : Beaumont, Breteuil, Conches, Pont-Audemer, Orbec, Valognes, Coutances, Carentan. Il renonçait en échange à la Champagne ancestrale : il ne l'avait jamais eue.

Le 4 mars, Charles le Mauvais arrivait à Paris. L'assassin de Charles d'Espagne fit à la cour une entrée qui n'était pas celle d'un félon pardonné mais bien le triomphe d'un vainqueur condescendant. Il parla haut, pressa l'exécution du traité, multiplia les intrigues. Le roi Jean se lassa.

En novembre 1354, la tension était telle que le roi de Navarre s'avisa des risques qu'il prenait en demeurant chez son adversaire. Il quitta Paris, fit une tournée en Normandie, gagna finalement Avignon, où il se plaignit amèrement au pape des torts que ne cessait de lui causer son cousin de France. Le duc de Lancastre était aussi à Avignon. Les deux princes s'accordèrent sans peine contre le Valois. Deux semaines durant, ils passèrent leurs nuits à ourdir la trame d'une alliance dont l'objet n'était rien de moins que le dépeçage du royaume de France. Le Navarrais s'en réservait la Normandie, la Champagne et pratiquement tout le Midi.

Après l'épisode d'Avignon, chacun se retira et le pape put croire la paix à nouveau assurée. Charles gagna la Navarre, pour y préparer l'invasion de la France par le sud. Lancastre alla mettre sur pied en Angleterre l'armée qui devait débarquer en Cotentin.

Dans l'été de 1355, on frôla la guerre. Le roi de Navarre était à Cherbourg. Le Prince Noir allait prendre position en Guyenne. Édouard III concentrait sa flotte à Southampton. Les vents contraires sauvèrent Jean le Bon : les navires anglais furent bloqués à Wight, puis à Guernesey. Les ambassadeurs français en profitèrent pour négocier une nouvelle fois. Le 10 septembre, un traité scellait, à Valognes, la nouvelle réconciliation franco-navarraise. En fait, Jean le Bon cédait une fois de plus aux exigences de son cousin.

En Angleterre, on prit assez mal le traité de Valognes. Philippe de Navarre, qui représentait alors son frère à Londres, se trouva gêné par la virevolte de celui-ci.

> Sut mauvais gré au roi son frère de ce qu'il avait travaillé le roi d'Angleterre de venir si avant, et puis avait brisé toutes ses convenances.

Tout le monde était mécontent. A force de maladresses, le roi Jean avait dressé contre lui une partie du baronnage français, plus touché par l'exécution de Brienne et les malheurs d'Harcourt que par l'assassinat d'un connétable trop vite comblé. Le roi Charles avait fait céder son cousin de France sur le parchemin, mais il n'avait toujours pas recouvré la Champagne. Le roi Édouard était fatigué des affaires dans lesquelles l'engageaient ses alliances continentales, et il ne voyait guère quel profit en tirer : la Bretagne lui coûtait plus qu'elle ne lui rapportait d'avantages politiques, la Flandre l'avait lâché, le Navarrais l'avait déçu par ses palinodies. Et le Parlement anglais allait sans doute prendre fort mal qu'on eût levé à grands frais une armée pour n'en rien faire.

Dans une France divisée, Jean le Bon était fragile. Mais, face à cette même France divisée, Édouard III comprenait qu'il lui fallait désormais agir seul. La guerre féodale s'enlisait. Sa conclusion allait être un affrontement de la France et de l'Angleterre.

CHAPITRE VI

Les cavaliers de l'Apocalypse

LA MORT.

On meurt beaucoup dans ce monde où l'on entre avec peu de chances d'y rester et où l'on fait figure de vieillard à cinquante ans. Nutrition, médecine, hygiène, tout concourt à envoyer les gens au cimetière. Le médecin coûte cher, et son état de clerc, qui l'enferme dans le formalisme, ne lui laisse que le droit d'examiner et de prescrire en invoquant l'autorité d'Hippocrate et de Galien. Pour les soins à proprement parler, qui ressortissent au travail manuel, force est de s'adresser au chirurgien, lequel n'est autre chose qu'un barbier plus ou moins spécialisé dans le maniement de la lancette et des sangsues. Alors, plutôt que de recourir au système onéreux qu'offre la Faculté, on va volontiers chez le guérisseur, le rebouteux, le charlatan. C'est le triomphe quotidien du saint homme, ou du sorcier. Bien des malades ne se trouvent d'ailleurs pas plus mal d'une tisane à la composition soigneusement transmise de génération en génération que d'une saignée prescrite en latin et pratiquée sans désinfection. Mieux vaut, tout le monde le sait, faire panser un blessé chez le barbier du coin que de le conduire chez le mire qui ne mettra pas la main à la plaie. Au reste, ventouses et onguents diminuent la douleur et retardent les issues fatales, mais on ne guérit vraiment que les maux les plus bénins.

Le manque d'hygiène ne conduit pas seulement à la maladie, il l'aggrave. L'infection emporte l'accouchée, le panaris mène à la gangrène, la dysenterie décime villes et armées. On se remet rarement d'une blessure et l'on meurt souvent de la grippe.

Certes, on se lave. L'effrayante saleté que cacheront les perruques poudrées du Grand Siècle n'a pas encore conquis la ville et la cour. Après une journée de marche, le bourgeois se lave les pieds et change de linge. Le brave homme qui multiplie les doctes conseils à sa jeune épousée ne manque pas d'insister :

> Ayez soin, je vous prie, de tenir propre le linge de votre époux, car c'est votre affaire.
>
> Le mari se réconforte à l'idée des soins qu'il peut attendre de sa femme à son retour... Il sait qu'on le déchaussera devant un bon feu, qu'on lui lavera les pieds, qu'on lui passera chaussures et souliers frais, qu'il sera bien repu, bien abreuvé, bien servi, traité comme seigneur, bien couché dans des draps blancs avec un bonnet de nuit blanchi de frais, couvert de bonnes fourrures.

Prenons cette vision idyllique et égoïstement masculine pour ce qu'elle est, mais il n'empêche que l'idéal de ce bon bourgeois passe par un bassin d'eau et du linge propre. Sans doute le bain de pieds ainsi imaginé n'est-il pas le délassement quotidien du citadin, et nous savons que les étuves s'apparentent plus aux maisons closes qu'aux modernes piscines. Bien peu ont une chambre chauffée, et rares sont les chambres chauffées qui ne sont pas enfumées.

Pendant ce temps, l'égout est au milieu de la rue, le sang des écorcheries coule entre les pavés jusqu'à la rivière, les immondices forment un talus aux portes de la ville. Nul contrôle sanitaire sur les bêtes de boucherie, nul service régulier de nettoyage urbain, nulle évacuation des cadavres d'animaux domestiques. De temps à autre, le roi, le seigneur ou la ville se préoccupe d'assainir une rue, de curer un fossé, de déblayer un tas d'ordures. Tout le monde s'y met et l'on en parle huit jours. Tout recommence ensuite comme avant.

L'idée ne vient pas d'isoler le malade. Or on sait fort bien ce que c'est que la contagion, même si l'on ignore microbes et virus. De même l'extraordinaire promiscuité du logement, à la ville comme à la campagne, assure-t-elle la plus précoce des initiations sexuelles, avec son cortège d'incestes et d'accidents. Tout cela conduit à la plus dangereuse des contagions, celle qui mêle les générations. Les chambres suroccupées, que n'aèrent guère les fenêtres à châssis fixe dans lesquelles les vitrages de papier huilé ou de toile cirée ne laissent passer qu'un jour bien tamisé, sont des bouillons de culture où le mieux portant attrape le mal que d'autres ont contracté au-dehors. A la campagne, c'est pis en apparence, puisque la promiscuité s'étend le plus souvent aux bêtes. Il n'est pas certain qu'elles soient plus dangereuses à cet égard que les hommes.

C'est dire que l'on meurt, enfant ou adulte, de la rougeole, de la petite vérole, de la grippe, de la coqueluche même. Cécité, stérilité sont parfois le lot de ceux qui échappent à la mort. Les maladies parasitaires ruinent les organismes les plus robustes. La typhoïde est la sourde menace que représentent chaque verre d'eau, chaque légume, lavé ou non. On comprend que l'homme du Moyen Age préfère le potage à la salade, et qu'il mange sa viande très cuite.

On ne survit ni à la phtisie ni à la pneumonie. La simple bronchite pardonne rarement, non plus que la congestion. On meurt d'être tombé dans l'eau sur un pavé glissant, et se sécher est la première préoccupation du voyageur hivernal.

N'oublions pas l'alcoolisme et ses séquelles, individuelles ou congénitales. Le crétinisme et la folie ne sont pas les moindres. Plus souvent qu'il ne tue, l'alcool fait le lit des maladies mortelles. L'ivrogne n'a pas toujours le temps de mourir d'une cirrhose : il succombe à la congestion, quand une charrette ne l'a pas écrasé.

Une maladie commence de régresser : la lèpre. Mais à quel prix ! Faute de guérir, on isole. Le lépreux à la chair rongée vit avec ses semblables dans une de ces quinze cents ou deux mille léproseries établies dans le royaume, hors des villes, « à un jet de pierre de l'enceinte ». Nourri par la charité publique, pansé quand la charité touche à l'héroïsme, le lépreux n'a plus ni vie dans sa famille ni rôle dans la société, sinon d'être objet de charité quand la crainte de la contagion ne pousse pas les bien-portants à la haine meurtrière. C'est ainsi qu'en 1321 le gouvernement de Philippe V décrète une véritable persécution organisée après que les habitants de Périgueux ont brûlé tous leurs lépreux adultes comme suspects d'avoir empoisonné les puits.

Vivant dangereusement entre l'infection et l'accident, protégeant tant bien que mal ses poumons et ses intestins, renonçant presque à lutter contre le vieillissement et son cortège de maux, l'homme des années 1340 a au moins perdu le souvenir d'un péril : on ne parle plus de la peste. On l'a même oubliée au point qu'on réutilise le mot pour autre chose. Une peste, c'est n'importe quelle épidémie. Depuis six ou sept siècles, on ne l'a plus vue en France. Au XIe siècle, encore, elle a frappé en Europe orientale. Dans le temps comme dans l'espace, la peste est loin. C'est une maladie exotique.

La Peste noire.

Et voici qu'à la fin de 1347 le virus de la peste débarque en Occident. Venu de l'Asie centrale, où le mal est endémique entre l'Oural et la mer d'Azov, il a touché la Crimée, contaminé quelques équipages italiens, navigué au long des routes marchandes du grand commerce. Au cœur de l'hiver 1347-1348, le mal se déclare simultanément – ou presque – dans la plupart des grands ports de la Méditerranée occidentale : à Venise, à Messine, à Gênes, à Marseille, à Barcelone. La Corse, la Sardaigne et les Baléares sont touchées en même temps.

Sur une Europe en bonne santé, la menace serait déjà fort grave. Or la peste survient alors que trois étés pourris – 1346, 1347 et 1349 – déterminent l'une des graves crises frumentaires du siècle. Elle frappe donc un Occident en général sous-alimenté, même si certains ne comprennent pas une mortalité qui survient alors que, pour l'heure et dans les grandes villes, on ne manque pas de vivres. Dans cette période froide et humide qu'a tristement illustrée, déjà, la crise des années 1315, la peste frappe à l'un des creux les plus sévères de l'oscillation.

C'est donc la peste des mal-nourris qui se développe : la peste pulmonaire, dix fois plus rapide à se propager que la peste bubonique simple. Point n'est besoin de toucher le malade pour attraper son mal, il suffit de respirer.

La peste vole de ville en ville. En quelques mois, elle atteint toute l'Italie, presque toute la France, l'Aragon, la Navarre. Elle est en janvier 1348 à Montpellier. En mars, elle ravage Avignon, où le pape Clément VI fait preuve de courage et d'initiative : il autorise les autopsies, normalement interdites par le droit canonique, et il fait écrire aux princes chrétiens pour les prévenir. En avril, la peste est à Toulouse. En juin et juillet, elle fait rage en Gascogne, gagne le Poitou et la Bretagne, touche la Normandie. Les bateaux la portent en Angleterre.

Par le Vexin, l'épidémie se répand dans la plaine de France. Elle est à Roissy, puis à Saint-Denis. Elle atteint Paris en août.

La Picardie est frappée dans le même temps. La peste est à Calais. Dans l'hiver, plus lentement car le froid limite la contagion, elle progresse vers l'est. Elle est à Amiens, à Reims. Elle se développe en Champagne.

La panique est d'autant plus grande que l'on voit venir le mal comme une lame de fond inexorable. Plusieurs semaines à l'avance, on en suit et on en prévoit le cheminement. Chacun sait à peu près combien de temps il lui reste à vivre...

L'étranger est suspect. Quand l'épidémie approche, on ferme les portes de la ville, on refoule le voyageur, on hésite à déballer la marchandise importée. Parents et amis n'existent plus. Et l'on regarde avec angoisse la girouette. Le vent est meurtrier, qui souffle des pays contaminés.

A mesure que se précise la menace, les informations se multiplient. A distance, le médecin fait encore le brave : il a remède à cela. Ainsi Pierre de Damousy, un Rémois qui en réchappera finalement.

Aux approches du mal, il fonde son espoir sur la pilule dont il a trouvé la formule dans un vieux recueil.

> Nul ne mourra de la peste s'il s'en sert... J'assure qu'avec un bon régime ce remède suffirait, soit pour prévenir l'épidémie, soit pour y remédier.

Quand on apprend, quelques jours plus tard, qu'aucun remède n'a sauvé les malades de la ville voisine, l'assurance du mire s'envole.

Comme on n'a pas la moindre idée d'un virus, on accuse la corruption de l'air, ou plutôt de cette espèce de brouillard chaud et humide que l'on respire en ville l'été et qui passe pour de l'air.

> La putréfaction de l'air fait plus de dégâts que la mauvaise nourriture.
>
> La corruption de l'air nuit plus au corps humain que mauvaise viande, pour ce que mauvaise viande, se confiant en l'estomac et les membres, peut être corrigée en tout ou en partie. L'air mauvais passe tantôt au poumon et au cœur, car, qu'on le veuille ou non, nous attirons l'air, en respirant, où il nous faudrait attirer la vie.
>
> Cette épidémie vient directement d'un air corrompu dans sa substance même, et non seulement dans sa qualité.

Voilà l'avis de trois médecins. Sans pouvoir l'exprimer, chacun sent bien ce qu'est la contagion. Devant le danger, il n'y a donc aucune solidarité qui tienne vraiment. On abandonne le malade à son sort, on enterre à la hâte les morts, et l'on s'écarte le plus vite et le plus loin possible. Quant aux vivants, on s'en méfie. Commerce charnel ou simple conversation, tout rapport social peut être dangereux. Méfiance ne saurait nuire.

En tout ou en partie, certaines régions échappent cependant au fléau. Nul ne sait pourquoi. Peut-être n'est-ce en bien des cas qu'un effet des lacunes qui subsistent dans la documentation de l'historien. A mesure que progressent les études sur la Peste noire, le nombre des contrées épargnées diminue... Mais il est assuré que certaines villes, certaines contrées ont été sauves. Et ce ne sont pas les moindres. La peste épargne Bruges, touche peu — et tardivement — la Flandre et à peine le Hainaut. Elle frappe inégalement les terroirs gascons. Elle laisse de côté une partie du Béarn.

BILANS DÉMOGRAPHIQUES.

Les pays et les villes frappés le sont durement. Il n'est pas de famille épargnée, sinon peut-être dans les couches aisées de la population, celles où l'on parvient quelquefois à trouver des refuges suffisamment isolés. La mort fauche ici un habitant sur dix, là huit ou neuf. L'épidémie est d'autant plus meurtrière qu'elle cesse rarement, dans une ville ou une région, avant cinq ou six mois. A Givry, en Bourgogne, elle tue onze personnes en juillet, 110 en août, 302 en septembre, 168 en octobre, 35 en novembre. A Paris, elle dure d'un été à l'autre. Elle ravage Reims du printemps à l'automne.

La paralysie s'empare des villes et des villages. Chacun reste tapi chez soi, ou prend la fuite dans un réflexe incontrôlable et inefficace de sauvegarde ou simplement de peur. Ceux qui partent trouvent parfois au rendez-vous la mort ou la xénophobie.

Les villes paient le plus fort tribut : la promiscuité tue. A Castres, à Albi, une famille sur deux a définitivement disparu. Périgueux perd d'un seul coup le quart de ses habitants, Reims un peu plus. Sur les douze capitouls en fonctions à Toulouse en 1347, huit sortent de l'histoire pendant l'épidémie de 1348. Dans le couvent des dominicains de Montpellier où l'on comptait cent quarante frères, il y a huit survivants. Il n'y en a pas un seul chez les cordeliers de Marseille, non plus que chez ceux de Carcassonne. La complainte bourguignonne exagère peut-être par souci de la rime, mais elle traduit la stupéfaction :

> En mil trois cent quarante-huit
> A Nuits de cent restèrent huit.
> En mil trois cent quarante-neuf
> A Beaune de cent restèrent neuf.

Au vrai, dans la petite ville bourguignonne de Givry, où meurent normalement vingt, trente ou quarante habitants par an, l'année 1348 en emporte en onze mois six cent quarante-neuf. Dans les bourgades voisines d'Aix-en-Provence, la population tombe en un an de 300 feux à 213, de 40 à 11 et de 92 à 40 : en moyenne, un effondrement de 40 %. A Saint-Denis, trente moines sur cent sont morts. Aux Filles-Dieu de Paris, la mortalité de l'année est de soixante pour cent. Mais la mortalité ne fait que doubler dans les rangs des chanoines de Reims : dix morts, au lieu de cinq ou six en année normale.

On ne sait plus où enterrer tous ces morts. A la hâte, on ouvre de nouveaux charniers, où les municipalités font creuser fosse commune après fosse commune. Le tout est que les corps soient recouverts. Ce n'est plus de la décence, c'est tout simplement de la prophylaxie. Encore faut-il porter les morts en terre, tâche peu attrayante en temps normal, dangereuse maintenant. Les porteurs recrutés d'urgence à Avignon meurent tout de suite de la peste. Dans certaines villes, on ne trouve bientôt plus personne. Chacun doit convoyer ses parents.

Si l'on esquive parfois le mal en se retranchant à la campagne dans un manoir convenablement isolé et pourvu de bonnes provisions, on n'y échappe guère dans la communauté villageoise. La contagion y est sans doute moins rapide et moins sûre qu'à la ville, et la communauté se trouve bien de vivre assez repliée sur elle-même, un repli que favorise l'épidémie dans la mesure où elle paralyse l'économie d'échanges animée normalement par la ville. A plus forte raison lorsque l'habitat est relativement dispersé, le paysan reste chez lui plus aisément que le compagnon dont le salaire est à l'atelier et le pain chez le boulanger. Et puis, si le « rat des champs » — le loir, le mulot — fait des dégâts dans la récolte, le gros rat noir qui véhicule la peste se fait rare loin des villes. A la campagne, le principal vecteur de l'épidémie, c'est l'homme.

Il n'empêche que la peste emporte, l'un dans l'autre, un paysan sur deux. Il est des villages épargnés. Il en est que l'on trouvera déserts après le passage du fléau. En Savoie, en Normandie, en Ile-de-France, on observe ce même taux moyen : en deux ans, la population a diminué de moitié dans les campagnes.

Pour peu statistique que soit son approche, Froissart donne une estimation que les calculs des historiens tendent à corroborer :

> Bien la tierce partie du monde mourut.

Villes et campagnes réunies, il est en effet mort un homme sur trois. Mais l'épidémie égalitaire n'existe pas. Les mieux protégés, les mieux nourris, les plus robustes sont moins frappés que les autres. Les maîtres de la Faculté de Paris le disent sans ambages : pour échapper à la peste, mieux vaut manger du pain blanc et des agneaux d'un an que du pain d'orge et du navet. Ceux qui le peuvent se « retraient » à la campagne, dans ces maisons à l'abri de l'épidémie que définissent fort clairement les médecins :

> Maisons basses, non mie moites, lointaines des mauvaises eaux, des charognes et des cimetières, des courtils pleins de poireaux et de choux et autres herbes lesquelles sont corrompables.

Pour peu qu'elle soit bien aérée mais qu'un rideau d'arbres la garantisse des vents du sud, que de bonnes cheminées en permettent le chauffage et de vraies fenêtres l'aération au vent sec du nord, que potager et basse-cour soient à l'écart mais dispensent d'aller trop souvent au village, et que nul chemineau ne vienne traîner ses hardes à proximité, une telle maison met ses maîtres à l'abri de toutes les pestes. Un médecin de Montpellier l'écrit avec une amère lucidité :

> Le conseil des savants médecins ne sert de rien et n'est d'aucune aide à ceux que frappe ce mal terrible, cruel et pernicieux. Le plus grand des remèdes, c'est de fuir la peste, parce que la peste ne poursuit pas le fugitif.

Le prieur des carmes de la place Maubert lance au passage une flèche vers les curés qui n'ont pas en l'affaire manifesté la plus grande bravoure :

> En beaucoup de villes, grandes et petites, les prêtres s'éclipsaient, laissant leur tâche à des religieux plus courageux.

Le chanoine Guillaume de Machaut en fait d'ailleurs l'aveu dans son *Jugement du roi de Navarre* : il s'est confessé, est rentré chez lui, a fermé sa porte et a passé l'été, claquemuré, en attendant de voir comment tournait l'affaire dans sa bonne ville de Reims.

> Fermement que n'en partirais
> Jusques à temps que je saurais
> A quelle fin ce pourrait venir.

La mortalité notée dans les couvents des ordres mendiants confirme, hélas, le propos du carme parisien. Comme Machaut, chanoines, curés et chapelains ont laissé aux cordeliers, aux jacobins, aux carmes, aux augustins même, le soin de visiter les malades et de bénir les morts. Le chapitre de Notre-Dame de Paris perd, en 1348-1349, deux fois plus de chanoines qu'en année normale. Nous sommes loin de la mortalité multipliée par vingt à Givry, ou de l'hécatombe des cordeliers.

Les compagnons, les valets, les manœuvres, les journaliers paient un plus lourd tribut. Les vieillards tombent comme des mouches. Les enfants aussi, dont la mort est à long terme la plus dramatique dans ses conséquences pour l'équilibre démographique.

Au lendemain de la peste, en effet, le soulagement des adultes survivants se traduit par la vague de mariages et de procréations qui marque souvent la fin des temps d'angoisse. Passé le malheur, on s'en amuse. Il n'y a plus de femme sterile, il naît des jumeaux à foison, on voit des triplés. Le merveilleux va s'en mêler : les enfants de cette résurrection collective n'ont, en grandissant, que vingt ou vingt-deux dents. Autrefois, rappelle sérieusement Jean de Venette, on en avait normalement trente-deux, moitié en haut et moitié en bas !

En apparence, donc, les trous sont vite comblés. Et la mort des vieillards n'a fait, au vrai, qu'anticiper de quelques années. Ceux que la peste a emportés en 1348 sont autant de morts en moins dans les années 1350.

Il en va différemment pour les enfants morts durant la Peste noire, ces enfants qui, à cinq, dix ou quinze ans, avaient déjà franchi les seuils les plus difficiles qui font la mortalité infantile. Ces petits morts de 1348 et 1349, ce sont autant de pères et de mères en moins pour les années 1355 ou 1360. A dix ou quinze ans d'écart, le coup porté à la nuptialité redoublera les effets négatifs de la mort elle-même.

Or l'équilibre est fragile. Même lorsque ne s'en mêlent ni la pluie ni les virus, le renouvellement de la population est à peine assuré. Les dynamismes migratoires, et eux seuls, maintiennent et font croître la population des villes. Les grands lignages bourgeois disparaissent pour la plupart en six ou huit générations. Le malthusianisme qu'engendre l'insécurité économique réduit plus sensiblement encore la longévité des familles d'artisans ou de compagnons. A Périgueux, où une belle série de livres fiscaux permet de suivre le destin des familles, on note 95 % de renouvellement en deux siècles : sur 4493 familles ayant vécu entre 1300 et 1500, il n'en est que 162 pour avoir été là en 1300 et en 1500. Dans leur grande majorité, les familles bourgeoises durent deux générations, guère plus.

C'est donc de l'excédent rural que se constitue, jour après jour, la population des villes. Une immigration que la ville dévore très vite, car les nouveaux venus n'ont pas la vie facile et bien peu parviennent à faire souche. Les citadins que la migration rurale ne cesse de remplacer ne sont au vrai que d'anciens ruraux. Qu'elle soit Paris, Reims ou Périgueux, la ville du XIVe siècle nous apparaît comme un tonneau des Danaïdes.

Or cet excédent démographique des campagnes est lui-même fort étroit. Le paysan aisé a tout au plus six ou huit enfants. Trois ou quatre parviennent à l'âge adulte. Tous ne se marieront pas. Ne parlons pas du pauvre...

La croissance des temps normaux est donc légère : huit pour mille, peut-être. Nous ne sommes plus à l'époque des grands défrichements. Voilà déjà un demi-siècle que l'expansion marque la pause, que le dynamisme démographique s'essouffle, que les prix céréaliers stagnent, que les variations de l'étalon monétaire secouent l'économie d'échanges. La Peste noire n'est pas la première épidémie, et elle n'est pas le premier malheur. Elle n'est, non plus, la dernière peste.

Les contemporains de Charles V et du Prince Noir ont très vite su que la peste était leur compagne. Presque aussi meurtrière que la première, une deuxième peste secoue l'Angleterre en 1360 : un mort pour quatre habitants. La troisième, en 1369, et la quatrième, en 1375, en tuent un sur huit. Les retours du fléau sont tout aussi fréquents en France. Tantôt la peste frappe une région, tantôt elle en décime une autre. En 1361, l'épidémie est aussi générale qu'en 1348, mais elle fauche maintenant à l'âge adulte les enfants survivants de la Peste noire, et elle anéantit la rare génération des petits-enfants. A peine amorcée, la reprise démographique est ruinée par ce deuxième coup du sort. La région parisienne est encore touchée, plus gravement semble-t-il, en 1363 : une petite ville comme Argenteuil se voit pratiquement rayée de la carte en quelques semaines. Puis, la peste s'installe. On la note en 1366, en 1368, en 1375 surtout, où la France entière subit comme au temps de la Peste noire les effets d'une épidémie qui prend le relais d'une épouvantable crise frumentaire. Comme d'habitude, la famine mène à la peste. Certaines petites villes de Provence ont perdu en un demi-siècle les deux tiers de leur population.

Le XVe siècle s'habituera – mais fort mal – à la peste. Il n'est guère d'année où on ne la signale quelque part. Elle décime Paris en 1399-1400, elle ravage le Périgord en 1400-1401, le Limousin en 1402, le comté de Nice en 1405. Elle accable le Languedoc et la Provence en 1420, en 1440, en 1450. On la voit encore frapper la Provence en 1456-1457, en 1464, en 1467. Il n'est guère de ville ou de village qui ne connaisse, en un siècle, une dizaine de pestes.

Comme jadis la coqueluche et la dysenterie, la peste fait maintenant partie de la vie des hommes. Les capitouls de Toulouse la tiennent pour une donnée régulière de l'écoulement du temps : elle frappe depuis trente ans, et de trois ans en trois ans. On en est aux chiffres symboliques. La peste entre dans le plan divin. On voit en elle l'un des cavaliers destructeurs qu'annonce l'Apocalypse.

Massacres et médecines.

Le premier coup, celui de 1348, a stupéfié le monde, et plus encore que ne l'avait fait la famine de 1315-1317. On a cherché des coupables, on en a trouvé : les marginaux. Ici les mendiants, là les Juifs.

Ils ont évidemment empoisonné les fontaines, les puits, les citernes. Si fréquente à travers les siècles pour expliquer ce que l'homme se refuse à admettre, c'est l'hypothèse du complot anonyme et sans objet. Certains observent bien qu'un tel cataclysme dépasse par son ampleur les proportions d'un complot ; ils ne le disent qu'à voix basse.

En quelques villes, on exécute les mendiants ; ainsi à Narbonne. N'ont-ils pas avoué ? Des inconnus les ont rétribués pour qu'ils jettent une poudre dans les eaux. « Pour tuer. » Faute de mieux, l'opinion publique se contente de l'explication.

Plus souvent, c'est aux Juifs que la foule s'en prend. En vain certains chrétiens font-ils remarquer que la peste frappe aussi durement les communautés israélites que les paroisses voisines. Partout où les Juifs chassés du royaume de France ont trouvé refuge, la chasse s'ouvre. Dans cette vague de violence gratuite, c'est à la fois la haine et la peur qui s'expriment. Usuriers douteux ou artisans laborieux, riches créanciers ou modestes brocanteurs, les Juifs connaissent quelques semaines de terreur. Parfois, c'est le massacre.

Le 4 juillet 1348, Clément VI lance l'excommunication contre quiconque molestera un Juif. Il s'agit d'éviter le pire à une population israélite particulièrement nombreuse à Avignon et dans le Comtat venaissin. En Franche-Comté, les Juifs sont arrêtés. En Provence, en Savoie, en Dauphiné, la violence monte. Des Juifs sont trop heureux de trouver refuge dans le Comtat venaissin.

Dans les villes alsaciennes, c'est le massacre systématique. Les Alsaciens n'attendent même pas que la peste soit là. A Benfeld, où se réunissent les représentants des villes impériales, la décision est officiellement prise d'anéantir les communautés israélites. Les unes après les autres, les villes envoient leurs Juifs au bûcher. Un temps, les patriciens strasbourgeois tentent d'empêcher le génocide, mais le menu peuple les renverse. A peine au pouvoir, les artisans règlent leurs comptes : les Juifs qui n'ont pas pu prendre le large à travers les villages voisins sont suppliciés le 14 février 1349. Nul n'a encore vu, à cette date, un pestiféré en Alsace. L'approche du fléau a procuré un bon prétexte.

Les massacres n'empêchent naturellement pas le mal de progresser. Cependant qu'elles ferment leurs portes, les villes s'organisent. On cherche des médecins, on en débauche chez les voisins. On en loue pour six mois, pour un an. Certains obtiennent des contrats extraordinaires, du moins pour ceux qui survivront.

Le désaccord entre les hommes de l'art préoccupe Philippe VI. Au fort de l'épidémie parisienne, il charge la Faculté de médecine d'une étude systématique. Celle-ci est achevée en octobre 1348. Causes surnaturelles, causes physiques, diagnostic, prévention, soins, tout y est, sauf la certitude de guérir. Finalement, les maîtres parisiens sont gens prudents.

Il n'est plus temps, pour la plupart des gouvernants comme pour les simples malades, de se montrer regardant sur les titres. Mieux vaut un faux médecin que pas de médecin du tout. L'autorité ferme les yeux sur l'insuffisance du praticien, tant il est évident que la présence du mire rassure à défaut de guérir. On compte sur lui pour diminuer la souffrance, et celui qui espère quand même guérir grâce aux soins de la Faculté ne connaît qu'une brève illusion : tel est mort le soir qui se croyait indemne le matin. On le sait, il n'y a guère de rémissions.

En revanche, on fait confiance au médecin pour échapper au mal. La peste tue un homme sur deux, ou sur trois ? Une bonne médecine peut aider à être celui qui survit. Les maîtres parisiens l'ont affirmé : la peur, la maigreur et, à l'opposé, l'obésité, favorisent la contagion. Peu ou prou, tout cela se soigne.

Alors, puisé dans Aristote ou dans Galien, dans Hippocrate ou dans Ali Abbas, tout l'art médical du Moyen Age vient au secours du candidat à la survie s'il est pourvu de bonnes rentes. Saignées, purgations, diètes épurent le sang. Repos et continence évitent de dilapider inutilement ses forces. C'est d'ailleurs ainsi qu'on limite la contagion, et l'on voit la Faculté dénoncer comme particulièrement dangereuses les amours passagères, épuisantes et sournoises : la fille qui passe d'un partenaire à l'autre peut transmettre le mal avant de se savoir atteinte. Au reste, à demeurer chez soi, portes et fenêtres bien closes, on évite de respirer la pestilence des places publiques ou, pis encore, celle des étuves. En fait de pestilence, les riches sont encouragés à faire brûler de l'encens, de l'aloès, de la noix, du musc, du camphre. Si l'on hésite devant la dépense, que l'on fasse au moins brûler des figues sèches. Tout cela ne sert peut-être pas à grand-chose, mais cela écarte les mouches.

La Faculté s'interroge aussi sur la nourriture. Aux fruits, presque toujours suspects, elle laisse préférer les légumes cuits, assaisonnés de vinaigre cru. Plutôt qu'acheter de l'eau puisée sans précautions, il faut aller soi-même recueillir avec délicatesse son eau à mi-profondeur de la fontaine. A moins qu'on ne puisse emplir son pichet sur les cailloux d'un petit ruisseau... La sagesse est d'ailleurs d'éviter la soif pour n'avoir pas à l'étancher. On se rafraîchira en se promenant aux heures fraîches et en se reposant quand il fait trop chaud. Au vrai, quelques alchimistes distillent eux-mêmes leur eau de table à l'alambic. Les esprits moins compliqués se prescrivent à eux-mêmes le vin pur.

Safran, myrrhe et aloès entrent également en composition des pilules dont on trouve la formule dans les anciennes compilations, et en particulier dans le traité de Razès. L'argile rouge, riche en oxyde de fer, est la base de ce « bol arménien » dont Galien faisait grand cas et que l'on prescrit de confiance. Il y a cent sortes de poudres et de sirops, que chacun essaie en fonction des prix et au gré des occasions. Ceux que l'épidémie épargnera et qui auront pu s'offrir une telle prophylaxie penseront sans doute que la médecine y est pour quelque chose. A tout le moins apprend-elle aux gens à se méfier, à se garder de la contagion, à ne pas créer un milieu trop favorable au mal. A se laver les mains et les pieds, aussi. C'est la base de la prophylaxie, comme la base de la diététique est de n'être ni trop maigre ni trop « replet » : les docteurs de la Faculté l'exposent avec fermeté, le maigre est mal protégé, le « replet » porte déjà en soi des humeurs.

Mais on sait bien qu'un pestiféré est un homme mort. Quand apparaissent les premières taches suspectes, tout devient inutile, et le médecin comme le reste. Boccace l'écrit sans fard :

> Il n'était point d'ordonnance médicale ou de remède efficace qui pût amener la guérison ou procurer quelque allègement. La nature de l'affection s'y opposait-elle ? Fallait-il accuser les médecins ?

Pour le guérisseur, pour le charlatan, qui ne font pas plus mal, il y a de beaux profits, encore que rien ne les protège eux-mêmes du mal. De l'irrationnel au surnaturel, il y a bien des degrés, et l'on ne peut classer commodément les hommes et les comportements. N'est-ce pas le Collège des médecins parisiens qui met en tête des causes de la peste, et comme la principale de ces causes, la conjonction, le 20 mars 1345, de Jupiter, Saturne et Mars, et la rencontre – le 6 octobre 1347 dans le signe du Lion – de Mars et de la tête du Dragon ?

Le prieur des Carmes de la place Maubert fait écho aux doctes de la Faculté. En août 1348, il a vu de ses yeux exploser une étoile formidable.

> On la vit vers l'ouest, grande et brillante, après l'heure de Vêpres, alors que le soleil encore brillant descendait sur l'horizon. Elle n'était pas, comme sont les autres, très lointaine au-dessus de notre hémisphère. Elle paraissait au contraire assez proche. Le soleil se couchait, et la nuit venait. Il nous sembla, à mes frères et à moi, qu'elle ne bougeait pas.
>
> A la nuit tombante, cette grosse étoile se dispersa en plusieurs rayons. Nous l'avons vue, et bien des gens s'en émerveillèrent avec nous. Projetant ses rayons au-dessus de Paris et vers l'Orient, elle disparut totalement, annulée en son intégralité.

> Était-ce une comète ou une autre, ou quelque formation d'exhalations, soudain dissoute en vapeurs ? Je laisse aux astronomes le soin d'en juger. Il est cependant possible que ce fût le présage de la peste.

Cependant que les uns se confient à la magie et font la fortune des sorciers de village, les autres — ou les mêmes, à d'autres moments — tentent de fléchir la volonté divine. L'intercesseur par excellence, c'est saint Sébastien, dont le corps percé de flèches passe pour préfiguration de la peste. Ses statues se multiplient dans les églises après 1350. On prie pour que le fléau passe ailleurs ; cela conduit à prier pour que l'hiver soit froid.

Clément VI, soucieux de mettre l'invocation officielle de l'Église à un autre niveau que la piété populaire, fait composer d'urgence une messe *Pro evitanda mortalitate.*

> Délivre, Seigneur, ton peuple des terreurs que lui inspire ta colère !

Deux ans plus tard, le Jubilé de 1350 connaît un vif succès. Évêques et curés prêchent la pénitence. On use et on abuse de l'image du châtiment divin.

Les Flagellants.

La surenchère ne tarde pas à se manifester. Forme normale de la pénitence, la mortification physique tourne au spectacle collectif. A travers l'Allemagne et les principautés d'empire d'abord, dans la France du nord-est ensuite, des dizaines de groupes d'exaltés se mettent à divaguer, manifestant aux carrefours leur participation physique à la Passion du Christ. Dans l'été de 1349, ces « Flagellants » qui se donnent mutuellement le fouet et psalmodient d'étranges prières commencent d'inquiéter sérieusement l'Europe. Ce sont de braves gens, des laïcs sans grande culture, parmi lesquels quelques rares prêtres sans attache et quelques frères mendiants en rupture de ban ne suffisent pas à constituer un encadrement. La foi des Flagellants est hors de doute. Leur orthodoxie, en revanche, est sujette à caution.

Mouvement populaire, celui des « batteurs » — c'est plus tard qu'apparaîtra le nom de Flagellants — s'inscrit résolument hors des contraintes habituelles et des laxismes coutumiers de la pénitence telle que la recommande et la pratique l'Église. On chante en allemand, en flamand, en français, non en latin. La pénitence par la flagellation fait oublier le sacrement de pénitence. La messe elle-même semble passer après la flagellation publique.

> Or avant, entre nous tous, frères,
> Battons nos charognes bien fort
> En remembrant la grand misère
> De Dieu et sa piteuse mort!

La pénitence par la « discipline » n'est pas chose nouvelle. Ce qui l'est assurément, c'est l'excès. Le fléau avec lequel ces « batteurs » se mortifient ressemble plus à un instrument de torture qu'à un objet de dévotion.

> Trois lanières, auxquelles lanières il y avait un nœud, auquel nœud il y avait quatre pointes ainsi comme d'aiguilles, lesquelles pointes étaient croisées par-dedans le dit nœud et paraissaient dehors en quatre côtés du dit nœud. Et se faisaient saigner en eux battant.

Ils disent avoir reçu de Dieu une lettre. Dans l'histoire des mouvements religieux et des sectes, ce n'est pas la première fois qu'on parle ainsi d'une missive venue des cieux. Bien des émotions religieuses, depuis le VIe siècle au moins, se sont ainsi justifiées. Colère de Dieu, repos dominical non observé, jeûne du vendredi enfreint, pénitence, tels sont les thèmes traditionnels de ces lettres portées par un ange et que nul ne voit en définitive jamais. Au vrai, il ne semble pas que les contemporains de la Peste noire fassent grand cas de la lettre. Les Flagellants ont une audience suffisante quand ils affirment qu'ils sont sûrs de ne pas mourir de la peste et quand ils exigent qu'on brûle tous les Juifs jusqu'aux derniers.

Malgré le peu d'orthodoxie des réunions et des propos — les « batteurs » ne comparent-ils pas le sang qui coule de leurs blessures au sang répandu par le Christ ? — force est au clergé de composer avec les Flagellants. Ils arrivent en troupes nombreuses, et ils fournissent un spectacle gratuit au bon peuple déjà porté à béer d'admiration devant les processions et les tournois, et non moins amateur de malandrins roués vifs et de chenapans au gibet. Ce mouvement de curiosité, il est plus aisé de l'endiguer que de le contrarier. Les clercs le comprennent vite : fermer les églises au mouvement des Flagellants, ce serait vider à coup sûr ces églises de leurs fidèles. Les voûtes gothiques abritent donc des « battages » avec la bénédiction implicite de clercs morfondus. Ceux qui sortent de leur réserve le font à leur corps défendant, et l'on voit de durs affrontements lorsqu'un franciscain ou un dominicain mêlé aux Flagellants s'en prend aux prédicateurs qui se permettent de critiquer le mouvement ou de l'ignorer trop ostensiblement.

Chaque groupe est constitué pour une durée de trente-trois jours. L'allusion à la vie du Christ est transparente. Au moins, pensent les sceptiques et les inquiets, a-t-on espoir d'en voir le bout.

On s'aperçoit malheureusement très vite qu'il n'en est rien. De nouvelles vagues apparaissent, et les groupes se succèdent. Ils s'organisent, se donnent une règle. On les voit en Brabant, en Hainaut, en Flandre, où le mouvement atteint à son paroxysme dans l'été de 1349. Les Flagellants sont à Cassel, à Lille, à Valenciennes, à Maubeuge. Quelques groupes atteignent Douai, Arras, Reims. La prévention de la peste rejoint là le front de propagation du mal.

Les Flagellants se sont déjà montrés à Troyes, cependant qu'un petit groupe s'aventure jusque vers Avignon, lorsque Philippe VI et Clément VI se trouvent d'accord pour donner enfin le coup d'arrêt que les autorités locales ont longtemps cru pouvoir éviter. Les plaintes affluent, et la Faculté de théologie a constitué un dossier accablant. A l'automne de 1349, un jeune théologien fort actif dans l'entourage du cardinal de Périgord, le bénédictin Jean du Fayt, est dépêché de Paris à Avignon pour y éclairer le pape. Du Fayt est flamand, et il a vu de près les Flagellants. Autant que le dossier constitué à Paris, l'expérience l'a instruit. Il parle au nom du roi et de ses conseillers, les maîtres en théologie de la Faculté de Paris, mais il parle aussi en témoin.

La réaction du pape ne se fait pas attendre, quand on lui rapporte ainsi que les Flagellants touchent à l'hérésie, qu'ils comparent leur sang versé au Précieux Sang, qu'ils accumulent les superstitions nouvelles, comme de n'accepter du pain que coupé par autrui ou de ne se laver les mains que dans un bassin posé par terre. Et puis, les Flagellants jouent de l'antisémitisme, et Clément VI n'a pas protégé du massacre les Juifs du Comtat venaissin pour laisser égorger les autres.

Surtout, les Flagellants mettent en danger l'ordre établi, et ils se passent ostensiblement des structures officielles de l'Église. Comme dit fort simplement le pape – ou l'un de ses proches – dans un sermon prononcé en public au moment où l'affaire des Flagellants occupe tous les esprits, « on ne contraint pas Dieu en poussant des hurlements ! ».

Que sont au juste ces « batteurs » ? Des âmes éprises de pureté, soucieuses de leur salut et du salut du monde. Ils ont un tort, qui balance toutes leurs bonnes intentions : au lieu d'apaiser les esprits frappés par le spectre de la Peste noire, au lieu de conforter les parents des victimes et les futures victimes elles-mêmes, ils achèvent de bouleverser les raisons. La pénitence à coups de lanière ferrée conduit à l'hystérie.

Le mouvement inquiéterait moins s'il ne s'inscrivait dans une longue réaction, aux tendances anarchiques, contre l'Église hiérarchique et sa compromission de l'Esprit avec le Monde. Depuis plus d'un siècle, les ordres mendiants – dominicains, franciscains, augustins, carmes – prêchent le retour à la pureté évangélique de la foi. Les frères mineurs – les franciscains – ont souvent pris des positions « évangéliques » dont l'affirmation n'a cessé d'opposer leur ordre, ou une partie de celui-ci, à l'autorité d'un Saint-Siège peu désireux de voir mettre en cause, à travers son pouvoir temporel, son rôle dans la société.

Dès les années 1315, une fraction de l'ordre s'est mise en insurrection ouverte. On les appelait les Fraticelles – les petits frères – ou les « Spirituels ». Le temps de l'Esprit était venu, celui de l'Église du monde était révolu. On frôlait l'hérésie, on touchait au catharisme.

Jean XXII, puis Benoît XII, ont condamné les « Spirituels ». Cela n'a pas suffi à les faire oublier. L'affaire a sérieusement ébranlé la foi.

Entre la réflexion théologique des « Spirituels » et la mystique rudimentaire des Flagellants, il n'y a qu'un lien ténu : le chemin du salut passe hors des structures ecclésiales, loin du magistère pontifical et des liturgies approuvées. Pauvreté volontaire, mortification corporelle, c'est tout un. La longue querelle théologique de l'évangélisme donne aux angoisses nées de la Peste noire de profondes résonances.

Résonances incontrôlées, d'ailleurs. On a pu dire que la crise religieuse soulignée par l'épisode des Flagellants eût été moindre si l'encadrement normal du mysticisme évangélique n'avait disparu. Couvents vidés par la peste, paroisses sans curé, prédications interrompues, absolutions hâtives, tout cela conduit naturellement à la spontanéité des formes individuelles et collectives de la vie religieuse.

Alors, Clément VI choisit de casser le mouvement d'un seul coup. Il condamne le recours à la flagellation systématique, il enjoint aux princes de faire arrêter les obstinés, il charge l'Inquisition de poursuivre ceux qui refuseraient de se soumettre. L'Inquisition, ce sont les dominicains, les vieux rivaux de l'ordre franciscain. Ils prendront assurément à cœur cette nouvelle tâche.

Mais la peste a dépeuplé les maisons de saint Dominique. La besogne va donc lentement, malgré une définition dogmatique de l'Université de Paris qui juge hérétiques les Flagellants.

Pour la plupart, cependant, ceux-ci finissent par se lasser. Un groupe a poussé jusqu'à Avignon, mais il n'ose pas insister et fait retraite. L'épidémie passée, beaucoup songent à obtenir leur réconciliation et regagnent tant bien que mal leur maison. L'Inquisition en brûle quelques-uns pour l'exemple. Pour les franciscains qui n'ont rien d'un Flagellant, la leçon aura quand même été salutaire.

Le peuple chrétien dans sa masse ne reste pas insensible à ces appels à la pénitence, à la régénération spirituelle par la mortification. Passé le paroxysme, on voit après 1350 une extraordinaire éclosion de ces groupes de piété collective et de secours mutuel qui, sous forme de confréries laïques, s'instaurent autour des hiérarchies connues comme autant de tiers ordres. L'encadrement de la prière et de la pénitence collectives interfère ici très subtilement avec celui de la vie sociale, et l'on discerne assez mal, parmi les raisons d'être de telles confréries, ce qui relève de la solidarité économique ou de l'assistance mutuelle – soins aux malades, prière pour les morts – et ce qui est vraiment manifestation de foi par la pénitence et par la charité.

En mangeant plus souvent à sa faim, en trouvant moins souvent la mort au long des routes depuis que sont apparues les institutions de paix – la paix de Dieu, la trêve de Dieu – l'homme a un peu perdu de son ancienne familiarité avec la mort. La paix institutionnelle, la sécurité des routes, les défrichements, les grandes foires, tout cela s'est traduit en un supplément de vie. Et voici que la famine reparaît, et qu'on en meurt. Et que la peste vient brocher sur le tout. La mort, de nouveau, est la compagne familière de l'homme. De 1350 à 1500, dix ou vingt mortalités passent sur chaque ville, sur chaque village.

Faut-il alors s'étonner qu'un nouveau goût se manifeste, qui fait place au morbide ? A la recherche du beau succède celle du tragique. Les artistes, les mécènes, le peuple donnent soudain leur faveur à des thèmes jusque-là délaissés. La *Flagellation du Christ,* le *Chemin de Croix,* la *Déposition au Tombeau, la Pietà* correspondent mieux à la sensibilité de ces temps cruels que les tendres *Enfances du Christ* ou le spectaculaire *Jugement dernier.* Vision sommaire et moralisée de la mort, voici qu'apparaît dans les bibliothèques et sur les murs des cimetières cette *Danse macabre* dont on finira par oublier qu'elle s'appelait Macabré parce que c'était sans doute là le nom d'un peintre. Le macabre, ce sera l'évocation de la mort et de son fléau, égalitaire ou prétendu tel. Il y a eu jusque-là des vivants et des morts. Il y a maintenant la Mort.

Ce n'est plus la mort naturelle, la mort sereine qui transforme en poussière l'ancien corps vivant. « Repose en paix... », « Souviens-toi que tu es poussière... », le rituel des sépultures, comme celui de l'entrée en pénitence au mercredi des Cendres, date d'un autre temps : celui où l'on n'avait pas peur de la mort, mais simplement de l'enfer. Maintenant, c'est la mort horrible, la mort qui fauche, la mort qui laisse dans la rue tous les cadavres et que nul fossoyeur ne vient secourir. La poussière, c'étaient les cendres que laisse le feu purificateur. Maintenant, c'est la « corruption grouillante de vers ».

L'espérance, aussi, a régressé. Non que le chrétien de 1350 ou de 1400 ait moins que ses pères la foi en la résurrection des morts. Il la chante dans son *Credo*, et il ne songe pas à mettre en doute le dogme. Mais ce point du *Credo* lui est moins sensible. Les *Jugements derniers* des siècles passés avaient leur enfer horrible, mais ils avaient leur paradis. Le sein d'Abraham s'ouvrait sur des perspectives de résurrection. La *Danse macabre* précipite tout le monde, morts et vivants confondus, dans une ronde sans fin où se confondent à l'évidence la mort et l'enfer. La foi se teinte de découragement.

Certains s'en évaderont, à la faveur d'une morale de jouissance immédiate. N'exagérons rien, cependant. Le *Decameron* est une œuvre de l'esprit, et Boccace se plaît à broder sur un thème épicurien plus qu'il ne peint le détachement de ses contemporains.

De l'instant de paralysie qu'est l'épidémie, la vie sociale se remet mal, encore qu'il faille noter ici l'une des conséquences directes de la Peste noire : la guerre de Cent Ans marque le pas. Mais c'est aussi une rupture des équilibres économiques. On pourrait croire que la chute démographique affecte à la fois la demande de produits et la capacité de production. Moins de bouches à nourrir, moins de bras pour labourer. La vue, hélas, est trop simple. La Peste noire frappe inégalement, et le jeu des mécanismes compensatoires différencie le rééquilibrage. Le monde d'après la Peste noire, ce n'est pas, en réduction, le monde d'avant la Peste.

De la peste à la crise.

Avec la pluie et les hommes d'armes, la maladie s'inscrit parmi les cavaliers de l'Apocalypse qui fondent sur le monde. L'image est du temps. Elle n'est pas tout à fait fausse. La peste affecte une économie rurale déjà compromise et des structures industrielles aux mutations à peine amorcées. L'épidémie – et celles qui suivent 1348 tout autant que la première – ne fait que ponctuer de crises une récession que rien ne contrarie.

Le premier des effondrements, c'est celui du marché de la main-d'œuvre. Du drapier au maçon, les maîtres survivants se retrouvent sans compagnon, sans valet, sans apprenti. Or la Peste noire n'a que fort peu diminué le besoin en draps de luxe, en fortifications, en armures. L'évêque de Paris est mort du mal, mais un autre est sacré, à qui il faut crosse et anneau. Des compagnies ont fondu, mais on embauche de nouveaux soldats. Comme les consommateurs de produits finis, les producteurs se renouvellent par la montée de nouvelles couches. Passés quelques mois, la maladie laisse peu de traces dans les activités de service, dans l'artisanat, dans le monde des gouvernants.

Ce rapide remplacement de la main-d'œuvre citadine, il est le fruit d'une politique concertée : la hausse des salaires est la réplique, brutale, des patrons au risque de sous-production. La concurrence des maîtres dore encore d'une surenchère l'âge d'or des salariés survivants. Le patron qui veut ne pas fermer boutique n'a pas le choix. Pour la première fois, l'ouvrier exige, et il est maître du jeu. En vain le gouvernement de Jean le Bon tente-t-il, en 1351, puis en 1354, par une réglementation générale du travail, d'empêcher cette flambée des salaires qui jette sur les chemins de la ville ce qui reste à la campagne de bras utilisables. La pagaille qu'engendrent les migrations massives et la menace des désordres politiques que représente dans les villes une majorité de nouveaux venus sont, pour le roi, autant de raisons qui s'ajoutent au désir de contrôler le marché et de sauver la monnaie. Divagation et mobilité, surenchère dans les salaires et concurrence pour la main-d'œuvre, c'est tout un :

> Nul maître de métier, quel qu'il soit, n'enchérisse sur l'autre maître des valets du métier, sur peine d'amende arbitraire.

Le roi ne dédaigne pas d'entrer dans le détail des activités et des rémunérations. A tout salaire il y a un maximum.

> Les femmes qui laveront le ventre d'un pourceau ne pourront prendre pour le laver que quatre deniers ; et si l'on veut qu'elles fassent andouilles et boudins, elles auront dix deniers pour tout.

On cherche en même temps à freiner l'exode vers Paris et l'accès vers les sommets de l'échelle des profits. Le roi ramène à soixante l'effectif des notaires au Châtelet et comprime celui des intermédiaires commerciaux. La chasse aux oisifs est ouverte. On fait appel à la collaboration des ordres mendiants pour que les aumônes n'aillent pas encourager les gens valides à la mendicité.

> Pour ce que plusieurs personnes, tant hommes que femmes, se tiennent oiseux... et ne veulent exposer leur corps à faire aucunes besognes, mais les uns truandent et les autres se tiennent en tavernes et en bordeaux, est ordonné que toutes

> manières de tels gens oiseux ou joueurs de dés ou chanteurs ès rues ou truandant ou mendiant, de quelque état ou condition qu'ils soient, ayant métier ou non, soit homme ou femme, qu'ils soient sains de corps et de membres, s'exposent à faire aucunes besognes ou labeur en quoi ils puissent gagner leur vie, ou vident la ville...

Rien n'y fait. Tiraillé entre le désir de contenir son prix de revient et celui de ne pas fermer boutique, le patron finit par céder. En France comme en Angleterre, en Castille comme au Tyrol, le blocage des salaires reste lettre morte par la connivence intéressée des deux parties. En trois ans, on voit tripler le salaire du maçon et celui du couvreur : alors que l'ordonnance royale taxe au plus à 32 deniers son travail quotidien, le maître de ces métiers en vient à toucher réellement de 60 à 92 deniers. Taxé à 20 deniers, le compagnon en reçoit de 32 à 42. A peine mis en place, le barrage a craqué.

Vainement les pouvoirs municipaux prennent-ils le relais de l'autorité royale. Les villes réglementent l'immigration et l'embauche. Les salaires sont taxés. La flambée ne cessera, d'elle-même, que sous l'effet du nouvel équilibre de l'offre et de la demande.

Le prix des produits finis répercute naturellement la hausse des salaires. Il demeure bien assez de clients pour la capacité de production, et ce sont pour une part ceux qui profitent eux-mêmes de la flambée. Phénomène inflationniste bien connu : chacun se dépêche d'acheter. Mais la hausse des prix rend vite illusoire celle des salaires. Les travailleurs qualifiés garderont de l'affaire une marge de profit. Les autres seront rapidement déçus par la double hausse. Peut-être le compagnon célibataire compense-t-il l'une par l'autre; le père de famille y parvient moins aisément.

Pour beaucoup, la survie est donc fort amère. Le maître artisan voit avec inquiétude monter des salaires qu'il lui faut bien payer sous peine de devoir fermer son atelier. Le déferlement des nouveaux venus trouble les situations acquises, y compris celles des plus modestes, et l'on voit se développer en réaction un malthusianisme corporatif tendant à restreindre le droit d'exercer les métiers. Ce malthusianisme brisera, dans l'artisanat urbain, bien des dynamismes. Il freinera l'évolution technologique. Il encouragera les conformismes traditionalistes et les paresses intellectuelles. Bref, il aggravera les difficultés nées des inadaptations de structure constatées avant même la Peste noire.

La situation n'est pas meilleure dans le monde rural. A part quelques gros propriétaires que la mort de frères et de cousins laisse libres d'opérer des remembrements fructueux à long terme, les maîtres du sol voient s'aggraver le décalage entre leurs charges et leur revenu. Le vieux système seigneurial fondé sur les services internes du domaine, les prestations agricoles et les corvées en tout genre a cédé le pas à une exploitation salariée, et voilà que les salaires montent. Bien sûr, la stagnation des prix céréaliers, que la mort de tant de consommateurs ne saurait évidemment contrarier, prive les maîtres du sol de la possibilité de rivaliser avec les entrepreneurs urbains quant aux salaires qu'ils peuvent offrir.

Mieux vaut alors, en bien des cas, laisser une terre en friche que payer des journaliers trop cher pour ce qu'on tirera de la récolte sur le marché. Au reste, en cette année 1348, le temps du labour et celui de la moisson sont souvent passés sans que la peste permette d'effectuer les travaux. C'est de remise en culture qu'il s'agit donc, et la tâche dépasse parfois ce qui reste de forces disponibles.

Tout au plus la sous-production, ici involontaire, là calculée, va-t-elle enrayer pour un temps la chute des prix agricoles. Il n'y a rien de paradoxal à affirmer que les épidémies de 1348-1349 et de 1361-1363 ont retardé d'un bon quart de siècle l'effondrement de la rente agraire. Mais, soutenir les cours — à un niveau médiocre — en restreignant la production, cela ne s'appelle pas restaurer l'économie.

Pendant qu'étincelle à la ville le miroir aux alouettes d'une flambée des salaires, le monde des campagnes s'installe donc dans un marasme durable. Seigneurs et gros fermiers désabusés, pauvres manants enlisés. En fait de main-d'œuvre, les plus capables sont partis. En fait d'investissements, la rentabilité est telle qu'elle dissuade les plus audacieux. La désertion de certains terroirs est consommée.

Les moins découragés ne sont pas ceux qui, naguère, sur des sols riches, continuaient de vivre assez bien grâce à une agriculture céréalière aux rendements élevés : ceux qui pouvaient s'offrir une charrue au soc ferré, un attelage de chevaux. Ceux qui embauchaient des valets. Ceux qui s'essayaient aux assolements. Soumis comme les autres à la lente dégradation des prix normaux, ils avaient une marge excédentaire suffisante pour se rattraper dans les années pourries, lorsque, la bouillie quotidienne assurée et la semence réservée pour l'année suivante, de plus modestes n'avaient plus rien à vendre. Les crises frumentaires — préludes à la disette — avaient été depuis 1315 la fortune relative du paysan aisé des terroirs limoneux. Le valet plus cher, le fer à cheval et le soc hors de prix, tout s'écroule maintenant. Le laboureur est logé à la même enseigne que les tenanciers aux lopins exigus. Dix ans après la Peste noire, la Jacquerie sera pour une bonne part l'explosion de colère de ces laboureurs éberlués de se voir frappés à leur tour par la crise.

Crises frumentaires, crises monétaires, crises démographiques, tout cela fait du XIVe siècle une suite de heurts auxquels nous devons être attentifs dans le court terme, puisque c'est dans le temps court que les hommes les ont vécues. Plus qu'au marasme mis en évidence à l'échelle du siècle par l'historien soucieux d'expliquer les phénomènes, le citadin ou le paysan est sensible à la variation saisonnière, aux flambées aberrantes, aux manques passagers. Les effets fâcheux des uns et des autres ne s'annulent que dans la statistique, et sur le temps long. Dans la vie quotidienne et à l'horizon du village ou de la rue, les effets dramatiques s'additionnent.

Ceux qui sont morts de faim en un temps de disette – en 1317, en 1348, en 1361, en 1375 – ne sont pas moins morts de faim parce que le prix des blés a stagné pendant les dix années précédentes. Ceux que ces bas prix ont ruinés ne sont pas moins accablés parce qu'une hausse saisonnière a enrichi, plus tôt ou plus tard, quelques spéculateurs. La série de crises qui s'appelle le XIVe siècle a sans doute été vécue comme une série de malheurs, non comme des variations autour d'une moyenne.

La guerre de Cent Ans s'inscrit parmi ces malheurs. Chevauchées rapides à travers le royaume, sièges interminables d'une forteresse ou d'une ville, batailles rangées entre armées ou divagations de compagnies sans embauche, la guerre n'est jamais qu'en un lieu, en un temps. La guerre générale, où tout un pays risque à la fois la ruine et la mort, est inconnue des hommes du Moyen Age. Mais la moisson brûlée en un jour, c'est un an de disette, si tant est que la semence de la seconde année soit préservée. La grange incendiée, que l'on ne reconstruit pas parce qu'on craint de la voir à nouveau saccagée dans un an ou dans dix, c'est une exploitation diminuée pour longtemps. Le bateau coulé dans le chenal, le pont rompu, le moulin dévasté, c'est toute la vie économique d'une région paralysée bien au-delà d'un incident d'une heure.

La guerre n'a que peu de part à la peste. Peut-être seulement a-t-elle multiplié les populations errantes en qui les contemporains ont justement vu l'un des facteurs de la contagion. Soldats et réfugiés ont aggravé, en bien des contrées et en bien des villes, telle ou telle épidémie. La peste, elle, n'a aucune part à la guerre.

La guerre de Cent Ans, ce n'est pas cent ans de guerre. Mais c'est cent ans d'insécurité paralysante, un siècle de psychose de guerre. La peste et la guerre, ici, se complètent. On le voit bien lorsque, passée la flambée des salaires consécutive à la Peste noire, un long temps d'insécurité – après 1356 et surtout 1360 – dissuade les entrepreneurs ruraux d'embaucher, casse la hausse des salaires agricoles, ruine tout espoir de reconstruction rapide de l'économie des campagnes et jette sur le marché urbain de la main-d'œuvre un surnombre de population sans la moindre qualification professionnelle, population parmi laquelle la peste de 1363 fera des coupes claires.

Peste, guerre, peste. Salaires, prix, salaires. Les gouvernants ne parviennent pas à rompre l'enchaînement. On survit à un mal pour succomber à un autre. Les contemporains en sont bien conscients et l'expriment dans leur symbolique de l'effroi : guerre, famine et peste, les trois cavaliers de l'Apocalypse se relaient. Comme l'écrit un clerc normand encore étonné d'en avoir réchappé :

> Et disait-on que le monde finissait.

CHAPITRE VII

Poitiers

Vu de Paris ou même de Rouen, l'Anglais commence d'apparaître comme un étranger, venu d'Outre-Manche. Sur le terrain des affrontements quotidiens, les choses sont moins claires. A La Réole ou à Hennebont, les antagonismes ne se conçoivent pas en termes nationaux. Le roi d'Angleterre poursuit sur le continent les prolongements d'une aventure féodale, celle de cette maison d'Anjou – les Plantagenêts – qui sut jouer des alliances et des opportunités pour se constituer un empire. Le roi de France sait que les termes du conflit sont féodaux, et il ne peut encore imaginer un patriotisme qui affermisse l'effort de guerre français. Tout se joue encore sur un échiquier féodal. Tout s'énonce encore dans les termes du système vassalique.

La Jarretière et l'Étoile.

La fondation d'un ordre de chevalerie n'est pas, au XIVe siècle, l'anachronisme stupide d'un attardé de l'époque des croisades, non plus que l'étalage assez vain d'une éthique de la gloriole. C'est bel et bien un acte politique, une dernière tentative d'adaptation des structures mentales du passé féodal aux nécessités nouvelles de la défense et de l'exaltation de la Couronne.

La vieille chevalerie, celle qui procédait de l'adoubement, s'est transformée depuis le XIIIe siècle en un ordre social. On est chevalier – ou digne de l'être – parce qu'on est fils de chevalier, ou fils d'un écuyer qui aurait pu être chevalier. On en a l'éducation, la capacité financière. Mais le système ne garantit qu'imparfaitement les vertus militaires. Fidélité, discipline, pugnacité sont implicites, mais tout cela bute sur l'enchevêtrement des intérêts et des ambitions, des liens familiaux et des clientèles achetées à prix d'or.

Le système en place assure le droit des armes, non la cohésion des armées. Il fixe dans le détail les règles de cette liturgie chevaleresque qu'est la bataille, non les enjeux dans leur ensemble. On le voit bien lorsque les Français de Guines reprennent aux Anglais de Calais le butin fait par ceux-ci aux dépens des Français de Saint-Omer, et refusent de remettre leur prise aux premiers propriétaires : le butin va à celui qui vient de le gagner, non à celui qui l'avait perdu. On peut être du même parti sans pour autant faire la guerre l'un pour l'autre.

Avec l'ordre de la Jarretière et l'ordre de l'Étoile, c'est une nouvelle chevalerie que créent en 1348 Édouard III et en 1351 Jean le Bon : une chevalerie aux obligations personnellement assumées parce que volontairement acceptées, une chevalerie prise dans un réseau simple de fidélité, avec lequel n'interfère aucune autre fidélité du même ordre.

On peut être de deux lignages qui s'opposent. On peut être semblablement vassal de deux princes en guerre. On peut être – comme les vassaux d'Aquitaine ou les fidèles normands du Navarrais – sujet du roi de France et vassal d'un roi étranger en tant qu'il est seigneur féodal. On peut, sans manquer à l'honneur, percevoir de divers côtés des rentes qui font de vous un obligé, voire un client. Mais on ne peut appartenir qu'à un seul de ces ordres de la nouvelle chevalerie. Le serment que prêtent les chevaliers de ces ordres à leur seigneur et maître clarifie le droit et la morale puisqu'il l'emporte sur tous autres serments.

C'est l'incessant recommencement de l'antagonisme entre le lien unique que veut la cohésion politique et les liens multiples à quoi conduit le souci des intérêts matériels. Le compagnon du VIIIe siècle n'avait qu'un maître, le vassal de Charles le Chauve ou celui de Louis le Germanique n'avait qu'un seigneur. Mais, comment refuser d'avoir plusieurs seigneurs, quand plusieurs vous offrent un fief?

Contre cette multiplicité des hommages, l'an mil avait inventé la « réserve de fidélité », l'hommage « lige », celui qui l'emportait sur les autres en cas d'opposition. Mais comment ne pas prêter plusieurs hommages liges, quand plusieurs seigneurs font de la « ligesse » la condition d'une concession de fief?

Dès le XIIe siècle, la société féodale a trouvé dans l'enchevêtrement des fidélités préférentielles la limite de son efficacité politique. Au cours des premiers affrontements des Capétiens et des Plantagenêts, au temps de Louis VII et de Philippe Auguste, de Richard Cœur de Lion et de Jean sans Terre, l'incertitude des fidélités n'a cessé de bouleverser, parfois du jour au lendemain, la carte des rapports de force.

L'ordre de chevalerie tel que l'inventent maintenant les princes du

XIVe siècle, c'est à nouveau la fidélité sans conditions et sans rivale. Chacun entend avoir, bien en main, « sa » chevalerie.

Aucun propos national, cependant, à l'origine des nouveaux ordres. Le lien est personnel. Les fins avouées sont religieuses, secondairement militaires. L'idéal est celui de l'éternelle chevalerie : la protection des faibles, la défense du bon droit. Les chevaliers de l'ordre nouveau sont les « preux » de leur temps. Rien d'étonnant à ce que la Table ronde fasse, dès l'abord, figure de référence. La bravoure n'est qu'un moyen, la prouesse n'est qu'une manifestation de cet idéal. A tout le moins eussent-ils dû le rester !

Les romans de la Table ronde ont offert un modèle : celui d'un groupe de chevaliers laïcs — l'affaire du Temple a secoué l'image du moine-soldat — choisis par le roi et conduits par lui. Ils forment son compagnonnage au sens le plus fort du terme. Le *Roman de Perceforest, roi de la Grande-Bretagne, fondateur du Franc-Palais et du Temple du Souverain Dieu*, n'est pas seulement l'un des derniers écrits du genre. L'auteur, un contemporain de Philippe VI, propose, sous la fiction d'une histoire des temps antiques inspirée du *Roman d'Alexandre* et du *Lancelot*, un véritable modèle de chevalerie moderne :

> On y pourra voir la source et décoration de toute chevalerie, culture de brave noblesse, prouesses et conquêtes infinies.

Le premier qui songe à ordonner une nouvelle chevalerie, c'est en 1330 le roi Alphonse XI de Castille, fondateur de l'ordre de l'Écharpe. Le dauphin de Viennois Humbert II crée à son tour, vers 1335, l'ordre de Sainte-Catherine. Quelques années plus tard, le duc de Normandie — le futur Jean le Bon — et le duc de Bourgogne Eudes IV songent en commun à une « congrégation » de deux cents chevaliers, un ordre de Saint-Georges qui ne verra pas le jour.

Il ne s'agit encore ni de guerre ni de cohésion nationale. L'idée est simplement dans l'air. Il commence d'être à la mode de fonder un ordre.

Le pape ne peut qu'approuver cette forme de moralisation de la vie chevaleresque. Le 5 juin 1344, Clément VI enrichit de confortables privilèges la future « congrégation » de Saint-Georges. On ne parle pas de tournois, mais bien de messes et d'offices chantés. C'est une œuvre de piété que veulent accomplir, dans le goût du jour, les deux jeunes princes. En fait, par-delà la dévotion pure, qui est ce que retient du propos le souverain pontife, les ducs de Normandie et de Bourgogne pensent surtout à organiser des fêtes ; les célébrations religieuses en seront l'occasion. La pensée politique est encore bien floue dans l'affaire de 1344.

Dans le même temps, Édouard III décide de rétablir la Table ronde. Le 19 janvier 1344, il organise à Windsor une « fête de la Table ronde ». Tous les princes en ont donné depuis un siècle : c'est le jeu à la mode. Mais il saisit l'occasion de ce qui n'est dans l'immédiat que chants et tournois pour faire publiquement un vœu de roi : la compagnie des chevaliers de la Table ronde sera rétablie. Elle comptera au moins trois cents preux. Un temple rond de deux cents pieds de diamètre abritera les liturgies. Il ne manque, pour rejoindre la fiction, que le Saint-Graal.

Les jeunes princes, les trois cousins, ne sont encore occupés qu'à jouer. Ils jouent à Lancelot, à Perceval, à Perceforest. Ils le font toutefois avec sérieux, ce même sérieux que mettaient dans leurs tournois les chevaliers de l'ancien temps, celui où le tournoi était un jeu dont le vainqueur tirait les plus grands honneurs et dont le vaincu restait souvent mort dans la lice.

Le temps passe. Édouard a d'autres affaires en tête que de jouer au roi Arthur. La Flandre, la Bretagne, Crécy, Calais : autant de retards à l'accomplissement du vœu de 1344. Jean est roi de France, et la France est en crise. La Peste noire passe sur l'Europe. Le monde est plus grave, les enjeux sont d'un autre poids.

C'est Édouard qui, le premier, reprend l'idée d'une chevalerie nouvelle. En avril 1348, il fait broder les premières jarretières bleues aux lettres d'or et d'argent : « Honni soit qui mal y pense. » Le 23 avril 1349, les élus se réunissent pour la premiée fois dans la chapelle Saint-Georges à Windsor. On est loin des grandes constructions de 1344. Vingt-six chevaliers, treize chanoines, treize clercs constituent l'ordre. Pas un de plus.

L'époque des fictions romanesques est passée. L'ordre n'a pas pour fin d'organiser des joutes, mais de souder autour du roi l'élite de la chevalerie. L'aspect religieux de l'entreprise se précise. Alors que, vainqueur à Crécy et à Calais, Édouard III touche à la réalisation de ses vues politiques, il fait de l'ordre nouveau l'instrument d'un développement mystique de la fidélité au roi. S'il préside les chapitres de l'ordre, rappelant ainsi très ouvertement le caractère laïc de l'institution, ce n'est pas comme le premier des égaux. Il est à part. Il est le « souverain » de l'ordre. Le mot n'a pas été choisi par hasard lors de la rédaction des statuts.

La discipline qu'impose l'ordre, c'est celle d'un service personnel du roi. Les chevaliers de la Jarretière sont recrutés parmi « les plus profitables à la Couronne et au royaume ». On est bien loin de la Table ronde. C'est une élite politique et militaire, dévouée à la cause dynastique.

Jean le Bon voit l'Anglais réaliser ce qu'il a naguère rêvé. L'ordre de l'Étoile sera le pendant français de la Jarretière. Les membres en sont désignés à la fin de 1351. Les statuts sont promulgués en octobre 1352 et Geoffroi de Charny, le porteur de l'oriflamme de France, est chargé de composer un « Livre de chevalerie » qui sera le code d'honneur de la chevalerie nouvelle.

L'Étoile doit concourir à l' « exhaussement de la chevalerie et l'accroissement d'honneur ». C'est le vieux propos de Perceforest. Mais la cohésion des chevaliers ainsi distingués – cohésion volontairement acceptée, car nul n'est forcé d'entrer dans l'ordre – assurera au royaume la paix et la force. Le roi de France le sait bien, sa noblesse est divisée et la trahison gronde. Tout au moins ce qu'en une vision déjà monarchique des choses les gens du roi s'emploient à faire passer pour trahison ; car de grands barons comme les Harcourt ou les Brienne ne conçoivent pas autrement qu'en termes de droit féodal le désaveu de leur seigneur et l'aveu d'un autre seigneur.

Les statuts de l'Étoile insistent sur l'unité du corps qu'est l'ordre, sur son unanimité. Tout manquement à cette unanimité traduirait donc en termes de droit féodal – en termes de fidélité contractuelle – cette notion de trahison que l'on s'exagère sans doute dans l'entourage du roi et que, dans les baronnies, on ne parvient pas à voir.

L'Étoile garantit donc au roi ce dont l'assurait l'ancien hommage, celui du XIe siècle : la loyauté à toute épreuve d'une véritable armée, la fidélité de cinq cents chevaliers. Napoléon fera de même : la Garde impériale sera une armée d'élite au sein d'une grande armée passablement disparate.

Pas plus que la Jarretière qui se réunit une fois par an à Windsor, l'Étoile n'est une « congrégation » comme on a naguère rêvé d'en créer une à des fins plus spirituelles que militaires. Les chevaliers se réunissent en « cour plénière » le 15 août de chaque année, dans la « Noble Maison » de Saint-Ouen qui est aux premiers Valois ce qu'était Royaumont à saint Louis et Maubuisson à Philippe le Bel : une retraite de prédilection, pour la réflexion politique autant que pour la dévotion. Mais l'ordre n'est pas dans cette assemblée, il est dans son unité sur les champs de bataille. Au reste, on prie fort peu à la cour plénière : chacun doit y raconter, sous serment, ses prouesses et ses faiblesses à la guerre. En bref, on fait le bilan des expériences. Entre les projets de 1344 et l'ordre de l'Étoile, il y a eu Aiguillon, Crécy, Calais. Philippe VI et Jean le Bon savent que leur armée, celle que constituent leurs vassaux et celle qu'ils peuvent se payer, ne vaut pas cher au combat. L'Étoile sera le noyau indéfectible de l'armée royale rénovée.

Le caractère dynastique – plus que national – de l'ordre de l'Étoile se laisse aisément entrevoir. Et d'abord, par l'appartenance exclusive de toute autre : ceux à qui Jean le Bon propose l'Étoile et à qui Édouard III a déjà offert une stalle à Windsor devront choisir.

Comme il y a vingt-six chevaliers de la Jarretière et cinq cents de l'Étoile, le roi de France a les moyens de décourager les adhésions à l'adversaire.

De même a-t-on renoncé à un patronage – celui de saint Georges – invoqué dans le projet de 1344 mais désormais intempestif. Au temps de la piété, rien ne s'opposait à ce que la fleur des chevaleries anglaise et française vénérassent le même saint. Au temps de la guerre, le même ne peut protéger les deux armées.

Pour mieux assurer la valeur militaire de l'élite chevaleresque ainsi constituée par des moyens qui n'ont rien de chimérique, Jean le Bon a une idée. Elle est stupide. Nul n'a assez de bon sens et d'autorité morale pour le lui dire. A leur réception dans l'ordre, les chevaliers de l'Étoile prêteront serment de ne jamais reculer sur un champ de bataille. C'est ainsi qu'en 1353, dans une simple embuscade tendue en Bretagne par les Anglais du parti de Montfort, nombre de chevaliers de l'Étoile se feront inutilement tuer parce que leur serment leur interdit de rompre l'engagement pour se rassembler. Friand de prouesses mais non de suicides, le chroniqueur Jean le Bel date de ce premier combat l'effondrement de l'Étoile :

> Onques puis ne fut parlé de celle noble compagnie, et m'est avis qu'elle soit allée à néant, et la maison vague demeurée.

Il est de fait que nul ne parle plus de l'Étoile. La Jarretière subsiste, d'autres ordres vont voir le jour, comme celui de l'Écu d'Or fondé en 1364 par le duc Louis de Bourbon, beau-frère de Charles V, comme celui de la Dame blanche à l'écu vert, imaginé par le maréchal Boucicaut à la fin du siècle, et comme tant d'autres qui naîtront d'imaginations chevaleresques souvent éloignées de toute pensée politique. L'idéal de l'Étoile, cependant, n'est pas oublié. Il présidera au choix de Jean le Bon lorsque se posera, à Poitiers, l'éternelle alternative des vaincus : fuir ou se rendre. Un vaincu peut se rendre sans honte, le *Livre de chevalerie* l'assure, qui est plein des égards dus au preux desservi par la chance. Jean le Bon refusera de se replier. Le « fuitif de bataille » est un lâche.

L'armée du roi Jean.

Pendant que naît et meurt l'Étoile et que Jean le Bon fait traduire par l'humaniste Pierre Bersuire l'histoire romaine de Tite-Live « à l'usage de ceux qui voudront savoir l'art de chevalerie et prendre usage aux vertus anciennes », l'armée royale se prépare pour la longue guerre que tout laisse désormais prévoir. Dès avril 1351, le roi organise un contrôle permanent des effectifs et de l'armement. Ne se contentant plus des « montres » faites à l'heure du recrutement, les gens du roi vont dorénavant passer des « revues », autrement dit de nouvelles vues périodiques de l'effectif sur le pied de guerre. Pour que l'on ne fasse « montre pour et d'un seul homme d'armes en plusieurs et divers lieux, bien que selon nature et raison il ne puisse servir qu'en un », pour que plusieurs compagnies ne puissent présenter un même armement, de telles inspections seront opérées sans préavis.

Travail considérable, on appellera les noms et les surnoms, on dénombrera les armes et les munitions, on notera la robe des chevaux, et l'on marquera ceux-ci au fer rouge — un fer différent pour chaque compagnie — après avoir enregistré chaque bête de plus de trente livres tournois ; la couleur du poil sera notée, comme le type de mors et la forme du harnais.

Chaque arbalétrier tirera plusieurs traits : pas question de faire prendre en compte une vieille arbalète aux cordes usées, ou de faire passer pour arbalétrier un coutillier inexpert au maniement des armes de prix.

Une telle ordonnance est bien exigeante pour une administration encore légère. Dès le début, les revues sont aussi inopinées que le veut le règlement, mais elles sont rares. Au moins la procédure permet-elle de s'assurer, quand la guerre est imminente, que tous les combattants engagés et payés pour cela sont bien présents sous les armes. En 1355 et 1356, les maréchaux et les lieutenants de Jean le Bon multiplient les revues. Mais il est des cas où l'on aime mieux payer des troupes sans les voir qu'aller passer la revue dans une zone d'insécurité. Philippe de Mézières soulignera, quelques années plus tard, dans le *Songe du Vieil Pèlerin*, l'avantage offert à l'ennemi aux aguets par une exhibition intempestive des effectifs. Mieux vaut ne pas passer en une même journée la revue de toute une garnison : les espions, eux aussi, savent compter.

S'il compte ses hommes, le roi Jean compte mal leur paie. En 1356 encore, il s'obstine à calculer la solde en sous et deniers, c'est-à-dire en monnaie de compte. Comme l'inflation ne cesse d'user le sou et le denier, le soldat voit son pouvoir d'achat entamé par une situation monétaire dont les données lui échappent évidemment. Le chevalier banneret gagne toujours trente sous, le chevalier bachelier quinze sous, l'écuyer sept sous six deniers, le ménétrel à cheval trois sous : comme en 1339 et en 1351. Mais le sou de 1339 valait six fois plus d'argent fin que celui de novembre 1355. Au moment de se battre, le soldat se sent mal payé.

Le gouvernement royal s'apercevra trop tard de ce qu'il lui

en coûte d'avoir des soldats mécontents. Après Poitiers, on sera plus attentif à maintenir le pouvoir d'achat de la solde. Jusqu'à la stabilisation monétaire de 1360, les tarifs seront exprimés en écus, autrement dit en or. Mais à ce moment-là la catastrophe sera consommée.

Le Prince Noir en Languedoc.

Le 20 septembre 1355, le Prince Noir a pris position en Guyenne. A la veille d'entreprendre lui-même une action de grande envergure dans le nord de la France, Édouard III confie à son fils aîné l'opération de revers qui immobilisera au sud une partie de l'armée des Valois. Le front aquitain est secondaire, mais il est de bonne stratégie. Et le Prince Noir y fera son apprentissage de commandant en chef.

Édouard, prince de Galles, duc de Cornouailles et comte de Chester, a vingt-cinq ans. A cet âge-là, bien des rois sont déjà fort avancés dans leur règne. Pour lui, le temps des responsabilités n'est pas encore venu. Son père, Édouard III, règne depuis bientôt trente ans – depuis 1327 – et va garder la couronne d'Angleterre un demi-siècle, jusqu'en 1377. A un an près, le Prince Noir ne régnera pas.

Il n'est pas à l'écart. A Berkhamptead, à Kennington, il tient une cour fastueuse. Son père l'a, à plusieurs reprises, nommé « gardien » du royaume : c'était beaucoup pour un enfant – la première fois, il avait huit ans – et cela ne signifiait rien, car le pouvoir politique suivait en réalité le roi sur le continent. Présent à Crécy, le prince de Galles a commandé un corps de troupe : assez pour risquer sa vie à quinze ans, pas assez pour partager la gloire de son père.

Il lui faut donc s'affirmer. L'audace y pourvoira. Le 5 octobre, il lance une chevauchée parfaitement inattendue : vers le sud-est. Le comte Jean d'Armagnac va payer fort cher l'alliance de revers qu'il a lui-même, les années précédentes, procurée au roi de France. Le Prince Noir est à Langon, à Bazas, à Castelnau. Il sillonne l'Armagnac. Les châteaux tombent, les villes cèdent. Il est en Astarac, en Comminges. Le raid anglo-gascon ravage le pays, fait du butin. Le Prince Noir ne s'en cache pas, et il s'en targuera dans une lettre au roi son père : il veut semer la terreur. Ou plutôt, il rend aux Français la monnaie de leur pièce : nul n'a plus détruit en Gascogne que le lieutenant du roi Valois, Jean d'Armagnac :

> Ainsi chevauchâmes après parmi le pays d'Armagnac, grevant et détruisant le pays, de quoi les liges de notre très honoré

seigneur (Édouard III), auxquels il avait devant grevé, étaient moult réconfortés.

Parvenu au sud de Toulouse, le Prince Noir passe la Garonne et s'en va narguer la garnison française que commandent le connétable Jacques de Bourbon, le maréchal Jean de Clermont et Jean d'Armagnac. Les faubourgs de Toulouse brûlent, peut-être incendiés par les défenseurs eux-mêmes pour garantir les murailles de la ville d'une surprise.

Les Anglo-gascons s'enfoncent impunément dans le Languedoc royal. Ils entrent, presque sans coup férir, dans les petites villes de Montgiscard et de Castelnaudary, dont les enceintes sont faites d'un simple mur de terre. Les voilà devant Carcassonne. Rue par rue, ils prennent la ville basse barrée de chaînes ; les bourgeois, qui savent quel sort les attend, défendent chaque maison, chaque encoignure. La cité de Carcassonne, sur sa colline fortifiée, tiendra bon malgré deux jours d'assaut.

Le raid continue. La ville de Capestang gagne du temps en offrant de payer une rançon, et évite enfin le pire grâce à un renfort de dernière minute, que conduit un capitaine à la solde du connétable, un ancien clerc que l'on a surnommé « l'Archiprêtre », Arnaud de Cervole. Le 8 novembre, Narbonne subit à son tour le sort de Carcassonne : le bourg sur les bords de l'Aude est pillé, la cité fortifiée résiste.

L'un des chevaliers anglais, John de Wyngfield, s'émerveille d'être parvenu si loin en huit semaines :

> La ville de Narbonne... est un peu moindre de Londres, et est sur la mer de Grèce, et n'y a de la dite ville à la haute mer de Grèce que onze petites lieues. Et il y a port de mer et arrivaille, dont l'eau vient à Narbonne.

Pendant cette équipée, les gens du roi Valois ne sont pas inactifs. Mais, subjugués qu'ils sont par l'audace d'une entreprise où la stratégie n'a aucune part, les Français sont incapables de prévoir le chemin qu'il faudrait barrer. Quant à fortifier en quelques jours tout le Languedoc et à garnir toutes les places d'hommes d'armes en quantité suffisante pour soutenir un siège, il n'y faut pas songer. Le Prince Noir se donne, par la rapidité de sa chevauchée, un avantage que dix ans de précaution eussent à peine compensé. La leçon sera retenue : la prochaine fois, les villes seront prêtes.

Le connétable de Bourbon a levé des troupes dans la sénéchaussée de Beaucaire. Avec les soldats du comte d'Armagnac, cela fait une force non négligeable, qui harcèle les Anglais sur leurs arrières et les dissuade de poursuivre le siège des villes dont l'enceinte tient quelques heures. Le Prince Noir réussit sa guerre éclair; il triomphe parce qu'il sait s'en contenter.

L'affaire touche à son terme. On est en novembre. L'hiver vient. Les légats du pape s'en mêlent, à qui le Prince Noir fait attendre pendant deux jours des sauf-conduits avant de les refuser finalement sans autre justification. Plutôt que de négocier avec des enjeux incertains, il préfère se retirer. La chevauchée de 1355 n'est pas une conquête : il en coûte trop cher de garder une conquête. C'est simplement une affirmation de puissance. L'Anglais ne veut pas du Languedoc, il veut être tranquille de ce côté-là au printemps suivant.

C'est maintenant le retour. Limoux brûle; les faubourgs de Carcassonne aussi, une deuxième fois. Montréal est prise, pour que nul ne puisse croire que ce retour est une retraite. Le Prince Noir a tout son temps. Il passe par la montagne, se montre du côté de Pamiers, poursuivant peut-être – c'est lui qui l'écrira – quelques troupes françaises en fuite, préférant peut-être razzier encore quelques villes plutôt que de traverser à nouveau un pays déjà pillé.

Pendant ce temps, on pavoise à Montpellier, à Nîmes, à Béziers. Les braves gens de ces villes s'attendaient au pire. Ils ne tarderont pas à croire que le Prince Noir a eu peur d'eux.

C'est de cela que sera longtemps faite cette guerre qui n'en finit pas de commencer : de chevauchées sans autre objet que le pillage, et sans autre but qu'un port de rembarquement. La troupe passée, villes et villages épargnés respirent un instant, et attendent la prochaine équipée. Quant au soldat qui voit mal à quoi il sert, sinon à semer la terreur, on aura de la peine à lui faire comprendre que le pillage est interdit dès lors qu'il ne sert plus un prince.

La chevauchée du Prince Noir a passé la Garonne près de Muret. Du côté de Gimont, elle met en déroute une troupe française. Elle prend Clairac et Tonneins. Armagnac et Bourbon échouent à barrer la route des Anglo-gascons. Le Prince Noir pourra, le jour de Noël, écrire de Bordeaux à son père Édouard III que la mission est accomplie. Les Languedociens n'ont plus aucune confiance dans leur souverain Valois.

Les Gascons, eux, sont ravis. L'entrée dans Bordeaux est un interminable défilé de chariots. Pour la plupart, les bidauds du Prince Noir sont de pauvres bougres recrutés sur les terres pauvres du pays landais. Ce qu'ils ont vu les a éblouis. Dans ces gros bourgs dont l'industrie drapière fait déjà la prospérité, les soldats ont pillé les coffres, rançonné les bourgeois, raflé tout ce qui s'emportait. Ainsi, selon Froissart, à Castelnaudary :

> Là eut grand occision et persécution d'hommes et de

> bidauts. Ainsi fut la ville toute courue, pillée et robée, et tous les bons avoirs pris et levés.
>
> Les Anglais ne faisaient compte ni des draps ni des pennes, fors de vaisselle d'argent ou de bons florins.
>
> Et quand ils tenaient un homme, un bourgeois ou un paysan, ils le retenaient prisonnier et le rançonnaient, ou ils lui faisaient meschief du corps s'il ne se voulait rançonner.

Le Prince Noir sait jouer de l'émerveillement de ses troupes. Il laisse ses hommes s'empiffrer de vin muscat et assurer leur butin.

> Ainsi trouvaient les Anglais et les Gascons le pays plein et dru, les chambres parées de coutres et de draps, les écrins et les coffres pleins de bons joyaux. Mais rien ne demeurait de bon devant ces pillards, et par espécial Gascons qui sont moult convoiteux.

Lorsqu'il congédie son armée, le prince de Galles ne court pas grand risque. Il sait qu'il retrouvera ses soldats au printemps, et sans qu'il soit besoin de hausser la solde.

A Bordeaux, l'atelier monétaire connaît un regain d'activité. La frappe des léopards d'or et celle de nouveaux gros d'argent n'est pas seulement la réponse à une nécessité économique ; c'est un geste politique. Le léopard n'a jamais été aquitain : tout l'Occident sait qu'il figure sur les armes d'Angleterre comme sur celles de Normandie. Le Prince Noir met la marque de l'Angleterre sur la vieille Aquitaine. Nul ne peut s'y tromper : celle-ci a un maître. Le duché, de nouveau, se sent exister, même si la monnaie qui court est aux armes d'Angleterre.

Pendant qu'il terrorise le Languedoc, l'Anglais nargue son adversaire dans le Nord. Maître de Calais, il peut déclencher quand il veut ces raids où l'assaillant est à peu près sûr de gagner dans l'instant, puisqu'il choisit son temps et son lieu. Cette fois, c'est en Artois qu'Édouard III mène ses troupes. Il ravage quelques villages, atteint Hesdin, feint d'attendre l'ennemi, décroche dès qu'il entend parler d'une riposte française. Jean le Bon arrive trop tard à Amiens, où il a convoqué précipitamment son armée : l'Anglais refuse la bataille. Il a, dit-il, suffisamment attendu !

Chacun rentre chez soi en cette fin de novembre : Édouard III à Calais, le Prince Noir à Bordeaux, Jean le Bon à Paris. L'hiver est là, qui permet de préparer la prochaine campagne.

Les états généraux.

Jean le Bon n'y songe malheureusement qu'avec inquiétude. La situation financière tourne à la catastrophe. Les coffres sont vides, la solde est en retard, les gages civils n'ont pas été payés depuis six mois. Les fournisseurs de la cour se désespèrent. Et le bon peuple de se scandaliser quand il voit le luxe des hôtels princiers, quand il entrevoit les riches vêtements et les fêtes fastueuses. On achète tant de perles, de saphirs, de rubis, de fil d'or et d'argent, que les merciers parisiens voient la marchandise manquer. Et pourtant, jamais les joyaux, les ceintures brodées et la vaisselle précieuse n'ont été aussi chers. L'argent ne manque pas, conclut le badaud, qui s'en souviendra lorsqu'un an plus tard il fera l'amère constatation de l'incapacité militaire des nobles.

Pour l'instant, la monnaie s'effondre et les prix montent. Jamais, au cours des temps, on n'a vu la livre tournois aussi bas. La pièce d'argent, le blanc – on l'appelle ainsi pour le distinguer des pièces « noires » à faible teneur d'argent fin – perd tantôt de son poids, tantôt de son aloi : dans tous les cas, le pouvoir d'achat est amoindri.

A la fin de 1354, le blanc de cinq deniers pèse encore 3,05 grammes d'argent à 278 millièmes d'argent fin. En mai 1355, la nouvelle émission met sur le marché des pièces de 2,04 grammes à 208 millièmes. En juillet, on fait illusion et on change le type : c'est un gros de quinze deniers, qui pèse 3,39 grammes à 278 millièmes. Plus lourd d'un dixième que le blanc de 1354 pour une valeur nominale triple, le gros de juillet 1355 signifie que le denier de compte, celui dans lequel s'expriment les prix, s'est effondré. Pour une livre (20 sous), un sou (12 deniers) ou un denier, on a – en argent ou en marchandises – le tiers de ce qu'on avait un an plus tôt.

La chute continue. Les nouvelles qui parviennent du Languedoc ne sont pas propres à ranimer la confiance. En novembre, la Monnaie émet de nouveau le gros de quinze deniers, mais il ne pèse plus que 2,44 grammes d'argent à 208 millièmes.

De ce ballet des poids et des titres, aucun contemporain n'est dupe. La monnaie royale a bel et bien perdu, en un an, 82 % de sa valeur.

Même s'il mérite fâcheusement sa réputation de faste et de généreuse prodigalité, Jean le Bon prépare de sang-froid sa campagne de 1356. Il lui faut pour cela de l'argent. Malgré ce qu'il en coûte au pouvoir royal, depuis quinze ans, de devoir négocier les moyens de son gouvernement, il convoque les états.

L'assemblée qui se réunit dans la grande salle du palais de la Cité le 2 décembre 1355 ne mérite qu'imparfaitement son nom d'états généraux. La Langue d'oc, qui était là en février 1351 lors des premiers états réunis par le roi Jean, est cette fois absente. On sait ce qui se passe, au même moment, entre Bordeaux et Narbonne. Les plus méridionales des villes représentées sont Lyon, Bourges et Poitiers. En fait, Paris mène le jeu. Le prévôt des marchands Étienne Marcel, son cousin Imbert de Lyon, son associé Jean de Saint-Benoît, son prédécesseur Jean de Pacy, ses échevins Pierre Bourdon, Bernard Coquatrix, Charles Toussac et Jean Belot, voilà les grandes figures des états de 1355.

Ce qu'entendent les barons, les prélats et les procureurs des villes n'est pas pour les étonner. Pierre de la Forêt, chancelier de France, expose la détresse financière, demande une « aide » pour la guerre, promet en échange le retour à la monnaie forte. Depuis Philippe le Bel, les termes du marchandage n'ont pas changé.

Un élément nouveau, toutefois, dans le dialogue : le sac de l'Artois et celui du Languedoc annoncent que le visage de la guerre est en train de changer. Il ne suffit plus de convoquer l'armée; encore faut-il tenir en permanence des garnisons dans les villes. On parle de mourir pour le roi, mais on commence de penser sérieusement à la sécurité des habitants.

Les trois états sont donc bien d'accord pour aider le roi. C'est ce que disent à leur tour l'archevêque de Reims Jean de Craon, le connétable Jacques de Bourbon, le prévôt des marchands Étienne Marcel. Mais il leur faudra un mois pour se mettre d'accord sur la forme que peut prendre cette « aide » au roi.

Ce sera un impôt de huit deniers pour livre sur toutes les ventes, à la charge du vendeur. Il sera levé par des commissaires « élus » — c'est-à-dire choisis — par les états. On veut bien aider le roi, mais on entend veiller à l'usage qu'il fera de cette aide. Quant à la forte monnaie qu'exigent la haute bourgeoisie d'affaires et l'aristocratie terrienne — le parti des créanciers et le parti des rentiers — sans se préoccuper de savoir si le marché monétaire la rend possible ou même souhaitable, elle sera frappée dès la mi-janvier. Ce sera un « blanc au châtel » orné de fleurs de lis et pesant 4,07 grammes d'argent à 333 millièmes. Monnaie trop forte pour tenir sur le marché, elle flambera très vite au feu de l'inflation, montant en deux mois d'un cours légal de huit deniers tournois à un cours réel de seize deniers. Il faudra, en avril, émettre une pièce de même type apparent, mais allégée d'un tiers en poids et d'un quart en titre.

La confiance des états est mitigée : ils obtiennent de se réunir à nouveau en mars. Le pouvoir royal n'est certes pas en tutelle, mais il est déjà sous contrôle. D'ailleurs, en attendant la prochaine session, les états désignent une commission permanente chargée de veiller au gouvernement de l'impôt, donc à la préparation de la guerre. Les amis d'Étienne Marcel y ont, avec quelques notables du Palais, la haute main sur les affaires. Les officiers de finance, ceux que l'on accusait à juste titre de spéculer sur l'impôt et sur la monnaie, ceux dont la fortune commençait d'étonner le public, sont délibérément tenus à l'écart de cette nouvelle machine politique. Certains sont arrêtés, les autres se tiennent tranquilles.

Mars arrive sans que le système ait fait ses preuves. L'impôt rentre mal. Dans bien des villes, on a mis en doute la validité des décisions parisiennes. Arras, Évreux, Caen, Bayeux refusent de payer. Dix-sept bourgeois d'Arras, plus ou moins suspects d'avoir pactisé avec le fisc royal, trouvent la mort au cours du sac de la maison de Guillaume Le Borgne, l'un des échevins. Les émeutiers jettent les corps par les fenêtres, puis s'en vont chercher querelle à quelques autres notables, notamment au prieur des Trinitaires, homme fort impopulaire. Ils ne se calment qu'à l'arrivée du maréchal d'Audrehem.

Le plat pays ne paie pas mieux que les villes. Les délégués des états y usent leur patience sans grand profit. On commence de s'apercevoir qu'il est plus aisé de vouloir se substituer à l'administration royale que de le faire en pratique.

Les états de mars 1356 tâtonnent, croient résoudre le problème en modifiant le type d'impôt. On passe à l'impôt direct, taxé sur le capital mobilier — il s'agit de frapper aussi les fortunes commerciales, non investies en terres — aussi bien que sur le revenu foncier. Mais un tel impôt suppose une estimation précise des facultés contributives de tous les sujets du roi. La chose n'est pas impossible, mais elle prendra des mois, et les états ne semblent pas s'aviser que le temps manque avant la guerre.

Cependant que la nouvelle politique financière échoue, les complots de cour connaissent un fâcheux regain. Le roi de Navarre n'a fait la paix qu'à contrecœur, et l'on sait quels projets il a échafaudés lors de son séjour à Avignon. Les conseillers évincés de la gestion financière par les états, les Nicolas Braque, les Enguerran du Petit-Cellier, les Robert de Lorris, les Jean Poilevilain, attendent leur revanche cependant que les ambitieux de tout poil espèrent une occasion.

Au premier rang de ces opportunistes, l'évêque de Laon Robert Le Coq. Cet ancien avocat du roi au Parlement est un juriste et un polémiste de grand talent. Il se verrait assez bien chancelier de France. Il a, neuf ans plus tôt, succédé au Parlement à Pierre de la Forêt ; pourquoi ne lui succéderait-il pas à la Chancellerie ? Robert Le Coq est en mal d'un rôle politique, mais il sait aussi que Pierre de la Forêt a mis la main sur le plus beau bénéfice de l'Église de France, l'archevêché de Rouen. Le siège épiscopal de Laon, pour chargé d'histoire qu'il soit, rapporte trois fois moins.

Le Coq a été des conseillers politiques du futur Jean le Bon, alors duc de Normandie. Il a siégé aux états de 1346. Il a participé à des négociations franco-anglaises en 1350. Promu maître des requêtes, il a suivi le roi Jean dans son voyage à Avignon ; il s'y est fait des relations, et il y a glané des prébendes. Mais cela ne suffit pas.

Il s'est malheureusement heurté à des concurrents. Impatient d'être évêque, il lui paraît que, s'il n'obtient pas la mitre aussi vite qu'il le voudrait, c'est que le roi ne le soutient pas. Il est enfin revenu d'Avignon évêque de Laon, et à ce titre duc et pair, mais il est revenu furieux contre son ancien maître. Cette amertume de l'ancien avocat du roi, Charles le Mauvais va s'entendre à l'exploiter. En 1355, Robert Le Coq est apparu comme le porte-parole du roi de Navarre. La réconciliation franco-navarraise lui vaut de siéger au Conseil de Jean le Bon.

Bien qu'il soit maintenant mécontent de son roi, Le Coq n'oublie pas qu'il a — en compagnie de Pierre de la Forêt et derrière celui-ci — joué et gagné en misant naguère sur le duc de Normandie avant qu'il soit roi. A défaut de gratitude, il tire de l'expérience l'idée qu'il est fructueux de jouer le fils contre le père. Contre Jean le Bon, ce conspirateur-né utilisera la même carte qu'autrefois : celle du nouveau duc de Normandie.

L'histoire semble recommencer. Un parti se forme, qui tend à ce que le dauphin Charles — il est dauphin de Viennois depuis 1349 — soit effectivement mis en possession de ce duché de Normandie qu'aucun roi de France ne souhaite vraiment voir autonome, tant il est proche de Paris. Robert le Coq se voit déjà chancelier de Normandie, comme l'a été, un temps, Pierre de la Forêt en attendant la Chancellerie de France.

Mais Jean le Bon n'est pas mourant. Force est donc de se débarrasser de lui. Qu'à cela ne tienne... Seule l'extraordinaire propagande dynastique des Valois, dont les chroniqueurs donnent l'écho, a pu faire oublier les réticences de la France devant le choix de 1328. Le charisme qui protégeait un Philippe le Bel contre les entreprises séditieuses de Bernard Saisset est sérieusement entamé par les doutes qui touchent au droit du Valois.

A condition de savoir plus tard le manœuvrer, il est un homme qu'on peut mettre dans l'affaire : l'empereur. Charles IV de Luxembourg est au sommet de sa gloire. Roi de Bohême, roi des Romains — en fait, roi d'Allemagne — il se prépare à recevoir à Rome la couronne impériale. Or ce fils de Jean l'Aveugle avait une sœur : Bonne de Luxembourg, la propre mère du dauphin Charles. Bonne est morte en septembre 1349, trop tôt pour être reine de France. De surcroît, Charles est prince dans l'Empire, puisqu'il est dauphin de Viennois.

L'idée de Robert Le Coq est simple : faire sortir de France le dauphin, le placer en Allemagne sous la protection de son oncle, le faire revenir en force, avec l'armée impériale. Le roi de Navarre fournira, pour le départ, les introductions et l'escorte.

On croit rêver. L'évêque de Laon dispose de l'empereur, du dauphin, du roi de Navarre et, finalement, de la Couronne de France. Parmi les pions qu'il imagine, aucun n'est cependant illusoire. Les deux beaux-frères – Jean le Bon et Charles IV – ne s'aiment guère. Bien que fécond, le mariage de Jean et de Bonne de Luxembourg n'a pas été heureux : le duc de Normandie était plus attaché à ses amis qu'à sa femme, Bonne avait ses propres amitiés. On chuchote même qu'elle a trouvé plus qu'un ami dans le comte d'Eu, Raoul de Brienne. Le sort tragique du connétable tiendrait pour une part à l'infortune royale. Quoi qu'il en soit, jouer contre le roi d'un parti soudé par ses liens avec celle qui n'a pas eu le temps d'être reine de France est tout à fait imaginable : le dauphin est fils de Bonne de Luxembourg.

Déjà en août 1355, Charles IV commence de chercher querelle à Jean le Bon. Des droits contestés sur Cambrai et sur Verdun, la suzeraineté de la Bourgogne et du Dauphiné, voilà qui procure l'occasion d'un memorandum au roi de France. Celui-ci se sent conforté par la réconciliation franco-navarraise de septembre : pour l'instant, il néglige la menace.

Mais cette réconciliation, scellée par le traité de Valognes, favorise d'autre part les desseins de l'évêque de Laon. Charles le Mauvais peut maintenant rencontrer le dauphin, une première fois au Vaudreuil, une deuxième à Paris. Robert Le Coq ourdit sans peine son complot. On arrête même les détails de l'expédition en Allemagne : outre le roi de Navarre, l'escorte du dauphin comprendra quelques mécontents notoires comme Guillaume de Namur, neveu de Robert d'Artois, comme Jean d'Harcourt, neveu de Geoffroy, comme Robert de Lorris – encore lui... – et une quinzaine d'autres. On partira le 7 décembre.

Les ennemis de Jean le Bon vont très loin. Certains parlent de faire arrêter le roi. C'est beaucoup. Les moins ardents prennent peur. On se met à parler. Peut-être le dauphin est-il lui-même épouvanté. Prévenu – au moins en partie – de ce qui se trame contre lui, Jean le Bon convoque son fils, voit un péril qui n'a rien d'invraisemblable – celui qui règne sur l'Angleterre n'a-t-il pas détrôné et sans doute fait assassiner son père Édouard II ? – et cède aussitôt sur le raisonnable. Le jour où le dauphin devait quitter Paris pour l'Allemagne, des lettres patentes lui accordent le duché de Normandie. Le futur Charles V a gagné. Il ne partira pas.

Les trente cavaliers navarrais qui attendent à Saint-Cloud ne verront pas arriver le dauphin qu'ils devaient conduire à Mantes chez le roi de Navarre.

Le coup de force de Rouen.

Robert Le Coq ne se tient pas pour battu. Il n'a plus qu'à dresser contre son père le nouveau duc de Normandie. C'est chose à demi faite lorsqu'il parvient à faire décider par Charles un voyage à Rouen. Quoi de plus normal qu'un duc de Normandie allant s'établir pour quelques mois dans sa nouvelle capitale ? Quoi d'étonnant si le plus grand des barons normands, le comte d'Évreux, roi de Navarre, l'accompagne ? Et qu'y a-t-il d'extraordinaire si l'entourage comprend un évêque, excellent légiste de surcroît ?

De ce qui se trame à Rouen, où le nouveau duc de Normandie tient fastueusement sa cour, rien n'échappe vraiment au roi Jean. Il sera aisé, devant la violence de sa réaction, d'ironiser sur les phantasmes du souverain. Mais Jean II n'a rien d'un paranoïaque. De la chute d'Hennebont à l'affaire de Rouen, il a souvent senti le vent de la trahison. Et le parti qui tient la Normandie cache à peine ses intentions.

En attendant qu'éclate le drame, et après avoir dû céder au sujet de la Normandie, Jean le Bon fait le fier : le 6 janvier 1356, il repousse le memorandum impérial. On verra bien...

Dans les derniers jours de mars, le roi est averti d'une nouvelle menace par Jean d'Artois, nouveau comte d'Eu : on veut le forcer à céder le gouvernement du royaume à son fils aîné. Fils de ce Robert d'Artois qu'on prendrait difficilement pour un ami du Valois, Jean d'Artois n'a pas été compris dans la disgrâce de son père, et il a au moins le sens de la gratitude : Jean le Bon lui a donné Eu après l'exécution du connétable Raoul de Brienne. Ces dépouilles le lient au roi.

Et puis, les outrances de Robert Le Coq commencent de lasser bien des oreilles. N'a-t-il pas traité le Valois de « très mauvais sang et race pourrie » ? N'assure-t-il pas, faisant allusion aux bruits qui ont couru après l'exécution de Brienne, que le roi Jean a tout simplement fait assassiner sa première femme, Bonne de Luxembourg ? Ne répète-t-il pas à qui veut l'entendre que le roi Jean est tout juste bon à décapiter ?

Enfin, et peut-être surtout, le comte d'Eu est maintenant en Normandie le principal rival du comte d'Évreux, roi de Navarre. Que le complot réussisse, et Jean d'Artois sera vite en butte aux réclamations de tous ceux qui ont eu à souffrir du roi Jean. D'ici à ce que les Brienne réclament Eu...

C'est alors qu'on voit reparaître à Rouen le vieux Geoffroy d'Harcourt, l'un des premiers barons à avoir mis en doute la légitimité du Valois. Mêlant le père et le fils dans une même haine, Harcourt manifeste envers le nouveau duc de Normandie un dédain qui complique encore la carte politique. Le 11 janvier, jour où les barons de Normandie prêtent hommage à leur seigneur le duc, Geoffroy d'Harcourt se présente avec, à la main, l'original scellé de la « Charte aux Normands » de 1315, cet acte fondamental des libertés normandes. Et de poser ses conditions : que le duc Charles jure d'observer la charte, et lui, Harcourt, fera sur-le-champ son hommage.

Le dauphin ne peut que demander un délai, le temps de la lecture. Visiblement, l'incident le prend au dépourvu. Harcourt refuse cependant de confier le précieux document au rejeton des Valois, s'en va le placer de nouveau dans le trésor de la cathédrale et quitte Rouen sans plus parler de prêter hommage pour ses fiefs.

Bien que repris et orchestré par son neveu Jean d'Harcourt, le mouvement d'humeur du vieux baron ne tourne dans l'immédiat à l'avantage de personne. C'est un acte d'hostilité envers les Valois, une attaque contre le roi Jean à travers le duc Charles. Harcourt ne songe nullement à manœuvrer Charles contre Jean.

Si l'on y regarde de plus près, tout le profit est pour Charles le Mauvais. Le coup de semonce tiré par Harcourt signifie que le duché ne se livre pas sans arrière-pensée. Au reste, les états de Normandie réunis au Vaudreuil en février confirment la grogne des Normands. On y parle d'impôt, et le duc Charles n'est à ce sujet ni plus ni moins impopulaire que son père. Il peut comprendre que l'adhésion des Normands à sa jeune autorité passe par la connivence avec le premier des barons : le comte d'Évreux, roi de Navarre. Sans Charles le Mauvais, le dauphin n'est pas grand-chose en Normandie.

Tout ceci, on l'a vu, vient aux oreilles du roi de France. Son nom est traîné dans la boue, sa suzeraineté bafouée. Son fils aîné laisse faire... Il a donné le duché à son fils, et c'est l'anarchie dans le duché. Il a fait la paix avec son gendre de Navarre, et celui-ci le nargue. Bien pis, les conspirateurs de Rouen songeraient maintenant à enlever le roi, voire à le tuer. Du moins le bruit en parvient-il, dans les derniers jours de mars, en Beauvaisis, où le roi est venu pour le baptême du premier fils de Jean d'Artois.

Jean le Bon n'est pas un imbécile, mais c'est un impulsif aux colères soudaines et incontrôlées. Menace authentique ou chimère, l'histoire de l'enlèvement fait déborder le vase. Avec une petite troupe, le roi prend la route de Rouen.

Nous sommes le 5 avril 1356. Le duc de Normandie traite ses amis. La cour va passer à table. Il y a là le Navarrais, les trois frères d'Harcourt, force barons, quelques bourgeois. On remarque le maire de Rouen. Pour l'instant, on écoute le sire Jean de Biville qui raconte pour la centième fois sa légendaire prouesse : il a un jour fendu un Turc en deux. Beaucoup de bruit. De ce qui se passe hors de la salle, nul ne se soucie pour l'heure.

Geoffroy d'Harcourt n'est pas là. Rebelle au roi et au duc, cité devant le Parlement, il sait ce qu'il risque. Avec prudence, il loge hors de la ville, sur la rive gauche de la Seine.

Vers le milieu de la journée, il apprend la soudaine chevauchée du roi. Jean le Bon a passé la nuit à Mainneville et galope maintenant vers Rouen. Ni voyage de cour, ni journée de chasse : le roi est flanqué de cent cavaliers en armes. C'est une opération de police. Geoffroy d'Harcourt voit le danger, dépêche en ville un écuyer ; il s'agit que son neveu Jean quitte le château pendant qu'il est temps.

Jean d'Harcourt ne se le fait pas dire deux fois. Sans demander d'autre explication, il fait seller. Il endosse son manteau. Les autres passent à table. Harcourt va sortir lorsque Robert de Lorris l'interpelle.

Monseigneur le duc n'attend fors que vous à dîner.

Il reste une place vide à table, et elle est à la table d'honneur. Dans ces conditions, comment s'éclipser ? Jean d'Harcourt ôte son manteau, renvoie l'écuyer et gagne la table du duc de Normandie. Alors que le banquet commence dans la bonne humeur, nul n'a vraiment le sentiment de conspirer.

On se méfie si peu que le duc n'a même pas songé à faire garder le château. Qui s'en prendrait, en pleine ville de Rouen, au fils aîné du roi de France ? A la grande porte, sur la ville, il y a la garde. La petite poterne qui donne directement sur la campagne, puisque le château est adossé à l'enceinte municipale, n'est même pas pourvue d'un guetteur. A quoi bon ?

Tous ces conspirateurs au repos, tous ces barons plus ou moins frondeurs mais pour l'heure occupés à manger et boire sont soudain figés de stupéfaction. Derrière un sergent qui agite sa masse d'armes, le roi de France entre dans la salle.

Pour assurer la surprise, Jean le Bon n'a même pas traversé la ville. Il l'a contournée par le nord, et il vient d'entrer par la poterne. Il a grimpé l'escalier à la hâte avec son premier sergent. Ce n'est pas une entrée royale, c'est un assaut.

Pour voir que l'appareil n'est pas celui d'une visite amicale, le duc de Normandie et ses invités n'ont pas besoin d'une longue observation. Jean le Bon a le heaume en tête, la visière seulement relevée. Nul n'a jamais mis un heaume pour voyager. Les convives savent trop bien la chose pour ne pas comprendre à l'instant même que le roi s'est armé pour entrer chez son fils.

Aucune illusion, d'ailleurs, ne saurait subsister. Le sergent donne un grand coup de masse dans la porte pour obtenir le silence. On entend crier « Que personne ne bouge, ou il est mort ». Est-ce le sergent ? N'est-ce pas plutôt le maréchal d'Audrehem, qui flanque le roi, l'épée nue à la main ?

Autour de Jean le Bon, on reconnaît maintenant son frère Philippe d'Orléans, son deuxième fils Louis d'Anjou – il gouvernera la France de l'enfant Charles VI et il mourra roi de Naples – et leurs cousins d'Artois, Jean et Charles. On voit aussi l'ennemi juré, l'adversaire héréditaire des Harcourt : Jean de Tancarville. La scène qui se joue ce 5 avril 1356 dans le château de Rouen est aussi un épisode de la vieille rivalité des grands barons normands. Elle s'inscrit, après un demi-siècle, dans le droit prolongement du duel terrible qu'avait dû arrêter Philippe le Bel.

A la table d'honneur, nul ne fait le fier. Maître de maison, Charles de Normandie est garant de la sécurité de ses hôtes. Mais le roi de France n'a pas l'air de se souvenir qu'il est chez son fils. Il marche droit sur son gendre le roi de Navarre et l'agrippe par le col.

> Debout, traître ! Tu n'es pas digne de t'asseoir à côté de mon fils !

Colin Doublel, l'écuyer de Navarre, est alors occupé à « trancher », autrement dit à couper la viande de son maître. Voyant celui-ci passablement secoué, il lève son couteau vers le roi de France. Fâcheuse inspiration. Les gens du roi l'empoignent sur-le-champ.

D'autres emmènent déjà le roi de Navarre. En vain Charles le Mauvais fait-il observer que l'on est en paix. Il est vrai que les fauteurs de l'assassinat de Charles d'Espagne ont reçu des lettres de rémission... Il est vrai que le traité de Valognes a été scellé en bonne et due forme... En vain le dauphin Charles supplie-t-il son père.

> Vous me déshonorez. Que va-t-on dire et penser de moi, qui avais invité à dîner le roi de Navarre et ces barons que vous traitez ainsi. On dira que je les ai trahis.

On le dira, en effet, et beaucoup penseront que le banquet du duc de Normandie était un piège. On accusera même le maire de Rouen d'avoir délibérément dégarni la poterne.

Le roi Jean est trop en colère pour écouter les plaintes de son fils. Celles-ci ont même pour effet d'aggraver sa fureur. Il repousse le prince – on parlera d'un coup de pied – et se saisit d'une masse d'armes que tenait un sergent.

Jean d'Harcourt est là, qui peut regretter d'être passé à table malgré l'avis de son oncle. Le roi de France l'injurie, lui assène un coup de masse dans le dos, le secoue tellement par son corset de blanchet que celui-ci se fend du col à la ceinture. Le voilà arrêté, lui aussi, avec deux ou trois autres barons connus pour leur fidélité au parti de Navarre.

Le roi ne cesse de crier, de menacer : il ne mangera ni ne vivra tant que les coupables ne seront pas punis. De tels propos rappellent les heures qui ont précédé l'exécution du connétable de Brienne. Jean le Bon en colère est un justicier pressé.

A bien y réfléchir, la précipitation est peut-être sage. Le roi n'est pas certain d'être, en Normandie, plus aimé que de grands Normands de souche comme Harcourt. Il n'est pas sûr que l'hostilité à l'impôt ne cimente pas les haines envers la Couronne. En bref, l'intérêt de Jean II n'est pas de traîner à Rouen. Il appelle le roi des ribauds, cet officier qui joue à la cour le rôle indéfinissable d'un exécuteur de toutes besognes.

De procès, nul ne parle. Pas plus que pour Brienne. Le roi est le souverain justicier du royaume, et tous ces gens-là savent fort bien leur droit : la Cour, autrement dit le Parlement, ne juge qu'au nom du roi. Si le roi exerce en personne sa justice au lieu de laisser faire des juges qui ne sont que ses délégués, qui pourrait y trouver à redire ? Pour un manquement au droit des fiefs, pour une félonie de vassal rebelle à son seigneur, celui-ci ne peut juger qu'entouré de sa cour, c'est-à-dire de ses autres vassaux. Mais pour un crime, le roi est juge parce qu'il a haute justice. La cour n'a que faire en l'occurrence. Conspirer contre la Couronne n'est pas un manquement au droit contractuel des fiefs.

Bien sûr, la haute justice sur le château de Rouen est au duc de Normandie, non à son seigneur le roi de France. Sur la justice de son vassal, le suzerain n'a d'autre droit que celui de juger en appel. Mais qui se soucie, dans le tumulte de ce 5 avril, de la justice du duc Charles ? Les barons arrêtés ne se sauront condamnés qu'en se voyant conduire au supplice. Depuis l'entrée du roi, cependant, ils s'attendent au pire.

La nuit n'est pas encore venue que trois charrettes emportent Jean d'Harcourt et trois de ses compagnons vers un champ de foire, au nord de la ville, sur la route de Neufchâtel. En quelques minutes, c'est fini. Vainement Harcourt cherche-t-il à retarder l'exécution en annonçant des révélations. Le procédé a trop servi. Le dauphin et le maréchal d'Audrehem suggèrent qu'on prenne le temps de l'écouter. Le roi Jean demeure inflexible.

> Faites délivrer ces traîtres !

Il a répété deux fois la phrase, avec agacement. Délivrer ne veut pas dire libérer. Le bourreau improvisé fait son office ; c'est un assassin condamné à mort, qui gagne ainsi sa grâce. Harcourt meurt le premier, sans confession. Il a trahi le roi ; il ne mérite pas seulement la mort, mais aussi l'enfer.

> Pour faire bref, le tronc fut mis juste devant le comte, et fut agenouillé encontre, malgré lui, et le col dessus, les yeux bandés.
>
> Et le bourreau frappa sur le col de sa doloire. Et eut six horions pour que la tête pût choir à terre.

On accorde un prêtre à Colin Doublel. Il est coupable d'avoir levé une arme sur le roi, mais par fidélité à son maître, non par trahison délibérée.

Dans l'entourage du dauphin, la terreur règne. Les quatre victimes du coup d'éclat sont mortes sans bien savoir ce qu'on leur reproche. Le roi de Navarre, dans sa prison, va passer pour un innocent en proie à la malveillance, et le bon peuple fera des chansons pour le plaindre. Philippe de Navarre tentera de négocier prudemment la cause de son frère, puis fera tenir, à la fin de mai, une lettre de défi qui est un monument d'insolence.

> Je vois et connais que raison et équité n'ont pas lieu envers vous.

Nombre de seigneurs normands font, dans le même temps, savoir à Jean le Bon qu'ils lui retirent leur foi et leur hommage. Et de se tourner, tout naturellement, vers l'autre suzerain possible, Édouard III. On voit même le vieux Geoffroy d'Harcourt négocier le legs de tout son héritage au Plantagenêt. Dans l'esprit des Navarrais et de leurs fidèles, il ne s'agit pas de trahir le roi de France mais bien de désavouer un Valois usurpateur de la Couronne. Peu importe s'il leur a fallu passer par cent péripéties avant de renier le choix fait en 1328 par des barons qui leur ressemblaient quelque peu...

Jean II a accumulé les maladresses et les brutalités. Mais il paie fort cher la nécessité politique dans laquelle se sont trouvés les successeurs de Louis X pour garder leur trône tout neuf : priver la maison d'Évreux de son héritage principal, la Champagne. Le sentiment profond d'un Charles le Mauvais dans sa prison, c'est qu'on a volé sa mère, qu'on l'a lui-même volé, qu'on l'a ridiculisé – Angoulême à Charles d'Espagne – et qu'en fin de compte on le traite comme un malfaiteur.

Cependant que Jean le Bon, toute la cour et leurs prisonniers remontent la Seine pour atteindre Paris peu avant Pâques, l'indignation fait tache d'huile. La capitale murmure. Charles le Mauvais est incarcéré au Louvre, puis au Châtelet, mais on juge finalement que Paris n'est pas sûr : l'un des fidèles du Navarrais, Jean de Fricamps, vient de s'évader. On transfère donc le prisonnier dans des forteresses plus isolées, d'abord à Crèvecœur, enfin à Arleux, près de Douai.

De cet emprisonnement, qu'attend Jean le Bon ? A Rouen, il a reculé devant le châtiment immédiat d'un prince des fleurs de lis. Sans doute, une fois sa colère refroidie, ne songe-t-il plus à faire un exemple. Mais la captivité du Navarrais procure, tout simplement, une fin commode pour une lutte en quoi, de bonne foi, le roi de France ne voit qu'une longue suite de complots et de trahisons. Jean le Bon ne pense pas qu'il a mis hors de combat un adversaire dans des conditions de loyauté douteuses, en violant les lois de l'hospitalité et en brisant une paix dûment acceptée. Il pense qu'il a mis hors d'état de nuire un incorrigible mauvais sujet.

Celui qui s'est tiré de l'affaire au mieux, c'est Robert Le Coq. Sa dignité épiscopale l'a certainement protégé. Il en profitera pour manœuvrer à l'aise aux états généraux.

La crise financière.

Pendant que les intrigues et les incompréhensions font éclater le coup de tonnerre de Rouen, la politique financière échoue de façon presque aussi spectaculaire. Le 8 mai, une nouvelle session des états permet de mesurer la lassitude générale. Prélats et barons ont maintenant autre chose à faire, et les bourgeois se chargent seuls de modifier une nouvelle fois le système fiscal. Ils espèrent trouver enfin les voies de l'efficacité. En fait, ils se contentent de simplifier le calcul de l'impôt.

C'est à cette occasion que l'on voit se dresser face à l'autorité du roi celle d'un Étienne Marcel qui n'apparaît pas encore comme un adversaire mais qui fait déjà figure de partenaire. Loyal, modéré même, le prévôt des marchands de Paris pense que l'intérêt du roi et celui des milieux d'affaires parisiens sont en définitive très voisins : la guerre, c'est le blocage des routes économiques, c'est l'aggravation de la crise. La prospérité de la place économique de Paris s'accommode mal de combats sur la Seine. Lorsqu'en novembre 1355 Étienne Marcel conduisait en Picardie le contingent parisien à l'ost royal, il servait aussi la fortune de la « marchandise de l'eau », cette entité mal définie qui signifie le profit que tirent les bourgeois de Paris d'un monopole et d'un contrôle étendus sur tout le trafic fluvial de la région parisienne.

Que l'Anglais reste tranquille à Calais, et les bateaux continueront de descendre le fleuve chargés de vin et de bois, de le remonter chargés de blé, de sel, de foin, de fruits. La position politique des « marchands de l'eau » est assez claire.

En juin, le roi Jean conduit une expédition contre la forteresse navarraise de Breteuil-sur-Iton. Parisiens et Rouennais sont au premier rang de l'armée royale. Paris s'interroge au sujet du roi de Navarre, mais la bourgeoisie d'affaires se sent peu solidaire de grands barons comme Harcourt. Jamais, jusque-là, l'aristocratie n'a marqué sa sollicitude envers la place de Grève.

Tout irait bien si l'impôt rentrait. Il n'en est rien. Les têtes des principaux meneurs de la semaine sanglante d'Arras peuvent bien être exposées, piquées au mur des portes de la ville, nul n'ose plus s'entremettre de l'impôt royal. Alors qu'approche le temps où reprendront les hostilités, les coffres du Trésor sont vides et la livre tournois s'effondre sur le marché monétaire. A la fin de juillet, Jean le Bon en tire les conséquences, et de deux manières.

En premier lieu, il rappelle au Conseil ceux que les milieux réformateurs tiennent pour responsables de la situation antérieure, ceux-là même dont les états ont obtenu la disgrâce six mois plus tôt. Nicolas Braque reprend en main les Comptes, Jean Poilevilain les Monnaies. Pour Marcel et ses amis, ces retours sont le triomphe de la spéculation. Or, pour des raisons personnelles sur lesquelles nous reviendrons, Marcel se range parmi les victimes de la spéculation. Il est furieux.

Dans la bourgeoisie parisienne, la confiance que l'on gardait dans le roi Jean s'effrite sérieusement.

En second lieu, c'est la dévaluation. Sans doute inévitable, elle est ressentie comme la manifestation d'un virage politique. Le roi a promis la forte monnaie. L'empirement de la livre sonne, là aussi, le glas de la confiance. Les loyers ne rapportent plus, les rentes fondent. Les bourgeois de Paris, ceux d'Amiens ou ceux de Rouen oublieront, dans quelques semaines, d'envoyer à l'armée royale ces contingents qui font normalement le gros de l'infanterie. Quant aux grands propriétaires fonciers, prélats et barons, ils voient sans plaisir s'effondrer à nouveau la valeur de leurs cens. La dévaluation soulage un temps les débiteurs, les locataires, les tenanciers. Malheureusement pour le roi, ils sont en définitive plus sensibles à la hausse des prix alimentaires. En bref, tout le monde grogne, et avec de bonnes raisons.

LANCASTRE EN NORMANDIE.

Pour l'instant, Jean le Bon bat la campagne en Normandie contre les Anglo-navarrais. Dans les premiers jours de juin, Philippe de Navarre et Geoffroy d'Harcourt voient arriver les premiers renforts que leur dépêche Édouard III. Il y a la troupe de Robert Knolles, qui tenait le parti de Montfort en Bretagne et qui vient de faire, en Cotentin, sa jonction avec un corps d'armée récemment débarqué sous les ordres du duc de Lancastre. Le Prince Noir a charge de la Guyenne ; la Normandie incombe à son frère cadet Lancastre, ce prince que la cour a surnommé Jean de Gand parce qu'il est né au temps du séjour, combien difficile, d'Édouard III et de la reine Philippa parmi les Flamands.

Un fils au nord, un autre au sud, Édouard III a bien divisé le commandement. Avec une habileté consommée, il joue des princes, désormais adultes, pour ne pas devoir, comme dix ans plus tôt, abandonner l'Angleterre à elle-même et aux Écossais. Édouard III ne mènera plus en personne les affaires du continent.

Lancastre établit son camp permanent à Montebourg, près de Valognes. Il est là à quelques heures de marche de la crique de Saint-Vaast-la-Hougue, dont Édouard III a déjà éprouvé, dix ans plus tôt, la commodité. Avant que le Valois ait le temps de réagir, il lance une expédition vers la Seine. L'histoire semble se répéter.

Évitant Évreux — le cœur du domaine navarrais — que les Français ont pris quelques jours auparavant, les Anglais s'en vont brûler Vernon et les faubourgs de Rouen. Le 4 juillet, ils cantonnent à Verneuil. Lancastre s'est bien gardé de perdre son temps à prendre le château de Vernon ou à menacer vraiment la ville fortifiée de Rouen. Il fait une chevauchée, et rien qu'une chevauchée. Il décroche donc quand il entend dire que les Français arrivent.

Ceux-ci faisaient le siège de Pont-Audemer, et Robert d'Houdetot y usait ses forces depuis deux mois contre une garnison navarraise parfaitement capable de tenir tout l'été. Il lève sur-le-champ le siège : c'est le seul profit immédiat de Lancastre et de ses alliés. Dans le même temps, Jean le Bon concentre ses forces sur la Basse-Seine et marche, enfin, sur les traces de Lancastre.

L'Anglais n'a cure d'une bataille rangée où, le miracle de Crécy pouvant ne pas se reproduire, l'armée française aurait dès l'abord l'avantage du nombre. Il se replie. Jean le Bon, lui, cherche le combat. Il a mis au pas le duc de Normandie son fils, et jeté en prison le roi de Navarre son gendre. Survenant en de telles circonstances, une défaite anglaise finirait de lever l'hypothèque qui pèse sur la Normandie des Valois. Comme son père Philippe VI en 1346, Jean le Bon cherche à joindre l'ennemi pour le contraindre au combat. Tour de force, d'ailleurs, que cette poursuite de 1356 où c'est l'armée la plus lourde qui rattrape la chevauchée légère...

Le face à face se produit devant Laigle le 8 juillet. Toute la force française est maintenant concentrée. Tout l'état-major, aussi, car Jean le Bon ne pratique pas la dispersion des responsabilités. La leçon de Crécy n'a visiblement pas servi. A ses côtés, le roi de France a son fils aîné le duc de Normandie ; le moins qu'on puisse dire est que le roi Jean a de bonnes raisons de ne pas perdre des yeux son héritier. Mais il a aussi son frère Orléans, son connétable Gauthier de Brienne, ses deux maréchaux Clermont et Audrehem. On n'a pas oublié l'hécatombe de Crécy, mais l'inventeur de l'ordre de l'Étoile n'imagine pas un instant que tout ce monde puisse se retrouver mort ou captif. Pour la beauté de la prouesse, toute la fleur de la chevalerie française doit être réunie. Le vaincu, ce sera Lancastre.

Jean le Bon envoie deux hérauts pour proposer la bataille à l'Anglais. Les deux armées sont disposées, prêtes à l'engagement. Extraordinaire spectacle que celui-ci. Nul ne bouge, pas un cheval ne sort de l'alignement.

Les Français sont fatigués par la poursuite. Le roi préfère donc attendre le lendemain pour attaquer. Les Anglais se savent trop peu nombreux : l'initiative ne viendra pas d'eux. Tandis que les adversaires se regardent, le jour passe.

Dans la nuit, les guetteurs français voient les feux du camp anglais. Et Dieu sait s'ils ouvrent l'œil !

> Firent grand guet, car ils cuidaient bien être escarmouchés, pour tant que les Navarrais ne s'étaient de ce jour point tirés avant.

Le matin vient. Les Français voient, au-dessus d'une longue haie, les silhouettes de la cavalerie ennemie rangée en ligne. Et Jean le Bon de faire sonner les trompettes. Bannières et pennons claquent au vent. On va enfin avoir une bataille à cheval, une vraie bataille, selon les règles de la chevalerie. Bien sûr, on s'étonne un peu de ne pas voir chez les Anglais le mouvement de troupes annonciateur d'une manœuvre. Mais la cavalerie de Lancastre est à l'abri des haies, et le roi de France aimerait mieux la voir se découvrir en prenant l'offensive. Attaquer à la fois la haie et les lances, c'est beaucoup.

Les heures s'écoulent. Dans le camp français, l'énervement gagne. Que veulent ces cavaliers, deux cents lances peut-être, rangés immobiles pendant que le gros de l'armée, invisible, s'abrite derrière eux ?

Au milieu de l'après-midi, c'est le coup de théâtre. Les deux cents cavaliers éperonnent soudain leurs destriers et s'évanouissent dans le bocage. Jean le Bon envoie ses coureurs pour tenter de comprendre. Derrière la haie, il n'y a personne.

On saura la chose par les paysans. Depuis minuit, les Anglo-navarrais ont vidé les lieux. Ils ont laissé deux cents hommes, montés sur les meilleurs chevaux de course, pour assurer jusqu'à l'heure de none l'inertie des Français. Maintenant, ces deux cents cavaliers galopent vers un rendez-vous fixé la veille au soir. Les Anglais sont sur la route de Cherbourg et les Navarrais gagnent à grandes étapes les forteresses qu'ils tiennent déjà en Normandie. C'est la dispersion qui va frapper d'incapacité l'armée du roi de France.

Jean le Bon avait une forte armée, propre à gagner une bataille. Il n'a pas les moyens de ratisser la Normandie, à la recherche de compagnies qui s'égaillent. L'un gagne Conches, l'autre Breteuil. Lancastre est maintenant de retour à Montebourg. Knolles s'en va assiéger Domfront.

En son for intérieur, Jean le Bon doit s'estimer vainqueur. Il a offert la bataille. Son ennemi s'est dérobé. Et de tomber immédiatement dans le piège que lui ont tendu Lancastre et Navarre : il va mettre le siège devant Breteuil, l'une des places navarraises. Là, avec des moyens défensifs limités, le capitaine Sancho Lopiz – les Normands l'appellent Sanson Lopin – réussira à immobiliser jusqu'à la mi-août une armée dont on sait ce qu'elle coûte au contribuable français.

C'est un beau festival d'art militaire que ce siège de Breteuil. Comme on a le temps – qui pense vraiment à la Guyenne et au Prince Noir ? – on remet en honneur la vieille technique de la tour d'assaut grâce à laquelle, voici deux siècles et demi, Godefroy de Bouillon a pu pénétrer l'épée haute dans Jérusalem. L'échelle, c'est l'escalade individuelle ; la tour, c'est l'assaut massif.

> Avaient ceux de l'ost fait lever et dresser grands engins, qui jetaient nuit et jour sur les combles des tours, et cela moult les travaillait.
>
> Et fit le roi de France faire par grand foison de charpentiers un grand beffroi à trois étages, que l'on menait à roues quelque part que l'on voulait. En chacun étage pouvaient bien entrer deux cents hommes, et tous eux aider. Et était bretéché et cuiré

pour le trait trop malement fort. Plusieurs l'appelaient un chat, les autres un atournement d'assaut.

Pendant qu'on le charpentait et l'appareillait, on fit par les vilains du pays amener, apporter et acharer grand foison de bois, et tout reverser dans les fossés, et estrain et terre dessus, pour amener le dit engin sur les quatre roues jusques aux murs pour combattre ceux de dedans. Ainsi mit-on bien un mois à emplir les fossés à l'endroit où l'on voulait assaillir et à faire le chat.

Pendant que, devant Breteuil, on joue de la hache et de la ligature pour le plaisir futur d'un Froissart, voilà que le Prince Noir entre en campagne. Il a retrouvé sans peine son armée de Languedoc, prête à de nouveaux pillages. Par le Périgord et le Limousin, il atteint à la mi-août le Berry. Il brûle les faubourgs de Bourges, fait une vaine tentative devant Issoudun, saccage Vierzon, prend Romorentin. La manœuvre s'éclaire lorsqu'on apprend que Lancastre a quitté son retranchement du Cotentin et, toujours flanqué de Philippe de Navarre, cherche à faire en Touraine sa jonction avec l'armée de Guyenne.

A Breteuil, le temps semble long. Vers le 15 août, tout est prêt pour l'assaut. Le fossé est comblé à l'endroit prévu, le chat est solidement charpenté et bien cuirassé de peaux épaisses.

En ce beffroi entrèrent grand foison de bons chevaliers et écuyers qui désiraient s'avancer. Et fut ce beffroi sur ses quatre roues abouté et amené jusqu'au mur.

Ceux de la garnison avaient bien vu faire le dit beffroi et savaient l'ordonnance, en partie, comment on devait les assaillir. Aussi s'étaient-ils pourvus, selon ce, de canons jetant feu et gros carreaux pour tout desrompre. Aussi se mirent tantôt en ordonnance pour assaillir ce beffroi et eux défendre de grande volonté.

Et de commencement, avant qu'ils fissent tirer leurs canons, ils s'en vinrent combattre ceux du beffroi franchement, main à main. Là on fit plusieurs grandes apertises d'armes.

Quand ils se furent planté ébattus, ils commencèrent à tirer de leurs canons et à jeter feu sur ce beffroi et dedans, et avec ce feu tirer d'abondance de grands et gros carreaux qui en blessèrent et occirent grand foison.

Assommés, brûlés, renversés, les hommes d'armes du roi de France n'ont guère le choix. Laissant là leur « chat » effondré, ils prennent la fuite. Du haut des murs, on crie « Navarre », on crie « Saint-Georges ».

A ce point, Jean le Bon serait bien inspiré d'abandonner le siège de Breteuil. La petite garnison de Sanson Lopin n'est pas de taille à poursuivre l'armée royale. Tout au plus peut-elle, en l'amusant, fixer en Normandie des troupes qui seraient plus utiles sur la Loire.

Mais le roi sait que les deux armées anglaises vont chercher à se rejoindre. Dès lors, de la Basse-Seine au Limousin, ce sera le front unique. Jean le Bon presse donc le siège, réquisitionne quelques centaines de paysans pour combler les fossés tout autour de la ville, fait préparer les échelles. La chance, soudain, semble tourner en sa faveur. Le Navarrais Sanson Lopin a fait son devoir, mais il n'a rien du héros. Comme il voit que l'escalade aura raison de lui, il négocie sa reddition : il sait que ses hommes ne peuvent défendre à la fois tout le pourtour de la ville.

Moyennant la vie sauve pour lui et les siens, Lopin livre Breteuil. Une nouvelle fois, Jean le Bon se voit vainqueur. Après Laigle, Breteuil. Comment le roi de France n'aurait-il pas en tête que le moment est venu d'assurer durablement le triomphe des Valois sur les Évreux-Navarre et sur les Plantagenêts ? Son entêtement à combattre malgré tout viendra pour une bonne part d'une appréciation exagérément flatteuse de ses récentes « victoires ».

La chevauchée du Prince Noir.

Le Prince Noir, cependant, gagne les pays de la Loire. Au début de septembre, il est à Amboise. De l'autre côté du fleuve, il entrevoit l'armée de Lancastre. Reste à s'emparer du pont : le roi de France est pris dans une tenaille.

La position de Jean le Bon est d'autant plus précaire que les Navarrais relèvent la tête en Normandie. Le bailli de Cotentin va même devoir, pour assurer la liberté de ses relations avec Paris, déplacer vers le sud, de Coutances à Saint-James de Beuvron, le chef-lieu de son bailliage.

Jean le Bon réunit de nouvelles troupes, engage des Lorrains, des Suisses, des Allemands, des Écossais. Toute la chevalerie française se retrouve, entourée de ces mercenaires, dans les premiers jours de septembre à Chartres. Et l'on marche vers la Loire. Le 8 septembre, les premiers détachements passent le pont de Meung. Le roi et le gros de l'armée passent le fleuve à Blois le 10. Le dauphin s'en va veiller sur le passage de Tours. Aux Anglais comme aux Français, il apparaît que le Valois tient la Loire. Le Prince Noir ne se fait aucune illusion : il décroche et va s'établir au sud de l'Indre, à Montbazon.

Le 13 septembre, le roi de France est à Loches. Le prince de Galles se replie sur La Haye-sur-Creuse – aujourd'hui La Haye-Descartes – qu'il doit abandonner le lendemain, tant les Français le serrent.

C'est alors que le roi Jean, jusqu'ici maître de la situation, commet deux erreurs. La première est de repousser les offres de paix que lui porte le cardinal de Périgord ; la deuxième est de manœuvrer trop vite et, désormais, à l'aveuglette. Il veut en découdre, à tout prix.

Hélie Talleyrand, frère du comte de Périgord, est un grand personnage sur le théâtre européen : évêque de Limoges en 1324, évêque d'Auxerre en 1328, cardinal du titre de Saint-Pierre-aux-liens en 1331, cardinal-évêque d'Albano en 1348, il a vécu depuis trente ans tous les grands moments de l'histoire européenne. A la curie, il mène le « parti français » qui manigance les élections pontificales et négocie les chapeaux cardinalices. Faute de pouvoir être pape, il est de ceux qui tiennent dans d'exactes limites le pouvoir pontifical et qui veillent sur le choix des hommes. Il s'est opposé en 1352 à l'élection d'un saint homme qui eût été quelque peu perdu – comme jadis Célestin V – dans son rôle nouveau d'arbitre des politiques européennes. Avec un Innocent VI aussi faible qu'indécis, Hélie Talleyrand a les coudées franches.

Car le cardinal de Périgord, s'il a manqué trois fois la tiare, ne manque pas une occasion de se poser lui-même en médiateur des princes. Il se mêle des affaires de Naples, complote en Provence, traite avec le dauphin de Viennois. Dans le conflit qui oppose Valois et Plantagenêt, le fils du comte de Périgord Hélie VII se sent une vocation naturelle de tête politique et d'artisan de la paix. A la fois parce qu'il est Périgord et parce que sa famille, qui remonte aux comtes carolingiens, ne doit rien aux souverains couronnés...

Innocent VI a dépêché deux légats pour faire la paix : Hélie Talleyrand de Périgord et le Romain Niccolo Capoci. Le premier est connu pour son hostilité aux Anglais – on dira bientôt le contraire parce qu'il veut priver le roi de France d'une victoire – et le deuxième l'est pour sa méfiance envers la France.

Jean le Bon ferait mieux de prêter l'oreille aux avis du cardinal de Périgord. Mais il se voit déjà vainqueur. De la paix, il n'a cure en ce moment. Alors que l'Anglais sillonne la France comme un royaume conquis, ne convient-il pas de lui infliger une correction avant de traiter ? L'obstination de Jean le Bon apparaîtrait sans doute moins sotte si nous ignorions qu'il ne sortira pas vainqueur de l'affaire.

Le Prince Noir voit bien que son adversaire cherche le combat. Il voit aussi que sa propre situation est mauvaise : le roi de France l'enferme dans le triangle formé par l'Indre et la Vienne, et la route de

Bordeaux n'est plus gardée. Le Prince a voulu mener sa chevauchée au cœur du royaume Valois; il pourrait bien s'ensuivre une chevauchée à travers ce qui reste de l'Aquitaine d'Aliénor.

En fait, Jean le Bon est en train de dépasser son adversaire par l'est, et cela sans le faire exprès. De Loches, il a gagné la Creuse, puis franchi la Vienne à Chauvigny. Croyant Poitiers menacé, il marche maintenant vers l'ouest. Il ignore que le Prince Noir est encore au nord de cette route qui va de Chauvigny à Poitiers et sur laquelle l'armée royale chevauche sans prendre garde à droite.

C'est alors que surgissent sur cette même droite les cavaliers d'un petit détachement anglais. Ils ne veulent que franchir discrètement la route pour gagner, au sud de Poitiers, la grande route de Bordeaux. Entre la troupe anglaise et l'arrière-garde française, c'est un combat à l'improviste, dont tout le monde sort perdant: les Français parce qu'ils laissent quelques morts sur le terrain et que trois ou quatre barons se retrouvent prisonniers, les Anglais parce qu'ils sont démasqués et que leur victoire les alourdit.

Le roi Jean se retourne. Coupé de ses arrières — Bordeaux — par l'armée royale, le Prince Noir est coupé de son appui éventuel, Lancastre, par des ponts sur la Loire trop bien tenus par les Français pour que subsiste un espoir de jonction. Il est trop tard pour esquiver. Cependant que le roi de France se dispose à anéantir l'envahisseur, le Prince Noir se prépare à la défense. Au moins a-t-il l'avantage de laisser venir les Français: cela lui laisse le choix du terrain. Une nouvelle fois, les Anglais vont jouer de la haie et du chemin creux.

C'est à Nouaillé, à deux lieues au sud-est de Poitiers, que le prince de Galles attend le roi de France. Il tient là un plateau mollement vallonné, aisément défendu par le cours du Miosson et par une ligne d'escarpement. Pour monter à l'assaut, Jean le Bon devra prendre tous les risques. Par précaution, le Prince Noir fera même occuper une hauteur voisine, propre à fournir un observatoire.

Les deux armées sont maintenant face à face: peut-être dix mille Anglo-Gascons et vingt mille Français. Mais on est dimanche. La journée du 18 septembre se passe en parade, en conseils de guerre, en patrouilles de reconnaissance. En vaines négociations aussi.

Le vieux renard qu'est le cardinal de Périgord tente encore d'éviter l'affrontement. Allant d'un camp à l'autre, il veut profiter de la trêve dominicale — il l'a obtenue sans peine — pour mettre fin à toute l'affaire. On commence de murmurer dans le camp français que le légat joue le jeu anglais. En cas de bataille, la trêve aura permis au Prince Noir de fortifier sa position : tranchées, barrages de pieux, positions de tir sont aménagés en toute hâte dans cette journée du dimanche 18.

Surtout, l'Anglais a tout à gagner à ce qu'on s'en tienne là et il est prêt aux concessions que suggère le légat. Aussi bien le prince de Galles a-t-il suffisamment semé la panique à travers le Poitou et le Berry. Il accepte de libérer les prisonniers faits la veille, de restituer les places fortes occupées depuis deux mois, de conclure une trêve de sept ans. Moyennant quoi, il se tire d'affaire et sauve Bordeaux. Même si ses capitaines regrettent déjà de manquer ainsi la fortune d'un beau combat — ils ne seraient pas honteux d'être vaincus par le nombre et seraient combien fiers d'être vainqueurs du nombre — le prince de Galles accepte de traiter.

Jean le Bon ne l'entend pas de cette oreille. A toutes les propositions, à tous les gémissements du cardinal de Périgord, il oppose la même réponse : que les Anglais se rendent à merci. Le prince de Galles accepte de ne pas chercher la victoire ; le roi de France parle comme s'il était déjà vainqueur. Tout au long de la journée, Hélie Talleyrand use sa patience et son talent. En vain.

La veille, le roi Jean s'est montré raisonnable en acceptant la trêve de Dieu. Froissart dira qu'il était « raisonnable à toutes voies de raison ». Maintenant, le dimanche passé, Jean le Bon est intraitable.

On a souvent ironisé, depuis trois siècles au moins, sur ce roi qui, demain, aura plongé la France dans la catastrophe la plus noire et qui, quelques heures avant la chute, se fait péremptoire. Au vrai, en ce dimanche 18 septembre 1356, le Prince Noir est le plus faible, son armée manque de vivres, sa capitale est découverte, et son but est atteint. Si Jean le Bon se contente de le laisser repartir, les princes européens — et plus simplement les barons français — penseront que le Plantagenêt vient, une fois de plus, de narguer en toute impunité le roi de France. Le royaume n'aura rien perdu, mais la Couronne de saint Louis sera ternie.

Si le roi était incontesté en son royaume, ce serait moindre mal. Mais Geoffroy d'Harcourt bat encore la campagne en Normandie, Robert Le Coq conspire toujours, Étienne Marcel parle fort à Paris. Les contribuables ont payé l'armée, et l'on dira qu'elle n'a servi de rien. Jean le Bon ne peut s'accommoder d'une trêve qui laisserait l'Anglais s'en retourner sans dommage.

Pendant qu'on échange des propos diplomatiques qui font passer le temps, la bataille se prépare. L'Anglais entend jouer la défense : il renforce ses retranchements. Le Français se réserve l'initiative de l'assaut : il profite des heures qui restent pour étudier le terrain. De part et d'autre, à la faveur de la trêve de Dieu, on s'espionne pour reconnaître les positions et estimer les forces. La trêve épargne d'ailleurs aux éclaireurs le soin de se cacher, et l'on s'interpelle volontiers d'un parti à l'autre. Pour des chevaliers, c'est toujours un spectacle de qualité qu'une armée qui se prépare pour la bataille.

C'est aussi l'occasion d'amorcer les prouesses du lendemain.

L'Anglais John Chandos, le futur vainqueur de Du Guesclin, rencontre-t-il le maréchal de France Jean de Clermont? Voilà les deux barons qui se défient aussitôt, chacun s'estimant offensé par l'autre: ils viennent de s'apercevoir, en chevauchant sur le plateau, qu'ils portent tous deux, brodée sur leur bras gauche et sur leur poitrine, une même « devise » faite d'une dame blonde dans un rai de soleil! Ce sont bien là les Anglais, lance Clermont: incapables d'inventer quoi que ce soit, quand ils voient quelque chose qui leur plaît, ils le prennent. On réglera l'affaire demain.

Les éclaireurs ont rendu compte, et notamment Eustache de Ribemont, qui fournit au roi de France une estimation des forces anglo-gasconnes fondée sur une exploration des plus sommaires. Et Ribemont de suggérer une tactique pour le lendemain: que l'on évite d'aventurer l'armée sur le chemin d'accès, trop étroit entre les haies où seront embusqués les archers, et qu'au contraire on attaque directement les défenses anglo-gasconnes en sacrifiant une charge de cavalerie pour « ouvrir et fendre les archers ». Après quoi il sera aisé de faire grimper l'armée, à pied, par l'escarpement.

En vain Jean de Clermont objecte-t-il que l'on va au massacre; les Anglais sont à bout de vivres, et l'on pourrait commodément les assiéger sur leur plateau. Jean le Bon cherche la victoire par la prouesse, non par la famine. Le collègue de Clermont, le maréchal d'Audrehem, laisse entendre qu'un siège du plateau serait « œuvre de couardise ». La cause est entendue. Et la chevalerie française va rivaliser de courage pour bien montrer qu'elle n'a jamais songé à autre chose. Clermont l'a bien dit à Audrehem: ce n'est pas parce qu'il a proposé de renoncer à l'assaut qu'il sera au second rang lors de la charge.

> Vous ne serez hui si hardi que vous mettiez le museau de votre cheval au cul du mien.

La manœuvre suggérée par Ribemont est acceptée. Trois cents chevaliers sont désignés pour la charge; le connétable Gauthier de Brienne et les deux maréchaux de Clermont et d'Audrehem la commanderont. Une fois les archers anéantis, les autres attaqueront à pied, en un front continu largement étalé sur plus d'une lieue.

Le dimanche soir trouve les Français occupés à transformer leur équipement de cavaliers en vue d'un assaut de fantassins: ils ôtent leurs éperons, retaillent leurs lances — cinq pieds seulement — et coupent la pointe effilée de leurs chaussures à la poulaine.

Au petit matin du lundi, le cardinal de Périgord tente une dernière fois d'éviter le combat. Il est trop tard. Déjà, le soleil levant met fin à la trêve. Le légat voit même quelques chevaliers de son escorte, menés par le prieur de Saint-Gilles de l'ordre de l'Hôpital, Jean Fernand de Hérédia, prendre congé pour s'en aller, aux côtés du roi de France, faire leur devoir les armes à la main.

Les capitaines du roi de France font flotter leurs bannières sur la campagne poitevine. L'oriflamme flotte aussi, que porte fièrement près du roi le chevalier Geoffroy de Charny, le théoricien et le chantre du combat chevaleresque. Tout est prêt pour la fête de chevalerie qu'est une bataille en bonne forme.

De l'ordre de l'Étoile, on ne parle plus guère. Mais l'esprit qui inspirait cinq ans plus tôt sa création préside aussi bien à la stratégie qu'à la rhétorique du roi de France. Dans sa harangue du dimanche matin, après la messe, le roi Jean l'a rappelé sur le mode ironique :

> Entre vous, quand vous étiez à Paris, à Chartres, à Rouen ou à Orléans, vous vous souhaitiez, le bassinet en tête, devant eux. Or y êtes-vous !

Il est temps de passer de la prouesse verbale à la prouesse en armes. Improvisant sans le dire un décalque de l'Étoile, et sans doute avec les mêmes hommes pour l'essentiel, Jean le Bon prélève à travers toute l'armée dans les différentes « batailles » seigneuriales ceux qu'il considère comme la « fleur de chevalerie », montée sur « fleur de coursier ». Pendant plusieurs heures, les maréchaux sélectionnent, de compagnie en compagnie, les quelque trois cents chevaliers et écuyers qui formeront la cavalerie d'élite du roi, celle qui rompra dès l'abord les défenses adverses.

Nul ne peut s'y tromper. Cette fleur de chevalerie est, par le choix du roi, vouée à la mort. Elle fera la route de l'armée muée en infanterie, mais elle subira les premiers tirs des archers anglais. Il y a du combat des Trente dans cette charge première de Poitiers : une troupe d'élite qui s'interdit de reculer. L'Étoile n'était pas autre chose, une sélection par la prouesse et dans la fidélité.

Tout le monde n'est pas dans la ligne d'assaut. Jean le Bon constitue aussi sa propre « bataille », celle qui l'entourera jusqu'au bout et fera s'il le faut le dernier carré. Vingt-trois bannières flottent là, autour du roi de France sur son cheval blanc. On y voit aussi trois jeunes princes qui tiendront ensemble, un quart de siècle plus tard, les rênes du pouvoir : le duc Louis d'Anjou, le duc Jean de Berry et l'enfant Philippe – il a quatorze ans – que l'on dira « le Hardi » et qui sera souche des ducs Valois de Bourgogne. Ils seront les « oncles du roi », lorsque la couronne de France viendra au fils de celui qui, pour l'heure, n'est encore que leur aîné le dauphin Charles et qui – malgré les réticences de Jean le Bon, qui se souvient de Rouen –

commande en personne l'une des « batailles » chargées de l'assaut en masse.

Pour plus de sûreté, le roi de France a bien entouré ce fils aîné dont les aventures avec le roi de Navarre laissent craindre qu'il soit un naïf et dont le tempérament est plus celui d'un homme de bibliothèque que celui d'un soldat. Autour du futur Charles V, nous voyons donc quelques capitaines aguerris, quelques hommes de confiance de Jean le Bon. Le duc de Bourbon, aussi, qui pourrait être, en cas de difficultés tactiques, le véritable chef de la « bataille » du dauphin.

L'armée est maintenant ordonnée, alors que pointe à peine le jour de ce lundi 19 septembre 1356. Le connétable Gauthier de Brienne et les maréchaux Jean de Clermont et Arnoul d'Audrehem feront à cheval la brèche dans les défenses anglaises; les grandes « batailles » à pied, commandées l'une par le dauphin, l'autre par le duc d'Orléans, frère du roi, écraseront l'armée du prince de Galles. Les ordres sont précis: tuer le plus possible d'Anglais — on se souvient de Crécy — et prendre vivant le Prince Noir. La « bataille du roi », elle, n'interviendra qu'en cas de besoin, pour dégager ou pour achever.

Combat de princes, pourrait-on croire, que cet affrontement de deux dynasties au cœur du vieux domaine Plantagenêt, à quelques lieues du palais des ancêtres d'Aliénor. En fait, les hommes de métier y joueront un rôle déterminant. Dans la « bataille » de Jean le Bon, on voit « l'Archiprêtre » Arnaud de Cervole et sa bande de routiers. Aux côtés du Prince Noir, il y a Chandos, qui, « pour lui garder et conseiller », ne laissera pas son maître de tout le combat; il y a quelques capitaines à gages, et surtout nombre de seigneurs gascons pour qui la guerre est vraiment un métier. Qui peut penser que le captal de Buch, Jean de Grailly, soit autre chose qu'un homme de guerre?

Quelque rôle qui revienne aux hommes de métier, l'éthique est celle de la Jarretière et de l'Étoile. On le voit bien quand James Audley, l'un des meilleurs stratèges anglais, s'en vient exposer au Prince Noir qu'il a jadis fait un vœu: celui d'être le premier à l'attaque et le plus ardent au combat s'il se trouvait un jour en une bataille où le roi d'Angleterre ou l'un de ses fils se trouverait engagé. Et de demander à prendre place en première ligne. Audley supportera l'assaut du maréchal d'Audrehem.

Mêmes références chevaleresques chez le porte-oriflamme français Geoffroy de Charny, qui a proposé à Jean le Bon, la veille, de renouveler le combat des Trente. Que l'on choisisse cent champions de part et d'autre, et qu'ils terminent l'affaire. Mais la proposition de Charny laisse trop de chances à l'Anglais, et Jean le Bon n'entend pas se priver de l'avantage que lui donne le nombre.

John Chandos, de son côté, a dû faire l'accord entre les dures nécessités d'une armée anglaise affamée et numériquement inférieure, et les impératifs de l'honneur. Les sages veulent rompre et regagner Bordeaux, les audacieux veulent affronter les Français, tous veulent manger. Voilà trois jours que le pain manque, alors qu'on entend le bruit des banquets que s'offrent ostensiblement les chevaliers du roi de France à la faveur de la trêve.

En pleine nuit, le Prince Noir a tenu conseil. La tactique a été arrêtée selon les vues du mentor Chandos : quitter la position retranchée du bois de Nouaillé, mais non vers un arrière où la chevalerie française aurait beau jeu de tailler en pièces une armée en retraite, hors de ses défenses. La sortie se fera vers l'avant, sous le nez des Français : un défilement en bordure des bois suffira, pour un temps, comme défense naturelle. En cas de bataille, le relief de Maupertuis balancera l'inconvénient du nombre. En bref, faute de pouvoir attaquer et faute de pouvoir attendre plus longtemps le ventre vide, Chandos imagine une provocation. Ou les Anglais passent, ou la bataille s'engage au moindre désavantage.

La bataille.

Eustache d'Auberchicourt est chargé d'engager la provocation. Alors que l'aube pointe, il sort du bois de Nouaillé avec quelques chevaliers et s'en va prendre position sur le chemin creux de Maupertuis, entre deux haies qui ne cachent pas la manœuvre mais briseraient éventuellement un assaut de la cavalerie française.

Malheureusement pour les Anglais, Jean le Bon évite le piège. Au lieu de donner le signal du combat, il dépêche quelques mercenaires allemands de la compagnie du comte de Nassau. Auberchicourt est désarmé, et se retrouve dûment ligoté à un chariot français pour la durée de la bataille qui s'annonce. A ce moment-là, Jean le Bon est vraiment en droit de se dire qu'il a bien fait de ne pas écouter le cardinal : l'affaire commence bien. Amusés de leur facile victoire, les Français attendent la suite.

Tous les autres viendront après !

Est-ce l'échec du compromis imaginé par Chandos ? Au conseil du Prince Noir, les partisans du dégagement rapide l'emportent. Il n'y a rien de honteux à éviter un combat perdu d'avance. Lancastre n'a pas agi différemment devant Laigle. Dans le petit jour, l'armée anglaise se glisse hors du bois et gagne en bon ordre le chemin de

Maupertuis. Les maréchaux Warwick et Suffolk mènent l'avant-garde avec le captal de Buch, le prince de Galles et Chandos le gros du convoi, Salisbury et Oxford l'arrière-garde. Les archers gallois et irlandais cheminent à travers le bocage pour flanquer l'armée.

Jean le Bon laisse faire. Il ne peut être qu'incertain. La manœuvre anglaise s'interprète de deux manières : retraite ou nouvelle feinte. Le Prince Noir souhaite se dégager d'un mauvais pas, mais le roi de France ignore les pensées du prince de Galles. On peut manquer du don de divination sans être un parfait imbécile. Jean le Bon voit en revanche fort bien que le terrain se prête mal à une attaque. Au reste, en bordure d'un bois et dans le jour encore faible, nul ne voit assurément si les Anglo-Gascons s'en vont tous ou si le gros des forces adverses demeure sous le couvert, prêt à la riposte.

En réalité, nous le savons, le Prince Noir et Chandos tentent, dans une même manœuvre, d'éviter honorablement le combat et de s'assurer d'un nouveau champ de bataille favorable pour le cas où le roi Jean déciderait d'attaquer. Bien sûr, les Anglo-Gascons perdent là tout le profit des travaux de fortification à quoi ils ont passé leur dimanche. Mais à demeurer dans le bois ils ne gagneraient rien. Les vivres ne viendront pas tout seuls.

Ce que le Prince Noir, lui, ignore, c'est que Jean le Bon a écarté l'idée d'attendre tout simplement la victoire d'un trop facile blocus.

Le connétable et les maréchaux de France sont en avant, avec leur bataille d'élite. Les batailles ordinaires, celle du dauphin et celle d'Orléans, commencent de s'apprêter pour un combat qu'elles n'ont pas à engager.

Jean de Clermont est aussi circonspect, face à la manœuvre ambiguë des Anglais, qu'il a été prudent la veille, face à leur retranchement. Le connétable Brienne tient pour Clermont. Mais il leur faut compter avec Audrehem, qui veut attaquer immédiatement, non par vain désir d'en découdre à tout prix – le maréchal n'est pas un sot – mais parce qu'il voit les Anglais trouver dans leur mouvement une nouvelle position forte. Dimanche, il voulait les attaquer avant que le bois de Nouaillé fût une forteresse. Ce lundi matin, il veut occuper le gué sur le Miosson avant que l'ennemi puisse tirer tout le profit d'une position doublement protégée, par les buissons et par l'eau. Le gué est d'importance capitale pour les Anglais en retraite : le maréchal d'Audrehem rejoint sur ce point la pensée de John Chandos.

A quoi bon attendre ? A travers le vignoble qui descend en pente douce vers le Miosson, Arnoul d'Audrehem charge, immédiatement suivi par les Allemands du comte de Nassau. Brienne et Clermont chargent aussi, mais ils marquent leur désaccord en choisissant un autre objectif : ils attaquent l'arrière-garde anglaise, encore à la sortie du bois.

On se souvient des archers qui flanquent alors la colonne anglaise. Il leur suffit de se mettre à couvert des haies et des rangées de vigne pour être en position de tir. En quelques minutes, c'est l'hécatombe. Gravement blessé, Audrehem est fait prisonnier avant d'atteindre le gué. Clermont est tué avant d'avoir franchi le chemin « fortifié malement de haies et de buissons » dont la stratégie anglaise a su faire un piège improvisé.

Les Écossais de l'armée française n'ont aucune envie de tomber aux mains des Anglais. A ce point de la bataille, ils se retirent purement et simplement.

La bataille n'est pas encore vraiment engagée, et Jean le Bon vient de perdre la quasi-totalité de sa cavalerie d'élite. Certes, le gros de l'armée est intact, non sa capacité d'assaut. Ce succès inespéré rend aux Anglo-Gascons leur pugnacité. Chandos et les autres modifient leur point de vue : peut-être n'est-il plus nécessaire de battre en retraite. Au lever du soleil, les gués du Miosson représentaient le salut pour une armée coupée de la route de Bordeaux. Une heure plus tard, ils deviennent un élément d'une stratégie défensive qui vise à la victoire, non plus à la fuite.

L'armée française est enfin prête. Sur l'ordre du roi, elle descend à son tour vers le Miosson, massant le gros des forces à l'ouest des Anglais, en arrière d'un méandre marécageux. Le choix de cette position est stupide : le sol spongieux va jouer contre l'assaillant.

Malgré cette manœuvre d'ensemble, c'est dans le désordre que le combat reprend. Plus qu'une bataille ordonnée, c'est un enchaînement de faits d'armes individuels. Faiblesse permanente de l'armée française, que ce refus tacite d'une discipline tactique : Jean le Bon le sait bien, qui a tenté, par l'ordonnance du 30 avril 1351, de structurer son armée en compagnies plus cohérentes que la poussière de bannières féodales, et qui a cherché à établir, par-dessus les chefs naturels que sont les vassaux du roi venus à l'armée avec leur contingent, l'autorité de quelques capitaines choisis pour leur aptitude au commandement. Vain espoir : au moment du combat, il manque à l'évidence un commandement. Le roi est à l'arrière, avec sa réserve, visiblement incapable de concevoir le mouvement d'une armée engagée autrement que comme la juxtaposition de bannières en mal de prouesses. On crie « Montjoie ! Saint-Denis ! », on crie « Saint-Georges ! Guyenne ! ». Mais d'ordres, point. Le héraut Chandos l'écrira dans sa chanson rimée :

> Chacun pense à son honneur.

C'est le cas de James Audley, qui est en train d'accomplir son vœu. Chargeant le premier, blessé à plusieurs reprises, il est finalement tiré hors du combat par ses quatre écuyers.

> L'amenèrent moult faible et fort navré au-dehors des batailles, près d'une haie, pour lui un petit refroidir et éventer. Et le désarmèrent au plus doucement qu'ils purent, et entendirent à ses plaies bander et loyer et recoudre les plus périlleuses.

Cette fois, c'est la bataille du dauphin qui supporte, du côté français, le plus fort des affrontements. Charles y perd même son fidèle Maignelay, qui portait à ses côtés la bannière aux armes de Normandie.

Les morts jonchent le champ de bataille. Le Prince Noir fait porter au cardinal de Périgord, qui s'est retiré à Poitiers, le corps de son neveu Robert de Duras, allongé sur un bouclier. Beaucoup penseront que le prince de Galles a voulu se venger : les Anglais sont furieux de voir dans les rangs ennemis quelques-uns des chevaliers qui étaient, la veille, encore dans l'entourage du légat. On est diplomate du pape ou l'on est combattant, pas les deux !

Maintenant, Jean le Bon fait sortir ses fils du combat. Tous sauf un, le plus jeune, Philippe. Le sénéchal de Saintonge Guichard d'Angle assurera leur escorte jusqu'à Chauvigny, où les princes seront pour un temps en sécurité. Le dauphin Charles, Louis d'Anjou et Jean de Berry laissent ainsi au futur duc de Bourgogne la gloire d'être aux côtés de leur père.

Prise à temps, la décision eût été sage. Chacun pouvait comprendre qu'il s'agissait de protéger la personne des enfants royaux. Bien sûr, ils sont « moult jeunes d'âge et de conseil », comme l'écrira Froissart. Mais à dix-huit ans le dauphin est depuis longtemps en âge de se battre, même s'il a peu de goût pour les armes.

Peut-être le roi a-t-il soudain songé à ce que coûterait l'éventuelle rançon d'un prince des fleurs de lis ? Plus vraisemblablement, Jean le Bon s'est tout à coup avisé que toute la descendance de Charles de Valois était là, à la merci des fortunes de guerre. Pour le chef d'une maison royale encore mal assurée, hasarder la vie et la liberté de tout son lignage mâle est de la plus grande imprudence. Que tout ce monde tombe aux mains de l'ennemi, et la renonciation à la Couronne pourrait bien être le seul moyen de rachat...

Après les Valois présents ce 19 septembre 1356 sur les bords du Miosson, le descendant le plus direct de saint Louis est Charles, comte d'Évreux et roi de Navarre : autant dire Charles le Mauvais, pour l'heure en prison...

Au vrai, Jean le Bon raisonne à Poitiers comme jadis, à Crécy, l'héroïque roi aveugle Jean de Bohême. Mort les armes à la main plutôt que de céder, Jean de Bohême a laissé sortir du combat son fils Charles, à la veille d'être l'empereur Charles IV. Jean le Bon ne fuira pas, comme l'a fait ce même jour de Crécy son père Philippe VI. Il portera jusqu'au bout ses responsabilités. Mais il met en sûreté l'avenir de la Couronne. Il préserve la lignée des Valois.

Charles de Normandie en gardera l'idée qu'on n'aventure pas la Couronne. Du Guesclin et quelques autres seront là pour éviter au roi de France d'affronter des périls qui ne touchent pas seulement la personne royale.

Décision sage, donc, que celle de faire sortir les princes. Prise à ce point de la bataille, elle est catastrophique. Ne pas aventurer tout le sang de France à la fois, certes. Mais non manifester ainsi qu'on n'a plus foi en la victoire. Mais non retirer du combat, avec le dauphin et ses deux frères, une forte troupe dont l'effectif va gravement manquer aux côtés du roi. Le départ des princes est une dérobade politique ; il apparaît à beaucoup comme une lâcheté, que souligne une ébauche de poursuite entamée par Warwick. Bien des chevaliers du roi de France s'en autoriseront pour déguerpir. « Plusieurs s'en départirent. »

Le duc d'Orléans, lui, manœuvre avec toute sa bataille — trente-six bannières, deux cents pennons — pour venir se placer derrière la bataille du roi son frère. Derrière la réserve ! Cette fois, la position du roi est dégarnie.

Jean le Bon est un brave ; il réagit comme tel. De ses ennemis à ses amis les plus fidèles, tout le monde fera l'éloge de son courage en cette journée. Cet homme qui n'est ni un géant ni un athlète, et de qui Charles V tiendra son amour des lettres et des livres, descend de cheval, prend une hache de guerre — l'épée des chevaliers est trop longue pour le combat à pied — et fait face aux maréchaux anglais Warwick et Suffolk. La « bataille » du roi entre dans la mêlée.

Chandos l'a dit au Prince Noir quelques instants plus tôt : tout va se jouer autour de la personne royale.

> Adressons-nous vers votre adversaire le roi de France. En cette part gît tout le fort de la besogne. Je sais bien que par vaillance il ne fuira point.

C'est en effet autour de Jean le Bon, dont la grande taille fait merveille, que se noue le drame, quelque part entre le vignoble et une carrière à flanc de coteau. Le connétable Brienne est là, ainsi que le porte-oriflamme Charny. Bourbon aussi, et tant d'autres. Et le jeune prince Philippe, qui se rend utile en gardant bravement son père : « à droite... à gauche... ».

Le vent du désastre plane sur le camp français. Jean le Bon a laissé tuer ses meilleurs chevaliers dans l'engagement initial, laissé disloquer le gros de ses troupes dans un combat inorganisé, fait donner la réserve trop tard pour qu'elle serve à quelque chose. Ses fidèles tombent maintenant autour de lui. Charny est mort en tenant l'oriflamme. Brienne est tombé, lui aussi, comme le duc de Bourbon, comme le sire de Pons. Les moins hardis ont quitté les lieux sans vergogne. N'est pas héros qui veut, et tout le monde n'a pas l'étoffe des Trente.

Et commencèrent à tourner
Le dos et à cheval monter.

Jean le Bon n'est pas surpris par ces défections. Dès le matin, il a fait mettre les chevaux à l'écart pour décourager les candidats à la fuite. Le roi a toujours sur le cœur l'humiliation de la fuite paternelle au soir de Crécy. Que la France ait gagné ou perdu à cette fuite, c'est une question qu'il ne se pose pas.

Par bannières entières dans quelques cas, l'armée française se débande. On reparlera longtemps de ces fuites, hors de la chevalerie. On en parlera aux états généraux. Les Jacques eux-mêmes sauront la chose, et la répéteront en l'amplifiant. Bientôt, on opposera volontiers l'héroïsme du roi et la lâcheté des nobles, oubliant un peu vite les Bourbon et les Charny. On parlera de trahison. Le mot, on le sait, est à la mode.

L'Anglais fait des prisonniers : Jean Fernand de Hérédia, notamment, que le prince de Galles veut faire décapiter séance tenante pour lui apprendre à jouer les médiateurs le soir et à se battre le lendemain matin. C'est Chandos qui sauve la vie du futur grand maître de l'Hôpital : le cardinal de Périgord, assure-t-il, paiera bonne rançon pour ses gens.

A ce métier, certains sont en train de faire fortune : ainsi Auberchicourt, que nous avons laissé attaché à un chariot français. Ses amis ont finalement libéré la victime épisodique de la malencontreuse provocation du petit jour, et il s'emploie maintenant à amasser un capital.

> Et fut le dit Eustache remis à cheval. Depuis fit-il ce jour mainte apertise d'armes, et prit et fiança de bons prisonniers dont il eut à temps à venir grand finance, et qui moult l'aidèrent à avancer.

La fortune de guerre tourne parfois très vite. Un Anglais poursuivait Oudart de Renty, un chevalier réaliste « qui bien voyait que la bataille était perdue sans recouvrer, aussi ne se voulait mie mettre en danger des Anglais ». Mais voilà que l'Anglais se permet de prendre le fuyard pour un poltron et de l'apostropher :

> Chevalier ! Retournez, car c'est grand honte d'ainsi fuir !

Oudart entend la chose, arrête net son cheval, sort son épée, attend le choc. Son bouclier détourne l'épée de l'Anglais. Celui-ci a en tête un fort bassinet : Oudart donne dessus un tel coup du plat de l'épée que le poursuivant s'en trouve assommé. Lorsqu'il retrouve ses esprits, il est au sol, et une épée pointe contre sa poitrine. Oudart en obtiendra une excellente rançon.

Au même instant, l'écuyer picard Jean d'Allaines fait semblablement son profit du jeune seigneur de Berkeley qui s'est mêlé de le poursuivre sur « fleur de coursier » en l'apostrophant :

> Retournez, homme d'armes ! Ce n'est pas honneur ni prouesse d'ainsi fuir !

Mais, dans l'affrontement, c'est la bonne épée de Berkeley qui vole en l'air : une remarquable lame de Bordeaux, que le chevalier anglais tente vainement de récupérer en descendant de cheval. Transpercé par l'épée du Picard, il promet tout ce que veut celui-ci en fait de rançon. Moyennant quoi on le panse, on l'emmène à Châtellerault et on le soigne là pendant quinze jours. Il sera, enfin, conduit en litière jusqu'en Picardie. Le tout aux frais de son vainqueur. L'enjeu vaut la dépense : il en coûtera six milles nobles d'or à Berkeley pour revoir l'Angleterre. Les Français n'ont pas tous, à Poitiers, tout perdu.

Pendant que la chance sourit à quelques-uns, Jean le Bon rassemble ce qui lui reste de fidèles. Sur la défensive pendant les premières heures du combat, le Prince Noir et John Chandos passent maintenant à une attaque résolue. Il est tout juste temps, car les Anglo-Gascons ne sont pas moins épuisés que les Français. Les archers gallois manquent de flèches et doivent se glisser jusque auprès des cadavres pour récupérer les traits déjà lancés. Les chevaliers anglais et gascons sont las d'une journée commencée bien avant l'aube et qui s'allonge vers le soir. Mais il faut en finir.

Dans un large mouvement tournant, le captal de Buch prend à revers ce qui reste de la « bataille » du roi de France. Chandos peut alors, de face, lancer l'assaut final. Le temps de la défensive est passé. Le Prince Noir se porte lui-même vers la mêlée. Depuis le matin, il n'avait guère quitté son observatoire, à la lisière du bois de Nouaillé.

Cette fois, c'est le corps à corps. Les archers ont cessé de tirer, à la fois parce qu'ils manquent de munitions et parce qu'il ne faudrait pas se priver d'une belle rançon. Celui qui tuerait le roi de France ou son fils n'aurait pas droit aux compliments. L'affaire se conclut à l'épée, à la hache, à la masse.

Les chevaliers lourdement armés y voient mal dans la confusion du combat. Mais on constate soudain que, devant le prince de Galles, toute résistance a cessé. Les bannières françaises ne flottent plus au-dessus des rangs disloqués. On ne voit plus les pennons des Français. Chandos éprouve le besoin d'y voir clair, et tout simplement de regrouper ses troupes. Sur son avis, le Prince Noir s'accorde le temps de reprendre son souffle. Sa bannière est fichée dans un buisson, assez haut pour guider le ralliement. On sert à boire. A Warwick, à Suffolk, le prince demande si l'on sait où est le roi de France. Nul ne sait. Il y a les haies, il y a les morts, il y a le tumulte.

Deux barons sont chargés d'aller aux renseignements. Ils montent sur un tertre.

> Si perçurent une grande flotte de gens d'armes tout à pied, et qui venaient moult lentement. Là était le roi de France en grand péril, car Anglais et Gascons en étaient maîtres et l'avaient déjà tolu à monseigneur Denis de Morbecque.

Morbecque n'a pas gardé longtemps son prisonnier. A peine Jean le Bon lui a-t-il remis son gantelet droit – il lui fallait se rendre ou se laisser tuer – que la foule des Anglais et des Gascons se dispute la prise. Le roi a alors demandé à ce qu'on le conduise devant son cousin le prince de Galles.

C'est le roi de France qui est pris, explique-t-on aux deux observateurs du Prince Noir qui voient rouler à leurs pieds une foule hurlant de joie, et prête à tout pour avoir son profit de l'affaire.

> Le veulent avoir et le challengent plus de dix chevaliers et écuyers.

Chacun jure que le royal prisonnier est à lui. Le vacarme est à son comble. Soudain, la foule se fend. C'est Warwick, maréchal d'Angleterre, qui fait reculer les prétendants à la prime et s'incline devant le roi de France. Prisonnier peut-être, mais roi.

Jean le Bon n'en menait pas large. La vue du maréchal le rassérène. Après tout, il a fait son devoir jusqu'au bout. Il est sûr, maintenant, d'être traité selon son rang. Les règles de la bataille chevaleresque continuent de régir les rites.

Quelques instants plus tard, Jean le Bon, roi de France, et Édouard, prince de Galles, se trouvent face à face. Ni dans le passé ni ce jour-là, les deux cousins ne s'étaient jamais vus.

CHAPITRE VIII

Le royaume décapité

LA DÉFAITE.

« Vous avez perdu votre père. » C'est tout ce que Jean le Bon trouve à écrire, pour les réconforter et les inciter à payer rapidement sa rançon, à des sujets plus ou moins abasourdis par la nouvelle de sa capture. Non que la chose fût sans exemple. Richard Cœur de Lion avait été prisonnier du duc d'Autriche, saint Louis prisonnier des Mamelouks. Dans l'un et l'autre cas, les sujets et les vassaux du captif ne s'étaient pas sentis orphelins. La captivité demeurait l'un des aléas de la guerre. De surcroît, Richard comme Louis IX avaient été pris fort loin de leur royaume, et la prison les coupait plus évidemment de leur armée que d'une administration civile et d'un état déjà organisés pour se passer d'eux en leur absence.

Tandis que, cette fois, Jean le Bon s'était rendu à l'Anglais en pleine campagne française. Ce sont les routes de Poitou et d'Angoumois qu'il devait parcourir sous bonne escorte pour gagner Bordeaux. Ce sont les sujets du roi de France — hommes ou non du Plantagenêt — qui le voyaient passer, résigné mais non abattu.

Car la situation du captif était des plus brillantes. Édouard, prince de Galles, était trop heureux de sa victoire inespérée pour ne pas traiter le roi de France avec les plus grands égards. Plus il l'honorait, plus il soulignait la valeur de sa prise. Jean le Bon, lui, était bien loin du désespoir : il avait fait son devoir, il avait perdu, mais en chevalier loyal et courageux. A tenir prison et à payer rançon, le code de l'honneur féodal ne voyait aucun mal, et la plupart des coutumes faisaient de la rançon du seigneur captif l'un des cas où les vassaux devaient une aide financière.

Si le roi était confus de quelque chose, ce ne pouvait être que de penser à son fils aîné, qui devait à une fuite peu glorieuse de s'être tiré, libre, du guêpier de Poitiers. Charles était parti sur l'ordre de son père. Il n'empêche que la hiérarchie des convenances chevaleresques mettait le prisonnier après le vainqueur, mais avant le fugitif. Jean le Bon était vaincu, certes, mais dans le respect des règles.

Le jeune homme qui s'était retiré du combat le 19 septembre 1356 – il ne devait jamais plus se sentir d'appétence pour les beaux faits d'armes – était une tête bien frêle pour un royaume bien divisé. Charles, dauphin de Viennois depuis la cession, en 1349, de cette principauté d'empire par le dauphin Humbert II, dernier rejeton de la maison de la Tour du Pin, était également, on le sait, duc de Normandie depuis 1355. Mais il n'avait, à dix-huit ans, aucune expérience véritable du gouvernement. Son père l'avait peu associé aux affaires du royaume. Le Viennois, dont il avait été investi à l'âge de douze ans, était demeuré sous le gouvernement réel des gens du roi. La Normandie, où Jean le Bon se souvenait d'avoir été si longtemps, alors qu'il en était duc lui-même, un simple prête-nom de l'administration royale, était trop présente à Paris dans toutes les grandes institutions de l'administration centrale de la monarchie pour faire figure de fief autonome. A Rouen, Charles avait fait la fête pour se prouver qu'il était duc et qu'il était grand ; il avait conspiré contre son père pour se prouver qu'il était majeur. Au vrai, il n'était rien.

Dans les jours qui suivirent la défaite de Poitiers, et avant même de faire, le 29 septembre, une entrée sans gloire dans Paris, Charles prit le titre de lieutenant du roi. Il était l'aîné, et le seul prince capable de revendiquer le gouvernement en l'absence du roi : le frère de Jean le Bon, Philippe d'Orléans, était dans la main d'Édouard III. Pour la première fois, le dauphin se sentait libre de ses mouvements. Mais il était terriblement seul, et savait son pouvoir aussi fragile qu'éphémère. C'est pour assurer ce pouvoir qu'il allait prendre, en 1358, le titre plus significatif de « régent ».

Le lieutenant du roi, c'est le représentant du souverain. Le régent, c'est le chef du gouvernement royal. Pour ceux qui avaient souvenir des incertitudes successorales de 1316 et de 1328, quand la reine veuve attendait un enfant, le mot avait une consonance bien précise : s'il y avait un régent, c'est qu'il n'y avait pas de roi. Traduisons ceci en termes politiques : la régence supprimait toute velléité d'appel au roi des décisions du dauphin.

Les difficultés vinrent du côté où on les attendait le moins. La bourgeoisie parisienne, relativement discrète au cours des précédents états généraux, touchée naguère par la disgrâce de quelques parvenus comme Jean Poilevilain et Pierre des Essarts et vite réconfortée par leur retour en grâce, cette grande bourgeoisie jusqu'ici docile et surtout préoccupée de ses intérêts économiques se dressait maintenant contre le dauphin et lui tenait la dragée haute.

Le conflit éclata aux états. Charles avait dû les convoquer de nou veau, parce que le Trésor était vide. Il ne s'agissait pas seulement de payer la rançon du roi, expressément prévue par le droit féodal sans qu'il y fût besoin du consentement des contribuables. Le principe n'était discuté par personne: le vassal et ses hommes doivent défendre leur seigneur les armes à la main et, s'il est trop tard, l'aider de leurs deniers à se libérer. Il fallait en revanche le consentement du pays si l'on voulait de l'argent pour faire tourner normalement les rouages de l'administration, remettre sur pied une armée telle qu'on ne fût plus à la merci du vainqueur d'un jour: en bref, pour faire vivre l'État.

Étienne Marcel.

Pour le malheur du dauphin Charles, les Parisiens venaient d'élire prévôt des marchands un personnage que nous avons déjà rencontré: Étienne Marcel. En soi, la chose n'a rien d'étonnant, et l'élection est des plus classiques. Étienne Marcel était l'un des plus riches bourgeois de la capitale, héritier d'une vieille famille de drapiers, changeurs de surcroît, fournisseurs de la cour à l'occasion, richement pourvus d'immeubles de rapport et de créances. Homme d'affaires prospère, Marcel n'avait rien du révolutionnaire. Il était allié à toute la bourgeoisie parisienne, aux Barbou, aux Bourdon, aux Coquatrix. Sa première femme était fille d'échevin. La seconde était la fille de ce Pierre des Essarts que l'on a vu, dès le règne de Philippe V, atteindre aux offices les plus élevés du gouvernement financier; Pierre des Essarts avait royalement doté sa fille de trois mille écus d'or. Étienne Marcel était donc, par sa famille comme par ses alliances, aux portes de cette noblesse que Philippe V avait, dès 1320, conférée par lettres patentes à son beau-père Pierre des Essarts. Nul ne pouvait avoir grand doute là-dessus: le nouveau prévôt des marchands serait un jour noble.

Sur ce chemin, la prévôté des marchands est une étape importante. Ce n'est pas seulement la tête de cet organisme hautement privilégié, la « hanse des marchands de l'eau », qui regroupe au mieux de leurs intérêts tous les grands négociants qui usent de la voie fluviale pour leurs trafics et qui perçoivent une part de tout profit résultant du commerce parisien. C'est aussi — parce que Paris n'a pas de commune — une sorte de municipalité sans le nom, un interlocuteur nécessaire pour l'administration royale, un représentant qualifié, sinon défini, des intérêts communs des Parisiens et de leur commune volonté politique. Quand le roi veut convaincre les Parisiens — et notamment les convaincre de payer l'impôt — il s'adresse au prévôt des marchands et à ses quatre échevins. De là à ce que le prévôt des marchands fasse figure de chef des Parisiens, il n'y a pas loin. Face au prévôt de Paris, qui siège au Châtelet et qui est au vrai un bailli, le prévôt des marchands, dont le « Parloir aux bourgeois » domine la place de Grève, parle bel et bien au nom de la plus forte bourgeoisie du royaume.

Être le gendre de Pierre des Essarts avait été, depuis dix ans, une condition difficile à tenir. En octobre 1346, l'homme de confiance de Philippe VI, à la fois conseiller privé, banquier et – très officiellement – maître des comptes, avait été, comme bien d'autres et comme le prince héritier Jean lui-même, pris dans la disgrâce collective des gens au pouvoir lors du désastre de Crécy, collectivement réputés des incapables et des filous. Le roi avait alors trop besoin des contribuables pour ne pas satisfaire l'opinion. Pierre des Essarts avait été jeté en prison et l'on avait confisqué ses biens.

Étienne Marcel s'était vu le gendre du plus gros manieur d'argent de l'entourage royal ; il était, l'année même de son mariage, le gendre d'un prévaricateur. Trop heureux d'être assez jeune marié pour ne point se voir impliqué dans l'affaire, qui valut à l'autre gendre de Pierre des Essarts, le secrétaire du roi Robert de Lorris, d'aller lui aussi en prison, Étienne Marcel avait tout juste eu le temps d'entrevoir la fortune.

Si Pierre des Essarts avait été pendu, le gendre se serait sans doute consolé. Mais, comme les autres victimes de la purge de 1346, le maître des comptes tira son épingle du jeu moyennant finance. En mai 1347, il sortait de prison, sans jugement, sans même une lettre de rémission en bonne forme : il avait simplement payé une amende colossale, cinquante mille pièces d'or à la « chaise » – on y voyait le roi en majesté sur son trône – soit seize fois ce que Marguerite des Essarts avait apporté en dot à Étienne Marcel.

Un temps, les affaires parurent reprendre. La disgrâce était oubliée. La prospérité allait revenir. Pierre des Essarts était de taille à se refaire une fortune. Il jouait de nouveau son ancien rôle de banquier du roi lorsqu'en 1349 la Peste noire le frappa.

Étienne Marcel était un homme d'affaires avisé. Il refusa la succession. Son beau-père avait manié trop de fonds royaux pour qu'on n'examinât pas ses comptes. On allait trouver des malversations, des fraudes, des opérations illicites, des écritures mal tenues. Le roi avait sauvé la vie de son homme de confiance, mais il n'avait maintenant aucune raison d'en ménager le patrimoine. Pis encore, l'occasion était belle pour les finances royales ; il y avait à cet égard bien des exemples. Accepter la succession, jugea Étienne Marcel avec un semblant de bon sens, c'était s'exposer à devoir « rembourser » trop de choses au Trésor royal. Le passif pourrait bien dépasser l'actif, et emporter même la dot.

Le beau-frère Robert de Lorris était de cet entourage royal bruyamment évincé en 1346 et discrètement revenu en 1347. Il avait l'amitié du duc de Normandie, autrement dit du futur roi. Il se jugea assez sûr de lui pour accepter la succession.

Trois ans plus tard, Jean le Bon réhabilitait Pierre des Essarts. Celui-ci n'avait commis aucune faute. L'amende avait été indûment exigée. A la fin de 1354, le Trésor compta scrupuleusement cinquante mille pièces d'or à Robert de Lorris, qui héritait ainsi la fortune de son beau-père, non dans l'état auquel celui-ci l'avait portée en la reconstituant avant de mourir, mais dans l'état de son apogée.

Étienne Marcel avait encore sur le cœur, en 1356, les cinquante mille pièces d'or, la duplicité du gouvernement royal et la rouerie de sa propre famille. Deux fois dupé par les spéculations financières de l'entourage royal, il n'allait laisser passer ni l'occasion d'une réforme ni celle d'un règlement de comptes. Frustré d'une fortune par la bonne société politique, ce grand bourgeois était prêt à lui déclarer la guerre au prix des alliances les plus inattendues.

Les états de 1356.

A peine les états généraux de Langue d'oil étaient-ils réunis, en octobre 1356, qu'Étienne Marcel s'y faisait le porte-parole de toutes les revendications élevées par ceux qui jugeaient la France mal gouvernée. Tant d'impôts, pour en arriver à se faire battre! Voilà le point de vue du bourgeois moyen. Mais le charisme royal était bien fort, malgré la fragilité dynastique, et ce n'est pas le piteux stratège Jean II que l'on incriminait. On s'en prenait aux conseillers, aux officiers: à la haute et à la basse administration. Les bourgeois des bonnes villes, Parisiens en tête et Marcel à leur tête, exigeaient des réformes et, pour commencer, des révocations.

Ils s'entendirent d'emblée avec les autres mécontents, et notamment avec les partisans du roi de Navarre, portés à croire qu'à s'être fait écraser deux fois en dix ans les Valois n'avaient guère fait merveille. Enfermé pour l'heure en Artois dans le château d'Arleux, Charles le Mauvais savait qu'il était né trop tard et qu'on ne reviendrait plus sur le choix de 1328. Mais, alors que le roi vaincu était captif, à Bordeaux puis à Londres, ses partisans jugeaient en revanche que la place d'un prince dont le grand-père était roi de France pourrait bien être à la tête du gouvernement de la France.

Le chef de file de ces « Navarrais », c'était toujours Robert Le Coq, évêque de Laon. Marcel était réformateur par haine des gens en place, voire par vengeance. Le Coq l'était par calcul. Il poursuivait tout simplement la reprise d'une carrière au terme de laquelle d'autres, qui avaient commencé comme lui au Parlement, avaient trouvé la Chancellerie ou le chapeau de cardinal.

Il manquait un homme à l'appel : Geoffroy d'Harcourt était resté en Normandie. Il allait trouver la mort en novembre, dans un médiocre engagement local.

Dans le vide créé par l'événement de Poitiers, tout semblait possible. Menés par Robert Le Coq et Étienne Marcel, les états allèrent jusqu'à demander une sorte de participation au gouvernement : que le Conseil fût élu, avec quatre prélats, douze nobles et douze bourgeois. C'était, bel et bien, la royauté en tutelle.

En matière financière, on n'avait d'ailleurs pas attendu les malheurs de la France. Dès le mois de décembre 1355, les états de Langue d'oil, où Étienne Marcel portait déjà la parole au nom des villes mais collaborait encore en apparence avec Jean le Bon, mettaient à leur contribution de très strictes conditions : ils exigeaient avant tout que l'impôt octroyé pour la défense du royaume fût affecté à cette défense et à elle seule. L'Artois, la Normandie, le Vermandois l'avaient déjà obtenu, chacun pour soi. Cette fois, c'est à l'échelle du royaume tout entier que le principe était posé : ce qui est octroyé pour la défense ne peut être ordonnancé que par ceux qui l'ont octroyé.

Disons tout de suite que les états se leurraient. On aurait pu s'en douter en constatant l'échec de la précédente tentative de Jean le Bon. Le contribuable voulait bien payer pour la défense locale, pour celle de sa région ou de sa ville. Il était moins convaincu lorsqu'il s'agissait, plus généralement, de la défense du royaume. Les gens députés par les états allaient rencontrer, pour lever l'aide, les mêmes difficultés que naguère les gens du roi.

Ces députés des états, on les appelle des « élus ». Il y a des élus dans chaque diocèse, chargés de faire l'assiette de l'impôt et de centraliser la recette de la ville et de la campagne. Il y a des « généraux élus » — trois prélats, trois nobles, trois bourgeois — pour ordonnancer les paiements et gérer le mouvement des fonds. Les uns et les autres rendront leurs comptes devant les états, qui s'érigent ainsi, peu à peu, en organe permanent de contrôle.

Ces braves gens étaient quelque peu étourdis par le pouvoir tout neuf que leur conférait à la fin de 1355 la détresse d'un roi qui n'avait plus les moyens de sa politique. Mais ils oubliaient une chose : le remède était cher. Les bonnes villes allaient se lasser d'entretenir à Paris des députés portés à lésiner sur les dépenses du roi mais non sur leurs propres frais de séjour.

Ce qu'on exigeait en octobre 1356 était bien autre chose. Il fallait que le dauphin Charles laissât aux états une part du pouvoir politique. Délibérant en théorie état par état, en trois salles séparées, et passant en fait le plus clair de leur temps en des conciliabules où les trois états apparaissaient comme des parties adverses, les députés mirent deux semaines à formuler leurs exigences. D'aider financièrement le gouvernement du dauphin, il n'était pas encore question. Les députés oubliaient même qu'ils étaient là pour en parler. En revanche, dès le deuxième jour, les états avaient manifesté leur indépendance en signifiant aux membres du Conseil royal qu'ils pouvaient se retirer : on ne travaillerait plus en leur présence.

A la fin d'octobre, on pria le dauphin de venir au couvent des Célestins, sur la rive gauche, pour entendre les conditions préalables de l'aide financière. Les états ne se contentaient pas d'exiger le renvoi des « mauvais conseillers » et la libération du roi de Navarre, qui faisait figure de simple mesure de circonstance. Ils demandaient la constitution d'un Conseil souverain élu : quatre évêques, douze chevaliers, douze bourgeois. N'avait-on pas anticipé quelque peu en désignant, dès le début de la session, une commission permanente de cinquante ou quatre-vingts membres ? Il avait semblé qu'une telle commission était plus apte à suivre les affaires du gouvernement qu'une assemblée de huit cents personnes aux compétences fort inégales.

Étienne Marcel voyait déjà sombrer ceux qui l'avaient trompé, et en qui il voyait ceux qui venaient de conduire la France au désastre. Robert Le Coq se voyait déjà au pouvoir.

A son habitude, le dauphin Charles gagna du temps. Il invoqua la nécessité de consulter le roi son père, voire l'empereur. Il tenta de marchander. Finalement, sans se cacher qu'il faudrait bien les convoquer de nouveau, puisqu'aucune aide financière n'avait été votée, il congédia les états le 2 novembre. Robert Le Coq tenta de faire décider que la session se poursuivait malgré l'interdit. Il échoua.

On était maintenant près de Noël. Le duc de Normandie devait passer les fêtes avec son oncle l'empereur Charles IV de Luxembourg. Il prit la route de Metz, où il parvint trois jours avant Noël. Il y trouva toute la cour impériale devant laquelle, comme dauphin de Viennois, prince d'empire, il devait prêter hommage pour sa principauté. Mais on était aussi soucieux de ménager certaines apparences que de respecter les formes du droit féodal : afin que le fils aîné du roi de France ne parût pas déférer à une convocation, il était convenu qu'il apporterait à son oncle l'empereur, de la part de son père le roi, un cadeau inestimable : deux épines de la Couronne d'épines conservée à la Sainte-Chapelle de Paris depuis le temps de saint Louis.

Le voyage à Metz n'avait donc rien à voir avec la défaite, et il n'avait rien d'un appel au secours. Tout au plus, en raison de la présence du cardinal-légat Hélie Talleyrand, la rencontre prenait-elle quelque peu l'allure d'une conférence des princes chrétiens. Au compte que firent le jour de Noël les hérauts d'armes, il y avait là, aux côtés d'une centaine de ducs et de marquis, d'archevêques et d'évêques, quelque trois mille trois cents paires d'éperons d'or, autrement dit trois mille trois cents chevaliers. Le dauphin Charles était lui-même en grand arroi, avec toute une cour et une forte escorte. Il avait des chevaux magnifiques.

On parla surtout des affaires de l'Empire. Charles IV promulgua définitivement la Bulle d'or – un acte solennel scellé d'un sceau d'or, ou « bulle » – qui définissait le droit électoral et devait ainsi mettre l'Empire à l'abri de nouvelles crises successorales : la liste des princes électeurs était close.

Charles IV se souciait peu de compliquer le jeu politique européen en s'engageant dans les affaires intérieures de la France. Il savait assez d'histoire pour avoir en tête ce qu'il en coûtait à un empereur qui cessait de porter une attention de tous les instants à son royaume allemand. Il s'entretint longuement avec son neveu le dauphin de Viennois et l'encouragea à tenir bon. Au mieux promit-il d'inciter l'Anglais à suspendre les hostilités, maintenant qu'il tenait captif le roi de France, et à attendre le règlement final de la paix. Ce fut tout.

Pendant que le dauphin était absent, la situation se dégradait à Paris et l'occasion s'offrait à Étienne Marcel de basculer dans le parti populaire qui s'opposait aux intérêts de la grande bourgeoisie proche du trône. A Toulouse, les états de Langue d'oc avaient voté l'aide, mais ce syndicat de propriétaires et de créanciers y avait mis une condition : le retour à la forte monnaie. A peu de chose près, c'est ce qu'avaient exigé en leur temps les assemblées réunies par Philippe le Bel et les barons unis dans les mouvements féodaux de 1314 et 1315. C'est ce qu'avaient déjà fait promettre par Jean le Bon les états de 1355. Quand on a des rentes et qu'on perçoit des loyers, on est hostile à l'inflation.

Pensant plutôt à l'impôt qu'aux intérêts du menu peuple, locataire urbain ou tenancier rural, mais toujours plus ou moins endetté, les commissaires du dauphin à Toulouse avaient prescrit la frappe immédiate d'espèces nouvelles : un « gros blanc à la couronne » d'excellent titre – 958 millièmes – et qui, émis pour deux sous tournois seulement, faisait plus que doubler d'un coup la valeur en métal-argent de la livre tournois.

On ne pouvait avoir en Langue d'oc une monnaie forte et conserver la faible en Langue d'oil. Le dauphin et son conseil avaient décidé pour le Nord un renforcement moindre que celui vers lequel on allait dans le Midi, renforcement qui suffisait cependant à irriter les débiteurs sans aucun avantage du côté des créanciers : ceux-ci avaient refusé de voter l'impôt. De toute manière, les possédants eussent trouvé trop timide une mutation qui ne renforçait que d'un quart la livre tournois.

Ce renforcement monétaire fut publié le 10 décembre par le jeune Louis d'Anjou, qui assurait l'intérim de son frère le dauphin. Sur-le-champ, les Parisiens s'agitèrent. Étienne Marcel trouvait enfin le terrain favorable pour combattre ceux qui l'avaient lésé dans ses intérêts : leurs propres intérêts. Il prit la tête du mouvement. Une délégation se rendit au Louvre, fut reçue par Louis d'Anjou. On tergiversa. Après deux jours de tumulte, le prince ajourna l'exécution de l'ordonnance qui prescrivait la nouvelle frappe.

Le peuple parisien l'avait emporté sur l'intérêt de ceux qui composaient les états. Étienne Marcel était désormais en porte-à-faux : orateur des grands bourgeois en novembre, il se révélait meneur des compagnons et des boutiquiers en décembre. On l'eût sans doute étonné si on lui avait dit qu'il n'était pas loyal envers son roi. Lorsque le dauphin approcha de Paris, le prévôt des marchands alla à sa rencontre hors de la ville, et au-delà de la distance que voulait le protocole.

Jean le Bon, cependant, ne ratait pas une sottise. Le 12 décembre, au moment où Étienne Marcel dictait sa conduite au gouvernement de Louis d'Anjou, le roi de France jugeait à propos d'écrire, de Londres, au prévôt des marchands de Paris pour le remercier des efforts faits par les états pour sa prochaine délivrance.

A peine revenu dans sa capitale, le lieutenant du roi tenta de convaincre les Parisiens. Il lui fallait faire vite, car on ne pouvait éviter une nouvelle session des états : les caisses étaient vides. Or les états ne pouvaient manquer d'envenimer l'affaire. Le dauphin avait deux semaines pour mettre un terme à l'agitation ; il tenta un coup de force.

Le 19 janvier 1357, il dépêcha au « Parloir aux bourgeois » une véritable ambassade : l'archevêque de Sens, le comte de Roucy, Robert de Lorris — encore lui ! — et quelques autres de son Conseil, qui prièrent le prévôt des marchands et ses quatre échevins de venir sur-le-champ à Saint-Germain-l'Auxerrois — donc aux portes du Louvre — pour y entendre une communication urgente du gouvernement. Il y avait là deux maladresses contradictoires : c'était faire trop d'honneur à Étienne Marcel que de lui envoyer un archevêque, et c'était le pousser à la fureur que de lui envoyer son beau-frère Lorris, l'homme aux cinquante mille pièces d'or.

Il était environ dix heures du matin quand les Parisiens se présentèrent à Saint-Germain-l'Auxerrois. Les gens du dauphin attendaient l'échevinage, ils virent arriver une foule, et qui ne cherchait même pas à cacher qu'elle était armée. On frisait l'émeute.

L'un des conseillers harangua les gens de la Ville : étaient-ils prêts à accepter la nouvelle monnaie ? Étienne Marcel répondit sèchement que les Parisiens n'en feraient rien. Ils ne souffriraient point que la dite monnaie courût. Les conseillers jugèrent opportun de ne pas répliquer. Ils firent bien.

Le prévôt des marchands et ses compagnons tournèrent les talons. Aux manifestants qui commençaient de se répandre dans la ville, il donna mission de faire cesser tout travail et de faire armer tous les Parisiens. On allait délibérément vers une révolution parisienne.

Le dauphin l'évita en cédant. Pendant l'entrevue de Saint-Germain-l'Auxerrois, il était demeuré au Louvre, où ses conseillers le rejoignirent en hâte. On convoqua pour le lendemain matin une nouvelle assemblée, composée on ne sait comment et sans doute, pour l'essentiel, de ceux qui ne lâchaient pas Étienne Marcel d'une semelle. La séance eut lieu au palais de la Cité, dans la grande salle du Parlement. Le dauphin, cette fois, vint en personne et tenta de jouer au plus fin : il renvoyait l'objet du litige devant les états.

> Leur dit que, bien que le droit de faire monnaie et de la muer appartînt au roi pour cause de l'héritage de la Couronne de France, toutefois voulait-il, pour leur faire plaisir, que la dite nouvelle monnaie n'eût point de cours.
>
> Mais voulait que, quand les gens des trois états seraient assemblés, ils ordonnassent, avec aucuns des gens du dit monseigneur le duc qu'il ordonnerait à ce, certaine monnaie telle qu'elle fût agréable et profitable au peuple.

Il pardonnait l'affaire de la veille. Il révoquait les neuf conseillers que les états – c'était en fait Étienne Marcel aux états – avaient naguère désignés comme coupables de malversations. Il promettait de les faire arrêter, juger et priver de leurs biens. L'histoire recommençait. Jean Poilevilain fut le seul à ne pas quitter Paris à temps.

Marcel et ses amis se méfiaient des promesses verbales. Quoi qu'il en coûtât au dauphin, ils exigèrent et obtinrent un acte officiel.

Les États de 1357.

Les états étaient convoqués pour le 5 février 1357. Ils siégèrent un mois, dominés par un Robert Le Coq qui parlait de plus en plus haut mais qui ne parvenait cependant pas à imposer au dauphin la libération du roi de Navarre. La fin première de cette session, c'était évidemment l'impôt. Les états décidèrent de le faire lever et d'en faire dépenser le produit. Ils se réuniraient à cet effet une fois par trimestre.

Depuis deux ans, on avait eu le temps, dans les bonnes villes comme dans les châteaux, de préciser ce qu'on entendait par « réforme ». Ce que les états proposaient au dauphin comme condition de l'impôt – et faisaient promulguer par l'ordonnance du 3 mars 1357 – allait bien au-delà de ce qu'avait dû accepter, en semblable nécessité politique et financière, un Philippe le Bel dont, au moins, la couronne était incontestée. La réforme de 1303, confirmée par les chartes provinciales de 1315, c'était la mise au pas des officiers locaux, le respect des juridictions seigneuriales, l'affirmation des prérogatives féodales et des franchises ecclésiastiques. C'était la défense de l'ancien système politique contre la monarchie et son nouvel appareil. La réforme de 1357, c'était un nouveau système de gouvernement, celui auquel avaient songé, trop tôt puisqu'avant la défaite, les états de 1355 : la monarchie sous contrôle.

Il y avait de tout dans cette ordonnance du 3 mars, et dans les textes qui vinrent aussitôt la compléter. Des mesures occasionnelles, comme la constitution d'une commission de neuf « réformateurs généraux » chargée d'épurer l'administration, d'envoyer en prison les coupables et de saisir leurs biens. Des mesures transitoires, même, comme la révocation de tous officiers jusqu'à nouvelle nomination. Des mesures à haute portée, comme la périodicité des états et l'ordonnancement du produit de l'impôt par les « généraux élus ». Des compromis, comme l'entrée au Conseil de six délégués des états – Robert Le Coq en était, non Étienne Marcel – alors qu'on songeait, quelques semaines plus tôt, à faire tout simplement élire ce même Conseil par les états.

Il y avait aussi des lacunes. Rien n'était fait pour assurer un contrôle du gouvernement dans les domaines autres que financiers. La politique étrangère, en particulier, demeurait sans conteste la chose du prince. Surtout, les états laissaient échapper ce qui eût été le moyen d'une mainmise sur le pays : la nomination des officiers. Tout au plus s'arrogeaient-ils le droit de sanctionner les fautifs. Le droit de choisir les hommes demeurait au roi.

Déjà, le dauphin Charles pouvait s'aviser d'un phénomène qui allait le sauver : les têtes tournaient à Paris, où quelques députés se grisaient de mots et où le prévôt des marchands mettait la ville en état de guerre sans qu'on sût vraiment si c'était contre les Anglais ou contre une éventuelle réaction armée du régent, mais le pays demeurait calme. Les prévôts continuaient de gérer le domaine royal, les baillis et les sénéchaux de rendre la justice et d'arbitrer les mille et un conflits de la vie politique locale et quotidienne. Les municipalités veillaient tout bonnement sur la vie économique, voire sur le ravitaillement. Tous avaient, peu ou prou, le souci de la défense locale. A travers la France, on parlait beaucoup plus d'enceintes à réparer et de gardes à assurer que du gouvernement du royaume. Dans leur immense majorité, les notables qui géraient le royaume ne songeaient nullement à faire le métier du dauphin.

Celui-ci alla passer plusieurs semaines en Haute-Normandie et en Vexin. Ce qu'il vit et entendit le conforta dans sa volonté de résister à la pression des Parisiens.

C'est alors que, *deus ex machina* qu'on n'attendait pas à ce point de l'histoire, le roi Jean intervint à contre-courant, battant à nouveau les cartes du jeu politique. Pour le roi, une chose était claire : la paix signifiait sa libération. La reprise de la guerre eût été son maintien en captivité. Dans la mesure où, seule, la préparation d'une campagne contre les Anglais pouvait le justifier, l'impôt allait donc à l'encontre des intérêts personnels du roi. Que le Trésor fût vide et que le dauphin n'eût plus de quoi gouverner était autre chose.

En avril, Jean le Bon avait déjà provoqué une émeute à Paris en faisant publier par ses envoyés les conditions de la trêve conclue à Bordeaux et en disant qu'il fallait en conséquence cesser les levées. Pour Étienne Marcel et les siens, la fin des levées, c'était la fin des états généraux, donc la fin de tout espoir d'un bouleversement politique. La preuve était faite, à la même époque, par les lettres qu'adressait le roi à diverses communautés d'habitants du royaume pour leur interdire de députer désormais aux états. Il avait fallu toute la duplicité du dauphin pour se tirer d'affaire en désavouant le lundi de Pâques ce qui avait été crié à tous les carrefours le dimanche des Rameaux.

Si Jean le Bon avait été à Paris, l'affaire eût été grave. Il était loin, et les états ne pouvaient rien contre lui, non plus que les Parisiens. Les contribuables entendirent en revanche avec faveur qu'on leur interdisait de payer l'impôt. Les levées en furent amoindries, et sérieusement. Comme les états s'entêtaient à poursuivre le recouvrement, la masse du pays cessa de les suivre. Le faux pas du roi ruinait à court terme le Trésor, il sauvait à long terme le pouvoir royal.

En août, le dauphin crut que le moment était venu d'un coup de force. Il rappela les conseillers sacrifiés en janvier, suspendit les travaux des réformateurs généraux et cassa le plupart de leurs décisions, rétablit les officiers révoqués en mars. Il notifia enfin, non sans brutalité, au prévôt des marchands et aux échevins qu'ils eussent à se mêler dorénavant des seules affaires municipales.

C'était trop tôt. Charles jouissait de bien des sympathies, mais il n'avait pas d'armée. Étienne Marcel, lui, avait la masse de manœuvre que représentaient les compagnons et les boutiquiers parisiens, et il tenait le système défensif de la ville.

Sur le coup, cependant, le dauphin put croire qu'il avait gagné. Marcel se tint penaud, Le Coq gagna précipitamment sa ville épiscopale de Laon. Quelques arrangements ultérieurs, en septembre et octobre, fixèrent la ligne politique de ce nouveau gouvernement : le dauphin ménageait à l'évidence les Parisiens qui le ménageaient. En fait, on s'observait, et le compromis n'était fait que d'arrière-pensées.

Étienne Marcel tenait le dauphin parce qu'il tenait la capitale, avec tout l'appareil gouvernemental et administratif qui s'y trouvait fixé depuis un siècle. Très vite, la condition du maintien de la paix à Paris fut un partage du pouvoir. Étonnant compromis que celui-ci, qui faisait siéger en permanence deux Conseils de gouvernement, l'un, « réformateur », autour du prévôt des marchands et de l'évêque de Laon, rappelé au début de novembre, l'autre, réactionnaire, autour du dauphin et de ses anciens conseillers, enfin retrouvés. On vit même les deux gouvernements collaborer pour la convocation des états, attendue pour le 7 novembre : afin que nul ne refusât d'obtempérer à la convocation, on fit rédiger deux lettres pour chaque destinataire, l'une au nom du lieutenant du roi, l'autre au nom du prévôt des marchands. C'était traduire dans le langage des chancelleries le fait qu'il y avait en France des villes qui n'eussent pas obéi au lieutenant du roi si le prévôt des marchands de Paris ne les y avait invitées.

La rentrée du Navarrais.

Les états siégeaient depuis deux jours quand parvint une nouvelle qui, d'un coup, renversait l'échiquier : le roi de Navarre s'était évadé. Depuis longtemps, on s'y attendait. Tard dans la nuit du 8 au 9 novembre 1357, un grand baron lié au parti navarrais, le gouverneur de l'Artois Jean de Picquigny, avait tout simplement pris d'assaut le château d'Arleux, dans lequel Charles le Mauvais était retenu prisonnier. Le châtelain dormait si profondément qu'il se trouva lui-même arrêté avant de savoir comment. Les bourgeois d'Amiens avaient fourni une petite troupe et plusieurs charrettes pleines d'échelles.

Charles de Navarre gagna Amiens, y accepta d'être reçu bourgeois — c'était une habileté politique — et joua au souverain en faisant libérer des prisonniers comme signe de sa joyeuse entrée dans une bonne ville. Il s'amusa aussi à notifier dans toutes les directions ce qu'il appela son « partement » de prison. Ainsi, au comte de Savoie :

> Plaise vous assavoir que, la merci de Notre Seigneur et aucuns de mes bons amis, je me partis de là où j'étais, sans prendre congé à mon hôte, le 9e jour de novembre, en bonne santé de corps.

Sans doute doit-on mettre au compte d'un sens politique aigu — plus que d'un simple humour — les propos qu'il tint alors en public quant à ses droits sur la Couronne de France : ils étaient supérieurs, disait-il, à ceux d'Édouard III. Le Navarrais n'attaquait donc pas son cousin Valois. Il préférait une position de force au Conseil de celui-ci à une aléatoire remise en cause d'un choix successoral maintenant vieux de trente ans. Charles le Mauvais regrettait d'être né trop tard et ne renonçait nullement à réclamer la Champagne, mais il savait qu'il était trop tard pour faire passer les Évreux avant les Valois. Le risque eût été grand, après Poitiers, de voir l'emporter le Plantagenêt.

Charles de Navarre avait mieux à faire. Jean le Bon était captif, et de frêles jeunes gens avaient la trop lourde charge d'être à Paris les fleurs de lis. L'homme fait, la tête politique et l'excellent chevalier que Charles avait la prétention d'être, voilà ce qu'il fallait au gouvernement. Le roi de Navarre ne jugeait pas inutile de rappeler qu'il était, lui aussi, un prince des fleurs de lis.

L'évasion d'Arleux était une gifle pour le dauphin. La gifle tourna à la défaite quand Étienne Marcel, Robert Le Coq et quelques autres exigèrent de lui ce qu'imploraient déjà les deux reines de la famille d'Évreux, Jeanne et Blanche, toutes deux accourues à la nouvelle du « partement » : le dauphin Charles dut accorder un sauf-conduit à son beau-frère, lequel s'empressa de gagner Paris. Il y fut le 29 novembre, mais se contenta de traverser la ville et alla coucher hors des murs, à Saint-Germain-des-Prés.

Le discours qu'il prononça le lendemain matin, du haut d'une tribune qui, face au Pré-aux-clercs, servait normalement au roi lors des tournois, fut une reprise de celui d'Amiens. Le roi de Navarre était assez habile pour n'attaquer directement ni le roi ni le dauphin. Mais, tout au long du récit qu'il fit de ses « malheurs », il laissa éclater sa haine contre les « mauvais conseillers » qui l'avaient diffamé, persécuté, dépouillé.

Au point où il en était, le dauphin ne pouvait que céder encore. Il accepta de faire entrer son beau-frère dans son Conseil. Il accepta d'examiner les plaintes de la famille d'Évreux. Il accepta, le 2 décembre, de faire tout le chemin de la réconciliation : sans armes et sans escorte, il se rendit à l'hôtel de la reine Jeanne d'Évreux.

Charles le Mauvais logeait là chez sa tante. Il accueillit le lieutenant du roi avec une froideur affectée. Tout le parti navarrais était présent, toute une cour, et en armes. Le dauphin était seul, et la situation ne laissait pas d'être ambiguë : on se souvenait des circonstances dans lesquelles, vingt mois plus tôt, les hommes du roi de France avaient arrêté le Navarrais alors qu'il était l'hôte du dauphin. Les deux jeunes princes avaient-ils vraiment, à cette époque, comploté contre le roi Jean ? Charles le Mauvais avait été, au su de tous, l'ami du duc Charles de Normandie, mais, depuis Poitiers, celui-ci n'avait jamais songé à remettre en liberté son ami et peut-être complice. Sans doute savait-il d'expérience que le roi de Navarre pêchait volontiers en eau trouble...

Comme par hasard, Étienne Marcel et quelques bourgeois vinrent le lendemain demander au Conseil de décréter une réunion commune des nobles et des bonnes villes. Simple prétexte, on le vit bien vite. Robert Le Coq suggéra sur-le-champ qu'on priât les Parisiens de rester là et d'assister à la séance du Conseil. Ils en profitèrent pour donner leur avis.

> Sire, faites aimablement au roi de Navarre ce qu'il vous requiert, car il convient que ce soit fait.

C'était une sommation. Le dauphin la prit pour telle. On décida d'indemniser le comte d'Évreux, roi de Navarre, de lui donner peut-être la Champagne et — pourquoi pas ? — la Normandie, et de réhabiliter ses amis exécutés à Rouen en avril 1356. Compte tenu des circonstances de l'affaire de Rouen, le duc de Normandie était ridicule. Il n'avait pas le choix ; il fit semblant d'être content.

Pendant une semaine, on vit les deux princes ensemble à toute occasion. Robert Le Coq était leur ombre. Puis le Navarrais prit le chemin de ses domaines normands — notons que l'idée ne lui venait pas d'aller en Navarre — car on disait la libération de Jean le Bon imminente et Charles le Mauvais voulait veiller à l'exécution des décisions prises depuis huit jours. Le retour du roi pouvait bien remettre en cause les avantages acquis, s'ils n'étaient assurés.

Le Navarrais se moquait bien des réformes, dès lors qu'il avait des intérêts à défendre. Il lui fallait se faire rendre au plus vite ses forteresses, en sorte que la paix entre Jean le Bon et Édouard III ne pût se faire à ses dépens. Il avait aussi à présider à sa vengeance : il alla à Rouen ensevelir le corps des suppliciés de 1356. Quatre d'entre eux étaient encore, décapités, pendus par les aisselles au gibet. On leur fit, à la cathédrale, des obsèques grandioses.

Navarrais de fraîche date, Étienne Marcel s'aperçut trop tard de la chose : l'épée sur laquelle il comptait lui faisait défaut. Lorsque Charles le Mauvais regagna Paris, après les journées révolutionnaires de février 1358, il trouva dans le prévôt des marchands un allié des plus réticents.

En attendant, le prévôt des marchands ranimait l'ardeur de ses troupes d'occasion. Il distribuait des chaperons rouge et bleu et des broches émaillées aux mêmes couleurs. Il avait choisi une devise, « A bonne fin », sur laquelle on s'interrogerait longtemps. Malgré tout, les Parisiens se sentaient isolés. Beaucoup tendaient vers le dauphin, donc vers le loyalisme. Mais on craignait le retour des abus, du gaspillage, des spéculateurs. Ceux qu'une forte conviction réformatrice poussait vers Étienne Marcel voyaient mal où cela les menait. Robert Le Coq lui-même ne savait plus où était son intérêt depuis que le roi de Navarre s'était quelque peu retiré de l'affaire. Au vrai, Charles le Mauvais avait bien des raisons de s'en tenir là : Marcel le jalousait, les Parisiens l'aimaient peu, le dauphin le haïssait.

Les maîtres de l'Université de Paris penchaient en faveur de la Ville et du Navarrais, mais ils étaient sensibles à l'imprécision du programme politique des réformateurs et à celle des revendications du roi de Navarre.

Quant aux états, qui siégèrent à nouveau en janvier et en février 1358, c'est sans le moindre enthousiasme qu'ils octroyèrent l'impôt. Ils firent en revanche écho à de nouvelles inquiétudes : l'insécurité allait croissant dans le pays.

L'équilibre de la crainte apparut bien lorsqu'un valet changeur — un changeur indépendant mais non maître — assassina en pleine rue Neuve-Saint-Merry le trésorier du duc de Normandie, qui était lui-même changeur. Rixe entre collègues, peut-être, mais qui prit sur-le-champ des dimensions politiques. Le dauphin fit arrêter de nuit l'assassin, qui s'était réfugié dans l'église Saint-Merry, et le fit pendre. L'évêque se fâcha, à la fois parce qu'il voyait violer la franchise d'une église et parce qu'on avait oublié en l'affaire qu'il était juge. L'assassin fut descendu du gibet, et on lui fit des obsèques religieuses. Jusque-là, rien que d'assez habituel : ce n'était pas la première fois que l'on se disputait le droit de juger un cadavre. Ce qui était nouveau, en revanche, c'était l'adhésion immédiate du Parloir aux bourgeois. Le prévôt des marchands prit parti pour l'assassin, non parce qu'il était bourgeois — la victime ne l'était pas moins — mais parce qu'il était victime d'un abus de droit commis par le dauphin.

Et l'on vit, le 27 janvier 1358, deux cortèges se croiser dans Paris : le convoi funèbre du trésorier suivi par le régent et ses fidèles, le convoi funèbre du valet changeur, autrement dit de l'assassin, suivi par Étienne Marcel et les siens.

L'ASSASSINAT DES MARÉCHAUX.

C'est dans une atmosphère particulièrement lourde qu'éclata l'émeute du 22 février. Émeute préparée, émeute sans raison évidente. Étienne Marcel cherchait l'épreuve de force parce qu'il craignait de voir l'incertitude durer jusqu'au retour du roi Jean. Si le Navarrais craignait la paix avec l'Angleterre, le prévôt des marchands craignait la paix tout court : qu'elle se fît avec l'Anglais, avec le Navarrais ou avec les deux, elle ne pouvait se faire que contre les bourgeois.

Au petit matin, trois mille hommes en armes se réunirent à Saint-Éloi, au cœur de la Cité. L'intention était déjà évidente d'une manifestation de grande envergure. Pour quoi ? Contre qui ? Renaut d'Acy fournit involontairement à ces gens excités parce qu'inquiets une première raison de s'émouvoir. Acy, c'était l'avocat du roi au Parlement. C'était aussi le conseiller de Jean le Bon, qui venait d'apporter de Londres le texte d'un projet de traité en quoi on ne pouvait voir autre chose qu'un démembrement du royaume de France. Or Renaut d'Acy habitait en la Cité, au nord de Notre-Dame, et il rentrait chez lui quand la foule qui s'agitait autour de Saint-Éloi le reconnut. On l'injuria, on le rossa, on le tailla en pièces. Ceci ne servait à rien, mais la fièvre montait dans la foule. Étienne Marcel en profita pour donner l'ordre de marcher sur le palais.

Au contraire du Louvre, qui s'élevait hors de l'enceinte de Philippe Auguste, le palais de la Cité n'avait pas été conçu pour la résistance. En un instant, les émeutiers furent dans la chambre du dauphin, au-dessus de la galerie mercière. Charles était là, sans défense, accompagné seulement de quelques proches, en particulier des deux maréchaux de Normandie et de Champagne, Robert de Clermont et Jean de Conflans.

La conversation qui s'engagea donne la mesure de la mauvaise foi qui animait ce matin-là un prévôt des marchands décidé au drame. Il demanda rageusement au dauphin quand celui-ci allait se décider à gouverner.

> Et lui requit moult aigrement que il voulut emprendre le fait des besognes du royaume et y mettre conseil, par tant que le royaume, qui a lui devait venir, fut si bien gardé que telles manières de compagnies qui régnaient n'allassent mie gâtant ni robant le pays.

Le lieutenant du roi avait eu assez de peine à garder une part du gouvernement. Il répliqua vertement. On avait confié les finances à d'autres, qu'on s'adressât à ces autres!

> Tout ce ferait-il volontiers, s'il avait la mise par quoi il le puisse faire. Mais celui qui faisait lever les profits et les droitures du royaume le devait faire. Qu'il le fît!

Étienne Marcel n'attendait que ces mots. Il lança :

> Sire, ne vous ébahissez pas des choses que vous allez voir, car elles ont été décidées par nous, et il convient qu'elles soient faites.

Quelques hommes du prévôt des marchands se saisirent alors de Jean de Conflans et le tuèrent. Le maréchal de Normandie crut se sauver en se réfugiant dans la chambre voisine, oubliant complètement qu'il avait à défendre son duc; il n'en fut pas moins occis. Les deux corps furent exposés dans la cour; ils y restèrent jusqu'à la nuit. Et c'est en cachette que les gens du dauphin les enterrèrent.

Ni le maréchal de Normandie ni celui de Champagne ne s'étaient distingués contre la réforme, ou contre les états, ou contre les Parisiens. Ce qu'ils payaient sans doute de leur vie, c'est le fait d'être maréchaux et de porter avec d'autres la responsabilité de la défaite.

Ils la portaient avec toute la noblesse, cette noblesse qui n'avait pas pris part à la dernière session des états parce que les états commençaient d'être un tiers parti, à côté du parti du dauphin et du parti de Navarre. La noblesse avait manqué à sa mission, qui était de défendre le royaume : bien des gens traduisaient en ces termes simples le jeu politique complexe des deux dernières années.

Le dauphin vit tomber ses deux compagnons. Il prit peur. Étienne Marcel n'attendait que cela : vieux familier du *distinguo* entre bon prince et mauvais conseillers, il se posa en protecteur.

> Sire, vous n'avez garde.

Pour persuader le jeune prince qu'il ne risquait rien, il lui mit sur la tête son propre chaperon rouge et bleu, « parti de rouge et de pers, le pers à droite » et se coiffa lui-même du chapeau que portait le dauphin.

Ayant ainsi traité en égal le lieutenant du roi, Marcel se dépêcha de gagner la place de Grève où la foule grossissait de minute en minute. La place et les rues voisines étaient noires de monde lorsque le prévôt des marchands se montra à une fenêtre du parloir aux bourgeois. Il prononça quelques mots. En bref, lui et ses compagnons avaient fait leur devoir, les méchants étaient morts, le dauphin était sauf. D'un tel propos, que crut la foule ? Que comprit-elle, surtout ? Toujours est-il que Marcel fut applaudi. Il s'estima approuvé.

Il revint alors vers le palais où Charles le reçut à nouveau dans un logis dont il n'était plus le maître. Le prince était terrorisé. Il accepta d'approuver publiquement le double meurtre perpétré quelques heures plus tôt devant lui. Il était l'ami des Parisiens. Il le dirait. Pour bien le manifester, il enjoignit sur-le-champ à ses fidèles et à ses officiers de porter le chaperon « parti de rouge et de pers ».

Étienne Marcel pouvait être content. Il avait humilié le lieutenant du roi jusqu'aux larmes. Peut-être était-il, dès ce jour-là, allé trop loin : le soir-même, il se prit à songer que la présence à Paris du roi de Navarre était plus que jamais nécessaire. Après le double meurtre du matin, un retour de fortune serait impitoyable.

Paris n'était pas la France. Étienne Marcel le savait, et le dauphin aussi. A Paris même, les bourgeois députés par les bonnes villes du royaume avaient été emportés par l'événement, quand ils n'étaient pas rentrés chez eux avant celui-ci. Ceux qui demeuraient ne pouvaient être sûrs d'être complimentés à leur retour. Et le prévôt des marchands d'écrire de tous côtés aux corps de ville pour leur expliquer l'action des Parisiens et obtenir leur assentiment. Par prudence plus que par hostilité, la plupart des villes ne répondirent pas. Quelques-unes, comme Amiens où les pelletiers menaient le mouvement réformateur, prescrivirent à leurs propres bourgeois de porter le chaperon rouge et bleu. Nulle part on n'imita l'agitation parisienne, sinon à Arras, où le peuple massacra quelques nobles dans la journée du 5 mars. Ce fut, pour l'instant, un cas isolé.

Le dauphin et la province.

Le dauphin donnait l'impression d'une marionnette à la disposition du prévôt des marchands. C'est avec l'accord de celui-ci que Charles de Normandie prit, le 14 mars, le titre de « régent ». Il devait en user, plus tard, afin de manifester son autorité propre. Pour l'heure, c'était une dorure supplémentaire sur le pouvoir souverain qu'Étienne Marcel entendait exercer indirectement. Son prête-nom était dorénavant un prince investi de la souveraineté, fût-ce à titre temporaire.

Étienne Marcel se sentait de plus en plus assuré des lendemains. Ayant souhaité la présence du roi de Navarre, il avait vite fait comprendre à celui-ci qu'il ne devait pas demeurer trop longtemps à

Paris. Maintenant que le régent était sa créature, Marcel pouvait être, indiscutablement, le premier dans la capitale.

Les actes officiels manifestent bien la nouvelle situation politique. Ils sont intitulés de « Charles, aîné fils du roi de France, régent le royaume, duc de Normandie et dauphin de Viennois ». Il n'était plus question de Jean le Bon. Étienne Marcel était à l'abri d'un désaveu venu de Londres.

Pendant ces semaines où il n'est qu'un fantoche, le régent s'entremet pour que la noblesse, absente des dernières délibérations des états, donne finalement son approbation à ce que les autres ont fait sans elle. Il échoue en grande partie dans cette mission : réunis à Senlis, les nobles du nord de la France – Picardie, Artois, Haute-Normandie – ne disent ni oui ni non. Quant au roi d'Angleterre, il se demande à la même époque s'il convient de traiter avec de telles gens. Que représentent-ils au juste ?

C'est alors que, pour la première fois, nous voyons Jean le Bon s'inquiéter. Un secrétaire du roi, passant la Manche au début d'avril 1358, apporta au régent un message verbal.

Le duc de Normandie se sentait isolé. Le message royal le réconforta. Brusquement, il renversa la tendance. La réunion de Senlis lui avait procuré un motif pour quitter Paris sans renier ouvertement cette amitié des Parisiens à laquelle il devait, dans tous ses propos, se référer. Il en profita pour faire visite aux villes de la région parisienne. On le vit à Compiègne, à Meaux, à Provins, où il présida les états de Champagne. Sans le dire de manière explicite, il faisait déjà appel à la province contre Paris.

En apparence, il jouait toujours le jeu des Parisiens. Marcel l'avait d'ailleurs flanqué de dix bourgeois chargés de l'espionner à chaque instant, de contrôler ses dires, de surveiller ses entretiens. Mais en réalité le régent sondait la province. Il prenait la mesure de la capacité de résistance de la France profonde à l'effervescence parisienne. Duplicité vite fructueuse. Le 10 avril, ce fut le premier coup de théâtre. Après un discours plein de sous-entendus pour expliquer aux états de Champagne les événements « bien merveilleux » survenus à Paris au cours des dernières semaines – les nobles champenois avaient mal pris l'assassinat du maréchal de Champagne – le régent demanda approbation et aide financière. Les députés répondirent qu'ils allaient réfléchir. En tout cas, ajoutèrent-ils, ils n'iraient plus à Paris.

On jouait au plus fin. Les orateurs des états de Champagne déclarèrent que les explications fournies par le roi ne les satisfaisaient guère. Le maréchal de Champagne avait-il vraiment mérité la mort ? Pourquoi ? Ils précisèrent, non sans ironie, qu'ils faisaient confiance aux Normands pour ce qui touchait au maréchal de Normandie. Les deux Parisiens présents à ce moment-là attendaient évidemment du régent qu'il répondît en affirmant la culpabilité du maréchal Jean de Conflans. Ils furent étonnés.

> Le régent répondit qu'il tenait et croyait fermement que le dit maréchal de Champagne et le dit messire Robert de Clermont l'avaient servi et conseillé bien et loyalement, et que nul n'avait su le contraire.

Simon de Roucy, comte de Braisne, qui parlait pour les barons de Champagne, attrapa la balle au vol :

> Monseigneur, nous, Champenois, qui sommes ici, nous vous remercions de ce que vous avez dit. Nous comptons que ferez bonne justice des hommes qui, sans cause, ont fait mourir notre ami.

Le dauphin les avait invités à dîner. Ils partirent ensemble. L'histoire avait de quoi mécontenter Étienne Marcel ; il apprit en même temps les dispositions prises par le régent à la faveur de ce voyage en Champagne : il avait établi une garnison dans le château de Montereau et occupé par surprise le « marché » de Meaux, cette espèce de camp retranché constitué par le méandre de la Marne. Le dauphin se donnait visiblement les moyens de couper la navigation aval vers Paris, donc le ravitaillement de la ville par la Seine, l'Yonne et la Marne.

Les Parisiens comprirent fort bien la manœuvre. Lorsque des gens du régent vinrent au Louvre chercher l'artillerie qui s'y trouvait, pour la conduire par le fleuve jusqu'à Meaux, Marcel sut que son homme de paille passait à l'attaque. Il s'opposa au transfert, confisqua l'artillerie, la fit mettre à l'hôtel de ville et, affectant la plus grande régularité, donna décharge du prélèvement.

> Sachent tous que nous, Étienne Marcel, prévôt des marchands, et les échevins de la Ville de Paris, pour ôter et esquiver les très grands esclandres et inconvénients qui étaient sur le point d'advenir en la dite ville, avons pris et levé soixante caisses de carreaux à deux pieds, soixante caisses de carreaux à sept pieds, quarante caisses de viretons, soixante arbalètes de trois à deux pieds, douze arbalètes à tirer de tour, trois cents de gros carreaux pour le tir des dites arbalètes, douze fallots et deux cents de tourte, vingt-cinq pavois, trois canons à main ou fûtés et deux sans fût, six livres de poudre pour faire tirer les canons, un touret, un haussepied, cinq cents de traits pour

> arbalètes à tour, vingt-cinq lances et un troul de fil pour faire cordes à arbalètes.

Le même jour, Étienne Marcel fit tenir au régent Charles, par courrier spécial, une lettre qui tient plus de l'ultimatum que de la justification.

> Votre peuple de Paris murmure très grandement de vous et de votre gouvernement...

Il sait très bien, dit-il, la raison de tout, et notamment la raison de cette vaine tentative faite pour emporter à Meaux l'artillerie du Louvre. Il devine fort bien les conseils donnés au régent.

> Sire, quelconque personne qui soit seigneur de ce château peut bien se vanter que ces vilains de Paris sont en son danger, et que bien près leur peut rogner les ongles...
>
> Qu'il vous plaise savoir, très redouté seigneur, que les bonnes gens de Paris ne se tiennent pas pour vilains, mais sont prud'hommes et loyaux, et tels les avez trouvés et trouverez. Mais ils disent que sont vilains ceux qui font les vilenies.

Le dauphin poursuivit sa tournée. Il ne rencontra qu'une seule opposition véritable, celle d'Amiens. La ville s'était ouvertement déclarée en faveur des Parisiens ; elle fit savoir que les portes ne s'ouvriraient pas pour le régent. Celui-ci préféra ne pas insister et ne dépassa pas Corbie.

C'est alors que Charles, afin d'organiser l'action provinciale contre Paris, convoqua les états pour le 4 mai à Compiègne. Si les délégués des bonnes villes acceptaient de siéger, malgré leur décision antérieure de ne jamais siéger hors de Paris, c'en était fait d'Étienne Marcel et des siens.

Le prévôt des marchands tenta de négocier une paix. Il envoya au régent le roi de Navarre, puis une délégation de maîtres de l'Université. Le régent fut catégorique : il savait fort bien que toute la ville n'était pas coupable, mais il y avait des crimes qu'il ne pouvait pardonner. Qu'on lui remît cinq ou dix des principaux meneurs, et l'on verrait après. Dans les mêmes jours, il confirmait aux états de Compiègne sa volonté de maintenir les réformes. Tout le monde comprit : des réformes, oui, dans la mesure où elles conditionnaient l'aide financière, mais la corde pour les meneurs de la révolution parisienne.

Marcel avait compris, lui aussi. Il fit renforcer l'enceinte, manœuvrer sa milice. Deux notables, le maître charpentier du roi et le maître du Grand Pont, furent écartelés en place de Grève pour avoir comploté d'ouvrir les portes aux hommes du régent Charles.

Les esprits étaient inquiets. On s'affola parce que, pendant l'exécution, le bourreau Raoulet avait été saisi d'une crise d'épilepsie.

> Il chut et fut tourmenté d'une cruelle passion, tant qu'il rendit écume par la bouche. Dont plusieurs du peuple de Paris murmuraient, disant que c'était miracle et qu'il déplaisait à Dieu de ce qu'on les faisait mourir sans cause.

En ce milieu de mai 1358, la situation paraissait bloquée. Le régent pouvait affamer la capitale, mais non la prendre. Étienne Marcel pouvait résister dans Paris, non convaincre le royaume. Le roi de Navarre marquait sa sympathie aux Parisiens, mais il les aidait peu. Au reste, ses troupes étaient en partie étrangères, et les Parisiens n'étaient guère tentés d'introduire dans la ville des Navarrais et des Anglais sans savoir comment on les ferait ensuite partir. Quant aux autres villes, elles hésitaient pour la plupart à s'engager dans l'un ou l'autre camp.

La Jacquerie.

Le hasard allait tout précipiter. Car rien n'est plus fortuit que la coïncidence qui poussa au même moment à une tout autre révolte les paysans du Beauvaisis. La Jacquerie, qui éclate à la faveur d'un incident local, à Saint-Leu-d'Esserent en Valois, le 28 mai 1358, n'a que de très lointains rapports avec ce qui agite depuis vingt ans la France et Paris, les états généraux de Langue d'oil et la « Maison aux piliers » de la place de Grève.

Ce pourrait être une révolte de plus contre un ordre établi dont le régent est à la fois le garant et le symbole. Un an plus tôt, peut-être la Jacquerie eût-elle été cela. En mai 1358, elle vient à point pour cristalliser les réactions, au bénéfice de ce même régent.

Tous ceux qui, depuis la défaite, avaient mené la vie dure au dauphin Charles, avaient un dénominateur commun qu'ils ignoraient et qu'ils découvraient en cette fin de printemps : tous, sauf Étienne Marcel, avec sa vieille haine qui est affaire personnelle, étaient ce que les Jacques voulaient détruire. Les notables qui se voulaient réformistes découvraient avec horreur qu'il était d'autres aspirations à la réforme, et à un autre degré, et que ces autres réformismes conduisaient en premier lieu à les brancher, à les empaler, à les brûler vifs, eux qui ne parlaient depuis deux ans que de réforme. En rejetant vers le garant de l'ancien ordre toutes sortes de notables pour qui réformer signifiait simplement s'assurer du pouvoir, les

Jacques allaient, sans jamais y songer, donner la victoire au régent Charles.

Qui sont-ils, ces Jacques ? Tout, sauf des damnés de la terre paysanne. Il est significatif que cette révolte, la plus dure qu'ait connue de longtemps le Nord de la France, soit circonscrite aux terres les plus riches du bassin parisien : Beauvaisis, Soissonnais, Brie. Ce n'est pas la révolte de l'extrême misère, de ceux qui meurent de faim. C'est celle d'une petite paysannerie de propriétaires à portion congrue, si tant est qu'on puisse employer le mot de propriétaire pour ce Moyen Age où nul n'a, sans rien devoir à personne, la totalité des droits sur un bien. Quelques anciens soldats, quelques anciens agents domaniaux des seigneurs fonciers, quelques prêtres sans paroisse complètent utilement les effectifs de la révolte et fournissent parfois un encadrement de fortune.

Ces paysans moyens d'une terre plus riche que la moyenne, voici bientôt un siècle qu'ils souffrent. La terre manque, tout d'abord, en ces régions où l'on a poussé, du XIe au XIIIe siècle, les défrichements à l'extrême limite du raisonnable. Le temps n'est plus où, lorsqu'on avait des bouches à nourrir, ou lorsqu'on voulait vendre un peu plus sur le marché, il n'était que de profiter des nouveaux terroirs, de l'élargissement des finages cultivés, de la terre que le seigneur offrait à bon compte parce qu'il avait sa part de profit dans l'expansion. Il est maintenant trop tard. Il faut se contenter de ce qu'on a, et grande est la tentation de croire, si l'on vit mal, que l'on vivrait mieux sur une terre plus vaste.

La production par excellence, en ces plaines limoneuses, c'est le blé. Mais depuis un demi-siècle le prix des blés – froment et orge, surtout, en ces terres riches – stagne sur tous les marchés qui approvisionnent la ville consommatrice. La population a cessé de croître, l'offre a dépassé la demande, et la campagne productrice a connu le désarroi.

Les produits industriels ou artisanaux dont le paysan est demandeur n'ont pas suivi le blé dans sa dévaluation. Le fer de l'outillage, le tissu du vêtement demeurent des denrées chères. Bien pis, la crise démographique qu'aggrave la Peste noire fait flamber tous les prix qui incorporent le coût d'une main-d'œuvre spécialisée. La récolte rapporte de moins en moins, mais c'est une ruine que de changer un soc. Voilà le drame de ces paysans qui ne sont pas dans la misère, puisqu'ils ont une charrue, mais qui voient approcher le moment où la charrue au soc de fer sera trop chère pour eux. C'est là le paradoxe de ces campagnes qui ont été les premières à connaître la charrue articulée et à pratiquer l'assolement triennal.

Longtemps, l'inflation a tempéré le malheur du paysan dont la terre est tenue à un cens. Loyer du sol à l'origine, le cens est fixé en monnaie : un denier, un sou, dix sous. Quand on sait que la monnaie de compte — denier, sou, livre — n'a cessé depuis des siècles de se dégrader et qu'elle s'est effondrée depuis la fin du XIIIe siècle, on voit l'avantage du paysan qui pour la même terre devait un denier et doit toujours un denier. Pour un denier, il devait 0,35 gramme d'argent fin au XIIIe siècle, 0,11 gramme en 1350. Il en doit 0,03 gramme en 1355. L'inflation et la dévaluation, qui en est la manifestation autant que la conséquence, fait la ruine du seigneur et le bonheur de ce débiteur chronique qu'est le paysan. Depuis un siècle, la lente érosion de la livre tournois a épargné bien des révoltes dans les campagnes du bassin parisien.

Les seigneurs, toutefois, ont réagi. Insuffisamment pour redorer leur blason ; assez pour alourdir la charge du paysan que frappe, comme elle frappe le seigneur, la baisse des prix céréaliers. Le seigneur ne peut réviser les cens — ils sont fixés par la coutume — mais il peut ajouter au cens. C'est le « croît de cens », sorte de rente qui compense l'effondrement du loyer des terres. C'est aussi, pour toutes les terres que l'on concède à nouveau, la fixation d'un loyer en nature, le champart, qui permet au seigneur de prélever le meilleur de la récolte et de le vendre au mieux, laissant le paysan vendre sa part lorsque les cours sont au plus bas.

La Peste noire vient pour bouleverser les évolutions logiques. Ne cherchons pas ici à savoir qui perd et qui gagne dans cette ponction démographique qui frappe aussi bien la production que la consommation. La Peste noire fait surtout l'effet d'un coup de tonnerre. Elle fait craquer les édifices minés. Elle détruit les équilibres instables. Elle engendre aussi la haine de celui qui voit mourir le riche moins souvent que le pauvre parce qu'il est mieux nourri, mieux logé, mieux isolé.

C'est alors que la conjoncture s'aggrave d'un certain nombre d'accidents : la défaite qu'on accepte mal et que l'on reproche à ceux dont la fonction était de combattre, la fiscalité qui s'alourdit depuis deux ans, le durcissement du système seigneurial en un moment où tant de seigneurs sont, tout comme le roi, captifs et sujets à rançon, l'énervement maladroit de receveurs attaqués de toutes parts pour leur âpreté comme pour leur incapacité, la divagation de troupes de routiers insuffisamment portés au respect de la vie paysanne... On craint les soudards sans embauche depuis la défaite de 1356, les hommes de main du Navarrais vivant sur le pays, les mercenaires débauchés par l'Anglais après son équipée. Bien des villes — Paris comme d'autres — ferment leurs portes à quiconque ne peut prouver qu'il est au moins connu d'un bourgeois. Partout, on a peur.

Plus qu'une révolte de la misère, la Jacquerie est une réplique à l'angoisse. C'est aussi la révolte d'une catégorie sociale qui a perdu sur tous les tableaux, qui ne profite même pas, comme le font les manouvriers sans terre, de la hausse des salaires consécutive à la régression démographique, et qui ne profite même pas de l'emploi nouveau qu'offre la guerre.

Mais ils sont assez possessionnés pour qu'on les taille, pour qu'on les impose, pour qu'on les soumette à la réquisition. Leur terre est assez fertile pour qu'on leur parle « croît de cens » et baux à part de fruits. Dans une médiocrité économique qu'ils voient s'aggraver, ils procurent le palliatif à l'appauvrissement des maîtres du sol, évêques et abbés, barons et chevaliers, bourgeois parfois. Ni les prélats ni les bourgeois ne résident encore à la campagne. La révolte va donc s'en prendre à ceux qui vivent encore sur leur terre — où vivraient-ils donc ? — et qui y vivent pourtant si mal : les petits de la noblesse, les chevaliers sans réelle fortune, ceux que ruine lentement l'inflation, assez pourvus de terre pour ne pas s'engager comme mercenaires au service des princes, assez mal pourvus de relations ou de talent pour réussir sur les nouveaux chemins de la fortune qu'ouvre le développement de la machine monarchique.

On appelle familièrement « Jacques Bonhomme » le paysan ridicule et souvent bestial du folklore citadin et de l'imagerie aristocratique. La révolte qui éclate en cette fin de mai 1358 dans la plaine du Valois devient donc, pour les nobles comme pour les bourgeois, la « Jacquerie ». Mais, très vite, la ville et le château perdent toute envie de rire du rustre.

A l'origine, il y a une bagarre de village. Des paysans exaspérés s'en prennent, à Saint-Leu-d'Esserent, aux hommes d'armes qui traversent le bourg sans ménagement et cherchent aussi bien à exercer de pseudo-réquisitions qu'à piller ouvertement. Le village est un bon piège pour les convois de marchandises qui gagnent Paris. Les vilains en ont assez.

Ce qui est nouveau, c'est que, pour la première fois, ils ont le dessus. Les villages voisins apprennent avec stupeur et enthousiasme que de simples manants viennent de tuer du noble. Et d'imiter aussitôt les héros du jour, car chacun a ses propres persécuteurs. La révolte s'étend donc à travers les campagnes du Beauvaisis, du Soissonnais, de la Champagne occidentale. Elle atteint en quelques jours Montmorency, Le Tremblay, Longjumeau et Arpajon. Elle est à une matinée de marche de la capitale. Elle se diffuse vers la Bourgogne, la Lorraine, la Normandie, l'Artois, sans prendre en ces provinces l'aspect dramatique qu'elle a eu dès l'abord autour de Paris.

Tous les partis alors occupés à se quereller dans la capitale s'en trouvent désorientés. Nul n'a prévu la chose. Encore moins l'a-t-on organisée. Car la Jacquerie est le contraire d'un mouvement cohérent : elle n'a ni chefs véritables, ni structure, ni programme. On ne saura jamais ce qu'ont voulu au juste les Jacques sinon exprimer leur colère. Le seul mot d'ordre est : « Tuez les nobles. »

Certes, d'une masse paysanne que rehaussent de leur talent militaire ou de leur bagout quelques nobles en rupture de ban, quelques prêtres à portion congrue et quelques notables ruraux emportés par la vague, quelques chefs semblent émerger, au gré des assemblées qui se tiennent sur la place des villages ou à la croisée des chemins. Chefs épisodiques souvent, chefs malgré eux parfois. Ainsi Guillaume Carle en Beauvaisis, ou Jacquin de Chennevières, « élu » à Montmorency malgré son refus et avec l'accord, non moins contraint, du prévôt royal.

Guillaume Carle, ou Calle, qui fera figure de capitaine des Jacques dans leurs derniers combats, et qui va le premier, songer à nouer des relations tactiques avec la révolution parisienne, n'accepte au départ ce rôle de meneur que pour n'être pas lui-même massacré. Grand, fort, parlant d'abondance, ce paysan de belle allure et point sot n'est cependant que l'un de ces chefs de rencontre qui conduisent au pillage des hordes inorganisées, vite grossies de pêcheurs en eau trouble. Carle a été soldat et, lorsqu'il commandera en bataille, il voudra ébaucher une tactique ; mais il ne pourra que regretter l'indiscipline d'hommes qui n'ont même pas idée de ce que peut être une organisation militaire. Il sera le plus souvent impuissant à monter des opérations d'ensemble. La réalité de la Jacquerie, c'est autant de bandes qu'il y a de villages en révolte.

Pour la plupart de ceux qu'enivre leur propre audace, il n'est que la fuite en avant. Le retour à l'ordre ne s'encombrera pas d'un long procès et ils le savent. Alors, à quoi bon se retenir ?

Pendant quelques jours, c'est la terreur. Le sang coule sans raison. Même les témoins les plus portés à la sympathie envers les mouvements populaires, même les moins attachés à l'ordre établi disent à l'envi la cruauté gratuite des Jacques. Ainsi le prieur des Carmes de la place Maubert, Jean de Venette, dont nous savons qu'il ne cache guère à l'ordinaire son penchant pour les miséreux :

> Ils tuaient, massacraient et supprimaient tous les nobles qu'ils pouvaient trouver, et même leurs propres seigneurs.
>
> Non contents de cela, ils mettaient à terre les maisons et les forteresses des nobles. Ce qui est plus lamentable encore, ils tuaient les femmes nobles et les petits enfants qu'ils trouvaient.

Bien informé par des témoins directs, le Liégeois Jean Le Bel ne cache pas son horreur et multiplie les exemples en se gardant de vouloir tout rapporter :

> Je n'oserai jamais écrire ni raconter les horribles faits ni les inconvénients qu'ils faisaient aux dames. Entre autres faits deshonnêtes, ils tuèrent un chevalier et le mirent en hâte et le rôtirent. La dame et les enfants voyaient cela.
>
> Après que dix ou douze eurent enforcé la dame, ils voulurent lui en faire manger par force. Puis ils la firent mourir de male mort.

Le code tacite de l'honneur médiéval protège les femmes et les enfants. De telles violences n'en sont que plus scandaleuses aux yeux des contemporains. Mais on est, à vrai dire, étonné de voir à quel point des hommes rompus au métier des armes et quelque peu protégés par leurs murailles n'ont pas songé à se défendre et à défendre leur famille contre des bandes de vilains certainement incapables de tenir trois jours le siège d'une forteresse.

> S'en allèrent, sans autre conseil, sans armure que des bâtons ferrés et des couteaux, en la maison d'un chevalier. Si brisèrent l'hôtel et le tuèrent, et sa femme et ses enfants. Puis ardirent l'hôtel.
>
> Après, ils allèrent en un fort château et firent pis assez, car ils prirent le chevalier et le lièrent à une attache moult forte, et violèrent devant ses yeux la dame et la fille. Puis tuèrent la dame, enceinte, et la fille, puis le chevalier et tous les enfants. Et ardirent le château.
>
> Ainsi firent-ils en plusieurs châteaux et bonnes maisons.

Le Navarrais contre les Jacques.

Le vent de terreur qui passe sur la région parisienne et surtout sur la plaine de « France » réunit vite, par sens de leur intérêt commun, ceux qu'opposaient les palinodies et la défaite du roi Jean. Charles le Mauvais est assez intelligent pour savoir que les applaudissements au long des rues parisiennes ne peuvent suffire à lui faire une situation politique. Il est la victime des Valois, mais cela ne constitue pas un programme de gouvernement. Charles s'avise qu'entendre l'appel des nobles est pour lui la meilleure des chances. Car la noblesse se cherche un chef pour répliquer à la fureur des vilains, et chacun pense naturellement que c'est là la place d'un prince. Le roi de Navarre est trop roi pour ne pas songer, malgré toutes ses préventions contre la Couronne des Valois, qu'il a tout à gagner à se muer en défenseur de l'ordre. Il met ainsi de son côté la noblesse, et il achète à bon compte la reconnaissance des bourgeois assez possessionnés pour se sentir inquiets quand on brûle les manoirs et qu'on occit le propriétaire sans vérifier longuement s'il est bien d'ancienne noblesse. Quant aux marchands, ils perdent tout à l'insécurité des routes ; leur estime est acquise à qui permettra de nouveau le cheminement des convois.

Le rusé Navarrais sait bien que son intervention en l'affaire lui donne de surcroît l'occasion de paraître en prince des fleurs de lis. Il souligne ainsi l'incapacité du régent à assumer un rôle trop militaire pour son talent. Un roi pris et vaincu, un dauphin incapable de se battre, le faire-valoir qu'offrent au Navarrais ses cousins Valois mérite d'être noté. Charles est assez habile pour ne pas laisser passer l'occasion.

Étienne Marcel, cependant, aboutit à d'autres conclusions. Alors que certains tremblent pour leurs biens et espèrent n'avoir pas encore à trembler pour leur vie, le menu peuple des métiers et du petit commerce donne volontiers sa sympathie à une révolte qu'il perçoit comme un mouvement de la misère rurale. Or le prévôt des marchands, qui oublie de plus en plus les raisons d'être de sa fonction, ressent plus fortement sa haine envers le roi Jean et le dauphin confondus qu'il n'a le souci des intérêts solidaires des milieux d'affaires.

Lui aussi, Marcel sait qu'il est allé trop loin pour espérer la clémence royale. Si les choses tournent mal pour ceux qui ont animé les états depuis 1356, il est sûr de figurer à la première poutre du gibet. De même que les Jacques, il ne peut perdre une seule fois, et il n'a donc de salut que dans le durcissement de sa position. Parce qu'ils font trembler la société en place, les Jacques sont des alliés en puissance pour le prévôt des marchands. Celui-ci ne peut que prêter l'oreille aux avances de Guillaume Carle.

Pour mettre les choses au clair, on monte alors quelques opérations au plus près de Paris. Quelques gens de métier et quelques Jacques se retrouvent pour raser le manoir que possède à Gonesse l'un des présidents du Parlement destitués en 1357, Pierre d'Orgemont. D'autres mettent à sac, à Vaugirard, à Issy, à Viroflay, les luxueuses résidences de campagne de l'ancien premier président Simon de Bucy, l'un des conseillers du dauphin alors en fuite.

Marcel va plus loin. Il charge l'un de ses fidèles, Jean Vaillant, de conduire au secours des Jacques une petite armée, trois cents hommes, boutiquiers ruinés par la crise et compagnons au chômage; ils font leur jonction avec Guillaume Carle le 7 juin du côté d'Ermenonville.

Déjà, on apprend que Charles de Navarre et sa troupe de chevaliers se dirigent vers la région de Creil, où le gros de la Jacquerie se rassemble sur le plateau de Mello. Les Parisiens hésitent à marcher contre le Navarrais, hier leur ami. Carle et Vaillant se séparent donc. Les Jacques de Carle marchent seuls au secours de leurs compagnons. L'union des Jacques et de la « révolution parisienne » n'a duré qu'une journée.

Le code de l'honneur chevaleresque n'est de mise qu'entre chevaliers. Ainsi juge Charles le Mauvais, peu disposé à traiter en égaux des gens capables d'éventrer des femmes enceintes. Foin des scrupules, donc. Le roi de Navarre offre à Carle de négocier, le reçoit à son camp, le fait arrêter et l'envoie à Clermont-en-Beauvaisis où l'on se hâte de décapiter le principal chef de la Jacquerie. Quant aux Jacques laissés ainsi sans chef sur le plateau de Mello, la chevalerie du roi de Navarre n'a aucune peine à les tailler en pièces.

A cet instant – on est le 9 juin – les Parisiens atteignent Meaux. Ils ignorent qu'ils n'ont plus d'alliés, leur ami le roi de Navarre étant en train d'anéantir leurs alliés de rencontre, les Jacques.

Véritable opération de « commando » que cette affaire de Meaux, menée à marche forcée par une troupe déterminée et bien commandée. Meaux, c'est, sur la rive droite de la Marne, la vieille ville épiscopale dans ses remparts. Sur la rive gauche, dans un méandre aisément défendable, c'est aussi le « Marché », quartier fortifié qu'a aménagé voici un siècle le comte de Champagne en creusant le canal qui fait du méandre une île. Lorsqu'il a quitté Meaux en mai, le régent a laissé là sa femme, la dauphine Jeanne de Bourbon, sa sœur et quelques autres de ses proches. Prendre par surprise le Marché de Meaux, c'est s'assurer d'otages inestimables.

Vaillant et ses hommes ont raflé au passage ce qu'ils ont pu trouver de paysans en armes traînant sur le chemin. Ce sera la queue de la Jacquerie. Quelques renforts leur parviennent devant Meaux, envoyés par Étienne Marcel. Ils sont bien un millier d'hommes lorsque le maire de Meaux, Jean Soulas, leur ouvre tout simplement les portes de la rive droite. De là, c'est un jeu d'enfant que de franchir le pont et de gagner la rive gauche.

Mais la garnison du Marché vient, elle aussi, de recevoir du renfort. Il y a là, en particulier, le comte de Foix et le « captal » de Buch Jean de Grailly, deux grands seigneurs du parti de Navarre qui mènent un fort contingent d'hommes d'armes à cheval et de sergents à pied. Toute question de parti mise à part, des chevaliers ne peuvent laisser sans défense la dauphine et tant de nobles dames confiées à leur garde : la future reine de France est tout bonnement en danger d'être violée. Si l'on n'était encore ému des violences récentes de la Jacquerie, peut-être les Navarrais se souviendraient-ils de leur alliance avec les Parisiens. Alors qu'ils ignorent encore le résultat de l'opération de police menée par leur roi à Mello, ils se sentent solidaires des victimes des Jacques, donc peu portés à l'entente avec des bourgeois que tout le monde sait désormais acquis à la cause des Jacques.

Alors que les Parisiens se réjouissent d'avoir la disposition du pont et de pouvoir ainsi parvenir sans encombre devant l'enceinte du Marché, voilà que s'ouvre brutalement la porte de ce même Marché. Ce sont les barons et leurs chevaliers qui chargent. Les assaillants s'attendaient à un combat d'escalade, non à se faire sabrer, le dos à la Marne. Froissart a laissé de cette déconfiture des Parisiens un récit haut en couleur :

> Quand ces méchantes gens virent ainsi ordonnés (les Navarrais), bien qu'il n'y eût pas contre eux grand foison, ils ne furent mie si forcenés que devant. Mais se commencèrent les premiers à reculer, et les gentilshommes à eux poursuivre et à lancer sur eux de leurs lances et de leurs épées, et eux abattre.
>
> Adonc, ceux qui étaient devant et qui sentaient les horions — ou qui les redoutaient à avoir — reculaient de hideur tout à une fois, et chéaient l'un sus l'autre.

Et les cadavres d'encombrer la Marne à l'heure même où les Jacques gisent dans leur sang sur le plateau de Mello. Ceux qui ont eu la chance de n'être ni à Meaux ni à Mello s'en iront à toute vitesse retrouver qui sa houe, qui son enclume, prêts à jurer qu'ils n'ont jamais levé le nez de leur travail.

Bien des choses ont sombré, ce 9 juin 1358. L'alliance du roi de Navarre et du prévôt des marchands est entamée. Marcel a perdu ses meilleures troupes. La noblesse a même cessé de trembler. La réaction est proche. A Meaux, les habitants paieront cher une connivence d'un jour. La cathédrale sera à peu près la seule chose que les gens du dauphin n'incendieront pas.

Dans toute la région parisienne, la répression est à la mesure de la révolte et de la peur. Quiconque est convaincu d'avoir été « de la compagnie des Jacques » se retrouve pendu sans grand jugement. Le roi de Navarre a beau prêcher la modération, les nobles ont été trop humiliés d'avoir peur. Faute de trouver les coupables aussi souvent qu'ils le voudraient, ils s'en prennent aux maisons, aux champs, aux arbres. En ce beau mois de juillet où les blés mûrissent, on galope avec allégresse — avec haine, aussi — au milieu des champs dorés. Pour bien des paysans trop heureux en ces jours-là de sauver leur vie, c'est la disette assurée pour l'année qui vient.

De même qu'en sens inverse un mois plus tôt, tout ceci est pain béni pour les pêcheurs en eau trouble. Pour des hommes d'armes que la trêve laisse désœuvrés et désargentés, c'est un amusement de choix et un profit non négligeable que de faire des feux de joie avec les masures, les granges et les meules après avoir raflé une hache, un jambon ou un chapeau.

> Vrai, écrit Jean de Venette, nos ennemis mortels les Anglais n'auraient pas fait ce que firent alors les nobles de chez nous.

La fin d'Étienne Marcel.

A Paris, les choses allaient de mal en pis. Étienne Marcel tournait en rond. Le régent se rapprochait et s'établissait à Chelles. Ses partisans relevaient la tête en ville et complotaient presque ouvertement contre le gouvernement du prévôt des marchands. La population bourgeoise se lassait de l'agitation. Depuis longtemps, les députés des bonnes villes avaient pris leurs distances. De nouveau établi à Saint-Germain-des-Prés et nommé capitaine de la ville, le roi de Navarre voyait nombre de ses fidèles l'abandonner pour ne pas devoir combattre le régent. Au reste, les Parisiens qui avaient perdu l'un des leurs dans l'affaire du Marché de Meaux n'avaient guère le cœur à chanter les louanges du Navarrais.

Celui-ci pouvait retrouver sa popularité en nourrissant Paris. Comme la Haute-Seine et la Marne étaient tenues par le dauphin, Charles le Mauvais tenta de débloquer les autres voies d'approvisionnement. En refusant de s'ouvrir à lui, Senlis lui interdit la route de Picardie.

Il sentit le besoin de renforcer quelque peu ses effectifs et recruta des troupes fraîches. Quand les Parisiens virent qu'il y avait là-dedans des Anglais, ils s'indignèrent.

Le roi de Navarre avait sauvé l'ordre public ; il était maintenant dépassé par les événements. Une troupe d'hommes à lui attaqua un parti d'hommes du régent, le 11 juillet, à Bercy. Le dauphin eut le temps de faire donner ses réserves. A moins d'une lieue de la porte Saint-Antoine, à peu près à l'emplacement de la future Bastille, les Navarrais et leurs renforts parisiens furent écrasés. Dans Paris, on grogna.

Les gens du dauphin poussèrent leur avantage. Ils se montrèrent de divers côtés, non loin de la capitale. Passant le fleuve près de Charenton grâce à un pont de bateaux, ils allèrent piller quelques villages de la rive gauche. Étienne Marcel envoya une troupe avec mission de détruire le pont. La troupe se fit rosser.

Chacun sentait l'impossibilité d'en sortir par l'affrontement. La reine Jeanne d'Évreux – la veuve de Charles IV, le dernier des Capétiens – offrit sa médiation et put convaincre ses neveux, le régent et le roi de Navarre, qu'un compromis était nécessaire, face à la menace d'une reprise des hostilités avec l'Angleterre. Le 19 juillet, l'accord semblait acquis : les deux princes se rencontrèrent sur le pont de Charenton.

Le dauphin perdait la partie et le savait fort bien. Ses troupes se débandaient, faute d'être payées et de voir clairement le profit qu'elles pouvaient tirer de cette guerre qui n'en était pas une. Certes, il avait montré sa force devant Paris, et son adversaire avait eu le beau rôle dans l'anéantissement des Jacques. Mais il ne pouvait dicter ses conditions. Alors qu'il exerçait le pouvoir royal, il devait composer. Sachant qu'il perdait là son principal atout, il accepta de lever le blocus de la capitale. Puis il alla passer quelques jours près de Brie-Comte-Robert, et gagna finalement Meaux. La campagne pour Paris se soldait par un échec : la victoire eût été la rentrée dans Paris et la punition des révoltés.

Les Parisiens avaient craint les conséquences des événements. Étonnés d'être soulagés, mais non naïfs, ils s'abstinrent de toute générosité. Pour eux, c'était la victoire, non la paix. Ils refusèrent aux gens du dauphin, qui croyaient la chose entendue, le droit d'entrer dans la ville. Et, comme on avait reconnu quelques fidèles du régent sous les murs de Paris, on alla brûler leurs maisons pour ne pas leur laisser espérer un retour sans histoire.

En ces tristes jours, le futur Charles V ne portait pas beau. Il songeait fermement à gagner le Dauphiné, ce Viennois qui était terre d'empire, hors du royaume, et où il pourrait attendre des temps meilleurs pour qui n'avait pas le tempérament querelleur. Il fixa le départ au 31 juillet. Les chariots, avec les bagages, quitteraient Meaux dans la nuit du 30 au 31.

Aux quelques Parisiens qui lui firent savoir en cachette que l'on pouvait préparer son entrée subreptice dans la capitale et tenter alors un nouveau coup de force, il répondit – dit-on – qu'il ne remettrait les pieds à Paris tant que vivraient Étienne Marcel et quelques autres. Si ce ne fut dit de la sorte, c'était bien la pensée du régent. Marcel et ses amis l'apprirent, et surent qu'aucune solution négociée n'était plus possible.

Une semaine plus tard, le régent Charles, duc de Normandie et dauphin de Viennois, faisait dans Paris une entrée triomphale. En quelques heures, l'horizon politique avait basculé.

Tout tient ici au comportement des quelques Anglais naguère recrutés, on l'a vu, comme hommes d'armes par le roi de Navarre et pour l'instant occupés à profiter de la pseudo-paix du 21 juillet pour boire et mener grand train dans les tavernes parisiennes. Se tenant là comme en pays conquis, ils étaient détestés de la population, et les

Parisiens ne rataient pas une occasion de faire son affaire à l'Anglais isolé que la vigueur du vin de Suresnes privait parfois de sa vivacité naturelle. Après une bagarre qui avait laissé trente Anglais pour morts sur le pavé, il fallut prendre des dispositions générales, et Étienne Marcel crut expédient de faire arrêter tous les Anglais qu'on put trouver en ville. On s'assura d'abord des chefs : quarante-sept hommes, qui furent appréhendés alors qu'à l'hôtel de Nesles ils venaient de dîner avec le roi de Navarre.

La situation était donc paradoxale, en ce chaud dimanche du 22 juillet 1358 où les Parisiens fêtaient la Sainte-Madeleine à longs traits de vin vermeil. Les Anglais arrêtés la veille s'étaient vu ouvrir la porte en pleine nuit, Marcel ne sachant que faire d'aussi encombrants prisonniers. Mais ils étaient maintenant dans la campagne, et ils y rejoignaient les bandes de compatriotes auxquelles les avait arrachés l'embauche du roi de Navarre. Celui-ci sentit combien sa situation portait à faux et tenta de s'expliquer. Il vint à la Maison aux piliers, harangua la foule réunie une fois de plus sur la place de Grève. Flanqué d'Étienne Marcel et de Robert Le Coq, il fit un long discours pour rappeler aux Parisiens qu'il n'avait appelé les Anglais pour rien d'autre que protéger la ville du parti de la défaite, de la spéculation et de la réaction.

Les reproches du roi de Navarre tombèrent à plat. Des cris s'élevèrent de la foule : on aurait dû tuer tous les Anglais. Comme tout le monde savait que le gros des forces navarraises cantonnait à Saint-Denis, des badauds observèrent qu'il serait temps d'y aller pour occire ce qu'il restait d'Anglais.

Charles le Mauvais s'avisait, trop tard, qu'il aurait dû recruter ses soudoyers ailleurs que parmi les compatriotes des vainqueurs de Poitiers. Il tenta une diversion : il proposa d'aller, avec Étienne Marcel et une troupe parisienne, mettre fin aux divagations d'une bande de pillards qui, entre tant d'autres, infestait la campagne voisine. La sagesse eût été de remettre l'affaire au lendemain, mais le roi de Navarre était pressé de montrer aux Parisiens ce qu'ils gagnaient à l'avoir parmi eux. On n'attend pas, lorsqu'il s'agit de calmer une foule excitée.

On partit donc sur-le-champ, bien qu'il fût plutôt l'heure des Vêpres que celle d'un départ en expédition. Charles de Navarre et Étienne Marcel commandaient une troupe qui sortit par la porte Saint-Denis et marqua bientôt le pas devant le moulin à vent qui tournait sur la pente de Montmartre. On ne savait plus très bien quoi faire, et il se faisait tard. On passa une demi-heure à se demander où l'on allait. Charles le Mauvais s'énerva, décida qu'il ferait jour le lendemain, et s'en alla coucher à Saint-Denis au milieu de son armée.

L'autre troupe, cependant, avait quitté Paris par la porte Saint-

Honoré et gagnait Saint-Cloud où l'on signalait un parti d'Anglais. A l'orée du bois de Boulogne, une cinquantaine d'Anglais étaient précisément visibles, à découvert. Non sans naïveté, les Parisiens leur foncèrent dessus. Le gros des Anglais était embusqué dans la forêt et se démasqua au moment où il était trop tard pour songer à plus de prudence. Les Anglais étaient des combattants professionnels, les Parisiens des boutiquiers et des artisans. Seule, une fuite rapide vers la porte Saint-Honoré sauva ceux qui ne furent pas tués dès l'abord.

L'affaire était peu glorieuse. Elle venait mal après celle du Marché de Meaux. Dans le milieu des hommes pour qui la guerre n'était pas l'affaire des chaudronniers et des savetiers, elle fit rire. Ceux qui avaient tremblé de l'alliance des Parisiens et des Jacques daubèrent à l'envi, comme le bon Froissart, qui peignit la scène sans l'avoir vue :

> Et portait l'un son bassinet en sa main, l'autre en une besace...

A Paris, on n'avait pas le goût de rire. Comme après toutes les défaites, on n'expliquait la raclée du bois de Boulogne que par la trahison. Et le bourgeois de s'interroger sur l'étrange inaction du roi de Navarre et de ses hommes. N'avait-il pas, exprès, fait partir trop tard l'expédition montée trop vite contre les brigands ? N'avait-il pas fait traîner les choses devant Montmartre ? N'avait-il pas couché à Saint-Denis pour n'être pas à Paris ?

On avait vu — du moins le disait-on — trois cavaliers quittant la troupe devant le moulin à vent et gagnant Saint-Cloud à bride abattue... Charles le Mauvais n'avait-il pas prévenu les Anglais ? Autant on l'avait acclamé, autant on le conspua.

Étienne Marcel était rentré à la nuit tombante avec sa troupe. On venait d'apprendre l'affaire du bois de Boulogne. Il fut hué. Et il était coupé de son seul allié, le roi de Navarre, assez avisé pour demeurer maintenant hors de Paris. Pour faire sa rentrée, Charles le Mauvais attendait les renforts que son frère Philippe levait en Cotentin. On s'exagéra, dans la capitale, le nouveau péril navarrais.

Encore affamée en amont par le régent, désormais affamée en aval par le roi de Navarre et ses Anglais, inquiète des incertitudes politiques du prévôt des marchands, la capitale faisait écho à tous les potins, à tous les faux bruits. On voyait des complots partout. Au vrai, on s'agitait de tous les côtés, les uns en faveur du Navarrais, les autres en faveur du dauphin. Ceux qui s'étaient tenus cois par crainte du peuple relevaient la tête dès lors que celui-ci hésitait ou se divisait. C'était certes le cas des nobles réfugiés en ville au temps des Jacques, mais les bourgeois eux-mêmes se lassaient d'une aventure sans issue. L'un des échevins, Jean Belot, allait être, quelques mois plus tard, l'un des hommes de confiance du régent victorieux ; il y a gros à parier qu'il trahissait Étienne Marcel plus qu'il ne l'épaulait.

Le prévôt des marchands ne pouvait longtemps se passer du roi de Navarre. Il résolut de négliger les réticences croissantes de la population et de faire entrer Charles le Mauvais dans la nuit du 31 juillet au 1er août. La nuit précédente, les hommes de main d'Étienne Marcel marquèrent d'un signe les maisons des suspects. Bien des gens comprirent que les habitants de ces maisons étaient ainsi désignés à de prochains meurtriers. Sans doute avaient-ils raison.

La philosophie politique de ces bourgeois était simple. Leur propre audace les affolait, et ils savaient ce qu'il était advenu des Jacques. Après tant de sang versé, on ne pouvait plus composer avec le régent : force était de continuer.

> Si regardèrent finalement que mieux valait qu'ils demeurassent en vie et à bonne prospérité du leur et de leurs amis, que ce qu'ils fussent détruits. Mieux leur valait, ce leur semblait, à occire que à être occis.

Au matin du 31 juillet, rien n'était joué. Étienne Marcel s'en alla inspecter l'enceinte, et tout particulièrement la porte Saint-Denis qui était l'entrée normalement promise au roi de Navarre pour la nuit suivante. A Saint-Denis, Charles le Mauvais attendait son heure. A Meaux, on commençait de faire partir les bagages : le régent abandonnait.

En avant de la porte, il y avait un ouvrage fortifié ; ce que l'on appelait une bastide, ou une bastille. Nul n'entrait dans Paris par la porte Saint-Denis s'il ne passait sous le feu de la petite garnison — cinq ou dix hommes — qui gardait la bastide.

D'entrée de jeu, le prévôt des marchands demanda aux hommes de garde de lui remettre les clés. Un mois plus tôt, personne n'aurait songé à refuser. Les choses avaient changé, et les bourgeois que le hasard avait mis de garde à cette heure-là refusèrent tout net. Le chef du quartier — on dira plus tard le « quartenier » — s'appelait Jean Maillart ; il était de surcroît responsable de la bastide qui assurait la sécurité de son quartier. On le fit appeler.

Maillart était un drapier aisé, naguère dévoué à Étienne Marcel. Mais ses convictions étaient en train de virer, et il avait recommandé à ses hommes d'avoir à l'œil les gens du roi de Navarre : Charles le Mauvais pouvait avoir l'idée de passer par là s'il décidait de rentrer dans Paris. D'ailleurs, Marcel n'était pas moins réticent envers son ancien ami Maillart : au lieu de le mettre dans la confidence, il cherchait à le berner.

Jean Maillart sentit qu'il y avait anguille sous roche et refusa de remettre au prévôt des marchands les clés de la bastide. A côté d'Étienne Marcel, il voyait le trésorier du roi de Navarre. Il ne pouvait avoir aucun doute quant aux intentions de ses interlocuteurs. Le ton monta. Maillart y vit la preuve que l'enjeu était d'importance.

Alors, pendant que Marcel allait jouer sa chance ailleurs, à la porte Saint-Antoine, Maillart sauta à cheval et descendit la grande rue Saint-Denis en criant « Montjoie au roi de France et au duc ! » C'était le cri de guerre du régent.

Tous ceux qui en avaient assez du drame quotidien se mirent à courir derrière lui. La foule grossit. On se retrouva aux Halles. Il était déjà significatif que ces braves gens n'allassent pas tout naturellement, comme en tant d'occasions récentes, vers la place de Grève. Le rassemblement se faisait contre l'Hôtel de Ville.

Aux Halles, Maillart fit son récit. On allait voir revenir le Navarrais, ce Navarrais par la faute duquel tant de frères et de cousins parisiens avaient été, au bois de Boulogne, navrés à mort par des Anglais. Sur la nouvelle que le prévôt des marchands trahissait à son tour en voulant mettre la main sur la bastide Saint-Denis ou sur la porte Saint-Antoine, la foule s'excita. Puisque Marcel était parti pour la porte Saint-Antoine, les manifestants s'engouffrèrent dans les petites rues qui, à l'aplomb de la place de Grève, confluaient pour former la « grande » rue Saint-Antoine, la plus large des artères parisiennes. On vit flotter une bannière fleurdelisée sur la foule. Nul ne sut d'où le nommé Pépin des Essarts l'avait subitement tirée. Mais l'heure n'était plus aux chaperons rouge et bleu.

A la porte, cependant, les choses tournaient mal pour Étienne Marcel. Les nouvelles étaient allées plus vite que lui, et les gardiens l'avaient accueilli comme leurs collègues de la porte Saint-Denis. Marcel perdait donc du temps à parlementer, alors que commençaient d'arriver des manifestants.

En un instant, le prévôt des marchands fut cerné. On le somma de crier « Montjoie au roi et au duc ! » Il refusa, cria enfin « Montjoie au roi ! », puis tout ce qu'on voulut. Il était aux abois. Chacun l'apostrophait et déversait dans l'algarade toutes ses angoisses et tous les racontars des jours passés. Marcel ne pouvait plus faire face.

Au vrai, il était déjà prévu de l'assassiner, et l'on était déjà convenu de la phrase qui donnerait l'ordre : « Qu'est-ce que ceci ? » Minutieusement ordonné par les ennemis d'Étienne Marcel, le complot trouvait sans peine sa place dans l'émotion, pour une part spontanée, de bourgeois fatigués par l'aventure et prêts à la réaction. La famille des Essarts était là, au grand complet. Les neveux et les autres gendres de Pierre des Essarts étaient au premier rang de la manifestation, veillant à l'accomplissement du dernier acte de leur combat contre la brebis galeuse introduite dans le cercle des relations familiales et financières. Le prévôt des marchands avait voulu se venger des siens. Ceux-ci ne lui avaient rien pardonné.

L'un de ses compagnons tomba mort ; son bassinet de fer ne l'avait pas protégé. Étienne Marcel s'effondra peu après, bousculé, frappé, piétiné. Peut-être un coup de hache le dépêcha-t-il. Trois ou quatre des proches du prévôt des marchands furent à leur tour débusqués et égorgés. Ceux qui surent se cacher la première heure s'en tirèrent vivants. On se contenta de les fourrer au Châtelet. Personne ne les défendit : plus un Parisien n'avait souvenir d'avoir jamais suivi Étienne Marcel ou le Navarrais son ami.

UNE VICTOIRE INESPÉRÉE.

Le lendemain matin, qui était le 1er août, Maillart fit appeler la foule aux Halles, y fit un long discours, suggéra d'aller à Meaux. Pour demander au régent Charles de tout pardonner et de revenir au plus tôt dans sa bonne ville de Paris, on constitua une délégation : outre Simon Maillart, le frère de Jean, elle comprenait le doyen du chapitre de Notre-Dame, le maître des requêtes Étienne de Paris, un grand canoniste qui devait finir cardinal, et l'avocat du roi au Parlement Jean Pastourel. Il était habile de faire en l'occurrence appel à deux de ces serviteurs de la chose publique – du roi-juge aussi bien que des sujets justiciables et administrés – en qui la compétence juridique commençait d'être un moyen de promotion sociale, voire un cheminement vers la fortune et la noblesse. Le milieu des juges professionnels et des avocats s'était tenu fort à l'écart des effervescences populaires et des rivalités féodales. A travers ces temps de crise, au Châtelet, aux Comptes et surtout au Parlement, ils avaient assuré la continuité des fonctions de l'État. Aux côtés du drapier Maillart, symbole du vieux noyau de l'aristocratie bourgeoise, ils représentaient une force vive, une fidélité, une sûreté.

Le régent arriva à Paris le lendemain soir 2 août. Charles avait l'habitude de feindre la confiance : il fit son entrée avec une courte escorte. L'histoire des Anglais du roi de Navarre lui servait de leçon : il laissa aux portes les mercenaires qu'il avait lui-même recrutés en Allemagne. Plutôt que des armes, il joua de l'ironie.

> Comme il passait par une rue, un garnement traître outrecuidé, par trop grande présomption, va dire, si haut qu'il le put ouïr :
>
> – Par Dieu ! Si j'en fusse cru, vous n'y fussiez jamais entré. Mais, au fort, on y fera peu pour vous !

Et, comme le comte de Tancarville, qui droit devant chevauchait, eût ouïe la parole et voulut aller tuer le vilain, le bon prince le retint et répondit en souriant, comme s'il n'en tenait compte :

– On ne vous en croira pas, beau sire..

Visiblement, le régent pardonnait au menu peuple. Les meneurs, eux, n'allaient pas s'en tirer à si bon compte. On constitua une commission d'enquête, formée de gens du Parlement et de baillis royaux. Dès avant l'arrivée du dauphin, les exécutions avaient commencé. Elles continuèrent de fournir aux badauds un spectacle de choix. En quatre jours, huit têtes tombèrent. L'un des condamnés, le capitaine du Louvre, avait eu « plusieurs mauvaises paroles » pour le roi de France et pour son fils : on lui coupa la langue avant de le décoller.

Le 10, tout était fini. La chancellerie scella les lettres patentes portant amnistie collective. Une semaine plus tard, parvenait à la Maison aux piliers une lettre de Londres : le roi Jean remerciait les Parisiens d'avoir sainement réagi « en déclouant et découvrant à chacun leur trahison et leur malice ».

La répression officielle ne suffisait pas : s'y ajoutèrent les vengeances privées. Des courtisans avisés virent leur fidélité rémunérée par les biens confisqués sur ceux qu'ils dénonçaient. Manieurs d'argent sans scrupule et spéculateurs sans fausse honte, les frères Braque firent ainsi de remarquables affaires, malgré la voix populaire qui les dénonçait en vain depuis dix ans. Quant au chancelier du roi de Navarre, que l'on ne pouvait exécuter parce qu'il était chanoine, il se trouva massacré par des inconnus pendant qu'on le changeait de prison...

Lorsqu'en octobre le régent voulut reprendre l'enquête et faire juger de nouveaux suspects, les Parisiens s'inquiétèrent. Charles était assez fin pour comprendre qu'il allait trop loin. Il fit semblant de poursuivre, pour ne pas perdre la face, et laissa traîner. On relâcha finalement les suspects.

Au reste, il était temps de penser à autre chose. Le dauphin avait gagné sur toute la ligne, et cela au moment où il pensait avoir tout perdu. On n'allait plus parler avant longtemps de la réforme du royaume. Pour lever l'impôt du roi, les « élus » allaient demeurer, mais on se passerait des états pour imposer, et les élus seraient dorénavant nommés par le gouvernement royal.

La tutelle de la nation sur la monarchie venait d'avorter. Lorsqu'on reparlera, quelques années plus tard, d'élire au scrutin les gens du Parlement et même le chancelier de France, il s'agira d'assurer la cohésion des corps de serviteurs de la chose publique. Ce sera la victoire de la cooptation, non celle de la démocratie. Comme en 1358 le régent, Charles V ne gouvernera jamais qu'éclairé par la philosophie de ses conseillers.

Est-ce à dire que ce frêle jeune homme a dirigé d'une main de fer la réaction royale ? Certes pas. Comme il est dans son tempérament, Charles a louvoyé, finassé, tiré quelques fils, exploité les occasions, laissé jouer le temps. Observateur perspicace des événements, il a su les infléchir sans chercher à les contrarier. Il a cependant cru perdre la partie, et il s'en est fallu de peu. Tout Charles V est déjà là : du doigté plus que des prouesses, et la sagesse d'attendre. Les Jacques ont été sa chance, et les bourgeois de Paris n'aiment pas les aventures qui se prolongent.

CHAPITRE IX

La France dépecée

L'ANARCHIE.

Si les choses rentraient dans l'ordre à Paris, le ciel politique n'était pas pour autant serein. Le gouvernement des trois quarts du royaume échappait au régent. L'impôt rentrait à peine dans les coffres. La monnaie s'effondrait : de 1356 à 1360, elle perdait les neuf dixièmes de sa valeur. Quant à la guerre anglaise, elle ne cessait, malgré la trêve de Bordeaux, de se réveiller en d'innombrables escarmouches où nul ne savait vraiment si les soldats anglais travaillaient pour leur roi ou s'ils cherchaient tout simplement à vivre sur le pays.

Édouard III et Jean le Bon avaient, chacun de son côté, recruté toute espèce de monde. La trêve laissait ces gens sur place, sans autre moyen de subsistance que le pillage et sans autre divertissement que la violence. Il y avait des Anglais, mais aussi des Allemands, des Espagnols, des Italiens. Il s'y mêlait l'armée navarraise, faite de bandes plus ou moins coordonnées, aussi disparate et aussi désœuvrée que celle du roi d'Angleterre.

De temps à autre, un capitaine menait à travers le pays une chevauchée véritable, sans accrocher l'ennemi en bataille mais non sans dévaster les campagnes et menacer les villes. L'ancien tisserand Robert Knolles, allait ainsi de Bretagne en Bourgogne à la tête de son parti d'Anglais, faisant trembler le Val de Loire, rançonnant Auxerre, brûlant cent villages et autant de prieurés. Il ne négligeait cependant pas de couronner ses hauts faits en se faisant armer chevalier. Une autre chevauchée manquait de peu de prendre Amiens. Les pays de la Basse-Seine étaient aux mains des Navarrais, dont les forteresses suffisaient à paralyser toute économie d'échanges. Les rares troupes du régent ne faisaient pas mieux : Arnaud de Cervole, que l'on appelait l'Archiprêtre parce qu'il avait été clerc, mettait à mal les campagnes berrichonnes et nivernaises, pillait Nevers et y massacrait tout à l'aise les notables. Les populations allaient encore trembler, vingt ans plus tard, à l'énoncé de son nom.

Dans la grande Aquitaine, c'était bien pis. Les Anglais anticipaient allégrement sur le traité et se comportaient en Quercy et en Limousin comme s'ils y étaient déjà chez eux. Nul ne pouvait leur disputer le terrain. La population avait bien compris que le Valois n'était plus rien en Aquitaine. Las de n'être point défendus et de voir les Anglais brûler la récolte, les paysans se décidaient bien souvent à payer aux compagnies anglaises le droit de cultiver et d'engranger.

Il fallut au régent Charles quelques mois pour reprendre l'initiative. Il trouva un peu d'argent, leva des troupes, mit la main sur des capitaines plus sérieux que l'Archiprêtre. Mouton de Blainville – il s'appelait au vrai Jean de Mauquenchy, sire de Blainville – alla diriger dans sa Normandie natale une expédition qui toucha Graville et Saint-Valery-sur-Somme. Vieux soldat de Jean le Bon, Le Baudrain de la Heuse reprit du service dans la région de Rouen et mena la vie dure aux Anglais jusqu'à ce que ceux-ci le fissent prisonnier. Avec une petite troupe de quinze chevaliers, Jean de Vienne, futur amiral de France, mena en Bourgogne semblable vie dure aux Navarrais. Le Breton Bertrand du Guesclin, capitaine de Pontorson et du Mont-Saint-Michel depuis 1357, vint prendre un commandement dans la région de Melun. Il allait être, en 1360, chevalier banneret et lieutenant du roi dans les comtés d'Alençon, du Mans et d'Angers.

Comme les Anglo-navarrais avaient tenu le pays, ils avaient eu le temps de se rendre impopulaires. La population apportait donc, dans l'ensemble, sa collaboration aux troupes royales qui reprenaient pied dans le nord du royaume. Au siège de Saint-Valery, on vit les milices d'Amiens, d'Arras, d'Abbeville, de Boulogne, de Rouen et même de Tournai renforcer l'armée du régent. Les bourgeois de Rouen jouèrent un rôle décisif dans la reprise de Longueville, ceux de Caen dans le nettoyage des campagnes de leur voisinage, longtemps dominé par les forteresses anglo-navarraises comme celle de Creully.

A Troyes, on vit l'évêque diriger la réaction française des bourgeois. A Reims, où l'archevêque Jean de Craon était rien moins que sûr, les habitants parvinrent à le tenir à l'écart de la défense de la ville comme de celle du château. Puis, pour montrer leur détermination, les Rémois allèrent prendre Roucy pour le compte du roi de France.

Comme naguère les féodaux, les villes s'allièrent pour chasser en commun l'ennemi. Reims, Châlons, Rethel nouèrent ainsi un véritable réseau de secours mutuel, de surveillance concertée du plat pays, de réanimation de la vie économique.

Le merveilleux s'y ajouta lorsque les paysans joignirent leurs prouesses à la geste du combat contre l'Anglais. Ce fut, popularisée ensuite par six siècles d'imagerie patriotique, l'histoire du « Grand Ferré », dont les conteurs naïfs firent vite un compromis entre l'Hercule romain et le patriarche Jacob luttant avec l'Ange.

Cela se passa à Longueil-Sainte-Marie, près de Creil, au cœur du pays que soulevaient les Jacques un an plus tôt. Avec l'accord de l'abbé de Compiègne, leur seigneur, quelque deux cents paysans de Longueil et du voisinage avaient fortifié le manoir et s'y étaient retranchés par crainte des hommes d'armes, de quelque nation qu'ils fussent. Leur capitaine était un paysan nommé Guillaume L'Aloue. Il avait pour lieutenant une sorte de géant de village, aux reins solides et aux bras d'acier, que l'on appelait le Grand Ferré. Au demeurant le meilleur homme du monde, pas très futé mais fort discipliné. Il était modeste. On louait son honnêteté. Un parangon des vertus paysannes.

Sa probité naturelle n'était pas pour rien dans sa réputation. Alors que les nobles tiraient un profit financier de leurs prisonniers en les rançonnant à raison de leur fortune, le Grand Ferré ne songeait pas un instant à monnayer son courage. Ses ennemis, il les tuait, tout simplement. Et le non moins honnête carme Jean de Venette de s'émerveiller en comptant les Anglais que le Grand Ferré dépêchait à lui tout seul, la hache à la main. Une hache qu'un homme normal pouvait à peine lever au niveau des épaules en s'y prenant à deux mains.

Le raisonnement des braves paysans de Longueil-Sainte-Marie et des environs était fort simple, et c'était à peu près ce que se disaient, sans grande référence patriotique, tous ceux qui s'armaient peu ou prou contre l'Anglais en cette année 1359 :

> Vendons chèrement nos vies. Sinon, ces gens-là nous tueront sans pitié.

Les Anglais se faisaient des illusions quand ils pensaient occuper sans peine le manoir et en faire décamper les vilains. Ce qu'ils voyaient, c'était une place fortifiée toute prête, garnie de tout le ravitaillement désirable. Leur surprise fut grande : les rustres accueillirent les hommes de guerre la hache à la main, et le Grand Ferré en étendit dix-huit au sol pour son seul compte.

Son escrime était des plus simples, et devait tout à la technique agricole : de grands coups en biais à la hauteur des têtes, « comme pour battre le blé au fléau ».

Pour compléter la leçon, il tua le porteur de bannière anglais et rendit la bannière aux assaillants avec le moins de façons possible : il la jeta dans le fossé où pataugeaient les fuyards.

Repoussés et de surcroît vexés, les Anglais ne se tinrent pas pour battus : ils revinrent en force le lendemain. Comme ils étaient plus nombreux, Ferré en prit argument pour en tuer davantage. Quelques-uns se rendirent ; l'assaut repoussé, les villageois achevèrent l'affaire en décapitant les prisonniers. On n'avait pas de bourreau ; le Grand Ferré mania, là encore, sa hache.

Il faisait chaud. L'exercice avait altéré notre homme. Il étancha donc sa soif à grandes rasades d'eau fraîche. Trop fraîche : le voilà fébrile. Il regagna son village, Ribécourt, et se coucha, la hache à portée de la main.

Les Anglais surent qu'il était malade et sautèrent sur l'occasion. Par précaution, ils se mirent à douze. Mais la femme du géant les vit à temps : « Voilà les Anglais. A mon avis, ils te cherchent. Que fais-tu ? » Les Anglais furent étonnés de s'entendre apostropher dès leur entrée dans la cour : « Bande de voleurs. Vous venez me prendre dans mon lit ! »

Le Grand Ferré était le dos au mur. Les Anglais hésitèrent. Soudain, le prétendu malade se jeta sur eux. Paralysés par la terreur, les Anglais roulèrent au sol, qui une tête, qui un bras en moins. Les sept qui s'en tirèrent coururent longtemps.

L'histoire s'arrête là. Le Grand Ferré alla se recoucher, mais il avait derechef soif. On lui apporta une grande écuelle d'eau glacée. Il mourut de sa fièvre, quelques jours plus tard, ayant reçu dévotement les sacrements. Tout le pays pleura.

> Tant qu'il eût vécu, les Anglais ne fussent pas revenus dans la région.

On est là en plein merveilleux. C'est Roland fendant la « pierre bise », et c'est Godefroy de Bouillon fendant en deux l'infidèle et son chameau. Si elle n'était qu'un fait divers des temps de guerre, sans doute amplifié et cristallisé autour de l'image d'un homme hors du commun, l'histoire du Grand Ferré mériterait l'oubli discret des héroïsmes obscurs. Mais elle est, pour les contemporains qui le conçurent certainement fort mal comme pour les historiens qui l'entrevoient, le signe de nouvelles mentalités. De même que deux siècles plus tôt face aux féodaux le peuple des villes, celui des campagnes s'organisait pour assurer sa propre sécurité. Le Grand Ferré eût déjà été un personnage à l'époque où naissaient les premières communes. Mais il est aux raisons de son combat – et de sa gloire posthume – une nouvelle couleur, qui est nationale.

Ne jouons pas avec les mots. Ferré tuait les Anglais parce qu'il voyait en eux les pires bandits, non parce qu'ils étaient anglais. Mais c'est bien comme anglais que la légende immédiate définit les victimes du géant. Et parce que, pour beaucoup, les bandits étaient des Anglais, on détesta les Anglais. En ces années où le roi Jean se languissait à Londres et où tout laissait penser que le royaume allait perdre quelques-unes de ses plus riches provinces, le peuple de France en voulait plus aux Anglais débauchés qui se souciaient d'Édouard III comme d'une guigne qu'à ceux dont l'efficacité tactique avait écrasé l'armée du roi de France.

Les préliminaires de Londres.

La guerre – officielle, si l'on peut dire – reprenait cependant, à la mesure des moyens que les états généraux de mai-juin 1359 venaient de donner au régent.

Celui-ci choisit d'en finir d'abord avec le Navarrais, d'une part parce que la captivité du roi compliquait l'affaire franco-anglaise, ensuite parce qu'il était urgent de reprendre Melun, dont Charles le Mauvais s'était assuré et pouvait faire sans peine un verrou contre Paris. Les trois reines de la maison d'Évreux-Navarre s'y trouvaient en sûreté : la veuve de Charles IV, celle de Philippe VI et l'épouse de Charles le Mauvais. Melun pouvait donc être de bonne prise pour le dauphin. Le siège commença le 18 juin 1359.

On n'alla guère plus loin. Le roi de Navarre apprit que son allié anglais n'avait nullement servi les intérêts navarrais lors des premières négociations de Londres. De son côté, le régent venait de repousser les clauses de ce premier traité, négocié tant bien que mal à Londres, et il savait que son refus pouvait signifier la reprise de la guerre. Les deux princes se mirent donc d'accord pour en finir avant une invasion anglaise que Charles le Mauvais ne souhaitait plus du tout, dès lors qu'il avait compris que l'Anglais ne partagerait pas la conquête.

Le traité conclu à Mantes, et confirmé en août à Pontoise, donnait au roi de Navarre diverses satisfactions territoriales et lui promettait une forte indemnité. Mais Charles le Mauvais jurait, en échange, de « travailler de toutes ses forces à la défense du royaume de France ».

La réconciliation était de façade. A peine établi au Louvre, où il était l'hôte du dauphin, le roi de Navarre se reprit à conspirer avec les survivants du parti d'Étienne Marcel. Ses troupes occupaient par surprise le château de Clermont-sur-Oise. Ses gens refusaient de rendre Melun au régent. Les deux princes continuèrent de s'observer. La paix était peut-être rétablie entre eux, la confiance ne l'était pas du tout.

Pendant que Paris s'agitait de nouveau et que le dauphin tentait ainsi d'en finir avec le Navarrais, Jean le Bon tuait le temps. On l'approvisionnait convenablement en vin de Bordeaux. On le laissait festoyer. Il avait fait, de Londres à Westminster, une entrée solennelle sur son cheval blanc, flanqué d'un Prince Noir aussi ravi que respectueux. La foule avait admiré la prestance du roi de France.

Le manoir de Savoy, sur la route de Londres à Westminster, puis le château de Windsor, celui de Hertford et enfin celui de Somerton étaient des prisons dorées. Le roi Jean y vivait, depuis mai 1357, dans une liberté presque totale, et il s'y distrayait du mieux qu'il pouvait avec son entourage. Il recevait ses amis. Il donnait même à souper au roi et à la reine d'Angleterre. Il lisait. Il allait à la chasse. Sa place était marquée à la tribune des tournois.

A tant de libertés il y avait une justification : on savait le roi de France homme d'honneur. Prisonnier il était, prisonnier il resterait en Angleterre, loyalement, jusqu'à l'accomplissement du traité dont on négociait activement les clauses.

Jean le Bon avait beau n'être pas au fond d'un cachot, il était prêt à bien des concessions pour regagner Paris. Il l'écrivait sans fard à ses sujets : mieux valait amputer le royaume que perpétuer la captivité royale. L'idée que ses sujets allaient devoir se saigner pour sa rançon, ou que l'œuvre patiente de dix générations de rois de France allait se trouver ruinée, n'empêchait nullement de dormir l'égoïste et glorieux vaincu de Poitiers. En se battant bravement, il avait fait son devoir. Ses hommes allaient faire le leur en le libérant. Et point ne fallait penser à le « ravoir par guerre » : une telle tentative déterminerait surtout les Anglais à le conduire en une prison plus lointaine et plus dure.

Tout autre était le point de vue du dauphin Charles et de son Conseil. Rien ne pressait vraiment : la trêve imposée après Poitiers par les légats d'Innocent VI laissait deux années – jusqu'à l'automne de 1358 – pour se mettre d'accord avec les Anglais sur les conditions de la paix. Le régent et ses conseillers voulaient libérer le roi, mais non à n'importe quel prix pour le royaume. Donner de l'argent pour la rançon de la personne royale, certes. Mais il était moins sûr que la défaite dût se payer de terres, voire de pans entiers démembrés de la souveraineté.

Après Crécy, nul n'avait songé à traiter. Après Poitiers, il fallait traiter parce qu'il fallait rendre au roi sa liberté. Poitiers eût été une moindre catastrophe si Jean le Bon avait trouvé la mort dans sa défaite. Charles V en tirera la leçon que la place du roi n'est pas au fort des combats.

Dans son refus de traiter à tout prix, le régent était entretenu par les « réformateurs » et notamment par les Parisiens, qui entrevoyaient avec inquiétude les conséquences politiques du pacifisme tout frais de Jean le Bon. La « bonne paix » souhaitée par le roi se paierait de cessions territoriales et nulle coutume n'interdisait à la Couronne d'y souscrire. La nation n'y avait pas son mot à dire. Mais la fin de la guerre allait également signifier la fin de l'impôt, et ces grands bourgeois qui s'arrangeaient pour faire retomber sur la masse du peuple le poids de la fiscalité voyaient surtout dans la fin de l'impôt la fin du consentement à l'impôt : autant dire la fin des états généraux. Hostiles à l'aide financière tant qu'elle avait pour eux l'apparence d'une charge et tant que cette hostilité était un moyen de pression sur le gouvernement, ils ne l'étaient plus dès lors que l'aide financière était le moyen d'une mise en tutelle de ce gouvernement.

C'est en septembre 1357 que s'assemblèrent à Londres, en présence des légats du pape, les ambassadeurs d'Édouard III, de Jean le Bon et du régent Charles. Les Français s'attendaient au pire. En avril 1354, alors que le pape espérait encore mettre un terme à la guerre qui n'en finissait pas – en Bretagne, en Normandie – sans attendre un affrontement direct des deux souverains, Édouard III avait fait connaître ses prétentions : il voulait tout l'ancien empire des Plantagenêts, tel qu'il était constitué à son apogée.

Il lui fallait la Normandie, le Maine, l'Anjou, la Touraine, le Poitou, l'Aquitaine, et tout cela en pleine souveraineté. Il n'entendait prêter au Valois aucune sorte d'hommage. Il ne voulait devoir à son cousin de France nulle fidélité. On voit ce qu'eût été le résultat d'un tel partage, car Édouard était d'autre part roi d'Angleterre, alors que Jean le Bon n'avait rien d'autre que son royaume et, en fait, le Dauphiné. Face au Plantagenêt, le Valois eût été un tout petit roi.

Si les Français cédaient, Édouard III pouvait bien abandonner toute revendication sur la couronne de France. Ce serait une plaisanterie. La couronne du Valois n'aurait plus grande signification politique.

Pour avoir la paix, et pour que son adversaire cessât enfin de revendiquer la succession des Capétiens, Jean le Bon songea-t-il, un temps, à accepter ? Toujours est-il qu'en présence du pape, à Avignon, les plénipotentiaires français refusèrent les conditions qu'ils avaient acceptées ou feint d'accepter quelques mois plus tôt.

Ces exigences de 1354 suffisent à éclairer le soulagement des Français lorsqu'ils entendirent à Londres les prétentions du vainqueur de Poitiers. Outre une rançon de quatre millions d'écus pour la personne du roi et des autres prisonniers, Édouard III demandait, en pleine souveraineté, l'ancienne grande Aquitaine, avec le Limousin, le Quercy, le Rouergue et la Bigorre. Mais il ne parlait plus des provinces situées au nord du Poitou. Il ne disait mot de la Normandie comme de l'Anjou.

En échange de quoi, c'est-à-dire en échange d'un tiers du royaume de France, le Plantagenêt abandonnait ses droits à la couronne de

France. Jean le Bon trouva que la défaite se payait d'un prix raisonnable, et que l'essentiel était sauf. Après tout, l'enjeu était le même qu'en d'autres circonstances, quand les rois de France avaient confisqué le grand fief aquitain des descendants d'Aliénor. Le roi de France avait voulu priver le duc de son duché. Le duc vainqueur privait le roi de son hommage.

La chose semblait à ce point normale que les légats du pape, jugeant l'affaire terminée, quittèrent l'Angleterre et allèrent rendre compte à Avignon de leur succès.

Édouard III s'avisa vite qu'il avait été trop modeste dans la victoire. Comme il avait, d'autre part, à peser sur la décision du pape dans une délicate affaire de nomination épiscopale, il fit exprès de différer la conclusion du traité définitif que l'on pouvait sceller sur les bases acceptées à Londres en janvier 1358. Lorsqu'il apprit que le dauphin n'était plus maître de sa capitale, lorsqu'il sut la remontée du roi de Navarre sur l'échelle des importances politiques, lorsqu'il connut l'insurrection parisienne et la Jacquerie, le roi d'Angleterre pensa que la modération ne s'imposait plus.

Les premiers versements de la rançon tardaient, car la France attendait de savoir le prix exact pour commencer de payer. Ce retard suffit à Édouard III pour justifier une remise en cause des conditions de l'accord. Afin de faire bonne mesure, il aggrava soudain les modalités de la détention du roi vaincu. Jean le Bon se retrouva fort étroitement surveillé à la Tour de Londres. Le temps des tournois était fini. Il fallut renvoyer en France la moitié des valets. Le roi Jean put craindre de finir en quelque cachot.

Dans le même temps, Édouard s'entendait avec Charles le Mauvais. Le traité anglo-navarrais du 1er août 1358 est un véritable plan de partage du royaume des Valois.

La veille, à la porte Saint-Antoine, le vent de l'histoire avait tourné. Mais on n'apprécia pas immédiatement, à Londres, la portée du rétablissement politique effectué en quelques heures par les partisans du dauphin. Jean le Bon était prêt à accepter n'importe quoi pour ne pas mourir en prison. Les légats n'étaient plus là pour veiller à l'équité et les envoyés du dauphin n'étaient plus là pour veiller à ce qu'on n'acceptât que le possible. Le 24 mars 1359, le roi Jean donna son accord à un traité qui rappelait, dans la dure réalité de la défaite, les vues que l'on avait jugées chimériques lors des pourparlers de 1354.

De Calais à la Navarre, le royaume de France perdait au profit du Plantagenêt toute sa façade maritime. Il n'y avait pas seulement, de l'Aquitaine à la Normandie, tout le vieil héritage de Henri II Plantagenêt et de Richard Cœur de Lion. Il y avait le littoral de Picardie, le comté de Guines et celui de Boulogne, la suzeraineté sur la Bretagne.

Tous les ports passaient au vainqueur. La France des Valois allait se retrouver, comme celle des tout premiers Capétiens, sans la moindre porte sur la Manche ou l'Atlantique. Rouen, Tours et Poitiers ne seraient plus en France.

Le traité stipulait qu'on parlerait des affaires du roi de Navarre, de même que de celles d'Écosse et de Flandre, avant la prochaine Saint-Jean. Il y avait bien des chances pour que le Navarrais profitât de l'occasion pour récupérer la Champagne de son aïeule Jeanne.

Le Valois allait donc se trouver réduit à merci, dans une capitale à l'obéissance incertaine et dans un domaine royal dont l'artère vitale, la Seine, déboucherait en un royaume étranger. Le traité qu'acceptait Jean le Bon ruinait le royaume des fleurs de lis. D'ailleurs, on ne lui laissait guère d'illusions. Dans le texte préparé pour les ratifications, Édouard III se contentait bien du titre de roi d'Angleterre, mais Jean n'était désigné que comme « le roi français ».

Édouard avait mal jugé des temps. Alors qu'il durcissait sa position pour profiter de la faiblesse du régent, celui-ci remontait la pente. Charles eut l'audace de convoquer les états généraux pour leur soumettre le traité. Il en obtint une déclaration selon laquelle « le traité n'était ni passable ni faisable ». Et les états d'ordonner qu'on fît bonne guerre aux Anglais. Édouard III apprit en même temps que la France désavouait ce qu'avait accepté son roi et que les états venaient de voter le subside grâce auquel une armée serait bientôt sur pied. Laissant Jean le Bon à Londres, le dauphin et les siens se préparaient bel et bien à nier Poitiers et à reprendre la guerre. Le roi de France put difficilement nourrir d'illusions sur le cas que l'on faisait à Paris de sa présence.

La vaine chevauchée d'Édouard III.

On était en plein paradoxe. Ayant vaincu le roi de France, Édouard III allait devoir se battre contre le régent, et cela pour faire accepter les conséquences de sa défaite par un royaume déjà trop conscient de son unité pour s'accommoder d'un dépeçage. Le roi d'Angleterre avait trop demandé. Il lui fallait maintenant reculer, ou se battre à nouveau. Le 28 octobre 1359, il débarquait à Calais comme à la parade. Le vainqueur de Poitiers, le Prince Noir, était à son côté. Le duc Jean de Lancastre, quatrième fils du roi, les avait précédés d'un mois et faisait déjà grand dégât dans les campagnes picardes.

A cette nouvelle tentative de l'Anglais, le régent Charles opposa la même tactique qui lui avait si bien réussi l'année précédente contre les Navarrais et contre Étienne Marcel. Il laissa faire le temps. Il garda fermement ses places fortes, assuré qu'Édouard III ne commettrait pas l'erreur de se ruiner en un long siège. Calais avait suffi. Les campagnes étaient délibérément sacrifiées; les paysans n'eurent, au passage de l'ennemi, que la ressource de se réfugier qui à la ville voisine, qui au château du village.

Ce fut une belle chevauchée, mais une chevauchée vaine dans un pays vide. Édouard, en effet, n'avait pas les moyens de prendre une ville. Un mois d'attente inutile devant les murs de Reims – du 4 décembre au 11 janvier 1360 – suffit à l'en assurer. La métropole champenoise avait une excellente enceinte, achevée depuis l'été précédent. Le capitaine de la ville était un chevalier de haut lignage, Gaucher de Châtillon, petit-fils du connétable de Philippe IV et de ses fils. Il avait pris toutes ses dispositions, fait murer trois des portes, sacrifier la forteresse voisine de Porte-Mars, doubler les fossés, raser quelques maisons qui jouxtaient les murs et eussent facilité l'approche d'éventuels sapeurs.

Pendant que le gros de l'armée anglaise perdait son temps au siège de Reims, de petits détachements remportaient dans la région d'assez faciles victoires. C'est ainsi qu'une troupe alla prendre à Cormicy le château des archevêques de Reims, dans lequel trente hommes tinrent quand même tête aux Anglais pendant deux semaines. Une autre troupe razziait la haute vallée de l'Aisne et gagnait de là l'Argonne. Son chef n'était autre que cet Eustache d'Auberchicourt, pris aux premières minutes de la bataille de Poitiers et libéré au fort du combat; c'était un homme avisé qui mit la main, à Attigny, sur trois mille fûts de vin de Champagne et s'en fit une célébrité dans toute l'armée anglaise, altérée, malgré l'hiver, par un mois d'inactivité en vue des murs de Reims.

Édouard III avait raté son affaire. Après l'Artois, la Thiérache et la Champagne, il s'en alla sillonner la Bourgogne. Avait-il réellement songé à recevoir l'onction dans la cathédrale du sacre? Il ne semble pas. La résistance des Rémois, en tout cas, lui ôtait toute illusion. Il lui restait à nourrir son armée.

Philippe de Rouvre, duc de Bourgogne, n'était nullement tenté par la guerre. On traita. Le duc promit aux Anglais tout ce qu'ils voulaient, paya rançon et se trouva quitte. La folle chevauchée se tourna vers la Beauce.

Les Français commencèrent de dauber sur un roi d'Angleterre qui usait ses forces en promenant à travers la France une cour inutile. Car Édouard était venu en grand arroi, et le bon peuple s'émerveillait de voir, dans un cortège de chariots long de deux lieues, des bateaux légers de cuir bouilli pour la pêche en étang aussi bien que des moulins à main et des fours portatifs pour cuire le pain. Un tel équipage faisait grosse impression, mais cela n'avançait en rien la solution du conflit. Dans sa vaine recherche du combat, Édouard III s'épuisait.

Vint le printemps. Les Anglais étaient fatigués. Bien des soldats s'étaient débandés. Ceux qui restaient passèrent dans l'inaction la semaine de Pâques du côté de Montlhéry. La fête fut triste. Édouard III tenta, sans grande conviction, d'en finir comme un chevalier : il s'avança en vue de Paris, du côté de Notre-Dame-des-Champs, et fit demander « jour de bataille ». Le silence lui répondit. S'il n'était pas bien là, il n'avait qu'à s'en aller. Une violente tempête vint accabler encore l'armée anglaise, qui pataugea dans la boue et perdit ses fameux chariots sous les giboulées.

De mauvaises nouvelles parvenaient pendant ce temps d'Angleterre. Une flottille française avait touché le Sussex et débarqué une troupe qui s'était emparé de Winchelsea, à quelques lieues de Hastings, où Guillaume le Conquérant avait jadis écrasé les Anglo-saxons du roi Harold. L'affaire n'était pas dramatique, mais elle suffisait à éveiller de mauvais souvenirs et à nourrir de nouvelles inquiétudes. De surcroît, le régent traitait avec les Écossais, et rien de bon ne pouvait venir de ce côté-là pour Édouard. Certes, les assaillants de Winchelsea avaient rembarqué, sitôt perpétré leur méfait, mais ils avaient nargué l'Angleterre, et Édouard III savait qu'on lui reprochait, dans son royaume, de perdre trop volontiers son temps sur le continent.

A ne pas se battre contre la chevauchée anglaise, le dauphin Charles commençait de se forger une réputation d'invincibilité qu'il allait laisser, quelques années plus tard, à Bertrand du Guesclin, devenu le stratège de cette étonnante guerre où le plus fort s'use à ne pouvoir combattre.

Le roi d'Angleterre céda. Il accepta les nouvelles offres de médiation des légats pontificaux. Le régent Charles n'était pas mécontent non plus, car les villes surpeuplées étaient autant de foyers d'insurrection éventuels et la grogne croissait à la mesure des difficultés de ravitaillement. Privé de poisson de mer en Carême, Paris murmurait : la viande était interdite, et les tanches, les barbeaux et les brochets de la Seine et des fossés n'étaient pas pour les bourses modestes. Le vin arrivait mal. Le prix du pain montait. D'ailleurs, les nouvelles du plat pays n'étaient pas bonnes. Les Anglais de Normandie multipliaient, souvent avec succès, les coups de main contre les forteresses royales, et une troupe anglaise venait, non loin de Paris, d'occuper celle de l'Isle-Adam. On voyait parfois depuis Paris la colonne de fumée qui laissait penser qu'un village brûlait. L'ennemi mettait à sac Vaugirard, Vanves, Issy.

Le soleil s'en mêlait. Le printemps était particulièrement chaud, et les vignerons de Suresnes ou de Chaillot, réfugiés à Paris, se lamentaient en pensant que la sève montait trop tôt et qu'on ne pourrait plus tailler les vignes.

Le traité de Brétigny.

La conférence de la paix s'ouvrit le 1er mai à Brétigny, près de Chartres. L'abbé de Cluny Androin de la Roche présidait, au nom d'Innocent VI. Jean de Lancastre – Jean de Gand – menait la délégation anglaise ; on le savait homme de conciliation. Quelques grands capitaines étaient là, aussi : Warwick, Salisbury, Chandos, Grailly, moins pacifistes sans doute, mais réalistes. Ils voyaient bien que cette guerre où l'on ne se battait pas ne débouchait sur rien.

Le régent avait constitué ses représentants. Les hommes de guerre n'y étaient que pour la forme : Jean Le Maingre, l'un des maréchaux de France, qui se faisait appeler Boucicaut, et quelques grands barons comme Tancarville ou Montmorency. Surtout, il y avait des légistes, des clercs, des bourgeois. L'avocat du roi Jean des Marès était là, et l'on remarquait la présence de Jean Maillart, l'artisan de la chute inopinée d'Étienne Marcel. C'est l'évêque de Beauvais Jean de Dormans, chancelier de Normandie et l'un des conseillers du dauphin, duc de Normandie, qui, flanqué de son frère Guillaume, menait la négociation pour la France.

On s'accorda vite. Dès le 7 mai, une trêve était conclue. Le 8 mai, l'accord était réalisé sur les trente-neuf articles d'un traité que l'on rédigea sous la forme diplomatique d'une charte du régent Charles proposée à la ratification du roi Jean. En d'autres termes, le traité de Brétigny ne mettait fin ni à la guerre ni au marchandage, mais il réalisait l'équilibre des exigences mutuellement acceptables.

Avant la rencontre de Brétigny, les Anglais avaient eu l'occasion de prendre la mesure de ce qui était acceptable par leurs adversaires. Lors d'une première conférence, le 3 avril, à Longjumeau, les Français avaient rompu dès qu'il avait été question de conserver au Plantagenêt son titre de roi de France. Une semaine plus tard, le légat avait de nouveau échoué devant la même exigence. A la fin d'avril, Édouard III et le Prince Noir savaient qu'il leur fallait céder sur ce point.

Le traité de Brétigny est en effet moins défavorable au Valois que les préliminaires de Londres. Certes, et c'est là le plus grave, il y est encore question d'un état souverain démembré du royaume de France. Mais on s'en tient à la grande Aquitaine définie en 1358. L'Anjou et la Normandie demeurent au roi de France. L'Anglais se contente de quelques têtes de pont au nord de la Loire : le Ponthieu, le comté de Guines et la plupart des petites villes côtières autour de Calais et de Gravelines. Pour dangereuses que soient ces cessions, elles ne réalisent ni l'isolement du royaume de France ni la ruine du domaine royal. Et elles ne paralysent pas le réseau navigable de la Seine et de ses affluents.

De quatre millions d'écus à quoi elle était estimée un an plus tôt, la rançon du roi Jean descend à trois millions, deux écus comptant pour un « noble d'or » anglais. Six cent mille écus sont payables à Calais, dans les quatre mois du transfert du roi à Calais, quatre cent mille seront payables à Londres un an plus tard, le reste sera compté en cinq annuités de quatre cent mille écus. Le tout sera gagé : en Aquitaine par la remise immédiate de certaines places fortes, à Calais par des otages.

Un otage, ce n'est pas nécessairement un prisonnier. C'est quelqu'un dont la présence garantit l'exécution d'un traité, et plus généralement d'une obligation. Nombre de jeunes princes ont ainsi, tout au long du Moyen Age, passé une bonne partie de leur enfance comme otages, ce qui est dire qu'ils ont été élevés à la cour d'un prince étranger, en gage d'amitié ou simplement de non-belligérance. Mais un otage est un hôte, et celui qui le reçoit engage son honneur comme envers un invité. La vie de l'otage n'est, naturellement, pas le moins du monde menacée. Mais il y a otage et otage, et l'on en voit de mieux traités que d'autres. Il en est, aussi, qui supportent plus mal l'éloignement et la relative absence de liberté.

En tout cas, les Anglais ont fait le choix le plus judicieux. La liste des otages ne comprend pas moins de quarante et un princes et hauts barons. Il y a là le frère et les trois fils du roi, le duc de Bourbon, le dauphin d'Auvergne, les comtes de Saint-Pol, de Vaudémont, de Forez, de Ponthieu, de Blois, d'Alençon, d'Harcourt, d'Eu, de Porcien, de Sancerre, de Valentinois, et bien d'autres. Le maréchal d'Audrehem, pris à Poitiers, en est également. Prendre ainsi tout le baronnage français en otage pour son roi, c'est jouer habilement du droit féodal, qui oblige le vassal à exposer sa personne pour la vie, la liberté et l'honneur de son seigneur. C'est jouer avec art de l'éthique chevaleresque, qui donne tort à ces vassaux dont on peut penser qu'ils n'ont pas su sauver le roi à Poitiers. Mais c'est aussi, et peut-être surtout, une manœuvre politique suprêmement habile. Car la liste des otages décapite vraiment la noblesse de France jusqu'au paiement complet de la rançon.

Les bonnes villes ne sont pas moins concernées. Quatre bourgeois de Paris sont remis en otage, ainsi que deux bourgeois de chacune des neuf principales cités du royaume, ou de ce qui va en rester : Saint-Omer, Arras, Amiens, Beauvais, Lille, Douai, Tournai, Reims,

Châlons, Troyes, Chartres, Toulouse, Lyon, Orléans, Compiègne, Rouen, Caen, Tours, Bourges.

Ces otages sont peut-être une sécurité financière pour le vainqueur. Ils sont surtout un gage politique et militaire.

Les territoires cédés doivent être remis au roi d'Angleterre en pleine souveraineté. Ce qui signifie que l'Aquitaine ne fera plus partie du royaume de France. Mais un délai d'un an est stipulé pour cette remise, qui doit s'accompagner de certaines formalités de droit, faute desquelles les populations pourraient ne pas savoir qu'elles ont changé de souverain.

> Rendront et bailleront au dit roi d'Angleterre et à tous ses hoirs et successeurs, et transporteront en eux, tous les honneurs, obédiences, hommages, ligeances, vassaux, fiefs, services, reconnaissances, serments, droitures, mere et mixte impère (ban et arrière-ban) et toutes manières de juridictions hautes et basses, sauvegardes, seigneuries et souverainetés.

La cession, prix de la défaite du royaume, et la rançon, prix de la capture du roi, étaient donc deux choses bien distinctes. L'Anglais pouvait exiger le paiement d'une partie de la rançon avant de libérer le roi de France, non la cession des territoires, qui ne payait que la paix, autrement dit le contentement du vainqueur. Ce qui exprimait ce contentement, c'était sa renonciation à toute autre revendication. En un mot, l'Aquitaine compensait l'abandon définitif des droits éventuels du Plantagenêt sur la couronne de son grand-père Philippe le Bel.

Pour peu que le régent — et ensuite le roi Charles V — fît peu de cas de cette renonciation, de ce contentement, donc de cette paix, le profit de la victoire de Poitiers se ramenait pour l'Anglais à la rançon du roi Jean.

On mit cependant tout en œuvre pour accélérer les procédures. La volonté du dauphin était de libérer d'abord le roi son père. Ensuite, on verrait. L'accord avait été conclu le 8 mai. Le 10, Jean des Marès en donnait publiquement lecture au dauphin, en présence du Conseil, du nouveau prévôt des marchands Jean Culdoë et d'une délégation des bourgeois parisiens. La scène se passait dans l'hôtel parisien des archevêques de Sens — Paris ne fut siège archiépiscopal qu'en 1622 — qui devait, quelques années plus tard, s'intégrer dans l'hôtel Saint-Paul du roi Charles V.

On passa dans la chapelle, où l'archevêque Guillaume de Melun célébra la messe du Saint-Esprit. L'*Agnus Dei* chanté, le régent monta à l'autel, étendit la main au-dessus de l'hostie consacrée, mit l'autre main sur le missel ouvert.

Six chevaliers anglais se tenaient là, tout près. Ils vérifièrent qu'on ne trichait pas. Bien des serments avaient été impunément violés pour avoir été trop facilement prêtés sur des reliquaires vides ou sur des livres profanes substitués à l'Évangile...

Le texte du serment avait été prévu à Brétigny. Charles le lut à haute voix. Un sergent d'armes se mit à la fenêtre et cria que la paix était faite. Tout le monde prit le chemin de Notre-Dame, où l'on chanta le *Te Deum.*

Le lendemain, le régent conduisit les six Anglais à la Sainte-Chapelle, leur montra les reliques de la Passion, leur donna un magnifique dîner et offrit à chacun un cheval de prix. Six chevaliers français — trois bannerets, trois chevaliers bacheliers — raccompagnèrent ensuite les Anglais jusqu'à Louviers, où ils trouvèrent le Prince Noir. Là, en l'église Notre-Dame, le 15 mai, le fils aîné du roi d'Angleterre fit ce qu'avait fait à Paris le fils aîné du roi de France. Édouard III se réservait pour la ratification finale, avec Jean le Bon.

Maintenant qu'on était d'accord, il fallait libérer le vaincu de Poitiers. Charles taxa chaque diocèse, força la taxe des provinces méridionales; on pensait que le Nord avait été trop malmené par la guerre pour qu'il fût possible d'en attendre beaucoup. Les gens du Midi acceptèrent mal ce raisonnement.

Au début de juillet 1360, le régent fit savoir aux Anglais qu'il était en état de payer les deux tiers de la première échéance. Et d'envoyer, sous bonne escorte, les quatre cent mille écus à Saint-Omer, où ils furent mis en sûreté dans les coffres de l'abbaye de Saint-Bertin. En prévision du paiement, Jean le Bon arrivait à Calais. Édouard III décida de se montrer généreux: les quatre cent mille écus suffiraient pour l'instant.

Paradoxalement, il fut plus difficile de remettre les gages que de trouver l'argent, ou tout au moins une partie de l'argent. Bien des barons envoyaient à tous les diables la morale vassalique: ils n'avaient que faire d'aller à Londres à la place du roi. Des villes fortes protestèrent, telles La Rochelle:

> Ils avaient plus cher à être taillés tous les ans de la moitié de leur avoir que d'être aux mains des Anglais.

Il va de soi que les Rochelais eussent sans doute répondu d'autre façon si l'on avait songé à les tailler de cinquante pour cent. Mais la fortune de La Rochelle, c'était d'être le port atlantique du roi de France quand Bordeaux était au roi d'Angleterre. Il fallut six mois pour faire céder la ville.

Le traité de Calais.

Le 24 octobre, cependant, un traité en forme solennelle mettait fin à la guerre. Les deux rois étaient réunis à Calais. Le dauphin aussi, et le Prince Noir, qui allait gouverner la nouvelle Aquitaine.

Depuis quinze jours, ils banquetaient et multipliaient les déclarations d'amour fraternel. Pour faire bonne mesure, Édouard III promettait de se réconcilier avec le comte de Flandre, Jean le Bon assurait qu'il allait faire sa paix avec le Navarrais.

Ils jurèrent d'observer la paix. Il y avait là les conseillers des deux rois, les deux cours. Autant d'arrière-pensées. Édouard offrit un dernier banquet, fastueux entre tous. Il annonça que le nombre des otages serait réduit.

Jean le Bon quitta Calais le lendemain. Il gagna Saint-Omer, où l'on fit des joutes, puis Hesdin, où il se soucia de réorganiser l'hôtel royal. Par Amiens, Noyon, Compiègne et Senlis, il fit route vers Paris, profitant amplement de sa liberté retrouvée pour se faire acclamer. Au vrai, les sujets étaient tout heureux de voir leur roi et ne se demandaient nullement, à ce moment-là, ce qu'il leur en coûtait.

Le 13 décembre, sous un dais de drap d'or, le roi de France faisait dans sa capitale la même entrée qu'il eût faite, vainqueur.

> Furent les rues et le grand pont par où il passa encourtinés, et fut une fontaine, outre la porte Saint-Denis, qui rendait vin aussi abondamment comme si ce fut eau.

Lors de la rédaction du traité définitif, les conseillers du dauphin avaient obtenu quelques retouches au traité de Brétigny. Simples accommodements de style, parfois, ces changements ne faisaient qu'envelopper une restriction majeure à laquelle les Anglais semblent avoir aisément consenti. La remise des seigneuries cédées par le roi de France se ferait dans les formes normales de la féodalité traditionnelle, et nulle allusion ne serait faite à la souveraineté. Le mot même de souveraineté, qui figurait dans trois articles du traité de Brétigny, disparut du traité de Calais.

On disposa en revanche que des renonciations seraient échangées avant la Saint-André de l'année suivante — avant le 30 novembre 1361 — soit un mois après le terme stipulé pour les cessions territoriales. Pour être bien d'accord, on rédigea d'avance les actes. Jean le Bon renonçait par là à tous ses droits, y compris la souveraineté, sur les territoires cédés. Édouard III en faisait autant pour les territoires que le traité laissait au Valois. Autrement dit, le Français cédait la souveraineté sur l'Aquitaine, l'Anglais renonçait à la Couronne de France.

Le dauphin – est-ce lui, sont-ce ses conseillers ? – avait ici l'habileté de distinguer l'éphémère et le perpétuel : la possession d'un fief et la souveraineté. Il cédait sur-le-champ pour le droit à la possession, sachant qu'il avait un délai pour transférer la réalité de cette possession : le transfert ne pouvait se faire que sur place, car le droit féodal exigeait une remise matérielle, non un lointain acte juridique. Il fallait qu'un procureur allât mettre en possession, seigneurie par seigneurie, le procureur du nouveau possesseur. Pendant ce temps, on ne cédait rien de ce qui touchait à la souveraineté.

Le régent laissait amputer le domaine. Il ne pouvait l'empêcher. Mais, après tout, le domaine royal s'était longtemps passé de l'Aquitaine. Quant au royaume, il ne l'amputait pas d'une vicomté. L'irréparable ne viendrait que plus tard, après un interminable travail de feudistes et de géomètres. C'était un an de gagné avant la scission du royaume. La diplomatie de l'atermoiement succédait à la stratégie de la temporisation.

Ceux qui avaient œuvré pour la paix en tirèrent vite le profit. Le légat Androin de la Roche, qui était abbé de Cluny depuis dix ans, reçut l'année suivante le chapeau de cardinal : les deux rois l'avaient ensemble demandé. Le chancelier de Normandie Jean de Dormans allait être chancelier de France, puis cardinal. Son frère Guillaume devait lui succéder à la chancellerie.

Le pape, pour sa part, voyait enfin réalisée cette grande amitié des princes chrétiens à laquelle, depuis Boniface VIII, le Saint-Siège et ses légats n'avaient cessé de travailler. L'heure de la Croisade pouvait sembler venue. Décidément peu doué pour regarder en face les réalités les plus proches, Jean le Bon décida que la première initiative qu'il lui appartenait de prendre dans ce royaume retrouvé après quatre ans d'absence était le « passage d'Outre-Mer ». Au lieu de prendre en main le redressement d'un pays ruiné et de songer que la défaite des réformateurs et l'anéantissement des Jacques n'avaient résolu aucun des problèmes posés avant la défaite, le roi de France se mit en tête d'être investi par Innocent VI comme capitaine général de la Chrétienté en marche vers le Tombeau du Christ. En août 1362, il quittait Paris pour Avignon. Quand il parvint dans cette ville, en novembre, Urbain V était couronné depuis quinze jours.

Jean le Bon avait dû emprunter la rive gauche de la Saône et du Rhône, pour la seule raison qu'elle était en terre d'empire. Le royaume n'était pas assez sûr. Un autre roi se serait peut-être avisé que le fait était significatif d'un autre ordre des priorités.

Le roi passa l'hiver à Villeneuve-lès-Avignon – donc dans le royaume, sur la rive droite, face à la cité des papes – et multiplia les bonnes manières et les vains pourparlers. Au printemps, on vit arriver le roi de Chypre, Pierre de Lusignan, venu chercher du secours. Jean le Bon lui fit fête.

On parla beaucoup de la Croisade. Le Vendredi-Saint, le roi de France en était institué capitaine général. Puis il fit une abondante provision de privilèges canoniques et d'indulgences, et reprit le chemin de Paris. Lusignan l'y rejoignit. Là encore, la fête fut mémorable.

On ne pouvait même pas dire que ces perspectives de croisade aient engendré des décimes favorables au Trésor royal. Urbain V savait la misère du clergé. Le revenu de l'archevêque était tout aussi ruiné que celui du plus modeste des chapelains ruraux. Le pape avait été abbé de Saint-Victor de Marseille, et il n'oubliait pas le délabrement de ses prieurés. Le 27 février 1363, il accorda aux bénéfices ecclésiastiques de la plus grande partie de la France du nord une réduction forfaitaire de la taxe selon laquelle était calculé le montant de la décime. Alors que Jean le Bon demandait une décime, le pape cassa l'imposition d'un trentième décrétée par son prédécesseur.

Lorsqu'enfin le roi de France s'engagea fermement à partir pour la Terre-Sainte, Urbain V lui accorda une décime pour six ans. Mais elle devait être taxée au taux réduit. Et le pape précisa que les évêques étaient chargés de la lever : ils veilleraient à l'emploi qu'on en ferait. Le roi était pris à son piège. La Croisade ne lui rapportait pas un sou.

Les commissaires du Plantagenêt entraient peu à peu en possession des territoires cédés. Pour des raisons obscures, l'opération n'avait commencé qu'en août 1361, donc avec un fort retard. Peut-être avait-il tout simplement fallu quelques mois pour préparer les dossiers. A l'automne, bien des vassaux avaient déjà fait hommage aux procureurs de leur nouveau maître, et bien des villes avaient déjà prêté leur serment de fidélité. Les officiers du roi de France remettaient sans barguigner les clés des portes et des coffres, les rôles fiscaux, les titres domaniaux. Ordre en avait été donné en janvier aux sénéchaux de Saintonge, de Poitou et Limousin, de Quercy et Périgord, d'Agenais, d'Angoumois, de Bigorre et de Rouergue, ainsi qu'à leurs receveurs :

> Bailler et délivrer aux gens de notre dit frère (le roi d'Angleterre) ayant à ce pouvoir, toutes fois que requis en serez ou l'un de vous, tous les livres, cahiers, papiers, registres, comptes, chartes et lettres que avez par-devers vous ou ailleurs, ou pourrez avoir et savoir, touchant les terres, seigneuries, domaines, souverainetés et revenus.

A cette même époque, deux envoyés d'Édouard III prenaient livraison à Paris de vingt-six livres de comptes, rendus à la Cour par les officiers des sénéchaussées transférées, entre le temps de Philippe le Bel et celui de Jean le Bon. Le plus ancien était celui de la Saintonge pour l'année 1291.

Vingt-six comptes pour la gestion de sept sénéchaussées pendant trois quarts de siècle : les gens du roi de France se moquaient un peu de l'Anglais...

Néanmoins, malgré l'opposition de quelques barons et de quelques villes, avisés de marchander leur acceptation ou inquiets de n'avoir plus aucune possibilité d'appel au roi de France contre l'arbitraire prévisible du Plantagenêt, l'opération de transfert touchait à son terme au printemps de 1362. Mais on avait, ce faisant, laissé passer la date prévue à Calais pour l'échange des renonciations.

Sûr de sa force, Édouard III ne manifestait à cet égard aucune inquiétude. Il n'imaginait pas que le vaincu de la veille puisse songer à faire ces transferts autrement qu'en pleine souveraineté. Les choses se faisaient sur le terrain. On les célébrerait plus tard. Les procureurs anglais recevaient les terres cédées, et nul ne prêtait hommage pour ces terres au roi de France. La souveraineté semblait résulter de l'absence d'hommage.

Édouard III était trop sûr de lui. C'est là l'une des rares erreurs graves de ce grand règne. Le roi d'Angleterre et ses conseillers voyaient trop simplement le royaume comme une pyramide féodale, ce qu'excusait bien l'emprise féodale du roi — depuis Guillaume le Conquérant — sur son royaume anglais.

Charles V et ses légistes, mieux au fait des distinctions entre le statut des terres privées et les concepts de souveraineté, se persuaderont sans mal qu'un seigneur qui ne prête pas hommage est peut-être un alleutier — celui qui ne « tient » son bien de personne — mais n'est pas pour autant un souverain. Le Midi de la France était, au vrai, peuplé de ces alleutiers qui n'étaient vassaux de personne mais qui étaient bel et bien sujets du roi de France.

Le roi Jean, le dauphin Charles et leurs conseillers ont-ils consciemment mis en place cette ambiguïté ? Ont-ils, avec une duplicité de juristes à la vue longue, joué de l'inadvertance et de la suffisance du Plantagenêt ? Croire au hasard, qui eût ainsi préparé les finasseries ultérieures des légistes de Charles V, serait pure naïveté. Non moins que croire à une prescience extraordinaire d'un Charles V mettant en place, avant même son avènement, la situation trouble dans laquelle sa rouerie développera les arguties. Tout a probablement sa part, en cet hiver 1361-1362 : l'imprudence de l'Anglais qui laisse passer le temps, la résistance des populations peu pressées de voir les officiers du Prince Noir s'établir à la place du roi Jean, le silence calculé des Français qui se gardent bien de souligner le parti que l'on pourrait tirer du flou juridique qui s'instaure...

Pour l'heure, Édouard III s'entendait à profiter des difficultés financières de son ancien adversaire et toujours débiteur. L'impôt établi pour le paiement de la rançon en décembre 1360 se révélait de moindre rendement que ce qu'espérait le gouvernement de Jean le Bon. L'insécurité des routes économiques ruinait l'impôt sur les transactions du grand commerce, la régression démographique diminuait le rapport d'un impôt sur le vin, et la fraude — que ne maîtrisait pas une administration encore embryonnaire — introduisait dans le système fiscal nombre de moins-values et nombre de profits illicites.

Qui disait retard de la rançon disait allongement de la captivité des otages. Bien que la vie matérielle y fût digne de leur rang, les princes s'ennuyaient à Londres et les bourgeois coûtaient cher à leurs villes. Reims dépensait 1250 écus par an pour l'entretien de ses deux otages. Soissons, Saint-Quentin, Compiègne, Chauny et Nesles s'associaient pour payer les leurs. Ne doutant pas un instant que la France approuvât la transaction, les otages firent avec l'Angleterre, en novembre 1362, un nouveau traité. Ils promettaient simplement, outre toutes sortes de paiements immédiats et de cessions immédiates déjà stipulés à Calais, la remise en gage de la quasi-totalité du Berry. On savait Jean le Bon d'accord, et le dauphin était désormais sans pouvoir. En attendant la ratification du nouveau traité, Édouard III fit transférer ses otages à Calais. Le Berry contre des princes et des bourgeois parfaitement inutiles à Londres, le gain était évident.

C'est alors que le roi d'Angleterre manifesta une exigence tout à fait inattendue, et d'une étonnante modernité. Il voulait que ce « traité des otages » fût ratifié par les états généraux du royaume de France.

Déjà à Brétigny et à Calais, le roi de France avait dû s'engager à faire jurer le traité :

> à tenir et garder par les prélats, quand ils feront les serments de féauté, et les chefs d'église de notre royaume, par nos enfants, par notre frère le duc d'Orléans, par nos cousins et autres prochains de notre sang, par les pairs de France, par les ducs, comtes, barons et grands seigneurs, par les maires, jurés, échevins et consuls et universités ou communes de notre royaume, et par nos officiers en la création de leurs offices.

Il ne s'agissait cependant, en 1360, que de jurer que l'on appliquerait le traité. Le serment était prêté par chacun en son particulier a posteriori. Un serment récognitif, pourrait-on dire, et qu'il faudrait d'ailleurs réitérer :

> Et le dit serment ferons renouveler de cinq ans en cinq ans, pour en être plus fraîche mémoire.

En 1363, au contraire, c'était une ratification en forme juridique, par la nation en corps. Sans cette ratification, le traité ne serait pas. Édouard III voulait-il engager plus sensiblement les représentants des contribuables à propos de la rançon ? Voulait-il faire de celle-ci une affaire d'état, alors qu'elle n'était jusque-là qu'affaire de vassaux concernés par la liberté de leur seigneur ? Voulait-il rappeler aux Français leur défaite ?

A moins que, pressentant ce qui allait arriver, Édouard ne jouât bonnement la politique du pire. Peut-être l'exigence d'une intervention des états avait-elle pour fin de laisser le beau rôle au seul roi d'Angleterre, prêt à l'accommodement, et le vilain rôle aux Français, roi et peuple unis dans un même oubli des exilés. Toujours est-il que, malgré l'avis favorable du roi Jean, et suivant en cela les réticences manifestes du dauphin et de ses proches, les états réunis à Amiens en octobre 1363 repoussèrent le traité. La libération de quelques princes, barons et bourgeois ne valait pas le Berry.

Depuis onze mois, les otages croyaient cette libération imminente. On les avait fait revenir de Londres à Calais, où ils menaient grande vie. Ils apprirent la fin de leurs espoirs. Sans doute allait-on les renvoyer en Angleterre, et dans une plus triste condition. Le jeune Louis d'Anjou – le futur roi de Naples – demanda la permission d'aller en pèlerinage à Notre-Dame de Boulogne. En fait de dévotion, il retrouva à Boulogne sa femme, qu'il n'avait pas vue depuis deux ans et demi. Il se sauva avec elle. Le dauphin les rejoignit, tenta de raisonner son frère. Ce fut en vain.

La faute contre l'honneur était patente. A Calais, la consternation régnait. La captivité ne manqua pas d'empirer du jour au lendemain. Quant à Édouard III, qui était à Londres, il ne décolérait pas. Il écrivit au fautif une lettre au vitriol :

> Vous avez blémi l'honneur de votre lignage !

Le chef du lignage, c'était le roi. Jean le Bon ne le laissa pas dire deux fois. Il désigna le dauphin Charles comme régent et, en janvier 1364, arriva à Londres pour y prendre comme otage la place de son fils. Notons la distinction : l'honneur n'imposait pas à Jean le Bon de regagner sa propre prison, car les otages garantissaient le traité, non la seule liberté du roi. Mais l'honneur imposait au chef du lignage d'assumer les défaillances des siens.

Édouard III eut l'élégance d'accueillir le roi de France comme la première fois. Il lui fit fête, le logea au manoir de Savoy. L'occasion était belle d'une nouvelle négociation, et l'Anglais songeait sans doute à remplacer les clauses financières du traité – clauses visiblement inapplicables – par des cessions territoriales plus aisément réalisables et, dans la durée, plus favorables au vainqueur.

La mort du roi Jean, le 8 avril 1364, fit avorter cet avatar – c'eût été le sixième – des conséquences de Poitiers.

On fit au cousin de France des obsèques solennelles à Saint-Paul de Londres. La décence l'imposait. La politique aussi : il convenait de rappeler que l'on savait à Londres la valeur d'un roi de France. Car l'écrasante obligation faite au royaume de France de payer la rançon de son preux souverain ne s'éteignait nullement avec la mort du captif. Fût-il mort alors qu'il était prisonnier pour son propre compte – ce qu'il était de 1356 à 1360 – que Jean le Bon eût en mourant privé le roi d'Angleterre de toute rançon. On rachète la liberté d'un vivant, non le droit de transporter un cadavre. Mais Jean le Bon avait été libéré. La place qu'il tenait à Londres n'était pas la sienne, mais celle d'un otage pour la rançon. Et Louis d'Anjou était bien vivant...

Extraordinaire situation : Jean gageait en prison le paiement de sa propre libération, quatre ans plus tôt ! Mort en prison ou pas, en 1364, le roi pris à Poitiers avait été libéré à crédit en 1360. La France allait devoir continuer de payer.

CHAPITRE X

Le temps des compagnies

Charles V avait été trop aux affaires pour ignorer qu'à son avènement le royaume était exsangue, le domaine royal ruiné, la Couronne à peine moins chancelante qu'au temps d'Étienne Marcel. Au moins Charles était-il déjà à la tête du gouvernement : très exactement depuis le départ du roi Jean pour Londres. Le régent devenu roi savait donc ce qu'il avait à faire : mettre fin aux conflits internes du royaume, en finir avec la soldatesque débandée depuis Poitiers, rétablir ses finances et son autorité.

Songeait-il, dès ce moment, à reconquérir ce dont le traité de Calais venait de consacrer la perte ? La chose est peu probable, tout au moins pour l'immédiat. Le faible Valois n'avait les moyens que d'être résigné. Mais il avait évité le pire, par rapport aux préliminaires de Londres, et il avait retardé, sans vraiment le rechercher, le geste sans retour qu'eût été l'échange des renonciations, ces actes par lesquels le roi de France devait abandonner toute idée de souveraineté sur la Guyenne cependant que le roi d'Angleterre devait renoncer à toute revendication sur l'héritage des Capétiens.

Deux affaires avaient obscurci l'horizon politique de la génération précédente : la guerre de Bretagne et la rébellion de Charles le Mauvais. La remise en ordre du royaume de France commençait par là.

Le traité de Guérande.

Les Anglais tenaient la Bretagne et la mettaient en coupe réglée, sans manifester le moindre souci des intérêts de leur protégé, le duc Jean IV, fils de Jean de Montfort et de Jeanne de Flandre. En 1356, Lancastre vint mettre le siège devant Rennes, pensant en finir ainsi avec la domination du parti de Blois – autrement dit des Français –

sur la Bretagne orientale. La garnison tint bon. Lancastre avait voulu se consoler là d'avoir manqué sa liaison sur la Loire avec le Prince Noir – on sait qu'il n'avait pu franchir les ponts – et s'en trouva plus marri encore. L'hiver passa. L'Anglais leva le siège.

Parmi les chevaliers qui s'étaient illustrés dans la défense de Rennes, on remarquait Bertrand du Guesclin. Un chevalier déjà connu pour sa bravoure et son efficacité, un homme d'expérience, tel était alors le fils de Robert du Guesclin, seigneur de Broons, un petit fief situé sur la Rance, non loin de Dinan. Robert était insuffisamment riche pour assurer la fortune de ses dix enfants, pas assez pauvre pour faire vraiment figure de soldat d'aventure. Bertrand avait fait de la guerre son métier, mais c'était par goût autant que par nécessité. Bagarreur en son enfance, brutal en son âge mûr, il était attiré par le combat et par ses profits. Bertrand du Guesclin n'était pas de ces nobliaux aux joues hâves qui s'enrôlaient pour ne pas mourir de faim, mais il savait que le fief paternel, hérité en 1353, ne lui offrait pour avenir qu'une médiocrité mal dorée. Armé l'année suivante par le châtelain de Caen Eustache des Marès, il avait attendu trente-cinq ans pour porter les éperons d'or – ou dorés – des chevaliers. Bien sûr, beaucoup de nobles n'y arrivaient plus et demeuraient toute leur vie écuyers. Mais il était des chevaliers adoubés à quinze ans.

Du Guesclin était à Rennes dans la compagnie du capitaine de Pontorson, auquel il allait d'ailleurs succéder. Depuis le début de la guerre, on l'avait constamment trouvé dans les rangs du parti de Blois ; c'est tout naturellement qu'il passa au service du roi de France. Il servit en Normandie, revint en Bretagne, regagna la Normandie.

En Bretagne, les Anglais se contentaient de garder leurs positions. Aux uns comme aux autres il semblait qu'on n'en sortirait jamais.

Le jeune duc Jean IV arrivait d'Angleterre avec l'esprit tout neuf. Élevé à la cour du Plantagenêt, il avait appris à haïr son protecteur ; il songea à s'entendre avec Charles de Blois. La paix contre un partage de la Bretagne, l'un et l'autre princes étaient prêts à l'accepter. Jeanne de Penthièvre, elle, s'insurgea : elle ne s'était pas battue pour cela. Or l'héritière, c'était elle. Charles de Blois s'inclina. Jean IV était rejeté dans le camp anglais.

La guerre reprit pour de bon en 1363. Charles de Blois remporta quelques victoires, en bonne partie grâce à Du Guesclin, devenu entre-temps chevalier banneret. Il tenta de poursuivre la lutte quand Du Guesclin gagna la Normandie pour y faire face au danger navarrais. En vain, il assiégea Bécherel. Il s'en tint là. Une nouvelle négociation s'ouvrit, à Évran. Une seconde fois, Jeanne de Penthièvre fit échouer tout compromis.

L'initiative passa à Jean IV. En août 1364, assisté de John Chandos, le conseiller militaire du Prince Noir, et du capitaine Robert Knolles, il mit le siège devant Auray. Charles de Blois rappela Du Guesclin, puis tenta de dégager la ville. La bataille livrée le 29 septembre tourna au désastre. Jean IV sut faire donner au dernier moment sa réserve, qui bouscula le parti du roi de France. Charles de Blois resta mort sur le champ de bataille. Olivier de Clisson se trouva borgne d'un coup de lance. Du Guesclin dut se rendre alors qu'il ne lui restait à la main qu'un morceau d'épée. Celui qui passera pour le modèle de la chevalerie des nouveaux temps — en attendant Bayard — était prisonnier pour la troisième fois.

Lorsqu'elle apprit qu'elle était veuve et que sa cause était perdue, Jeanne de Penthièvre s'effondra. Charles V prit en main les affaires : ce fut pour composer. Le traité de Guérande (12 avril 1365) consacra la victoire du parti de Montfort : Jean IV était reconnu comme duc de Bretagne par le roi de France, à qui il prêtait hommage. A défaut d'héritier, il laisserait la Bretagne aux descendants de Jeanne de Penthièvre, laquelle conservait d'autre part Penthièvre et Limoges qui lui venait de sa mère. La fière princesse avait tenu bon vingt-trois ans avant de laisser échapper la succession de son grand-père et de son oncle Jean III.

Un faux vaincu apparaît en l'histoire : Charles V. C'est le candidat de l'Anglais qui l'emporte, et son cousin de Blois s'est battu pour rien. Mais la Bretagne sera tenue à l'hommage ; elle demeure dans le royaume. Au moment où l'Aquitaine va peut-être sortir de la souveraineté royale, la Bretagne s'y ancre fermement. Jean IV a beau refuser l'hommage lige — l'hommage prioritaire — qui serait politiquement contraignant, et il peut bien, lors de sa venue à Paris en décembre 1366, ne prêter que l'hommage simple qui le laisse libre de ses alliances, Charles V a gagné l'essentiel. Le roi a un vassal incertain, mais suffisamment amoureux de la paix pour savoir éviter les imprudences. Cela vaut mieux qu'une sécession.

En acceptant le traité de Guérande, le roi de France marque un autre point, contre les prétendants à sa couronne : il est en effet stipulé que l'héritier mâle, quel que soit son degré de parenté, l'emportera désormais pour le duché de Bretagne sur toute héritière. Ceci consacre l'échec de Jeanne de Penthièvre, donc l'échec du roi, mais sans rien ajouter à un échec de toute manière patent. En revanche, une telle clause consolide l'introduction de la masculinité dans le droit successoral. Après le Poitou et la France, la Bretagne : Robert d'Artois est vraiment né trop tôt.

L'affaire de Bretagne n'était hélas pas terminée. Le traité avait réglé la succession de Jean III, sans convaincre Jeanne de Penthièvre qui songeait déjà aux droits de son fils Henri. Mais il n'avait pas apaisé les tensions nées, en Bretagne même, d'un conflit à quoi deux générations avaient usé leurs forces.

L'HÉRITAGE DE BOURGOGNE.

Pendant qu'il marquait des points en Bretagne sans en avoir l'air, le Valois faisait en Bourgogne une affaire excellente, du moins dans l'immédiat. Duc depuis 1349, Philippe de Rouvre était mort le 21 novembre 1361, à l'âge de quinze ans, emporté par la deuxième grande épidémie de peste. Or il était le dernier de la longue dynastie des ducs issus d'un fils puîné de Robert le Pieux. Philippe de Rouvre était un Capétien et s'était toujours considéré comme tel. Au Conseil du roi, le parti de Bourgogne avait souvent joué le premier rôle, et particulièrement au temps du roi Philippe VI et du duc Eudes IV. La mort du dernier duc capétien ouvrait donc un risque quelque peu oublié : voir la Bourgogne basculer vers l'Empire.

L'héritage était remarquable. Au duché de Bourgogne de son aïeul Eudes IV, Philippe de Rouvre avait joint les comtés de Bourgogne – la Franche-Comté – et d'Artois que sa mère Jeanne tenait de ses propres aïeux Othon de Bourgogne et Mahaut d'Artois. Rien que cela méritait qu'on s'intéressât à la succession du jeune duc. Mais sa jeune veuve ne méritait pas un moindre intérêt : Marguerite était fille et unique héritière du dernier comte de Flandre de la maison de Dampierre, laquelle avait, au fil des ans et des mariages, habilement uni à la Flandre les comtés de Nevers et de Rethel. Le comte Louis de Male tenait fermement, pour l'instant, l'héritage flamand, mais sa fille se trouvait désormais veuve. On n'avait pas vu depuis longtemps un aussi beau parti.

L'affaire se mena en deux temps. Dès qu'il apprit la mort de Philippe de Rouvre, Jean le Bon mit la main sur la Bourgogne ducale. Un rapide examen de la généalogie capétienne permit d'affirmer que le roi de France était le plus proche parent. N'était-il pas fils de Jeanne de Bourgogne, sœur du grand Eudes IV ? Il n'en fallait pas plus.

Alors qu'en Bourgogne les officiers déjà acquis à la cause du Valois tenaient secrète la nouvelle de la mort et garnissaient les places fortes pour le cas d'un conflit que laissait craindre le précédent breton, le roi faisait publier des lettres patentes unissant le duché au domaine royal « par droit de proximité, non en raison de la Couronne ». Jean le Bon ne saisissait pas, il héritait. Les Bourguignons apprirent à la fois qu'ils avaient un nouveau duc et que celui-ci était le roi de France.

Le comte de Tancarville fut dépêché pour organiser la mainmise, et Nicolas Braque le rejoignit pour veiller aux affaires financières. Arnaud de Cervole et sa compagnie vinrent assurer l'ordre ; point ne fut besoin de montrer sa force. La Bourgogne demeura calme. Le 23 décembre, Jean le Bon pouvait y faire son entrée solennelle.

Il fallut ensuite lâcher un peu de lest. Le roi était peut-être le plus proche parent pour la Bourgogne ducale, non pour l'Artois ou la Bourgogne comtale. A trop prendre, il risquait de tout perdre. On offrit l'Artois et la Comté à la grand-tante maternelle du duc Philippe, autrement dit à Marguerite de France, descendante d'Othon IV et de Mahaut. Elle avait épousé un comte de Flandre, et elle était la grand-mère de cette Marguerite de Flandre que l'on songeait déjà à remarier. En bref, on reportait sur Marguerite de Flandre, déjà convoitée pour son héritage flamand, une partie de l'héritage bourguignon.

Ceci était hasardeux : tout tenait à deux veuves qui pouvaient renverser le jeu en se remariant contre les intérêts du roi de France.

C'est alors que Jean le Bon entra en relations avec son beau-frère l'empereur Charles IV de Luxembourg. Un an était passé depuis la mort de Philippe de Rouvre, et Marguerite n'avait pas encore fait hommage à l'empereur ; en janvier 1363, par un acte secret, celui-ci conféra l'investiture de la Comté au troisième fils du roi de France, Philippe, pour l'heure duc de Touraine. C'était le jeune homme de Poitiers — « Père, gardez-vous... » — et l'on allait bientôt l'appeler « le Hardi ». Marguerite gardait son comté, mais on préparait l'avenir.

Ce même Philippe de Touraine arriva en juin 1363 comme lieutenant du roi à Dijon. Trois mois plus tard, son père le faisait duc de Bourgogne.

Une nouvelle fois, on jugea opportun de ne pas dévoiler trop tôt la manœuvre. Les Bourguignons savaient que la neutralité de leur duc les avait préservés, dans l'hiver du siège de Reims, d'une mise à sac par les troupes anglaises. Ils pouvaient avoir aussi l'idée que le fisc royal serait plus pesant que celui des ducs. On garda donc la nouvelle secrète quelque temps. Dans cette politique du « laisser-venir » bien éloignée des comportements du fougueux Jean le Bon, il est permis d'entrevoir l'influence croissante, dans le gouvernement royal, de celui qui allait être Charles V.

Le roi de Navarre avait mis quelques mois à réagir. Ses droits ne pouvaient en aucun cas l'emporter sur ceux du Valois. Certes, il avait manifesté sur-le-champ son intérêt pour la succession bourguignonne, puis il avait pris le temps de se préparer. Lorsqu'il demanda une enquête, lorsqu'il en appela au jugement de la Cour des pairs, on comprit qu'il cherchait une querelle. En vain le pape, sollicité par

L'HÉRITAGE

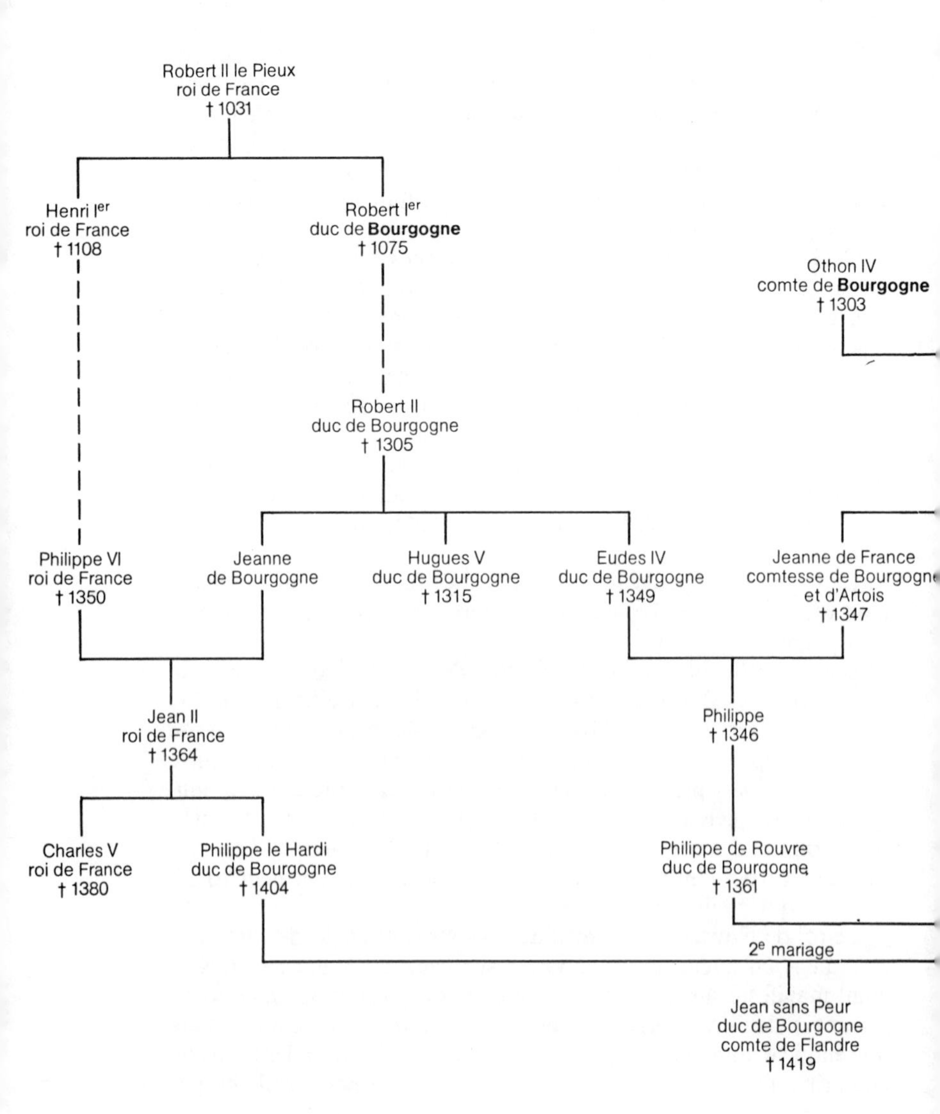

Robert II le Pieux
roi de France
† 1031
Henri Ier
roi de France
† 1108
Robert Ier
duc de Bourgogne
† 1075
Othon IV
comte de Bourgogne
† 1303
Robert II
duc de Bourgogne
† 1305
Philippe VI
roi de France
† 1350
Jeanne
de Bourgogne
Hugues V
duc de Bourgogne
† 1315
Eudes IV
duc de Bourgogne
† 1349
Jeanne de France
comtesse de Bourgogne
et d'Artois
† 1347
Jean II
roi de France
† 1364
Philippe
† 1346
Charles V
roi de France
† 1380
Philippe le Hardi
duc de Bourgogne
† 1404
Philippe de Rouvre
duc de Bourgogne
† 1361
2e mariage
Jean sans Peur
duc de Bourgogne
comte de Flandre
† 1419

DE BOURGOGNE

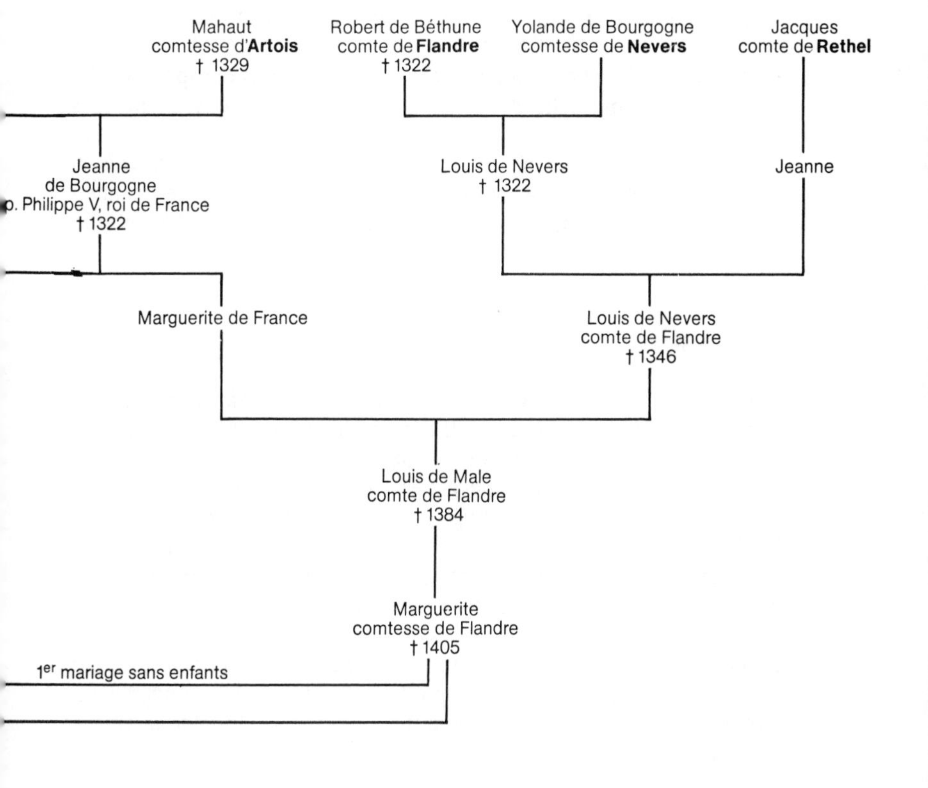

Mahaut
comtesse d'**Artois**
† 1329
Robert de Béthune
comte de **Flandre**
† 1322
Yolande de Bourgogne
comtesse de **Nevers**
Jacques
comte de **Rethel**
Jeanne
de Bourgogne
ép. Philippe V, roi de France
† 1322
Louis de Nevers
† 1322
Jeanne
Marguerite de France
Louis de Nevers
comte de Flandre
† 1346
Louis de Male
comte de Flandre
† 1384
Marguerite
comtesse de Flandre
† 1405
1er mariage sans enfants

Jean le Bon durant son séjour à Avignon, offrit-il une médiation que le Navarrais refusa sans donner de motif. On le vit en revanche à Bordeaux, où il s'entretint avec le Prince Noir. Quand on sut que le capitaine navarrais Sancho Lopiz – le Sanson Lopin de Breteuil – venait à son tour conférer à Bordeaux avec les Anglais, on comprit que la guerre se préparait.

Contre son cousin Valois, Charles le Mauvais entreprit de constituer un réseau d'alliances. En août 1364, il faisait sa paix avec le roi Pierre IV d'Aragon et payait sa tranquillité en Espagne de promesses faites aux dépens du roi de France. L'Aragon aurait le Bas-Languedoc, les sénéchaussées de Beaucaire et de Carcassonne. Mais le roi de Navarre n'en envoyait pas moins son frère Louis combattre aux côtés des Castillans contre l'Aragon. Louis fut fait prisonnier ; la paix avec l'Aragon fut compromise dans l'affaire.

Dans le même temps, pour prendre à revers le duché de Bourgogne, Charles le Mauvais encourageait la formation d'un parti navarrais dans la Comté. Prévoyant une guerre en Bourgogne, il recrutait de nouvelles troupes, parmi lesquelles des compagnies déjà fameuses, comme celle de Seguin de Badefol ou celle de Bertucat d'Albret.

La Bourgogne n'était qu'un prétexte. Charles le Mauvais ne cachait pas son jeu : il fit broder sa bannière aux armes de France – non d'Évreux – et de Navarre. On allait à nouveau régler de vieux comptes, ceux de 1316 et de 1328.

COCHEREL.

Le dauphin Charles venait, au départ du roi Jean pour l'Angleterre, de reprendre la régence. Il décréta la confiscation des biens du Navarrais. Lui aussi recruta des troupes. Il les confia à Bertrand du Guesclin, constitué capitaine général en Normandie.

Depuis les bagarres de village et les prouesses du siège de Rennes, Du Guesclin était passé maître en l'art de conduire les hommes. Non seulement un stratège à l'intelligence vive, mais un chef. Bon connaisseur en fait de soldats, il les recrutait avec discernement. Il veillait à la distribution du vin comme au paiement de la solde. Il économisait le sang de ses hommes, ce qui ne l'empêchait d'ailleurs pas d'ironiser avec cynisme lorsque, pour le faire renoncer à une attaque, le duc de Lancastre évoquait devant lui les pertes en vies humaines :

> Tant mieux pour les survivants. Leur part d'héritage en sera d'autant plus belle.

Pour l'ennemi vaincu, Bertrand du Guesclin est sans pitié. S'il est batailleur — et les galopins de son village en ont su quelque chose — la prouesse ne l'intéresse pas. Le stratagème et la feinte font partie de son arsenal et il ne s'en cache pas, au risque d'être en désaccord avec « le plus prudhomme et le plus vaillant des chevaliers » du temps de Jean le Bon, ce Geoffroy de Charny dont le *Livre de chevalerie* a codifié pour deux générations l'honneur dans le fait d'armes.

Il est peu porté à la diplomatie, à la subtilité politique, à la nuance. Dans sa fidélité, il est tout d'une pièce. Pris dans le réseau de protections qui l'a aidé dans son ascension et qui s'appelle Charles d'Espagne, Louis d'Anjou, Arnoul d'Audrehem, Charles de Blois, Du Guesclin s'est trouvé tout naturellement porté du côté du dauphin Charles, contre tout ce qui touche au Navarrais et à ses alliés. Face aux barons du parti navarrais empêtrés dans tant de contradictions politiques et d'engagements contradictoires — le dauphin contre le roi, Étienne Marcel contre le dauphin, le dauphin contre les Jacques — Du Guesclin n'a qu'une idée en tête : battre les Navarrais, les Anglais et les Montfort. Homme d'armes de profession, si l'on peut dire, il n'est pas pour autant un mercenaire prêt à servir qui le paie. Il n'a qu'un maître : le Valois.

Une chose est de confisquer les biens du Navarrais, une autre est de les prendre. En avril 1364, Bertrand du Guesclin reçoit ordre de s'emparer sans préavis des places fortes grâce auxquelles Charles le Mauvais, comte d'Évreux, tient la Seine : Mantes, Meulan, Vétheuil et Rosny sont prises en une semaine, la ruse tenant lieu de bélier. Une embuscade, une attaque fulgurante contre des gens qui se savent à peine en guerre, un coup de main au moment où la porte s'ouvre pour laisser passer une charrette, et le tour est joué. Charles V — il devient roi en cette même semaine — a désormais sa liberté de mouvement.

Quelques jours plus tard, arrive en Normandie l'armée levée en Navarre — et aussi en Gascogne, en sorte qu'on parlera toujours des « Anglais » de Cocherel — par Charles le Mauvais, qui a pris prétexte d'une guerre probable avec l'Aragon pour lever de nouveaux impôts dans son royaume pyrénéen. Il y a là un millier d'hommes, peut-être plus. A la fin d'avril 1364, ils sont sur les bords de la Seine.

A leur tête, Jean de Grailly, captal de Buch : l'un des plus grands seigneurs gascons, jusque-là vassal et capitaine fidèle des Plantagenêts. Nul ne peut s'y tromper, même si les véritables Anglais sont absents de Cocherel — comment seraient-ils là, alors que la paix est faite ? — la présence du captal de Buch établit un lien entre la guerre franco-anglaise et le conflit franco-navarrais.

Le captal n'est pas un mercenaire comme Arnaud de Cervole ou Seguin de Badefol. Il n'est pas plus à vendre que son ennemi du jour

Bertrand du Guesclin. Le captalat de Buch est un des plus anciens fiefs de Gascogne. Jean de Grailly est petit-fils d'une princesse de la maison de Foix. Par elle, il descend de Robert d'Artois ; il est le cousin du comte de Foix Gaston Phébus, grand chasseur et fin lettré, modèle des vertus chevaleresques et prince aux limites de l'indépendance souveraine. Il a de surcroît épousé une Albret, une sœur de cet Arnaud Amanieu d'Albret dont la politique reflète une farouche volonté d'autonomie.

Quand ces hommes-là font la guerre, même si le jeu des fidélités vassaliques et des clientèles constituées les implique dans un camp et dans un parti, c'est en leur propre nom qu'ils se battent. Rien d'étonnant à ce qu'on les trouve un jour ici, un jour là, sans contradiction politique mais sans la moindre continuité nationale. Jean de Grailly n'est ni français ni anglais, il est le captal de Buch.

Ses réactions sont à la mesure de son lignage. On l'a vu au Marché de Meaux charger les bourgeois et les Jacques pour dégager la dauphine. D'avoir été aux côtés du Prince Noir à Poitiers ne l'a en rien gêné. Il a, entre-temps, fait son devoir de chevalier chrétien à la croisade de Prusse, aux côtés de son cousin de Foix.

La guerre anglaise est finie. Le captal a fait jusqu'au bout son service de vassal gascon du Plantagenêt. Maintenant, c'est la paix, et il n'est pas homme à laisser volontiers ses armes en repos. Pour s'occuper, et aussi pour refaire ses finances, il a servi l'Aragon, puis il est revenu au roi de Navarre ; celui-ci le paie bien — six mille florins, outre mille écus de rente — et lui donne de bonnes terres.

Quant au roi d'Angleterre, il a laissé faire. Le Prince Noir a même prêté la main, sans grand succès, au recrutement de quelques autres Gascons notables. La paix de Calais interdit au Plantagenêt de chercher à nouveau querelle à son cousin Valois, mais elle n'empêche nullement de laisser les vassaux de Guyenne s'engager à titre personnel dans l'armée de Navarre. Si l'affaire n'est pas allée bien loin, c'est que les barons gascons se sentent beaucoup plus portés vers le roi de France depuis que Poitiers a affermi l'autorité de leur duc. Le Prince Noir gouverne l'Aquitaine et s'en fait une principauté quasi autonome. La tranquillité des vassaux passe au moins par une entente tacite avec le plus faible de ceux qui prétendent être maîtres de l'Aquitaine. Beaucoup ont donc repoussé les offres d'embauche du Navarrais. Certains — tel le remuant sire d'Albret — jugent même opportun de prévenir le régent Charles de ce qui se trame.

A Paris, on savait fort bien à quoi s'en tenir. Le captal de Buch avait été à Brétigny des ambassadeurs d'Édouard III, puis on l'avait vu, dès les premiers temps de l'affaire bourguignonne, parmi les plénipotentiaires chargés par le roi de Navarre de protester et de réserver ses droits. La chose était évidente : l'armée navarraise qui gagnait la Normandie ressemblerait à bien des égards aux vainqueurs de Poitiers.

Au début de mai, le captal faisait sa jonction, vers Évreux, avec les troupes « navarraises » venues de toute la Normandie, de Bretagne, du Maine et même du Berry. Mais il manquait bien des noms à l'appel, et l'on sentait combien les volte-face du roi de Navarre avaient lassé les barons normands. On voyait beaucoup de capitaines préposés à la garde d'un château navarrais ou embauchés pour un temps avec leur compagnie de routiers. Mais la féodalité normande boudait. Harcourt lui-même était maintenant du côté du Valois.

Les choses eussent été peut-être différentes si Charles le Mauvais avait été là. Il était comte d'Évreux. Quel que fût son lignage, Jean de Grailly était un Gascon.

L'attaque de Du Guesclin sur la Basse-Seine bouleversait les données de la guerre. Les Français avaient pris les devants, et les Navarrais devaient, à peine de perdre du temps et de risquer une attaque de revers, s'accommoder de ne plus compter sur leurs points d'appui de Mantes et Meulan. Le captal devait improviser.

Il y avait aussi du nouveau en ce que le roi de France était mort et qu'à un régent dont on avait connu les faiblesses succédait un roi dont on ignorait ce qu'il allait être. L'occasion était donnée au roi de Navarre d'intervenir au moment où, jusque-là, jamais ses droits n'avaient été vraiment pris en considération : au moment d'un avènement à la Couronne de France. Charles le Mauvais était né trop tard pour l'avènement de 1328, et celui de 1350 s'était réalisé dans la facilité. En 1364, il pouvait tirer parti des embarras du Valois pour remettre en cause la succession, ou à tout le moins pour négocier en position de force une indemnisation convenable de la famille d'Évreux. Jean de Grailly n'était pas un chef de bande, c'était un grand seigneur au fait des questions dynastiques : il se mit en tête d'empêcher le sacre.

Jean le Bon était mort le 8 avril. Sa dépouille avait été transférée en France, et ses obsèques venaient tout juste de s'achever. Le 7 mai, pour le service de trentaine, on l'enterrait à Saint-Denis. Il était temps de gagner Reims. Le captal de Buch n'avait pas de temps à perdre.

Du Guesclin n'était pas en reste. Il avait sur la Seine une forte armée, qu'il dégagea sagement du siège de Rolleboise, petite place forte dans laquelle s'était enfermé le routier Jean Jouel et sa compagnie. Jouel était tout à fait étranger au conflit franco-navarrais, mais il se sentit solidaire des ennemis du roi de France : il joignit à Évreux le captal de Buch. Pendant ce temps, Du Guesclin voyait grossir son armée. Le capitaine de Rouen, Mouton de Blainville, mettait la main sur ce que le Navarrais et sa sœur la reine Blanche – la veuve de Philippe VI – gardaient encore sur la rive droite : Gournay, Neufchâtel-en-Bray, Longueville. Puis il rallia Du Guesclin. Celui-ci faisait également venir la compagnie gasconne d'Amanieu de Pommiers, la compagnie comtoise de Jean de Vienne – le futur amiral – et la compagnie bourguignonne d'Arnaud de Cervole, ce clerc périgourdin qui faisait métier de se battre pour qui le payait et qu'on appelait « l'Archiprêtre ».

Le captal de Buch tenait Évreux et Vernon. Du Guesclin fit passer son armée à Pont-de-l'Arche et vint s'établir sur la rive gauche de l'Eure. Grailly occupa alors la hauteur de Cocherel, laissant à son adversaire l'initiative de l'attaque. Ainsi raisonnait déjà le Prince Noir à Poitiers, neuf ans plus tôt.

A Pampelune, Charles le Mauvais tenait sa cour sans manifester la moindre inquiétude. L'idée même de prendre la tête de son armée ne lui était pas venue. Non qu'il fût soudainement frappé de timidité, mais on avait appris la chute de Mantes et de Meulan après le départ des troupes pour la Normandie, et le roi de Navarre pensait que son armée, arrivant trop tard pour empêcher la chute des places fortes, allait tout simplement devoir les reconquérir.

On peut s'étonner de voir Charles le Mauvais envoyer une aussi forte armée sans paraître s'y intéresser. Au vrai, en ces jours-là, ses intérêts étaient plus gravement impliqués dans l'imbroglio espagnol que sur les bords de la Seine. La Navarre se rapprochait à nouveau de l'Aragon. Dans l'esprit du roi, la menace castillane l'emportait pour l'heure sur l'enjeu normand.

A Cocherel, au matin de ce 16 mai 1364, la bataille s'engageait comme l'avait prévu le captal de Buch dont le pennon flottait au-dessus d'un fort buisson d'épines, au sommet du tertre. Les Français attaquaient, au cri de « Notre-Dame Guesclin ! », cri sur lequel les capitaines étaient tombés d'accord la veille. Qu'à cela ne tînt : Jean de Grailly entendait leur laisser le temps de déployer leur armée, afin d'y voir clair.

La faute vint de Jean Jouel, l'ancien défenseur de Rolleboise. Sans attendre les ordres du captal, il chargea les assaillants. Les autres capitaines suivirent, malgré un Grailly décontenancé, finalement obligé de suivre à son tour ceux qu'il ne pouvait plus retenir.

Le captal avait eu raison de se méfier. La rouerie de Bertrand du Guesclin lui était connue. A peine les Navarrais avaient-ils amorcé cette charge inopportune que les Français rompirent. A les voir ainsi se dérober, certains hommes du captal se réjouirent. La plupart trouvèrent que c'était trop beau. Mais il était trop tard lorsqu'ils virent les deux cents hommes d'armes à cheval, deux cents Bretons frais et dispos que Du Guesclin avait cachés dans un bois sur le côté. Les

Navarrais venaient de les dépasser sans s'en douter. Ils offraient maintenant à la manœuvre française un flanc et un revers sans protection. Retourner une charge de cavalerie est chose malaisée : incapables de faire face, les hommes du captal comprirent alors que les fuyards n'en étaient pas. Coincés entre le gros de l'armée française soudain immobilisé et l'attaque de revers menée par un corps d'élite, les Navarrais ne pouvaient avoir d'illusions quant à l'issue du combat.

Le captal de Buch fut le dernier à se rendre. Son vainqueur était un brave Breton nommé Thibaut du Pont, dont la fortune commençait ce jour-là.

Dans l'immédiat, Charles V triomphait. Tel fut bien l'avis de Charles le Mauvais, qui apprit la chose à Pampelune dans la soirée du 24 mai et qui décida le soir même de préparer sa revanche.

Charles V, lui, apprit sa victoire alors qu'il approchait de Reims. Le 19 mai, l'onction sacrée le faisait vrai roi, et le serment du sacre l'engageait à défendre la foi : il en tirerait argument quatorze ans plus tard, au temps du Schisme, pour jouer un rôle essentiel dans la consolidation du pape avignonnais.

Il n'y avait pas de temps à perdre. Le 28, Charles V et Jeanne de Bourbon faisaient l'un après l'autre leur entrée solennelle dans un Paris pavoisé de mille tentures et tapisseries accrochées aux fenêtres de la Grand Rue Saint-Antoine. Pressé, sans doute, de reprendre en mains son gouvernement, le roi avait devancé le cortège : il entra dans Paris vers midi, alla rapidement prier à Notre-Dame, puis gagna le palais de la Cité et se mit au travail. Vêtus de vert et de blanc — on cherchait à oublier le rouge et le bleu — les bourgeois lui avaient fait fête sur tout le parcours. Le soir, on vit arriver le cortège de la reine, qu'accompagnaient sa tante et ses belles-sœurs. Le nouveau duc Philippe de Bourgogne tenait le frein du cheval royal. Comme celui du matin, le cortège passa par Notre-Dame, puis gagna le palais. Il y eut un grand dîner. Des joutes occupèrent les deux journées qui suivirent.

On ne voyait pas d'ombre au tableau. Le roi de Chypre Pierre de Lusignan, que Jean le Bon avait connu à Avignon, se distinguait dans les joutes. Le bon bourgeois buvait à la santé du roi et dansait parce que c'était fête. Qui pensait encore à la vieille alliance des Parisiens et du Navarrais contre le dauphin Charles ?

Chez les vaincus, on ne portait pas beau. Il y avait les morts, parmi lesquels l'impétueux Jean Rouel. Il y avait les prisonniers, Grailly en tout premier lieu, qui allaient devoir se racheter. Charles le Mauvais les aida, sur son trésor.

Charles V inaugura son règne par un acte qui sonne le glas des guerres féodales et qui introduit dans le droit de la guerre la notion restaurée du droit de l'état. On refusa aux prisonniers français – les Gascons n'étant pas comptés comme tels – le droit à la rançon. C'étaient des traîtres : ils furent décapités. Voilà qui rappelait la différence entre les traitements réservés jadis par Philippe le Bel à l'ennemi anglais, traité en roi, et au comte de Flandre, traité en rebelle vaincu. Pour l'un, ç'avaient été la réconciliation et les mariages ; pour l'autre, la prison.

La dureté de Charles V envers les recrues françaises du roi de Navarre signifiait ceci : la guerre privée est peut-être un droit pour le chevalier, mais il n'y a pas de guerre privée contre le souverain.

L'attitude des barons avait d'ailleurs été significative, et dès le début de la campagne. Il n'y avait plus de parti de Navarre. Dans sa lutte contre la couronne des Valois, la maison d'Évreux avait fini de perdre.

Tout cela n'empêchait pas Charles le Mauvais de demeurer puissamment établi en Normandie. Du Guesclin prolongeait sa victoire de Cocherel en prenant quelques places – Conches, Bernay – et en saccageant le comté de Mortain, puis en allant enlever Carentan et Valognes au cœur du Cotentin. Mais l'essentiel de ses forteresses restait au Navarrais. Il gardait Breteuil et Orbec, Beaumont et Pont-Audemer. Il conservait son port de Cherbourg, qui lui assurait la voie libre vers Bayonne et la Navarre. Malgré une tentative de siège vite abandonnée, sa capitale avait tenu bon : il avait Évreux.

Les places fortes navarraises furent à nouveau garnies d'hommes et de vivres. Pierre de Landiras remplaça son cousin le captal comme organisateur de la défense. A la fin de l'année, les effets militaires de la défaite étaient compensés. Des Navarrais avaient enlevé le fort de Moulineaux, en aval de Rouen, pendant que d'autres reprenaient en main le Cotentin. A la Noël, Du Guesclin ne gardait pratiquement rien de ses conquêtes du printemps.

Charles V eut l'habileté de ne pas attendre que la situation fût tout à fait retournée pour offrir à son cousin un compromis acceptable. Charles le Mauvais savait que la Navarre ne pouvait financer plus avant une guerre où les contribuables d'Outre-Pyrénées se sentaient bien peu concernés. L'Anglais s'abstenait d'intervenir. Le captal de Buch avait grand hâte de retrouver sa liberté. Urbain V s'en mêla fort à propos. Bref, on négocia. En mars 1365, le traité était conclu. Charles le Mauvais se voyait confirmer la possession des domaines normands qu'il n'avait pas perdus ou qu'il avait recouvrés. Il ne perdait vraiment que Mantes et Meulan – les verrous du blocus, les forteresses stratégiques dont le transfert au roi libérait pour longtemps la capitale – et le comté de Longueville, l'une des plus riches seigneuries du Pays de Caux. Le grand baron normand que demeurait le roi de Navarre voyait donc assurer sa puissance dans la Normandie occidentale, mais il ne pouvait plus prétendre à contrôler la Seine.

En échange, Charles V cédait à son cousin la ville et la seigneurie de Montpellier. Ce troc de la liberté de navigation sur la Basse-Seine contre l'usage d'un port sur la Méditerranée – le seul vrai port qu'eût sur cette mer le Valois, et le seul qu'aurait jamais le Navarrais – en dit long sur le peu de cas que l'on faisait encore en 1365 des perspectives économiques offertes à la France par le trafic maritime avec l'Orient. A Paris comme à Avignon, les grandes compagnies toscanes dominaient le marché financier et une bonne partie du marché commercial. Le roi de France s'accommodait, semble-t-il, assez bien de cet intermédiaire obligé que demeurait, entre la France et l'Orient, le commerce italien.

Quant à Longueville, Charles V en fit immédiatement don à Du Guesclin. Le hobereau breton était comte. Entre-temps, on le sait, le vainqueur de Cocherel avait été battu à Auray et John Chandos en attendait bonne rançon.

Cependant qu'on échangeait les instruments de ratification du traité franco-navarrais, le traité de Guérande mettait un nouveau terme à l'affaire bretonne. En ce printemps de 1365, Charles V n'avait pas gagné, mais il avait pour la première fois les mains libres. Pouvait-il deviner qu'un jour la fille de Charles le Mauvais épouserait le duc de Bretagne Jean IV de Montfort, puis le roi d'Angleterre Henri IV de Lancastre?

LES COMPAGNIES.

Si le roi de France est en paix avec ses grands barons, il lui reste encore à rétablir l'ordre dans le royaume. Car les séquelles de la guerre sont à bien des égards pires que la guerre elle-même : à travers tout le pays, les « compagnies » se montrent d'autant plus redoutables qu'elles sont sans emploi.

Une compagnie, c'est cinquante ou deux cents hommes aux ordres d'un capitaine qui joue à la fois le rôle d'un entrepreneur et un administrateur de la société militaire, et celui d'un chef de guerre. Normalement plus nombreuse aux approches de la campagne annuelle qu'après la dislocation de l'automne, la compagnie grossit et diminue au fil des opportunités, autour d'un groupe solide et quasi permanent, fait des compagnons les plus anciens et les plus fidèles du capitaine, unis à lui pour la fortune et non seulement par la solde.

Gens d'aventure, les capitaines ne sont pas des hors-la-loi. Plus ou moins bien titrés, souvent mieux apparentés que dotés, beaucoup tiennent à l'ancienne noblesse. Chevaliers bannerets — à bannière — ou chevaliers bacheliers, voire simples écuyers, ils ont la guerre pour métier, mais un métier qui ne les empêche nullement de faire leurs les exigences de l'éthique chevaleresque. Un Mouton de Blainville et un Bertrand du Guesclin dans un camp, un Jean de Grailly dans l'autre, servent un roi qui les paie, mais non n'importe quel roi. Pour mercenaire qu'il soit, leur engagement a le sens d'un engagement politique. Mais il en est d'autres, qui sont au plus offrant, et qui souhaitent plus vivement la continuation de la guerre que la victoire définitive. Ils se battent pour leur solde, pour le butin que l'on amasse au long des chevauchées, pour la rançon que l'on obtient de l'ennemi captif et de la ville menacée. Et là, tous les moyens sont bons, et toute prise est excellente.

Du prince au hobereau, on trouve de tout parmi les capitaines. On voit même à la tête d'une compagnie un clerc dévoyé comme l'« Archiprêtre » Arnaud de Cervole. Quelques bâtards, beaucoup de cadets, bien des aînés aux seigneuries exiguës. De même parmi leurs hommes trouve-t-on mêlés des gens venus de tous les horizons, de tous les pays. Le Lombard côtoie le Brabançon, l'Allemand marche avec l'Espagnol, le Liégeois partage le sort du Breton. Ils ont un jour proposé leurs services, leur chemin a croisé celui de la compagnie. Ils sont restés.

Du moins aimerait-on qu'ils restent où ils sont. Mais les compagnies se disloquent, se remembrent. Le soldat va vers l'embauche, se lasse de la discipline, cherche ailleurs aventure meilleure et profit plus assuré.

En 1351, déjà, Jean le Bon interdisait aux hommes d'armes une divagation qui commençait d'inquiéter et qui pouvait conduire les officiers royaux à payer deux fois, sans s'en rendre compte, le même homme dans deux compagnies: autorisation du connétable — ou d'un maréchal — et radiation des listes de la « montre » étaient les conditions mises à tout passage d'une compagnie à une autre. Sept ans plus tard, en incitant ses capitaines généraux à recruter sur place les troupes nécessaires à la défense d'une région, le même roi tentait de limiter les effets d'un cosmopolitisme qui menait facilement à l'anarchie.

La diversité n'était pas moindre dans l'intégration hiérarchique des compagnies. Certaines faisaient vraiment figure d'armée constituée: toujours retenues par le même prince, à des effectifs à peu près constants et pour des campagnes aux horizons connus. Elles étaient aux ordres de la hiérarchie monarchique — le roi, les princes du sang — et de la hiérarchie féodale — les ducs, les comtes, les barons — plus visibles aux grands jours de la « bataille » ordonnée selon les règles que dans la routine des embuscades quotidiennes et des sièges sans retentissement. Elles étaient aussi aux ordres de ces capitaines généraux, capitaines sortis du rang de leurs pairs et chargés de gouverner au long des mois la guerre sans fin des manoirs occupés ou incendiés, des routes bloquées et débloquées, des convois attaqués et des rencontres de hasard.

A l'autre extrémité du métier de la guerre, des compagnies se voyaient accrochées tant bien que mal à l'armée en campagne. L'engagement pour trois mois était leur lot. Corps franc plus que corps d'armée, elles étaient la chose de leur capitaine, pour la raison qu'elles n'avaient au vrai d'autre maître que lui. Alors, il revenait au capitaine d'assurer douze mois sur douze la pitance et l'enthousiasme de ceux qui restaient à ses côtés en attendant le retour des beaux jours.

> Quand nous chevauchions à l'aventure, il nous tombait en la main aucuns riches marchands de Toulouse, de Condom, de La Réole ou de Bergerac. Tous les jours, nous ne faillions point que nous estoffions nos superfluités et jolietés.

La fin d'une campagne les laissait dans l'espoir des suivantes. Un traité suffisait à ruiner tout espoir. La guerre franco-anglaise était finie, la paix se faisait avec le Navarrais, tout semblait rentrer dans l'ordre en Bretagne. Les soldats qu'aucun retour au logis n'attirait vers une vie rangée durent se débrouiller. Il fallait bien vivre. Un Arnaud de Cervole, un Bétucat d'Albret, un Bernard de la Salle, un Seguin de Badefol n'allaient pas vivre de leurs rentes en conseillant à leurs hommes de se faire artisans. Soldats ils étaient, hommes de guerre ils restèrent. Mais il n'y avait plus d'ennemi.

Faute de solde, de butin et de rançons régulières, le temps venait du banditisme. Le Prince Noir l'avait compris dès les lendemains de la paix : il interdit aux compagnies issues de sa propre armée et demeurées en Poitou ou en Berry de regagner la Guyenne. Jean le Bon n'en voulait pas, mais ne pouvait les repousser. La population des pays que ravagèrent ces bandes plus ou moins gasconnes prit vite l'habitude de dire « les Anglais » pour qualifier les soldats en vadrouille. Il n'est pas exagéré de dire que ces séquelles d'une guerre que nul n'avait vraiment vue comme un conflit de nations contribuèrent à affiner un sentiment national. On en voulait à l'Angleterre des méfaits d'Anglais qui, pour la plupart, étaient bel et bien natifs de France.

Les traités de 1365 mirent au chômage d'autres bandes, celles que le roi de France avait gardées ou reconstituées en Normandie et en Bretagne, celles que les Montfort n'avaient cessé d'entretenir, celles qu'avait reprises le roi de Navarre. La vague de 1360 avait terrorisé le Languedoc, l'Auvergne, la Bourgogne. Elle avait culminé, à la fin de 1361, lorsqu'une « grande compagnie » formée en Champagne avait, dans une totale anarchie, descendu la vallée de la Saône et celle du Rhône, pris et saccagé Pont-Saint-Esprit où elle avait trouvé un « trésor » – en réalité une partie de la recette du sénéchal de Beaucaire – et tiré rançon du pape pour ne pas s'en prendre à Avignon. La vague de 1365 ajouta à la carte du désastre l'Ile-de-France et la Normandie, le Maine et l'Anjou.

Les compagnies faisaient feu de tout bois. On vivait sur le pays, on mettait à sac, on emportait ce qui valait quelque argent. Les capitaines négociaient avec les villes et les villages le montant des « pâtis », autrement dit des rançons à payer pour la vie sauve des habitants, l'intégrité des maisons et l'arrivée du ravitaillement. Innocent VI et les Avignonnais n'avaient pas été traités différemment par les Tard-Venus, car c'est ainsi que s'appelaient eux-mêmes les routiers de 1361, quelque peu amers de ne piller que des contrées déjà ruinées par d'autres. Les marchands étaient rançonnés sur les routes aussi bien que dans leur ville. Pour survivre, il fallait sans cesse payer, et le paysan incapable de trouver rapidement du numéraire tremblait en pensant au prochain incendie de son grenier.

De défense il n'était guère que locale. Dès 1355, alors qu'il s'agissait surtout de remettre les soldats au combat et de résister aux divagations des anciens soldats ennemis, Jean le Bon avait autorisé ses sujets à se défendre eux-mêmes. Dix ans plus tard, la question ne se posait plus : chacun savait ne devoir compter que sur soi.

L'affaire de la « grande compagnie » prenait une autre ampleur du fait de la paix : celle-ci privait d'emploi des dizaines de compagnies. Le péril était sérieux, et l'on tenta d'user des grands moyens. Le pape prêcha une croisade contre les Tard-Venus. Le marquis de Montferrat préleva quelques routiers en les enrôlant pour une expédition en Italie. La peste acheva de dégager pour un temps la vallée du Rhône. Mais le plus gros de la troupe se retrouva en Languedoc, où le connétable Robert de Fiennes et le maréchal Arnoul d'Audrehem s'épuisèrent à les pourchasser. Les états de Languedoc avaient voté un subside permettant de lever mille cinq cents « lances » et trois mille soldats à pied. On alla jusqu'à embaucher les vaincus de la guerre de Castille, les quelques troupes que Henri de Transtamare, repoussé par son demi-frère Pierre le Cruel, avait laborieusement regroupées au nord des Pyrénées.

Finalement, les gens du roi traitèrent. Les états de Languedoc aimaient mieux payer pour voir les routiers s'en aller que payer pour ne pas réussir à les battre. Moyennant finance, Seguin de Badefol et ses hommes – c'était la plus forte des compagnies – laissèrent le Languedoc tranquille. Mais ils gagnèrent le Lyonnais, la Bourgogne, le Forez, et s'y comportèrent comme à l'accoutumée. Quand ils voulurent revenir vers l'Auvergne, Transtamare et Audrehem leur barrèrent la route.

Au début de 1362, Jean le Bon tenta d'organiser une stratégie d'ensemble. Avec une armée formée du ban et de l'arrière-ban des régions menacées, complétés de quelques compagnies « retenues », parmi lesquelles celle de l'Archiprêtre, Jean de Tancarville devait repousser les compagnies sans aveu vers le sud, cependant qu'Audrehem aurait à les contenir sur les frontières septentrionales du Languedoc. La jonction des deux armées devait clore l'affaire. Nul ne vit que la tenaille supposait deux fronts continus et qu'un front continu appelait des effectifs alors difficilement imaginables.

La campagne tourna court. Le 6 avril, à Brignais, près de Lyon, la chevalerie française fut prise au piège qu'elle croyait tendre, et se fit tailler en pièces par les professionnels de la guerre. Le comte de la Marche Jacques de Bourbon et le comte Louis de Forez étaient parmi les morts. Tancarville et l'Archiprêtre étaient prisonniers. Le maréchal d'Audrehem arriva le 9 avril, trop tard.

Les compagnies profitèrent allégrement de leur victoire. Bien sûr, Transtamare continua de leur faire la guerre en Languedoc, où ses troupes étaient à peu près aussi redoutées que les routiers ; bien des capitaines, ainsi harcelés, se trouvèrent fort embarrassés des prisonniers qu'ils avaient faits à Brignais et finirent par les relâcher sans en tirer profit. Certains furent cependant assez avisés pour négocier à cette occasion une nouvelle embauche au service du roi : c'était la soumission déguisée contre la sécurité de l'emploi. Il y en eut, enfin, pour s'engager dans l'armée que Transtamare levait avant de regagner l'Espagne, armée pour laquelle le roi de France allait dépenser cent mille florins. Le marché était bon : les florins furent comptés, après quoi les routiers trouvèrent sans mal quelques prétextes pour laisser Henri de Transtamare partir seul.

La situation était donc pour le moins floue. On comprend qu'à l'automne, cherchant à gagner Avignon sans encombre, Jean le Bon ait préféré la route qui, par la route gauche du Rhône, passait par les terres d'empire. Le royaume de France n'était pas sûr.

Pendant ce temps, Seguin de Badefol jouait les politiques autour de Lyon. Il occupait la riche ville de Brioude en septembre 1363, razziait le Forez, prenait et rançonnait l'abbaye de Savigny. Les états d'Auvergne payèrent une forte rançon pour qu'il évacuât la région. Il se reporta sur le Lyonnais et coupa le ravitaillement de Lyon par la Saône en mettant la main, au début de novembre 1364, sur la petite place forte d'Anse. Puis il songea à jouer sur deux tableaux : il offrit plus ou moins nettement au roi de Navarre de lui livrer Anse, cependant qu'il promettait aux habitants de leur rendre leur ville pour quarante mille florins payables en deux termes. Charles le Mauvais n'aimait pas être dupé: il fit venir Seguin de Badefol en Navarre, écouta ses récriminations et lui fit servir des fruits empoisonnés.

La fin des guerres de Bretagne et de Normandie ne fit d'abord, en 1365, qu'accroître le nombre de compagnies errantes. Les succès des années précédentes avaient eu de l'écho. Depuis Brignais, nul ne songeait plus à se priver. On vit donc les routiers confluer vers le centre de la France, vers l'Auvergne, le Forez, le Périgord. Autant de pays accidentés où la poursuite était difficile et où l'on surprenait sans peine la petite ville ou la route des marchands.

Mais Charles V avait, lui aussi, gagné ses coudées franches. L'Angleterre n'avait aucune raison de reprendre la lutte, du moins tant que la rançon du roi Jean n'était qu'en partie payée. On pouvait s'occuper d'autre chose. Le roi tenta de faire d'une pierre deux coups: éloigner les compagnies indésirables et reprendre une politique étrangère hardie, quelque peu négligée par les premiers Valois qui ne se sentaient pas assez sûrs de leur propre couronne pour hasarder longtemps leurs forces au-dehors.

La première idée, ce fut la Croisade. Les prédécesseurs de Charles V ne l'avaient jamais perdue de vue, et Jean le Bon s'était même croisé en un temps où il avait cependant d'autres préoccupations. On y pensait, mais on n'y allait naturellement pas.

Or Andrinople venait de tomber et le péril ottoman resserrait son étreinte sur la Hongrie. Urbain V, qui se sentait menacé à Avignon par la divagation des compagnies et qui venait de faire en Italie sa paix avec Bernabò Visconti, seigneur de Milan, songea le premier à employer contre les Turcs l'ardeur des compagnies. Le roi de Chypre avait déjà, en 1363, tenté d'en enrôler quelques-unes pour les combats d'Orient, mais le projet n'était pas allé bien loin. Le pape avait eu beau offrir aux chenapans la rémission de leurs péchés s'ils acceptaient de combattre les Turcs, les routiers jugèrent l'affaire trop risquée pour un profit temporel trop aléatoire. Peut-être avait-on tort de leur proposer l'Orient pour but et la mer pour route. Le pape changea son propos: l'année suivante, il offrait l'Europe centrale et la voie terrestre. L'empereur Charles IV, que l'on avait vu à Avignon pour la Pentecôte 1365, garantissait le libre passage et le vivre sur la route.

Le pape assurait même qu'une telle intervention conduirait l'empereur grec de Constantinople, Jean V Paléologue, à favoriser l'union des églises. Une nouvelle fois, on crut entrevoir la fin du schisme ouvert en 1054, au temps du patriarche Michel Cérulaire. L'Occident romain avait déjà subi à cet égard bien des désillusions depuis la première croisade. On pouvait quand même espérer.

Dans le temps qu'ils proposaient au roi de France cette solution à la divagation des routiers, le pape et l'empereur offraient le commandement de la nouvelle croisade... à l'Archiprêtre. Nul n'eut l'idée d'en sourire.

Charles V avait de l'admiration pour le fils de ce Jean l'Aveugle qui, roi de Bohême, était venu mourir en comte de Luxembourg sur le champ de bataille de Crécy. Charles IV de Luxembourg s'en allait recevoir, dans le chœur de Saint-Trophime d'Arles, la couronne carolingienne — et souvent oubliée au cours des siècles — des rois d'Arles qui le faisait souverain de ces régions, Outre-Rhône, où l'on se savait hors de France mais où l'on négligeait volontiers l'autorité impériale. Le roi de France fit savoir qu'il exercerait volontiers là le vicariat impérial. L'empereur éluda.

Les projets de croisade ne se précisaient pas. L'Archiprêtre partit de nouveau en campagne pour son propre compte. Il sema la terreur en Lorraine, s'enrôla quelque temps sous la bannière du duc de Bar en guerre contre Metz, tira des Messins une rançon de dix-huit mille florins. Puis il passa en Alsace, où l'on s'alarma vite de la venue des « Anglais » mais où l'on incrimina l'empereur, dont la connivence avec l'Archiprêtre était ambiguë mais connue. Charles IV ne put éviter d'intervenir : il fit reculer les routiers, qui s'établirent en Bourgogne. Arnaud de Cervole fit astucieusement la bête : ne lui avait-on pas demandé de gagner les confins orientaux de la Chrétienté ? Comment s'y rendre sans passer le Rhin ?

L'Archiprêtre cherchait maintenant à gagner sur tous les tableaux. Badefol l'avait précédé dans ce jeu dangereux. A la fois pillard et pensionné des princes, ici seigneur foncier et là chef de bande, jonglant avec l'héritage de sa femme — car il s'était marié — comme avec les florins du pape, promettant à tous et ne tenant jamais ses promesses, Arnaud de Cervole finit par s'aliéner tout le monde. Le 26 mai 1366, ses lieutenants l'assassinèrent.

L'Expédition de Castille.

De la Croisade, Charles V ne reprenait en 1365 qu'un propos : l'expédition hors des frontières. Mais l'objectif était cette fois plus proche et devait séduire une soldatesque peu portée au risque lointain. Il s'agissait tout simplement d'aller en Castille détrôner Pierre le Cruel. Souvent trahi, le roi de Castille était à bon droit soupçonneux, mais son caractère rude et méfiant décourageait à la longue toutes les fidélités. L'hostilité générale dont il était entouré dans son royaume même suffisait à justifier l'intervention étrangère. Pierre avait fait mourir en prison sa femme, Blanche de Bourbon, sœur de la reine de France. La chose était avérée. La propagande française en rajouta : Pierre Ier devint un ogre sanguinaire, mâtiné de Juif et complice des Sarrasins de Grenade...

Il y avait un candidat au trône : Henri, comte de Transtamare, le demi-frère de Pierre le Cruel. Henri était bâtard, mais il avait des partisans. Il avait été évincé, mais il avait depuis eu l'occasion de faire ses preuves en Languedoc, au service du Valois contre les routiers. Il pouvait faire un roi de Castille fort acceptable.

On avait aussi un allié au-delà des Pyrénées : Pierre IV le Cérémonieux, roi d'Aragon, un prince qui n'était guère moins brutal que son voisin de Castille mais qui s'était abstenu de s'en prendre à une Bourbon. Une vieille affaire de frontière discutée entretenait entre la Castille et l'Aragon une hostilité séculaire, avivée de temps à autre par les incidents qui jalonnaient une inévitable rivalité maritime.

Chacun tenta de jouer au plus fin. Toujours impécunieux, l'Aragonais voyait avec faveur la France financer la guerre ; d'un Transtamare placé sur le trône de Castille avec son aide, il pouvait espérer la cession des provinces en litige. Charles V prenait le contre-pied de l'alliance anglo-castillane qui — Louis d'Anjou, lieutenant du roi en Languedoc, ne manquait pas une occasion de la rappeler à son frère — pourrait bien mettre toutes les forces de Pierre le Cruel dans une éventuelle reprise du conflit de Guyenne. Louis d'Anjou ne croyait pas à la durée de la paix conclue à Brétigny, et il n'avait pas envie de voir les Castillans passer les Pyrénées. En allant saper le pouvoir de Pierre le Cruel, on diminuait d'autant les risques d'intervention en France. Naturellement, mieux valait encore remplacer le roi de Castille par une créature du roi de France. La Castille et l'Aragon seraient aux côtés du roi de France si la guerre de Guyenne reprenait. Sans parler de Charles le Mauvais, toujours capable de tourner la Navarre contre son cousin Valois et que l'évolution de la situation en Espagne calmerait sans doute pour un temps.

Le projet de la « croisade » de Castille s'affina au cours de l'année 1365. Louis d'Anjou alla très loin dans les négociations qu'il mena à Toulouse avec les ambassadeurs aragonais. On parla de conquérir, de concert, la Navarre, puis la Guyenne. C'était travailler entièrement pour le roi de France. Pierre le Cérémonieux exigea qu'on en finît d'abord avec la Castille.

Il fallait pour cela de l'argent. Comme à l'accoutumée, on se tourna donc vers le pape. Urbain V avait de l'estime pour le roi de Castille ; on lui fit croire qu'il s'agissait de financer, par des décimes sur le clergé, une croisade contre les Maures de Grenade. Mais il était évident que cette entreprise aragonaise n'atteindrait pas Grenade sans traverser la Castille... Le pape n'y regarda pas de si près : les compagnies continuaient de menacer Avignon.

Il fallait aussi un chef. Charles V offrit Bertrand du Guesclin, lequel était d'ailleurs prisonnier de John Chandos depuis la défaite d'Auray. Le roi de France donna donc sa caution, paya la plus grosse part de la rançon et chargea officiellement le Breton de conduire hors du royaume les compagnies qui infestaient la Normandie, la Bretagne et le pays chartrain.

Bizarre commandement que celui de cette croisade. Le pape et l'Aragon s'unissaient à la France pour envoyer en Castille des mécréants excommuniés. Et nul ne pensait que Du Guesclin allait être, cinq ans plus tard, connétable de France. Mais ce « capitaine général » avait sous son autorité le maréchal d'Audrehem, le comte de la Marche et le sire de Beaujeu !

L'armée n'était pas moins bizarre. On y voyait, aux côtés du vainqueur de Cocherel, d'anciens vainqueurs de Poitiers comme Eustache d'Auberchicourt, des routiers de l'armée navarraise débandée en Normandie, d'anciens combattants des guerres de Bretagne. Au total, un étrange assemblage de pendards qui firent tout aussi peur aux populations qu'à l'époque où ils n'étaient pas coalisés par le roi de France. Le gouverneur de Bourgogne, Jean de Sombernon, alla jusqu'à leur refuser le passage : il oubliait qu'il s'agissait d'une armée du roi. Obligé de céder, il prescrivit de faire « retraire tout le plat pays », autrement dit de faire le désert devant Du Guesclin. Les villes du Comtat venaissin se mirent en état de siège.

Les premières compagnies étaient à la mi-novembre à Avignon, à la fin du mois à Montpellier. Tout le monde se retrouva en Catalogne en janvier 1366. Le 5 avril, les voûtes gothiques de la cathédrale de Burgos retentissaient du *Te Deum* chanté pour le couronnement de Henri de Transtamare, roi de Castille. Les résistances du roi Pierre s'étaient effondrées en deux mois. Du Guesclin triomphait. L'un des premiers gestes du nouveau roi fut de le faire duc.

Il fallait se réjouir vite. Les lendemains furent amers. Le 23 septembre, le traité de Libourne scellait l'entente des trois ennemis de Charles V. Le Prince Noir levait une armée, le roi de Navarre garantissait le passage, Pierre le Cruel offrait — à charge de les conquérir — le Guipuzcoa et 200 000 florins au Navarrais, la Biscaye et 550 0000 florins à l'Anglais. Quelques compagnies qui traînaient encore en Languedoc allèrent s'embaucher en l'affaire. Elles laissèrent la place à bien des routiers que Du Guesclin avait emmenés en Espagne et qui refluaient déjà, jugeant que l'embauche allait manquer après une trop rapide victoire.

Le Prince Noir était ravi de faire pièce au relèvement français par une guerre où, de toute manière, il n'engageait pas le sort des acquisitions de Brétigny. Autre avantage : tout était financé par l'ancien roi de Castille. Ainsi le Prince Noir donnait-il à bon compte une politique étrangère à sa principauté d'Aquitaine : l'illustration en fut la somptueuse réception qu'il réserva à Bordeaux aux rois de Castille – Pierre le Cruel – et de Majorque, au roi de Navarre et au duc de Bretagne.

On fit diligence. En février 1367, l'armée anglo-gasconne – elle était surtout anglaise – passait le col de Roncevaux. Le prince de Galles et d'Aquitaine la commandait en personne.

L'armée de Du Guesclin et du roi Henri se porta au-devant de l'ennemi. Henri ne souhaitait pas voir son prédécesseur reprendre pied en Castille. Mais, dès lors qu'il s'agissait d'un affrontement, on manquait d'un stratège. Audrehem était hostile. Du Guesclin n'était guère favorable. Henri emporta la décision parce qu'il était le roi. Devant Najera, à mi-chemin de Pampelune et de Burgos, ils se firent écraser. Les Castillans se débandèrent, les routiers de Du Guesclin furent débordés. Le 3 avril 1367 au soir, Bertrand du Guesclin était prisonnier pour la quatrième fois de sa vie et Henri de Transtamare était en fuite ; on le retrouva à Montpellier.

La France n'avait vraiment gagné qu'une chose : les routiers morts à Najera ne reviendraient plus écumer le Languedoc. C'était un maigre profit.

L'Anglais n'avait pas gagné grand-chose non plus. Pierre le Cruel était évidemment incapable de payer les soldes. Il fallut lever un impôt en Guyenne, où l'on s'avisa qu'une politique étrangère était une chose chère. L'armée victorieuse était décimée par la dysenterie. Le Prince Noir lui-même tomba malade, manqua mourir et garda de l'affaire une santé déficiente qui allait retentir sur le gouvernement de la Guyenne. Quand il apprit que le Transtamare était en Languedoc et s'entendait avec le duc d'Anjou pour attaquer une principauté d'Aquitaine où l'impôt était de plus en plus mal accepté, le Prince Noir jugea qu'il perdait son temps en Espagne.

Pierre le Cruel semblait avoir gagné ; son triomphe ne fut que momentané. La Castille ne tarda pas à se dresser de nouveau contre lui. Deux ans plus tard, à Montiel, Henri de Transtamare allait tuer de sa propre main son demi-frère au cours de pourparlers qui n'étaient qu'un guet-apens.

Du Guesclin, lui, vivait dans l'inconscience. A Bordeaux, où le Prince Noir l'avait emmené et où l'on avait longtemps attendu de parler rançon car mieux valait pour la Guyenne qu'il demeurât captif, il faisait le fanfaron et fixait lui-même cette rançon à un tel prix – cent mille florins – que l'Anglais se demanda si c'était une plaisanterie. Fierté mal placée que cette enchère inutile ? Certes pas. D'autres capitaines – Knolles en particulier – avaient donné l'exemple en faisant savoir, avant même une campagne, le prix de la rançon que l'on pourrait exiger d'eux. La pratique était avantageuse pour ces hommes d'armes professionnels, qui vivaient de leur métier et ne pouvaient jouer les modestes sous peine de voir baisser leur cote. A surestimer sa rançon, Du Guesclin haussait simplement le tarif de ses services ultérieurs.

Le Prince Noir aurait volontiers gardé son prisonnier, mais on commençait de jaser. Refuser de rançonner un captif pour l'empêcher de combattre à nouveau n'entrait guère dans les usages de la chevalerie. Le sire d'Albret l'aurait rappelé : un tel refus passait pour un aveu de crainte.

On transigea à soixante mille florins, le Breton refusant fermement d'être estimé à moindre prix. Il se disait sûr de la victoire finale du roi Henri et comptait bien que la Castille paierait la moitié de la rançon. Le roi de France ne pouvait manquer de payer l'autre moitié. Au reste, ajoutait Du Guesclin, il ne serait pas en peine si les souverains refusaient.

Si le gagneraient à filer toutes les fileresses de France.

En fait, tout le monde s'en mêla. Le roi paya la moitié de la rançon, Jeanne de Penthièvre et quelques autres donnèrent leur caution pour le reste. Finalement, Du Guesclin paya lui-même le tout, remboursant au roi ce qu'avait avancé le Trésor. Il avait gardé, de son aventure espagnole, quelques seigneuries de l'autre côté des Pyrénées. Il les vendit au roi d'Aragon.

Du Guesclin quitta Bordeaux le 17 janvier 1368. Il gagna le Languedoc, conféra avec Anjou et Audrehem et alla remettre son épée au service du roi Henri de Castille.

Français et Anglais ne s'étaient battus en Castille que sous des couleurs d'emprunt. Charles V faisait montre d'un beau zèle pour l'exécution scrupuleuse des clauses du traité de Brétigny-Calais. Rien n'annonçait une reprise de la guerre. Au reste, l'armée française était depuis longtemps dissoute.

Précisément, Charles V savait bien que les compagnies envoyées en Espagne feraient défaut s'il était à nouveau nécessaire de constituer une armée. On avait éloigné les pillards ; il convenait de s'assurer maintenant d'un fort noyau de compagnies bien aguerries, susceptible d'être doublé dans les temps d'opérations. Qu'à cela ne tînt : la sélection allait se faire en Espagne.

Le comte d'Armagnac fut chargé de l'affaire, combien délicate pour lui puisqu'il était vassal de l'Anglais et qu'on ne souhaitait pas attirer l'attention sur ce qui était un préparatif de guerre caractérisé. En juillet 1367, Jean d'Armagnac était à Paris. En septembre, les compagnies choisies en Espagne franchissaient le col de Roncevaux. Charles V fit préparer une « retenue » de mille lances ; neuf cents étaient prises parmi les compagnies ainsi revenues. Puis l'affaire en resta là. Jean d'Armagnac allait tenir, en faisant appel de son seigneur le Plantagenêt à son suzerain le roi de France, un tout autre rôle que prévu dans le déclenchement de la reconquête. Mais bien des compagnies revenues d'Espagne à la fin de 1367 – et derechef indésirables en Languedoc, où les pillages reprirent de plus belle – se retrouvèrent deux ans plus tard dans l'armée du duc d'Anjou.

Les erreurs du Prince Noir.

Charles V, cependant, laissait faire le temps. Comme jadis face à Étienne Marcel, il feignait la bonne volonté et se contentait de compter les fautes de son adversaire. Il affectait de payer la rançon de Jean le Bon, il pressait les transferts territoriaux stipulés à Brétigny.

La rançon du roi Jean avait maintenant pour sanction la libération des derniers otages, Jean de Berry, Pierre d'Alençon et quelques autres. Des impôts avaient été spécialement établis pour faire face aux échéances – impôts indirects sur la consommation, fort impopulaires parce que touchant les pauvres comme les riches – mais ils avaient surtout servi à financer la politique intérieure et la lutte contre les compagnies. Des trois millions de la rançon, Édouard III n'avait exigé en 1360 que quatre cent mille écus pour libérer Jean le Bon. Cinq ans plus tard, on n'avait pas encore payé le premier million lorsque Charles V, ayant consolidé la situation monétaire par l'ajustement du franc en avril 1365 – le franc allait ainsi durer vingt ans – proposa aux Anglais des échéances qu'il s'efforça de tenir. On en était à un million en 1366, à un million et demi en 1367.

Le transfert des territoires cédés avait été achevé en 1362. Des renonciations prévues à Calais – Édouard sur ses droits à la Couronne, le roi de France sur sa souveraineté en Guyenne – nul ne parlait plus. Chacun pensait avoir avantage à un état de fait qui paraissait refléter un état de droit sans remettre en cause le résultat de négociations qu'on avait vues difficiles. Après Poitiers, après Najera, que pouvait craindre Édouard III d'une souveraineté française sur la Guyenne, une souveraineté dont le souvenir allait s'estompant? Lorsqu'il s'avisa de l'arme juridique qu'il avait ainsi abandonnée au Valois, il était trop tard.

L'Aquitaine renâclait déjà contre le Prince Noir. Pourtant, celui-ci en avait fait son fief personnel : par lettres patentes du 19 juillet 1362, l'ancien duché avait été érigé pour lui en principauté, en sorte que les hommages étaient dorénavant prêtés au prince de Galles non plus comme au représentant du roi-duc son père mais comme au prince d'Aquitaine en personne. C'était là satisfaction de principe, qui touchait peu le fond des choses. Le valeureux chevalier, le capitaine de génie, le modèle de courage et d'énergie qui avait tant de fois mérité sur les champs de bataille l'admiration des siens et celle des autres pouvait bien avoir un grand sceau, battre monnaie d'or et doubler sa cour, il n'avait ni les moyens de ses ambitions ni, peut-être, un sens politique à la mesure de sa situation nouvelle.

Dupé par Pierre le Cruel, qui aurait dû financer l'expédition de Castille, gaspillant l'or et l'argent des Aquitains dans une vie de cour qu'il voulait à l'égal de la cour de Londres, alourdissant l'appareil administratif et les charges permanentes de la principauté, le Prince Noir pesait mal le poids politique du fâcheux bilan financier de ses entreprises. D'une indépendance administrative aux confins de l'indépendance politique, il n'avait pas entrevu la signification financière. Tout comme un roi, il avait un sceau de majesté sur lequel on le voyait assis sous un baldaquin, couronne en tête et sceptre en main. Mais Édouard III avait posé en principe que l'Aquitaine n'avait plus besoin du Trésor anglais.

L'idée que se faisait de son autorité princière le premier des chevaliers de la Jarretière correspondait mieux à la hiérarchie féodale d'une Angleterre où tout était tenu du roi qu'à celle des seigneuries gasconnes, de ces petits États pyrénéens aux confins de l'autonomie, de ce pays dans lequel persistaient une forte propriété paysanne libre, de nombreux « alleux » qui n'étaient tenus de nul seigneur, voire quelques seigneuries qui n'étaient pas des fiefs. Autoritaire et coléreux autant que munificent, son tempérament le portait au despotisme. La tradition bureaucratique de l'administration anglo-normande le conduisait à une vision systématique des réalités politiques. La nuance lui échappait, comme le particularisme. La hauteur de vues ne lui manquait pas, non plus que l'esprit de décision qui fait merveille au combat. Mais il manquait de clairvoyance, et sentait mal qu'il lui fallait ménager sa principauté. N'était-il pas là en attendant de régner sur l'Angleterre ?

Il avait vu des Aquitains hostiles au roi de France, et prêts à fêter son avènement à Bordeaux. Il lui avait échappé que les Aquitains n'étaient pas hostiles au Valois mais à l'autorité royale, pas rebelles au fisc de Jean le Bon mais à tout fisc royal. Les Gascons avaient assez bien supporté les lieutenants épisodiques envoyés de Londres par les Plantagenêts ; ils toléraient maintenant fort mal ce maître à demeure qui parlait haut et qui coûtait cher.

Dans cette principauté issue du partage de Brétigny, le roi de France disposait d'extraordinaires connivences. Elles allaient aider aussi bien à l'action juridique de démantèlement des traités qu'à l'action militaire. Elles allaient priver le prince d'Aquitaine de bien des vassaux, offrir au Valois des capitaines et des soldats, voire des places fortes.

Deux hommes représentent bien ces barons aquitains qui se rangeaient délibérément – et non par simple hostilité au Plantagenêt – aux côtés du Valois et qui devaient compter parmi les principaux artisans de la reconquête : Jean d'Armagnac, déjà nommé, et Renaud de Pons. Le grand seigneur saintongeais qu'était le sire de Pons avait servi le Prince Noir jusqu'à Najera. On le vit encore en 1369 aux côtés de John Chandos. Jusqu'au temps d'Azincourt, Renaud de Pons fut l'un des capitaines les plus fidèles de Charles VI.

La remise en cause de la situation politique créée à Brétigny ne vint pas de Charles V. Comme ailleurs, celui-ci laissait faire. Le mouvement vint des grands feudataires gascons. Lors de leur réunion d'Angoulême, en janvier 1368, les états d'Aquitaine avaient voté la levée d'un nouveau fouage : dix sous par « feu » pendant cinq ans. Pas plus que les états réunis à Paris ou à Toulouse par le Valois, la réunion d'Angoulême ne comprenait tous les ayants droit. L'insécurité des routes avait dissuadé quelques villes de députer aux états, la mauvaise humeur avait retenu quelques barons chez eux. Jean d'Armagnac et son neveu Arnaud Amanieu d'Albret étaient de ceux-là. Ils déclarèrent que la décision prise à Angoulême ne les concernait pas, et qu'on ne lèverait pas le fouage chez eux.

Le prince d'Aquitaine tenta de convaincre Armagnac. Vain propos : le fouage n'était qu'un prétexte. Le baron contestataire répondit en se moquant ouvertement de son seigneur : il était si pauvre qu'il ne pouvait ni manger à sa faim ni doter sa fille...

La menace venait après l'ironie. Armagnac ne refusait de laisser les gens du prince lever l'impôt dans son fief qu'après avoir consulté des juristes, canonistes aussi bien que civilistes. Il avait même entendu l'avis des théologiens. C'était dire que l'affaire dépassait les dix sous par feu. Le prince d'Aquitaine maintint qu'on lèverait l'impôt en Armagnac. S'il avait cédé, il n'y aurait plus eu un seul contribuable dans la principauté.

Le droit féodal n'ignorait pas qu'un vassal pouvait se trouver en désaccord avec son seigneur. Jean d'Armagnac fit appel à son suzerain le roi d'Angleterre. Puis, sans attendre le résultat de l'enquête ordonnée par Édouard III, il décida que son suzerain s'était dérobé à ses obligations.

Les appels gascons.

C'est alors qu'Édouard III put regretter de n'avoir pas poursuivi l'échange des renonciations. En droit strict, Charles V était toujours souverain en Aquitaine, par-dessus le duc-roi. Jean d'Armagnac le savait bien, et le sire d'Albret aussi.

Pour venir à Paris, les deux barons avaient le meilleur des prétextes. Le 4 mai 1368, Arnaud Amanieu d'Albret épousait la sœur de la reine Jeanne de Bourbon. Jean d'Armagnac était à la fois l'oncle du marié et, par sa seconde femme, le cousin de la mariée. Toute la cour était là : on put parler des affaires de Gascogne sans attirer l'attention.

La détermination de Jean d'Armagnac laissa perplexes Charles V et ses conseillers. L'encourager à en appeler au souverain, accepter son appel, c'était rompre avec l'esprit de Brétigny dans l'une de ses constructions essentielles : l'indépendance souveraine de l'Aquitaine Plantagenêt. On s'était peu posé la question, jusque-là. Maintenant, il fallait trancher. Le tout était de savoir si on voulait la revanche, si on la voulait à ce moment-là, si on en avait les moyens. Bien sûr, accepter un appel ou le refuser n'était en théorie qu'une décision de forme : cela ne signifiait ni donner raison à l'appelant, ni lui donner tort. Dans le cas présent, la décision immédiate avait plus de portée politique que tout ce que pourraient dire ensuite les juges. Refuser l'appel, c'était renoncer définitivement à toute souveraineté sur les régions perdues en 1360. C'était la prescription. Accepter, c'était la guerre.

Déjà, le Prince Noir mobilisait quelques troupes contre les rébellions qui se multipliaient à l'approche des collecteurs du fouage. A Paris, on sut à quoi s'en tenir.

Charles V consulta quand même les juristes. L'esprit de Brétigny était une chose, la lettre une autre, et qui permettait d'accepter l'appel. Juristes et barons furent également d'accord : non seulement le roi pouvait, mais il devait l'accepter. Charles V ne pouvait se dérober au devoir de justice qu'impliquait la souveraineté. Il devait l'écrire plus tard :

> Si nous refusions d'accueillir leur requête, ce serait défaute de justice, et ils auraient cause légitime de chercher autre suzerain.

On allait vers la rupture. Le 1er juin, moyennant un fief-rente sur le Trésor, Arnaud Amanieu d'Albret prêtait au roi de France un hommage « lige » : en d'autres termes, et malgré toutes sortes de précautions juridiques relatives aux hommages antérieurement prêtés, cela signifiait publiquement qu'on trouverait en cas de conflit le sire d'Albret du côté du Valois. Or nul ne pouvait penser qu'Arnaud Amanieu sacrifiait sa seigneurie. Le Plantagenêt aurait donc le choix entre perdre une partie de sa principauté ou la conquérir les armes à la main. En attendant, Arnaud Amanieu rendit quelques services contre les compagnies revenues d'Espagne et parvenues jusqu'en région parisienne. Nul ne fut dupe. L'enjeu de l'hommage lige était en Aquitaine.

Le 30 juin, Charles V réunit son Conseil en l'hôtel Saint-Paul. Il y avait là Berry et Bourgogne, les grands officiers, des officiers de l'Hôtel, des notables de la robe parisienne, comme les présidents au Parlement et le prévôt de Paris Hugues Aubriot. On discuta peu : l'affaire était mûre. On vota. Sur trente-six votants, trente-six opinèrent qu'on devait accepter l'appel.

Les juristes de Charles V allèrent jusqu'au cynisme. Jean des Marès, Simon de Bucy, Pierre d'Orgemont et quelques autres avaient mis la main à la rédaction d'un acte officiel, encore tenu confidentiel pour quelque temps, qui définissait l'attitude du roi de France : on y comptait l'inévitable réaction anglaise pour une rupture délibérée de la paix. Si l'on n'échangeait pas les renonciations prévues en 1360, ce serait la faute des seuls Anglais.

> Au cas où, parce que le dit appel est reçu, le roi d'Angleterre ou le prince son fils nous feraient la guerre ou la feraient à l'appelant, ce qu'ils ne devraient faire, considéré la paix, nous ne ferions point les renonciations au ressort et à la souveraineté du duché de Guyenne.

Armagnac et ses amis n'entendaient point être un jour menacés d'abandon. Ils répudiaient leur seigneur le prince, mais le roi de France leur promettait de ne jamais renoncer à sa souveraineté sur leurs terres. Chaque membre du Conseil dut jurer sur l'Évangile qu'il ne conseillerait jamais une telle renonciation. Chose extraordinaire, on entendit les frères du roi, Berry et Bourgogne, prêter aussi serment pour le cas où ils accéderaient au trône.

Assuré de l'appui royal et fort de promesses financières, le parti des appelants ne tarda pas à grossir, dans une ambiguïté constante de ce qui était hostilité véritable au fouage et ce qui était prétexte fiscal à la rébellion anti-anglaise. Le problème se posait en termes différents pour chaque baron et pour chaque ville. Pour les uns, qui voyaient dans le Plantagenêt un maître issu de la défaite, l'occasion semblait offerte par la Providence. Les gens de La Rochelle, de Cahors ou de Périgueux n'avaient, dans leur majorité, jamais tenu l'Anglais pour un suzerain légitime. Pour d'autres, que tracassaient des pensées d'indépendance relative – ainsi Archambaud, comte de Périgord – et qui s'accommodaient d'autant mieux d'une autorité supérieure qu'elle était lointaine, mieux valait le gouvernement de Paris que celui de Bordeaux.

Pour d'autres, enfin, la situation politique était confuse et le maintien d'un statu quo favorable aux affaires semblait préférable aux risques d'un conflit toujours paralysant. La bourgeoisie bordelaise avait accoutumé depuis deux siècles d'avoir un roi à Londres parce qu'il était duc à Bordeaux, et un roi à Paris parce qu'il était le roi du duc. L'appel des barons gascons ne faisait donc qu'embrouiller une situation où l'on ne se retrouvait que si l'on évitait de se poser certains problèmes. Bien des Bordelais trouvaient la chose naturelle parce qu'elle n'était pas nouvelle, et pensèrent d'abord à ce qui faisait la prospérité de la ville : le commerce des vins de tout le bassin de la Garonne avec tout le monde des mers du Nord.

Et puis, c'était la première fois que Bordeaux était vraiment la capitale d'un État. Les anciens ducs d'Aquitaine, jusqu'au temps d'Aliénor, avaient à Poitiers leur principale résidence. Maintenant, alors que l'alourdissement des administrations centrales imposait à tout prince d'établir en une ville les organes de son gouvernement et de sa justice, Bordeaux trouvait une nouvelle raison à son titre de métropole. Administration, justice, finances étaient pour l'essentiel, en plein cœur de la ville, au château de l'Ombrière. Une fonction publique se développait, au service de l'État nouveau comme au service de l'administré, du justiciable, du contribuable. Cette fonction engendrait ses profits, et pour toutes les couches de la population, pour tous les corps de métier. L'essor de Paris depuis un siècle, celui d'Avignon depuis cinquante ans, suffisaient à éclairer les Bordelais. De ce côté-là, les appelants n'avaient guère l'espoir d'être entendus.

D'autres, en revanche, chaussaient les bottes de Jean d'Armagnac, à commencer par Albret, qui s'engageait enfin à fond et faisait consigner par deux notaires, le 8 septembre, son acte d'appel. Archambaud de Périgord l'imitait en novembre. La ville de Rodez adhéra à l'appel. Le 3 décembre, Charles V écrivit à toutes les villes d'Aquitaine pour justifier sa décision : en fait, il les incitait à de nouveaux appels, tournant habilement contre le Prince Noir les arguments si souvent utilisés contre l'administration des Capétiens et des Valois.

> Notre neveu le prince de Galles a ordonné de lever sur eux des fouages sans leur consentement et en mettant le pays en perpétuelle servitude, contre leurs anciennes libertés et franchises qui doivent être tenues et gardées de par le traité même de la paix.

Libertés, franchises, c'étaient des mots que l'on ne faisait pas tinter en vain aux oreilles des bourgeois et des petits seigneurs... En trois mois, huit cents villes et bourgs se déclarèrent soumis au roi de France.

Charles V avait pour lui ses juristes. Le duc de Lancastre ne manquait d'ailleurs pas d'ironiser : « Ce n'est pas un roi sage, c'est un avocat ! » Mais ce roi scrupuleux voulait être sûr qu'on ne l'avait pas flatté, et ce roi prudent voulait être assuré que d'autres juristes ne diraient pas le contraire. Il fit demander une consultation aux juristes des Universités de Toulouse et de Montpellier. On sollicita même les maîtres de Bologne. Peut-être fit-on sonder aussi les canonistes de la curie pontificale.

Le roi cherchait en même temps le *consensus* de la gent politique. Il écrivit à divers princes pour leur demander de faire connaître chez eux le point de vue français. C'est ainsi qu'il s'adressa à la Lorraine, à la Savoie, au Brabant. Le comte de Flandre Louis de Male évita de se compromettre : approuvant le roi sans le dire franchement, il refusa cependant de coopérer :

> Je tiens que vous avez et aurez toujours si bon et si mûr conseil que vous savez bien ce que vous avez à faire. Quant à ce qui est de montrer ce fait et de le publier dans mon pays et mes villes..., il me semble qu'il ne convient pas de publier de telles choses devant des gens qui n'y entendent rien et ne savent à quoi cela peut tendre. Et, vu que ce sont gens rudes et simples, cette publication, je le crois, ne serait pas profitable au dit fait.

Charles V ne broncha pas. Touchant la Flandre, sa principale préoccupation était d'un autre ordre. En septembre 1368, le comte Louis de Male donnait — d'assez mauvais gré — sa fille et héritière Marguerite en mariage au duc Philippe de Bourgogne. La Flandre venait au Valois.

Dans le même temps, le roi de France poussait son avantage au-delà des Pyrénées, car il avait là un obligé qui pouvait devenir le plus précieux des alliés. Henri de Transtamare s'engageait résolument dans l'alliance française. Sa victoire, quelques mois plus tard, allait faire gagner au Valois ce qui avait été un pari combien hasardeux. A l'aube de l'année 1369, Charles V avait donc, de l'Èbre à l'Escaut, de quoi faire pièce à la puissance anglaise. Le 28 décembre 1368, un Conseil élargi — quarante-huit princes, barons et officiers — avait constaté que l'on pouvait poursuivre la procédure.

Deux officiers royaux furent envoyés de Toulouse par le sénéchal Pierre-Raymond de Rabastens, qui tenait prêtes depuis quelques jours les lettres de citation. L'un était Bernard Palot, un légiste, docteur en droit et juge de la sénéchaussée ; l'autre était Jean de Chaponval, un chevalier qui avait été bailli et savait le droit féodal.

Le Prince Noir était malade. Depuis l'Espagne et la dysenterie, le vainqueur de Poitiers était souvent condamné à garder le lit. On vint lui lire la citation qui l'ajournait à Paris, devant la Cour du roi, le 2 mai suivant. Un vent de colère passa dans la chambre. Le prince se souleva sur son oreiller, eut un regard en coin pour les envoyés du roi de France et prit à témoin son entourage :

> M'est avis, à ce que je vois, que les Français me tiennent pour mort. Si Dieu me donne vrai confort et si je peux me lever de ce lit, encore leur ferai-je moult ennuis.

Un simple courrier porta la réponse à Paris :

> Nous irons certainement à votre mandement, mais le bassinet en tête et avec toute notre compagnie.

Un autre courrier doubla Palot et Chaponval qui s'en retournaient sans avoir osé demander un sauf-conduit. Le sénéchal d'Agen les fit arrêter et exécuter.

Charles V ne manqua pas d'exploiter – et de faire exploiter par les hommes de plume à sa solde – un acte qui violait à l'évidence les usages diplomatiques, même si le Prince Noir cherchait à se disculper en faisant raconter que les deux envoyés avaient été punis pour le vol d'un cheval, et qu'au reste ils étaient démunis de sauf-conduit. Le roi de France allait même parler de cette affaire, en public, neuf ans plus tard, à son oncle l'empereur Charles IV. Forçant de son côté la réalité, l'auteur du *Songe du Verger* – l'un des légistes de Charles V – ne craindra pas de faire des victimes « deux notables personnes du Conseil » et d'utiliser la triste histoire de Palot et Chaponval pour brosser le noir tableau des crimes imputés au prince d'Aquitaine :

> Le dit Prince Noir traita durement les sujets de Guyenne en leur imposant tailles, gabelles, impositions et plusieurs autres aides extraordinaires importables et contre raison, sans congé et licence du roi son souverain seigneur. Et il avait déjà mis le pays de Guyenne comme en perpétuelle servitude, car sans connaissance de cause et sans raison il prenait tous leurs biens et parties, il les emprisonnait et leur faisait plusieurs autres griefs innombrables. Et quand il apercevait que les dits sujets voulaient appeler de tels griefs, il les faisait meurtrir ou mutiler, emprisonner ou les traiter autrement très durement.

La rupture du traité de Calais.

Édouard III vit tout de suite qu'il avait tout à perdre à la guerre. On avait bien compris, entre Londres et Brétigny, que le traité allait aux extrêmes limites des concessions acceptables par le roi de France. Au-delà, l'Anglais prenait le risque de devoir conquérir la France château après château. En revanche, la remise en cause des traités pouvait faire perdre tout le bénéfice de la victoire de 1356. Édouard tenta donc d'empêcher la guerre. Pour discuter le bien-fondé de l'acceptation des appels, il envoya une ambassade à Paris. Par la même occasion, il demandait qu'on en finît avec la remise des territoires — il y avait quelques contestations, notamment pour Montreuil-sur-Mer — et qu'on payât enfin le solde de la rançon.

On avait, après la libération des princes, laissé à Londres quelques otages de moindre rang, simples chevaliers ou bourgeois, que le roi de France trouvait maintenant plus économique de laisser où ils étaient. Édouard III se sentait donc dupé. Il assurait que la rançon était mal garantie, puisqu'on ne tenait pas à la liberté des otages. Ajoutons que les otages, peu à peu, mouraient de vieillesse et que Charles V se souciait comme d'une guigne de les remplacer à Londres.

Portée en janvier 1369 pendant que le sénéchal de Toulouse citait le Prince Noir à comparaître, la réponse française laissa peu d'espoirs de paix. Charles V mettait en balance de la rançon impayée les dégâts faits en France, après la conclusion du traité, par les soudoyers anglais sans embauche. Il est vrai que les compagnies de fâcheuse mémoire comptaient pas mal d'anciens soldats du Prince Noir, ceux de Poitiers et ceux de Najera. Mais l'argument était nouveau. Édouard III y vit à juste titre la preuve que le temps de la bonne volonté était passé. Il saisit cependant l'occasion la plus ténue : il accepta les arrangements territoriaux que proposait le roi de France, arrangements défavorables au Plantagenêt mais qui, par l'avantage qu'ils offraient au Valois, laissaient espérer que l'on pouvait encore négocier et éviter la guerre.

Édouard III s'avisait qu'il avait eu tort d'oublier pendant huit ans cet échange des renonciations qui donnait maintenant le beau rôle à Charles V. Il offrit d'y procéder enfin, ajoutant qu'il était prêt à accepter un arbitrage du roi de France entre le prince d'Aquitaine et ses vassaux rebelles pour peu que le Valois voulût bien se poser en arbitre, non en juge d'appel. Édouard lâchait l'immédiat pour sauver l'avenir. L'offre resta sans écho. Charles V ne donnait pas dans le panneau. Ce qu'il cherchait, c'était la guerre.

Il la préparait d'ailleurs avec énergie, et d'abord en remplissant le Trésor. En février 1369, les états de Languedoc votèrent un subside. En Langue d'oïl, on levait toujours chaque trimestre le fouage voté six ans plus tôt pour financer l'éviction des compagnies. La gabelle du sel, les aides sur le vin et sur les marchandises étaient maintenues, théoriquement pour la rançon de Jean le Bon. Mais nul ne refusait plus au roi de France les moyens de son gouvernement. L'impôt était toujours établi par les « élus » de 1355, mais ce n'étaient plus, depuis la chute d'Étienne Marcel, que des officiers royaux. Nul n'était dupe du terme « extraordinaire » qui continuait de qualifier l'impôt : Charles V mettait en place une administration permanente de l'assiette, de la perception et de la dépense. Des « généraux sur le fait des aides ordonnées pour la guerre » gouvernaient les finances. Des trésoriers et des trésoriers des guerres choisis pour leur compétence d'administrateurs et de financiers — Jean Le Mercier, Étienne Braque et quelques autres — allaient assurer le paiement régulier de la solde et, pour assainir ce paiement, un contrôle véritable et quasi permanent des effectifs.

Le rétablissement de la stabilité monétaire facilita grandement les recrutements. Le franc créé en 1364 et ajusté en 1365 n'avait pas bougé depuis, et les soldes offertes par le roi de France allaient demeurer les mêmes pendant toute la guerre. Le franc était d'or fin et valait vingt sous. Le gros était d'argent fin et valait quinze deniers. Les hommes d'armes avaient confiance.

La préparation de la guerre alla jusqu'à l'organisation d'une « préparation militaire » des réserves. On recensa les arbalètes. Le roi encouragea les concours de tir à l'arc. Les fortifications des villes et des châteaux subirent de sévères inspections.

Déjà, le duc d'Anjou organisait son armée sur le front de Languedoc, le duc de Berry la sienne sur le front de Poitou.

Édouard III n'était pas en reste dans cette fébrilité des veilles de guerre. Son fils aîné n'avait sans doute pas menacé Charles V de comparaître à Paris avec soixante mille hommes, comme le raconta Froissart, tenté comme souvent d'améliorer les répliques de son héros, mais il était obligé de constituer une forte armée. Dans l'hiver, des renforts furent expédiés d'Angleterre.

Plus délicate était la question d'argent. Édouard III avait pu, au printemps, envoyer par précaution une assez forte somme — quelque 130 000 livres tournois — au prince d'Aquitaine pour lui permettre de recruter sur le continent sans devoir compter avec le fouage, objet de la rébellion. Mais le roi d'Angleterre devait s'arranger chaque année avec des Communes qui affectaient de mal comprendre comment une Aquitaine autonome, pourvue d'un gouvernement propre et de ses ressources ordinaires et extraordinaires, ne pouvait se défendre sans un cordon ombilical toujours branché sur la trésorerie anglaise. Édouard III devait faire renouveler tous les ans l'octroi de l'aide sur les exportations de laine, son principal revenu. Et les Communes avaient assez mal pris l'expédition d'Espagne. Comment allaient-elles prendre l'idée d'une nouvelle guerre pour cette Aquitaine dont les marchands anglais trouvaient qu'élle coûtait plus qu'elle ne rapportait ?

La réponse vint en juin, lorsque les députés eurent constaté que le roi était hors d'état de discuter leurs conditions. Le prix de l'aide, ce fut l'abolition de l'étape de Calais, autrement dit la liberté du commerce extérieur. Puis une épidémie de peste, s'abattant sur l'Angleterre dans l'été de 1369, fit tomber d'un bon quart le revenu de l'impôt ainsi octroyé, impôt très étroitement proportionnel à l'activité économique. La situation ne fut rétablie qu'avec la connivence du pape : le clergé paya une décime.

Dans ces semaines qui précédèrent la guerre, l'Anglais ne savait plus où donner de la tête, et il pouvait regretter d'avoir été si avide à Brétigny. Au moment où Lancastre était prêt à gagner Bordeaux avec une forte armée – cinq cents hommes d'armes et six cents archers – on vit se soulever le Ponthieu. Le légiste Guillaume de Dormans, frère du chancelier et lui-même futur chancelier de Charles V, avait parcouru la région et y avait pris contact avec les notables d'Abbeville, de Rue, de Saint-Valery, du Crotoy. Le 29 avril, Abbeville avait ouvert ses portes au maître des arbalétriers de France, Hue de Châtillon, qu'accompagnaient six cents lances. Huit jours plus tard, les gens du roi de France tenaient tout le Ponthieu, cet héritage qu'Édouard III tenait de sa grand-mère et qu'à Brétigny on lui avait confirmé. Les garnisons anglaises obtinrent tout juste le droit de partir librement en emportant leurs meubles !

L'affaire avait été si rondement menée qu'elle bouleversa le plan de campagne établi par Édouard III. On attendait les Français du côté de l'Armagnac, on les trouvait à Abbeville. Le roi détourna son fils Lancastre vers Calais, désormais menacé, et lui confia cent hommes d'armes et tous les archers prévus pour l'Aquitaine. Un autre fils, Edmond, comte de Cambridge, le futur duc d'York, fut chargé de conduire à Bordeaux l'autre moitié de l'armée. La résistance anglaise était divisée. L'initiative avait changé de camp.

A Paris, on savait le Prince Noir malade. On interpréta l'arrivée à Bordeaux de Cambridge comme une relève.

Ironie ? Courtoisie ? Routine ? Le 26 avril, Charles V envoyait aux souverains anglais un présent de cinquante pipes de vin de Beaune. Le vin arriva avec les nouvelles d'Abbeville. Édouard III prit très mal la chose, renvoya le vin et le bateau. Crut-il que le roi de France avait voulu l'insulter en lui envoyant comme ambassadeur un simple échanson ? C'est peu probable, mais on en parla dans Londres.

L'affaire des appels allait vers son dénouement. Le 9 mai, des états généraux se réunissaient dans la grand-chambre du Palais. Le roi et la reine étaient là, avec le duc de Bourgogne et quatre autres princes des fleurs de lis. Il y avait le cardinal Jean de Dormans – le chancelier – et trois archevêques, quinze évêques, des abbés, des théologiens, des juristes. Les bonnes villes avaient député. La salle était pleine. On constata le défaut du prince d'Aquitaine.

Les deux frères Dormans, le chancelier Jean et son frère Guillaume, se relayèrent pour la harangue. On entendit un long récit des griefs contre l'Anglais. Puis le roi prit la parole. Était-ce modestie, ou scrupule prolongé ? N'était-ce pas plutôt l'ultime précaution dans la forme juridique, avant l'acte irréversible ? Charles V demandait qu'on voulût bien dire s'il avait fait « chose que il ne dût ». L'assemblée avait jusqu'au lendemain pour y réfléchir.

Les prélats et les nobles se retrouvèrent en effet le lendemain, qui était jour de l'Ascension. Les frères Dormans reprirent la parole, venant enfin à l'objet précis de la séance : les appels. Quand il s'agissait de leur adhésion, les légistes du roi faisaient grand cas des villes, mais, quand il s'agissait d'en discuter, les bourgeois étaient réputés étrangers au droit des fiefs.

Le roi fit interroger les participants, un par un. Il n'y eut pas une défection : le roi de France avait raison, l'Anglais tort. Au point où en étaient les choses en ce mois de mai 1369, les amis du Plantagenêt devaient s'être excusés.

Les états furent convoqués au complet le vendredi matin. On entendit un rapide exposé, et les bonnes villes joignirent leur accord à celui des prélats et des nobles. Lecture fut donnée du memorandum anglais rapporté en janvier, ainsi que des réponses proposées par le Conseil. Tout le monde applaudit. Il fut décidé d'enthousiasme qu'on communiquerait au pape et à l'empereur le texte de la réplique royale.

Ce refus des propositions anglaises, chacun le savait, c'était la rupture du traité de Calais. Au vrai, en Ponthieu comme aux confins de l'Armagnac, les combats avaient commencé. La décision du roi et le vote des états généraux ne faisaient que rendre officiels le désaccord et le refus de transiger.

Charles V conclut lui-même le débat en quelques phrases dont l'éloquence ferme fit impression sur les assistants. Le moins qu'on puisse dire est que, sur l'affaire de Ponthieu, le raccourci historique était éhonté :

> Tout ce qui a été fait en Guyenne et en Ponthieu s'est fait

> par voie de justice et selon le traité de la paix, tandis que le roi d'Angleterre en Ponthieu et le prince de Galles en Guyenne procèdent par voie de guerre et de fait.

On allait avoir la guerre, et la faute en était à l'Anglais. Le roi ordonna des processions pour la victoire, donna aux ducs d'Anjou et de Berry l'ordre de passer à l'offensive. Et, le 30 novembre, sans la moindre gêne, il fit constater par sa Cour la félonie du vassal aquitain qui portait les armes contre son seigneur le roi de France. La Cour prononça la confiscation du duché.

Le 19 juin, en l'abbatiale de Saint-Bavon à Gand, Philippe de Bourgogne, frère du roi, avait épousé Marguerite de Flandre. Le banquet avait été mémorable. Le roi avait prêté ses violes, le comte d'Eu son argenterie. Un siècle plus tard, le résultat de l'union s'appellera l'état du Téméraire. Pour l'heure malgré l'intérêt économique de la bourgeoisie d'affaires toujours liée à l'Angleterre, et bien que la France le payât chèrement en rendant au comté de Flandre les trois châtellenies jadis annexées – Lille, Douai et Orchies – le mariage de Philippe le Hardi et de Marguerite de Flandre signifiait l'isolement de Calais et la fermeture de Bruges aux navires anglais.

Tout le monde savait que Louis de Male avait tout fait pour éviter le mariage français. Il avait fiancé sa fille au comte de Cambridge, et il avait fallu la connivence de la douairière de Flandre, la fille de Philippe V, pour l'emporter sur l'Anglais. Ne racontait-on pas que l'altière princesse avait ouvert son corsage devant le comte Louis, son fils, et menacé celui-ci de se couper le sein pour le jeter aux chiens si Marguerite n'épousait pas un prince français ? Pour suspecte qu'elle soit, l'histoire appartient bien au style du temps. La comtesse douairière n'eût certainement jamais jeté son sein aux chiens, mais il n'est pas impossible qu'elle ait tenu semblable propos. Elle eût, plus sûrement, déshérité son fils de l'Artois, et le comte de Flandre tenait à l'Artois.

Et puis, on savait qu'il avait fallu l'extraordinaire complaisance du pape pour rompre les fiançailles anglaises. Alors qu'Urbain V venait d'autoriser le mariage français du duc de Bar malgré les liens de parenté qui s'y opposaient en droit, il jugea que la parenté du comte de Cambridge et de l'héritière de Flandre ne permettait pas le mariage. L'intervention pontificale était lourde de sous-entendus : Urbain V prenait parti.

Édouard III avait tout fait pour éviter la guerre. Il y entrait sur la défensive. Il avait peu d'alliés. Il n'avait aucun espoir de profit réel. Au moins ne manqua-t-il pas l'occasion de marquer un point. Devant le Parlement réuni à Westminster le 3 juin 1369, il annonça qu'il reprenait le nom et le titre de roi de France, abandonné à Calais en 1360. L'ancienne querelle pour la succession des Capétiens était bien oubliée, et l'on ne parlait plus depuis bien longtemps des droits d'Isabelle de France. La couronne de France d'Édouard III n'était pas un objectif, c'était une riposte. Pas même un argument. Un coup d'éclat, et un renversement de l'initiative.

En 1369, la question n'était pas d'aller à Reims, mais de garder l'Aquitaine parce qu'elle était riche et qu'elle était le patrimoine des Plantagenêts, et de garder Calais parce qu'une tête de pont est utile.

Jean de Lancastre venait de prendre en main, au nom du roi son père, la défense de Calais. Il ne pouvait penser que son petit-fils régnerait un jour pour de bon sur la France et sur l'Angleterre. Pour cela, le Lancastre aura fait exécuter le dernier des Plantagenêts, le fils du Prince Noir, et profité de la folie du Valois Charles VI.

CHAPITRE XI

La reconquête de Charles V

Le coût de la guerre.

Avant de se lancer dans la reconquête des terres perdues par son père, Charles V s'était assuré du nerf de la guerre. Le système fiscal avait été renforcé en 1363 par l'adjonction d'un fouage, cependant qu'on continuait à lever les impôts sur la consommation établis pour la rançon de Jean le Bon et affectés en réalité à toutes sortes de dépenses militaires, guerre contre le Navarrais ou lutte contre les compagnies. Il avait été modifié en 1366 : le taux des fouages était réduit, leur levée prolongée. Initialement accordé pour un an, cet impôt direct en était à sa cinquième année au moment où Charles V faisait les derniers pas vers la guerre.

On tenta bien de remplacer les fouages par un nouvel impôt indirect, portant sur la mouture des blés. L'idée fut vite abandonnée. En décembre 1369, les états de Langue d'oïl se contentèrent de reconduire sans limitation de durée les fouages et les taxes sur la consommation. Le roi était maître de ses finances. Il avait, en fait, un impôt permanent.

A son lit de mort, méditant devant la couronne de France, Charles V sera saisi de scrupules. Le droit du roi à imposer ainsi ses sujets était-il bien fondé ? Le dernier acte de Charles V sera de ruiner le gouvernement de l'enfant Charles VI en abolissant les fouages.

La concession fondamentale d'un impôt illimité dans le temps en Langue d'oïl, la concession annuelle d'un impôt par les états de Languedoc, tout cela n'empêchait nullement l'ancien marchandage. On continuait, ville par ville, province par province, de discuter âprement le montant de l'impôt.

Ici, c'était un artifice d'assiette fiscale : la sénéchaussée de Carcassonne, arguant des ravages causés par les compagnies, obtint en 1370 de ne plus compter pour 90 000 feux mais seulement pour

35 623. Chacun négociant pour sa part, le Languedoc en son ensemble passa de 210 000 à 83 000 feux. Est-il besoin de dire que ces feux n'ont plus rien de commun avec des foyers réels, avec des cheminées fumantes. Le « faisant feu » est devenu un coefficient de répartition. Naguère comptée pour 1 333 feux, la ville d'Albi l'était désormais pour 140 : cela signifie tout simplement que les gens d'Albi devaient payer $\frac{140}{83\,000}$ de la somme octroyée par les états de Languedoc. Aux Albigeois de s'arranger pour que, « le fort portant le faible », la répartition réelle entre les habitants tînt quelque peu compte des différences de fortune.

Là, c'était tout bonnement le chiffre qu'on discutait, pour une année ou pour plusieurs. Le passage d'une chevauchée — ou celui de la grêle — était la meilleure des justifications. Même les plus coriaces des officiers royaux savaient ce qu'il restait de productif autour des traces d'une armée en campagne. Après le passage de Knolles en 1370, après celui de Lancastre en 1373, ce furent des vagues de délais, de réductions, de dégrèvements.

L'impôt se payait aussi en nature, ou en services. Qu'une ville relevât ses remparts ou restaurât son château, qu'elle fortifiât ses portes ou fît l'acquisition d'une artillerie, et voilà autant de motifs à faire réduire ce que l'on devait au roi en numéraire. Il fallait compenser la dépense. Il fallait, aussi, rémunérer le zèle et la fidélité. Les gens du roi savaient fort bien qu'il était des villes à manier avec précaution.

La négociation locale n'allait pas toujours dans le sens de l'allègement. Charles V ne se gênait pas pour faire payer par les contribuables leur propre sécurité. Il y avait ce qu'on devait pour les besoins du royaume, et ce qu'on devait pour être de ceux qu'on protégeait. Les sujets du roi qui avaient la guerre chez eux, et savaient ce que serait leur ruine, étaient souvent demandeurs d'une charge fiscale supplémentaire, pour peu qu'ils eussent l'assurance que le produit leur en serait affecté.

C'est ainsi que les états de Normandie votaient sans barguigner, année après année, les sommes nécessaires pour que l'armée du roi pût enlever Saint-Sauveur-le-Vicomte, cette forteresse du Cotentin d'où une garnison anglaise faisait planer une menace permanente sur toute la Normandie occidentale. Cinq impôts exceptionnels permirent aux Normands de payer plusieurs tentatives de siège. Ils payèrent finalement les cinquante-cinq mille francs qu'on donna aux Anglais pour prix de leur départ.

La plus lourde charge que portèrent les villes fut celle de l'enceinte. Depuis le temps de Philippe VI, on avait construit, relevé, renforcé. Mais il avait fallu quelques années pour faire comprendre aux gouvernants municipaux qu'il était trop tard, quand l'ennemi était là, pour vérifier les portes. La sauvegarde en temps de guerre était au prix d'un souci constant en temps de paix. Les échevins et les consuls se firent à cette idée. Édouard III, Lancastre et le Prince Noir firent comprendre la chose aux Normands et aux Poitevins, aussi bien que Charles le Mauvais et Du Guesclin. Les Jacques avaient fait la leçon aux Parisiens. L'Archiprêtre et ses semblables la firent aux Languedociens et aux Auvergnats.

Bien des villes avaient débordé leur enceinte au temps de la croissance démographique. Certaines, tel Paris, continuaient de croître grâce à un exode rural que les calamités freinaient à peine. Toutes ces villes qui avaient de véritables quartiers « hors les murs » surent qu'il fallait choisir : les sacrifier ou les fortifier. Mais la simple charge de l'entretien était parfois trop lourde pour les bourgeois. On vit les Toulousains renoncer à user, pour réparer leur mur, de bonnes briques bien cuites au four et se contenter de simple terre battue dont ils savaient pourtant qu'elle allait s'effriter au soleil et fondre sous l'averse.

Le roi aida à cette dure prise de conscience des nécessités de la guerre : l'ordonnance du 19 juillet 1367 prescrivit une véritable « nationalisation » des places fortes. Les maîtres des châteaux forts devaient mettre ceux-ci en état de supporter un siège, les approvisionner en vivres et munitions, les pourvoir d'une artillerie, et tout cela à leurs frais. S'ils ne le pouvaient, ils devaient faire raser les hautes murailles, pour que l'ennemi ne puisse s'en servir après les avoir trop facilement prises. On devine ce qu'il en coûta à tant de petits seigneurs déjà meurtris par la crise économique et souvent forcés par les nouvelles mœurs politiques à l'acquisition d'une « résidence secondaire » à Paris, à Rouen ou à Toulouse.

Quant aux villes, l'ordonnance de Charles V leur donnait le choix entre englober leurs faubourgs ou les raser. On verrait plus tard à indemniser les propriétaires de ces maisons brûlées ou démolies parce qu'elles constituaient un bouclier gratuit pour les amateurs de sape ou d'escalade.

Dès cette même année 1367, Charles V envoya son homme de confiance Étienne du Moustier inspecter les places fortes de Normandie. Les baillis, de leur côté, firent avec des experts le tour de leurs points d'appui éventuels. Alors qu'éclatait enfin la guerre, en 1370, le trésorier des guerres Jean Le Mercier faisait encore le tour de la Normandie.

Il apparaît bien que la stratégie royale distinguait à l'avance deux fronts : celui de l'offensive vers l'Aquitaine, et celui d'une chevauchée anglaise toujours possible au départ de Cherbourg ou de

Calais. Mais aucune région n'était à l'abri des divagations d'une telle chevauchée.

La campagne de Crécy était venue frôler les murs de Paris. Or il y avait beau temps que la capitale débordait vers le nord son enceinte, c'est-à-dire le mur de Philippe Auguste qui laissait hors de toute défense les prolongements vers le nord, l'ouest et l'est des « grandes rues » Saint-Denis et Saint-Martin, Saint-Honoré et Saint-Antoine. Des alentours du Louvre à ceux de l'hôtel Saint-Paul, une ceinture de nouveaux quartiers élargissait le Paris du XIIIe siècle, et les maisons proliféraient sur la route de Flandre ou sur celle du Vexin, hors des portes anciennes que nul n'aurait plus su fermer et qui étaient en passe de devenir de simples lieux-dits de la topographie parisienne.

Cette situation ne laissait pas d'inquiéter les responsables de l'ordre, car les habitants des faubourgs cédaient vite à la panique et venaient à tout propos surpeupler le centre de la ville, où les maisons vidées par la Peste noire avaient été rapidement occupées par de nouveaux Parisiens. En 1360, Jean de Venette s'émouvait de voir de ses yeux les habitants de trois bourgs importants de la rive gauche, Saint-Germain-des-Prés, Saint-Marcel et Notre-Dame-des-Champs, abandonner leurs logis et leurs meubles pour s'établir à l'étroit dans Paris.

Cette ville qui se serrait dans son ancienne enceinte comme dans un corset incommode et qui devait sacrifier parfois son entourage urbain – Saint-Germain-des-Prés fut en partie détruit – ne pouvait trouver un nouvel équilibre interne qu'avec le doublement de sa superficie défendable. Sous l'impulsion de l'énergique prévôt Hugues Aubriot, une nouvelle muraille fut élevée sur la rive droite – tant pis pour Saint-Germain-des-Prés – et engloba des quartiers désormais essentiels au maintien des activités administratives et politiques comme à la survie économique de la ville. Ainsi sauvait-on les riches hôtels des princes et des notables de la fonction publique établis en aval autour du Louvre, en amont près de la résidence royale de Saint-Paul. De même protégeait-on les maisons de milliers d'artisans et de boutiquiers, au long des routes de Picardie, de Flandre et de Hainaut, après la porte Montmartre, la porte Saint-Denis et la porte Saint-Martin.

Enfin, dans le lotissement des nouveaux « beaux quartiers » de la porte Barbette et de la porte du Chaume, les parvenus de la finance et de la guerre se taillaient les résidences que le tissu urbain trop serré au voisinage de la Seine et de la « Croisée de Paris » ne permettait plus d'avoir, à l'aise, dans l'ancienne ville. L'hôtel Barbette laissera un nom dans l'histoire quand Louis d'Orléans sera assassiné en sortant d'y visiter la reine Isabeau. L'hôtel de Clisson laisse, au flanc des actuelles Archives nationales, la silhouette de ses deux tourelles dans le paysage parisien du XXe siècle.

Cette décision, qui triplait la rive droite sans accroître la rive gauche, allait être lourde de conséquences pour Paris. Désormais, la ville des financiers, des officiers, des drapiers et des changeurs, c'est la rive droite. On dit « la Ville », tout court. L'autre rive, c'est « l'Université », peuplée de clercs, de maîtres, d'avocats, de libraires, de parcheminiers.

Aubriot compléta son œuvre en commençant d'élever aux frais du roi, face à la route de Champagne, cette bastide Saint-Antoine dont la postérité fera « la Bastille ». On en posa la première pierre, non sans solennité, le 22 avril 1370. Faisant pendant à l'est au donjon du Louvre, la Bastille aux huit tours était surtout le poste fortifié sur la route de Vincennes. Elle gardait la porte qui garantissait la sécurité du roi. Les Anglais n'y étaient pour rien. Le souvenir d'Étienne Marcel, seul, explique cette attention portée au débouché de la grand-rue Saint-Antoine. Par là, en un galop de cheval, le roi était à l'abri dans ce qui était à la fois la plus sûre des forteresses et la plus agréable des résidences, ce château de Vincennes où il était né.

Ayant ainsi mis en œuvre une défense passive systématique de ce qui avait pu être sauvé du désastre à Brétigny, Charles V se sentait à l'abri des surprises. Restait à mettre sur pied l'armée de la reconquête. L'armée de Jean le Bon, mi-féodale mi-retenue à gages, avait assez fait la preuve de son incapacité – faute de courage, faute de discipline surtout – pour que Charles V songeât dès l'abord que la première condition de la reprise des terres perdues en 1360 était une armée rénovée, recrutée et organisée sur de nouvelles bases, et capable d'une nouvelle stratégie.

PROJETS DE DÉBARQUEMENT.

Un temps, les Français pensèrent frapper l'empire Plantagenêt au cœur. La vieille idée, déjà caressée par Philippe le Bel, d'un débarquement en Angleterre reprit corps à la faveur de l'alliance castillane. La flotte du roi Henri de Transtamare était prête à passer dans la Manche. On escomptait que les Écossais et les Gallois ne pouvaient manquer une telle occasion de se révolter. L'Aquitaine tomberait alors sans qu'il fût besoin d'y porter le fer et le feu, donc sans nouvelles ruines. L'ampleur des préparatifs ordonnés dès le printemps 1369 par Charles V suffit à montrer l'importance du propos : le roi de France ne souhaitait pas une simple diversion, pour soulager le futur front d'Aquitaine. Il voulait une attaque directe contre le trône d'Angleterre. Le Valois ne s'en cachait pas, le coup direct vers Londres porterait plus rapidement ses fruits qu'un grignotement des positions aquitaines du Prince Noir. Charles V allait ainsi « brièvement mettre à paix » le royaume de France.

L'état de la marine royale n'était pas brillant. Quelques ports avaient les navires suffisants pour assurer la liberté de la navigation commerciale dans un rayon limité. Pour l'essentiel, le coup porté à L'Écluse par la flotte d'Édouard III n'avait pas été surmonté. Charles V fit un effort, ordonna l'armement de cinq galées pour garder la côte de Languedoc, de cinq autres pour la côte normande. Il prit contact avec les Grimaldi, seigneurs de Monaco, qui proposèrent quelques bateaux et – bien que leur réputation eût baissé en France depuis L'Écluse et Crécy – les irremplaçables arbalétriers génois. Il embaucha de surcroît un amiral aragonais. Dans le même temps, il activait le travail du Clos des galées de Rouen. Mais toute l'affaire tenait à la participation castillane.

Dès l'origine, cependant, le projet était vicié. Les Français n'avaient aucune expérience de l'Angleterre et se faisaient quelque illusion sur l'accueil que pouvaient leur réserver les populations anglo-saxonnes. Olivier de Clisson, dont on se souvient qu'il avait été élevé outre-Manche avec le futur duc de Bretagne, le dit bien au Conseil :

> Ils ne sont mie si bien usés ni coutumiers d'aller en Angleterre et d'y faire guerre comme les Anglais le sont de passer la Manche et venir en France.

Les alliances françaises étaient hâtives. Le nouveau roi de Castille était débiteur de Charles V, mais il avait encore trop à faire chez lui pour mener une guerre au loin. Les Écossais avaient conclu avec l'Angleterre des trêves assez avantageuses pour ne pas les remettre en cause trop vite. Bien des Gallois étaient las de la guerre. Le roi de France avait écouté un peu légèrement les partisans de la guerre à tout prix, intéressés à porter la guerre en Angleterre : quelques Écossais, quelques Gallois en exil comme le prince Owen. Il avait écouté l'avis de ceux qui s'attendaient – à juste titre – au débarquement d'une armée anglaise et pensaient qu'il valait mieux devancer l'ennemi dans l'offensive. Dans cette hypothèse, d'ailleurs, il pouvait sembler préférable de ravager les campagnes anglaises et d'épargner ainsi les villes et villages de France.

Un coup de main anglais sur Chef de Caux – Sainte-Adresse, près du Havre – en juillet 1369, renforça l'idée qu'il était urgent d'attaquer en force.

Philippe de Bourgogne fut chargé de conduire l'expédition. Le budget qu'on lui alloua permettait de retenir mille lances. L'amiral aragonais Perillos serait flanqué d'un patron de Montpellier, Jean Colombier, qui rejoindrait la Manche, et d'Étienne du Moustier, déjà responsable des armements royaux du Clos des galées et de Harfleur. Pour gérer les finances de l'affaire, avant et après le « passage », le changeur du Trésor Pierre de Soissons fut institué « clerc de l'armée de mer ». Le garde du Clos, Richard de Brumare, eut instruction de veiller spécialement à l'artillerie.

Les navires réquisitionnés dans tous les ports de la Manche s'assemblèrent à Harfleur et à Leurre – le futur Havre – et l'on vit l'embouchure de la Seine se transformer en un gigantesque magasin où affluaient les chevaux, les munitions, la vaisselle, le boire et le manger des cinq ou six mille hommes qui étaient attendus. On avait prévu deux cents tonneaux de vin et autant de cidre, mille lards de porc et cent milliers de harengs, douze mille livres de chandelle. Les charpentiers clouaient les plans inclinés pour l'embarquement des chevaux, les couturières cousaient la toile des mangeoires à avoine.

La chevauchée de Lancastre.

Pendant qu'on se demandait à Leurre quand on verrait les galées du roi de Castille, on apprit, vers le début d'août 1369, que le duc de Lancastre et son armée venaient de débarquer à Calais. Force était pour le roi de France – à son tour – de changer ses plans.

Philippe de Bourgogne reçut ordre de mener contre Calais une contre-attaque qui devait laisser un souvenir lamentable. Charles V avait interdit à son frère de s'engager à fond : profondément marqué par le souvenir de Poitiers, le roi vivait dans la crainte de ces « batailles » où un royaume se perdait ou se gagnait en quelques heures. Au reste, Philippe avait donné des preuves de sa bravoure, mais c'était un médiocre capitaine. Lorsqu'il atteignit Tournehem, le 23 août, les Anglais tenaient toute la région autour de Calais. Il marqua un temps d'arrêt.

Les deux armées s'observèrent en réalité pendant trois longues semaines. On parla de faire se battre des champions en champ clos : une sorte de combat renouvelé des Trente, mais à six contre six. L'idée s'englua d'elle-même.

L'intendance n'avait pas changé ses plans aussi vite que les hommes d'armes. Le ravitaillement vint à manquer. Le duc de Bourgogne en avait assez. Il leva le camp et, laissant les Anglais libres d'aller où bon leur semblait, regagna tout simplement Paris.

Jean de Lancastre n'en espérait pas tant. Il alla ravager le Ponthieu, puis le pays de Caux. A marche forcée, il allait vers Harfleur, visiblement décidé à y détruire la flotte française. La garnison sauva la ville. Lancastre jugea qu'à demeurer dans la pointe du pays de Caux il risquait d'être pris dans une nasse et n'insista pas. L'armée anglaise regagna Calais.

Des navires anglais avaient croisé au large pendant toute l'expédition. Chargées du butin que l'armée faisait dans les villages, des barques faisaient le va-et-vient entre la côte et la flotte.

Lancastre n'avait pas passé la Seine, mais les choses n'allaient pas mieux pour le roi de France en Normandie occidentale. Amaury de Craon et Olivier de Clisson tentaient en vain de prendre Saint-Sauveur-le-Vicomte, cette forteresse léguée par Geoffroy d'Harcourt au roi d'Angleterre et donnée par celui-ci à son fidèle Chandos. Enfin, Charles le Mauvais venait de débarquer une nouvelle fois à Cherbourg; la nouvelle n'augurait rien de bon pour Charles V.

La chevauchée de Lancastre peut apparaître comme un vain coup d'éclat. Elle fut lourde de conséquences. Son rapide succès fit oublier l'échec coûteux de la promenade militaire de 1359 – on se souvient du siège de Reims – et ancra l'état-major vieillissant qui gouvernait la stratégie anglaise dans l'idée que rien n'était changé depuis le temps des grandes chevauchées victorieuses. Jusqu'au bout, Édouard III et ses fils n'allaient concevoir la riposte à la progression française sur le front de Guyenne que sous la forme de raids prenant la France en travers, de Calais à Bordeaux ou de Bordeaux à Calais. A cette guerre l'Anglais allait gaspiller ses forces et son argent, alors même que le Parlement se montrait de plus en plus parcimonieux. Nul ne se demanda, dans le gouvernement d'Édouard III, si le produit de l'impôt n'eût pas été mieux employé à soulager la défense de l'Aquitaine.

De cette série de chevauchées, la France allait sortir exsangue, la trace des Knolles, des Lancastre et des Buckingham s'inscrivant dans la campagne en une longue suite de villages brûlés et de récoltes saccagées. Mais Charles V avait vu dans le retrait du duc de Bourgogne, sans doute à demi prémédité, l'amorce d'une stratégie du mépris dont il allait faire, dix ans durant, sa réplique ordinaire aux offensives anglaises. Lancastre pouvait bien parader, et les villageois normands gémir sur leurs granges calcinées: l'ensemble du royaume payait moins cher que dans le pari hasardeux d'une journée de bataille. Finalement, l'Anglais avait dépensé beaucoup d'argent pour ne pas prendre une seule ville. Le butin ne compensait pas le coût de l'expédition, et l'on gagnait peu de rançons à ce genre de promenade. Le maître des arbalétriers Hue de Châtillon fut l'un des seuls à devoir se racheter – le roi l'aida – pour s'être fait prendre assez stupidement en une embuscade devant Abbeville.

Charles V (provenant de l'Église des Célestins). Musée du Louvre. (Document Giraudon).

Nicolas Rolin, chancelier de Bourgogne, par Jean Van Eyck. Musée du Louvre. (Document Giraudon).

ILIPPVS · S · DVX ·

AGNESSOREL

Henri V de Lancastre. (National Portrait Gallery, Londres).

Jean, duc de Bedford. (Collection Mansell, Londres).

Bertrand du Guesclin, Tombeau. Saint-Denis. (Document Giraudon).

Jean sans Peur, duc de Bourgogne, par Jean Van Eyck. (Photo Bulloz)

Jehan

Charles le Mauvais, roi de Navarre. (Document Giraudon)

Guillaume Jouvenel des Ursins, par Jean Fouquet. (Photo Bulloz).

LE ROY RENE
De provuece

Il fallut quelques mois pour que Charles V admît qu'il n'était plus temps d'aller en Angleterre. En septembre, un raid avait brûlé Portsmouth. Au début de décembre, sans égard à la saison, le roi fit une nouvelle tentative, moins ambitieuse que la première : il s'agissait simplement d'aller fomenter dans le pays de Galles une éventuelle révolte en faveur d'Owen. La flotte appareilla, affronta le gros temps pendant dix jours, rentra enfin au port. L'année où le roi de France avait voulu porter la guerre chez l'ennemi s'achevait sur une série d'échecs retentissants.

La guerre sur mer.

Charles V était homme à tirer les leçons de l'expérience, la sienne comme celle de son père. D'un côté il avait compris que les chevauchées étaient vaines, et qu'il fallait occuper le terrain, pied carré par pied carré. D'un autre il avait éprouvé qu'il ne devait compter sur les flottes alliées qu'en complément de la sienne. Or il lui fallait contrôler la Manche.

Le Clos des galées retrouva son activité des premières années de la guerre. Créé amiral de France en décembre 1373 pour remplacer l'incapable et peut-être malhonnête Aimery de Narbonne, Jean de Vienne changea du jour au lendemain tout le personnel et réorganisa tous les services dont le travail concourait à donner aux escadres du roi une base logistique cohérente. Un « maître du Clos des galées » eut en charge les achats, les constructions et l'entretien des navires dans tous les ports du royaume. On poussa le rythme des chantiers : en 1377, la flotte royale comprenait déjà cent vingt navires de guerre, dont trente-cinq vaisseaux de haut bord capables d'affronter de fortes mers et de porter une artillerie lourde.

Le roi de France pouvait dorénavant protéger ses convois marchands, tenir la côte normande à l'abri d'une surprise, voire se montrer sur la côte anglaise. De 1377 à 1380, une dizaine de ports — dont Portsmouth et Yarmouth — furent brûlés pour l'exemple. A plusieurs reprises les Londoniens connurent à leur tour l'état d'alerte.

Les Anglais tentèrent bien, en 1372, une entreprise de grande envergure. Ils durent alors affronter une escadre castillane, enfin parvenue, fidèle aux engagements du roi Henri de Transtamare. Quand on sait l'importance des relations maritimes pour une Aquitaine de nouveau dépendante de l'Angleterre, on mesure la portée politique d'une bataille comme celle de La Rochelle.

L'escadre anglaise était considérable : trente-six nefs de guerre, quatorze barges marchandes chargées d'hommes et d'argent. Jean de

Hastings, comte de Pembroke, la commandait avec un titre de lieutenant du roi en la principauté d'Aquitaine dont la signification apparaît quand on sait que le Prince Noir, fort atteint par la maladie, avait regagné l'Angleterre l'année précédente et que ses frères Lancastre et Cambridge avaient tout autre chose à faire que de sauver l'état de leur aîné. En ce printemps de 1372, c'est à Pembroke qu'Édouard III confiait le soin d'organiser la défense de l'Aquitaine.

Les alliances maritimes de Charles V n'inquiétaient guère l'Anglais. Le Valois avait toujours été seul sur mer. Les choses avaient toutefois changé depuis 1369, et Édouard III ne s'en avisa que trop tard. Le roi de Castille était enfin en état de payer sa vieille dette de reconnaissance et, quand il sut que l'escadre anglaise cinglait vers l'Aunis, il fit appareiller une vingtaine de galères aux ordres de l'amiral de Castille, l'excellent Génois Ambrogio Boccanegra, le propre neveu du premier des doges, Simone Boccanegra. Cette escadre alla s'embusquer à La Rochelle pour y attendre l'arrivée des Anglais.

Charles V n'était pas en reste. Il avait fait passer dans l'Atlantique la petite flotte dont il pouvait déjà disposer : huit galères, qui assuraient tant bien que mal la présence française dans la Manche. Leur chef était un autre Génois, Rainier Grimaldi. Ces galères couvraient une douzaine de barges chargées de deux à trois cents hommes d'armes aux ordres d'Owen le Gallois. Mais, si les galères de Grimaldi arrivèrent à temps, ce fut en devançant les lourdes barges qui demeurèrent à la disposition du seul Owen. Celui-ci ne résista pas au plaisir de narguer les Anglais : il opéra à Guernesey un débarquement sans lendemain. Puis il gagna directement la Castille, afin d'y plaider lui-même le dossier d'un débarquement dans le pays de Galles auquel Henri de Transtamare n'était nullement résolu. Owen était encore à Santander quand il apprit les nouvelles de La Rochelle.

C'est en effet au large de la côte d'Aunis qu'eut lieu la rencontre, le 22 juin 1372. Boccanegra avait pour lui le nombre. Il était aussi, et de très loin, meilleur manœuvrier que Pembroke, auquel il coupa dès l'abord l'accès du port. Contre le tir rapide des archers anglais, Boccanegra n'avait pas seulement celui de ses arbalétriers : il avait embarqué de l'artillerie à poudre. Flèches et carreaux étaient vains quand ils se fichaient dans le bordage. Les boulets, eux, brisaient les membrures.

L'engagement du 22 juin tourna vite au désavantage des Anglais. Quatre barges marchandes furent prises par les Castillans, qui jetèrent à la mer avec enthousiasme les équipages vaincus. Certains eussent volontiers poursuivi sur-le-champ le reste de l'escadre anglaise. Boccanegra modéra ses troupes et fit sonner la retraite.

Les Anglais crurent qu'ils allaient, le lendemain, prendre leur revanche. C'était compter sans l'astuce du Génois : Boccanegra entendait tout simplement jouer de la marée. Il le dit à ses lieutenants :

> Ils nous attendent à la pleine mer. A la première marée, nous leur courrons sus, et voici pourquoi. Nos galées sont légères. Leurs grandes nefs, au contraire, leurs grandes barges sont pesantes et lourdement chargées. Elles ne pourront se remuer à basse eau, et nous les attaquerons par le feu et le trait.

Pembroke n'avait pas pour mission de détruire l'escadre ennemie ; si ç'avait été le cas, il eût cherché le combat dans les hautes eaux. Pembroke cherchait à entrer dans La Rochelle. Une escadre anglaise victorieuse mais à demi coulée dans un combat de haute mer eût été un maigre renfort pour les forteresses assiégées de la frontière de Guyenne. Le matin du 23 juin trouva l'état-major anglais délibérant toujours sur le moyen de tourner les Castillans.

C'est alors qu'attaqua Boccanegra. Dans le flux à peine montant, il lança subitement ses galères, chacune poussant contre un navire anglais un brûlot de suif et d'huile. Les Anglais croyaient la bataille pour plus tard, pour l'heure de la marée haute. Ils n'eurent pas le temps de faire autre chose que tirer des flèches inutiles.

Touchés par les brûlots, trois navires anglais prirent feu. Le vent communiqua l'incendie. C'était l'heure de la brise de terre. Les Génois avaient attaqué sous le vent.

Les cales anglaises contenaient les chevaux de l'armée de renfort. Se sentant enfumées, les pauvres bêtes défoncèrent les cloisons, s'élancèrent parmi les navires en flammes, crevèrent les membrures. Les marins et les soldats qui échappèrent au feu et aux ruades se retrouvèrent à la mer.

Le navire amiral avait pu se dégager. Il fut pris à l'abordage : les Castillans voyaient là quelques bonnes rançons à exiger. Les prisonniers furent expédiés en Castille, enchaînés deux par deux à fond de cale. Le comte de Pembroke fut, à lui seul, estimé cent trente mille francs. A ce moment-là, Bertrand du Guesclin, rentré en France, n'avait plus grand-chose à faire de son duché espagnol de Molina ; il crut faire une transaction avantageuse en cédant ce duché au roi Henri qui le lui avait donné, en échange de quoi le roi de Castille lui livrait le lieutenant d'Édouard III. Mais Pembroke était impécunieux en diable : il ne put même trouver l'argent du premier versement, dix mille francs. On pouvait penser que le roi d'Angleterre allait se montrer généreux envers son fidèle maladroit ; il n'en fut rien. Pembroke mourut en 1375, toujours prisonnier dans un château de Picardie, et Du Guesclin ne vit jamais un sou de la rançon.

Charles V ne tenait pas à ce que son connétable pût regretter d'avoir abandonné toute idée de retourner en Castille. Il lui donna cinquante mille francs. La bonne affaire avait été pour Henri de Transtamare.

Chefs et soldats de la reconquête.

Les Français n'avaient pu débarquer en Angleterre, les Anglais avaient perdu leur flotte de guerre. Tout se jouait finalement sur terre, forteresse après forteresse. Le sort de la principauté d'Aquitaine n'allait tenir qu'aux « hommes d'armes et de trait » des compagnies et des garnisons.

La stratégie des Français était simple, et elle tenait autant aux habitudes de Bertrand du Guesclin qu'au caractère même du roi. Charles V était ennemi des prouesses inutiles et porté à soupeser – dans le secret de son cabinet ou des délibérations du Conseil – le coût politique et financier de chaque opération. Pas de grandes chevauchées, donc, à travers le pays à conquérir, et encore moins de ces batailles en règle où le sort du pays se jouait entre l'heure de Prime et celle des Complies. Bien sûr, Charles V avait songé à une attaque contre Londres, mais un succès à Londres eût sans doute dégarni d'un seul coup toute la défense de Guyenne; un raid aventuré contre Agen ou Bordeaux n'y eût pas suffi.

La reconquête, ce sont donc dix années d'une lente progression d'un véritable front d'occupation du sol. Ce sont des dizaines de places fortes patiemment enlevées et systématiquement occupées ou démantelées. Ce n'est pas la percée fulgurante des raids sans lendemain, mais l'avance méthodique et obstinée de pions qui sont des garnisons, sur un échiquier fait de courtines crénelées, de ponts fortifiés et de carrefours gardés.

La guerre est à la mesure du possible, c'est-à-dire des talents et des finances. Les arrières sont assurés, l'armée est approvisionnée – on se souvient de Tournehem – et la solde est payée en son temps. La sagesse préside à la tactique comme à la logistique. On ne garde une enceinte que si l'on est en état de la défendre, et si elle peut servir à tenir le pays alentour. Sinon, la pioche du démolisseur la met hors d'atteinte de l'ennemi. Aux grandes chevauchées de Knolles, de Lancastre et de Buckingham, Charles V et ses capitaines répliquent par la garde et par le guet. On n'affronte pas la chevauchée ennemie, on la harcèle sur ses flancs. Tout cela est moins brillant que la « bataille », mais c'est plus sûr.

N'allons pas conclure à l'absence de stratégie. La riposte de la défense passive est mûrement délibérée. Elle est un refus de se battre à l'initiative de l'Anglais. L'ennemi choisit, pour attaquer, son moment : celui qui lui donne l'avantage. Pourquoi l'accepter ?

Une telle stratégie ne va pas de soi, et Charles V doit contenir ceux qui, au sein même de son Conseil, regrettent ouvertement les hardiesses de l'ancien temps. Ainsi en septembre 1373, au fort de la chevauchée menée depuis Calais par le duc de Lancastre :

> Plusieurs barons et chevaliers du royaume de France et consuls des bonnes villes murmuraient l'un à l'autre et disaient en public que c'était grand inconvénient et grand vitupère pour les nobles du royaume de France – où il y a tant de barons, chevaliers et écuyers dont la puissance est si renommée – quand ils laissent ainsi passer les Anglais à leur aise, et point n'étaient combattus.

La réplique vient de Bertrand du Guesclin, à qui feront écho le duc d'Anjou et Olivier de Clisson :

> Ceux qui parlent de combattre les Anglais ne regardent mie le péril où ils en peuvent venir. Je ne dis pas qu'ils ne soient pas combattus, mais je veux que ce soit à notre avantage, ainsi qu'ils savent bien le prendre quand cela les touche.

Cette guerre où rien ne s'aventure dans le hasard d'une « journée » traduit dans l'art militaire l'idée que se fait du commandement le roi Charles V. S'excusant sur sa santé délicate pour n'être jamais présent sur le front des combats comme l'étaient son père et son grand-père, il est cependant au fait de tout et prend lui-même toutes les décisions. Il veille en personne à la qualité des capitaines comme à l'opportunité des choix tactiques. A mener une telle guerre – et à la mener ainsi – Charles V ne gagne aucune gloire, mais il regagne son royaume.

Quelques fidèles attacheront leur nom à cette œuvre de bonne administration autant que de bonne guerre. Du Guesclin est évidemment le premier. Rentré d'Espagne en juillet 1370, il est fait connétable de France le 2 octobre. Tantôt comme commandant en chef, tantôt aux côtés de Louis d'Anjou, il sera l'artisan de la reconquête. Olivier de Clisson vit et se bat dans le sillage de son compatriote Du Guesclin, auquel il succédera comme connétable en 1380. Transfuge du parti de Montfort et expert ès choses anglaises, Clisson commande surtout dans l'Ouest, principalement en Bretagne. Quant à l'amiral Jean de Vienne, un terrien venu de la comté de Bourgogne et qui demeure l'un des chefs de l'armée alors même qu'il est responsable de la flotte, c'est un organisateur, un technicien des sièges, un dresseur de machines.

N'oublions pas le médiocre tacticien qu'est Hue de Châtillon, le maître des arbalétriers. Ce grand baron est le dévouement fait homme. Il en est beaucoup comme lui dans l'armée de Charles V. Soldats sans génie mais fidèles et solides, ils sont le pilier de la défense d'une région contre la chevauchée anglaise ou de l'occupation en force des territoires reconquis. C'est ainsi que, maréchal de France en 1368, Mouton de Blainville – il s'appelle en réalité Jean de Mauquenchy, sire de Blainville – demeure en Normandie la tête irremplaçable de l'état-major permanent.

Enfin, il y a les princes. Présents au Conseil quand on décide de la guerre et de ses moyens, ils le sont à la tête de l'armée en Guyenne ou en Normandie, véritables lieutenants du roi – avec ou sans le titre – dès lors que Charles V se tient au cœur de son gouvernement et non à l'avant-garde. A l'exception du duc de Bourgogne, qui a mal fait ses preuves en 1369 et qu'occupent assez les affaires de ses états – on le verra cependant à l'armée royale, en Normandie, en 1378 – tous les princes des fleurs de lis jouent peu ou prou ce rôle de capitaine général. Même Jean de Berry, qui sera sous son neveu Charles VI l'homme du juste milieu politique et qui laissera le souvenir d'un mécène hors de pair, assez peu fait pour le métier de capitaine, commande en ces années de sa jeunesse l'armée de son frère le roi. Le duc de Berry est en 1369 à la tête de l'armée de Langue d'oïl, du Maine et de la Normandie au Forez et au Lyonnais. Nous le retrouverons, toujours aussi inefficace, en Guyenne, puis en Berry. A la longue, cependant, Charles V se lassera de gaspiller ses soldats en les confiant à son frère.

Plus estimé sur le front des troupes est le duc Louis de Bourbon. Il apparaît presque toujours comme le second de ses beaux-frères sur les grands théâtres d'opérations, à moins qu'on ne lui confie le commandement dans ces régions difficiles à tenir que sont l'Auvergne et les pays voisins. Son cousin Jean de la Marche sert de son côté, en Limousin, dans la Marche, en Normandie.

La première place parmi les princes revient toutefois à Louis d'Anjou. Le jeune homme qui ne pouvait tenir son engagement d'otage à Londres a bien changé en quelques années. Il est l'aîné des frères du roi. A ce titre, il sera longtemps l'héritier du trône, et Charles V verra en lui le régent que pourrait rendre nécessaire la naissance tardive du futur Charles VI. Établissant le plus étrange des liens – l'adoption – avec l'ancienne dynastie angevine qui règne encore sur l'Italie méridionale, il songera plus tard à reprendre à Naples la place des petits-fils de Charles d'Anjou, le frère de saint Louis. En attendant, il est le lieutenant par excellence de son frère. Il est le seul à disposer d'une autorité large et durable. Seul ou presque, il a droit à l'initiative. Disposant même d'un état-major personnel, il partage avec le roi le droit de recruter les compagnies – on dit maintenant les « routes » – qui seront retenues au service. Ses maréchaux tiennent sur le front de Languedoc la place qu'ont en Langue d'oïl les maréchaux de France. Il n'est pas exagéré de dire que le maintien du Languedoc et la réduction de la Guyenne sont, avant tout, l'affaire du duc d'Anjou.

Derrière ces grands, dont la permanence de la guerre fait des professionnels du commandement, l'armée de Charles V est à la fois, de façon paradoxale, l'armée de professionnels née de l'éclatement des anciennes compagnies et l'armée chevaleresque ressuscitée après les drames de Crécy et de Poitiers.

Une génération a passé. Les illusions sont tombées, avec la déconfiture des théoriciens de l'honneur codifié au sein des ordres de chevalerie ou dans les traités de casuistique militaire. Ni les chefs ni les combattants de l'armée qui reprend la lutte en 1369 n'ont été de ces preux égarés et vaincus sur les bords du Clain. Mais ils ont subi l'humiliation de la défaite, de la captivité royale, du dépeçage d'un royaume que l'on continue quand même de croire fondé par les Troyens du père Anchise et dont le roi se dit « empereur en son royaume ». Ils ont au combat l'âpreté des revanchards.

De l'armée féodale, il n'est pratiquement plus question. Certes, on use encore de la « semonce générale » pour lever sur place les troupes nécessaires à la mise en défense rapide d'une région. Mais c'en est bien fini des barons servant à l'ost royal avec le contingent dû pour leur fief, contingent limité dans le temps comme dans les effectifs, et aussi peu sûr que les alliances féodales elles-mêmes. Le roi « retient » des soldats de métier, les paie et les garde. Et c'en est aussi fini de l'arrière-ban pléthorique et inutilisable qui, s'il était réellement convoqué, ruinerait durablement l'économie rurale aussi bien que citadine. Les paysans aux champs, les artisans à l'atelier, les soldats à l'armée. Au plus convoque-t-on parfois l'arrière-ban d'une région définie pour faire face à une urgence limitée : ainsi dans le bailliage de Rouen en 1369, lorsque surgissent les soldats du duc de Lancastre.

Cela n'empêche nullement de retenir des barons – Louis de Sancerre, le sire de Pons sont « retenus » – et de mener les fils à la reconquête des terres perdues par les pères. On ne reconnaît plus la chevalerie française, et Christine de Pisan fait honneur du phénomène à son héros Charles V :

> La chevalerie de France, qui était devenue comme toute amortie par l'épouvante des mauvaises fortunes passées, fut

par lui réveillée, surgie et remise sus en très grand hardiesse et bonne fortune.

Et le bon chevalier Froissart, naguère grand admirateur d'Édouard III et du Prince Noir, de vibrer à l'unisson de cette chevalerie française :

> Les Anglais avaient coutume de dire que nous savions mieux danser et caroler que mener guerre. Or le temps est retourné. Ils se reposeront et caroleront. Et nous garderons nos marches et nos frontières.

Si l'on y regarde de près, on s'aperçoit que l'essentiel du talent de Charles V est de choisir ses capitaines et de les garder, et de garder ainsi les mêmes troupes. Les capitaines sont de bons chevaliers, issus d'excellents lignages où la formation militaire n'est pas négligée. Certes, l'imagerie a déformé le personnage de Bertrand du Guesclin, et abusivement généralisé son cas. La plupart des capitaines de Charles V ont appris à se battre autrement qu'en rossant des galopins aux carrefours des villages. Mais le roi discerne qui sait commander, et il n'hésite pas à placer des chevaliers sous les ordres d'un simple écuyer pour peu que celui-ci se soit révélé un meilleur chef. Quant aux troupes, elles sont aguerries, elles ont l'habitude de manœuvrer ensemble. A force de renouveler les retenues, c'est presque une armée permanente qu'entretient à partir de 1369 le roi de France. Sur le terrain, il y trouve son compte.

Pour la plupart, capitaines et hommes d'armes sont tout simplement des sujets du roi qui s'engagent parce que leur terre ne les nourrit pas, parce que leur seigneurie n'est pas telle qu'elle puisse porter une ambition, parce qu'ils souhaitent jouer un rôle aux dimensions du royaume. Les mobiles du comte de Comminges ou ceux d'Enguerran de Coucy, qui conduit ses deux cents hommes d'armes, ne sont pas ceux d'un Bertrand du Guesclin qui passe en quinze ans de la capitainerie de Pontorson à la connétablie de France, et ils ne sont pas ceux de Philippot La Vache, de Beaupoil ou de Petit-Jean de Lorraine qui servent sous le duc d'Anjou pour dix sous par jour.

Ces « hommes d'armes » viennent de tous les horizons, de tous les niveaux de la haute et de la petite noblesse. On a noté que les Bretons y étaient nombreux ; Du Guesclin a dû pousser bien des compatriotes, mais il en est qui, tels Clisson ou les Rohan, n'ont eu besoin d'aucun introducteur. D'ailleurs, c'est à travers tout le royaume que subsiste, bien vivante, l'idée que la guerre du roi est l'affaire de la noblesse, et que la noblesse vit normalement du métier des armes.

Les vassaux des anciens temps n'agissaient pas autrement quand ils échangeaient leur service en armes contre la sécurité matérielle que conférait le fief. La noblesse du XIVe siècle ne néglige pas les soldes du roi, et c'est très normalement qu'elle convoite ces véritables profits de la guerre que sont le butin et les rançons. La seule différence qu'introduit ici la morale chevaleresque entre l'homme d'armes en guerre et le bandit de grand chemin se fonde sur la personnalité des victimes : une chose est de tirer rançon d'un ennemi vaincu, autre chose de taxer bourgeois et vilains en menaçant de violer leurs femmes et de brûler leurs maisons.

La petite noblesse de France suffit à procurer au roi les cinq ou six mille hommes d'armes dont il peut, au mieux, financer la retenue, et les quelque deux mille cinq cents hommes d'armes et mille arbalétriers qui sont, bon an mal an, la force permanente de Charles V : l'armée retenue douze mois sur douze et passée en revue chaque mois, l'armée qui met la France à l'abri des surprises.

Les non-nobles qui souhaitent faire carrière à l'armée sont en théorie confinés dans les rangs les plus modestes. Ils sont valets, sergents, coutilliers. Au mieux sont-ils arbalétriers. Mais Charles V, qui veille personnellement au choix des capitaines et qui, s'efforçant de faire réellement payer ses soldats, entend n'avoir que des soldats réels, est beaucoup plus sensible aux qualités militaires qu'aux origines sociales. On voit très nettement se glisser parmi les hommes d'armes à cheval des écuyers qui seraient bien incapables de prouver leur noblesse. Au reste, les Boit-l'Eau et les Bonhomme ne cherchent guère à cacher leur petit état, et nul n'est dupe de situations ambiguës auxquelles chacun trouve avantage. Ils se battent bien. On les paie comme écuyers. Au diable le droit ! L'armée de Jean le Bon les aurait refoulés. A-t-elle fait ses preuves ?

Les bourgeois étaient tout prêts à prendre la place des nobles dans l'ardeur du grand mouvement anti-nobiliaire qui a suivi la défaite de Poitiers. Ils sont moins enthousiastes lorsque l'émotion s'est refroidie. Qui s'occuperait de leurs affaires, s'ils battaient la campagne ? Qui ferait travailler les compagnons ? Les bourgeois vont donc se contenter de ce qui concourt le plus directement à leur sécurité quotidienne : la garde et le guet. Ils s'exercent à l'arc, et même à l'arbalète, avec d'autant plus de zèle que le roi favorise les confréries de tireurs et que l'on s'y retrouve entre hommes, pour parler et vider des pots de vin vermeil. Aller à l'armée, c'est autre chose. Que les nobles y fassent leur métier...

Est-ce à dire que Charles V n'enrôle pas de soldats étrangers ? Certes, il y a les arbalétriers, rarement natifs du royaume. Ils sont Piémontais ou Toscans, Provençaux ou Lorrains, Catalans ou Castillans, Allemands même. Surtout, ils sont Génois, aux ordres de capitaines qui ont nom Grimaldi, Spinola, Doria. Il y a aussi quelques compagnies d'hommes d'armes à cheval venus — à tout le moins en partie, car le milieu militaire est rarement homogène — des quatre coins de la Chrétienté : quelques Allemands, quelques Écossais, quelques Gallois. Du prince en exil au dernier des reîtres, on rencontre toute espèce de monde, et chaque cas est une exception. Ainsi le comte Henri de Transtamare ou le noble gallois Owen Lawgoch.

Nous l'avons déjà rencontré sous le nom que lui donnaient les Français — Owen le Gallois — quand ils ne l'appelaient pas tout simplement Yvain. Owen est le neveu du dernier des princes indépendants de Galles, Llewelyn, et c'est une haine ancestrale à l'endroit des Anglais qui le pousse, dès le temps de Philippe VI, dans l'armée du Valois. Il est de ceux que les Anglais n'ont pu prendre à Poitiers. Un temps, le prince Owen s'est consolé en guerroyant ailleurs, en servant en Italie diverses causes. Mais il est revenu dès qu'il a entendu qu'on allait de nouveau tuer de l'Anglais. Il a contribué à persuader Charles V qu'un débarquement en Angleterre était possible. Il a pris Guernesey, manquant ainsi la bataille de La Rochelle. Il va être de bien des combats, jusqu'à son assassinat en 1378, pendant le siège de Mortagne.

Il y a le gros de l'armée, que forment les hommes d'armes à cheval et leur accompagnement de valets et de sergents. Il y a les gens « de trait », qui tirent au lieu de frapper : ils forment un corps de spécialistes, gouverné par ses capitaines et ses connétables qui sont des techniciens et non des princes, aux ordres du maître des arbalétriers, Hue de Châtillon. Tout sépare les hommes d'armes et les hommes de trait. Tout, en revanche, rapproche ceux-ci des marins : semblables origines, même type d'embauche, paies comparables, même place distincte dans la tactique. Au reste, la présence d'arbalétriers embarqués n'est-elle pas ce qui fait, pour une bonne part, le navire de guerre ?

Et puis, il y a l'artillerie ; elle n'a figuré dans les premiers combats de la guerre de Cent Ans que pour le bruit, mais elle va trouver son emploi dans une guerre de sièges. L'artillerie à poudre y rivalise avec les anciens « engins », balistes et trébuchets, que l'on verra encore longtemps au pied des enceintes assiégées. Mais le canon est par excellence l'arme qui fait les brèches dans les murs et qui ruine la résistance des bourgeois à coups de maisons éventrées. Dans l'autre sens, il fait s'effondrer les tours d'assaut, il écrase les camps. Il coule les bateaux, il rompt les ponts, il coupe les routes.

Au temps de Du Guesclin, déjà, on ne conçoit plus d'entreprendre un siège sans quelques « perrières à poudre » qui lancent des boulets de vingt à quarante livres, voire sans les quelques grosses pièces propres à lancer des blocs de cent ou deux cents livres. Les fondeurs de Paris, de Caen ou de Saint-Lô livrent des armes de tous les formats, de tous les calibres. Il en est de formidables, qui pèsent plus d'une tonne et coûtent le prix d'une garnison. Le plus grand nombre de ces bouches à feu tire à courte distance des boulets d'un ou deux pouces qui ne font pas un dégât bien considérable : rien d'étonnant à ce que nombre de stratèges préfèrent encore les engins à levier, à ressort et à catapulte, qui lancent de simples quartiers de roc qu'il n'est pas besoin de calibrer et qui n'explosent jamais en tuant leurs servants.

Tout cela coûte au roi, dans ces années de la reconquête qui sont celles d'un effort financier particulièrement soutenu, de six à huit cent mille livres par an. Mais Charles V n'a pas oublié le reproche tant de fois fait à son grand-père et à son père : distraire de la guerre les ressources octroyées pour la guerre. Il sait que la première préoccupation des états réformateurs a été de mettre la main, au nom des contribuables, sur l'emploi des fonds collectés pour la défense. Le gaspillage de l'impôt et le retard des soldes conduisent à l'émeute aussi sûrement qu'à la défaite. Et Charles V de mettre en place tout un système de trésoriers des guerres chargés d'assurer, sur le théâtre même des opérations militaires, le paiement régulier des troupes.

On va jusqu'à rendre systématique l'usage, jusque-là limité, de l'avance sur gages : ce « prêt » du soldat suffit en bien des cas à dissuader le mercenaire de chercher en cours de campagne une meilleure fortune.

C'est ainsi que le chevalier Guillaume des Bordes, qui a servi avec sa compagnie du 1er novembre 1369 au 1er mars 1370, a perçu au terme de son contrat 12 212 livres sur 14 137 qui lui sont dues — 87 % — et touche le solde dans le courant du mois qui suit. Dix ans plus tard, pour son service en Languedoc pendant l'été de 1380, le capitaine Colart d'Estouteville a également reçu 86 % de sa paie avant la fin de la campagne. De tels chiffres sont significatifs de la volonté royale. Ils laissent deviner l'état d'esprit des troupes.

Charles V ne dote pas seulement la France d'une armée régulièrement payée, donc disponible pour la guerre. Il rétablit une situation politique compromise depuis vingt ans par la mauvaise administration de Philippe VI et de Jean le Bon. Il n'est plus question de laisser jouer quelque rôle que ce soit dans la défense aux représentants des états généraux, à tout ce système mis en place depuis 1355 et dont les « élus » étaient la pièce maîtresse. De même qu'il prend en main le recrutement des compagnies, le roi organise et contrôle le paiement des soldes. Dès lors, pour la reconquête du royaume démantelé en 1360, tout dépend de lui.

L'OFFENSIVE FRANÇAISE.

L'affaire fut menée, pour l'essentiel, en quatre ans. Avant même que la guerre fût officielle et que Lancastre eût gaspillé ses forces à ruiner les paysans de Picardie, Louis d'Anjou avait, dès le début de 1369, lancé son offensive en occupant l'est de la principauté d'Aquitaine : le Rouergue, le Quercy, une partie du Périgord et de l'Agenais. Il y avait eu peu de peine, ces pays ayant en général assez mal pris et supporté la domination anglaise. Longtemps confortée par la présence de Chandos, la ville de Montauban résista jusqu'en août. Millau hésita longuement: les consuls chicanèrent sur les droits de Charles V, consultèrent des juristes, marchandèrent leur ralliement. Il fallut prendre d'assaut Bourdeilles et La Roque-Valzergues. Mais, dans la plupart des cas, les portes s'ouvrirent devant les soldats du roi de France. Rodez et Périgueux furent gagnées sans combat, Najac s'offrit, Cahors — et tout le Quercy après Cahors — se laissa persuader par la prédication ardente de l'archevêque de Toulouse Geoffroy de Vayrols.

Au nord, le duc de Berry n'était pas homme à mener son affaire tambour battant. Les Français prirent La Roche-Posay et perdirent La Roche-sur-Yon. Le vicomte de Rochechouart avait offert son château, et l'on avait pris Chalusset en Limousin, mais Chandos avait mené une incursion jusqu'en Anjou. Les lendemains étaient incertains.

Au sud-ouest, en revanche, la pression de l'Armagnac faisait déjà céder les confins de la Gascogne. Lectoure, Auvillar, Fleurance, Condom passaient au roi de France, de même que la vieille cité d'Eauze, qui se souvenait encore d'avoir été, aux temps mérovingiens, siège de l'archevêché.

La campagne de 1370 fut décisive. Chaque parti avait fait un effort considérable, l'Anglais en dépêchant Lancastre avec des renforts — il joignit le Prince Noir en juillet — et le roi de France en adjoignant à ses frères Du Guesclin, rappelé à prix d'or. Dans les deux cas, il s'agissait d'un brillant second, mais Lancastre devait suppléer un malade — le Prince Noir allait regagner l'Angleterre — alors que Du Guesclin venait simplement augmenter la capacité de manœuvre des Français, relayant d'abord Anjou sur la Garonne, complétant ensuite Berry en prenant en charge le Limousin pendant que le frère du roi se battait en Poitou.

Moissac tomba en mai. Agen ne tarda pas. La prise d'Aiguillon — la forteresse devant laquelle l'armée du futur Jean le Bon avait tant piétiné pendant qu'Édouard III traversait impunément la Normandie

LA RECONQUÊTE DE CHARLES V

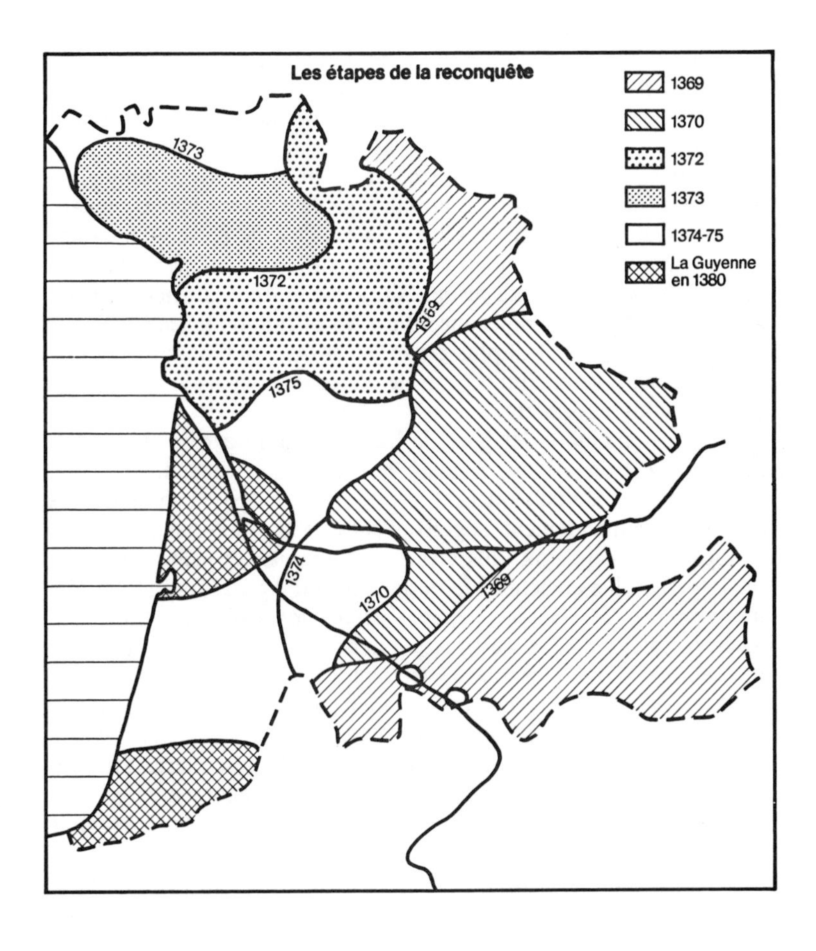

— donna aux Français le contrôle définitif de ce carrefour stratégique qu'était le confluent du Lot et de la Garonne. Au début d'août, Sarlat se soumettait à son tour.

Lancastre prit en main la défense de Bordeaux et de la Saintonge. Du Guesclin mit la place de Périgueux en état de soutenir un siège. Il verrouilla les trois routes de Bordeaux, d'Angoulême et de Limoges en se saisissant de Montpon, de Brantôme et de Saint-Yrieix.

Le duc de Berry et le maréchal de Sancerre lancèrent pendant ce temps, depuis le Berry, une offensive vers Limoges. Depuis plusieurs mois, la ville était travaillée en sous-main par des émissaires du roi de France et surtout par son évêque, le futur cardinal Jean de Cros. Les bourgeois de Limoges avaient le sentiment qu'il n'était plus temps d'être aux Anglais, et les gens de Charles V avaient de bons arguments : ils promettaient la création de deux foires annuelles, source garantie de nouveaux profits pour la « marchandise » locale. Le duc de Berry fit dans la Cité — la vieille ville épiscopale — une entrée triomphale le 24 août, et en repartit le soir même en laissant dans la Cité une petite garnison. Alors que le frère du roi était entré sans la moindre peine dans une ville qui s'offrait, on jugea exagéré le triomphe. Mais il y avait plus grave : alors que Du Guesclin fortifiait soigneusement sa mainmise sur le Périgord, dégarnir à ce point Limoges était imprudent.

A la mi-septembre, les gens de Limoges virent arriver une armée anglaise. Le Prince Noir, Lancastre, Cambridge, tous étaient là, et en grande colère. Visiblement, l'opération n'était pas secondaire aux yeux du commandement anglais. Peut-être la chute de la Cité de Limoges avait-elle ému plus vivement Lancastre, à peine débarqué, que la perte, plus ancienne, de Périgueux et d'Agen. C'était là le premier grand succès français depuis l'arrivée des renforts, et Lancastre devait justifier sa présence en Aquitaine. On allait montrer aux gens de Charles V que les choses étaient changées, et aux gens de Limoges qu'ils avaient eu tort de changer de camp.

Le siège fut bref. Une mine bien placée fit une brèche. Le 19 septembre, les Anglais étaient dans la Cité. Ce fut une tuerie. On rançonna quelques chevaliers. Les bourgeois furent égorgés, leurs maisons rasées. Le Prince Noir fit même démolir l'enceinte. L'exemple devait décourager d'autres ralliements à la cause du Valois.

L'évêque Jean de Cros fut lui-même menacé de mort, emprisonné, exilé à Avignon. C'est là que l'avènement de son cousin Grégoire XI lui apporta un chapeau rouge de cardinal.

ROBERT KNOLLES.

Charles V était soucieux de propagande. On parla peu, à la cour, du massacre de Limoges. Au reste, les Parisiens avaient eu, entre-temps, de quoi s'inquiéter pour eux-mêmes. Quinze ans après les Jacques, les Anglais de Robert Knolles dévastaient l'Ile-de-France. Des remparts de la capitale, une fois de plus, on voyait la fumée des villages incendiés.

Knolles avait débarqué en juillet, avec une assez forte troupe: mille cinq cents hommes d'armes à cheval, autant d'archers. Pour les transporter de Southampton à Calais, il n'avait pas fallu moins de quarante-trois barges. Le propos était audacieux: « reconquérir » l'héritage des Plantagenêts. La chevauchée devait prendre possession de ce royaume de France dont l'Aquitaine et le Ponthieu n'étaient que deux membres. Les pouvoirs du prince d'Aquitaine demeuraient entiers, et le droit du roi de Navarre sur le patrimoine des Évreux restait sauf. Hors de cela, la nouvelle entreprise devait tout simplement conduire à l'occupation de toute la moitié nord de la France.

Dès le début, ce fut un raid de pillage, en bonne partie improvisé. Les soldats de Knolles se préoccupèrent beaucoup plus de rançonner villes et villages sous peine de saccage que d'affermir la royauté française du Plantagenêt. Le résultat ne pouvait être que négatif: la France souffrit beaucoup, l'Anglais n'y gagna rien.

Les instructions de Charles V étaient strictes : refuser tout combat, ne céder à aucune provocation. Il était en particulier interdit aux garnisons des villes assiégées de tenter ces sorties qui s'achevaient souvent en désastre : Caen l'avait éprouvé en 1346, Jeanne d'Arc en sera victime en 1430. On savait l'armée de Robert Knolles insuffisamment équipée pour un long siège. Les ordres étaient de laisser les Anglais perdre leur temps devant les portes closes, seule sécurité des paysans réfugiés en masse aussi bien que des citadins claquemurés.

Le roi et ses conseillers étaient conscients de l'inconvénient présenté par la défense passive : elle sacrifiait complètement la campagne à la ville. On le vit bien dès que Knolles s'en prit à Arras : il ne put rien contre la ville, mais les abbayes de Saint-Vaast et de Mont-Saint-Éloi furent saccagées, les faubourgs brûlèrent, la récolte fut piétinée à la veille de la moisson. Au vrai, une défense plus active d'Arras n'eût pas sauvé le plat pays.

Les Anglais avançaient à petites journées : deux à trois lieues le matin, repos et ripaille le soir. Ils gagnèrent ainsi Roye, puis Noyon. Ils brûlèrent Pont-l'Évêque, épargnèrent le Soissonnais dont le seigneur était Enguerran de Coucy, gendre d'Édouard III, puis firent mine d'attaquer Reims et enfin Troyes. Ayant franchi le Gâtinais, ils vinrent menacer le sud de Paris. Il y eut quelques accrochages, du côté du bourg Saint-Marcel, proche de la Montagne Sainte-Geneviève. Villejuif, Gentilly, Cachan, Arcueil étaient en feu. Charles V tint bon : on ne répondit pas.

Knolles voulut jouer les princes. Le 24 septembre, il déploya son armée en bataille dans la plaine de Villejuif. Il n'eut pas l'honneur d'une réponse. Olivier de Clisson résuma au Conseil toute la doctrine royale en la matière, une politique plus qu'une stratégie :

> Sire, vous n'avez que faire d'employer vos gens contre ces forcenés. Laissez-les aller et s'en rassasier. Ils ne vous peuvent ôter votre héritage ni bouter hors par des fumées.

La fumée montait en effet au-dessus des villages de la campagne parisienne, mais un roi de France ne perd pas son royaume pour des villages en cendres. Depuis Poitiers, on savait comment un roi de France perd son héritage. Il n'est pas sûr que les laboureurs de Bicêtre et les vignerons de Vanves aient aisément contenu leur colère en voyant inactifs les centaines d'hommes d'armes qui formaient la garnison de Paris.

Les Anglais se contentèrent de razzier la Beauce. Puis, contournant Vendôme et Le Mans, ils cherchèrent à gagner la Bretagne afin d'y passer la mauvaise saison. Mais on commençait de grommeler dans l'entourage de Knolles, discuté par ceux qui voulaient une meilleure part de la rapine.

L'affaire tourna court. A Paris, on s'était ému. La nouvelle du sac de La Rochelle renforça la détermination du roi. Accepter la bataille des Anglais, non. Les rosser, oui.

Convoqué de longue date, Du Guesclin venait d'arriver. Il se trouva fait connétable et put poser ses conditions : l'une d'elles fut un emprunt forcé sur les officiers royaux, dont nul ne pouvait nier l'enrichissement, et sur la haute bourgeoisie d'affaires de quelques grandes villes immédiatement taxables, comme Paris et Rouen. Avec le produit, le nouveau connétable alla lever des troupes en Bretagne et en Normandie. Le 1er décembre, il quittait Caen à la tête de son armée.

Chez les Anglais, la discorde produisait ses premiers effets. John Minstreworth avait traité Knolles de « vieux bandit ». L'étendard de la révolte était levé lorsqu'on apprit l'approche du connétable de France. Plusieurs capitaines déclarèrent n'avoir rien à faire en Bretagne — où Knolles avait, lui, son château de Derval près de Châteaubriant — et refusèrent d'aller plus avant. Certains, comme le maréchal Thomas Granson, s'en allèrent tout simplement de leur côté.

Du Guesclin, cependant, forçait la marche à travers le Maine. Il était à l'avant-garde, ayant laissé Clisson, Vienne et Audrehem avec le gros de l'armée. L'armée française rattrapa Granson le 4 décembre à l'aube près de Pontvallain, et le mit en déroute. Le lendemain, Du Guesclin enlevait la forteresse de Vaas, où Minstreworth s'était retranché. Puis il poursuivit jusqu'à Bressuire un troisième parti d'Anglais en pleine débandade. Le 6, il était à Saumur. Le Maine était dégagé, les Français avaient fait des prisonniers capables de rançon, Knolles avait déguerpi et les garnisons anglaises d'Anjou – aux Ponts-de-Cé et au Lion d'Angers en particulier – avaient disparu.

Une garnison anglaise tenait Saint-Maur, que Du Guesclin n'avait cure d'assiéger longuement. Il paya donc le départ des Anglais, et fit payer la rançon par un impôt sur le trafic de la Loire. Ce « trépas de Loire » se levait encore au temps de Turgot...

Le répit de 1371.

Le connétable regagna Paris. Le 1er janvier 1371, il passait la montre des troupes qu'il retenait pour la campagne de printemps. Il y avait là 1 135 hommes d'armes – 54 chevaliers, 1 080 écuyers – soit une armée de quatre à cinq mille hommes. Lancastre, pour sa part, reprenait aux Français la forteresse de Montpon, l'un des verrous protecteurs de Bordeaux. Personne ne semblait disposé à attendre l'été.

L'année se perdit cependant, de part et d'autre, en tergiversations. Du Guesclin attaqua très tôt, mais échoua en février devant Ussel. Les Anglais du sénéchal Thomas Percy – successeur de John Chandos – enlevèrent Moncontour et occirent tous les défenseurs. Olivier de Clisson arriva trop tard pour sauver la place et insuffisamment équipé pour la reprendre. Peu après, des routiers gascons à la solde des Anglais occupèrent Figeac.

Dans le même temps, les gens du roi de France nouaient des intelligences dans l'autre partie de la ville de Limoges, le « Château ». On appelait ainsi la ville du vicomte, à côté de la « Cité », ville de l'évêque. Les habitants de la Cité avaient su ce qu'il en coûtait d'écouter les partisans du roi de France, mais ceux du Château s'estimaient fort mal protégés du brigandage par les Anglais et voulaient n'être pas les derniers à profiter des privilèges économiques offerts, on s'en souvient, par Charles V à ceux qui se ralliaient.

Les gens du roi jouèrent la duplicité. A la vicomtesse de Limoges, qui n'était autre que Jeanne de Penthièvre, Charles V avait promis de rendre le Limousin reconquis. Aux consuls, il offrit la seigneurie de leur propre ville. On s'arrangerait bien plus tard. Après deux siècles de procès, l'arrangement fut la victoire des vicomtes. En attendant, comblés de privilèges bien tangibles et de vaines promesses, les bourgeois du Château avaient ouvert leurs portes, en avril 1372, à l'armée du maréchal de Sancerre.

L'année 1371 fut donc un temps de répit. Après la rapide conquête de l'Aquitaine orientale par les Français, chacun consolidait ses nouvelles positions. Charles V, surtout, réglait à nouveau son contentieux avec le Navarrais, venu en Normandie mettre aux enchères sa neutralité. Mais la position du Navarrais était difficile à tenir : les Normands du Cotentin appréciaient peu la soldatesque anglo-navarraise de Saint-Sauveur-le-Vicomte, et le prince de Galles faisait peu de cas d'une alliance navarraise dont l'affaire de Castille lui avait fait comprendre qu'elle était inutilement onéreuse. Le double jeu du roi de Navarre fut donc un échec. Obligé de choisir, il se tourna, à contrecœur, vers la France.

A la fin de mars 1371, Charles V était à Vernon, flanqué de Du Guesclin et de Mouton de Blainville. Il y rencontra son cousin de Navarre. Celui-ci fit preuve de bonne volonté : génuflexion devant le roi de France, hommage lige pour ses baronnies normandes, il mit tout en œuvre pour reprendre place dans la vie politique française. Le traité conclu à Vernon donnait au Navarrais des avantages à Montpellier, scellait le transfert au Valois des anciennes places de la maison d'Évreux sur la Basse-Seine. Encore fallait-il mettre au pas des garnisons normandes faites de soudoyers plus enclins à dévaster le pays alentour qu'à respecter les traités : Du Guesclin et Clisson consacrèrent une partie de l'année à neutraliser effectivement des places comme Breteuil, comme Bécherel et comme Conches.

L'ANNÉE DÉCISIVE : 1372.

La guerre reprit vraiment en 1372. Le front s'était resserré, et Du Guesclin pouvait conjoindre son offensive avec celle des ducs de Berry et d'Anjou. L'anéantissement de la flotte de Pembroke, en juin, sonna le glas des capacités d'intervention anglaises en Guyenne. L'affaire du Château de Limoges avait marqué les limites de la confiance qu'avaient les populations dans l'avenir de la principauté d'Aquitaine.

Jusque-là fidèles à leur suzerain anglais, le Poitou, l'Angoumois et la Saintonge se laissèrent occuper sans grande résistance par les soldats du roi de France. Flanqué de Clisson et de Sancerre, Du Guesclin mena l'affaire en quelques semaines. Montmorillon et Chauvigny tombèrent en leurs mains. Ils reprirent Moncontour et profitèrent d'une trêve en Poitou pour aller occuper en Berry Sainte-Sévère. Le 7 juillet, le connétable de France entrait dans Poitiers : les portes en avaient été tout simplement ouvertes par un parti français – surtout fait du menu peuple – que les Anglais ne purent gagner de vitesse.

La perte de Poitiers porta un coup rude au moral des nobles poitevins demeurés fidèles au Prince Noir. L'armée du captal de Buch, qui était arrivée trop tard devant Poitiers, se disloqua. Les Anglais gagnèrent Niort, les Gascons du captal Saint-Jean-d'Angély, la majorité des Poitevins Thouars.

Laissant pour plus tard la conquête d'un Poitou qu'il fallait occuper forteresse par forteresse, Du Guesclin lança une offensive vers l'Aunis. Il pouvait y profiter du choc occasionné par la victoire navale de Boccanegra. Renaud de Pons alla donc mettre le siège devant le château de Soubise, sur l'embouchure de la Charente. Ce qu'apprenant, le captal de Buch marcha sur Soubise et saccagea par surprise le camp français ; le sire de Pons et plusieurs de ses compagnons se retrouvèrent prisonniers. Mais à peine Jean de Grailly avait-il ainsi débloqué Soubise que survint en pleine nuit Owen le Gallois, nullement fâché de faire oublier qu'il avait été absent à La Rochelle. Les Anglo-Gascons furent bousculés en plein sommeil. Le captal Jean de Grailly et le sénéchal de Poitou Thomas Percy étaient à leur tour prisonniers.

Quelques jours après cette bataille aux torches, Soubise tombait. Le 24 septembre 1372, Saintes ouvrait à son tour ses portes. Le sénéchal anglais tenta vainement de pousser les habitants à la résistance. L'évêque de Saintes, Bernard du Sault, prêchait ouvertement pour le roi de France. Il l'emporta.

Les îles d'Aix et de Ré furent occupées à leur tour. Par mer comme par terre, la route directe de La Rochelle à Bordeaux était coupée. Du Guesclin se chargea de bloquer la route pendant qu'Owen allait se présenter devant La Rochelle. Les habitants jugèrent que le mieux était de négocier de sérieux avantages pour leur commerce. Le 8 septembre, la ville ouvrait ses portes. Dès lors, contre Bordeaux, La Rochelle allait être le port de l'Aquitaine française.

La résistance anglaise s'effondrait. Angoulême et Saint-Jean-d'Angély se rendirent à leur tour. Thouars tomba un peu plus tard, après une longue défense.

Il subsistait un fort noyau de barons poitevins fidèles à leur seigneur le Plantagenêt. Ils s'assemblèrent à Surgères, une petite place forte entre La Rochelle et Saint-Jean-d'Angély, et s'y retrouvèrent assiégés. Espérant contre toute raison, ils obtinrent, le 28 septembre, une trêve jusqu'à la Saint-André, s'engageant à se rendre à cette date si leur seigneur le roi d'Angleterre ne les avait pas secourus. Le procédé n'avait rien que de traditionnel. En bien des occasions, il avait permis de finir un siège en faisant l'économie d'un assaut et d'un carnage. Mais les barons poitevins étaient également dans la droite ligne du droit féodal : ils allaient voir si leur seigneur leur assurerait cette protection qui était, depuis les premiers temps vassaliques, la contrepartie normale des services du vassal.

Du Guesclin était sûr de lui en accordant le délai demandé par les Poitevins : depuis l'affaire de Soubise, il n'y avait plus de force capable, en cette fin de saison, d'aller débloquer Surgères.

Et le 1er décembre, dans le couvent des franciscains de Loudun, on vit une étrange cérémonie. Il y avait d'une part les deux frères du roi de France, Berry et Bourgogne, le connétable Du Guesclin et son acolyte Clisson, d'autre part les représentants des « prélats, gens d'église, barons, seigneurs, dames et autres du pays de Poitou et de Saintonge ». Ils firent leur soumission et prêtèrent hommage à Charles V. Celui-ci accordait une amnistie générale, rendait les biens confisqués, confirmait les privilèges. Les barons poitevins s'en tiraient à bon compte. Le roi de France y gagna une adhésion sans réserve.

Les vainqueurs de cette campagne de 1372 firent dans Paris une entrée mémorable le 11 décembre. Comme en un triomphe antique, on montra au bon peuple les prisonniers, et particulièrement le captal de Buch. A Cocherel, il pouvait passer pour un allié naturel du roi de Navarre, et on l'avait traité, prisonnier, avec autant d'égards que l'on avait d'envie de le voir dans le parti du Valois. Dix ans avaient passé, et Jean de Grailly commençait à faire tout simplement figure de baron rebelle à son roi. Les temps étaient autres : la confiscation de l'Aquitaine bouleversait le statut des vaincus. Grailly n'était plus qu'un sujet révolté, et Charles V avait perdu son temps, après Cocherel, à tenter de le séduire. Le captal se retrouva dans la forte tour du Temple, ayant quelque raison d'y remâcher son amertume s'il savait que les barons poitevins avaient fini la guerre avec des privilèges. Grailly devait demeurer au Temple jusqu'à sa mort. Charles V ne lui pardonna pas d'avoir méprisé des avances du roi de France.

L'Aunis et l'Angoumois furent unis au domaine royal. L'apanage de Jean de Berry s'arrondit du Poitou.

DIVERSIONS.

Les années suivantes – de 1373 à 1375 – furent un temps de consolidation. L'armée de Charles V occupa méthodiquement les places fortes dépassées lors de l'avance rapide vers l'Aunis. Lusignan, Niort, La Roche-sur-Yon furent prises sans grand combat. Les Anglo-Gascons tentèrent une contre-attaque : ils furent bousculés, le 21 mars 1373, à Chizé. Dès lors, les villes surent qu'elles étaient livrées à elles-mêmes. Certaines s'en tirèrent avec profit : longtemps fidèle au Plantagenêt, Figeac négocia en 1373 une transaction pour le moins étonnante, par laquelle le roi de France achetait la ville à ses habitants, aux frais des contribuables du Rouergue et du Quercy.

Édouard III tenta quelques diversions. Il envoya des troupes en Bretagne, où Jean IV de Montfort se déclarait contre son seigneur Charles V. Parmi les Bretons, une génération était passée depuis le combat des deux Jeanne, et l'on oubliait facilement que l'on devait aux Anglais de ne pas supporter l'étroite tutelle du roi de France. Avec un duc élevé en Angleterre et successivement marié à deux Anglaises, les Bretons ne sentaient plus que la tutelle anglaise. Les Anglais tenaient le duché, et Robert Knolles jouait à Derval au baron breton. Certains n'hésitèrent pas longtemps et suivirent Olivier de Clisson, passé dans la clientèle du Valois parce qu'il estimait mal payée de retour sa fidélité à son ami d'enfance le duc Jean IV. Celui-ci n'avait-il pas donné à Chandos une terre que convoitait Clisson ? Il est vrai que Clisson avait manifesté son humeur en allant démolir à Gâvre le château de Chandos, dont il fit transporter les pierres chez lui, à Blain, afin d'en maçonner son donjon...

Édouard III devait réagir s'il ne voulait pas perdre sa position en Bretagne. Conclu à Westminster le 19 juillet 1372, un traité unit Angleterre et Bretagne « encontre tous », en fait contre Charles V. Deux mois plus tard, une petite armée anglaise débarquait à la pointe Saint-Mathieu : trois cents hommes d'armes, trois cents archers.

Relâchant sa pression sur le Poitou, Charles V dirigea vers la Bretagne une armée aux ordres des ducs de Berry, de Bourgogne et de Bourbon. Clisson était à leur côté. Simple promenade militaire que cette démonstration de force : Charles V avait eu connaissance du traité de Westminster, et il lui avait semblé de bonne guerre d'en adresser quelques copies en Bretagne, où bien des barons prirent fort mal ce progrès de la mainmise anglaise. Tout cela suffit pour inciter le duc Jean IV à une plus grande prudence. Il promit de faire rembarquer les Anglais, et s'empressa d'oublier sa promesse.

Au printemps de 1373, Salisbury débarquait à Saint-Malo avec une forte armée : deux mille hommes d'armes et autant d'archers. Il brûlait au port une flotte marchande castillane et occupait aussitôt la région comme on occupe un pays vaincu. Les Bretons protestèrent.

Soutenu militairement, Jean IV allait à l'isolement politique. Le 28 avril 1373, il s'embarquait à Concarneau pour l'Angleterre. C'est de là qu'en août il adressa à Charles V un défi en bonne et due forme.

La diversion fit merveille. Elle se marque dans le piétinement des années de consolidation de la conquête aquitaine. Au lieu de poursuivre en Poitou, Du Guesclin se porta sur la Bretagne. Le 20 mai 1373, il était dans Rennes. Fougères, Dinan, Guingamp, La Roche-Derrien, Vannes et Josselin furent prises sans peine. Quimper et Concarneau le furent au prix d'un assaut. Nantes négocia une reddition avantageuse. Salisbury se réfugia à Brest, d'où Du Guesclin ne put le déloger malgré deux mois d'un siège qui n'empêcha pas les Anglais de ravitailler par mer la ville investie. Le connétable se rattrapa en allant rançonner Jersey et Guernesey.

Le bilan de la diversion bretonne était toutefois négatif pour Édouard III. Du Guesclin en avait profité pour occuper le duché, et les Gascons n'avaient pas profité du relâchement de la pression militaire pour renâcler contre la progression française. Toute l'affaire de Bretagne avait été menée à la faveur de trêves conclues sur le front de Poitou. La manœuvre s'était retournée.

Édouard III tenta une action plus directe. Le 12 juin 1373, il institua son fils Jean de Lancastre « lieutenant spécial et capitaine général » dans le royaume de France. Le 16, il prescrivait des prières pour le succès de son entreprise. Le 23, il ordonnait d'embarquer l'armée assemblée depuis quelques semaines. Les Anglais allaient ruiner la France dans ses forces vives. En fait, on allait reprendre le propos de Knolles, avec ni plus ni moins de méthode. Le surlendemain, Lancastre débarquait à Calais. Le duc de Bretagne Jean IV l'accompagnait.

Une fantastique chevauchée commençait, qui allait mener les Anglais de Calais à Bordeaux en quelque six mois, à travers un pays dévasté, des dizaines de villes terrorisées et des centaines de villages en cendres. Admirablement organisée pour ce qui est de la logistique, l'entreprise était, tout comme celle de Knolles, improvisée dans son absence de stratégie. Nul ne saura jamais si Lancastre songeait vraiment, au fort de l'été, à passer Noël en Guyenne. Il avait défini une tactique fort simple : marcher droit devant soi. Mais, passé un certain moment dans sa progression en pays ennemi, il ne pouvait plus trouver de sortie que vers l'avant. Glorieuse et terrifiante à ses débuts, la chevauchée allait s'achever misérablement, l'armée fondant de jour en jour et subissant avec peine le harcèlement quotidien des hommes de Du Guesclin. Peut-être certains eussent-ils volontiers joué en un combat la carte désespérée de l'héroïsme : la stratégie définie en Conseil par Charles V et ses conseillers le leur refusa.

La Picardie, l'Artois, puis le Vermandois furent ravagés en août 1373. Avec une forte troupe, Philippe de Bourgogne observait sur leur flanc droit les mouvements des Anglais, protégeant Paris et les ponts de la Seine. Lancastre dut passer plus à l'est et alla perdre son temps vers Laon, puis vers Reims et vers Troyes.

L'Anglais comprit qu'il ne pouvait atteindre Paris et que ses arrières étaient bloqués par Du Guesclin, bientôt renforcé par Louis d'Anjou et une partie de son armée de Languedoc. Il crut quand même pouvoir, comme naguère Knolles, gagner la Bretagne. Mais le duc de Bourgogne contenait toujours le flanc droit de la chevauchée, et il tenait les ponts et les forteresses. Lancastre voyait avec angoisse s'élargir sans cesse son mouvement tournant autour du Bassin parisien. Battu par Clisson devant Sens, il se retrouva en Nivernais, puis en Bourbonnais.

L'automne venait. Regagner Calais tenait de la chimère. Lancastre et Montfort s'enfoncèrent dans le Massif central sans l'avoir cherché. Ils aboutirent sur le plateau du Limousin. Les chevaux étaient crevés, les hommes affamés. Ils ne purent refaire leurs forces que lorsqu'ils trouvèrent quelques villes prêtes à s'ouvrir sans combat : Tulle, Martel, Brive. C'est là, aussi, qu'ils se fâchèrent. Montfort laissa l'expédition poursuivre sans lui sa course vaine.

Lorsque Jean de Lancastre parvint à Bordeaux, il avait perdu un homme sur deux, et les survivants avaient souvent jeté en une rivière les pièces les plus lourdes de leur armure pour ne pas devoir porter le tout.

Le glorieux Lancastre, qui narguait quatre ans plus tôt son cousin Valois, gagna dans l'affaire la réputation d'un capitaine lamentable. Les Anglais n'étaient pas battus, ils étaient victimes de l'incapacité. Quant à la diversion, elle avait échoué ; au plus pouvait-on mettre au compte de la chevauchée l'abandon, au cours de l'été, des opérations menées jusque-là par Louis d'Anjou en Bigorre.

Tout le monde était las de la guerre. En quatre ans, trois chevauchées avaient ruiné la France. Comme toujours en pareil cas, l'épidémie se greffait sur la misère, et la récurrence de la peste apparaissait comme le fruit des récoltes brûlées. Fatigués de reconstruire sans cesse et d'ensemencer sans moissonner, le moine et le paysan s'en allaient sur les routes. La friche triomphait, et le prix des blés s'emballait. Jamais ils ne furent aussi chers en Languedoc qu'en 1374. L'hiver suivant, on mourait de faim dans les campagnes. Rien d'étonnant, alors, à ce que le banditisme prospérât. Les réfugiés aggravaient l'insécurité des villes.

Dans l'été de 1374, Louis de Bourbon avait repris Tulle et Brive pendant que Du Guesclin remettait un peu d'ordre sur les routes de Languedoc. Puis le connétable et le duc d'Anjou avaient, le 21 août, fait leur entrée dans La Réole : le verrou du Bordelais avait ouvert ses portes « gracieusement ». Au vrai, que pouvaient faire les bourgeois de La Réole, qui savaient que le duc-roi n'était plus en état de les secourir ? La garnison du château s'en aperçut bien, qui retarda vainement pendant deux semaines l'heure de sa capitulation, dans l'attente d'un renfort qui ne vint pas.

Les Français avaient progressé en Guyenne aux limites du possible. Le 5 octobre 1372, le Prince Noir en avait tiré la conséquence en renonçant à sa principauté alors même que la maladie lui laissait entrevoir qu'il ne serait peut-être jamais roi d'Angleterre. Mais Du Guesclin savait bien que les Anglais ne laisseraient pas prendre Bordeaux sans une défense acharnée, et les Bordelais n'étaient nullement prêts à changer de camp. La rupture avec le marché anglais, c'était la ruine du grand commerce bordelais, celui des vins. Poursuivre, c'était la guerre sans fin, et Du Guesclin le savait bien.

Charles V avait d'ailleurs mieux à faire qu'à laisser son armée se briser les dents sur la défense bordelaise. Au printemps de 1375, Jean de Montfort et le comte de Cambridge débarquaient à la pointe Saint-Mathieu et occupaient Saint-Pol-de-Léon, Morlaix, Guingamp et Tréguier. Ils ne s'arrêtèrent que devant Saint-Brieuc.

Pendant ce temps, Jean de Vienne faisait le siège de Saint-Sauveur-le-Vicomte, dont la menace, depuis le temps de Geoffroy d'Harcourt, n'avait jamais cessé de planer sur le Cotentin et même sur toute la Normandie occidentale. Ce siège fut certainement l'une des entreprises les plus considérables de la guerre, et des plus chères. Jean de Vienne commença, en 1374, par assurer le blocus en fortifiant les nœuds routiers du voisinage. Au début de 1375, il resserra le dispositif, plaça une véritable armée sous les murs de la forteresse et dota les assaillants d'une artillerie puissante, faite d'engins mécaniques – balistes et catapultes – aussi bien que de bouches à feu de tous calibres, depuis la couleuvrine maniable à bras jusqu'à la bombarde capable de lancer des boulets de cent livres.

La garnison anglaise tint bon, mais elle vécut l'enfer. On parla longtemps de la terreur du capitaine Thomas Chatterton qui vit un jour, de son lit, un bloc de pierre entrer dans sa chambre en brisant les barreaux de la fenêtre avant de ricocher sur les murs.

> Entra une pièce d'engin en cette tour, par une treille de fer que elle rompit. Et fut adonc avis proprement à Chatterton

> que le tonnerre fût descendu là-dedans, et ne fut mie assuré de sa vie, car cette pièce d'engin, qui était ronde, pour le fort trait qu'on lui donna *(la force du tir),* carola tout autour de la tour par-dedans. Et quand elle chut elle effondra le plancher et entra en un autre étage.

Finalement, on traita. C'était peu glorieux mais fort réaliste pour les uns et les autres. Les Anglais n'en pouvaient plus et les Français savaient l'assaut impossible. Le 3 juillet 1375, Chatterton rendit Saint-Sauveur. Il avait obtenu une indemnité de 55 000 francs que payèrent les Normands en empruntant de tous côtés, y compris du Trésor royal. Pour Charles V, la chute de la forteresse longtemps redoutée était un succès. Parler de victoire eût été abusif.

La trêve de Bruges.

Le 1er juillet, les efforts de Grégoire XI avaient enfin porté quelques fruits : une nouvelle trêve avait été conclue, pour un an, à Bruges entre le duc de Bourgogne pour le roi de France et le duc de Lancastre pour le roi d'Angleterre. La France s'en tirait bien : Charles V gardait ses conquêtes, y compris La Réole, alors que Jean IV rendait les siennes, ne gardant toujours que Brest et Auray.

Charles V avait usé de toutes les ressources offertes par le talent de ses légistes. Composé à ce moment-là, le *Songe du verger* reflète assez bien l'état d'esprit des négociateurs français, s'appuyant sur une situation de fait — la reconquête — mais refusant de n'avoir pas de surcroît le droit pour eux. Le traité de Brétigny était-il encore en vigueur ? Qui portait la responsabilité de son inexécution quant aux renonciations ? En bref, devait-on remettre les choses en l'état où elles étaient en 1369 — la thèse anglaise, évidemment — ou convenait-il de rétablir la situation de 1355 — la thèse française — et la conquête de fait était-elle celle d'Édouard III ou celle de Charles V ?

Tout cela était débat de clercs, et les légistes n'avaient pour dessein que de convaincre les juristes de la curie, chacun s'efforçant de mettre le pape dans son camp. Au vrai, on savait le rapport des forces, et peu importait au roi de France que l'Anglais fût ou non convaincu. Les négociateurs anglais savaient que Saint-Sauveur-le-Vicomte était sur le point de capituler, et ils eurent le temps d'apprendre que, le 1er juin, Cognac avait ouvert ses portes à l'armée de Charles V.

La conférence de Bruges fut un maquignonnage : on parla de couper l'Aquitaine en deux, voire en trois. Chacun demeurait cependant sur ses positions pour ce qui était de la souveraineté. Les deux ambassades firent des gorges chaudes lorsque les légats pontificaux émirent l'idée d'un état aquitain souverain jusqu'à la mort d'Édouard III, puis simple fief tenu du roi de France sous le futur roi d'Angleterre. C'est pourtant une idée de ce genre qui permettra, soixante ans plus tard, au duc de Bourgogne Philippe le Bon de sortir honorablement de sa guerre avec Charles VII.

Le gouvernement de Charles V faisait une large place aux juristes et aux philosophes aristotéliciens, mais il était profondément réaliste. Une trêve, on le savait, cela signifiait que des dizaines de compagnies sans emploi allaient se trouver sur les routes en grand-peine de subsistance. On n'attendit pas : une expérience avait suffi. Enguerran de Coucy recruta d'urgence des troupes pour une expédition à laquelle il songeait de longue date : la conquête du patrimoine qui lui venait, en Alsace et en Suisse, de sa mère qui était une Habsbourg. Charles V finança pour une part l'affaire, pour les mêmes raisons pour lesquelles il avait financé l'expédition de Castille.

Les routiers que Coucy mena sur le Rhin dévastèrent quelques villages champenois et lorrains, mais on put croire qu'il n'en serait plus question en France. L'échec final de l'entreprise rejeta la soldatesque vers la France. Il fallut engager des troupes pour les combattre. On en revenait à une situation que Louis d'Anjou connaissait depuis quinze ans en Languedoc.

Entre-temps, on avait prolongé la trêve jusqu'en 1377. Le pape eût préféré une paix définitive. Qu'on s'accordât ou non, il était cependant évident que la guerre était finie. Charles V vieillissait : en 1377, il avait quarante ans – Du Guesclin en avait soixante – mais il avait toujours été de santé fragile. Ce n'est pas une coïncidence s'il venait de publier les grandes ordonnances avançant à treize ans la majorité royale (août 1374) et organisant une éventuelle régence (octobre 1374). Le sage roi estimait n'avoir pas le droit de laisser démembrer son royaume, mais il ne tenait pas à laisser le poids d'une guerre à un héritier qui avait tout juste neuf ans. Le triomphe personnel qu'avait été pour Charles V, en janvier 1378, la visite à Paris de son oncle l'empereur Charles IV de Luxembourg et du futur empereur Wenceslas ne pouvait suffire à masquer la fragilité de la Couronne de France : tout allait reposer sur un enfant.

Édouard III avait soixante-cinq ans. Il faisait maintenant figure de grand vieillard. On lui reprochait de s'occuper plus souvent de sa jolie maîtresse que de son royaume. En avril 1376, le Parlement exigea des réformes, obtint l'éloignement de la jeune femme, qui passait pour coûter cher, fit révoquer les maîtres de l'administration financière et emprisonner quelques spéculateurs. Édouard III était désormais incapable de réagir. Il mourut le 21 juin 1377. Son fils aîné le Prince Noir, Édouard, prince de Galles et ancien prince d'Aquitaine, était mort l'année précédente (8 juin 1376). Richard II était un enfant de douze ans. L'homme fort du royaume, ce pouvait être l'oncle Lancastre, un homme politique aux vues étroites et, nous le savons, un homme de guerre au talent limité. Même sans prévoir le drame, on pouvait attendre, d'un Conseil tiraillé entre l'entourage du duc de Lancastre et les anciens conseillers du Prince Noir, un gouvernement difficile. En fait, Lancastre fut vite relégué à l'arrière-plan. L'Angleterre était sans tête.

LIQUIDATIONS.

Les hostilités reprirent à l'expiration de la trêve, non les actions d'envergure. Le duc d'Anjou et le connétable prirent Bergerac, sans pouvoir avancer davantage sur la route de Bordeaux. Jean de Vienne alla de son côté mettre à sac quelques ports anglais – Folkestone, Portsmouth – et ravager l'île de Wight. En 1378, le nouveau lieutenant du roi d'Angleterre, John Nevill, organisa une contre-offensive limitée, reprit quelques places, dégagea Bayonne investie par les Castillans. Le front se figeait.

Il subsistait d'autres fronts, et d'autres difficultés. Le roi de Navarre fomentait un nouveau complot – on lui prêta l'intention de faire assassiner Charles V – et songeait à reprendre les hostilités à la faveur du désordre. On arrêta son chambellan, puis son secrétaire, qui avouèrent tout ce qu'on voulut pour se tirer eux-mêmes d'affaire. Ils révélèrent en particulier que Charles le Mauvais comptait sur les Anglais pour se faire donner une bonne part du royaume, y compris la Champagne et la Bourgogne. Charles V n'attendit pas : il envoya Du Guesclin occuper, au printemps de 1378, le comté d'Évreux et les autres places navarraises de Normandie, Conches, Carentan, Mortain, Avranches. Pendant ce temps, Jean de Bueil était chargé de saisir Montpellier. Charles le Mauvais se sentit soudain embarrassé de son port de Cherbourg : il le vendit aux Anglais.

En Bretagne, rien n'était réglé, et les juristes poussaient Charles V à l'action définitive. Les quelques barons bretons en rébellion ouverte contre le duc Jean IV – Clisson, Rohan et quelques autres – estimaient que l'offensive ne présentait aucun risque. On cita donc Jean IV à comparaître, puis on le jugea par contumace. Le 18 décembre 1378, après une semaine de débat en un Parlement où siégeaient les pairs, le duc de Bretagne était condamné pour félonie. Le Parlement décréta la confiscation du duché.

Depuis le début de la guerre, la Bretagne avait constamment servi de tête de pont aux Anglais, une tête de pont capable de se transformer en front de revers pour soulager l'Aquitaine anglaise. Charles V avait réduit l'Aquitaine; il entendait maintenant être maître de la Bretagne. La politique royale avait sa cohérence.

Une nouvelle fois, Jean de Montfort appela à l'aide son allié le roi d'Angleterre. La majorité des barons bretons n'aimait pas l'Anglais — ce sur quoi comptaient Clisson et ses amis — mais voyait très bien que l'autorité d'un roi de France serait plus contraignante que celle d'un duc client du roi d'Angleterre. En bonne partie favorable, jusque-là, à l'intervention du Valois, la Bretagne renâcla devant une sentence qui sonnait la fin de l'autonomie politique. C'est alors que l'on vit rentrer en scène la vieille Jeanne de Penthièvre, que Charles V avait dupée dans l'affaire de Limoges et qui avait en vain fait observer au Parlement qu'à défaut d'un Jean IV félon il y avait un ayant droit dans le parti français : son propre fils, Henri. Il est vrai que l'on pouvait s'étonner de voir le Valois ne plus connaître qu'un seul prétendant à la couronne de Bretagne dès lors qu'il s'agissait de la confisquer. Jeanne de Penthièvre fit savoir qu'elle se rangeait aux côtés de Jean de Montfort, son ennemi de toujours. Quelques grands barons, comme le sire de Laval ou le vicomte de Rohan, l'imitèrent.

Le pas de clerc de Charles V rendait au duché son unanimité. Revenu d'Angleterre à la tête d'une petite armée, Jean IV n'avait qu'à recueillir le fruit de cette unanimité savamment orchestrée. On chanta la geste du malheureux orphelin jadis élevé à la cour d'Angleterre. Un notaire du duc, Guillaume de Saint-André, composa un *Livre du bon duc Jean* qui fut largement diffusé. En même temps qu'un plaidoyer, c'était un appel à la résistance. Les Bretons allaient défendre leurs « libertés » jusqu'à la mort.

Le gouvernement du roi de France se le tint pour dit. Nul ne parla plus de conquérir la Bretagne. Après la mort de Charles V, le duc d'Anjou se souvint qu'il était le gendre de Jeanne de Penthièvre : il fit prévaloir le compromis. Bien des barons bretons l'y aidèrent : ils voyaient la Bretagne épuisée par une guerre sans fin. Le deuxième traité de Guérande (4 avril 1381) rendit à Jean de Montfort son duché et au roi de France l'hommage du duc de Bretagne. La guerre de succession ouverte quarante ans plus tôt par la mort du duc Jean III était enfin terminée.

Du Guesclin et le duc de Berry s'en étaient allés en Auvergne et en Gévaudan pour y mettre au pas quelques routiers. C'est là que mourut le connétable, le 13 juillet 1380, devant Châteauneuf-de-Randon. Charles V eut le temps de lui faire aménager un tombeau à Saint-Denis, tout contre celui qu'il s'était préparé.

A la même époque, l'adversaire le plus acharné de la maison de

Valois, le comte d'Évreux, roi de Navarre, s'effondrait véritablement. Le roi de Castille Henri de Transtamare avait été fidèle à sa dette de reconnaissance envers un roi de France qui l'avait accueilli et soutenu jusqu'au triomphe final : les Castillans avaient été à La Rochelle, devant Cherbourg, sur les côtes anglaises. Et Henri se souvenait fort bien de l'alliance anglo-navarraise qui avait fortifié contre lui le trône de Pierre le Cruel. Deux raisons, donc, pour répondre à l'appel de Charles V lorsque celui-ci, après la découverte des nouveaux complots de Charles le Mauvais, souhaita que la Castille attaquât directement la Navarre. Une armée castillane alla assiéger Pampelune, pendant qu'une flotte allait attaquer par mer la garnison anglaise de Bayonne. Jouant à fond l'alliance anglaise – la seule qui lui restât – Charles le Mauvais gagna Bordeaux. Il y obtint quelques renforts, qu'il ramena vers Bayonne. Cela ne sauvait pas la Navarre.

En 1379, la position de Charles le Mauvais était intenable. Il demanda une trêve, dut donner pour cela en gage les principaux châteaux de son royaume. Dans le même temps, il s'endettait pour payer l'inutile intervention des Anglais. Mais il n'avait plus le revenu de ses domaines normands, les premiers créanciers saisissaient le revenu de la Navarre, et ses sujets se montraient las de payer pour une politique qui ne les concernait guère. Incapable de s'acquitter, il allait en Navarre même vers la ruine politique. Jusqu'à sa mort en 1387, celui qui avait été l'un des premiers barons français et en qui coulait, comme en Édouard III, le sang de Philippe le Bel et de saint Louis allait désormais vivre dans l'amertume impuissante d'être passé bien près d'un grand destin.

Nouvelles préoccupations.

L'équilibre de l'Europe changeait vite, et particulièrement en cette année 1380 où l'on allait voir mourir, le 16 septembre, un Charles V qui, ayant à son lit de mort vénéré la couronne d'épines et la couronne de France, crut devoir, dans une ultime crise de conscience quant à son bon droit, supprimer les fouages et priver ainsi son fils de tout moyen de gouvernement.

En Angleterre, l'enfant Richard II avait d'autres soucis que la Guyenne et la Bretagne. Il allait avoir l'insurrection dans Londres.

En Castille, Henri de Transtamare – on disait aussi Henri le Magnifique – était mort en mai 1379, et son fils regardait plutôt vers le Portugal où il avait des droits que vers une France où il n'avait rien à gagner. Les dettes de son père n'étaient pas les siennes.

Dans l'empire, Charles IV était mort à la fin de 1378. Wenceslas portait peu d'intérêt à ce royaume des Valois auquel son père et son grand-père étaient attachés par tant de liens personnels et de souvenirs intimes. On était loin du roi de Bohême venu mourir à Crécy les armes à la main, et du frère de la reine de France prêt à jouer sa partie dans les tensions internes de la société politique française.

Et puis, il y avait le schisme. Depuis l'été de 1378, la Chrétienté avait deux têtes, et de nouveaux clivages s'établissaient en Europe selon que les princes se rangeaient, avec conviction ou résignation, parmi les fidèles du pape romain Urbain VI ou parmi ceux d'un Clément VII qui faisait, à bien des égards, figure de créature de la France – des cardinaux français d'abord, du roi de France ensuite – et qui venait tout naturellement s'établir en Avignon parce que c'était commode et parce que c'était prudent.

Le clivage entre les princes reflétait au sein de l'Église les antagonismes nés d'affrontements antérieurs qui n'avaient rien d'ecclésial. On avait vu le parti que Charles V savait tirer d'une connivence pontificale favorable aux mariages fructueux. Quoi d'étonnant à ce que le Grand Schisme d'Occident ait vu le roi de France dans une obédience et le roi d'Angleterre dans l'autre ? Mais ce clivage se traduisait, dans les marges des obédiences, par un renforcement des frontières politiques. Dans les diocèses où les sénéchaux des Valois et ceux des Plantagenêts se livraient malgré les trêves une guerre d'usure à laquelle les braves gens étaient tout aussi sensibles qu'aux rares combats, on allait voir s'ajouter au tableau la guerre ecclésiale. Il y aurait parfois deux évêques, souvent deux collecteurs pour la fiscalité pontificale.

Concurrence pour les sacrements, pour la prédication, pour la taxation, cet affrontement – qu'ignoraient les contrées où l'autorité royale avait pu trancher pour tous et éviter à chacun les cas de conscience – rendait la crise de la Chrétienté infiniment plus sensible aux fidèles des confins de la Gascogne ou des confins flamands de la France et de l'empire qu'elle ne l'était pour ceux des régions où le Grand Schisme apparaissait comme l'affaire des politiques et l'affaire des clercs. Le schisme, pour le Parisien moyen, c'était la querelle des papes et des rois, et c'était l'une des préoccupations des maîtres de l'Université ; mais on n'avait aucun doute sur la validité des ordinations, donc sur la légitimité du curé. On savait qu'il y avait deux papes, ou plutôt que les autres avaient un antipape. Mais à Paris, le pape c'était Clément VII, et à Londres c'était Urbain VI. Tandis qu'en Bordelais on se posait des questions.

Dernier avatar de la société politique en ces mois où disparaissaient les protagonistes d'un drame, Louis d'Anjou voyait luire d'autres perspectives que celles d'un lieutenant du roi en Languedoc. A Naples, la reine Jeanne songeait à transmettre à la nouvelle maison d'Anjou, c'est-à-dire précisément au frère de Charles V, cette couronne jadis offerte à la première maison d'Anjou, c'est-à-dire au frère de saint Louis. Jeanne d'Anjou n'avait plus d'héritier, et elle était en difficulté. Il lui fallait à la fois un successeur et un champion. Le 29 juin 1380, elle adoptait Louis d'Anjou.

Mais le royaume de Naples était mal en point, et le duc Louis savait qu'il lui fallait pratiquement le conquérir. On imagina de parer l'expédition des couleurs flatteuses de la Croisade. En prêtant de l'argent au pape d'Avignon et en offrant d'aller lui ouvrir de force les portes de la Ville Éternelle, Louis d'Anjou mêlait habilement les deux affaires pour qu'en définitive Clément VII finançât la conquête de l'Italie méridionale. Autant dire que le clergé français allait supporter le coût des ambitions angevines.

A Paris même, les princes avaient autre chose en tête. L'avènement d'un enfant les poussait au premier plan. Les intérêts des uns et des autres allaient s'affronter directement. C'est au Conseil royal que le duc d'Anjou préparait son affaire d'Italie, au Conseil que Philippe de Bourgogne veillait sur les intérêts économiques de son nouvel État, au Conseil que Jean de Berry et Louis de Bourbon cherchaient leur fortune. Aller se battre au loin eût été laisser la place aux autres. Il fallait occuper le Conseil. La nouvelle phase de la guerre de Cent Ans devait naître de cette nécessité.

Pour l'heure, la situation était stabilisée. Au fait, que restait-il au roi d'Angleterre de cette Aquitaine qui était l'héritage de ses ancêtres ?

Autour de Bordeaux, la Gascogne anglaise allait de Blaye sur la Gironde à Castillon sur la Dordogne, à Rions sur la Garonne et à Buch sur l'océan. En arrière de Bayonne, l'Anglais gardait Dax et Saint-Sever-sur-l'Adour. C'était tout.

Au cœur de cette seigneurie rétrécie, Bordeaux souffrait. L'économie avait pâti de la coupure avec l'arrière-pays, de la précarité des relations maritimes. Au temps des grandes disettes, en 1373, 1374 et 1375, il avait fallu importer d'Angleterre le blé et les fèves de la survie. Mais les exportations de vin s'effondraient : en moyenne trente mille tonneaux par an avant la reprise de la guerre, aux beaux temps de la principauté d'Aquitaine et de la route ouverte vers Londres et Bruges, et seulement dix ou onze mille tonneaux depuis les défaites.

Les jugements étaient d'ailleurs très mitigés quant à la principauté. N'avait-elle pas fait écran entre l'Angleterre et l'Aquitaine, écran entre le Trésor anglais et le financement de la défense aquitaine ? Le roi-duc, avec toutes les ressources de sa Couronne, n'aurait-il pas assuré plus efficacement la défense qu'un prince sans revenu secondé par un frère sans talent ? On avait gardé le souvenir d'Édouard III flanqué d'un Prince Noir fulgurant. On avait vu, depuis, un Prince Noir malade suppléé par un Lancastre incapable. Certes, les Bordelais voyaient avec espoir l'avènement de Richard II. Mais ce n'était pas l'Angleterre en crise qui allait soutenir la vie d'une Aquitaine résiduelle, où le Grand Schisme aggravait encore l'impression d'isolement.

CHAPITRE XII

Les fruits amers de la guerre

QUERELLES DE PRINCES.

Deux pays affaiblis par la guerre, par la minorité du roi, par la rivalité des princes, tels sont après 1380 les protagonistes d'un combat déjà à demi séculaire. Les trois cavaliers de l'Apocalypse – la guerre, la famine, la peste – se sont abattus sur des pays qu'affaiblissent depuis deux ou trois générations une crise des structures économiques, une inadaptation des cadres sociaux légués par l'âge féodal, une impossible recherche de l'équilibre des échanges extérieurs et du marché monétaire.

Aux yeux des Français pour qui la guerre de Cent Ans n'est faite que de batailles en ordre et de sièges en règle, l'Angleterre a eu la part belle dans ce conflit qui se déroule sur le continent. L'Anglais, lui, a vu dans un ensemble difficilement dissociable les combats interminables de la révolte de Galles et ceux de la guerre d'Écosse, il a vu brûler ses ports méridionaux, couler ses flottes marchandes et se fermer l'indispensable marché flamand à la production lainière de l'Angleterre. Il a payé des dixièmes, des quinzièmes et des vingtièmes sur sa fortune, des capitations à tant la tête et des taxes à tant le sac de laine. Tout cela pour une Aquitaine qu'il a peine à tenir pour anglaise et qu'il voit en définitive perdue. Les misères de l'un ne ressemblent pas à celles de l'autre. Les lassitudes se valent.

Au sein du gouvernement de Richard II, c'est la lutte ouverte pour s'emparer des maigres profits de la Couronne. Les gens du Prince Noir se croient des droits à mettre la main sur le fils de leur ancien maître, mort trop tôt pour avoir régné, mais la mère – et tutrice légale – du jeune roi n'était princesse de Galles qu'en secondes noces, et les enfants du premier lit se croient aussi des droits sur la fortune nouvelle de leur mère.

Parmi les mécontents, le premier est Jean de Lancastre, que

suit son fils Henri de Derby, le futur Henri IV. Lancastre nourrit l'amertume habituelle de l'aîné de ceux qui ne règnent pas. Il est Charles de Valois, il est Charles le Mauvais: bref, celui qui a vu de près la fortune. On a préféré se passer de régent, plutôt que de faire appel à lui, mais la commission chargée du gouvernement – une commission élue par le Parlement – ne voit d'autre politique que celle d'Édouard III. On lève une capitation, on envoie une chevauchée en France, on prévoit une expédition au Portugal. Le Parlement se déconsidère. Le bon peuple des villes et des campagnes s'aperçoit vite que les nouveaux maîtres valent les anciens. Bref, il n'est en Angleterre, en ce début de règne, que des mécontents.

Charles V, au contraire, a fortement organisé ce qui devait suivre sa mort. L'aîné de ses frères, Louis d'Anjou, aurait la régence du royaume, Bourgogne et Berry auraient la tutelle des enfants – le roi Charles VI et son jeune frère Louis – et les vieux conseillers expérimentés auraient, en un conseil de gouvernement, la réalité du pouvoir politique. Mais les choses se passent bien autrement à la mort du roi sage. Louis d'Anjou prend le pouvoir sans rien demander à personne. Les autres oncles du jeune roi, Berry, Bourgogne et Bourbon – ce dernier, oncle maternel – n'entrent au Conseil que pour mieux y balancer l'influence des conseillers de Charles V, lesquels se trouvent ainsi rapidement éliminés. Ses frères s'entendent ensuite pour expédier Jean de Berry en Languedoc. Mais la succession des Angevins de Naples attire Louis d'Anjou en Provence et en Italie, et le duc Louis de Bourbon n'est pas de taille à rivaliser avec un fils de roi. Philippe de Bourgogne se trouve donc maître du royaume.

Charles VI ayant atteint en 1381 l'âge de la majorité fixé par d'ordonnance de son père, les princes s'entendent admirablement pour affecter de ne pas penser que cela pourrait avoir quelque effet sur le gouvernement. Même les absents en profitent, tels Louis d'Anjou qui fait financer par la France son expédition italienne.

Le personnel de la haute administration de Charles V se trouve donc plus ou moins officiellement mis à l'écart. Jean Le Mercier est exilé. L'ancien prévôt de Paris Hugues Aubriot est emprisonné dans cette Bastille qu'il a construite, et ce pour le motif qu'il n'a pas respecté les privilèges de l'Université... Nul n'est dupe: les princes entendent mener leur propre politique, au mieux de leurs intérêts particuliers. Anjou a besoin du Trésor royal pour conquérir l'Italie méridionale, et Bourgogne a à mettre la main sur la Flandre. Les hommes compétents sont rares, cependant, et les conseillers disgraciés à grand fracas reviennent parfois sans bruit, dans les mêmes fonctions ou dans d'autres.

Dans la sourde lutte d'influence des uns et des autres, des financiers enrichis comme des princes avides, une seule chose est sûre : l'absence politique du roi. Charles VI est tenu à l'écart. A l'âge où son père gouvernait un royaume désemparé, il laisse faire.

A son côté, quelqu'un ronge son frein. Louis, duc de Touraine et futur duc d'Orléans, commence de vouloir sa place dans le concert des princes et sa part dans les profits de la monarchie.

Le mariage du roi, en juillet 1385, fait apparaître sur la scène politique une autre volonté, provisoirement contenue : Isabeau de Bavière. La tutelle, quelle qu'elle soit, convient mal à cette princesse intelligente et têtue dont l'entourage bavarois fait écran aux manœuvres des conseillers du duc Philippe de Bourgogne. Le mariage bavarois a été arrangé, cependant, par un duc de Bourgogne très soucieux de se concilier les Wittelsbach qui règnent en Hainaut et en Hollande aussi bien qu'en Bavière. Son premier objet est de faciliter la mainmise bourguignonne sur le Brabant. En croyant qu'Isabeau sera volontiers le jouet de la politique flamande, Philippe le Hardi s'est lourdement trompé.

Explosions politiques.

Les querelles des princes ne sont cependant pour rien dans la vague d'explosions politiques qui secoue l'Europe en ces années 1380, alors que les enfants nés après la Peste noire parviennent à l'âge adulte et que disparaissent les derniers vieillards capables de se souvenir du temps de paix. Phénomène général, que ces insurrections qui ébranlent l'Italie et la Flandre industrielles aussi bien que les grands ports commerçants, Lübeck, Bruges ou Rouen, et les petites villes comme Béziers ou Le Puy tout autant que les capitales comme Londres et Paris.

Et cependant, que de différences entre chacune de ces explosions de colère que détermine ici le fisc et là l'égoïsme des milieux aisés, qu'allume en un cas la fureur des artisans et en un autre l'angoisse des paysans. C'est la mystique égalitariste d'une sorte d'évangélisme social qui anime les Anglais à l'heure même où les Parisiens se soulèvent sans songer un instant à l'Évangile. Les uns se battent pour des privilèges, les autres contre des privilèges, si tant est qu'attaquer un privilège n'est pas en revendiquer un et que chercher un nouvel équilibre des forces économiques ou des droits politiques n'est pas nécessairement battre en brèche l'équilibre ancien.

Partout, les raisons sont locales, les griefs sont personnels. Les meneurs ne sauraient être suspectés d'une concertation internationale. L'évidente contagion n'exclut pas la spontanéité. La révolution est dans l'air, et chacun se décide en fonction de ses raisons propres ou de la nervosité du moment.

C'est en Languedoc qu'éclatent en 1378 et 1379 les premières révoltes urbaines. Mais déjà, en juillet 1378, l'insurrection des Ciompi a bouleversé Florence; elle tiendra la Toscane en effervescence pendant plus de trois ans. La Flandre commence de bouger en 1379; l'année suivante, elle est en pleine crise. Les villes du Nord de la France s'agitent à leur tour. L'année 1381 voit Londres au pouvoir des paysans et Lübeck aux mains des bouchers. Les Maillotins tiennent Paris en 1382, cependant que Rouen est en proie à la Harelle.

Un complot, certes pas. Mais une conjoncture révolutionnaire. La Peste noire et ses récurrences en ont probablement retardé la déflagration dans une population décimée et atterrée, qui devait reconsidérer après la saignée toutes les données de la vie sociale. Les tensions des années 1380 sont bien différentes de celles qu'a connues le début du siècle, mais elles sont du même ordre.

La répartition des responsabilités dans la ville ne satisfait que les « magnats », maîtres à la fois du crédit public et privé, de l'organisation fiscale, de la réglementation professionnelle où s'inscrivent les temps de travail et les rémunérations autant que les critères d'embauche et les capacités de mobilité dans l'espace et dans le métier. La répartition des profits et des charges dans la région met en concurrence ville et campagne, port et arrière-pays, ville industrielle et ville commerçante. Dans le cas de la Flandre, il y a de surcroît la volonté d'indépendance ou la tradition d'allégeance au roi de France, il y a les liens complexes qu'engendrent la nécessité de la laine anglaise et la commodité du marché français.

La révolte qui éclate en Flandre en 1379 ne doit rien qu'à la Flandre. Forte population ouvrière, rude mainmise économique des patriciens financiers et organisateurs, position discutée d'un pouvoir comtal auquel les circonstances ont fait jouer depuis un siècle une étonnante balance politique entre Angleterre et France comme entre Bruges et Gand, tout cela suffit, sans qu'on ait à évoquer l'exemple de Brunswick et de Gdansk déjà en proie à des soubresauts, ou celui de Florence que dominent les Ciompi.

Depuis que, le 18 juin 1378, d'une fenêtre de la Seigneurie, Benedetto degli Alberti a poussé son cri « Vive le Peuple ! », Florence n'est que tumulte et ce serait bien simplifier l'affaire que la ramener à un combat des petits contre les gros, à une lutte des travailleurs pour occuper les fonctions municipales et en déloger les grands négociants et les banquiers. Alberti est un homme riche, comme Salvestro dei Medici – lointain cousin de la branche qui donnera Côme et Laurent le Magnifique – et le relent des vieilles querelles politiques ou professionnelles contribue peu ou prou à colorer ou à renforcer les nouveaux affrontements. Il y a les magnats et les prolétaires, mais il y a aussi les Guelfes et les Gibelins, les tisserands et les teinturiers, les Florentins et les Lucquois.

Est-ce un hasard si, dans l'énorme trafic financier qu'alimente la fiscalité pontificale, la crise de Florence ne profite finalement qu'aux Lucquois ? En est-ce un autre si, après une tentative de pillage du trésor de la Seigneurie, les Florentins insurgés font pendre cinq pillards que l'on croit être des ouvriers flamands ? Imaginer des solidarités de classe serait méconnaître la dure réalité de ce temps : ces Flamands en crise sont venus manger le pain des Florentins en crise.

La révolution flamande.

Si la Flandre s'insurge en 1379, c'est à la suite d'un incident qui s'inscrit en entier dans la carte de Flandre. On sait que Bruges, plaque tournante de tout le commerce international de l'Europe du nord, n'est qu'un port médiocre, obligatoirement doublé d'un avant-port de haute mer — L'Écluse — et mal relié par voie d'eau à son arrière-pays. Au contraire du trafic rouennais ou bordelais, le trafic continental de Bruges ne peut être que routier. Ce n'est pas la petite Reie qui peut soutenir la comparaison avec les grandes artères commerciales que sont déjà la Meuse, l'Escaut et leurs affluents.

Le grand port flamand qu'est Bruges sert donc médiocrement les intérêts de la grande ville industrielle qu'est Gand. La fortune de Bruges tient à la mer du Nord, à la Baltique et à l'Atlantique, non aux métiers des villes drapantes. Le marché du drap flamand, en revanche, est autant dans les foires continentales et dans les nœuds des routes terrestres que sur les quais de Bruges. Dès lors que la Flandre veut assurer son indépendance, il lui faut réorganiser son infrastructure : ne pas dépendre de Paris ou de Lyon, de la foire du Lendit ou de celle de Chalon — on ne parle plus guère des foires de Champagne depuis le début du siècle — et ne pas dépendre non plus du grand port de l'Escaut, Anvers, que la géographie met au débouché de l'industrie flamande mais que l'histoire a mis en Brabant. L'industrie brabançonne a déjà su en profiter. Les Flamands savent que le profit s'est fait à leurs dépens.

Le comte Louis de Male a perdu le combat pour placer la succession de Flandre hors d'atteinte des convoitises du Valois. Au moins pouvait-il assurer au comté la grande voie d'accès à la mer qui lui manquait. Il autorisa les Brugeois à faire creuser un canal entre la Lys et la Reie. C'était détourner d'Anvers le trafic de la Flandre occidentale. Étrangers jusque-là au trafic fluvial, les Brugeois allaient maintenant rivaliser, vers le sud comme vers Courtrai, avec les Gantois. Ceux-ci comprirent vite que l'affaire diminuait le rayonnement de leur place commerciale. Menés par leur collègue Jean Yoens, les bateliers gantois s'en allèrent saboter à coups de pioche le travail des terrassiers embauchés par Bruges. Le patriotisme municipal fit le reste. Les tisserands prirent fait et cause pour les bateliers. Du coup de main sur un chantier à peine ouvert, les Gantois passèrent à l'insurrection contre le pouvoir.

On oublia vite l'affaire du canal. Les tisserands menaient le train contre le comte Louis de Male et le patriciat d'affaires, mêlés dans une même haine. Les solidarités locales s'effacèrent enfin devant l'esprit de classe : les tisserands d'Ypres et de Bruges s'associèrent au mouvement.

Une sorte de gouvernement populaire s'établit sur la Flandre. Il leva des troupes, fit assiéger Audenarde, où s'était retranché un fort parti de grands bourgeois. Le comte négocia, promit de confirmer les franchises municipales. A la fin de 1379, les esprits étaient refroidis par l'hiver. On put croire l'affaire terminée.

La trêve laissa à chacun le temps de la réflexion. Les bouchers, les poissonniers, les merciers, les pelletiers de Bruges jugèrent vite que les tisserands les jetaient inconsidérément dans une alliance contre nature avec la ville rivale : les Gantois n'avaient qu'à se débrouiller seuls. Les Gantois n'avaient pas, il est vrai, suscité la révolte dans l'intérêt des Brugeois. Lorsque les tisserands de Bruges se virent, en 1380, menacés dans leur hégémonie par les autres métiers, ils s'aperçurent que leurs collègues gantois ne leur étaient d'aucun secours.

Les Gantois se retrouvèrent seuls en Flandre. Mal ravitaillés, souvent menacés par l'armée du comte Louis, en proie au chômage, ils vécurent à partir de 1380 en état de siège presque permanent. Leurs vrais alliés étaient à Malines – en Brabant – et à Liège : deux villes dont l'intérêt, inscrit dans le réseau fluvial, s'opposait à celui de Bruges. Et toutes les villes de France qui allaient se dresser, pour une raison ou pour une autre, contre les puissants et contre les riches, le feraient au cri de « Vive Gand ! ».

C'est alors que Philippe Van Artevelde, le fils du héros de 1345, prit en main le mouvement gantois pour préciser les objectifs et donner à l'affaire quelque cohésion. L'idéologie, en particulier, fut précisée : c'était une sorte de démocratie directe. On prit des contacts avec l'Angleterre : il s'agissait d'éviter un nouveau blocus des laines. Mais Artevelde s'employa surtout à réduire la rivalité de villes qu'opposaient des intérêts extérieurs mais que pouvait unir un commun dénominateur de politique intérieure : Bruges, Gand, Ypres

BRUGES ET GAND

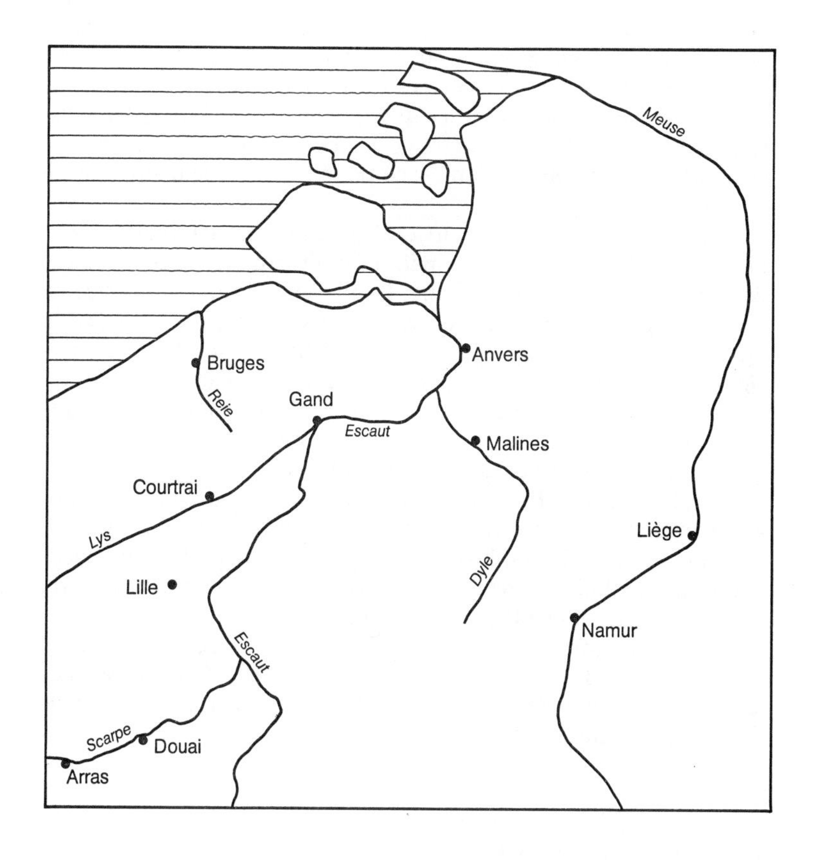

souffraient de la même prépondérance des milieux financiers, de la même mévente des produits industriels.

Artevelde était le contraire d'un économiste. Il ne se demanda pas — nul ne se demandait autour de lui — pourquoi les draps de Bruxelles ignoraient la mévente. Hommes d'un Moyen Age féodal dans une crise économique qui n'était pas encore moderne, Artevelde et ses semblables ne trouvaient de raisonnement que dans le système même dont ils souffraient : leur revendication s'exprimait en termes de privilèges, et les rapports de production n'étaient analysés que selon les schémas corporatifs les plus stricts. Pendant ce temps, l'initiative se développait dans la libre industrie des fabricants ruraux, pour le plus grand profit des financiers avisés. La draperie des centres secondaires — villages ou petites villes — faisait prime sur les marchés. Artevelde crut résoudre toutes les difficultés en unissant pour une politique commune les corporations rivales que la crise affectait ensemble. L'union ne permit guère que d'amplifier la révolte.

Les Gantois avaient, en janvier 1382, nommé Artevelde « capitaine de la Commune ». Le 3 mai, il faisait irruption à Bruges pendant la cérémonie du Saint-Sang, la précieuse relique rapportée de Jérusalem au XIIe siècle et conservée dans la chapelle haute de la place du Bourg, jouxte l'hôtel de ville. Tout à la dévotion, les Brugeois ne se tenaient pas sur leurs gardes comme à l'accoutumée. Nul ne put se défendre, et le comte Louis de Male ne trouva le salut que dans une fuite peu glorieuse. Il lui fallut traverser à la nage les fossés pour n'être point arrêté aux portes de la ville.

Les tisserands de Bruges avaient toujours penché vers Gand. Les autres métiers se laissèrent porter par l'enthousiasme du moment. Artisans ou boutiquiers, les Brugeois que l'on suspectait de tiédeur envers la révolution furent égorgés. Les Gantois et leurs alliés du jour étaient maîtres de Bruges. Les autres villes ne tardèrent pas à se rallier au plus fort. A l'automne de 1382, Artevelde gouvernait en fait la Flandre. D'abord réfugié à Lille, Louis de Male n'avait plus le choix de son indépendance : comme jadis son père Louis de Nevers, il appela à l'aide le roi de France.

Les « Travailleurs » anglais.

Bien loin de pouvoir saisir l'occasion de cette faiblesse passagère pour s'entremettre de nouveau dans les affaires du continent, Richard II et ses conseillers avaient en 1381 vécu des heures sombres, et l'on avait pu se demander si la couronne des Plantagenêts, déjà secouée par les rivalités d'influence autour du jeune roi, n'allait pas se trouver emportée en quelques jours par l'une des plus furieuses lames de fond qui aient jamais déferlé sur l'île : les « Travailleurs ». Le temps n'était plus à se préoccuper de Bordeaux, d'Agen ou de Poitiers, de Calais ou du Ponthieu : l'Anglais avait peur dans Londres.

C'est le fisc qui, comme en bien d'autres occasions, attire ici la foudre révolutionnaire. L'Angleterre n'a pas supporté les ravages de la guerre, mais elle en a porté le fardeau financier. Depuis tant d'années que le duché de Guyenne est sur la défensive, le contribuable anglais ne cesse d'approvisionner les envois de fonds qui alimentent à Bordeaux la caisse du « connétable », puisque c'est ainsi que s'appelle le chef de l'administration financière du duché. On le sait bien, il en coûte plus pour garder un pays avec des garnisons permanentes que pour le conquérir en de rapides chevauchées. L'assaillant choisit son heure, non le défenseur. En bref, les revenus du duché ne suffisent pas à la charge, et les Anglais de s'interroger sur le profit de cette guerre sans fin. Pour eux, il est nul.

L'impôt est lourd, mais il rentre mal. La défense du contribuable médiéval, c'est la fraude et la temporisation. En 1377, la taxe est à un gros d'argent par tête ; en 1380, elle passe à trois gros. Un temps, les communautés urbaines et rurales tentent d'esquiver en falsifiant les rôles. Ici on feint d'oublier les jeunes filles, là les veuves. Devant les maigres rentrées du Trésor, le gouvernement de Richard II réagit : des commissaires s'en vont réviser eux-mêmes les listes. Des milliers de noms sont rétablis sur les rôles : des milliers de fois trois gros d'argent, soit trois jours de travail d'un ouvrier agricole.

L'insurrection ne se fait pas attendre. A la fin de mai 1381, l'Essex et le Kent – l'est de Londres – sont les premiers touchés. Quelques jours plus tard, c'est le Centre qui bouge, puis le Nord. Du Sussex au Norfolk, les châteaux brûlent, avec leurs chartriers, témoins d'un système social mis en cause dès les premiers jours du mouvement. Le prédicateur John Ball, dont l'évangélisme prolétarien doit beaucoup à la véhémence des « Spirituels » de l'ordre franciscain, quelques générations plus tôt, se taille une rapide popularité en développant quelques idées simples.

> Quand Adam bêchait, quand Ève filait, où était le gentilhomme ?

Dans le long terme, la crise a d'autres causes que la maladresse des conseillers financiers de Richard II. Il y a un système manorial de moins en moins adapté aux conditions économiques nouvelles, des statuts personnels en retard sur ce que connaît le continent – le servage n'est-il pas encore lourd et étendu ? – et aggravés par les prémisses d'une réaction seigneuriale qui tient pour une part au dépeuplement. N'oublions pas la puissance temporelle de l'Église d'Angleterre : les gens de Cambridge vont s'en prendre tout naturellement aux collèges ! Dans le moment même où les Travailleurs s'arment contre l'ordre établi, le maître d'Oxford John Wycliff prêche et fait prêcher par ses disciples un réformisme anti-ecclésiastique que condamnera l'Église dès 1382.

Il y a peu de morts dans cette guerre sociale qu'est la révolte des Travailleurs : quelques agents du fisc royal, quelques seigneurs récalcitrants, quelques marchands trop vite enrichis. Mais bien des nobles s'en tirent en faisant cause commune avec les révoltés, et bien des bourgeois se sentent profondément solidaires de leur protestation.

La grande différence entre les Travailleurs anglais et les Tuchins languedociens, voire les anciens Jacques de la plaine de France, c'est que les Travailleurs savent à peu près ce qu'ils veulent. Un programme ? Peut-être pas. Mais ils formuleront des exigences précises, et ils savent dès le début où ils vont : ils vont à Londres, où est le roi et où il y a des vivres en abondance.

La révolte de la misère ne se double pas, comme en Languedoc à la même époque, d'un apport incontrôlable d'inoccupés sans feu ni lieu. L'Angleterre n'a pas ses compagnies en attente de guerre. Sur les routes de l'Essex et du Kent, il n'y a que des paysans écrasés par un fisc maladroit, indifférent aux difficultés économiques qui s'inscrivent dans la désastreuse conjoncture de ce XIVe siècle où manquent les hommes et où stagnent les prix agricoles.

Surtout, il y a Wat Tyler. C'est le Carle anglais, mais Guillaume Carle était un médiocre stratège et Mérigot Marquès n'avait aucune tête politique. Tyler, lui, n'est pas seulement un tribun de village – que flanque vite l'ardent John Ball – et un polémiste capable de haranguer les esprits simples. C'est un chef, qui coordonne l'action des Travailleurs, qui canalise leur colère et qui négocie pour eux. Wat Tyler sait empêcher les tueries inutiles. Bien des bourgeois, que ne retient pas la peur d'un massacre, ne se privent pas de marquer leur sympathie au mouvement paysan. Le fisc n'est-il pas leur ennemi commun ?

En quinze jours, les Travailleurs sont à Londres. La Cité n'a résisté qu'une nuit : l'ordre d'ouvrir une porte est venu d'échevins favorables à l'insurrection.

L'ampleur du mouvement déconcerte le gouvernement de Richard II. Il y a là vingt mille hommes, peut-être cinquante mille, qui campent dans la ville, qui brûlent quelques hôtels aristocratiques et font un peu de butin, mais qu'une énergique discipline remet rapidement dans le chemin de l'ordre. Les pillards sont pendus. Le bourgeois respire mieux. Londres ne devra que fournir des vivres ; encore certains paysans font-ils l'effort de payer ce qu'ils mangent.

Les victimes ne tombent pas au hasard. Ce sont les conseillers impopulaires du jeune roi, ceux qu'on tient pour responsables d'une politique désastreuse : le continent perdu et l'île ruinée. Comme jadis autour de Jean le Bon, on parle de trahison. N'est-ce pas ce même mot, décidément lourd de sens en ce temps où la fidélité vassalique est encore l'une des bases d'une certaine société, que lancera dix ans plus tard le malheureux dont les imprécations déclencheront la première crise de folie de Charles VI ? Il y a des traîtres, pense-t-on dans l'Angleterre de 1380. Il semble naturel de les châtier.

Tyler et ses hommes ne cherchent pas le butin, et ils ne veulent pas le bain de sang. On le voit bien lorsqu'ils entreprennent de négocier avec le roi, non sans avoir d'abord fait ou laissé exécuter les responsables de la politique financière, et lorsqu'ils mettent en forme ce qui commence de ressembler à un programme. Il s'agit, tout simplement, de bouleverser les fondements de la société : abolition du servage, abolition des règlements qui constituent le droit du travail, redistribution des terres de l'Église aux paysans. Richard II gagne du temps, feint de céder. Il ne peut refuser ouvertement, mais il sait que Robert Knolles est occupé à regrouper une assez forte armée.

Le 15 juin, c'est soudain le retournement, immédiat, brutal. Le roi sait que Knolles est prêt. Au cours de la négociation, l'entourage royal pousse Tyler à hausser le ton. Le tribun populaire est tout d'une pièce, et il ne pense pas un instant que cette négociation pourrait tourner à la provocation. Il tombe dans le panneau et se permet des impertinences. Sans souci du protocole — qui le lui aurait appris ? — il boit une pinte de bière sous le nez du roi. Dans une algarade avec un conseiller, il prononce un mot malheureux. On sort les armes. Tyler tombe mort.

L'armée royale chasse alors les paysans, abasourdis par le changement rapide de la situation. Des soldats de métier n'ont guère de peine à berner ces braves gens qui ne se méfiaient pas : les paysans sont encerclés. L'aventure est terminée. Trop heureux qu'on les laisse partir en vie, les Travailleurs regagnent leurs villages, l'armée de Knolles sur les talons. Quelques soubresauts tardifs seront réprimés par les soldats.

La réaction se manifeste au même moment dans les comtés en proie à l'insurrection. Bassinet en tête, l'évêque de Norwich mène une opération de nettoyage qui met au pas les mécontents de cinq ou six comtés.

Richard II l'emporte donc. Toute l'affaire n'a pas duré un mois. Quelques exécutions suffisent pour l'exemple. Une amnistie, en décembre, vient à point rassurer la population sans passer pour de la faiblesse. Des concessions à peine faites à Wat Tyler, il n'est évidemment plus question. Mais on comprend que l'Anglais ait autre chose à faire, en ces années 1381 et 1382, que profiter sur le continent de la faiblesse passagère du roi de France.

Les Français contre le fisc.

Que le gouvernement de Charles VI fût bien en peine, c'est cependant le moins qu'on puisse dire. Loin de pouvoir réprimer l'insurrection qui minait en Flandre le futur héritage du duc de Bourgogne, il devait faire face à travers tout le royaume à une extraordinaire vague d'insurrections, filles à la fois du fisc en son principe et des maladresses de la politique fiscale, de la misère mesurable des pays ruinés et du découragement qu'engendre en tout temps la psychose de guerre.

La résistance au fisc se manifesta dès les lendemains de la mort de Charles V. Mû de scrupule, celui-ci avait à son lit de mort décrété l'abolition des fouages. Mais il s'en était tenu à cet impôt direct, et le bon peuple avait trop vite compris qu'on supprimait l'impôt dans son ensemble, autrement dit les aides indirectes qui pesaient sur la consommation quotidienne. Par conviction, mais aussi pour limiter les soubresauts de leurs villes, les notables firent chorus. Lorsqu'en novembre 1380, dès le retour du couronnement, le roi réunit les états généraux de Langue d'oïl, il s'entendit dire qu'il devait se priver définitivement – pour le temps de paix – de toute ressource autre que le revenu ordinaire du domaine royal et des droits régaliens. Un début d'agitation populaire soutenait la revendication des états. Il y eut une petite émeute à Paris devant le palais.

Le prévôt des marchands canalisa l'ardeur des bourgeois: on adressa une supplique au roi. L'avocat Martin Double fut dépêché pour haranguer le gouvernement. Double était l'avocat du roi: les bourgeois parisiens pensaient encore en termes de requête et de supplique, et désigner un fidèle serviteur de la monarchie pour exprimer leur point de vue ne leur semblait en rien paradoxal. Il ne s'agissait ni de révolte, ni même de réforme.

La fureur populaire se tournait cependant contre les Juifs. Un rabbin fut tué, quelques maisons saccagées. La foule exigea l'expulsion des Juifs, avant tout coupables – en ce temps de difficultés économiques – d'exercer une fonction que le droit canonique interdisait théoriquement aux chrétiens: le prêt sur gages. Moitié par esprit de prosélytisme, moitié par volonté de brimade, des Parisiens arrachèrent à leurs parents quelques enfants juifs, avec le dessein avoué de les faire baptiser et l'intention évidente d'amener les communautés juives à décamper. Le prévôt Hugues Aubriot, l'homme de confiance de Charles V, fit rendre les enfants à leurs parents. Dans certains milieux, on ne devait pas lui pardonner le geste. Au vrai, prenant sous sa garde les enfants comme il avait protégé au Châtelet les parents qui avaient pu se réfugier à temps dans la petite forteresse, au débouché du Grand-Pont, Hugues Aubriot ne faisait que son métier de prévôt : il cherchait à limiter l'émeute.

A Saint-Quentin, à Compiègne, à Laon, les receveurs des aides avaient, les semaines précédentes, essuyé quelques rebuffades et suscité quelques mouvements de quartier. Rien que de très banal : depuis le temps de Philippe le Bel, les collecteurs et les fermiers de l'impôt en avaient vu d'autres.

Soucieux de mettre un terme à l'affaire des Juifs sans soulever la masse de la population, le gouvernement royal ne pouvait avoir qu'une attitude ambiguë. Il prescrivit la restitution aux Juifs des biens dérobés lors du sac de novembre : des joyaux, de l'argenterie, des fripes. On ne souffla mot des reconnaissances de dette qui avaient brûlé dans certaines maisons : leur disparition soulageait, entre autres débiteurs, bien des nobles dont chacun savait qu'ils avaient peu ou prou poussé au pillage. Mais, dans le temps qu'il rassurait les Juifs, le gouvernement de Charles VI préparait une ordonnance, qui fut publiée le 20 mars 1381 : elle leur retirait le droit de propriété et limitait le taux d'intérêt toléré pour le prêt d'argent.

L'antisémitisme ne désarma pas. Tout prétexte était bon pour courir sus aux Juifs. En 1394, le roi allait mettre un terme à ce type d'agitation en le privant d'objet : toutes les communautés israélites seraient expulsées du royaume.

Contre la fiscalité, cependant, les émeutes se succédaient. Charles V avait supprimé les fouages et le gouvernement des ducs, oncles de Charles VI, avait à son tour supprimé les aides. Mais il fallait bien vivre. Les états de novembre 1380 avaient accordé un impôt direct, dont la levée ne pouvait offrir les avantages que procurait, par sa régularité, tout impôt sur la consommation. La négociation reprit donc, au début de 1382, au sujet des aides indirectes.

Avec une habileté diabolique, les gens du roi s'arrangèrent pour ne discuter de l'affaire qu'avec des petits groupes de notables, laissant ignorer à chacun ce qu'avait entendu et accepté l'autre. Les métiers de Paris, qu'on craignait assurément, furent reçus un à un, et à Vincennes, où nul soutien populaire ne pouvait battre les murs de la forteresse pendant l'audience des délégués. Le rétablissement général des aides fut enfin publié le 17 janvier 1382, mais à la sauvette, à l'heure du déjeuner. Presque personne ne s'en aperçut. Ceux qui avaient entendu crurent que la mesure était de pure forme : nul ne parlait de percevoir le nouvel impôt.

Vers la mi-février, les Parisiens comprirent tout de même qu'il se tramait quelque chose. Les agents du roi préparaient la levée, on adjugeait les recettes à des fermiers. Le secret n'était plus possible. Aux carrefours et dans les tavernes, les gens se concertaient. Certains déclaraient tout haut qu'ils ne paieraient en aucun cas. Quatre bourgeois furent arrêtés. Jean des Marès, un avocat fort populaire et volontiers porté à jouer de ses relations autant que de son éloquence véhémente, tenta quelques démarches pour qu'on différât au moins la levée. Les esprits étaient enfiévrés. On pouvait craindre le pire.

C'est alors que les gens de Rouen se révoltèrent. Les états de Normandie avaient accepté un impôt ; les bourgeois apprirent que les officiers royaux se préparaient à exiger plus qu'il n'était concédé par les états. Le 24 février, deux ou trois cents ouvriers de la draperie se soulevèrent. Le tocsin sonna. Le peuple s'assembla au Vieux-Marché, puis alla secouer la porte du maire et des anciens maires. On vida les prisons. On pilla la maison des notables suspectés d'avoir gagné de l'argent en prenant à ferme la levée des anciens impôts. Il faut dire que l'on n'aurait trouvé aucun fermier pour de telles levées s'il n'y avait eu quelque profit.

Il y eut plusieurs morts. La plupart des grands bourgeois se tirèrent d'affaire en se réfugiant dans les couvents. Mais le chapitre de la cathédrale fut saccagé et l'abbaye de Saint-Ouen subit durement la fureur des émeutiers. Au vrai, nul ne songeait plus à la fiscalité royale. L'ennemi, maintenant, c'était le riche.

Chez l'ancien maire Guérout de Maromme, les émeutiers cassèrent le mobilier, jetèrent sur le pavé ce qu'ils purent passer par les fenêtres, burent une partie de la cave, et défoncèrent les queues de vin qu'ils ne pouvaient boire. Il s'agissait de saccager, non plus d'éviter l'impôt.

Le lendemain, bien des gens se trouvèrent fort ennuyés de cette « harelle ». Les praticiens avaient repris les choses en main, mais ils ne savaient quelle figure faire aux officiers royaux malmenés la veille. Le peuple craignait la réaction et sentait qu'il allait faire les frais de l'affaire. Une députation s'en alla demander pardon au roi. On espérait bien qu'elle reviendrait de Paris avec une confirmation de la vieille « charte aux Normands » qui fondait les droits du roi à percevoir l'impôt et les limitait de manière fort stricte. La réponse du gouvernement royal fut laconique :

Le roi ira à Rouen. Il saura qui a mangé le lard !

Les Maillotins.

Comparée aux événements qui secouaient maintenant Paris, l'affaire de Rouen avait été mince. Après les négociations de janvier, le calme était revenu dans la capitale. Les grands bourgeois étaient assez peu fiers de leur comportement et ne se souciaient guère de raconter à tout le monde qu'ils avaient, dans les négociations de Vincennes, plus ou moins cédé aux exigences royales. Mais le calme cachait une illusion. Alors que l'impôt était bel et bien décidé, nul ne s'y attendait plus.

On s'étonna donc de voir, dans les derniers jours de février, les fermiers mettre en place le dispositif de perception. Les conciliabules reprirent de plus belle. On parla derechef de complot. Jean des Marès voulut s'entremettre à nouveau, croyant au moins retarder la perception. Peut-être eût-il réussi si l'on n'avait alors reçu des détails au sujet de la « harelle ». Il était évident que les notables de Rouen y avaient été passablement débordés. Le gouvernement pouvait en déduire que Jean des Marès et ses semblables n'étaient d'aucun intérêt en semblable circonstance.

Le gouvernement des ducs gagna vingt-quatre heures par un subterfuge. Le 28 février, les crieurs annoncèrent à tous les carrefours de Paris que l'on venait de voler la vaisselle du roi, ou à tout le moins une partie de celle-ci. L'événement était nouveau. Ce fut un beau concert de commentaires. Dans le brouhaha, les crieurs ajoutèrent qu'on lèverait l'impôt sur les transactions au détail à compter du lendemain matin. Nul n'entendit.

Dans l'après-midi, on adjugea définitivement la perception. Officiers et fermiers étaient d'accord pour éviter la publicité. L'adjudication n'avait apporté aucune surprise : les nouveaux fermiers étaient les mêmes hommes que les contemporains de Charles V avaient connus dans la fonction deux ou trois ans plus tôt.

Et le 1er mars au matin, les Parisiens se réveillèrent en sachant qu'il se tramait quelque chose, mais en ignorant quoi. Les bruits les plus contradictoires circulaient dans le silence officiel.

L'émeute éclata quand un fermier prétendit lever l'impôt sur les ventes d'une marchande de cresson. Des halles, l'insurrection gagna toute la rive droite, puis franchit les ponts. Maîtres de métiers décontenancés par les mutations économiques, ouvriers au chômage et artisans menacés dans leur clientèle se trouvèrent côte à côte. Les patrons craignaient le fisc, les clients avaient peur de la vie chère. Certains étaient simplement heureux de chercher querelle aux gens du prévôt. D'autres luttaient contre la faillite en se battant contre le fisc.

Tous avaient cru à la mort du fisc, et cru que cela suffirait à rétablir la prospérité. Dans la fureur des émeutiers, il y avait une part de rêve qui s'écroulait: elle tenait au vieux mythe de l'Age d'or.

Une seule certitude : c'étaient des petites gens que ces émeutiers de la première heure, qui s'en allaient mettre la main sur la maison d'un fermier, celle d'un usurier ou celle d'un bourgeois trop riche. Des petites gens parmi lesquels on comptait, dès le début de l'affaire, un certain nombre de ces marginaux qu'étaient les paysans réfugiés en ville et les valets sans embauche. On vit très vite apparaître d'autres marginaux : les vide-goussets professionnels et les caïmans de grand chemin.

Comme d'habitude, on s'en prenait aux Juifs. Certains furent égorgés, d'autres se firent baptiser séance tenante. On s'attaqua aussi aux changeurs, tout au moins à ceux qui ne furent pas assez malins pour hurler à l'instant même contre le fisc. Plus généralement, on s'en prit aux propriétaires, aux négociants, aux avocats, aux officiers du roi. Les beaux hôtels de la rive droite brûlaient. Les archives servaient de boute-feu. On raconta plus tard que bien des nobles avaient poussé au saccage ou n'y avaient point résisté, trop heureux de voir partir en fumée, cette fois encore, les reconnaissances de dette naguère laissées chez les prêteurs de tout poil.

On pouvait s'attendre à une réaction royale. Il fallait donc des armes. La foule enfonça les portes de l'hôtel de ville, sur la place de Grève, et se saisit là de quelque deux ou trois mille maillets de plomb naguère entreposés dans cet arsenal de fortune pour prévoir le cas où un Knolles quelconque viendrait forcer les portes de la capitale.

Ceux que l'on allait appeler les « Maillets », et plus rarement alors les « Maillotins », allèrent chercher du renfort dans les prisons. Le Châtelet, le For-l'Évêque, Tiron furent ainsi forcés. Les portes du Palais cédèrent à leur tour.

D'abord surpris, puis tentés de hurler avec les loups et peu disposés à faire l'éloge du fisc, les bourgeois établis s'inquiétaient maintenant de la tournure que prenaient les événements. Ils voulaient bien la fin de l'impôt, non le saccage de la capitale. On comptait déjà une trentaine de morts. Il était sûr que le roi ferait un jour payer la note.

Une délégation fut improvisée : des hommes de loi, des maîtres de l'Université, quelques marchands, qui rencontrèrent à la porte Saint-Antoine le duc de Bourgogne et plusieurs conseillers du roi venus pour cela de Vincennes. Les Parisiens posèrent des conditions : abolition de l'impôt, amnistie générale. Les gens du roi les repoussèrent.

L'insurrection s'était vainement cherché un chef. Les Maillotins avaient, au For-l'Évêque, libéré entre autres l'ancien prévôt Hugues Aubriot, qui tenait prison depuis l'année précédente parce qu'il avait violé quelques privilèges de l'Université et que le gouvernement des ducs se souciait comme d'une guigne de défendre l'un des anciens serviteurs de Charles V. Aubriot était la bête noire des notables, des clercs, des étudiants. Pour l'heure, les émeutiers oublièrent qu'il avait été le maître de la police et se forcèrent à ne voir en lui que l'adversaire acharné des privilégiés et la victime des puissants du jour. On lui offrit de prendre la tête de l'insurrection.

Aubriot était trop prudent pour tomber dans le piège. Fils d'un changeur de Dijon, il avait été procureur du duc de Bourgogne, puis son bailli à Dijon, avant de passer au service du roi. C'était un juriste, un administrateur, un bâtisseur. Non un émeutier. L'intérêt du roi l'avait opposé à l'Hôtel de Ville et à l'Université, non la démagogie. Il vit bien qu'accepter la proposition des Maillotins, c'était se condamner à avoir tôt ou tard la tête tranchée. On ne pardonnerait pas un crime de lèse-majesté à un ancien prévôt de Paris.

Il songea un moment à se constituer de nouveau prisonnier de l'évêque, puis préféra coucher chez lui. Mais, dès le lendemain matin, il quittait la capitale sans se faire remarquer. On le retrouva à Avignon chez le pape Clément VII.

Le gouvernement des ducs était pressé d'en finir. Si les Parisiens trouvaient leur Artevelde, les choses pouvaient durer ainsi. La révolte fiscale pouvait se généraliser à travers le royaume. Bien des villes grondaient déjà, le plus souvent au cri de « Vive Gand, notre mère ! ». En Normandie, en Champagne, en Picardie, les agents du fisc prenaient la fuite. Amiens, Orléans, Lyon refusaient de payer quoi que ce fût du nouvel impôt. Il devenait d'autre part urgent de châtier les émeutiers de Gand et ceux de Rouen.

Le clergé s'entremit. Le 13 mars 1382, le roi accordait l'amnistie générale. Une quarantaine de meneurs étaient exemptés du pardon : c'étaient de petites gens, les notables qui avaient mené la négociation ayant fait front contre le risque de représailles. Une douzaine de pendaisons marqua le passage de la justice du roi. Les autres émeutiers en furent quittes pour la peur : le prévôt gracia, le 25 mars, ceux qui avaient été tenus à l'écart de l'amnistie.

Les grands bourgeois parisiens étaient satisfaits. La répression faisait leur affaire : elle matait pour longtemps l'agitation populaire. Ils avaient eu peur le 1er mars ; ils avaient confisqué la révolte le 13. La lutte contre le fisc aboutissait ainsi à consolider la position des patrons et des possédants, et à garantir leur tranquillité. L'affaire des Maillotins se soldait par le triomphe des démagogues et des beaux parleurs, défenseurs des contribuables en février, de l'ordre en mars, et finalement des libertés parisiennes.

La répression.

On se rendit compte sans peine que le roi n'avait cédé sur rien. Les états réunis à Compiègne votèrent la levée d'une aide. Les députés des Parisiens discutèrent le montant de la contribution, mais ils hésitèrent devant une résistance qui eût à nouveau soulevé les masses. En réalité, la bourgeoisie parisienne comptait sur les Gantois. Dans tous les cabarets, autour des jeux de boule ou de quilles, dans les marchés et dans les boutiques, tout le monde conspirait en parole sans vouloir s'aventurer. Significative est à cet égard la résignation du drapier Aubert de Dampierre. Dénoncé pour un complot contre le fisc, il se laissa arrêter sans même appeler à l'aide : il le dit lui-même, une insurrection aurait fait trop de morts. Ennemis de l'impôt, mais tout autant du désordre, tels étaient les bons bourgeois de Paris. Si la victoire des Flamands neutralisait le pouvoir royal, alors on verrait.

Pendant que Paris s'installait dans l'attentisme et que la Flandre s'organisait sans son comte, Charles VI s'occupait de Rouen. Lorsqu'il entra dans la ville, le 29 mars, on avait déjà coupé la tête aux principaux fauteurs de la « harelle », descendu les cloches du beffroi, démoli la fortification de la porte Martainville, ôté les chaînes des rues et confisqué les armes des bourgeois. Pour que nul n'oubliât, le gouvernement royal supprima la Commune et révoqua les privilèges de la « marchandise » rouennaise. Pour faire bonne mesure, un impôt particulièrement lourd frappa la ville.

Atterrés, les Rouennais se tinrent tranquilles quatre mois. Mais, lorsqu'une nouvelle aide sur la consommation fut imposée aux états de Normandie, la colère reprit le dessus. Le 1er août 1382, alors que les collecteurs de l'impôt installaient leur comptoir, une deuxième « harelle » éclata à la halle aux draps. Le bailli tenait la ville : l'incident n'eut pas de lendemain. Les gens du roi allaient cependant tirer argument de cette récidive pour écraser définitivement Rouen.

Les villes insurgées avaient jusqu'ici mené des combats divers et sans coordination aucune. Certes, les bourgeois avaient beaucoup écrit. Ils s'étaient mutuellement informés, s'étaient encouragés. Face à la répression royale, les villes demeurèrent seules, chacune pour soi. Les ducs – menant partout le jeune roi – purent les châtier l'une après l'autre en prenant tout leur temps.

En août 1382, Philippe de Bourgogne faisait décider en Conseil la priorité d'une action en Flandre. Il y avait assez d'intérêt. Le 18 août, Charles VI prit donc à Saint-Denis l'oriflamme dont la présence à l'armée faisait de la campagne de Flandre autre chose qu'une chevauchée : la défense de l'ordre monarchique. Vainement les Gantois cherchèrent-ils alors à obtenir que le roi se posât en arbitre entre leur comte et eux : ils oubliaient que le duc de Bourgogne se sentait déjà comte de Flandre. Et Philippe le Hardi entendait de surcroît donner à l'entreprise les couleurs de la Croisade : on allait assurer l'obédience de la Flandre au pape Clément VII. En ce temps où l'Église avait deux têtes, toute action politique pouvait trouver une résonance nouvelle en s'inscrivant dans le drame de la Chrétienté.

Artevelde n'avait pas le choix. Il se tourna vers l'Angleterre. Richard II n'était guère satisfait de voir les Français mettre la main sur la Flandre, et il adhérait à l'obédience d'Urbain VI. Les extensions de l'obédience d'Avignon ne pouvaient que l'inquiéter. Artevelde obtint donc sans peine de très vagues promesses. Il s'en contenta.

Le 18 novembre, l'armée royale quittait Lille sous la pluie. Le lendemain, une habile manœuvre permit d'occuper le pont de Comines et de franchir ainsi la Lys. Le 21, Ypres se soumettait. La défense d'Artevelde était prise en défaut : il avait compté sur la Lys. Pour éviter que Gand fût assiégé, il lui fallait maintenant chercher la bataille en rase campagne.

L'armée des Gantois s'avança jusqu'à Roosebeke, s'y forma en triangle face à l'armée royale, disposa son artillerie au sommet de la colline et attendit le jour pour charger. On était le 27 novembre. Au petit jour, dans la brume qui se levait lentement, les Gantois attaquèrent en poussant des cris terrifiants. La chevalerie française céda de quelques pas. Par crainte de fraternisation avec les communes révoltées, on avait mis l'infanterie derrière.

Les Gantois ne virent pas qu'ils étaient manœuvrés. La chevalerie, ayant cédé au centre, les enveloppa par les ailes. Et le massacre commença, à la masse et à la hache d'armes plus qu'à l'épée. Les bassinets volaient, les crânes éclataient sous les moulinets. La victoire était, désormais, assez assurée pour que la fidélité des sergents du roi de France fût garantie : on les fit intervenir pour dépêcher les blessés au couteau.

Dès lors qu'ils étaient vaincus, les Flamands n'étaient plus que des rebelles à Dieu et au roi. Leurs arrière-grands-pères avaient connu ce sort à Mons-en-Pévèle. On laissa leurs cadavres aux chiens et aux oiseaux. Par une attention toute spéciale du comte Louis, le corps de Philippe Van Artevelde fut pendu, pour l'édification du peuple.

Bruges prit alors les devants. La ville acceptait la souveraineté royale, répudiait tout ensemble l'alliance anglaise et l'obédience du pape Urbain VI, acceptait même de payer une forte amende. Courtrai fut pris de court : les Français avaient sur le cœur les éperons d'or qui décoraient toujours la voûte de l'église Notre-Dame et qui étaient ceux de leurs ancêtres. Philippe de Bourgogne avait aussi en tête un propos plus immédiat : saisir dans les archives de Courtrai les lettres envoyées, disait-on, par les Parisiens au cours des deux dernières années. Ne racontait-on pas que ces mêmes Parisiens venaient d'arrêter sur la route de Flandre le ravitaillement attendu par l'armée royale ? Faute de trouver dans les archives la preuve du complot, les Français incendièrent la ville.

Les seuls qui s'en tirèrent finalement furent les Gantois restés chez eux. Quelques milliers de leurs compatriotes avaient trouvé la mort à Roosebeke, mais le duc Philippe vit bien que la ville ne pourrait accepter la ruine que signifiait l'amende exigée dans un premier temps : trois cent mille francs. Assiéger Gand au début de l'hiver, c'était prendre un risque inutile. La victoire était éclatante ; le duc de Bourgogne jugea bon de s'en contenter. Son beau-père le comte de Flandre avait eu tout le profit d'une intervention qui lui rendait son autorité, mais il ne tenait pas à voir maintenant les Français s'éterniser chez lui. Philippe entrevit sans doute que son intérêt n'était pas de pérenniser l'occupation. A mots couverts, tout le monde se trouva d'accord pour en demeurer là.

Aussi bien l'armée royale avait-elle d'autres tâches en vue. Elle marcha sur Paris. Le 2 janvier 1383, le roi était à Compiègne. La capitale fit semblant de préparer l'entrée solennelle d'un vainqueur. Le prévôt des marchands et les échevins allèrent à Compiègne pour régler les détails de la cérémonie. En fait, tout le monde tremblait depuis qu'on avait appris à Paris, le 1er décembre, la victoire de Roosebeke et le sac de Courtrai. Quelques arrestations, entre le 5 et le 10 janvier, firent comprendre aux plus optimistes que le roi n'avait nullement pardonné les Maillets.

Le 11 janvier, Charles VI déposait l'oriflamme à Saint-Denis et prenait la route de Paris. Quelques centaines de Parisiens allèrent au-devant de l'armée jusqu'à Montmartre, espérant apaiser le roi en lui souhaitant la bienvenue. Leur enthousiasme de commande fut douché net.

> Retournez à Paris. Quand je serai assis au lieu de justice, venez et demandez, et vous trouverez partie.

La réplique du jeune roi sonnait juste. De la route de Senlis à celle de Melun, trois corps de troupe enserraient la position de Paris. Le roi portait son armure. Comme jadis Jean le Bon à Rouen. Le souverain venait en justicier.

Quelques hommes d'armes furent détachés en avant de l'armée.

Doublant les bourgeois qui s'en retournaient déconfits, ils allèrent prendre position dans le Louvre.

Les Parisiens crurent habile de montrer leur force et, peut-être, en manifester tout simplement la loyauté. Toujours est-il qu'ils placèrent sur le passage du roi un contingent de la milice municipale, avec arcs, arbalètes et maillets. Le roi prit fort mal la chose.

On arrivait à la porte Saint-Denis, grande ouverte pour l'entrée du roi. Les sergents n'en allèrent pas moins soulever les vantaux, les sortir des gonds et les renverser à grand fracas. Le geste symbolique fut compris de tous. Les gens du roi avaient fait de même, l'année précédente, à Rouen. C'en était fait des privilèges de Paris.

Pendant que le roi allait à Notre-Dame chanter un *Te Deum*, Olivier de Clisson et le maréchal de Sancerre occupaient en force le Grand et le Petit-Pont. Une garnison s'installa à l'hôtel Saint-Paul, une autre à la Bastille. Une troupe fut cantonnée aux Innocents, à deux pas des Halles et du Châtelet, prête à intervenir d'urgence en ville. Pour assurer la mobilité dans les manœuvres, les sergents du roi enlevèrent les chaînes des rues et les portèrent au Louvre.

Le lendemain, on pendit trois des principaux meneurs de la journée des Maillotins : deux drapiers, un orfèvre.

La terreur s'abattit sur Paris. Les arrestations se succédèrent pendant plusieurs jours : on se saisit d'abord des notables, « principaux faisants et conseillants les rébellions et désobéissances », puis on passa au menu fretin, souvent victime de vengeances et de jalousies de quartier sans grand rapport avec les événements de 1382. Quiconque avait murmuré depuis trois ans se retrouva la proie de commissaires royaux chargés officiellement d'enquêter, mais en réalité de faire en sorte que l'envie de conspirer ne revînt pas de sitôt aux Parisiens. Pendant ce temps, l'armée pillait, rossait, violait.

Ceux qui avaient fui la ville parce qu'ils savaient ce qui les attendait ne furent pas oubliés pour autant. On leur fit sommation de revenir, puis on prononça leur bannissement et la confiscation de leurs biens.

Le 19 janvier, six hommes furent conduits au gibet. Parmi eux, le vieux Nicolas Le Flament, un drapier fort estimé, que l'on avait vu parmi les négociateurs parisiens en mars comme en mai 1382, et qui passait pour un réformateur libéral. Certains se rappelèrent fort à propos qu'on l'avait jadis vu dans l'entourage d'Étienne Marcel pendant le massacre des maréchaux.

Le 20 janvier, les Parisiens surent qu'ils s'étaient battus en vain : une aide indirecte était établie à compter du 1er février 1383 sur toutes les marchandises, en particulier sur le vin et le sel. Le roi n'avait même pas consulté les états.

Les exécutions continuèrent jusqu'à la fin de février, sans qu'il fût question de procès. Pendus ou décapités, plusieurs dizaines de Parisiens payèrent ainsi la crainte qu'ils avaient inspirée au gouvernement royal. L'avocat Jean des Marès fut, le 28 février, l'une des dernières victimes de cette répression. Démagogue et conciliateur, ce nouveau Robert Le Coq avait depuis trois ans joué le rôle ambigu de celui qui apaise les tumultes qu'il a pour une part déclenchés. Sa mort satisfaisait surtout ceux que son évidente ambition politique ne laissait pas d'inquiéter. Des Marès avait été, aux premières heures du règne, l'avocat éloquent des droits du duc d'Anjou à la régence. Philippe de Bourgogne et Jean de Berry s'en souvenaient.

Le roi monnaya enfin sa grâce. Une lourde amende sur toute la ville et quelques centaines de confiscations remirent à flot les finances royales et celles de bien des courtisans.

Il importait surtout de briser l'âme de la résistance parisienne en privant la ville du seul organe de cohésion politique et économique qu'elle connût, cette municipalité qui n'en était pas une, puisque Paris n'avait pas de charte : la prévôté des marchands – le prévôt et ses quatre échevins – ne représentait la ville qu'autant que le pouvoir royal y trouvait sa commodité, autrement dit lorsque le roi avait besoin d'un interlocuteur. Le 27 janvier 1383, la prévôté des marchands était unie à la prévôté de Paris : la ville n'avait dorénavant d'autre chef que l'officier royal. Toutes les juridictions professionnelles étaient dissoutes. Les métiers n'avaient même plus le droit de se réunir, sinon pour une messe. Le prévôt de Paris, le légiste Audouin Chauveron, alla même s'établir en place de Grève dans la célèbre « Maison aux piliers » : il n'y avait plus d'hôtel de ville.

Pendant ce temps, des commissaires royaux étaient chargés de « réformer » Rouen. L'émeute du 1er août contre les agents du fisc annulait les effets du pardon royal. La deuxième « harelle » allait se payer encore plus cher que la première. Mais elle n'avait duré que quelques heures, et les Rouennais la croyaient oubliée. Ils furent stupéfaits quand ils virent les réformateurs royaux – qu'ils acclamaient, les croyant venus pour organiser le pardon royal – faire arrêter sur-le-champ trois cents personnes. Amendes collectives et amendes individuelles s'abattirent sur Rouen. Des bourgeois furent bannis, certains s'enfuirent pour échapper à l'amende. La ville se retrouva exsangue.

Plus que les notables, qui s'arrangèrent pour sauver une part de leur fortune et pour reconstituer rapidement la base économique de leur puissance, l'épreuve ruina la bourgeoisie moyenne, celle qui faisait de beaux profits dans la prospérité générale mais n'avait guère de réserves. Privée de son autonomie municipale, privée des privilèges qui protégeaient le commerce rouennais sur la Basse-Seine, la société rouennaise était désemparée.

L'octroi en 1391 d'une nouvelle constitution municipale qui laissait au bailli royal toute la réalité du gouvernement local ne suffit pas à assurer le rétablissement économique. Le crime de Paris n'avait pas été moindre que celui de Rouen, et le roi avait eu plus peur à Paris ; mais il ne souhaitait pas la ruine de sa capitale, dès lors qu'elle était matée. L'étreinte se relâcha donc plus vite à Paris, et l'on vit ce paradoxe : le rétablissement plus rapide de l'autonomie municipale d'une ville qui n'avait jamais eu de vraie municipalité et des privilèges commerciaux d'une bourgeoisie qui avait si souvent fait chanceler la royauté. L'extraordinaire personnalité de Jean Jouvenel, nommé « garde de la prévôté des marchands » en 1389, n'est pas étrangère à cette restauration. Prenant en main les intérêts économiques de Paris, Jouvenel fit une série de procès en Parlement, qu'il gagna. Dès 1400, les Parisiens pouvaient commercer sur la Basse-Seine sans passer par l'intermédiaire des Rouennais, alors que la réciproque, en amont de Paris, demeurait interdite aux Rouennais. Cette inégalité des conditions et des chances devait encore alimenter au temps de Louis XI l'amertume des Normands.

Les Tuchins.

Gand, Rouen, Paris, Laon, c'est tout un. Les raisons étaient voisines. Les excitations s'alimentaient l'une l'autre. Nîmes, Carcassonne, Alès, Béziers, c'était un autre monde, où l'on se souciait peu des prolétariats urbains du Nord et où l'on voyait avec d'autres yeux la dureté des temps, les effets de la guerre, les crises de l'économie.

Le Languedoc avait été fort peu touché par la guerre franco-anglaise. On se souvenait de la chevauchée du Prince Noir, l'année d'avant Poitiers. La Guyenne et la Normandie avaient, depuis, accaparé l'attention des belligérants. L'Agenais, le Périgord, le Limousin avaient payé à la guerre un tribut plus lourd que les plaines du Languedoc royal. Et cependant, de Toulouse à Béziers, on n'avait pas cessé de vivre dans la terreur et d'éprouver la misère des temps de guerre.

La Peste noire avait lourdement frappé la plaine en 1348. La « peste des montagnes », en 1363, avait vidé de ses hommes le pourtour montagneux, en Béarn comme en Rouergue. Les « compagnies » des années 1360 avaient sillonné le pays, pillant et rançonnant par intérêt, brûlant et saccageant par plaisir ou par vengeance. La grande compagnie avait fait des ravages, et les troupes de Du Guesclin gagnant l'Espagne en avaient fait tout autant. La paix du Languedoc, que gouvernait comme lieutenant du roi le duc Louis d'Anjou, n'avait donc été, tout au long du règne de Charles V, qu'une interminable suite de sièges, de raids, de coups de main. Au mieux les entreprises des routiers s'accommodaient-elles de la négociation et s'achevaient-elles par le paiement de « patis ». Au pire, elles n'étaient que du banditisme.

Avec le dépeuplement, la prospérité rurale s'effondrait. La friche progressait dans ce pays qui avait encore vu, de 1220 à 1340, la création de quatre ou cinq cents bastides, nouveaux centres de défrichement, d'occupation du sol exploitable, de mise en valeur. La limite des cultures redescendait au flanc des montagnes et régressait sur les littoraux. Elle rétrécissait autour des villages.

La prospérité des villes, cependant, se mourait de l'insécurité. Les transactions manquaient aux foires, et l'aire de rayonnement des places marchandes reflétait l'inquiétude de ceux qui hésitaient à lancer sur des routes menacées leur avoir et la vie des leurs. Durement frappées par les épidémies, privées par cette guerre qui n'en était pas une de leurs facultés propres de récupération, les populations urbaines s'étiolaient. Dans bien des villes du Nord, l'activité économique excitait encore une migration des populations rurales vers l'emploi urbain. En Languedoc, hors de Toulouse et de Montpellier, l'effondrement continuait. Les villes moyennes, comme Albi ou Nîmes, aussi bien que les gros bourgs des Cévennes et des Causses, avaient perdu la moitié de leur population en quelques mois et ne s'en remettaient pas. Pis encore, la situation allait s'aggravant. Les maisons vides seront plus nombreuses en 1450 qu'en 1350.

Tout s'additionnait pour arriver à ce marasme. Les trois cavaliers de l'Apocalypse, la guerre, la famine et la peste ne faisaient que multiplier les crises en brochant sur un long terme fait de la stagnation des prix céréaliers, de la timidité des investissements, d'un attentisme que favorisaient l'éloignement politique du pouvoir et l'attrait exercé sur les dynamismes par la concentration à Paris des occasions de fortune offertes par le service du roi.

Tout s'additionnait aussi pour pousser à la révolte des hommes auxquels la succession des malheurs ne laissait pas espérer le retour prochain de cet âge d'or qu'ils ne pouvaient même pas identifier, comme le faisaient les hommes de langue d'oïl, avec le temps du saint roi Louis IX.

En premier lieu, là comme ailleurs, il y avait le poids de l'impôt. Les états de Langue d'oc faisaient moins de bruit que leurs homologues d'oïl, mais on y avait tout autant le sentiment que la charge fiscale dépassait le profit qu'en avaient les populations, c'est-à-dire le coût de la défense. L'impôt était là, qui pesait sur une économie en lambeaux, et les compagnies aussi, qui écumaient la campagne et menaçaient la ville. Ce n'est pas par hasard qu'à son lit de mort, au moment où bien des contribuables entraient en lutte ouverte contre le fisc, Charles V s'interrogeait sur le bien-fondé de cet impôt grâce auquel il avait pu gouverner.

La répartition de la charge fiscale ne faisait qu'exacerber les tensions sociales. La chose se ressentait plus durement à la ville qu'à la campagne, parce que chacun y voyait mieux le sort du voisin et parce que la richesse y côtoyait l'extrême pauvreté de plus près. Le manouvrier rural ignorait ce que faisait dans son manoir le « noble homme » bardé de ses privilèges fiscaux, alors que le compagnon savait très vite ce qu'avaient décidé, à leur avantage, les notables qui siégeaient en l'hôtel des consuls. Depuis un bon siècle, dans ce même Languedoc, l'autorité – celle d'Alphonse de Poitiers, puis celle du roi – devait arbitrer périodiquement en chaque ville ces conflits nés autour de quelques choix, toujours les mêmes : impôt direct ou indirect, impôt de quotité ou impôt de répartition ? Rien d'étonnant à ce qu'en chaque occasion les nantis du commerce ou de l'artisanat – voire de la petite noblesse urbaine, aussi présente dans les corps municipaux de la France méridionale qu'elle était absente de ceux de la France septentrionale – aient préféré l'impôt sur la consommation à l'impôt sur les fortunes et opté plutôt pour l'impôt à tant par tête que pour l'impôt à tant par livre de revenu.

Pour peu que la charge s'aggravât, l'affaire tournait facilement à la haine sociale. Dans un tel climat, point n'était besoin d'un motif immédiat pour conduire le menu peuple à l'assaut des riches, de leurs hôtels et de leurs coffres, de leur situation dans la ville, de leur place à l'hôtel de ville.

C'est ainsi qu'en 1378 et 1379 on vit l'émeute naître d'une conjonction aggravée de la misère et de l'injustice. Les habitants du Puy s'insurgèrent contre les aides. Nîmes, Montpellier, Alès suivirent le mouvement. Les seigneurs et les notables firent face, pendirent quelques meneurs – ainsi à Clermont-l'Hérault – et donnèrent à la masse l'éphémère satisfaction d'un fonctionnement plus démocratique des institutions municipales. Mais Charles V et ses conseillers voyaient parfaitement le danger : Étienne Marcel et ses hommes au chaperon rouge et bleu n'étaient pas oubliés.

Tout ceci tenait pour une bonne part de l'émotion collective, aux causes souvent illusoires et aux développements illogiques. « Comment nourrir nos enfants ? » se demandaient les pieuses gens du Puy réunies autour de la Vierge pour une commune prière, avant d'aller piller quelques hôtels patriciens. « Faisons comme les autres ! » criaient bien des émeutiers en puissance quand ils savaient qu'une ville voisine s'était insurgée. Le tocsin sonnait. Rien de tel pour accroître l'énervement des uns et des autres.

L'émotion n'était pas moindre chez ceux que menaçait cette colère des « menus ». Ne devait-on pas dire, à Béziers, en 1381, que les populaires voulaient tuer les riches pour épouser de force les veuves les plus fortunées et les plus jolies ?

La désignation d'un nouveau lieutenant du roi fit alors l'effet d'un détonateur. Louis d'Anjou avait eu le temps de prendre la mesure des difficultés propres au pays. Mais sa place était désormais à Paris. Charles V se sentait-il mourir, et voulait-il près de lui ce frère déjà désigné pour la régence ? S'agissait-il déjà de préparer, en particulier par des négociations financières, l'expédition en Italie qui devait faire à la fois du duc d'Anjou un roi de Naples et du pape avignonnais Clément VII un pape de Rome ? Toujours est-il que Charles V rappela son frère.

Un nom courut alors sur bien des lèvres à travers le Languedoc : on allait nommer, pour succéder au duc d'Anjou, le comte de Foix Gaston Fébus. Au vrai, Charles V songeait bien à lui, qui avait toujours été le rempart de la présence royale dans le Midi. L'aristocratie se reconnaissait en ce prince de haut rang, les bourgeois le savaient homme d'ordre, les « menus » l'aimaient bien. Le malheur voulut que Charles V mourût avant de l'avoir nommé. Les oncles de Charles VI se partagèrent les profits du pouvoir. Jean de Berry se fit désigner comme lieutenant du roi en Languedoc.

Jean de Berry a laissé le souvenir d'un mécène fastueux et éclairé, amateur de belles-lettres et d'enluminures délicates. Ses contemporains ont surtout noté l'âpreté avec laquelle il savait pressurer le contribuable. Les goûts du prince ami des arts étaient onéreux, et son amour de l'intrigue politique ne l'était pas moins. La nouvelle de sa lieutenance fit naître les pires inquiétudes dans le Midi.

Gaston Fébus songea un moment à se rebeller. Les villes languedociennes hésitaient. Certaines offrirent leur adhésion à une véritable action de résistance. Le comte de Foix devait en être le chef. Depuis la fin de la maison de Saint-Gilles et le passage du comté de Toulouse dans le domaine royal, Foix pouvait prétendre au premier rang parmi les grands féodaux du pourtour languedocien. Mais Gaston Fébus était un sage. Vassal du roi de France, il était un allié plus qu'un fidèle. A quoi bon compromettre une situation si avantageuse ? Dans cette année 1381 où le Languedoc hésitait à s'incliner devant une décision du gouvernement royal, rien ne laissait deviner que le trône du Valois allait chanceler. Charles VI était un enfant, mais son Conseil était composé de princes à l'expérience politique déjà longue, et qui savaient se partager le pouvoir sans se diviser. Il eût été déraisonnable de se poser en lieutenant du roi contre la volonté royale.

Gaston Fébus s'inclinant, Jean de Berry pouvait entrer dans ses bonnes villes sans y courir grand risque. Et c'est ainsi que, le 8 septembre 1381, les consuls de Béziers délibéraient pour l'organisation de la venue, alors prochaine, du lieutenant du roi.

Le menu peuple ne s'en tenait pas là. Il ignorait à quel point les Conseils du roi de France étaient à Paris, depuis le temps de Guillaume de Nogaret, peuplés de barons et de juristes méridionaux. Mais il voyait mal pourquoi le Languedoc devait être gouverné par un homme du Nord. Qu'on parlât beaucoup de la rapacité du duc n'arrangeait rien. Les artisans et les boutiquiers de Béziers s'alarmèrent quand ils surent que leurs consuls se préparaient à ouvrir la ville à l'intrus. Consuls, bien nourris, alliés de Berry, c'était tout un, et Béziers demeurait l'une des villes où le gouvernement des nantis s'exerçait avec le plus d'arbitraire et dans l'injustice la plus visible.

Devant l'hôtel de ville, la foule grossissait. Il y avait là des tisserands, des compagnons de l'artisanat, des laboureurs aussi. On enfonça la porte. La tour commença de brûler. Les notables eurent le choix entre griller vifs et sauter par la fenêtre pour s'écraser au sol.

Comme en bien d'autres occasions, la colère nourrissait la colère. Les émeutiers s'en allèrent, à travers les rues, mettre à mal les bourgeois qui tenaient le haut du pavé. Les plus riches hôtels de Béziers furent pillés. On compta neuf morts. Il y en avait eu dix à l'hôtel de ville.

Mouvement limité, semblait-il, que cette insurrection improvisée. Nul ne l'avait préparée, et nul ne l'avait menée. Une sévère répression, semblablement limitée à la seule ville de Béziers, sembla clore l'incident. La bourgeoisie épargnée fit pendre quarante et un émeutiers dont on connaissait l'identité. Pour frapper les esprits, quatre des plus ardents à la tuerie furent occis à la hache, une vis de pressoir servant de billot sur la grand place. Quatre mois plus tard, Jean de Berry marquait son entrée dans Béziers par l'imposition d'une formidable amende, dont les notables s'arrangèrent — non sans quelque bon sens — pour esquiver le poids. Mais bien des habitants qui n'avaient pas eu part à l'émeute trouvèrent le prix un peu élevé.

Dans tout le Languedoc, l'arrivée de Jean de Berry cristallisa les mécontentements. Ici mené par les autorités municipales, là contre elles et leurs alliés de la bourgeoisie, le mouvement était aussi divers que ses causes. Quelques villes s'étaient entendues : c'est ainsi que Toulouse envoya des renforts à la cité rouergate de Saint-Antonin. Ces ententes ne suffisent pas à faire illusion : les initiatives demeurèrent spontanées, dispersées, désordonnées même. Mais en quelques mois le Languedoc entier se trouva en proie à l'insurrection des « menus » contre les gens du roi et les notables des consulats.

Aucun programme, aucune revendication, sinon la mort du fisc et de ceux qui en profitent. Vain mouvement contre la misère, contre l'angoisse, mais qui tourne à la guerre sociale au sein de communautés urbaines où se mêlent les histoires d'impôt mal réparti à l'avantage des riches, d'héritages détournés, de salaires bloqués, de celliers pleins ou vides et, très accessoirement, d'opinion politique.

Non moins désordonnées que l'insurrection, les réactions municipales jetèrent sur les routes les émeutiers les plus compromis : ceux auxquels l'exemple de Béziers, enflé par la tradition orale, laissait entrevoir l'ombre d'une potence. Des bandes se formèrent, qui n'améliorèrent pas la sécurité des campagnes et qui menacèrent les villes. Certains consulats, comme celui de Nîmes, prirent le parti des insurgés, et l'on persécuta très officiellement nobles et patriciens. Des chevaliers, des écuyers, entrèrent dans le mouvement par opportunisme, quelquefois par hostilité envers l'administration royale sous toutes ses formes. C'est ainsi qu'un riche juriste de Carcassonne, Pierre Boyer, procura de l'équipement à plusieurs bandes.

A ces bandes errantes, on donna vite un nom : les « Tuchins », ceux qui étaient sur la « touche », autrement dit dans la lande. Les maquisards, dirions-nous.

Les Tuchins trouvèrent sur les grandes routes d'autres errants bien connus, les derniers routiers des compagnies « cassées » par Charles V. On en trouvait encore dans les montagnes de l'Auvergne et du Velay, sur les causses du Rouergue et du Quercy. Gens sans haines et sans attaches – au contraire des citadins en rupture de ban – mais prêts à toutes les rapines et à toutes les violences parce qu'il leur fallait vivre et qu'ils n'avaient plus d'autre industrie, les routiers étaient plus experts au combat et au siège des cités murées que des tisserands ou des charrons mieux au fait des rixes de carrefour. Leurs talents les firent complémentaires. L'ancien soldat fit l'instruction militaire de l'ancien compagnon.

La chasse aux Tuchins s'ouvrit en 1382, alors même que Charles VI offrait un pardon général à tous ceux qui rentraient dans l'ordre. L'année suivante vit le gouvernement languedocien de Jean de Berry user sans douceur de la répression armée en même temps que de la punition taxée. A Lyon, en juillet 1383, une assemblée faite des procureurs de quelques villes de Langue d'oc ne put éviter de voter le rétablissement des aides. En 1384, Berry et ses gens de finance fixèrent eux-mêmes à 800 000 francs l'énorme amende qu'allait devoir payer en quatre ans le Languedoc pour racheter ses « crimes ». La répartition était modulée : 468 000 francs sur l'ensemble, 332 000 francs sur les villes les plus fautives. Chacune s'en tira comme elle put, à coups de fouages et d'impositions supplémentaires sur la consommation. La viande de boucherie, en particulier, fut lourdement taxée.

Jean de Berry lançait alors la grande opération de police qui devait purger le Languedoc de ses derniers Tuchins. La plupart furent écrasés. Ceux qui échappèrent au massacre regagnèrent leur étal et s'y firent oublier des autorités. A l'automne de 1384, l'ordre régnait à nouveau de Nîmes à Toulouse.

En réalité, rien n'était résolu, sinon que le gouvernement des consulats se fit plus attentif aux pauvres gens. Certaines villes, qui n'y avaient pas encore songé, firent estimer pour la taxation les biens des possédants. On allait vers un impôt proportionnel aux fortunes. Encore imagina-t-on d'astucieux coefficients qui sauvèrent du fisc les plus gros patrimoines. Dans l'ensemble, les Tuchins n'obtenaient rien, mais ils n'avaient rien demandé. Ils avaient terrorisé tous ceux dont les mains n'étaient pas calleuses. On les remit au travail sans ménagement.

Quant aux soldats sans emploi, ils resserrèrent les rangs et reconstituèrent leurs petites troupes pour mener à bien les rapines qui leur tenaient lieu de métier en l'absence d'une véritable guerre. Certains osèrent même se doter de repaires, aménager en des châteaux abandonnés ou facilement pris des bases permanentes, aussi commodes pour hiverner que pour entreposer le butin. Ventadour en Limousin, La Roche-Vendeix en Auvergne — c'était là Mérigot Marchès, qui allait finir décapité à grand spectacle aux Halles de Paris — devinrent ainsi vers 1390 des forteresses hors la loi.

La population alentour ne manqua pas de protester. Les états d'Auvergne députèrent à Charles VI. Les routiers furent délogés de leurs donjons. Mais il en fallait plus pour décourager Mérigot Marchès. L'année suivante, il recrutait ouvertement de nouvelles troupes aux conditions habituelles : pas de gages, mais un butin assuré. Pour avoir « l'abandon du piller et du rober », on trouvait du monde dans l'Auvergne de 1391.

La croisade anglaise en Flandre.

Le gouvernement de Richard II voyait sans plaisir le roi de France reprendre en main la situation. Roosebeke menaçait les intérêts anglais en Flandre tout autant que l'échec des révoltes contre le fisc, lequel assurait le roi de sa capacité à financer une politique et éventuellement une guerre. L'Anglais prêta donc une oreille complaisante aux propos d'Urbain VI et de son fidèle l'évêque de Norwich Henri Despenser, lequel prêchait pour l'heure la Croisade contre les suppôts de Satan qu'étaient les adhérents de Clément VII. Plus précisément, cette croisade visait le comte de Flandre Louis de Male. Philippe de Bourgogne, gendre dudit comte, ne raisonnait pas différemment lorsqu'il faisait porter l'oriflamme devant l'armée du roi de France en guerre contre les révoltés de Flandre.

Le 23 février 1383, à Westminster, le Parlement approuva la croisade. Les uns pensaient au débouché de la laine anglaise, et à la sécurité de Calais. Les autres avaient sincèrement en tête l'unité des chrétiens compromise par les clémentistes. La curie romaine souhaitait retrouver l'usage de la place financière de Bruges, par laquelle transitait normalement le produit de la fiscalité pontificale perçu dans le nord de l'Europe, en Grande-Bretagne et en Scandinavie. La force, on le voyait bien, ne pouvait faire changer d'obédience la France ou la Castille, non plus qu'en sens opposé l'Allemagne ou l'Angleterre. Mais elle pouvait grignoter les marges. La Flandre était de ces marges, où l'autorité des deux papes se combattait sur le terrain et où l'on pouvait gagner quelques villes – non des moindres – à la cause d'un pape ou de l'autre.

L'affaire tarda parce qu'on se demandait qui devait commander. Le roi n'était pas prêt. L'évêque se disait prêt, mais les barons mettaient en doute son expérience militaire. Et bien des Anglais s'étonnaient qu'on attaquât la Flandre, où les villes hostiles à leur comte étaient urbanistes de cœur, plutôt qu'un pays intégralement dévoué à la cause d'Avignon.

L'expédition fut prête au printemps. Despenser prit la Croix le 17 avril à Saint-Paul de Londres. Des prédicateurs allèrent de paroisse en paroisse. Quelques voix isolées s'élevèrent contre la croisade, comme celle du théologien John Wycliff, toujours hostiles aux conceptions trop séculières de l'Église.

Le 17 mai, l'armée anglaise débarquait en Flandre. L'évêque de Norwich était flanqué de quelques capitaines expérimentés, Hugh Calverley, William Elmham, Thomas Trevet. Mais Despenser était trop sûr de lui pour écouter le conseil des hommes de guerre. Ayant à peine réuni le quart de l'armée prévue, encombré de clercs agités et de frères mendiants bavards et sans emploi, il imagina de marcher sur-le-champ contre Gand. Le 20 mai, les croisés entraient dans la ville. Ils la saccagèrent.

La Flandre s'indigna. Le comte Louis, qui était à Lille, envoya une ambassade pour demander à quel titre il était en guerre avec l'Angleterre. On s'étonna de voir mise à sang au nom de la Croix l'une des villes les moins ferventes dans leur sentiment clémentiste. L'évêque fit répondre qu'on épargnerait ceux qui se diraient urbanistes. Puis il mena son armée contre d'autres villes. Les Anglais occupèrent Dunkerque, Bergues, Bourbourg, Cassel, Poperinghe. Le 8 juin, ils mirent le siège devant Ypres.

Une nouvelle fois, Louis de Male n'avait qu'une ressource : il se tourna vers le roi de France et, en pratique, vers Philippe de Bourgogne. L'armée royale fut convoquée à Arras pour le 15 août. L'évêque de Norwich ne se fit pas dire deux fois la chose : le 10 août, apprenant que Charles VI avait déjà quitté Paris, il fit lever le siège d'Ypres et se replia sur Bergues et Bourbourg.

Le 8 septembre, les Français enlevaient Bergues. Une semaine plus tard, après un essai de riposte et quelques heures d'une négociation menée par le duc Jean IV de Bretagne, un peu gêné de devoir se battre contre ses anciens alliés anglais, la garnison de Bourbourg capitulait et se repliait sur Calais. Ceux de Gravelines marchandèrent à leur tour leur capitulation : Charles VI en offrit quinze mille francs. Cela coûtait moins qu'un siège. Ensuite, il fit démanteler la place.

L'affaire s'achevait. On conclut une trêve. Quand Despenser regagna l'Angleterre, il fut mal accueilli. La croisade de Flandre avait coûté fort cher, aux clercs comme aux laïcs. Il sembla aux plus acharnés que l'on abandonnait bien vite la partie. Les capitaines qui avaient monnayé leur capitulation furent accusés de trahison. Au Parlement d'octobre 1383, le nouveau chancelier Michel de la Pole fit observer qu'on ne pouvait faire la guerre à tout le monde. Les Communes protestèrent que l'évêque de Norwich avait reçu de l'argent pour une campagne qui n'avait, en fait, pas eu lieu. On lui demanda des comptes.

PHILIPPE LE HARDI, COMTE DE FLANDRE.

Philippe de Bourgogne n'avait agi – et fait agir le roi – que dans son propre intérêt. Le 30 janvier 1384, la mort de son beau-père Louis de Male le faisait comte de Flandre. Il prit possession de son comté, n'y trouva qu'une seule résistance : Gand. L'année suivante, les Gantois tentèrent de prendre Bruges et, avec l'aide de renforts anglais, ils occupèrent l'avant-port de Damme. Le Conseil du roi de France décida d'une nouvelle expédition. Des troupes étaient déjà massées à l'Écluse, prêtes pour un éventuel débarquement en Angleterre. Elles furent dirigées contre Damme, qui tomba le 28 août 1385. Mais on n'alla pas plus loin. Les Français ravagèrent la Flandre maritime, mais ils n'osèrent s'en prendre à Gand.

Les Flamands étaient las de la guerre. Depuis six ans, le pays subissait saccage sur saccage. L'alliance anglaise procurait à coup sûr l'hostilité du roi de France, et elle n'avait produit que de médiocres effets favorables. Les Flamands avaient trop souvent, depuis un siècle, vérifié que les Anglais arrivaient enfin quand il était trop tard pour ne pas marquer leur scepticisme devant les promesses d'une nouvelle alliance anglaise.

LES ALLIANCES

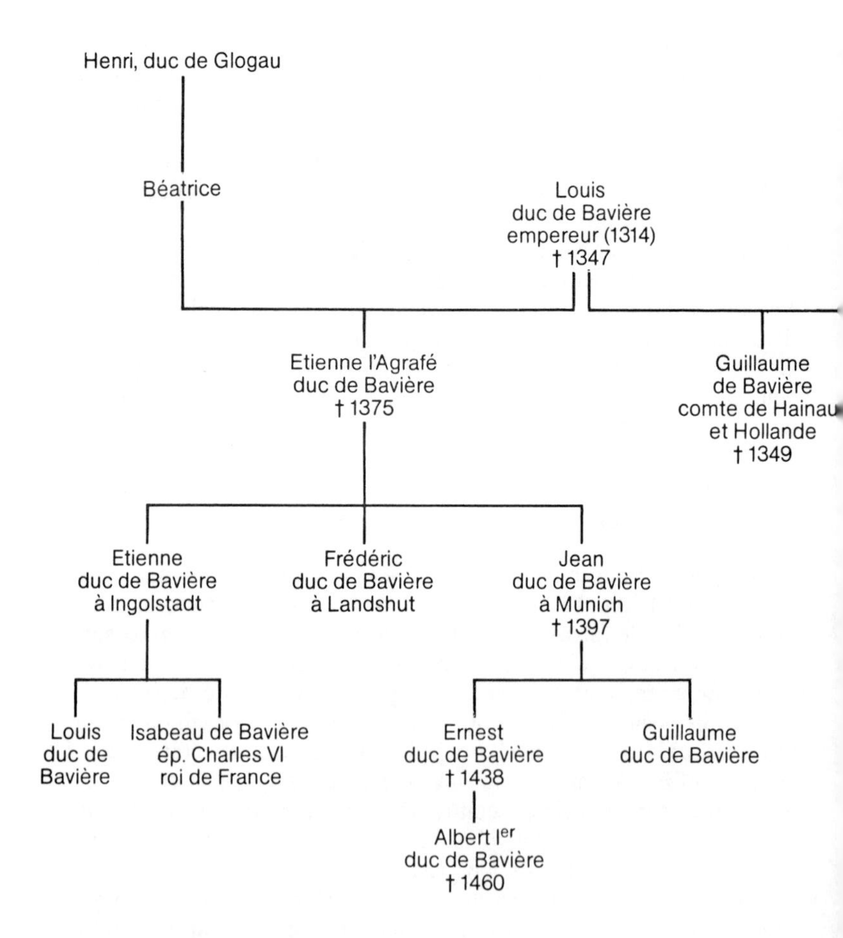

Henri, duc de Glogau
Béatrice
Louis
duc de Bavière
empereur (1314)
† 1347
Etienne l'Agrafé
duc de Bavière
† 1375
Guillaume
de Bavière
comte de Hainau
et Hollande
† 1349
Etienne
duc de Bavière
à Ingolstadt
Frédéric
duc de Bavière
à Landshut
Jean
duc de Bavière
à Munich
† 1397
Louis
duc de
Bavière
Isabeau de Bavière
ép. Charles VI
roi de France
Ernest
duc de Bavière
† 1438
Guillaume
duc de Bavière
Albert Ier
duc de Bavière
† 1460

DE BAVIÈRE

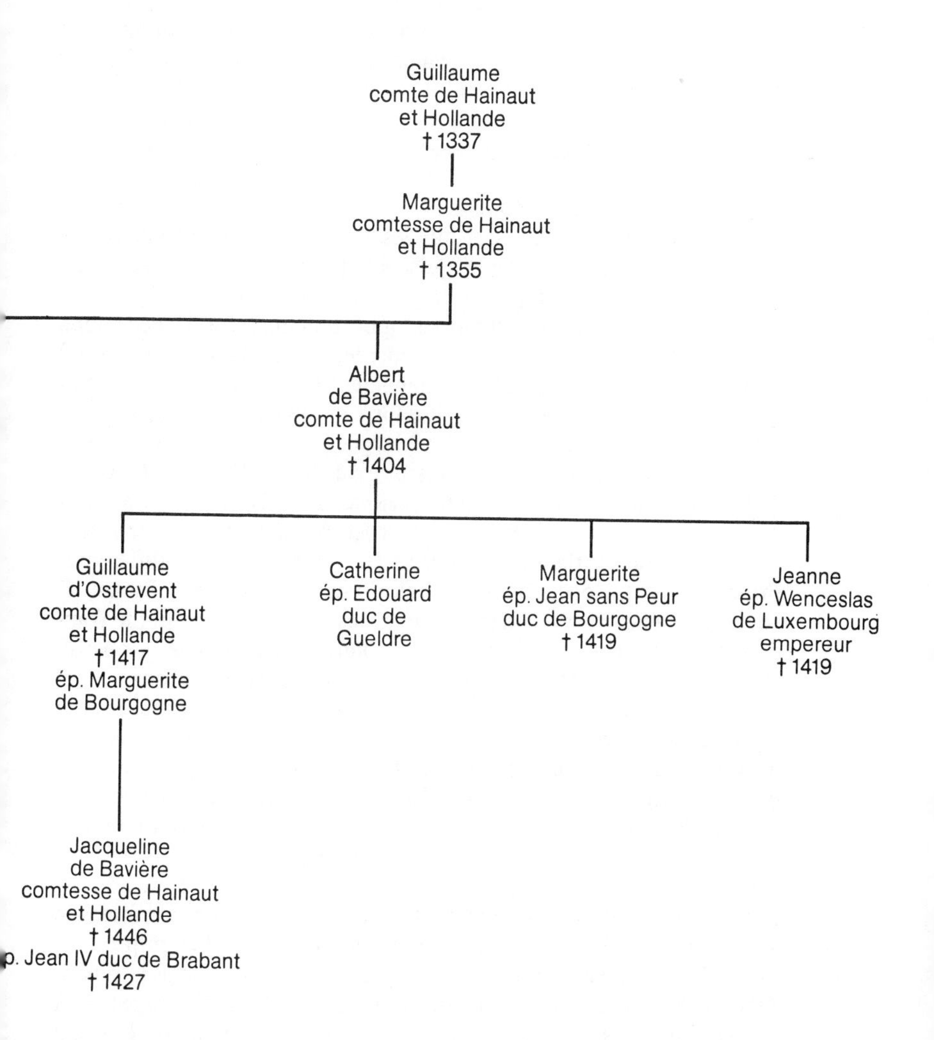

Guillaume
comte de Hainaut
et Hollande
† 1337
Marguerite
comtesse de Hainaut
et Hollande
† 1355
Albert
de Bavière
comte de Hainaut
et Hollande
† 1404
Guillaume
d'Ostrevent
comte de Hainaut
et Hollande
† 1417
ép. Marguerite
de Bourgogne
Catherine
ép. Edouard
duc de
Gueldre
Marguerite
ép. Jean sans Peur
duc de Bourgogne
† 1419
Jeanne
ép. Wenceslas
de Luxembourg
empereur
† 1419
Jacqueline
de Bavière
comtesse de Hainaut
et Hollande
† 1446
p. Jean IV duc de Brabant
† 1427

Les bourgeois s'avisèrent surtout qu'il leur fallait compter avec leur nouveau seigneur le duc Philippe. Depuis le temps de Philippe le Bel et de Guy de Dampierre, le comte de Flandre avait toujours été ballotté entre ses velléités d'indépendance et son besoin d'un recours au roi quand les villes manifestaient un goût trop vif de l'autonomie. Maintenant, le comte de Flandre Philippe le Hardi était lui-même duc de Bourgogne et maître du Conseil royal. Son indépendance passait par une Flandre forte et prospère, mais elle n'impliquait pas qu'il se dissociât de la politique française. Pour la première fois, le royaume de France allait être au service des intérêts flamands.

Gand fit des ouvertures au nouveau comte. Trois émissaires — un chevalier, un boucher, un batelier — rencontrèrent les gens de Philippe le Hardi. La conférence de la paix se réunit à Tournai en décembre 1385. La maladresse des Gantois faillit tout compromettre : ils vinrent en tel apparat que les Français en furent jaloux. La vindicte du duc de Bourgogne, qui voulait voir les Gantois à genoux, manqua à son tour d'empêcher la paix. La duchesse de Brabant et la comtesse de Nevers s'entremirent opportunément.Le 18 décembre, c'était la paix. Liberté de leur commerce, liberté de leur adhésion à l'un ou l'autre pape, les Gantois gagnaient tout, mais le duc gagnait Gand. L'entrée solennelle qu'il fit dans sa nouvelle capitale, le 4 janvier 1386, aux côtés de l'héritière Marguerite de Flandre, sa femme, marqua le début d'une nouvelle histoire : celle de l'État bourguignon.

Le duc Philippe avait en tête quelques grands desseins : en finir avec le Schisme d'Occident, dissuader les Anglais de se mêler à nouveau des affaires flamandes, poser des jalons dans les différentes principautés qui occupaient la région entre le Rhin et l'Escaut. Il souhaitait aussi renouer dans l'empire les liens d'une politique française quelque peu relâchée, malgré Charles V, depuis le temps où Philippe le Bel et les siens y manifestaient leurs ambitions.

La famille de Bavière — les Wittelsbach — avait mis la main sur le Hainaut et la Hollande depuis le mariage de la comtesse Marguerite avec l'empereur Louis de Bavière. Philippe de Bourgogne maria en grande pompe sa fille au comte Guillaume, héritier des deux comtés, et son fils — le futur Jean sans Peur — à l'une des sœurs de Guillaume. Puis, pour faire bonne mesure, il donna pour femme à Charles VI la belle et brune Isabeau, fille de l'un des trois frères qui se partageaient le duché de Bavière. Le mariage fut célébré à Amiens le 17 juillet 1385. Le jeune roi tomba amoureux sur-le-champ.

L'alliance bavaroise ne suffisait pas, avec ses espérances d'héritage en Hainaut et en Hollande. Philippe le Hardi s'engagea — et engagea le roi son neveu aux côtés de sa tante Jeanne de Brabant contre le duc de Gueldre, puis il accepta, en 1388, de traiter pour ne pas pousser plus avant le duché de Gueldre dans l'alliance anglaise.

Car on était encore loin de la paix. De temps à autre, on prolongeait les trêves, mais on parlait toujours de la guerre. Des préparatifs assez avancés pour un débarquement en Angleterre avaient permis, on l'a vu, de riposter immédiatement à l'attaque des Gantois contre Bruges. On reprit en 1386 la préparation de la « descente ». Pendant que le duc de Lancastre usait les forces de l'Angleterre à tenter vainement la conquête de ce qu'il appelait son royaume de Castille – il avait épousé une fille de Pierre le Cruel – et poursuivait là sa vieille querelle contre le Transtamare et ses alliés français, pendant que les Écossais harcelaient la frontière anglaise avec la connivence à peine déguisée de la France, Philippe le Hardi massait des troupes en Flandre, apprêtait sa flotte dans le port de l'Écluse et faisait construire en excellent chêne un matériel de siège « préfabriqué » que l'on pouvait assembler en trois heures.

Tout était prêt. Quand le roi fut à l'Écluse, on n'embarqua pas. Le duc de Berry avait fait décider en Conseil que l'on irait en Angleterre tous ensemble, le roi et ses oncles chevauchant à la tête de l'armée. Or Berry était encore en Languedoc, et ne se pressait pas de venir. Il est vrai que Jean de Berry n'était pas fâché de voir son trop glorieux frère de Bourgogne manquer une occasion de se faire valoir. Lorsqu'il arriva enfin, le 14 octobre, il était trop tard. Le temps était gros, les jours étaient courts. La flotte de Clisson, qui avait passé le temps en allant semer la terreur sur la côte anglaise, s'était trouvée poussée par les vents dans le piège de la Tamise, et les Anglais avaient mis en pièces plusieurs navires. Berry fit décider qu'on reparlerait de la « descente » au printemps.

L'hiver passé, on en reparla en effet. Une flotte fut armée en Flandre, une autre en Bretagne. Mais le duc Jean IV de Bretagne s'inquiéta de voir concentrer des troupes à Tréguier, avec à leur tête un homme comme Clisson, dont l'hostilité lui était connue. Il convoqua Clisson à Vannes, lui fit grand honneur, et le fit arrêter à la fin d'un dîner. Pendant quelque temps, on parla de pendre ou de brûler le connétable de France. Finalement, Jean IV jugea expédient de le rançonner. Il en coûta cent mille francs à Clisson, qui perdit également en l'affaire toutes ses places fortes de Bretagne. Mais l'année 1387 avait passé. Nul ne parla plus d'envahir l'Angleterre.

Il fallut en revanche calmer Olivier de Clisson, qui voulait rendre son épée de connétable si le roi ne lui faisait justice. Bourgogne et Berry n'avaient aucune envie de se battre contre Jean IV. Ils persuadèrent celui-ci de demander pardon. Le duc de Bretagne avait conjuré la peur que lui faisait l'armée de Clisson. Il vint à Paris, s'agenouilla devant le roi, rendit la rançon.

Une année encore avait passé. Les Anglais regardaient surtout en Castille, où Lancastre continuait de perdre son temps et leur argent.

Les Français étaient las de financer des flottes qui ne débarquaient jamais outre-Manche. Tout le monde se trouva d'accord, en août 1388, pour une nouvelle trêve.

Les Marmousets.

Quant à Charles VI, il était, en sa vingtième année, las de la tutelle que lui imposaient des oncles trop visiblement intéressés au gouvernement du royaume. Son jeune frère, le pétulant Louis de Touraine, poussait le roi à secouer un joug dont beaucoup commençaient de s'étonner. A la fin d'octobre 1388, pendant un bref séjour à Reims, Charles VI convoqua le Conseil.

L'affaire était bien mise en scène, et les ducs ne s'attendaient à rien. Le cardinal de Laon, Pierre Aycelin de Montaigu, parla le premier : le roi n'était-il pas d'âge à gouverner lui-même, et assez sage ? Charles VI ne laissa pas traîner la discussion : il remercia ses oncles de s'être dépensés pour le royaume. Berry et Bourgogne tentèrent en vain d'obtenir un délai de réflexion. Ils marchandèrent finalement un dédommagement qui eût démembré le royaume : la Guyenne à l'un, la Normandie à l'autre. Le jeune roi eut le cran de refuser. Les ducs ne pouvaient que céder.

Charles VI appela au pouvoir les vieux conseillers de son père, Jean Le Mercier, Bureau de la Rivière, Jean de Montagu et tant d'autres que les ducs avaient soigneusement tenus à l'écart des affaires depuis huit ans. Anoblis ou non, c'étaient des bourgeois, et c'étaient de vieilles gens. Le parti des ducs les ridiculisa en leur donnant un surnom : le pouvoir était aux « Marmousets ».

Les barbons étaient des politiques expérimentés, et ils avaient le soutien de bien des fidèles de Charles V. On comptait parmi ceux-ci le maréchal de Sancerre aussi bien que le connétable de Clisson, peu porté à oublier la collusion des oncles du roi et de son ennemi le duc de Bretagne. Mais en réalité, tout ce monde avait trouvé dès l'abord un chef, chef de l'insurrection politique contre les oncles et chef d'une réaction non moins politique contre les intérêts flamands et bourguignons. Le vrai maître du Conseil, celui qui allait orienter la politique française au gré de ses propres intérêts, liés à ceux de son épouse Valentine Visconti, fille du seigneur de Milan, c'était le duc Louis de Touraine, frère unique du roi. On allait bientôt l'appeler Louis d'Orléans.

CHAPITRE XIII

Armagnacs et Bourguignons

LES AMBITIONS DU PRINCE LOUIS.

Louis de Touraine au premier plan de la scène politique, cela signifiait une nouvelle politique étrangère. Louis se moquait de l'industrie flamande. C'est en Italie qu'il avait ses intérêts : en août 1389, son mariage avec Valentine, fille de Jean-Galéas Visconti, le faisait maître du comté d'Asti et prétendant éventuel dans tout remodèlement de la carte politique italienne.

Après deux ans d'une guerre sans espoir, Louis d'Anjou était mort en 1384, pratiquement dépouillé de l'héritage napolitain qu'il avait pourchassé tout en défendant en Italie la cause du pape avignonnais Clément VII, le deuxième élu de la double élection pontificale de 1378. Le jeune Louis II d'Anjou portait dorénavant le titre royal — « roi de Jérusalem et de Sicile » — mais ce titre était vidé de toute substance. Ceux que décevait la politique italienne du pape Urbain VI se tournèrent tout naturellement vers ce nouveau prince français. Florence offrit à Charles VI de négocier un démembrement de la seigneurie de Milan. Puis on reparla d'un vieux projet de « royaume d'Adria » taillé dans les états de l'Église pour le plus grand profit de Visconti. Tout ceci pouvait procurer l'occasion de faire triompher la cause du pape d'Avignon : aux dépens de celui du pape de Rome, l'intérêt de Clément VII coïncidait étroitement avec celui du duc Louis de Touraine.

Que le duc de Bourgogne eût en Flandre accepté un compromis peu flatteur pour le pape d'Avignon — la liberté d'obédience, chacun choisissant son pape — ajoutait à cette collusion une note purement ecclésiale : Louis de Touraine apparaissait comme le champion du pape légitime contre un anti-pape de Rome que Bourgogne n'osait pas vraiment combattre.

Une nouvelle ouverture vint de Gênes. En 1392, l'aristocratie génoise offrit à Charles VI la souveraineté de la ville, pour peu qu'on la débarrassât du gouvernement populaire qui y tenait le pouvoir depuis l'élection de Simone Boccanegra en 1339. Pour Louis de Touraine, c'était enfin l'occasion d'intervenir réellement dans les affaires italiennes, donc de préparer le royaume d'Adria. Envoyé en avant comme lieutenant du duc dans son comté d'Asti, Enguerran de Coucy mit la main en 1394 sur la ville de Savone.

Bien des Génois craignaient que Louis de Touraine ne fût qu'un homme de paille, simple exécutant de la politique milanaise du Visconti. Poussés en sous-main par les Florentins et par les émissaires du duc de Bourgogne, ils retournèrent leur proposition et se donnèrent au roi de France lui-même. Le 27 novembre 1396, le doge Antonio Adorno laissait la place à un gouverneur français, d'abord le comte de Saint-Pol, ensuite le maréchal Boucicaut. Cette domination française allait ainsi durer jusqu'en 1409. Elle s'inscrivait assez bien dans la tradition de ces villes italiennes qui n'hésitaient pas à choisir au-dehors leurs podestats afin d'être gouvernées par des hommes étrangers aux factions locales.

Dans le même temps, Charles VI soutenait le pape d'Avignon – Clément VII, puis, après 1394, l'Aragonais Pedro de Luna devenu Benoît XIII – aussi bien contre son concurrent romain que contre les adversaires que lui valait en France la continuation même du Grand Schisme. Pour réduire le pape de Rome, la « voie de fait », autrement dit la force, avait échoué. Demeurait la « voie de cession » : que l'un et l'autre papes se retirassent. Bien des adhérents de Benoît XIII se dressaient donc contre leur pape sans pour autant adhérer à l'autre.

Louis de Touraine avait tout intérêt à ce que le pape d'Avignon l'emportât en définitive. Philippe de Bourgogne se trouva tout naturellement de ceux qui prônaient le contraire : la « cession ». L'argent qu'on avait dépensé en pure perte pour l'expédition de Louis d'Anjou eût sans doute été mieux employé ailleurs. Philippe de Bourgogne le dit, et s'opposa ainsi délibérément à ceux qui voulaient soutenir à la fois la cause de Benoît XIII et celle du duc de Touraine.

Ce dernier se croyait cependant bien en place. Son frère Charles VI lui devait d'avoir enfin songé à être maître chez lui. Lorsque le roit fit, dans l'hiver 1389-1390, un long voyage à travers le Languedoc, Louis de Touraine ne se priva pas d'en faire un peu son triomphe personnel. On fit, à Avignon, visite à son protégé Clément VII. Le duc de Berry perdit sa lieutenance de Languedoc, et son homme de confiance, Bétizac, fut révoqué de son administration financière, puis envoyé au bûcher pour crime d'hérésie : ce grief était à tous égards préférable à l'accusation de malversations, qui eût trop évidemment touché l'oncle du roi lui-même. A Toulouse, Charles VI fit fête au vieux Gaston Fébus, naguère victime de l'égoïsme des ducs de Bourgogne et de Berry. Un accord fut même conclu, par lequel devaient revenir à la Couronne le comté de Foix et le vicomté de Béziers. L'échec de la politique des oncles était flagrant.

Rivalités autour d'un roi fou.

S'étant montré en Languedoc, Charles VI éprouva le besoin d'aller se manifester en Bretagne. Le duc Jean IV conspirait plus ou moins ouvertement avec les Anglais, et le connétable de France Olivier de Clisson poussait vivement le roi à une démonstration militaire contre son vieil ennemi. Un fidèle de Jean IV, Pierre de Craon, organisa en réplique un attentat : Clisson fut attaqué, un soir de juin 1392, à la sortie de l'hôtel Saint-Paul où il venait de souper chez le roi. Le connétable ne fut que blessé, ayant réussi à se réfugier dans le fournil d'un boulanger voisin. Mais il était ridicule. Le roi prit la chose de haut. Comme Craon était allé chercher protection auprès de Jean IV, Charles VI décida d'aller mettre à la raison le duc de Bretagne.

Berry et Bourgogne tentèrent de calmer leur neveu. Ce fut en vain : les Marmousets poussaient, au contraire, à une expédition qui prenait, après tant de collusions, l'allure d'une offensive des serviteurs fidèles — le connétable — contre les intrigues incessantes des princes.

Charles VI avait déjà souffert de « fièvres ». Après une crise particulièrement violente mais en laquelle personne ne décela un début de folie, il avait fallu, quelques mois plus tôt, le tenir au lit et le surveiller de près. La catastrophe devint évidente lorsqu'au cours de cette chevauchée vers la Bretagne, en août 1392, un incident de route troubla l'entendement du roi. Ce fut d'abord la rencontre d'un exalté, qui lui cria qu'il était trahi. Ce fut ensuite le choc d'une lance sur un bassinet : un instant d'assoupissement d'un homme d'armes épuisé par cette longue route sous un soleil de plomb. Cette fois, on parla de folie : le roi tenait des propos incohérents.

On ramena Charles VI au Mans, puis à Paris. Naturellement, la cour et la ville parlèrent de trahison, de poison, de sorcellerie. Quelques jours de repos, et l'on put croire que Charles VI était guéri. Mais il était fatigué. Les ducs s'entendirent pour le décharger des soins du gouvernement. Dès les premières heures, les Marmousets furent jetés hors du Conseil sans grand ménagement. On les savait vite enrichis. Nul ne pleura le départ des barbons.

Clisson se retira dans son château de Josselin. Bureau de la

Rivière et Jean Le Mercier furent emprisonnés quelque temps. Montagu se réfugia à Avignon.

La folie de Charles VI allait connaître bien des rémissions. Mais les ducs de Berry et de Bourgogne étaient au pouvoir, et ils avaient trop bien vu comment on les avait chassés en 1388 : ils se trouvèrent étroitement solidaires pour faire face à leur nouvel adversaire, celui avec qui l'on ne comptait pas en 1380 mais que quatre ans de gouvernement réel venaient de mûrir : Louis de Touraine, devenu en 1392 Louis d'Orléans.

Le jeune prince était aussi impopulaire que ses fidèles Marmousets, dont la sagesse politique était pour beaucoup synonyme de fiscalité et de bureaucratie. Louis passait pour insatiable : duc de Touraine et d'Orléans, comte d'Angoulême, de Périgord, de Dreux, de Soissons, de Porcien et même de Blois, il devait cependant puiser largement dans le Trésor royal pour assurer la vie de sa cour et le financement de sa politique personnelle. En France, en Italie, en Allemagne, il entretenait une clientèle de princes et de villes à la fidélité aussi incertaine qu'onéreuse. Incapable de mesurer ses ambitions à l'aune de ses moyens, il faisait tout pour accumuler les haines. On le savait porté au luxe, à la frivolité. Jouvenel des Ursins lui-même le lui reprochera, des années plus tard :

> Il se gouvernait aucunement trop à son plaisir.

Autour de lui, c'était la fête permanente, une fête de la jeunesse à laquelle participaient le roi — dans ses rémissions — et la reine Isabeau, dont la vie eût tourné, sans quelques dérivatifs souvent inconsidérés, au veuvage prématuré. Avant même la maladie du roi, le ton était donné. La chevalerie — l'adoubement — des jeunes princes de la maison d'Anjou et le couronnement de la reine Isabeau avaient été, en 1389, des fêtes du prestige monarchique. Pour les participants, c'étaient aussi, tout simplement, des occasions de s'amuser. Louis d'Orléans ne sut pas s'apercevoir qu'il n'était plus temps de jouer.

Cette jeunesse était au pouvoir pour la première fois depuis bien longtemps, car le jeune Charles V s'était senti bien seul, avant comme après son avènement, dans un monde trop dur où il demeurait seul pendant que ses contemporains tenaient hôtel à Londres comme otages. Sans s'en douter, la jeune génération contemporaine de Charles VI joua à renouveler les temps et s'amusa de l'exotisme né des transports à travers les âges comme dans l'espace. Ce furent les fêtes d'une chevalerie bien vécue : joutes et tournois en armes prouvèrent que le temps des prouesses n'était pas mort. Ce furent aussi les joies d'une chevalerie imaginaire qu'entretenait dans les débats littéraires la fidélité aux romans arthuriens.

Ces jeunes gens qui pouvaient se distraire, parce qu'ils disposaient du Trésor et que la France l'avait finalement emporté dans une guerre que l'on croyait achevée, ne se rendaient aucunement compte du mécontentement qui les entourait. Fureur des contribuables qui pensaient aux économies possibles, amertume des clercs et des docteurs qui entrevoyaient les réformes à accomplir et voyaient qu'on s'en souciait comme d'une guigne, hostilité d'une noblesse qui n'avait pas tout entière part à la fête, la grogne était générale autour de Louis d'Orléans et des siens.

Le frère du roi passait aux yeux de bien des gens pour un dilettante de la politique. Que le goût de l'exotisme poussât la cour, en janvier 1393, à un « bal des sauvages » qui finit mal parce que les torches de l'escorte d'Orléans mirent le feu à des toisons d'hommes sauvages collées à la poix – il y eut cinq morts – et l'on ne manqua pas d'accuser le jeune duc d'avoir voulu faire périr le roi.

Les choses s'aggravèrent des rumeurs occasionnées par les relations affectueuses du duc d'Orléans et de sa jeune belle-sœur. Isabeau de Bavière était une jolie brune, intelligente et enjouée. Qu'elle s'entendît trop bien avec le frère du roi donna vite à jaser.

Dans cette vie de cour entretenue à grand frais par Isabeau et par Louis d'Orléans, tout n'était pas frivolité. On a vu que les vues politiques s'y développaient parfois à l'échelle européenne. L'entourage n'était pas fait que de fêtards, et l'on y rencontrait, à côté de ces hommes de métier sommairement qualifiés, en bloc, de Marmousets, un certain nombre d'hommes de plume qui firent en particulier de la chancellerie d'Orléans un foyer de renaissance intellectuelle. Secrétaires du duc, les Gontier Col, Ambrogio dei Migli, Jean de Montreuil, Jacques de Nouvion ou Thomas de Cracovie – on notera le cosmopolitisme – entretenaient avec leurs collègues de la chancellerie pontificale d'Avignon, les Jean de Muret ou Nicolas de Clamanges, des correspondances grâce auxquelles s'affina ce premier humanisme français, voué à sombrer dans la guerre civile.

A la même époque, le talent de Christine de Pisan aidant, tout Paris se passionnait pour la grande querelle soulevée autour des thèses de l'antiféminisme clérical et du cynisme sentimental formulées au XIIIe siècle par le vieux *Roman de la Rose*. On était pour le *Roman*, comme l'étaient Col ou Montreuil au nom d'un humanisme moral qui devait autant à Pétrarque qu'à Ovide, ou bien on était contre cette satire acerbe du naturel féminin qui avait fait la joie de générations d'hommes et particulièrement de clercs. Dans son *Épître au Dieu d'Amour*, Christine de Pisan se fit, en 1399, la théoricienne d'un équilibre entre les élans du cœur et les plaisirs des sens. Gerson se rangea dans son camp, par hostilité à l'esprit de jouissance qui sous-tendait le *Roman de la Rose*. Isabeau de Bavière s'en mêla.

Le 24 février 1401, se réunit en l'hôtel d'Artois – qui était la résidence parisienne du duc de Bourgogne – la « Cour d'Amour » constituée par Charles VI et en réalité par ses oncles Bourbon et Bourgogne pour arbitrer les joutes poétiques où l'on traitait de l'honneur des dames. Aucun des trente-six sièges de cette Cour d'Amour ne fut donné à une femme. En revanche, Bourguignons et Armagnacs venaient de se doter d'un champ clos nouveau, où ils entreprirent d'en découdre tout comme ailleurs.

Devant les comportements futiles de son neveu, Philippe de Bourgogne pouvait feindre l'indignation. En réalité, il en profita soigneusement. Régent du royaume parce que premier prince du sang, Louis d'Orléans se trouva en fait écarté des rouages du gouvernement. La maladie du roi ne laissa qu'un maître véritable de la France : c'était Philippe le Hardi, duc de Bourgogne. Pourvu qu'on lui donnât part aux profits, le duc de Berry se rangeait volontiers derrière son frère.

Le premier fruit de la politique bourguignonne fut la paix avec l'Angleterre. Richard II et Philippe le Hardi s'entendirent sans peine : l'un et l'autre avaient à sauver une économie en difficulté. A Leulinghen en 1393, à Boulogne en 1394, à Paris enfin en 1395, les plénipotentiaires mirent au net les conditions de l'accord. La clause essentielle en était le mariage de Richard II et de la très jeune Isabelle, fille de Charles VI. La princesse était convenablement dotée : huit cent mille francs. On prolongea les trêves de 1398 jusqu'en... 1426.

Un marchand italien établi à Paris fit savoir en Toscane qu'on cessât de lui envoyer des armes. Il n'en avait plus la vente. On pouvait en revanche lui faire parvenir d'urgence des tissus précieux et des joyaux. La fête allait commencer. Paix, mariage, prospérité, c'était tout un.

Les Italiens n'étaient pas seuls sur le marché. Les haut-lissiers d'Arras ou les orfèvres parisiens trouvèrent bientôt plus de clients qu'ils ne purent en satisfaire. A travers toute la France, il y eut affluence, en ces années-là, dans les foires où se brassaient les affaires.

Il y avait fête, en effet. Le 27 octobre 1396, devant les tentes dressées près d'Ardres, les deux rois s'embrassaient publiquement. On banqueta. Richard emmena Isabelle, qu'il épousa le 4 novembre à Calais. L'autre fille de Charles VI fut mariée peu après au futur duc de Bretagne. La guerre s'achevait comme toujours, par des mariages. On fit assaut de bons procédés. Les Anglais vendirent Brest en 1397 au duc de Bretagne, et Cherbourg en 1399 au roi de Navarre Charles le Noble – le fils de Charles le Mauvais – lequel échangea, cinq ans plus tard, avec le roi de France toutes ses possessions normandes contre ce qui allait former le duché de Nemours.

Une page de l'histoire eût été définitivement tournée si Richard II n'avait en Angleterre multiplié les maladresses. Il avait maintenant contre lui l'Église, et en particulier l'archevêque de Canterbury, ainsi que la majorité des barons. Les progrès de l'absolutisme royal ne laissaient pas d'inquiéter tout ce monde-là. Principal opposant, le duc de Derby — fils aîné de Lancastre — avait trouvé refuge en France, où il s'entendait avec Louis d'Orléans à saper la politique bourguignonne favorable à Richard II. Rentré en Angleterre dans l'été de 1399, il fut vite maître du royaume. Richard II se retrouva en prison ; le 30 septembre, le Parlement le déclarait déchu. On ne sut jamais les circonstances de sa mort. Plusieurs de ses conseillers avaient été exécutés ; les autres se tinrent cois. Le nouveau roi, l'ancien duc de Derby, prit le nom d'Henri IV. Il ne cacha pas que l'un des torts de son prédécesseur avait été de pactiser avec la France.

La soustraction d'obédience.

La politique de Louis d'Orléans sombrait de la même manière du côté d'Avignon. L'intransigeance de Benoît XIII — « une mule d'Aragon » — indisposait ceux qui attendaient qu'il fît, par une concession, la preuve de sa volonté d'unité. En vain la cour de France avait-elle tenté de faire différer en 1394 l'élection d'un nouveau pape après la mort de Clément VII ; le messager du roi était arrivé trop tard. Au vrai, les cardinaux s'étaient précipités pour ne pas donner prise à une voie de « cession » qui se fût faite contre eux dès lors que l'autre obédience eût été la seule à avoir son pape.

La politique fiscale de Benoît XIII lui aliénait bien des clercs, las de payer à tous les titres et d'être excommuniés pour le moindre retard dans le paiement des innombrables échéances dont les collecteurs pontificaux ponctuaient l'année liturgique. Les décimes se succédaient, pour financer des entreprises politiques où nul ne reconnaissait la justification théorique de toute décime, la Croisade. Les « annates » privaient les nouveaux bénéficiers d'une année entière de leur revenu net. Dues par les curés à leurs évêques ou archidiacres, afin d'indemniser ceux-ci des frais que leur occasionnaient les visites pastorales, les « procurations » étaient maintenant réservées au Saint-Siège : les prélats demeuraient libres de faire leurs visites, à condition de ne rien percevoir. A ce régime, les évêques se lassaient.

La réserve des « vacants » faisait planer une menace encore plus grave sur la vie cultuelle. Le revenu des bénéfices — évêchés, archidiaconés, abbayes, prieurés, paroisses, chapellenies, prébendes — était réservé au Saint-Siège pendant tout le temps qui séparait la mort ou la résignation du dernier titulaire et la provision de son successeur. Mais la Curie n'hésitait pas à laisser intentionnellement vacants certains bénéfices à seule fin de grossir ce revenu. On vit des diocèses privés d'évêque pendant des mois, voire des années. Des paroisses restèrent sans curé. Le peuple chrétien commença de s'inquiéter pour l'administration des sacrements.

Les financiers d'Avignon comme ceux de Rome avaient inventé le subside « caritatif », autrement dit la contribution amicale. C'était ce qu'on exigeait lorsqu'il n'y avait aucune justification à l'exigence. Le Trésor pontifical était malgré tout vide. Le pape empruntait de ses cardinaux, de ses officiers, de ses banquiers. Il se faisait avancer par ses collecteurs l'argent des recettes à venir. Il en passait par les usuriers. L'idée ne s'en colportait pas moins d'une cour d'Avignon gorgée d'or, l'or des églises et l'or des chrétiens.

La fureur des clercs rejoignit la méfiance du duc de Bourgogne. L'Université de Paris avait porté sa part des responsabilités de Charles V au début du Schisme, mais elle voyait bien qu'on n'en sortait pas et commençait de pencher vers la voie de « cession ». Il fallait persuader le pape de se démettre, dans l'intérêt général, celui de l'Unité. Jean Gerson — l'un des plus modérés, cependant, parmi les théologiens parisiens — prêchait déjà en 1391 contre la voie de fait, à laquelle Louis d'Orléans demeurait attaché parce qu'elle servait ses ambitions italiennes. L'effacement politique du frère du roi, à partir de 1392, fit s'effondrer à Paris les positions du pape avignonnais.

Un vote au sein de l'Université donna, en 1394, la faveur à la voie de concile, à la voie de compromis et, surtout, à la voie de cession. De la voie de fait, nul ne voulait plus entendre parler. Le roi écouta les maîtres, mais différa sa réponse. En février 1395, au contraire, Charles VI et son Conseil appuyèrent l'assemblée du clergé qui vota, à la majorité des trois quarts, le principe d'une démarche en faveur de la cession. On envoya une ambassade à Avignon. Benoît XIII ne céda pas. Restait à faire la cession contre la volonté du pape : c'était la « soustraction d'obédience ».

Entre l'Université de Paris et le Saint-Siège, c'était la guerre. Pour faire accepter par les Français la soustraction d'obédience, les maîtres ne reculèrent devant rien, pas même devant de véritables tournées de prédication en province. Ils en profitèrent pour faire le procès de la papauté, pour dénoncer ses abus, pour dénombrer ses vices. La solution du Schisme passait par la réforme de l'Église.

Ce thème de la réforme était cher depuis longtemps aux intellectuels, aussi bien aux scolastiques de la Sorbonne qu'aux humanistes de la chancellerie d'Orléans. L'hostilité marquée du duc de Bourgogne à un pape dont il semblait bien qu'il fît volontairement obstacle à l'union des chrétiens eut pour effet de confondre dans les esprits Bourgogne et réforme. Pour de vieux maîtres comme Courtecuisse, pour des jeunes comme Cauchon, les voies de l'idéal passaient par le succès politique de Philippe le Hardi.

L'opinion étant bien préparée, un nouveau concile de l'Église de France se tint en août 1396. Le patriarche d'Alexandrie Simon de Cramaud – l'un des grands canonistes sortis des écoles d'Orléans – n'était pas là pour présider comme il l'avait fait l'année précédente lors d'une session particulièrement hostile au pape. Les amis du duc d'Orléans en profitèrent pour tenter la conciliation. L'abbé du Mont-Saint-Michel, Pierre Leroy, tenta d'enlever une décision de soustraction. Il n'y parvint pas. Mais l'idée était dans l'air : si le pape ne « cédait » pas, on se passerait de pape. Il ne s'agissait pas de porter un jugement sur la légitimité de la seconde élection de 1378, celle qui avait ouvert un schisme. Le propos était purement pratique : il fallait rendre aux chrétiens leur unité, et la cession semblait en être le moyen.

Pendant que le gouvernement de Charles VI faisait connaître sa position aux princes étrangers – on en parla à Richard II en 1396, à l'empereur Wenceslas en 1398 – et que les réformateurs s'agitaient de tout côté, l'évêque de Cambrai Pierre d'Ailly, le modèle des modérés parmi les docteurs parisiens et l'un de ceux qui avaient quelque influence sur le roi, dont il avait été le confesseur, faisait à Avignon et à Rome le voyage de la dernière chance. Les deux papes rivalisèrent d'obstination.

Le 22 mai 1398, au cours d'un nouveau concile français présidé, cette fois, par Cramaud, le clergé trancha enfin. On entendit une dispute scolastique où les points de vue opposés furent défendus selon les règles. Cramaud ramena l'affaire à une formule simple :

> Un schisme invétéré devient une hérésie.

Rares furent ceux qui défendirent réellement le pape. Au plus entendit-on quelques plaidoyers courageux en faveur de l'autorité pontificale. La joute oratoire terminée, on passa au vote ; de peur que le pape en réchappât, les ducs de Bourgogne et de Berry surveillèrent le scrutin. Il y eut 123 voix sur 213 pour la soustraction d'obédience. Le 28 juillet, à la proclamation du résultat, il y avait 16 voix pour un concile, 20 voix pour une ultime démarche et 247 voix pour la soustraction. Les ducs avaient obtenu des rectifications de vote qui doublaient leur victoire.

L'ordonnance retirant au pape l'obédience de l'Église de France fut publiée sur-le-champ. Le Gallicanisme venait de faire l'un de ses progrès les plus significatifs : l'Église de France se gouvernait elle-même et le roi y légiférait par ordonnance. Sur le moment, les clercs ne s'avisèrent pas qu'ils avaient, en restaurant leurs « libertés », tout simplement changé de maître.

La soustraction d'obédience fut un échec. Elle mit Benoît XIII à mal sans en finir avec le schisme. La Castille suivit la France. L'Aragon, la Navarre, le Béarn, la Savoie, l'Écosse refusèrent. Assiégé dans Avignon par la coalition de ses ennemis locaux, Benoît XIII parvint à s'évader en mars 1403 et trouva chez le comte de Provence qu'était aussi Louis II d'Anjou un refuge qui était une bravade politique.

Tout le profit de la soustraction était allé, en apparence, aux archevêques. Ils confirmaient les élections épiscopales, ils jugeaient en appel des officialités diocésaines. Ils étaient la tête d'une hiérarchie provinciale décapitée au-dessus d'eux. En fait, les convoitises s'affrontèrent pour disposer des bénéfices ecclésiastiques, et c'est au roi que l'on demanda de s'ériger en arbitre. Le gouvernement en profita pour taxer à plusieurs reprises les revenus des églises. Bien des clercs se prirent à regretter l'autorité pontificale. Au moins, quand le pape abusait, on pouvait jouer du roi de France. Contre les abus du roi, les clercs n'avaient aucun recours, dès lors qu'ils s'étaient eux-mêmes privés du contre-poids qu'était l'autorité du pape.

Louis d'Orléans avait dû céder, mais la victoire des maîtres parisiens n'avait nullement convaincu leurs traditionnels rivaux. Les maîtres de Rome écrivirent que la solution du schisme passait par la reconnaissance du seul pape légitime, le pape romain. Les maîtres de Toulouse prirent le contre-pied de Paris et rédigèrent un long mémoire en faveur de la restitution d'obédience. Ceux d'Orléans furent les premiers, en septembre 1401, à dire tout haut ce que beaucoup pensaient tout bas : on n'en sortirait pas ainsi.

Il ne resta bientôt plus que les Parisiens à s'entêter contre Benoît XIII. Louis II d'Anjou était revenu à l'obédience du pape sur les instances de son beau-père le roi Martin d'Aragon et de sa jeune femme, la reine Yolande. Les états de Bretagne prétendirent qu'on ne les avait pas consultés, ce qui était exact. Le 29 avril 1403, la Castille restitua son obédience au pape. La France ne pouvait que suivre, ce qu'elle fit le 28 mai. Il était temps : la politique de Philippe de Bourgogne était à la veille de couper en deux l'Église de France.

Ce fut le triomphe des modérés, de Jean Gerson en particulier. On l'entendit, le 4 juin, faire devant l'Université au grand complet une homélie à la gloire d'un pouvoir pontifical régénéré par l'épreuve. Au vrai, les plus favorables au pape espéraient que Benoît XIII avait tiré les leçons de l'affaire. La réforme tant souhaitée allait venir du pape lui-même. C'était aussi la revanche de Louis d'Orléans : la politique de son oncle ne menait à rien, et la preuve en était faite.

Hélas, Benoît XIII n'avait rien compris. Il le fit exprès de casser les élections épiscopales et abbatiales intervenues depuis cinq ans. A l'instigation de Philippe le Hardi, qui ne désarmait pas, Charles VI les maintint de force. Les maîtres parisiens eurent le sentiment que l'on était peu généreux envers eux à Avignon pour la collation des bénéfices vacants : ils se plaignirent au roi.

La fiscalité pontificale s'abattait de nouveau sur l'Église de France. Benoît XIII jugea habile d'offrir à Louis d'Orléans une somme de cinquante mille francs en récompense de sa fidélité et pour l'aider dans les affaires italiennes. Au vrai, ces affaires étaient aussi celles du pape. Cette générosité faite aux dépens des clercs contribuables fit se dresser le clergé. Les milieux favorables à tout ce qui portait le nom de réforme, tant dans l'Université que dans la « robe » parisienne qui en était issue, au Parlement en particulier, jugèrent sévèrement cette renaissance des abus si souvent dénoncés. Ils en voulurent au pape, mais plus encore à Louis d'Orléans : ses besoins d'argent, difficilement justifiables, inspiraient trop directement en la circonstance ses choix politiques.

La bourgeoisie s'était tenue à l'écart des joutes théologiques et des débats canoniques. Comme à tous les chrétiens du royaume, une seule chose lui importait vraiment en matière ecclésiale : qu'on continuât de baptiser, de marier et d'enterrer. Tant que le Schisme ne divisait que les évêques et les docteurs, c'était un drame, mais un drame vécu du dehors. Le bourgeois regrettait qu'il y eût deux papes, mais il eût été plus gêné d'avoir deux curés, ou de n'en avoir pas.

Les princes, la réforme et le trésor.

Les séquelles de la répression de 1382-1383 étaient beaucoup plus douloureuses, et les bourgeois, rendus prudents par l'expérience, se gardaient de toute erreur qui eût compromis le rétablissement progressif de leur situation économique, donc de leurs privilèges.

Les Parisiens poursuivaient précisément cette reconstitution patiente d'une organisation municipale qui était, à la base et avant tout, une infrastructure commerciale. Ils avaient obtenu en 1389 que la prévôté des marchands fût de nouveau distinguée de la prévôté royale de Paris. L'avocat Jean Jouvenel avait été nommé — par le roi — « garde de la prévôté des marchands pour le roi ». Bien sûr, on était encore fort loin d'un prévôt des marchands élu par les bourgeois, mais le gouvernement des Marmousets avait sagement choisi un notable, Parisien de fraîche date mais apparenté à toutes les bonnes familles de la capitale. La fonction était mince : il s'agissait de veiller à l'entretien de la voirie et à la gestion du domaine immobilier de la ville. L'homme était capable de lui conférer du relief. On ne tarda pas à le considérer comme un véritable prévôt des marchands. La pratique quotidienne lui en donna le titre. Lorsqu'il gagna au nom de la ville un procès au Parlement contre les Rouennais, Jouvenel passa pour le protecteur des affaires parisiennes. Ses successeurs oublièrent vite qu'ils étaient nommés par le roi.

Louis d'Orléans s'entendait à se faire des ennemis. Déjà, il passait pour coûter cher. La hargne des Parisiens s'aggrava lorsque le duc poussa, en 1404, son féal le prévôt de Paris Guillaume de Tignonville à déloger le successeur de Jouvenel pour s'installer lui-même place de Grève. Orléans, c'était le prince des abus et des exactions. Philippe le Hardi tira parti de cette réputation. Il se posa en réformateur.

Les positions du duc de Bourgogne dans les affaires du Grand Schisme rejoignaient aisément ses déclarations de politique intérieure. Lorsque Louis d'Orléans fit imposer une lourde contribution, au printemps de 1402, Bourgogne se tailla une facile popularité en répétant qu'il refusait la part de cent mille écus que, semble-t-il, nul ne lui avait offerte. On allait parler longtemps de cette affaire, et de quelques autres propos du même genre.

A sa mort, le 26 avril 1404, Philippe le Hardi laissait donc à son fils Jean sans Peur des caisses vides et un appréciable actif politique : le nom de Bourgogne était populaire.

Jean sans Peur n'avait pas la prestance de son père, mais son prestige lui appartenait en propre. Les clercs le disaient subtil, les nobles le savaient brave. A la croisade contre les Turcs, il avait fait plus que son devoir, commandant à vingt-quatre ans le corps d'armée des Français engagé trop tôt et trop seul contre l'armée de Bajazet. Nicopolis avait été, le 25 septembre 1396, un franc désastre pour la chrétienté. Pour Jean sans Peur, ç'avait été une brillante prouesse. C'est donc un prince auréolé de la gloire des croisés — même des croisés vaincus, on l'avait bien vu au temps de saint Louis — qui se dressait, en ce printemps de 1404, contre le jouisseur Louis d'Orléans. L'ambitieux duc de Bourgogne comprit très vite que le mot magique était « réforme ». La grande sagesse de Jean sans Peur fut de ne pas chercher, à son avènement, à renverser trop vite la politique de son père.

L'état bourguignon était cependant bien lourd à gouverner, et le nouveau duc s'en trouva accaparé. Voyant mal que la clé des finances bourguignonnes était à Paris, il tenta de mettre ses affaires en ordre depuis les deux Bourgognes jusqu'à la mer du Nord. Mais le partage de la succession avec son frère Antoine était rendu complexe par l'imbrication des deux héritages de Flandre et de Bourgogne. Bref, Jean sans Peur fut absent de la cour.

Il s'aperçut assez vite des inconvénients de cette absence. Le Trésor royal avait jusqu'ici comblé le passif des finances bourguignonnes. Depuis la mort de Philippe le Hardi, les largesses du roi – ou plutôt celles du Conseil que dominait Orléans – n'allaient plus guère à la Bourgogne. De cent ou deux cent mille livres par an – 185 300 livres en 1403-1404 – le total des dons et pensions versés au duc de Bourgogne sur les finances royales tomba en 1406 à 37 000 livres. L'argent du roi avait représenté de 38 à 59 pour cent des finances de Philippe le Hardi ; il n'était plus que 24 pour cent de celles de son fils. Jean sans Peur comprit que l'un de ses principaux revenus allait tarir s'il laissait la place à Paris.

Le risque de crise financière s'aggravait d'un risque politique : l'amenuisement de la générosité royale obligeait à alourdir la fiscalité du duc dans ses propres principautés. Il prenait ainsi le chemin d'une nouvelle déflagration en Flandre. De toute façon, Jean sans Peur allait vers un coup de force.

Louis d'Orléans, pendant ce temps, tirait du Trésor royal les neuf dixièmes de son revenu. Tenir le Conseil, c'était tenir l'ordonnancement des dépenses et, plus encore, les rétrocessions de l'impôt. L'impôt royal se levait dans tout le royaume, mais les princes aimaient bien trouver profit à ce qui se levait chez eux. Louis d'Orléans ne manquait donc pas une séance du Conseil, il y bénéficiait de l'évidente lassitude politique de Jean de Berry, et il y plaçait sans peine ses fidèles. Il tenait ainsi tous les postes clés du gouvernement et de l'administration financière.

Le revirement d'Isabeau de Bavière vint fort à propos étayer les positions déjà solides du frère du roi. Dans les périodes de rémission, Charles VI cherchait à reprendre son gouvernement et à s'assurer du bien-fondé des décisions prises en son « absence ». Mieux que quiconque, la reine pouvait assurer la continuité politique. Naguère impliquée, comme un maillon essentiel, dans le réseau d'alliances matrimoniales noué par Philippe le Hardi, Isabeau s'en dégagea nettement à partir de 1405. Longtemps étrangère au jeu politique, elle avait pu se trouver aux côtés de Louis d'Orléans dans les divertissements de cour et participer de la vue politique de Bourgogne sur l'échiquier européen. Mais le temps de la politique bavaroise était passé, le duc de Bourgogne n'était plus le même, et Isabeau ressentait plus nettement qu'il lui fallait se ranger dans un camp ou dans l'autre.

Peut-être le jeune frère du roi distrayait-il la reine de son veuvage intermittent ? Toujours est-il qu'à s'amuser ensemble ils s'attirèrent la réprobation générale. On compta ce que coûtaient les vêtements, les bijoux, les musiciens. De là à parler d'inconduite, il n'y avait qu'un pas, que nul ne franchit alors. Il fallut attendre Brantôme...

Le premier heurt entre les princes rivaux — le premier affrontement de la nouvelle génération — se produisit en 1405. Orléans cherchait depuis trois ans à ranimer la guerre contre l'Angleterre et à venger Richard II, qu'il n'avait cependant pas suivi dans ses efforts de paix. A plusieurs reprises, il avait lancé un défi au nouveau roi Henri IV de Lancastre. Il fit décider la levée d'une aide pour financer un débarquement Outre-Manche. Jean sans Peur ne tenait pas à ruiner une nouvelle fois la Flandre : il était contre la guerre, et contre cet impôt plus que contre tout autre. Il refusa qu'on le levât dans ses principautés. Puis, pour manifester son humeur, il vint faire devant Paris une démonstration armée.

On frôla, en août 1405, la guerre civile. L'armée de Bourgogne tenait les plaines au nord de Paris. Levée en toute hâte, celle d'Orléans vint prendre position au sud. Louis d'Orléans et Isabeau quittèrent Paris précipitamment. Le dauphin Louis, un enfant qui ne devait jamais régner, les suivit le lendemain. Jean sans Peur eut vent de la chose, rattrapa à cheval l'escorte du prince, qu'il joignit à Juvisy. Puis il ramena à Paris le dauphin et ses compagnons : faute de mieux, avoir sous la main l'héritier de la Couronne conférait au duc de Bourgogne une ombre de légitimité.

Jean sans Peur s'établit à Paris, reçut l'Université, fit développer devant le roi un vaste plan de réforme qui touchait aussi bien l'hôtel royal que la justice ou l'administration domaniale, et affecta de convoquer les états généraux pour s'expliquer devant eux. Il en profita pour laisser entendre que les états avaient quelque droit sur le gouvernement du royaume. Comme il se sentait insuffisamment armé dans cette capitale qui lui était encore fort étrangère, il fit venir en renfort son frère Antoine, duc de Limbourg, avec huit cents lances. Puis il commença d'exciter les Parisiens contre son rival. Les officiers royaux se gardèrent bien de prendre parti. Les bourgeois se tinrent tranquilles.

Tout cela se termina par des embrassades. En octobre, la reine et le duc d'Orléans rentrèrent dans Paris. On festoya. Orléans en profita pour attirer définitivement dans son parti son oncle de Berry : le dernier survivant des frères de Charles V était par nature hostile à celui par qui l'agitation était venue.

L'impétueux Jean sans Peur abandonnait peu à peu la politique anglaise de son père. Mais, s'il convoitait Calais, il ne faisait rien pour reprendre la ville. Louis d'Orléans, de son côté, faisait une vaine démonstration militaire du côté de Bordeaux. La seule chose assurée fut qu'on allait vers la guerre étrangère, tout autant que vers la guerre civile.

Les ducs de Bourgogne et d'Orléans se livraient à de vastes campagnes de propagande. Ils écrivaient aux princes et aux villes. Aux uns et aux autres ils faisaient connaître leur version des événements de 1405, leurs griefs réciproques, leur programme de gouvernement. On parlait de la dilapidation des deniers du roi par le duc Louis, de l'enlèvement du dauphin par le duc Jean. Les correspondances finirent par se croiser, prenant ainsi l'allure d'un échange d'invectives.

Jean sans Peur s'aperçut qu'il n'arrivait guère à convaincre. Les gens de la Chambre des comptes lui avaient répondu qu'ils agiraient selon leur conscience. Les princes, comme le roi de Navarre Charles le Noble, le duc de Berry ou le duc de Bourbon, marquèrent leur inquiétude devant un programme politique – le gouvernement par les états – qui leur semblait propre à conduire le royaume à l'anarchie. Quant au Conseil, il était en majorité peuplé de créatures de Louis d'Orléans ; les propos tenus au-dehors par le duc de Bourgogne y trouvaient peu d'écho.

Les seuls qui se rangèrent délibérément derrière le duc Jean furent, dans ces années 1405 et 1406, les maîtres de l'Université qui commençaient de joindre dans un même dessein théorique la réforme de l'Église et celle du royaume. Peut-être certains jugeaient-ils déjà qu'on pouvait appliquer ici la « voie de fait » naguère prônée dans l'Église.

Le discours prononcé par Jean Gerson devant toute la cour, le 7 novembre 1405, s'inscrit dans cette réflexion sur la réforme, mais c'est le propos d'un homme profondément attaché à l'autorité royale et à la concorde publique. « Vivat Rex ! » Ainsi commençait le discours. Acquis de longue date aux thèses réformistes, Gerson était cependant un modéré. Jean sans Peur utilisa son autorité morale pour reconquérir le terrain perdu dans l'opinion après les événements de l'été.

Citant Aristote et saint Augustin, voire Plutarque et Boèce, Gerson est bien dans la droite ligne définie un siècle et demi plus tôt par Thomas d'Aquin. Sa théorie du pouvoir souverain est celle d'un consentement des divers membres du corps social en vue du bien commun. Le contrat entre le roi et ses sujets procède, pour Gerson, de la seule volonté divine : il ne doit y avoir qu'un seul prince, comme il n'y a qu'un seul Dieu. Mais le pouvoir du roi vient du consentement, le contrat étant sanctionné par Dieu comme l'est la transmission héréditaire du pouvoir. C'est de ce même contrat que le Conseil tient son rôle : il est l'organe de perception du corps social, grâce à quoi le souverain peut assumer le bien commun. Le roi n'est donc pas juge du Conseil, et il est tenu d'en suivre les avis.

> Le seigneur ne doit pas seulement le demander, mais le croire et l'exécuter, et le tenir secret. Car autrement ne semblerait que moquerie ou manière de contenance : demander le conseil et n'en rien faire.

Le Conseil par excellence, ce sont les états généraux. Le roi doit consulter les Universités, le Parlement, la noblesse, le clergé. On peut le noter, Gerson ne fait pas grand cas de la bourgeoisie.

Le roi entre ici dans un système politique. Il n'en est ni le tout, ni le maître. Il en est la tête. Mais la vieille image de la tête et des membres s'impose. Aucun ne saurait vivre seul.

Jean sans Peur crut avoir gagné. Une ordonnance de janvier 1406 établit qu'en l'absence — la maladie — du roi le pouvoir revenait conjointement aux princes et au Conseil. Encore fallait-il dominer le Conseil, un Conseil réduit à cinquante et un membres, dont la nomination donna lieu à de nouvelles empoignades. Treize prélats, trente-huit laïcs furent retenus. Ce fut un compromis, mais les fidèles de Louis d'Orléans avaient la majorité : vingt-quatre ou vingt-cinq conseillers sûrs, alors que Bourgogne n'en comptait que dix ou douze. Les autres étaient fort indécis, et prêts à la discrétion. Tout allait cependant dépendre de ce marais.

Les choix de 1406 représentaient un moindre mal. La réorganisation du Conseil en avril 1407 aggrava le déséquilibre. Le nombre des conseillers était réduit de moitié parce que, prétendaient Orléans et les siens, le trop grand nombre de participants nuisait au travail. Quelques évêques sans position politique bien marquée sortirent ainsi. Mais les laïcs d'obédience bourguignonne étaient tous parmi les évincés. Sur les vingt-six conseillers de la nouvelle liste, Jean de Bourgogne ne pouvait compter que sur l'évêque de Tournai qui restait au Conseil et sur Régnier Pot qui y entrait. Il y avait de surcroît un véritable état-major de princes — Louis II d'Anjou, Jean de Berry et Louis de Bourbon — qui verrouillait, en l'absence du roi malade, toute intervention autoritaire.

Jean sans Peur n'avait plus rien à espérer. Ou bien il recourait à la « voie de fait », ou bien les ressources du royaume de France lui échappaient définitivement. Au fort de la joute verbale qui doublait, pour la propagande, les opérations purement politiques, chacun des adversaires avait pris un emblème et une devise. Devançant son cousin, Louis d'Orléans avait choisi le bâton noueux, autrement dit le gourdin. Jean sans Peur avait eu l'avantage de la réplique : son emblème fut le rabot. Après le coup de force orléanais sur le Conseil, ou le rabot entrait en jeu, ou il ne servait de rien. L'homme de main du duc de Bourgogne, un hobereau normand prêt à tout nommé

Raoulet d'Anquetonville, s'en alla rôder autour des résidences parisiennes de la famille royale.

L'ASSASSINAT DE LOUIS D'ORLÉANS.

Le 23 novembre 1407, alors qu'il sortait de l'hôtel Barbette, rue Vieille-du-Temple, où il venait de rendre à la reine la visite que l'on devait à une accouchée, le duc Louis d'Orléans se trouva face à face avec des hommes d'armes. Comme devait l'écrire le greffier du Parlement entre deux audiences, le duc était « trop petitement accompagné ». A l'aide d'une guisarme — une hallebarde à crochet — ses agresseurs le firent tomber de cheval tout en lui sectionnant le poignet d'un coup de hache. Puis ils lui fendirent le crâne sur le pavé. Les voisins portèrent le corps aux Blancs-Manteaux.

Le prévôt Guillaume de Tignonville fit fermer les portes de la ville, assembla dans la nuit les responsables de l'ordre public et lança au petit matin ses enquêteurs.

Tout Paris sut très vite de quoi il retournait. Trente-six heures après l'attentat, Tignonville pouvait faire son premier rapport devant le Conseil : il annonça que l'enquête progressait, et qu'il trouverait des preuves sans peine si l'on voulait bien le laisser fouiller les hôtels des princes. Le guet-apens de l'hôtel Barbette avait été soigneusement préparé, mais les meurtriers s'étaient fait remarquer, établis qu'ils étaient depuis plusieurs jours à l'hôtel de l'Image Notre-Dame, d'où l'on surveillait aisément les allées et venues devant l'hôtel de la reine. Il était évident que le crime n'avait rien à voir avec des coupe-bourses de rencontre. Les voisins avaient, d'autre part, vu s'enfuir les assassins : la trace menait vers l'hôtel d'Artois, résidence parisienne du duc de Bourgogne.

Anjou, Berry et Bourbon déclarèrent avec détachement qu'on pouvait bien fouiller chez eux. Bourgogne prit à part ses deux oncles et leur avoua à voix basse que le crime avait été accompli sur son ordre. Le diable l'avait poussé. Les assassins étaient cachés à l'hôtel d'Artois. On se sépara sans rien dire à voix haute. Les princes étaient interloqués.

Le lendemain 26 novembre, il y avait Conseil chez le duc de Berry à l'hôtel de Nesles. Lorsque Jean sans Peur se présenta, son oncle Berry lui barra la porte. Bourgogne jugea la situation périlleuse : on pouvait aussi bien l'arrêter. Flanqué de Raoulet d'Anquetonville, l'exécuteur de ses basses œuvres devant l'hôtel Barbette, il quitta Paris sur-le-champ, et ne s'arrêta qu'à Bapaume, au petit matin du 27.

Le peuple se félicita plutôt. Orléans coûtait cher et ne valait pas grand-chose. Les bonnes gens ironisèrent, comme l'avait espéré Jean sans Peur : « le bâton noueux est plané », le rabot avait coupé les nœuds. On était d'ailleurs porté à imputer au frère du roi tous les malheurs du pays, y compris la folie de Charles VI. Le duc Louis n'avait-il pas cherché à hériter ? Sa mort allait en tout cas arranger bien des choses. Elle signifiait la victoire de Bourgogne, donc l'abolition des aides, le gouvernement par les états, la mise au pas du pape obstiné, la paix avec l'Angleterre et bien d'autres félicités. Toutes choses qu'on pouvait apprécier en comparaison d'un présent dont les nuages semblaient liés à la domination d'Orléans, même si quinze ans plus tôt ils pouvaient l'être à la politique de Bourgogne.

Après une petite mais réelle prospérité, la situation économique se reprenait à empirer. Les salaires stagnaient, comme ils n'avaient cessé de stagner depuis la fin de la flambée des années 1350-1360, mais la stabilité monétaire maintenait les dettes à un haut niveau. Depuis les dévaluations, très limitées, de 1385 et 1389, la monnaie était au pied 27e, et elle allait y rester jusqu'en 1411 : le « guénar » était frappé à 74 pièces au marc, à 5 deniers 12 grains d'aloi — 458 millièmes d'argent fin — pour une valeur de 10 deniers tournois la pièce. On était loin des pièces à deux ou quatre deniers de fin de 1360. La forte monnaie, on le savait bien, profitait aux riches, aux propriétaires, à ceux-là mêmes qui relevaient la tête alors que l'on commençait d'oublier la flambée insurrectionnelle de 1380-1382. Le nouveau garde de la prévôté des marchands de Paris, Charles Culdoe, n'était-il pas fils et petit-fils de prévôts des marchands ?

C'est dire que, nul ne pleurant vraiment Louis d'Orléans, sa veuve se retrouva seule. Valentine Visconti était à Château-Thierry pendant que son époux sortait de chez la reine. Elle prit un deuil ostentatoire — même ses chariots de voyage furent tendus de noir — et gagna Paris où le roi ne put éviter de la recevoir. Mais elle n'obtint de Charles VI qu'une décision de principe : Bourgogne serait déchu de ses droits éventuels à la régence. Le roi promettait de faire bonne justice, mais les rares fidèles de la duchesse Valentine attendirent vainement que Jean sans Peur fût cité devant la Cour des pairs. La veuve finit par se retirer à Blois. Pour beaucoup, la page était tournée.

Déjà, Jean sans Peur relevait la tête. Établi à Amiens, il recevait les envoyés des princes, consultait les juristes, préparait sa réplique aux accusations portées par la duchesse d'Orléans. Le théologien Jean Petit, qui avait été en mai 1406 devant les princes et le Parlement le porte-parole véhément des adversaires du pape d'Avignon et de ses partisans les maîtres toulousains, vint à Amiens préparer ses arguments. Et, le 28 février 1408, prêt à se poser en justicier et non en accusé, le duc de Bourgogne faisait dans Paris en liesse une entrée solennelle que Louis d'Anjou et Jean de Berry lui avaient en vain demandé de reporter. L'idée ne vint à personne que celui dont on fêtait le retour fût un assassin.

Le 8 mars, devant toute la cour – les ducs de Bretagne et de Lorraine s'étaient déplacés pour la circonstance – et sous la présidence du dauphin Louis, Jean Petit prononça pour le duc de Bourgogne un discours qui allait demeurer célèbre sous le nom d'*Apologie du tyrannicide*. Pendant quatre heures d'horloge, le théologien glosa l'Écriture – « La racine de tous les maux est la cupidité » – et développa un syllogisme enflammé : il est licite de délivrer le peuple chrétien du tyran qui détruit par ses excès et ses convoitises ceux qu'il devrait plutôt protéger, or le duc Louis d'Orléans était un tyran, donc c'était œuvre pie que l'exécuter. La première partie du discours était solidement fondée sur l'Histoire sainte et sur les autorités de l'Antiquité classique. La deuxième était, plus qu'une démonstration des abus du duc Louis qui eût été possible mais qui eût désigné bien d'autres princes au couteau du justicier, un ramassis d'accusations boiteuses et de racontars invérifiables. La conclusion ne laissait dans l'ombre qu'une chose : il y avait une justice du roi, et Jean sans Peur n'était pas qualifié pour se substituer à la Cour des pairs.

C'est à peu près ce que développa, le 11 septembre, devant la même cour, l'orateur choisi par la duchesse Valentine, l'abbé de Cerisy. Charles d'Orléans était là, à côté de sa mère. Il entendit l'abbé demander la punition des assassins. Jean sans Peur avait extorqué au roi malade des lettres de rémission. Les princes affectèrent de n'en point tenir compte. Le duc de Bourgogne avait été, en juillet, appelé au secours par son beau-frère l'évêque de Liège Jean de Bavière, que les Liégeois assiégeaient dans Maestricht ; son départ avait rendu aux princes un semblant de courage. Ils annulèrent les lettres de rémission et décrétèrent qu'on ferait justice. Si le duc ne venait pas à résipiscence dans les plus brefs délais, on lui ferait la guerre. On leva des troupes.

La situation se retourna brusquement en novembre. On apprit en même temps la mort de Valentine Visconti et le retour à Paris d'un duc de Bourgogne conforté par une victoire sur les Liégeois qui lui valait son surnom de « sans Peur ». Le duc Jean avait son armée toute prête ; Anjou et Berry oublièrent tout à fait qu'ils avaient parlé de lui faire la guerre. Charles d'Orléans, qui avait engagé ses joyaux pour se procurer l'argent de cette guerre, en fut quitte pour remâcher son amertume.

Bourgogne était sûr de sa force, non de ses arrières. Une première fois à Chartres le 9 mars 1409, une deuxième fois à Bicêtre le 2 novembre 1410, les adversaires firent la paix, faute de vouloir vraiment se lancer dans une guerre aux conséquences incertaines pour tout le monde.

Dans son parti – son grand-oncle Berry, sa tante Isabeau, ses cousins Anjou et Bourbon – Charles d'Orléans trouvait plus d'encouragements que d'appuis. Il rencontra finalement ses meilleurs soutiens dans ce Midi de la France où l'on n'avait pas les mêmes raisons qu'à Paris de se montrer bourguignon. L'un fut le connétable Charles d'Albret, l'autre le comte Bernard d'Armagnac. Un mariage cimenta l'entente. Charles d'Orléans était, à dix-huit ans, veuf d'une fille de Charles VI, cette Isabelle dont la politique bourguignonne avait, un temps, fait une reine d'Angleterre ; on le remaria à Bonne, la fille du comte d'Armagnac. L'opinion publique n'allait pas tarder à considérer Armagnac comme le véritable chef du parti.

Jean sans Peur n'était pas en reste. Il avait rallié à sa cause l'ennemi héréditaire de la Couronne des Valois, le roi de Navarre Charles le Noble, le propre fils de Charles le Mauvais. Fidèle à l'alliance si complètement ourdie vingt ans plus tôt – et qu'Isabeau était tentée d'oublier – le duc Louis de Bavière apportait la force de son armée et sa propre alliance avec le duc Charles de Lorraine. Le duc de Savoie rejoignait également ce parti de Bourgogne surtout riche, il faut le dire, des mécontents qu'avait faits dans l'aristocratie et dans la bourgeoisie françaises la politique financière de Louis d'Orléans et, pour une part plus difficile à apprécier, son attitude favorable au pape Benoît XIII.

Les Parisiens.

Un groupe de mécontents se singularisait à Paris : les bouchers. Propriétaires de leurs étals, qu'ils faisaient exploiter par des valets salariés, les bouchers parisiens étaient au vrai de grands bourgeois, des capitalistes, assez riches pour dominer le petit monde de l'artisanat, assez puissants pour imposer leur organisation d'une fonction économique essentielle, insuffisamment considérés, cependant, pour s'intégrer vraiment dans la haute bourgeoisie. A l'aise dans un système corporatif où le malthusianisme était la règle et la libre entreprise l'exception, les bouchers étaient cependant plus enfermés que d'autres dans leur métier, et la fermeture n'était pas entièrement leur fait. Rentiers d'une activité qu'ils se contentaient de financer et de gouverner, ils savaient bien que les notables de la « marchandise » – les changeurs, les drapiers encore, et déjà les merciers – ne tenaient pas un boucher pour tout à fait notable.

Forts de la masse de manœuvre que constituaient leurs valets et leurs écorcheurs, les bouchers – et les dynasties de bouchers, comme les Le Goix ou les Saint-Yon – étaient prêts à jouer un rôle dans la vie politique parisienne. Mais leur promotion sociale pouvait bien ne passer que par la violence.

Philippe le Hardi s'était rendu populaire en prônant des réformes qui étaient pour une part des économies publiques. Son fils Jean sans Peur se fit des partisans en soutenant systématiquement les intérêts du négoce parisien et en faisant bénéficier d'une largesse intéressée les éléments les plus actifs de la population d'une capitale où tout risquait de se jouer. La restitution progressive des privilèges parisiens fut, à partir de 1409, l'un des fruits de cette politique. La conclusion en fut, le 20 janvier 1412, le rétablissement d'une prévôté des marchands qui ressemblait, par l'élection comme par le cas qu'on en faisait, à une véritable municipalité. Dans le même temps, Jean sans Peur faisait du vin de Beaune l'usage le plus politique qui fût : bien des notables parisiens en reçurent, par « queues » entières, de quoi régaler leurs amis à la santé du duc de Bourgogne. Six bouchers, au moins, et deux simples écorcheurs comme Denis de Chaumont et Simon Le Coutelier dit Caboche eurent part en 1411 à ces libéralités, qui allèrent aussi en cette même année à un président des Comptes, à un secrétaire du roi, à un chirurgien et – l'opinion publique n'y devait pas être indifférente – à des maîtres capables de prédication comme Pierre Cauchon ou le maître du couvent des mathurins.

Dès lors, Bourgogne était maître de la capitale, et notamment maître de la rue. Lorsque son oncle Berry voulut entrer dans Paris, les bouchers se chargèrent de l'en empêcher, puis allèrent ostensiblement détruire portes et fenêtres de l'hôtel de Nesles afin que l'importun sût bien qu'il n'avait plus sa raison d'être à Paris. Les mêmes bouchers obtinrent du gouvernement royal que fussent saisis les revenus de l'évêque de Paris et de l'archevêque de Sens : Gérard et Jean de Montaigu étaient comptés comme Armagnacs notoires. Quant au prévôt de Paris Bruneau de Saint-Clair, il n'avait pas l'heur de plaire aux bouchers : on le remplaça par l'homme de confiance du duc Jean, Pierre des Essarts.

Quand le duc entra dans Paris le 23 octobre 1411, les bouchers étaient à la tête de la délégation qui, au nom de la ville, lui souhaita la bienvenue. Les Saint-Yon, les Le Goix et quelques autres tenaient leur revanche sur une bourgeoisie parisienne qui avait toujours rechigné à leur faire place.

Avec une milice de cinq cents hommes, les bouchers tenaient la capitale et y multipliaient les patrouilles, de jour comme de nuit. Pour tenir la région, ils mirent sur pied une véritable armée, que définira sommairement, quelques années plus tard, Jouvenel des Ursins, le propre fils de Jean Jouvenel :

> Seize cents à deux mille bons compagnons, armés de haubergeons, jacques et salades.

Ils n'eussent, ainsi armés, représenté qu'une médiocre force dans une bataille rangée. Pour piller des villages et affronter des bandes adverses guère mieux constituées, ils étaient redoutables. Ils allèrent à Bicêtre mettre le feu à la maison de campagne du duc de Berry. A Saint-Denis, puis à Saint-Cloud, enfin dans la plaine de Beauce, ils affrontèrent l'armée des Armagnacs. Le boucher Thomas Le Goix ayant trouvé la mort à la tête de ses hommes, on lui fit à l'abbaye de Sainte-Geneviève des obsèques princières auxquelles présida le duc de Bourgogne en personne. Nul ne jugea que c'était trop pour un boucher.

> C'était bien fait. On disait que le duc de Bourgogne montrait bien qu'on devait le servir, puisqu'il montrait amour à ceux qui tenaient son parti.

Déjà, un clivage s'établissait à Paris entre un parti de Bourgogne volontiers porté à la violence dans son aile marchante — les bouchers et les écorcheurs — et un parti de la paix publique qui était aussi le vieux parti, universitaire et robin, de la réforme politique aussi bien que de la réforme ecclésiale. De ce parti de la paix, le duc de Bourgogne se réclama, beaucoup plus que les bourgeois ne se réclamaient de lui. Mais les violences d'Armagnac ne laissaient plus guère le choix aux amoureux de l'ordre et de la paix : tout juste pouvaient-ils choisir leur camp dans l'affrontement.

Les Armagnacs déclarés, en tout cas, étaient absents de Paris. Désigner comme tel un passant, c'était le vouer au lynchage. Accuser un bourgeois de collusion avec les Armagnacs qui tenaient une partie de la campagne voisine, c'était l'envoyer au gibet. Au reste, on ne disait plus guère « les gens d'Orléans » et l'on disait encore fort peu « les Armagnacs ». On disait surtout « les brigands ». Les soudards de Bernard d'Armagnac s'employaient fort bien à mériter ce nom, et ceux du comte d'Alençon ne faisaient pas mieux quand ils razziaient la Normandie méridionale.

En octobre 1411, les curés parisiens donnèrent lecture, en chaire, de l'excommunication des routiers fulminée jadis par Urbain V. Jouvenel des Ursins racontera qu'on hésitait alors à baptiser les enfants dont les parents n'étaient pas Bourguignons ou soi-disant tels. Et, pour que les choses fussent claires et qu'on sût bien de quel côté se trouvaient Dieu et ses saints, on avait passé aux statues des saints une écharpe croisée : la croix de Saint-André en sautoir, l'insigne des Bourguignons.

Certains faisaient du zèle officiel. La municipalité de Caen ordonna que les maisons des partisans d'Orléans fussent brûlées.

Cette montée de la violence entraîna bien des réactions qui n'avaient rien à voir avec le conflit des princes : haines et fureurs de tous ordres s'exprimaient là, et s'intégraient tant bien que mal dans l'affrontement des puissants. On vit de véritables soulèvements paysans : c'est ainsi que quelques centaines de paysans du Laonnois — avec l'aide du bailli de Vermandois et de ses sergents — assiégèrent le comte de Roussy dans sa forteresse de Pont-Arcy-sur-Aisne, et l'amenèrent finalement à capituler.

Le retour des Anglais.

C'est alors qu'on parla de nouveau des Anglais. Depuis dix ans, on les avait vus à bien des reprises, mais aucune de leurs entreprises n'avait dépassé le niveau d'une simple affirmation de présence sur la côte normande. Les villages du Cotentin en 1405, Fécamp en 1410, avaient souffert de débarquements aux objectifs incertains. Les frictions étaient quotidiennes sur la frontière de Guyenne. Mais, pour le reste du royaume, la guerre anglaise appartenait au passé.

Henri IV de Lancastre n'avait cependant garde de mépriser une occasion d'intervenir en France, et les deux partis qui s'affrontaient autour du roi malade ne pouvaient négliger le facteur décisif que pouvait être cette intervention anglaise dans leurs affaires. Une alliance anglo-bourguignonne s'ébaucha en septembre 1411, malgré les ouvertures concurrentes faites par Charles d'Orléans ; elle avait pour sanction un projet de mariage du futur Henri V avec une fille du duc de Bourgogne. Le Lancastre offrait un contingent armé. L'affaire était sérieuse.

Le 18 juillet 1411, Charles d'Orléans fit tenir à Jean sans Peur un défi dans les règles. C'était la guerre. Le Bourguignon répliqua sur le même ton :

> Nous avons très grande liesse au cœur de tes défiances. Mais du contenu en icelles toi et tes frères avez menti et mentez faussement, mauvaisement et déloyalement, comme trahisseurs que vous êtes.

A l'automne, les opérations commencèrent en Picardie. Jean sans Peur prit Ham. Les contingents flamands ayant estimé que leur service avait assez duré, il ne put soutenir son effort. Charles d'Orléans en profita pour tenter de prendre Paris. Il occupa Saint-Denis au nord, Saint-Cloud au sud-ouest. L'arrivée des hommes d'armes anglais permit au duc de Bourgogne d'accourir à temps pour débloquer la capitale. Les partisans de Charles d'Orléans se dispersèrent.

On avait compté là sans les Parisiens. Ils reçurent fort mal leurs sauveurs anglais. Force fut à ceux-ci de s'éclipser au plus vite. L'hiver offrit heureusement à tout le monde un répit. Berry et Orléans en profitèrent pour s'essayer à récupérer l'alliance anglaise. Ils offrirent à Henri IV un duché d'Aquitaine reconstitué dans son ancienne extension. L'Anglais accepta d'envoyer en échange mille hommes d'armes et trois mille archers aux princes confédérés. Le traité fut signé à Eltham le 8 mai 1412.

Les rôles se trouvaient renversés. Jean sans Peur se posa en défenseur de la Couronne. Il prit avec lui le roi et le dauphin Louis, fit déployer l'oriflamme et se lança dans une offensive de grande envergure contre les « ennemis du royaume ». C'étaient les princes et les Anglais, mêlés dans une même menace.

Au début de juillet, chacun s'avisa qu'il perdait son temps et son argent. Les Bourguignons ne pouvaient enlever Bourges, les Armagnacs ne voyaient pas arriver les Anglais, la bourgeoisie grondait partout contre le coût de ces jeux de prince. Tout le monde se retrouva à Auxerre en présence du roi pour y traiter de la paix. Il y avait même là des représentants des corps constitués — Parlement, Comptes — et douze docteurs de l'Université de Paris. Les villes avaient également député, tout comme s'il s'était agi d'états généraux.

On convint sans peine de renoncer aux alliances étrangères. Mais le traité d'Auxerre (22 août 1412) était à peine juré que les Anglais débarquaient en Cotentin, à Saint-Vaast-la-Hougue. Ils sillonnèrent la Basse-Normandie, gagnèrent l'Anjou. C'était la première grande chevauchée depuis celle de Buckingham, trente-deux ans plus tôt. Scandale nouveau dans cette guerre où l'on pensait avoir tout vu, les hommes du comte de Clarence ne craignaient pas de tronçonner les pommiers... La volonté de ruiner l'emportait sur l'envie de vaincre. Le paysan normand devait s'en souvenir.

Charles d'Orléans s'aperçut un peu tard que l'on avait joué avec le feu en appelant les Anglais. Et le traité d'Auxerre ne lui permettait plus d'user de leur alliance. Il se chargea de les renvoyer. Mais Clarence avait les dents longues. Orléans dut offrir, par le traité de Buzançais, quelques centaines de milliers de livres dont il n'avait pas le premier denier. Pour cautionner le paiement, il donna en otage son jeune frère le comte d'Angoulême, le grand-père du futur François Ier.

Les Anglais gagnèrent le Bordelais, où ils ne manquèrent pas de raviver la guerre. Bourbon et Armagnac durent y faire face. Ils prirent Soubise en Saintonge, mais constatèrent que l'affaire avait renforcé la force anglo-gasconne. On pouvait prévoir des lendemains difficiles sur la frontière de Guyenne.

Le bon peuple avait accueilli la nouvelle de la paix d'Auxerre avec joie. On cria « Noël ! » dans les rues de toutes les villes. Mais la double volte-face de Charles d'Orléans le rendait grotesque.

Que les Anglais dussent revenir ne faisait aucun doute. Malgré ses divisions, le royaume du Valois devait se préparer à la reprise de la guerre étrangère. Jean sans Peur persuada le roi de convoquer les états généraux de Langue d'oïl. Il fallait leur accord pour financer une armée. Ce pouvait être l'occasion de faire réaliser quelques-unes de ces réformes administratives et financières promises par deux ducs de Bourgogne successifs. Ce pouvait être aussi le terrain propice à l'une de ces surenchères démagogiques où le duc Jean était passé maître et où l'aristocratique parti des princes ne pouvait que sombrer. En bref, on convoquait les états quand la situation se révélait critique. Elle l'était.

Les états de 1413.

Les états se réunirent à l'hôtel Saint-Paul dans les derniers jours de janvier 1413. Les princes du parti d'Orléans craignaient un guet-apens ; ils s'étaient fait représenter. Face au roi flanqué du dauphin Louis, le duc de Bourgogne restait donc maître de l'affaire. Il joua à fragmenter l'assemblée en faisant délibérer les députés province par province, et par ordres séparés — noblesse, clergé, villes — au sein de chaque province. Le résultat de cet éclatement fut que certaines réunions ne purent même se tenir, faute de membres : la province de Bourges et celle de Lyon, par exemple, n'étaient pas représentées. Une province pouvait se révéler dangereuse, celle de Sens, qui incluait Paris ; on fit donc un groupe à part avec l'Université et la municipalité de Paris.

Seule, la province de Reims était suffisamment représentée pour que ses avis eussent quelque portée. La France du Centre était absente, la Normandie fort peu présente. Les députés pouvaient bien octroyer tous les impôts désirés, il n'était pas sûr que les contribuables les payassent.

Jean sans Peur fit honneur à sa réputation de réformiste. Le

31 janvier, sous couleur de rendre compte des travaux menés par province, l'un de ses conseillers, l'abbé de Moûtiers-Saint-Jean Simon de Saulx, fit une harangue aux accents aisément populaires : il fallait taxer les princes, faire rendre gorge aux officiers enrichis, révoquer les incapables – le Parlement était visé – et réorganiser tout le système financier. Qu'on en finît avec les nominations de complaisance, avec les cumuls et les dédoublements d'offices, avec les baux à ferme de l'administration domaniale!

Saulx exigeait même des mesures somptuaires. En limitant le luxe des officiers, on réduirait leurs tentatives d'enrichissement.

> Dès qu'un truandeau aura été clerc d'un receveur, d'un secrétaire, d'un trésorier ou d'un général (des aides), il sera vêtu et fourré de martre et d'autres riches habits, tellement qu'on ne les connaît plus. Et ils ne sont pas contents, et ils veulent avoir sur le cul la ceinture de Brehaigne, et ils ne daigneraient donner à dîner à aucun s'ils n'avaient hypocras et que toutes ces dépenses viennent du roi.
>
> Chacun veut être de si grand état que l'on ne connaît le maître du valet.

Le 7 février, ce fut la dernière grande séance. Malgré le froid vif, elle eut lieu dans la grande cour de l'hôtel Saint-Paul : aucune salle n'eût contenu tout le monde. Le théologien Benoît Gencien, un moine de Saint-Denis qui appartenait à l'une des plus anciennes familles de la bourgeoisie parisienne, fit écho à l'abbé de Moûtiers-Saint-Jean : le salut du royaume ne passait pas par l'impôt supplémentaire – qui eût touché une population déjà écrasée – mais par une meilleure gestion des revenus royaux. Gencien était un sot, dont les arguments ne valaient pas cher et qui n'osa pas dire en clair ce que les états attendaient : la dilapidation des deniers du roi devait cesser. On lui reprocha sa timidité. Mais l'idée de financer la défense sans nouvelle exaction avait tout pour plaire.

Le relais passa, le 13 février, au carme Eustache de Pavilly. L'Université et la municipalité parisienne avaient demandé une audience supplémentaire afin de chasser le mauvais effet du discours timoré de Benoît Gencien. Pavilly prêcha vigoureusement la réforme.

Au vrai, les députés n'étaient pas encore partis, et Paris s'arrogeait sans peine le droit de prolonger les états généraux. Ceux que, dans son savant découpage des provinces et des ordres, Jean sans Peur avait voulu tenir à l'écart venaient de prendre la tête des états.

Assumant seule le rôle naguère dévolu aux états dans leur ensemble, l'Université fit lire un long rôle où étaient développés les griefs relevés contre l'administration royale. Le fond de l'argument dont la lecture publique prit deux heures – était que les gens de finance avaient volé l'argent du roi.

Les achats immobiliers, le luxe du vêtement et de la table, tout montrait que le service du roi avait enrichi. Il eût été aisé de prouver que la plus grosse dépense avait été le fait des princes, mais c'eût été dénoncer Bourgogne autant qu'Orléans. Comme le Parlement, les Comptes, les Aides et le Trésor étaient aux mains des Armagnacs et du marais – des modérés, peu engagés et principalement amoureux de la paix – il était de bonne guerre de les charger.

Les gens de finance demandèrent ostensiblement qu'on vérifiât leurs comptes. L'Université ne se laissa pas abuser. Il était certain que les écritures étaient en règle.

Que proposaient les théoriciens de la réforme, et en l'occurrence les maîtres parisiens ? D'abord, quelques mesures de circonstance : des révocations, des saisies, des amendes. Tout cela tiendrait lieu d'impôt. Ensuite, quelques réformes fondamentales : diminution des effectifs de l'administration, réorganisation de la justice, renforcement du contrôle des comptabilités. Pour préparer tout cela, aussi bien les réformes que les listes d'accusés, le dauphin désigna une commission. En attendant, on obtint du roi, le 24 février, qu'il suspendît tous les officiers ; on rétablirait plus tard ceux qu'on ne condamnerait pas. L'assainissement était brutal. La machine administrative était paralysée.

Pendant que la commission se mettait au travail, les esprits s'échauffaient dans Paris. Entre les notables réformistes des états – et donc de la commission – et le menu peuple au-dessus duquel les bouchers parlaient de plus en plus haut, il y avait peu de communication. Les maîtres comme Gencien ou Pavilly n'avaient pas l'habitude d'informer les boutiquiers de leurs choix politiques. Dans la rue, on s'inquiéta du silence des notables.

Tout était prétexte à rumeurs et à émotions. Les maladresses du gouvernement royal – en fait celui de la reine Isabeau et du dauphin – ne firent qu'aggraver cette tension. L'insouciant dauphin Louis donnait trop de fêtes pour un pays en difficulté financière. La reine était trop généreuse envers le duc Louis de Bavière, son frère, qui menait grand train à Paris aux frais du contribuable français et qui venait de se faire donner le comté normand de Mortain.

La sottise du dauphin et de fausses manœuvres comme la destitution puis le rappel de l'impopulaire prévôt Pierre des Essarts, qui allait d'un parti à l'autre, contribuèrent à ancrer dans les esprits l'idée qu'on préparait un mauvais coup. On parla d'un complot, d'un enlèvement du roi, d'une intervention armée contre Paris. A mesure que les rumeurs circulaient, elles grossissaient.

LES CABOCHIENS.

Le 27 avril après-midi, une première émeute secoua Paris. L'écorcheur Caboche et ses amis bouchers menaient l'affaire, avec les ultras du parti bourguignon. Pour la plupart, les boutiquiers, les artisans et les compagnons ne s'armèrent que parce qu'ils se croyaient menacés. Le lendemain matin, plusieurs milliers d'hommes en armes se retrouvèrent en place de Grève, devant la Maison aux piliers. Le prévôt des marchands, le changeur André d'Épernon, tenta de les raisonner, de les renvoyer chez eux. Ce fut en vain : les Parisiens s'en allèrent investir la Bastille, où Pierre des Essarts, qui se savait détesté, s'était réfugié dès son retour. Il tenta de négocier sa sortie, vit qu'il risquait d'être égorgé et prit finalement le parti de se retrancher. Jean sans Peur, à son tour, tenta de calmer les émeutiers. Il ne put les convaincre de se disperser.

La foule se retrouva devant l'hôtel du dauphin, qui était à deux pas, rue Saint-Antoine, tout près de Saint-Paul. Le dauphin dut se montrer à une fenêtre, entendre l'échevin Jean de Troyes qui exigeait qu'on remît les « traîtres » à la foule. Le dauphin répliqua qu'il n'avait pas de traîtres chez lui. Mais son chancelier jugea, bien à tort, que tout cela était fort vague et crut s'en tirer en demandant des noms. On voulait les traîtres ; quels traîtres ? Jean de Troyes avait toute prête une liste de cinquante noms, qu'il remit sur-le-champ. Le chancelier dut la lire deux fois dans le tumulte. Il y eut quelque peine : son propre nom ouvrait la liste.

Les Parisiens se saisirent d'une quinzaine de personnes, dont le chancelier et le duc de Bar, cousin du roi. Jean sans Peur tenta de jouer les modérateurs : il se fit remettre les captifs et les emmena chez lui. Le dauphin n'était pas dupe ; il dénonça le double jeu du duc de Bourgogne :

> Beau-père, cette émeute m'est faite par votre conseil. Vous ne pouvez vous en excuser, car les gens de votre hôtel sont les principaux. Sachez sûrement qu'une fois vous vous en repentirez, et n'ira pas la besogne ainsi à votre plaisir !

Le lendemain, pour éviter une canonnade dans les rues, Jean sans Peur engagea Pierre des Essarts à sortir de la Bastille et à se livrer. Il lui donnait sa garantie qu'on lui laisserait la vie sauve. Quelques jours plus tard, oubliant la parole donnée, il livrait aux Parisiens tous les prisonniers dont il était garant et qui commençaient de l'encombrer.

L'arrivée des députés de Gand rehaussa le caractère révolutionnaire de l'affaire. En réalité, la démarche n'avait rien à voir avec les récents événements. Les Gantois venaient exprimer un souhait : que le fils aîné du duc de Bourgogne, le futur Philippe le Bon, vînt résider parmi eux. Les circonstances donnèrent un retentissement inattendu à la venue de cette délégation. La prévôté des marchands offrit un festin aux Gantois. On échangea les chaperons. Les Flamands promirent aux Parisiens une aide militaire aussi bien que financière.

La commission des états travaillait, cependant, dans le plus grand sérieux, à la rédaction d'une ordonnance de réformation. C'était, pour l'essentiel, un texte fort sage, une vaste compilation d'archives, qui reprenait mot pour mot, en y introduisant une cohérence d'ensemble, bien des ordonnances de Charles V et les principaux textes réglementaires publiés dans les années 1380 à 1408. L'idée qu'ils faisaient la révolution ne vint certainement à aucun de ces notables, nobles, prélats, grands bourgeois et docteurs qui tentaient de remettre de l'ordre dans la gestion du royaume de France, dans la comptabilité des deniers publics, dans le système monétaire.

Les états eurent en revanche peu de part à la désignation, le 10 mai, d'une commission improvisée pour juger les officiers accusés de malversations. De plus en plus excité, mais plus écouté dans la rue que parmi les états, Eustache de Pavilly venait de lire, au cours d'une nouvelle manifestation, une seconde liste de soixante « traîtres ». La plupart étaient tout simplement des bourgeois qui n'avaient pas voulu, en février, prendre les armes en violation des ordonnances. La bande des bouchers et des écorcheurs se chargea, le 11, d'aller arrêter ces nouveaux traîtres.

Après deux mois d'une totale absence, Charles VI allait mieux. Les bouchers venaient d'imposer au dauphin quelques nominations à eux favorables : Caboche avait la garde du pont de Charenton, son collègue Denis de Chaumont celle du pont de Saint-Cloud. Le roi eut la sagesse de ne rien révoquer. Il prit le chaperon blanc des Bourguignons, que lui offraient avec respect les notables de l'Hôtel de Ville. Puis il attendit la fin des travaux des états, ou plutôt de la commission. Nul ne sait ce qu'on lui raconta vraiment de ce qui s'était passé pendant sa dernière maladie.

Les émeutes ne cessaient pas. Foule massée en Grève, démonstration bruyante devant l'hôtel Saint-Paul, conciliabules jusqu'à la nuit, les jours se suivaient et se ressemblaient.

Le 22 mai, l'affaire se haussa d'un nouveau degré dans l'escalade politique. La foule occupa trois cours de la résidence royale. Sous prétexte qu'il avait besoin d'être éclairé sur les événements des deux derniers mois, le roi fut apostrophé par l'inévitable Pavilly. Jean de Troyes donna lecture d'une troisième liste de suspects, toutes gens dont la foule entendait s'emparer sur-le-champ. Tout l'entourage de la reine s'y trouvait nommé, à commencer par son frère le duc de Bavière et la quasi-totalité des dames et demoiselles d'honneur. Malgré les prières d'Isabeau, les larmes du dauphin et le double jeu d'un Jean sans Peur qui s'affolait de l'audace des Parisiens et tentait d'apaiser la foule sans relâcher pour autant la pression sur le roi, tout ce monde fut bel et bien arrêté. Louis de Bavière se livra de lui-même pour éviter une bagarre chez la reine.

L'ordonnance était enfin au point. On le fit savoir au roi. En trois interminables séances, les 26 et 27 mai, Charles VI fit lire les deux cent cinquante-neuf articles devant la cour et les députés assemblés au Parlement. Le 27 au soir, le roi déclara qu'il approuvait toutes les dispositions. Les assistants jurèrent d'observer l'ordonnance. Nul ne pouvait deviner qu'elle allait passer pour « cabochienne ». Il n'est même pas sûr que l'illettré Caboche fût dans la salle.

L'ordonnance était en réalité l'œuvre d'une dizaine d'hommes, parmi lesquels quelques-uns de ces grands docteurs parisiens que les engagements dans les affaires du Schisme autant que l'idéal politique avaient conduit, contre l'attitude de Louis d'Orléans, à souhaiter globalement une réforme de la chose publique, que ce fût l'Église ou le royaume. Oeuvre systématique qui ne devait aux circonstances que d'avoir vu le jour à ce moment et de pouvoir manifester une défiance ostensible envers le monde si divers des serviteurs du roi, l'ordonnance « cabochienne » traduisait vingt ans de réflexion et d'expérience.

Conseillers du roi ou du duc de Bourgogne, parfois des deux, l'évêque Jean de Thoisy, l'abbé Simon de Saulx, les maîtres Jean Courtecuisse et Pierre Cauchon ne sont pas des improvisateurs, même s'ils sont des passionnés. Le théologien Courtecuisse a à son actif des interventions aux assemblés du clergé, des ambassades à Avignon, des missions délicates en Angleterre et en Allemagne. Cauchon est un juriste solide, ambitieux mais scrupuleux. Quelques chevaliers à la rectitude éprouvée et deux conseillers au Parlement à la carrière déjà longue complètent – avec un unique bourgeois, l'échevin parisien Jean de l'Olive, un épicier, autrement dit un gros marchand de produits de luxe – cette commission en laquelle il est difficile de voir un parti de conspirateurs. Leur ouvrage est finalement une réforme, au sens qu'a toujours eu le mot dans le vocabulaire médiéval : un retour juridique aux bons usages.

La publication de l'ordonnance ne calma guère l'exaltation populaire à laquelle le texte devait si peu. On vit décapiter quelques-uns des prisonniers. Pierre des Essarts fut du nombre. Les modérés durent se cacher. Jouvenel fut arrêté quelques jours. Le chancelier de l'Université, Jean Gerson, trouva le salut en se réfugiant dans le dédale des combles de Notre-Dame.

Il devenait évident que Jean sans Peur ne rétablirait plus l'ordre. Il y eût perdu toute sa popularité. L'armée des princes était massée en Normandie, mais ses chefs hésitaient à attaquer Paris : l'offensive pouvait s'achever en bain de sang. On négocia. Le 28 juillet, à Pontoise, Berry et Bourgogne se mirent d'accord sur une voie de compromis qui, pour peu que les modérés reprissent courage dans Paris, devait sonner le glas des Cabochiens. Le recteur de l'Université et le prévôt des marchands étaient parties prenantes à l'accord.

La réaction armagnaque.

Dans la capitale, rares étaient ceux qui n'étaient pas las des violences et du temps perdu. On était fatigué des bouchers. Leur hégémonie n'avait en définitive rien apporté. Les maîtres souhaitaient qu'on appliquât la réforme : cela supposait le retour à l'ordre. Les officiers que la crise n'avait pas emportés voulaient tout simplement travailler en paix, leur intérêt et celui de la chose publique concordant ici fort étroitement. Rien d'étonnant à ce qu'on trouvât, à la tête d'une réaction qui n'était pas armagnaque mais seulement anticabochienne, l'avocat Jean Jouvenel. Il avait été le restaurateur patient et efficace des libertés parisiennes. Comme avocat du roi au Parlement, il veillait maintenant sur les intérêts de la Couronne. Jouvenel était de ceux qui se défiaient avant tout du désordre, de l'improvisation, de l'anarchie. « Il ne faut pas voler avec le vent qui vente », disait-il. Le vent avait beaucoup venté, et Jouvenel n'était pas seul de son avis. En provincial qu'il était — il était venu de Troyes à Paris vers 1380 — il sentait bien que la France ne suivait pas les soubresauts de la capitale. On savait fort bien en province ce qu'on avait pensé, un demi-siècle plus tôt, des excès parisiens des états généraux.

Le 2 août 1413, à l'Hôtel de Ville, le huchier — un ébéniste — Guillaume Cirasse donna le signal de la rébellion contre la dictature des bouchers. Le 3, dans son quartier de la Cité, Jouvenel prenait les choses en main. Il conduisit à l'hôtel Saint-Paul une délégation faite des bons bourgeois de la Cité, enfin prêts à prendre quelque risque pour n'être pas tout à fait emportés par la tourmente. On n'entendit qu'un seul cri : « La paix ! » Le 4, sur la place de Grève, les Cabochiens tentèrent de se compter. Déjà, ils étaient en minorité parmi la foule assemblée. Quelqu'un cria que les partisans de la paix se rangeassent à droite et les autres à gauche. Les Parisiens interprétèrent très exactement la formule : partisan de la paix, cela signifiait ennemi des Cabochiens. La foule se porta à droite. A l'arrivée de Jouvenel, les Cabochiens prirent la fuite.

Le dauphin vint à son tour. Il trouva de nouveaux occupants dans la Maison aux piliers. Trois nouveaux échevins étaient désignés, dont le huchier Cirasse. Jean de l'Olive demeura en fonctions, ce qui montre fort bien qu'à ce moment de l'affaire nul ne songeait encore à en vouloir aux auteurs de l'ordonnance réformatrice.

C'était la victoire de l'ordre, de la paix, d'une bourgeoisie lasse des cris et du sang. Mais c'était le retour des Armagnacs, et la modération n'était pas leur fait. Jean Jouvenel et ses pareils furent vite dépassés. Personne ne voulait avoir été Cabochien : personne n'était donc plus Bourguignon. On parla d'arrêter le duc de Bourgogne, qui prit, le 22 août, le parti de se sauver. Prétextant une chasse à Vincennes, il tenta d'emmener le roi. Jouvenel et Louis de Bavière le rejoignirent et ramenèrent le malheureux Charles VI, ballotté et inconscient. Huit jours plus tard, le duc d'Orléans faisait son entrée dans Paris.

Le 5 septembre, devant la cour assemblée au Parlement, le roi présent, l'ordonnance réformatrice était cassée comme « soudainement et hâtivement publiée ». Surtout, elle avait été faite sous la menace. Pour tout dire, elle était « cabochienne ». Le texte en fut publiquement déchiré.

Les fauteurs des émeutes du printemps furent impitoyablement poursuivis. Les plus compromis furent exécutés – Caboche avait réussi à suivre Jean sans Peur – et les autres simplement bannis. La terreur armagnaque commençait, qui valait bien celle des Cabochiens. Pratiquement prisonnier dans le Louvre, le dauphin écrivit à Jean sans Peur pour lui demander aide. Le duc vint, en février 1414, jusqu'à Saint-Denis ; il hésita finalement à entrer dans Paris. Inspiré par Louis de Bavière et par Bernard d'Armagnac et son gendre Charles d'Orléans, le roi déclara le duc de Bourgogne rebelle et convoqua l'armée pour lui faire la guerre. Une nouvelle fois on sortit l'oriflamme de Saint-Denis. L'émotion qu'inspirait naguère ce geste symbolique du culte monarchique commençait de s'émousser. La campagne s'arrêta d'ailleurs à Arras.

Les princes étaient fatigués. En février 1415, ils firent la paix. Bernard d'Armagnac continua de tenir Paris, où s'alourdissait le poids d'une fiscalité dont, vingt ans plus tard, les Parisiens garderaient encore le souvenir. Le roi sombrait de plus en plus souvent dans la folie. Le dauphin Louis mourut dans l'indifférence le 18 décembre 1415. Son frère Jean, duc de Touraine, lui succéda comme héritier de la Couronne.

Les maîtres de l'Université, cependant, avaient d'autres préoccupations et les affaires de l'Église, jusque-là étroitement imbriquées avec celles du gouvernement de la France, attiraient désormais l'attention hors du royaume, vers Constance où s'était enfin ouvert, en novembre 1414, le concile de l'unité retrouvée. Un Gerson, un Cauchon, un Gencien y jouèrent un rôle souvent prépondérant. Il n'était pas question pour eux de tenir la scène politique à Paris. Gerson se contenta de porter devant une commission du concile le débat qu'il avait ouvert à Paris dès les débuts de la domination armagnaque, pour faire condamner la doctrine énoncée en 1408 par Jean Petit, la fameuse *Apologie du tyrannicide*. Les pères du Concile le déboutèrent, renvoyant dos à dos les adversaires. Puis on cessa de parler à Constance des affaires françaises.

Les bouchers parisiens payèrent le prix de leur éphémère domination. Les plus engagés dans le parti de Bourgogne s'étaient enfuis. Les autres tentèrent en vain de se faire oublier. Au printemps de 1416, cette institution privilégiée qui s'appelait la Grande Boucherie — avec son vaste bâtiment, au nord du Châtelet — fut purement et simplement supprimée. La liberté du commerce des viandes punissait ces rentiers qui s'étaient faits démagogues. Il fallut huit ans pour que le milieu des bouchers, toujours étroitement solidaire, puisse retrouver, à la faveur de l'éviction des Armagnacs, une partie de ses privilèges et reconstituer l'infrastructure de son monopole.

Il faut croire que les bouchers s'étaient rendus insupportables en d'autres villes. Ceux de Chartres perdirent leurs privilèges par la même occasion : ils étaient punis de leur « arrogance ».

Jean sans Peur était seul. Il éprouva de nouveau les tentations d'une alliance anglaise dont il savait les risques. Comme en 1411, elle pouvait le sortir d'un périlleux isolement. Ouvertes en janvier 1414 avant même que le duc de Bourgogne renonçât à rentrer dans Paris, les négociations aboutirent le 23 mai aux conventions de Leicester. Si l'Anglais venait conquérir « son héritage français », Jean sans Peur l'aiderait contre Orléans, Berry et les autres princes du parti armagnac, et il resterait neutre entre les deux rois. Il aurait sa part de la conquête, et l'on reparlerait d'un hommage lige au Lancastre.

Tout cela, qui était une véritable félonie, n'empêchait pas le duc Jean d'assurer, lors des pourparlers avec Charles VI et les princes armagnacs en février 1415, qu'il n'était en rien engagé envers les Anglais.

Au vrai, comme en 1412 Charles d'Orléans, le duc de Bourgogne allait se trouver empêtré dans les contradictions de sa politique. De cette hésitation continuelle des princes français devant une alliance anglaise qui les faisait maîtres du jeu mais les compromettait, le Lancastre eût été mal avisé de ne pas profiter.

CHAPITRE XIV

Un royaume légué

LA CONQUÊTE ANGLAISE.

Henri V régnait depuis deux ans sur l'Angleterre, très exactement depuis la mort, le 20 mars 1413, de son père Henri IV de Lancastre, le vainqueur de Richard II. Face à une France divisée, le premier des Lancastres avait joué un jeu de bascule fait du plus évident opportunisme. Henri IV avait été l'allié de celui – Bourgogne ou Orléans – qui lui offrait l'occasion d'intervenir. Le deuxième Lancastre n'était pas homme à attendre ainsi les éventualités.

C'était un calculateur froid que ce roi préparé à régner. Son père était un roi improvisé. Henri V avait été instruit pendant dix ans dans l'art de gouverner et de commander. Prince de Galles, il s'était battu sur sa frontière. Il avait tenu la place de Calais. Il avait siégé au Conseil où se décidaient les alliances continentales. Et il se savait remarquablement secondé par son frère Jean, le duc de Bedford.

Dès son avènement, il commença d'échafauder un plan systématique d'action contre la France. Il y avait une phase diplomatique, pour mettre le Valois dans son tort, et l'inévitable phase militaire. L'objectif était vaste : reconquérir les terres occupées au début du XIIIe siècle par Philippe Auguste et mettre la main sur les terres, cédées à Édouard III en 1360 par le traité de Brétigny-Calais, que Charles V avait fini par reconquérir au terme d'une lutte de dix ans que les Anglais continuaient de tenir pour une violation du traité. De la Normandie aux Pyrénées, Henri V de Lancastre ne convoitait rien moins que la moitié du royaume des Valois.

La construction du Lancastre était dominée par la grande revendication devant laquelle Édouard III, tout petit-fils de France qu'il fût, avait longuement hésité : Henri V relevait le droit d'Isabelle de France sur l'héritage des Capétiens. Comme jadis le Navarrais, il se posait moins en ennemi de la France qu'en compétiteur du Valois pour la Couronne de saint Louis.

Cette position faisait de lui le défenseur du droit, de l'équité, de la paix. S'il fallait recourir aux armes, s'il y avait guerre, la faute en serait à l'usurpateur Valois. Prenant à témoins Dieu et ses saints, l'Anglais fit savoir la chose au duc Jean sans Peur, puis au gouvernement de Charles VI. Afin de renforcer son droit à la Couronne de France, il demandait au Valois la main de sa fille Catherine. Paradoxale en apparence, l'attitude d'Henri V était profondément cohérente. Mais il ne pouvait y avoir en France un seul juriste pour entériner le raisonnement.

L'année 1414 se passa en un vain dialogue par-dessus la Manche. Le gouvernement de Charles VI feignit d'entrer dans le jeu. Il lui fallait gagner du temps. On promit un duché d'Aquitaine indépendant. On parla de solder la rançon de Jean le Bon. On prépara le mariage de Catherine. La dot devait être considérable : deux millions de francs.

Au début de 1415, Henri V avait la certitude que les Français ne céderaient pas sur un point : on ne lui laisserait en aucun cas la Normandie. Les conseillers de Charles VI savaient fort bien ce qu'il en avait coûté au Capétien de n'être pas, aux XIe et XIIe siècles, maître de son accès à la mer. En février, les Anglais préparaient les tentes de l'armée, recrutaient des troupes, révisaient le règlement du service en campagne. En avril, la flotte était prête pour la traversée. On affréta même des navires hollandais pour faire le nombre.

L'Anglais cherchait la guerre. Nul ne pouvait s'y méprendre, et surtout pas les ambassadeurs envoyés à Winchester en juin par le gouvernement armagnac. Ils offraient enfin la main de Catherine, avec une dot de 850 000 écus et la plus grande partie de l'Aquitaine. Ce n'était pas ce que souhaitait Henri V. Celui-ci bloqua volontairement l'affaire en exigeant des cautions excessives et des délais de paiement trop courts pour que la trésorerie française pût les supporter. Les envoyés de Charles VI s'attendaient à la manœuvre, et ils avaient des instructions fermes. Ils insultèrent presque l'Anglais, en faisant passer dans la discussion l'ombre de Richard II. Un roi qui était un vrai roi de France ne traiterait pas avec un prince qui n'était pas vrai roi d'Angleterre.

Henri V les pria de s'en aller et précisa qu'il les suivrait de peu sur la route de France. Le 28 juillet, il adressait à Charles VI un ultimatum. Le 11 août, il embarquait à Portsmouth.

La flotte anglaise toucha terre à l'extrême pointe de la rive droite de l'embouchure de la Seine, au lieu-dit Chef-de-Caux. Deux mille hommes d'armes, six mille archers, peut-être douze mille hommes en tout, débarquèrent sans encombre. C'était une armée de conquête, non une randonnée.

Le gros de l'armée s'en alla, aux ordres du roi et du duc de Clarence, mettre le siège devant Harfleur. Quelques détachements sillonnèrent le pays de Caux afin d'y affirmer leur présence. Henri V fit lire une proclamation aux Normands : il était venu leur rendre leurs franchises. Il était habile de se référer aux libertés du temps de saint Louis. L'Anglais oubliait volontairement que saint Louis avait solidement organisé en Normandie la conquête de son grand-père Philippe Auguste.

Harfleur, c'était la clé de la navigation sur la Seine, donc du ravitaillement de Paris et de Rouen en produits du commerce maritime. Approvisionnant une grande partie du Bassin parisien, le grenier à sel d'Harfleur était l'un des premiers de France. Une colonie espagnole et portugaise y contribuait depuis plus d'un siècle à la prospérité des affaires. La rade était sûre et le port bien équipé. Harfleur pouvait être un deuxième Calais. Henri V ne s'en cacha pas.

Le gouvernement de Charles VI n'avait pas prévu une attaque aussi soudaine sur l'avant-port de la Seine. On avait accoutumé de voir les Anglais venir par le Cotentin – itinéraire hérité des commodités jadis offertes par Geoffroy d'Harcourt – ou par leur tête de pont de Calais. Harfleur était donc médiocrement défendu : cent lances, effectif que l'arrivée du sire de Gaucourt et de sa troupe porta, le 18 août, à quatre cents. A la mi-septembre, Gaucourt dépêcha des messagers sûrs au roi et au dauphin ; on leur répondit de ne rien attendre dans l'immédiat parce que l'armée royale n'était pas prête.

Il devenait inutile de supporter plus longtemps le blocus et la canonnade, particulièrement meurtrière pour une petite ville dont aucune maison n'était assez loin de l'enceinte pour se trouver à l'abri des tirs. Chaque nuit, les habitants retapaient les pans de la muraille effondrés le jour sous la grêle de boulets, mais un tel héroïsme conduisait directement au massacre que l'on pouvait attendre pour le jour où les Anglais entreraient de force. L'idée que le siège d'Harfleur avait au moins l'avantage de retenir l'Anglais à l'aube même de sa chevauchée et de l'affaiblir – d'autant plus que la dysenterie sévissait chez les assiégeants – n'effleura pas un instant Gaucourt et les siens. Ce brave, que nous retrouverons à Orléans au temps de Jeanne d'Arc, était un excellent tireur d'épée, mais un capitaine médiocrement doué pour la stratégie. Il tenta en force une sortie, échoua. Le 22 septembre, il demanda aux Anglais leurs conditions.

Henri V n'avait pas de conditions. Froidement, il exigea les clés de la ville, fit chasser toute la population, confisqua tout ce qu'on put trouver dans les maisons et alla faire pieusement ses dévotions à Saint-Martin. Les hommes d'armes avaient dû donner leur nom et engager leur honneur qu'ils iraient se constituer prisonniers à Calais avant le 11 novembre. Henri V ne s'encombrait pas, pour l'heure, de captifs qu'il eût fallu nourrir et convoyer.

Le siège avait duré plus d'un mois et l'occupation de la nouvelle place anglaise avait pris trois semaines. L'Anglais comprit qu'il ne pouvait plus conquérir la France avant l'hiver. Il savait bien qu'il ne prendrait pas Paris en quelques jours. Il reporta donc au printemps suivant l'offensive massive qu'il n'avait peut-être jamais songé à achever en une seule campagne mais dont l'importance des effectifs engagés en août ne peut laisser croire qu'il entendait simplement la préparer. Le 8 octobre, Henri V donnait l'ordre de gagner Calais. La campagne de 1415 se soldait quand même par l'acquisition d'une excellente tête de pont en Normandie.

La chevauchée vers Calais avait de surcroît l'avantage de semer la panique et de narguer le Valois. Le propos général de la campagne d'Édouard III en 1346 se répétait : se replier, au plus près de la côte, en ayant l'air de tenir le pays.

L'armée de Charles VI, cependant, finissait de s'assembler. Au moment où Henri V quittait Harfleur, les Français étaient en armes à Rouen. Mais ils y étaient désunis. Bourgogne et Orléans avaient joué au plus fin depuis qu'ils avaient appris le débarquement anglais, et Charles VI n'avait pu rapprocher les points de vue. Orléans et son beau-père Bernard d'Armagnac avaient tenté d'éviter la présence à l'armée du duc Jean sans Peur, craignant à juste titre qu'il ne profitât des événements pour reprendre hors de Paris un pouvoir qui lui avait échappé par l'effet de la lassitude des bourgeois parisiens. Armagnac n'avait qu'un véritable objectif : tenir Bourgogne aussi éloigné que possible du roi et du dauphin. Mais on ne refusait pas les troupes bourguignonnes : le duc Jean pouvait bien envoyer son contingent. Et le gouvernement armagnac de taxer le duc de Bourgogne et le duc d'Orléans, semblablement, de cinq cents hommes d'armes et trois cents arbalétriers.

Jean sans Peur refusa tout net. Il ferait son devoir de grand feudataire. L'honneur lui interdisait de rester chez lui quand le roi était attaqué. Notons qu'il oubliait complètement les termes de certain traité, néanmoins récent...

Armagnac maintint la position royale. Le duc de Bourgogne en tira la conséquence logique : s'il était de trop à l'armée du roi, ses troupes l'étaient aussi. Il interdit à son fils, le futur Philippe le Bon, de rejoindre le roi. Fait plus grave encore, alors que les Anglais marchaient sur la Somme, Jean sans Peur fit savoir à la noblesse de Picardie qu'elle eût à s'abstenir. Sur le terrain, Henri V avait déjà partie gagnée.

Henri V songeait à passer la Somme par ce même gué de Blanque Taque qui avait jadis sauvé Édouard III. Il y renonça quand on lui dit – ce qui semble avoir été faux – que le gué était fortement gardé. Passant donc en amont à Voyennes, le 19 octobre, il atteignit le 24 Maisoncelle. C'est là que la nouvelle de l'arrivée imminente des Français le contraignit à interrompre sa marche vers Calais, une marche qui, sous la pluie battante, tournait à la retraite. Les Français étaient en nombre. S'ils voulaient n'être pas décimés en ordre de marche, les Anglais devaient se préparer à la bataille. Au reste, l'armée de Charles VI bloquait la route de Calais : établis sur le plateau exigu qui sépare Azincourt de Tramecourt, les Français faisaient masse.

L'Anglais ne venait que d'un seul côté, et il était englué dans un sol naturellement lourd et ce jour-là détrempé par la pluie. La cavalerie du roi de France ne forma pas moins le carré, s'interdisant ainsi, sur le terrain de son choix, la moindre possibilité de manœuvre. Pis encore, la pluie avait condamné les hommes d'armes à demeurer toute la nuit à cheval, engoncés dans leurs armures. Au matin, hommes et bêtes étaient fourbus. A deux portées de flèche, les Anglais avaient passé la nuit dans leurs tentes, assurés que les Français ne chargeraient pas dans la boue.

Un vieux prince était là, qui avait en son enfance vécu les premières heures de la défaite de Poitiers. C'était Jean de Berry. Il conseilla de renoncer à la bataille. Au mieux le fils de Jean le Bon obtint-il que l'on ne prît pas les mêmes risques pour la Couronne que soixante ans plus tôt : le roi et le dauphin seraient tenus à l'écart.

Au matin du 25 octobre 1415, les deux armées s'observaient. Trois au quatre heures passèrent. Henri V avait disposé sa cavalerie en bataille. Les bagages étaient rangés à l'arrière, dans les villages. Les chapelains récitaient des prières. Pendant ce temps, les Français raccourcissaient leurs lances pour tenir compte du terrain. On savait déjà que la boue ne permettait plus les charges de cavalerie à la lance longue. Cela fait, la cavalerie française attendit de pied ferme.

Vers onze heures, l'Anglais ordonna l'assaut. Il avait réparti son armée sur un très large front d'attaque. Jouant la mobilité, les archers se glissaient partout, se protégeant derrière les arbres, voire derrière les pieux qu'ils portaient devant eux et fichaient en terre pour tirer. Commencée sous les flèches, l'hécatombe de la chevalerie française fut achevée à l'épée et à la hache par les hommes d'armes anglais, que leur disposition rendait capables d'attaquer tous ensemble une « bataille » française empêtrée dans sa formation trop serrée. Pour la plupart, les Français ne purent même pas manier leurs armes. Ce n'était pas un combat, c'était une bousculade, et un massacre.

Au soir, le sol était jonché de morts. On compta quelques Anglais, dont le duc d'York grand-oncle du roi Henri V. Mais des milliers de

Français avaient disparu dans la bataille, comme les deux frères de Jean sans Peur, le duc Antoine de Brabant et le comte Philippe de Nevers, comme le duc Jean d'Alençon, un descendant de Charles de Valois, ou comme Édouard, duc de Bar, l'ancienne victime des Cabochiens. Le connétable Charles d'Albret, comte de Dreux, était mort aussi. Il avait sa part de responsabilité dans la faute stratégique qu'avait été la formation en bataille.

Henri V n'avait pas voulu s'encombrer de prisonniers et avait donné l'ordre d'exécuter les Français qui, blessés ou non, s'étaient rendus et pensaient s'en tirer au prix d'une rançon. Seuls eurent droit à quelque égard les princes dont la rançon pouvait être de nature à renflouer le trésor de Winchester. Les ducs d'Orléans et de Bourbon en étaient.

Les Anglais en voulurent à leur roi de les avoir ainsi frustrés du profit de la victoire. Les plus délicats jugèrent qu'exécuter ainsi les prisonniers était contraire à l'éthique d'un chevalier. Les plus terre à terre observèrent qu'on n'avait pas jugé encombrants les prisonniers du roi.

Il y eut quand même des Français pour trouver la journée bonne. Des pillards suivaient, comme toujours, l'armée pour profiter des aubaines et chaparder derrière les soldats. Ils s'avisèrent pendant la bataille que le « charroi » des Anglais était, à l'arrière, insuffisamment protégé dès lors que la ligne d'attaque s'éloignait en progressant vers l'armée française. Dès que les hommes d'armes eurent assez à faire à l'avant, les chenapans pillèrent sans vergogne le bagage des vainqueurs. Au soir, on s'avisa que la couronne d'Henri V avait disparu.

Le carnage d'Azincourt ne changea pas grand-chose aux relations franco-anglaises. Henri V s'embarqua le 16 novembre à Calais. Mais la défaite bouleversa les rapports de force du monde politique au sein du royaume de France. Orléans, Bourbon, et quelques autres sortaient du jeu, et le vieux duc de Berry était écœuré. Fait connétable le 31 décembre, Bernard d'Armagnac continuait de tenir Paris, mais, face à une reine sans pouvoir, à un roi malade, à un nouveau dauphin sans expérience, Jean sans Peur demeurait la seule tête politique.

Il réunit au début de décembre l'armée qu'il avait retenue de joindre l'armée du roi et vint ainsi menacer la capitale. Ses soldats ravagèrent la campagne. Le duc se tint à Lagny, hésitant à attaquer une capitale où les Armagnacs étaient prêts à vendre chèrement leur vie.

Armagnacs et Bourguignons commencèrent d'en découdre dans tous les villages d'Ile-de-France et de Champagne. A Paris même, la proximité de l'armée bourguignonne ne fit qu'exacerber la réaction armagnaque. On n'osait même plus prononcer en ville le nom du duc de Bourgogne.

La vie quotidienne des Parisiens reflétait durement la situation politique. On était pendu pour avoir gardé chez soi une arme, ou pour avoir laissé sur l'appui de sa fenêtre un pot de fleurs qui pût servir de projectile contre les sergents du roi. Et l'on devait inviter aux repas de noces un homme payé par le gouvernement – et nourri par le marié – pour veiller à ce qu'on ne « murmurât de rien ». Traduisons qu'il fallait inviter un mouchard pour que la moindre réunion de famille ne tournât pas au complot.

Dans les campagnes, une seule crainte dictait le comportement des villageois : celle des hommes d'armes, quels qu'ils fussent. Le temps des grandes chevauchées était revenu, et l'on savait ce qu'il en coûtait au vilain moyen. Tous ceux qui se croyaient directement menacés abandonnèrent granges et bétail pour chercher refuge à la ville. Paris, Rouen, Amiens se trouvèrent du jour au lendemain surpeuplés. La sécurité n'y gagnait rien, et le ravitaillement devenait critique.

Le gouvernement armagnac tenta de réagir. Ce furent autant d'échecs. Une offensive sur Harfleur échoua en 1416. Des ouvertures diplomatiques vers le roi des Romains Sigismond de Luxembourg n'aboutirent, en mars 1416, qu'à un voyage du futur empereur à Paris, où il se comporta en souverain avant de gagner Londres et de s'y entendre avec Henri V. Le bourgeois parisien s'offusqua de ce que Sigismond, assistant à la messe à Notre-Dame, n'avait rien donné à l'offrande et s'était cru généreux en laissant un écu pour les enfants de chœur. Le roi des Romains avait reçu les femmes des notables et les avait fait boire à l'excès ; puis il avait offert à chacune une bague de pacotille. Le Parisien se jugea méprisé. Lorsqu'il apprit le traité de Canterbury, il s'estima joué : Sigismond et Henri V s'entendaient pour la conquête de la France.

Le jour même où les deux souverains traitaient à Canterbury, le 15 août 1416, une flotte française – faite pour l'essentiel de navires génois – était mise en déroute en baie de Seine. Harfleur resterait aux Anglais.

La domination bourguignonne.

Jean sans Peur tira les leçons de la situation. Oubliant ses frères morts à Azincourt, il alla offrir son amitié à Henri V. Les deux princes passèrent une semaine ensemble, en octobre. Le duc de Bourgogne franchissait une étape décisive dans son abandon de la cause des Valois : il reconnut le droit du Lancastre et de ses descendants :

> Celui et ceux qui, de droit, est et seront rois de France.

L'accord était, dans l'immédiat, de portée limitée : Jean ne s'engageait à intervenir qu'au moment où la victoire serait en vue. Au moins le roi d'Angleterre pouvait-il aller de l'avant sans craindre que la force de l'état bourguignon se dressât contre son entreprise.

Jean sans Peur avait à tout le moins négligé une chose en reconnaissant les « droits » de l'Anglais : c'est qu'il était lui-même un Valois, et qu'il n'eût pas été duc de Bourgogne si l'on avait, un siècle plus tôt, préféré Isabelle à Philippe de Valois.

Le 29 juin 1417, la flotte française était détruite devant La Hougue. Pour trente ans, les Anglais tenaient la Manche. La route de la Normandie était libre. Le 1er août, Henri V débarquait à nouveau, à Trouville cette fois, avec une armée forte d'une dizaine de milliers d'hommes. Comme naguère à Harfleur, il fit expulser la population caennaise, qui avait résisté. Venus à cette fin d'Outre-Manche, des Anglais établirent à Caen le centre administratif de la conquête qui commençait. Henri V ne cherchait plus une gloire rapide dans une éphémère chevauchée. Le temps était venu de la conquête, ou plutôt de la reconquête.

Les choses allèrent très vite. Argentan et Alençon tombèrent en octobre. Soucieux d'éviter une invasion qui ne le menaçait d'ailleurs pas, le duc de Bretagne fit en novembre sa paix avec le vainqueur. Yolande d'Aragon, reine de Sicile et duchesse d'Anjou, s'accorda de même avec l'Anglais pour protéger l'héritage de son plus jeune fils, le futur Charles du Maine. La chute de Falaise et celle d'Évreux, au début de 1418, marquèrent l'achèvement de la conquête en Normandie occidentale. Seule, résistait encore la place de Cherbourg. Henri V pouvait donc se tourner de nouveau vers la Seine. Le 23 juin, il occupait Louviers.

Depuis l'automne de 1411, Jean sans Peur s'était repris à convoiter Paris. Il savait l'impopularité croissante de Bernard d'Armagnac et de ses fidèles, dont la tyrannie n'avait apporté à Paris qu'un long cortège de misères et de terreurs. La vie était paralysée, tant par un véritable état de siège que par l'effondrement monétaire. Le marc d'or – le marc de Paris valait 244,75 grammes de nos jours – était passé de quelque soixante ou soixante-cinq livres tournois sous Charles V et Charles VI à plus de cent livres depuis mai 1417. De six livres, le marc d'argent était grimpé à plus de onze livres. La nouvelle espèce d'or, le mouton, était une méchante pièce qui n'était même plus d'or fin et qui pesait un tiers de moins pour une valeur sensiblement égale. Quant à la florette d'argent, sa valeur intrinsèque n'approchait pas la moitié de la valeur des derniers gros émis par le gouvernement bourguignon avant la réaction de 1413.

Dans tous les milieux, les bruits les plus ahurissants circulaient à l'envi. Ne racontait-on pas que les Armagnacs s'étaient fait faire des haches de guerre et des armures peintes en noir, afin de mieux perpétrer un mauvais coup nocturne ? En fait, le gouvernement de Bernard d'Armagnac et de son otage le nouveau dauphin Charles avait complètement perdu les rênes du pouvoir. Il vivait à crédit, d'un crédit forcé qui s'apparentait à l'extorsion de fonds. Jean sans Peur l'avait belle de jouer la carte naguère jouée par son père contre Louis d'Orléans : il annonça qu'il supprimerait les impôts.

Puis il alla chercher à Tours la reine Isabeau de Bavière, que le dauphin Charles et son complice Bernard d'Armagnac avaient jugé opportun d'éloigner de Paris. Isabeau se sentait quelque peu oubliée depuis ces derniers temps. Elle ne refusa pas d'entrer dans le jeu du duc de Bourgogne. Tous deux s'établirent à Troyes. Comme Charles VI était pour l'heure complètement « absent », Isabeau se déclara officiellement investie du gouvernement :

> Par la grâce de Dieu, reine de France, ayant, pour l'occupation de mon seigneur le roi, le gouvernement et l'administration de ce royaume.

Le duc de Bourgogne savait la situation instable. Il jugea le moment venu de traiter avec ses adversaires. Une conférence se réunit, près de Montereau, sous la présidence des légats envoyés par le nouveau pape Martin V, l'élu de l'unité retrouvée en novembre 1417. On put croire un instant que la paix était faite. Au moment de conclure, Bernard d'Armagnac se déroba.

A Paris, les esprits se tournaient derechef vers Jean sans Peur. L'un des mécontents, le marchand Perrinet Leclerc, s'aboucha avec Villiers de l'Isle-Adam, l'un des capitaines qui battaient la campagne pour le duc de Bourgogne. Le père de Perrinet était de garde à la porte Saint-Germain-des-Prés ; dans la nuit du 28 au 29 mai, il ouvrit la porte. Au petit matin, dans le tumulte des Parisiens réveillés à grand fracas, les Bourguignons furent maîtres de la ville avant que les Armagnacs pussent organiser la résistance. Le connétable Bernard d'Armagnac se cacha chez des voisins; il fut quand même arrêté.

Le prévôt de Paris Tanguy du Châtel eut tout juste le temps d'enlever le dauphin Charles, de le porter dans ses bras — le jeune homme avait quand même seize ans — jusqu'à la Bastille, puis d'organiser sa fuite vers Melun. Charles ne devait revoir sa capitale que dix-neuf ans plus tard. Entre-temps, il allait être le roi de Bourges.

Malgré la présence à Paris du roi, que les Bourguignons vainqueurs promenaient à travers les rues en l'acclamant comme s'il avait été vraiment libéré de la tyrannique tutelle des Armagnacs, la capitale était en proie à l'anarchie. L'Isle-Adam se révélait incapable de canaliser la fureur de ses hommes, et n'avait aucune autorité sur les Parisiens. Jean sans Peur envoya son juriste de confiance, l'avocat Philippe de Morvilliers, qui venait de présider, à Amiens, le Parlement établi par Isabeau pour le temps de la domination armagnaque à Paris. Morvilliers ne put que constater le désordre. Il tira au moins un avantage personnel de l'affaire : le 22 juillet 1418, il était nommé premier président du Parlement de Paris. Juriste de qualité, auteur d'un traité sur les institutions municipales d'Amiens, Morvilliers n'avait jamais siégé au Parlement comme conseiller. Il allait cependant présider pendant près de vingt ans aux destinées de cette cour où demeurèrent en fonctions, il faut le dire, une bonne partie des conseillers dont était fait le Parlement de Charles VI, un Parlement qui avait souvent tenté de se tenir hors du combat politique.

Le duc Jean se garda bien de venir en personne. Il était à Troyes, il y resta. Sans doute n'était-il pas fâché de voir massacrer ses ennemis, ce qu'il n'aurait pu laisser faire sans protester s'il avait été présent : ses partisans ne lui en auraient su aucun gré. Jean sans Peur s'était trouvé en situation inconfortable lors des journées cabochiennes. Cinq ans plus tard, il se tenait à l'écart.

Le 12 juin, une première journée révolutionnaire naquit d'un faux bruit : celui d'une contre-attaque armagnaque. Le menu peuple parisien alla ouvrir les prisons. Comme en 1413, les bouchers n'étaient pas les derniers à mener l'assaut et à égorger les Armagnacs que la prison avait protégés pendant deux semaines. On nota parmi les victimes le connétable Bernard d'Armagnac, le chancelier Henri de Marle, le premier président Robert Mauger. Le frère du chancelier, l'évêque de Coutances Jean de Marle, fut aussi parmi les morts.

Au Châtelet, les prisonniers esquissèrent une défense. On les enfuma. Ils sautèrent par les fenêtres, et furent reçus sur des piques.

On devait dénombrer au total plusieurs centaines de morts, dont beaucoup n'étaient que les partisans de la « paix » dont l'exaspération avait permis, cinq ans plus tôt, la réaction antibourguignonne. Les magistrats massacrés étaient évidemment de ceux sans qui l'ordonnance « cabochienne » n'eût pas été cassée.

Les éléments les plus douteux de la population parisienne, les inévitables pêcheurs en eau trouble, se mêlèrent très vite de ce qui cessait d'être un règlement de comptes pour se muer en fête sanglante.

On éventrait des femmes enceintes, on mutilait des cadavres, on faisait des facéties.

Jean sans Peur arriva le 14 juillet. Il amenait la reine. La joie l'emporta sur la fureur. On cria « Noël ! » N'eût été l'Anglais qui menaçait Rouen à la même heure, on pouvait à Paris croire la paix revenue. D'ailleurs, le gouvernement bourguignon s'employa sur-le-champ à organiser la France comme si de rien n'était. De nouveaux titulaires furent donnés à tous les emplois vacants dans la justice, les finances et l'administration royales. Conseillers, trésoriers, baillis, des têtes nouvelles apparurent, et des têtes connues reparurent. Mais il semblait bien que les Armagnacs appartinssent au passé. Le connétable était mort, le dauphin Charles était pratiquement inconnu. Tanguy du Châtel et ses quelques compagnons représentaient, loin de la capitale, tout ce qui restait d'un parti qui avait été celui du duc d'Orléans.

Une nouvelle alerte, au soir du 20 août 1418, engendra une nouvelle journée révolutionnaire, le 21. Cette fois, les émeutiers étaient organisés comme en 1413. Le rôle jadis tenu par Caboche était assumé par le bourreau, un nommé Capeluche. Il se spécialisa dans l'égorgement des femmes. Le plaisir qu'il y prenait le poussa à tuer sans le moindre prétexte des innocents que nul n'osait défendre.

Caboche, cependant, tenait le haut du pavé. Il avait une fonction fort considérée au sein de l'hôtel du duc de Bourgogne. Il n'entendait plus se mêler des agitations populaires.

Jean sans Peur eut quand même le courage de réagir. Il fit subitement arrêter Capeluche, qui l'avait agacé par ses familiarités et lui avait en particulier offert un gobelet de vin inopportun. Le duc de Bourgogne voulait bien user de démagogie, mais détesta qu'on le prît pour un homme du peuple. Un nouveau bourreau fut nommé, qui inaugura ses fonctions en décapitant Capeluche. Celui-ci affûta lui-même la hache et prodigua ses conseils à son successeur.

La tuerie avait à peine cessé qu'éclatait une épidémie de petite vérole. Dans le seul Hôtel-Dieu, il mourut 5 311 malades. Les chroniqueurs parlèrent de cinquante mille, quatre-vingt mille, voire cent mille morts. Même en faisant la part de l'exagération, il est probable que la petite vérole emporta plusieurs dizaines de milliers de Parisiens. Le duc de Bourgogne tenait la capitale, mais celle-ci était exsangue.

L'hostilité au fisc — celui des uns et celui des autres — avait engendré une vague de xénophobie que justifiaient les profits réalisés par quelques gros marchands toscans et génois qui s'étaient introduits, comme fermiers de la perception, dans la machine fiscale. Bien des « Lombards » avaient été massacrés ou menacés en 1413, d'autres le furent en 1418. Voyant que l'épidémie consolidait la catastrophe économique qu'étaient les exécutions, les bannissements et les départs précipités d'hommes qui comptaient parmi leurs gros clients et leurs partenaires commerciaux, les survivants prirent le parti de s'en aller. Paris avait pris, au début du XIVe siècle, le relais des foires de Champagne comme l'une des places d'affaires de l'Europe occidentale ; le départ des Lombards, dans les années 1418-1420, contribua au déclin de cette place.

Pendant ce temps, Rouen résistait à l'Anglais. Mais Rouen avait été occupé par les Bourguignons dès le début de 1418, et c'est au nom du duc de Bourgogne qu'était dirigée la défense, une défense à laquelle contribua brillamment un contingent parisien. La ville était bien pourvue d'artillerie, et la garnison était assez forte pour répondre aux assauts anglais. Le temps, cependant, jouait contre Rouen. Les Anglais bloquaient la Seine, tenaient tout au long de l'enceinte une contre-enceinte faite d'un talus, d'un fossé et de pieux. Les Rouennais ne pouvaient l'emporter que si Jean sans Peur venait prendre à revers les assiégeants.

Jean sans Peur avait trop à faire à Paris. Il laissa Rouen retenir ainsi, le plus longtemps possible, les forces du roi d'Angleterre. Même lorsqu'en novembre il s'avança jusqu'à Pontoise avec une petite armée, son intention n'était évidemment pas de s'engager à fond contre les Anglais. Au Conseil, en décembre, tout le monde fut d'accord : il n'y avait rien à faire pour Rouen.

L'ALLIANCE ANGLAISE.

Le cardinal Orsini avait échoué, le printemps précédent, à réconcilier le duc de Bourgogne et le dauphin. Il voulut quand même remporter une victoire diplomatique et tenta une médiation en faveur des Rouennais. Il alla voir Henri V, lui fit la morale, lui montra un portrait de l'appétissante Catherine de France, qui avait bien failli être reine d'Angleterre en 1415 et demeurait fille à marier. Henri V repoussa les propositions du légat.

L'Anglais faisait le fier. Cherbourg venait de capituler, le 29 septembre. Henri V savait que Rouen n'avait rien à espérer, et il convenait que les autres villes du royaume eussent une idée de ce qui les attendait si elles faisaient difficulté pour ouvrir leurs portes devant celui qui se présentait comme le roi de France. L'avis était valable pour les Parisiens comme pour les autres.

Rouen vivait un cauchemar. La disette était telle qu'on vendit des souris. Les défenseurs voulurent réduire le nombre des bouches à nourrir : ils expulsèrent les femmes, les enfants et les vieillards. Henri V refusa de les laisser passer. On était en décembre. Les malheureux moururent pour la plupart de froid dans les fossés.

Début janvier, les notables demandèrent au roi d'Angleterre ses conditions. Il n'y en avait pas. Certains parlaient de faire une sortie en masse après avoir incendié la ville. Mais c'eût été un suicide collectif. Les Rouennais y renoncèrent, sans savoir que le propos allait finalement les servir. Car Henri V avait eu vent de la chose, et l'idée lui paraissait inquiétante : il voulait une ville, non des cendres. L'archevêque de Canterbury Henri Chicheley profita de ces dispositions pour pousser son roi à un accord. Anglais et Rouennais discutèrent quatre jours et quatre nuits. Le 19 janvier, Rouen capitulait enfin. Il en coûta trois cent mille écus aux habitants, qui mirent dix ans à s'acquitter. Le clergé vint en procession au-devant du vainqueur. On pendit le capitaine bourguignon qui avait dirigé la défense.

La victoire d'Henri V était éclatante. Il avait réussi ce qu'avait manqué, soixante ans plus tôt, le grand Édouard III. Il venait aussi d'accumuler contre lui un capital de haine dont son frère Bedford allait faire les frais.

Pendant que les Anglais occupaient le reste de la Normandie sans provoquer d'autre réaction, les deux gouvernements de Charles VI continuaient de s'affronter. Chacun avait une ombre de légitimité, et le dauphin aussi bien que la reine se parait du titre de lieutenant du roi absent. L'un avait pour lui le Centre et l'Ouest de la France, et — pour l'essentiel — le Midi. L'autre avait en gros l'Est et le Nord. Il était donc exclu que la victoire pût résulter du rapport des forces. Mais il semblait assuré que l'Anglais allait continuer de profiter, ville après ville, de la paralysie qui résultait de la division. Au printemps de 1419, Jean sans Peur tenta de négocier.

Il se tourna d'abord vers Henri V, lui offrant l'ensemble des territoires jadis cédés par le traité de Brétigny-Calais. Il y ajoutait la Normandie, que tenait déjà le Lancastre au terme de trois années de conquête. Isabeau de Bavière approuva la proposition. Le 30 mai 1419, tout le monde se retrouva dans un camp dressé pour la circonstance près de Pontoise. Il y avait là Henri V, la reine Isabeau, le duc de Bourgogne et même la princesse Catherine, toujours prête pour le mariage anglais si l'affaire se concluait. En pleine crise, Charles VI était resté à Pontoise.

L'entente buta sur les détails, et sur une ultime manœuvre du dauphin Charles. Se voyant isolé, celui-ci tentait de faire d'urgence sa paix avec Jean sans Peur. Ses envoyés parvinrent à Pontoise alors qu'Isabeau marquait une dernière hésitation devant l'alliance anglaise, ou plutôt devant le prix à payer.

Au Conseil, la majorité fut pour qu'on s'entendît avec l'Anglais, non avec le dauphin. Henri V, et lui seul, représentait une menace.

Mieux valait lui laisser ce qu'il avait déjà et lui abandonner ce qu'avaient eu ses pères, plutôt que de le voir prendre le reste. Ce qu'on achetait au prix d'une moitié de la France, c'était le droit de garder l'autre moitié. La revendication principale du Lancastre, la Couronne de France, restait hors de cette négociation. Isabeau et le duc Jean le savaient bien : à céder l'Aquitaine et la Normandie, ils sauvaient l'essentiel.

C'était une politique réaliste. Le gouvernement du dauphin avait derrière lui une bonne partie de la France, mais son administration était encore embryonnaire et il ne lui venait de cette France ni impôts ni armée. Contre le Lancastre, le dauphin Charles – le futur Charles VII – ne servait de rien. Le Lancastre, en revanche, aiderait à réduire le dauphin, donc à rétablir l'unité. Comme le dit en plein Conseil le chancelier de Bourgogne Nicolas Rolin : l'alliance anglaise procurait la paix, ce que ne procurait pas la réconciliation avec le dauphin.

En vain certains conseillers évoquèrent-ils les vieux arguments de Charles V à l'encontre du traité de Brétigny. Le juriste Jean Rapiout, qui venait d'être nommé président au Parlement, rappela que le domaine royal était inaliénable et démonta la généalogie du Lancastre : même si la Couronne se transmettait par les femmes, Henri V n'était pas l'aîné des descendants d'Isabelle de France, fille de Philippe le Bel. Au vrai, les circonstances de l'accession d'Henri V au trône d'Angleterre ne portaient guère les légistes à soutenir ses droits au trône de France.

Les politiques suivirent Rolin : il fallait en finir avec la guerre. Peut-être eussent-ils emporté la décision si Henri V, exaspéré par les tergiversations de ses interlocuteurs, n'avait de lui-même rompu la négociation en haussant encore ses exigences. Le Conseil d'Isabeau décida de renouer avec le dauphin. Jean sans Peur, à ce moment de l'affaire, n'y était plus opposé. La moitié de la paix valait mieux que pas de paix du tout.

L'impossible réconciliation.

Le duc de Bourgogne laissa donc là l'Anglais et gagna Melun. Le 8 juillet, il rencontra le dauphin Charles. L'entrevue fut pénible. Le duc hésitait encore à s'engager vraiment.

> Tant valait parler à un âne sourd comme à lui.

Le 11 juillet 1419, le ton monta. Liée au duc comme au dauphin, une dame d'honneur de la reine Isabeau calma les adversaires. Ils jurèrent qu'ils voulaient la paix. Ils allaient repousser ensemble les Anglais. Le texte de l'accord fut porté en toute hâte à Charles VI, qui le ratifia à Pontoise le 19. A travers le royaume, des processions d'action de grâces marquèrent le début d'une espérance.

Ce n'était pas une femme qui allait changer le tempérament de Jean sans Peur. Pendant qu'il jurait la paix au dauphin, il gardait espoir de s'entendre contre lui avec le Lancastre. Henri V avait occupé Pontoise le 31 juillet. Le duc de Bourgogne et Charles VI se retrouvèrent à Troyes, et Jean sans Peur commença de préparer la nouvelle entrevue avec le dauphin, prévue pour le 26 août à Montereau.

Le duc ne souhaitait pas seulement un entretien avec son adversaire. Il voulait attirer le jeune Charles à Troyes et le faire ainsi rentrer dans le rang. En présence du roi et de la reine, que pouvait le dauphin ? Le duc de Bourgogne, en ces jours-là, se sentait très sûr de son pouvoir sur Charles VI.

De report en report, l'entrevue de Montereau eut lieu le 10 septembre 1419. On avait dressé un enclos au milieu du pont. Le duc et le dauphin s'y retrouvèrent avec chacun quelques compagnons. Le gros de chaque troupe attendait sur l'une et l'autre rives. Une fois de plus, les deux princes s'apostrophèrent. La colère montait. Chacun avait la main sur le pommeau de son épée. Les entourages étaient nerveux. Sur un éclat, on rompit. Tanguy du Châtel écarta le dauphin. Il y eut une mêlée. Jean sans Peur était poignardé.

Les témoins eurent chacun leur version du drame. Tanguy du Châtel passa pour avoir porté le coup mortel.

Les choses allèrent dès lors très vite. Le parti de Bourgogne se retrouva derrière le nouveau duc Philippe et sa mère, la duchesse Marguerite. L'idée d'un accord avec le dauphin fut très vite écartée, bien que Charles y songeât sérieusement. Les Bourguignons préparaient leur vengeance. Le nouveau duc haussa les épaules lorsque l'inquisiteur de Reims, au cours du service solennel célébré à Saint-Vaast d'Arras à la mémoire de Jean sans Peur, lui donna publiquement le conseil de s'en remettre à la justice du roi.

Il n'y avait aucune faille, désormais, dans le parti de la vengeance : celle-ci passait par l'alliance anglaise. Henri V, voyant s'ouvrir des perspectives nouvelles dont il n'aurait osé rêver, se gardait bien de brusquer quoi que ce fût. L'alternative ouverte aux Bourgignons par leur mainmise sur la personne du roi et sur la capitale se résolvait d'elle-même. Dès le 12 septembre, les bourgeois de Paris juraient de venger le duc Jean par tous les moyens, et de s'aboucher pour ce faire avec l'Anglais. Que Jean eût été tué pendant une négociation, cela suffisait à démontrer qu'il était vain de traiter avec les Armagnacs.

Peu de gens songèrent à observer que Jean sans Peur avait été, douze ans plus tôt, l'instigateur d'un autre assassinat. Captif en Angleterre depuis Azincourt, Charles d'Orléans comptait peu d'amis, et bien des amis de son père avaient, comme la reine Isabeau elle-même, tourné casaque depuis longtemps.

Le traité de Troyes.

Les ambassadeurs franco-bourguignons et ceux d'Henri V se rencontrèrent à Arras en novembre. Le 2 décembre, des préliminaires furent conclus, que les deux rois ratifièrent le 25. On se retrouva à Troyes en janvier 1420. L'accord allait de soi.

Le 20 mai, Henri V arrivait à Troyes. On signa — enfin — le contrat de mariage avec Catherine de France. Après avoir tant attendu, elle allait être reine deux ans. Nul ne pouvait deviner, quand elle se remaria avec Owen Tudor, que son petit-fils serait le premier des rois Tudors, Henri VII.

Le traité fut scellé le 21 mai. Il faisait d'Henri V le fils de Charles VI et d'Isabeau. La formule était ambiguë : il était fils parce qu'il était gendre, mais ses droits étaient ceux d'un fils, non ceux d'un gendre dans la tradition des Capétiens et des Valois.

> Par l'alliance du mariage fait pour le bien de la paix entre notre fils le roi Henri et notre très chère et très aimée fille Catherine, il est devenu notre fils et celui de notre très chère et très aimée compagne la reine...
>
> Tantôt après notre trépas et dès lors en avant, la Couronne et le royaume de France, avec tous leurs droits et appartenances, demeureront perpétuellement à notre fils le roi Henri et à ses hoirs...
>
> De toute notre vie, notre fils le roi Henri ne se nommera ou écrira aucunement ou fera nommer ou écrire roi de France, mais il s'abstiendra du dit nom en tout point tant que nous vivrons...
>
> Durant notre vie, nous nommerons, appellerons et écrirons notre fils le roi Henri en langue française par cette manière : notre très cher fils Henri, roi d'Angleterre, héritier de France.

Pour scandaleux qu'il parût dès ce moment à bien des juristes et à la majorité des braves gens, portés à s'étonner que le roi de France pût ainsi disposer de sa Couronne, une Couronne dont les juristes de Charles VII allaient démontrer qu'elle n'était pas propriété du souverain, le traité de Troyes n'introduisait pas, en faisant du gendre un héritier, une pratique absolument étrangère à la mentalité d'hommes habitués aux réalités féodales. Un comte d'Anjou était devenu roi de Jérusalem pour avoir épousé l'héritière. Un prince de Portugal – Ferrand – avait été comte de Flandre dans les mêmes conditions. Un Capétien – Charles de Valois – s'était vu empereur d'Orient parce qu'il épousait une Courtenay. Le duc de Bourgogne n'était comte de Flandre que par le mariage de Philippe le Hardi et de Marguerite, fille de Louis de Male...

Toutes ces successions du beau-père au gendre avaient une base dynastique commune : l'absence d'un fils. Le traité de Troyes faisait donc bon marché des droits du dauphin Charles.

> Considéré les horribles et énormes crimes et délits perpétrés au royaume de France par Charles, soi-disant dauphin de Viennois...

Il n'était pas dit que Charles n'était pas le fils de Charles VI et d'Isabeau, et celle-ci n'avouait nullement, comme on l'a trop dit, que le dauphin était un bâtard. Mais il n'était dauphin que « soi-disant », ce qui était bien dire qu'il ne l'était pas en vérité. En jugeant que le traité de Troyes faisait du futur Charles VII un bâtard, l'opinion publique ne se trompait pas.

L'union des deux royaumes était purement personnelle. Il ne devait y avoir pour roi que le seul Lancastre, mais il demeurait bien un royaume de France distinct du royaume d'Angleterre. Chacun gardait ses institutions, son droit, ses ressources, sa monnaie. Les conquêtes que le roi d'Angleterre continuerait de faire aux dépens du dauphin seraient faites au profit du royaume de France, non de celui d'Angleterre. Exception était seulement faite de la Normandie, qu'Henri V conservait comme bien patrimonial.

Nul ne se faisait d'illusions sur l'état du roi Charles VI. Le traité de Troyes donnait à Henri V le droit de gouverner sans plus attendre son futur royaume de France, d'y lever des impôts, d'y nommer les officiers. En bref, Henri V était régent de France. Le différend né en 1328 d'un commun mépris des droits héréditaires d'Isabelle, sœur des derniers Capétiens, pouvait sembler enfin réglé.

Le roi de France et son nouvel héritier se trouvèrent donc côte à côte pour prendre Sens, puis Montereau, enfin Melun, qui résista quand même quatre mois. Le 1er décembre, les deux rois et les deux reines – la mère et la fille – firent à Paris une entrée solennelle. Le bourgeois applaudit. On joua la *Passion* devant le Palais. Il y eut un *Te Deum* à Notre-Dame. Charles VI retrouva l'hôtel Saint-Paul. Henri V alla loger au Louvre : la forteresse était plus sûre.

Bien sûr, tout le monde n'était pas prêt à accepter que le roi de France disposât de sa Couronne comme d'un simple héritage. Bien des esprits furent troublés par l'affaire. Cela ne s'était jamais vu. Mais il y avait tant de choses que cette génération voyait et qui eussent surpris les contemporains de Charles V. Un roi qui déshéritait son fils, c'était inouï. Mais avait-on déjà ouï parler d'un roi fou, « absent » quinze fois de son gouvernement, ballotté à l'âge mûr entre des factions prêtes au meurtre pour s'ouvrir les portes du Conseil ? Pour les bourgeois qui criaient « Noël ! » sur le passage des deux rois, c'était tout simplement la paix. Beaucoup n'en demandèrent pas plus.

Quatre jours plus tard, se réunissait une assemblée qu'on qualifia d'états généraux. Charles VI assura qu'il avait accepté le traité de Troyes en toute liberté. Les députés délibérèrent jusqu'au 10 décembre, puis déclarèrent qu'ils approuvaient la paix. Henri V fit rédiger la prestation de serment des barons ; chacun dut y apposer son sceau avant de quitter Paris. En cas de rupture, il serait félon.

Les maîtres de l'Université crurent le moment venu de parler de leurs privilèges. Ils furent mal reçus. De toute manière, il était trop tard pour eux. Changer maintenant de camp, c'était se renier.

La guerre continuait cependant : ni les uns ni les autres ne pouvaient se tenir pour satisfaits de la situation. Appuyé sur la Bourgogne, Henri V voulait gouverner l'intégralité de son futur royaume. Conforté, un temps, par une alliance bretonne et soutenu par la fidélité d'un Languedoc qu'il venait de parcourir avec profit, le dauphin Charles entendait régner sur le royaume de ses pères en son entier. Au printemps de 1421 l'armée armagnaque écrasa à Baugé les Anglais ; Clarence fut tué dans l'engagement. Mais, pendant que l'armée du dauphin assiégeait Chartres, celle du Lancastre occupait Dreux et Épernon. Meaux, Compiègne et Senlis tombèrent aux mains de l'Anglais au printemps de 1422. Le sort des armes semblait favorable à Charles VI et à son gendre Henri V. La mort allait contrarier la tendance.

Le 31 août 1422, le roi d'Angleterre mourait à Vincennes d'une hémorragie intestinale. A son lit de mort, il recommanda à son frère Jean de Bedford et à ceux de ses proches qui allaient se partager les responsabilités de toujours garder l'alliance bourguignonne. Mieux, Henri V souhaitait que Bedford laissât Philippe le Bon gouverner pour l'enfant qui allait être roi à dix mois, le fils né du mariage tant attendu d'Henri V et de Catherine. Bedford n'entendit que le second terme du vœu du mourant : il prendrait le gouvernement de la France pour lui si Bourgogne n'en voulait pas. Il décida que Bourgogne n'en voulait pas.

Mourant, le deuxième Lancastre devenait sage : avant de jurer que son désir ultime était d'aller en croisade lorsqu'il aurait donné la paix à la France, il pria ceux qui allaient être aux affaires de ne pas faire la paix avec le soi-disant dauphin sans garder au moins la Normandie, sa conquête. Le propos désavouait sa propre revendication de la Couronne de France. Dans ce réalisme des derniers instants, Henri V reconnaissait implicitement la légitimité du futur Charles VII.

On fit bouillir le corps. Le premier service funèbre fut célébré à Saint-Denis le 16 septembre. Deux mois plus tard, Henri V était à Westminster.

Pendant ce temps, Charles VI déclinait lui aussi. Il mourut le 21 octobre, dans un quasi-dénuement. Bedford devenait régent pour le jeune Henri VI. Le régent était à Londres, où l'on faisait la sépulture de son frère. Le pauvre Charles VI dut attendre le retour du duc de Bedford pour être à son tour enterré.

Déjà, Philippe de Bourgogne en avait pris son parti : son destin n'était ni à Londres ni à Paris. Il ne se dérangea pas.

CHAPITRE XV

Les trois France

DIVISION TERRITORIALE ET CLIVAGES POLITIQUES.

Les deux France. Les trois France. Dans sa simplicité, la formule marque l'un des moments les plus sombres de l'histoire nationale. Triste effet du traité de Troyes, la division de la France figure assez bien sur la carte l'effondrement de la construction capétienne, qui passe déjà, à bien des égards pour une construction nationale. Il y a un royaume de Charles VII, un royaume d'Henri VI, un état bourguignon en fait indépendant.

Si l'on regarde de plus près les réalités politiques, cette division, qui procède d'une guerre civile et qui va transposer dans le conflit séculaire une autre guerre civile, dénote surtout l'échec absolu de la politique mise en œuvre à Troyes. Les trois France, c'est l'avortement des ambitions d'un Philippe le Bon qui espérait bien gouverner la France entière au nom du nouveau roi Lancastre. C'est la fin d'un espoir anglais, qui était d'unir, grâce au lien personnel, l'ensemble du royaume de France au royaume d'Angleterre. La double monarchie esquissée à Troyes ne pouvait vivre que si le Lancastre ceignait réellement les deux couronnes.

Or il n'est pas question d'aller à Reims – où Édouard III, jadis, avait au moins tenté d'accéder – et le gouvernement du régent anglais doit s'avouer que la moitié du royaume de France lui échappe encore. La politique d'Isabeau, de Philippe le Bon et de Henri V reposait sur un postulat : le dauphin Charles disparaissait de la compétition.

Et voilà que, pour la moitié de la France, Charles demeure le roi. Un roi discutable et discuté. Moins discuté, en définitive, que l'Anglais. En survivant à son déshéritement, Charles VII sauve la monarchie française au moment même où elle est au plus bas. Les négociateurs de Troyes n'ont pas prévu le roi de Bourges.

Cartographiée à grande échelle, la situation est simple. Henri VI est chez lui dans le vieil héritage des Plantagenêts, en Normandie, bientôt dans le nord du Maine et, bien sûr, dans ce qui lui reste de Guyenne. Il est chez lui, par le fait du traité, dans les « pays de conquête » que sont la région parisienne et le pays chartrain, la Champagne et la Brie, sans oublier Calais, qui est anglais depuis 1347. Il a aussi l'hommage de la Bretagne, mais le duc Jean V s'entend à jouer entre les partis le jeu de balance auquel il gagne une quasi-indépendance. Ajoutons les parties françaises du jeune état bourguignon, le duché de Bourgogne, les comtés de Flandre et d'Artois, de Rethel et de Nevers, de Mâcon et de Charolais ; mais l'Anglais doit trop au duc de Bourgogne pour parler en maître aux Bourguignons. Équilibré par ses principautés d'empire – les comtés de Bourgogne, de Namur, de Hainaut, de Hollande et de Zélande, et une partie de la Flandre – l'état de Philippe le Bon échappe aisément à l'emprise politique du roi de France, à plus forte raison lorsque celui-ci est un Anglais qui doit au duc de Bourgogne une couronne encore incertaine. Bien plus, Philippe le Bon a provisoirement mis la main sur deux provinces, la Champagne et la Picardie, sur lesquelles il n'a d'autre droit que le droit de se faire payer fort cher son alliance. Il les administre pour le roi mineur. En fait, il en dispose.

A Charles VII demeure le Midi : le sud de cette Loire dont le franchissement va devenir le premier objectif des Anglais. L'accomplissement des desseins formulés à Troyes passe par le pont d'Orléans. La plus grande partie de l'Aquitaine, la totalité du Languedoc, l'Anjou, la Touraine, toutes les principautés du Centre – Berry, Marche, Bourbonnais, Auvergne, Velay, Forez – gardent au roi Valois leur fidélité et lui apportent leur soutien militaire et financier. Allant du Dauphiné au marais poitevin et de Carcassonne à Beaugency, la France de Charles VII pourrait cependant faire illusion par son étendue ; mais elle est, pour l'essentiel, l'ancien terrain de chasse des « compagnies », l'ancien domaine des Tuchins. Elle a beaucoup souffert. Elle est pauvre.

La carte de la France divisée se dessine aisément. Le jeu des fidélités et des clientèles est plus complexe, en sorte que la carte dit peu de chose sur la réalité du partage. Français d'un côté, Anglo-Bourguignons de l'autre : l'image est inacceptable, même si l'on fait entrer dans l'analyse, pour la nuancer, l'évolution politique des princes territoriaux qui, tels le duc de Bretagne ou le comte de Foix, bouleversent les équilibres successifs en passant d'un camp à l'autre. En cinq ans seulement, de 1422 à 1427, Jean V de Bretagne n'a-t-il pas juré le traité de Troyes, fait son ralliement à Charles VII, puis adhéré à la cause d'Henri VI ? Et le comte de Foix Jean de Grailly, cousin du captal de Buch si souvent dressé contre Jean le Bon, n'abandonne-t-il pas la cause bourguignonne pour devenir en 1425 gouverneur du Languedoc pour Charles VII?

Le parti le plus cohérent, c'est sans doute celui de Bourgogne. Son chef n'est discutable ni quant à sa légitimité ni quant à sa valeur en chevalerie. Sage politique, le duc Philippe se montre très vite un organisateur à l'esprit clair, un diplomate réaliste. Il n'oublie pas son père traîtreusement assassiné à Montereau, et il ne renonce pas à sa vengeance. Mais il veut avant tout la grandeur de sa principauté. La vengeance est l'un de ses mobiles, non son idée fixe. L'alliance anglaise est entrée dans la politique de Philippe le Bon; elle n'en est pas le fondement.

Le duc voit bien que, pour achever une conquête sans laquelle le traité de Troyes demeurera lettre morte, les Anglais ont autant besoin de lui qu'il a eu besoin d'eux pour faire face au péril armagnac. A son lit de mort, Henri V a recommandé aux siens de garder l'alliance bourguignonne. Philippe le Bon ne l'ignore pas, et peut mettre à haut prix son amitié, voire sa simple neutralité. Jeté dans le camp anglais par la volonté des ultras du parti armagnac, il se rappelle qu'à Montereau le propos de son père était de négocier avec le dauphin pour que soit assurée la défense contre l'envahisseur anglais. L'assassinat de Jean sans Peur n'a pas fait perdre aux Anglais leur qualité d'envahisseurs.

Azincourt n'est pas oublié non plus. Bien des chevaliers bourguignons ont encore en tête cette tuerie, qui les a choqués tout autant que la terreur armagnaque. Les barons de Bourgogne ont en définitive plus souffert d'Azincourt que de la rue parisienne, et les victimes parisiennes de la fureur armagnaque n'avaient de bourguignon que l'étiquette et le sentiment. Les hommes de Flandre et de Bourgogne, d'Artois et de Franche-Comté, ces hommes-là n'ont supporté ni Bernard d'Armagnac ni Tanguy du Châtel.

Le duc Philippe se sent d'autant plus mal à l'aise dans l'alliance anglaise qu'il a bien l'impression de n'y avoir rien gagné. Au sein de la double monarchie esquissée à Troyes, il s'était visiblement réservé un rôle dans la droite ligne de son père et de son grand-père. Laissant les Lancastres en Angleterre et les Valois en France, la construction politique de Jean sans Peur faisait du premier des princes des fleurs de lis le maître réel du gouvernement établi à Paris. Maintenant, le duc de Berry mort et le duc d'Orléans captif, le duc d'Anjou accaparé par les affaires italiennes, le duc de Bourgogne est bien en France le premier du sang royal. Peut-être le développement d'un état bourguignon aux destinées indépendantes eût-il été différent si Philippe le Bon avait réalisé l'ambition de Philippe le Hardi et de Jean sans Peur: gouverner à Paris le royaume de France.

Or il y a Bedford. Un Bedford qui multiplie les avances à son beau-frère de Bourgogne mais qui n'a pas hésité à prendre en main le gouvernement du continent, laissant pour cela les affaires d'Angleterre à son oncle l'évêque de Winchester Henri Beaufort – cardinal en 1426 – et à son frère Humfrey, duc de Gloucester.

Bedford ne partage pas le pouvoir parce qu'il ne partage pas la France. Que Philippe de Bourgogne ait de lui-même renoncé à revendiquer la régence – les Bourguignons le disent, peut-être pour ne pas souligner un échec politique – ou que Bedford l'ait vraiment évincé de cet exercice temporaire de la souveraineté, voilà qui ne change rien à l'essentiel : la conquête du royaume de France par son héritier légitime Henri V ne doit pas conduire à l'amputation de ce royaume. Rien n'est changé sous Henri VI. C'est la France entière que Jean de Bedford entend gouverner, quels que soient les princes qui l'ont aidé et l'aident à la conquérir. Pour le Lancastre, il n'y a pas une France anglaise et une France bourguignonne. Le duché de Bourgogne est dans le royaume et ne confère aucun droit sur la couronne de France.

Et puis, Philippe le Hardi était « fils de roi de France ». Aux temps difficiles de la minorité de Charles VI, Philippe le Hardi était frère et oncle de roi. Philippe le Bon n'est que petit-neveu de roi. Jean de Bedford est fils et frère de roi. Et il est l'oncle du roi.

Alors, il n'est question ni de partager le pouvoir ni de partager le trésor royal, ce trésor vers lequel ont convergé pendant vingt ans les convoitises de Bourgogne et d'Orléans, ce trésor sans lequel Philippe le Hardi ne pouvait faire vivre sa principauté bourguignonne...

Philippe le Bon n'a tiré du traité de Troyes qu'un profit limité dans sa valeur comme dans le temps : cette administration provisoire de la Champagne et de la Picardie qui est un leurre parce que la Champagne n'est plus riche de ses anciennes foires et que la Picardie est affaiblie par la guerre. Poursuivrait-on la conquête du royaume de Bourges que les terres prises à Charles VII seraient aux Anglais et à eux seuls : elles seraient au roi de France, et le roi de France, c'est Henri VI. Philippe le Bon le sait bien, maintenant : il se fera, au mieux, payer son service.

Le duc découvre même, non sans amertume, que ses ambitions territoriales rencontrent celles des Lancastres jusque dans ces Pays-Bas où la nouvelle dynastie de Bourgogne transfère peu à peu son centre de gravité politique. Mettre la main sur la Meuse et l'Escaut, s'ouvrir au monde par Anvers, voilà l'espoir avoué du duc Philippe. Ses objectifs s'appellent le Hainaut, la Hollande, le Brabant.

Il se trouve que la fille unique et héritière du dernier comte de Hainaut, Hollande et Zélande, Jacqueline de Bavière, est alors la femme du duc de Brabant, un homme chétif dont la diplomatie des cours escompte depuis longtemps la stérilité. En mariant sa nièce Jacqueline à un malingre, Jean sans Peur sait ce qu'il fait: il prépare la mainmise bourguignonne sur l'héritage.

Mais la noblesse de Hainaut se méfie. La future union des héritages, c'est en fait l'annexion à la Flandre voisine et toujours rivale. Rien d'étonnant, donc, à ce qu'en 1421 les barons encouragent Jacqueline à chercher en Angleterre un appui que Gloucester, régent en l'absence de Bedford, ne songe même pas à refuser. Bien plus, il courtise la comtesse, qui n'est cependant pas encore veuve. Celle-ci ne demandant pas mieux que de convoler à nouveau, Gloucester s'occupe même d'obtenir l'annulation du mariage brabançon. En mars 1423, Jacqueline de Bavière épouse Humfrey de Gloucester, qui annonce son intention d'aller sur le continent veiller à l'indépendance des états de sa femme.

On devine la fureur de Philippe le Bon lorsqu'il apprend, en octobre 1424, le débarquement à Calais d'une armée anglaise : Gloucester part à la conquête du Hainaut. Nullement fâché de laisser son frère commettre un impair et de rappeler au duc de Bourgogne qu'il dépend encore des Anglais, Bedford laisse faire.

L'espace de quelques semaines, on frôle le renversement des alliances. Bourgogne constitue une armée, et bien des partisans de Charles VII se demandent s'il ne va pas être, comme naguère son père le duc Jean à Azincourt, le véritable rempart de la France contre l'invasion anglaise. Poton de Saintrailles, fidèle des Armagnacs, futur compagnon d'armes de Jeanne d'Arc et futur maréchal de France, se retrouve alors soudainement, comme beaucoup d'autres, dans l'armée bourguignonne qui marche sur le Hainaut.

Pour Bedford, il est temps d'arrêter l'affaire. Il contraint son frère à interrompre l'offensive. Aussi bien le torchon brûle-t-il déjà entre les époux: Gloucester délaisse quelque peu sa femme pour une servante, avec laquelle il regagne tout simplement l'Angleterre. Le pape cassera le mariage bavarois, et Gloucester épousera sa maîtresse. Quant à Philippe le Bon, il respire.

Trois ans passent. En 1428, le duc de Bourgogne a mis la main sur l'héritage de sa cousine Jacqueline. Mais il a compris que le propos des Anglais n'est certainement pas de faciliter son expansion sur les bouches du Rhin.

D'un autre côté, il sait qu'à trop s'engager dans les opérations militaires autour de la Loire il court un risque sérieux: le duc de Bourbon pourrait bien en profiter pour attaquer le Nivernais, voire le Charolais. Les vues lointaines de Philippe le Bon sont aux Pays-Bas, mais il n'entend pas perdre en l'affaire ce dont il est sûr en France.

L'attitude des Parisiens est tout aussi ambiguë. Certes, ce que la robe et l'aristocratie d'affaires comptaient d'Armagnacs a déserté Paris. Les hommes qui ont tenu le haut du pavé entre 1414 et 1418, et qui n'ont pas été égorgés lors de l'entrée des Bourguignons dans la capitale, sont maintenant sur les bords du Cher ou de l'Indre. Demeurent à Paris les fidèles du parti de Bourgogne, ainsi qu'un menu peuple partagé mais dans lequel les Armagnacs de cœur gardent pour eux l'expression de leurs sentiments. Le Paris qui bouge et qui parle est acquis, sans conditions, au duc de Bourgogne. La tyrannie des Armagnacs n'est pas oubliée, non plus que les excès du fisc du connétable Bernard d'Armagnac.

Mais ce Paris n'est pas pour autant aux Anglais. Ils sont là de surcroît, et les Parisiens les plus hostiles aux Armagnacs ne sont guère convaincus de l'utilité des Anglais dès lors que les gens de Charles VII sont au sud de la Loire. Le danger est loin.

Or c'est Bedford qui gouverne Paris, depuis son hôtel des Tournelles, pendant qu'Isabeau vieillit dans la solitude de l'hôtel Saint-Paul où elle mourra en 1435. Évincé du gouvernement, Philippe le Bon a définitivement quitté Paris. Après février 1424, on ne le voit plus, sinon pour un séjour d'une semaine en 1429. Les Parisiens, qui sont Bourguignons de cœur mais non Anglais, reprocheront très vite au duc Philippe de les avoir laissés. Lorsqu'en 1461 les enfants des contemporains de Jeanne d'Arc reverront le duc de Bourgogne à Paris, participant à l'entrée solennelle de Louis XI, un boucher l'apostrophera sévèrement : « On vous a beaucoup désiré ! »

D'ailleurs, le duc cher au petit peuple parisien, c'est Jean sans Peur, le croisé, le héros de Nicopolis. Le démagogue, aussi, à la générosité spectaculaire. Les milieux d'affaires lui doivent le rétablissement, en 1412, de la municipalité jadis supprimée pour punir Paris d'avoir fait trembler la monarchie au temps des Maillotins. Les intellectuels de l'Université ont trouvé en lui le prince sans qui les « réformes » ne seraient que des discours sans effet et des discours sans lendemain. Philippe le Bon, lui, est à peine connu du Parisien moyen. On l'a peu vu. Il est le fils de son père. Pas grand-chose d'autre.

Paris sent-il vraiment la férule anglaise ? A l'Hôtel de Ville, au Châtelet, les affaires de la ville sont aux mains des Parisiens. Prévôt de Paris de 1422 à 1436, Simon Morhier est fils d'un conseiller au Parlement, lui-même ancien maître de l'Hôtel d'Isabeau. Les lieutenants civils Jean Sauvage et Jean de Longueil, le lieutenant criminel Jean L'Archer sont des juristes parisiens. Le prévôt des marchands Hugues Le Coq est un conseiller au Parlement ; son successeur Guillaume Sanguin est un changeur établi de longue date sur le Grand Pont. Bourguignon convaincu, le premier président du Parlement, Philippe de Morvilliers, est un avocat picard venu à Paris comme conseiller au Châtelet dès 1411. Dans toutes les juridictions, dans toutes les administrations, dans l'Église et même dans l'Université, les anciens fidèles de Jean sans Peur sont au pouvoir.

Bien sûr, il y a les soldats anglais. Le bourgeois les déteste parce qu'ils sont des soldats bruyants et querelleurs, non parce qu'ils sont anglais. On les voit beaucoup dans les tavernes, et ils sont bons clients des prostituées de Glatigny ou du bordel de Tiron, mais ils sont peu de chose dans la population parisienne. Au plus fort de cette occupation qui n'en est pas une, le capitaine de la Bastille John Fastalf n'a sous ses ordres que huit hommes d'armes et dix-sept archers. En comptant les éclopés, les Anglais ne sont pas trois cents dans Paris. Pour dépeuplée qu'elle soit, la capitale compte quand même de cinquante à cent mille habitants.

Si le Parisien voit peu les Anglais, il est en revanche sensible à l'avantage économique que lui procure la situation née de la victoire anglo-bourguignonne. La plus grande partie du commerce terrestre de Paris se fait avec les pays du Nord, la Picardie, l'Artois, la Flandre, le Hainaut. La route d'Arras ou de Lille importe plus à la prospérité de la capitale que la route de Lyon ou celle de Bordeaux. C'est la route du drap, du vin, de la guède aussi, ce colorant bleu que le Midi appelle du pastel et qui connaît alors la faveur des clients à la mode.

On connaît assez bien l'aire des relations économiques de Paris. Le compte des louages pour les emplacements marchands de la foire du Lendit nous fait connaître l'origine de ceux qui fréquentent cette foire à la fin du XIVe siècle : une centaine de villes, grandes et petites, dont les deux tiers sont au nord de la Seine, de l'Oise et de l'Aisne. Les relations commerciales du Lendit n'atteignent ni Orléans, ni Le Mans, ni Auxerre. Toutes les villes de la Meuse et de l'Escaut sont là, non celles de la Loire.

L'autre fondement de la prospérité parisienne, avec le carrefour routier, c'est le fleuve. Il fait vivre les grands marchands, affréteurs du trafic fluvial qui irrigue toute la France du nord, à la fois négociants en vin, en bois, en blé, en sel, et commanditaires des trafics financiers que supporte tout grand commerce. Il fait vivre aussi le petit peuple des ports et de la batellerie, le monde des déchargeurs et des jaugeurs, des mesureurs et des crieurs ; il fait la fortune des courtiers et des vendeurs jurés.

Or ce trafic fluvial, il intéresse les pays de la Seine, de l'Yonne, de la Marne, de l'Oise. Au prix de quelques portages, les vins de l'Orléanais et ceux du pays de Beaune parviennent aux ports parisiens. Le hareng de Dieppe et de Rouen atteint le Massif central. Mais les marchands d'Arras et d'Amiens, ceux d'Abbeville et de Lille sont parmi les plus gros clients sur le port au vin. Malgré deux portages, le fleuve est encore la meilleure voie pour acheminer le vin de

Beaune vers les tables bourgeoises des villes flamandes. La route est longue, mais elle épargne à la cargaison les cahots qui disjoignent les fûts.

Au total, les pays qui composent le royaume de Bourges entrent pour moins de cinq pour cent dans la fréquentation des ports parisiens, et cela au temps de l'unité et de la paix. Le bourgeois de Paris ne pleure guère ses relations avec la Touraine, le Poitou ou le Berry. Mais il sait bien que la moitié des fûts déchargés au port au vin vient de Bourgogne, que les milliers de caques de harengs viennent de Normandie et que les meilleurs clients sont en définitive les grandes villes du Nord. Les choix politiques sont, dès lors, faciles.

Autant dire que tout ce monde a intérêt au maintien du statu quo, même si personne n'en a vraiment souhaité la définition. Rouen aux Anglais, Paris dans la France d'Henri VI, c'est la Seine navigable. Cela signifie le vin d'Auxerre et de Beaune, le blé de Picardie, le bois des bords de l'Aisne, le foin des bords de la Basse-Seine. La Seine libre, c'est le hareng et le maquereau de la mer du Nord, le sel de Bretagne, le fer normand et l'étain anglais. Paris anglais ? Nullement, mais Paris capable de survivre parce que son roi est le même que celui qui règne à Rouen. Le roi qui règne en Berry est hors de l'affaire.

Ainsi, le royaume d'Henri VI ne peut-il être confondu ni avec le parti du Lancastre, qui n'existe guère, ni avec une adhésion politique à l'hégémonie bourguignonne. Les Français s'accommodent de l'Anglais, mais non parce qu'il est anglais ; ils sont Bourguignons, mais c'est souvent par intérêt.

L'OCCUPATION.

Comment les Français acceptent-ils ainsi ce qu'ils refusaient un siècle plus tôt, quand Édouard III se voyait barrer l'accès du trône de France parce qu'il n'était pas « natif du royaume » ? D'abord, parce qu'un état de fait s'est établi par la force : la victoire anglaise a changé les conditions. Ensuite parce que le traité de Troyes n'a rien à voir avec les « droits » des descendants d'Isabelle de France. Ce n'est pas parce qu'il est de la lignée de Philippe le Bel qu'Henri VI règne en France, même si c'est à ce titre qu'il porte — comme le portait son père bien avant 1420 — le double titre royal symbolisé par les armes conjointes de France et d'Angleterre : les léopards et les lis. Henri VI tient son pouvoir de la volonté exprimée par Charles VI, ou par ceux qui parlaient pour lui. Il est l'héritier du Valois, non son concurrent.

Ce qui est en cause, ce n'est donc plus la transmission de la Couronne par les femmes. C'est le droit du souverain à disposer de la Couronne.

Les facteurs personnels jouent ici un rôle exceptionnel. Mais ce n'est pas là chose nouvelle : Philippe VI de Valois n'a-t-il pas, jadis, triomphé sans peine parce qu'il était un homme fait, et un excellent chevalier ? Certes, Henri VI est un enfant en bas-âge. Mais il y a Bedford : un homme de trente-trois ans, dont on apprécie l'intelligence subtile, l'énergie maîtrisée, la prudente sagesse. La France occupée a durement éprouvé la sévérité du vainqueur Henri V. Bedford, lui, est assez lucide pour ne pas pousser les vaincus au désespoir. La France n'est plus la conquête d'Henri V, elle est la Couronne d'Henri VI.

En face de cet homme politique qu'est Jean de Bedford, les Français ne voient qu'un prince ballotté par l'histoire, un prince qui ose à peine porter son nom de Charles VII. En bref, un roi falot, le fils d'un fou et d'une femme à la réputation désastreuse. Charles VII passe pour l'homme – les uns disent le chef, les autres pensent l'otage – d'un parti qu'ont déconsidéré les excès commis après 1413. La haine envers les Armagnacs compte pour beaucoup dans la faiblesse politique de Charles VII.

Cela dit, la majorité des nouveaux sujets d'Henri VI s'accommode de la situation, mais elle n'y met aucun enthousiasme. Les officiers du nouveau régime ont eu bien du mal à obtenir les serments de fidélité. De toutes parts, malgré un encouragement officiel – et tarifé – à la délation, surgissent de véritables mouvements de résistance.

Dans les pays où la population se sent gouvernée par le duc de Bourgogne, cette notion n'aurait aucun sens. Elle en a dans les pays nettement soumis aux Anglais, en Ile-de-France et surtout en Normandie. Encore faut-il distinguer ce qui est haine de l'Anglais et ce qui est hostilité au soldat. N'a-t-on pas, depuis le temps de Charles V, traité indistinctement d'Anglais bien des compagnies sans embauche et bien des hommes d'armes en vadrouille ? N'est-ce pas le très bourguignon « Bourgeois de Paris », toujours prêt à traiter les Armagnacs de traîtres, de brigands et de Sarrasins, qui stigmatise en 1423 la dévastation des campagnes par les Anglais comme il l'eût fait à l'époque où « Anglais » et « routier » étaient des synonymes ?

> Le vin était très cher, plus que longtemps n'avait été. Et il y avait très peu de raisin aux vignes, et encore les Anglais et les Bourguignons dégâtaient ce peu comme eussent fait des porcs, et n'était nul qui en osât parler.

En revanche, le vocabulaire officiel, celui des capitaines anglais et celui des juges français, confond plus ou moins consciemment la résistance et le banditisme. Les « étrangers » qu'il est interdit de recevoir chez soi sont aussi bien des clients que des complices, et l'on pend avec la même qualification les coupeurs de bourse et les partisans de Charles VII.

Il est vrai que la misère vient au secours de la fidélité au Valois. Le paysan qui se fait détrousseur ou le vigneron qui se fait pillard en Normandie, en Valois ou en Ile-de-France est un allié objectif du roi de Bourges, même si la ruine, la friche et l'incendie ont plus de part à sa détermination que l'inacceptable traité de Troyes. En ville, les malheureux peuvent mendier et ne s'en privent pas. On le voit bien lorsque le chapitre de Paris doit enjoindre aux mendiants de se tenir près des portes de la cathédrale : on ne s'entendait plus chanter dans Notre-Dame, tant les quémandeurs menaient de tapage autour du chœur, et les chanoines en avaient assez de marcher dans les excréments laissés tout au long des nefs par les mendiants et leurs enfants. Les aumônes, hélas, ne suffisent pas à nourrir leur monde. Chacun a une détresse à la mesure de son état. La misère de la ville, comme celle de la campagne, jette sur les routes du plat-pays une foule de misérables — anciens propriétaires et anciens manœuvres — qui gênent Bedford plus qu'ils n'aident Charles VII.

> Chacun était si grevé de payer sa maison que plusieurs renoncèrent en ce temps à leurs propres héritages pour la rente, et s'en allaient par déconfort vendre leurs biens sur le carreau, et se partaient de Paris comme gens désespérés. Les uns allaient à Rouen les autres à Senlis ; les autres devenaient brigands de bois, ou Armagnacs.

Le fidèle du roi Valois n'est pas moins impopulaire que le « caïman » des grands chemins. Dès lors qu'il a pris les bois, lui aussi doit vivre sur l'habitant. Car, s'il est possible de comploter à Paris ou à Rouen sans fermer atelier ou boutique, on ne saurait tenir le « maquis » dans la forêt normande et cultiver en même temps son jardin. Pour bien des villageois qui barricadent leur porte la nuit, le résistant et le voleur de grand chemin, c'est tout un. C'est un voleur de poulets.

Dans cette résistance en pays occupé, les nobles sont peu nombreux. Ceux que leurs engagements politiques antérieurs conduisaient à ne pas accepter le nouveau régime ont tout simplement rejoint l'armée de Charles VII. Nombre d'entre eux étaient trop connus pour prendre le risque de demeurer sur place. D'autres, tout naturellement, sont allés où l'on se bat. La robe — clercs et laïcs — est tout aussi absente de la résistance à l'Anglais. Les fidèles de

Charles VII sont à Poitiers, où siège le Parlement, à Bourges, où s'est établie la Chambre des comptes. Ils sont à Chinon ou à Loches avec le roi. A Paris ou à Rouen, les « maîtres » de la justice et de l'administration, comme ceux de l'Université, sont précisément les vieux piliers du parti de Bourgogne, ou bien ceux que le parti de Bourgogne a mis en place après le départ des Armagnacs.

Il n'empêche qu'en 1420 les chanoines de Paris le font exprès d'élire à l'évêché le théologien Jean Courtecuisse, qui est un homme de caractère, alors que le gouvernement anglo-bourguignon a fait connaître sa préférence pour un homme de paille. Il n'empêche que les mêmes chanoines entretiennent pendant des années la fronde de la robe contre le fisc anglais. Il n'empêche, aussi, que dix ans plus tard les juges ecclésiastiques de Rouen affectent de considérer que « fils d'Anglais » est une insulte aussi grave que « fils de pute ».

La bourgeoisie des villes, le monde des négociants et des boutiquiers, évolue au contraire de manière fort sensible. Le désir de réformes, et notamment d'une réforme de la gestion des finances publiques, considérées comme le produit d'un prélèvement fiscal qui frappe surtout les affaires et le capital bourgeois, a conduit une partie de la « marchandise » vers le parti de Bourgogne, et finalement dans le camp anglais. Fondamentalement, la bourgeoisie est cependant – et demeure – du parti de la paix. L'Anglais vainqueur – et il semble l'être – et l'on voit bien que la prospérité économique exclut l'hypothèse d'une revanche de Charles VII. Même la préservation des patrimoines familiaux passe par l'acceptation du fait accompli. Encore certaines familles vont-elles jusqu'à se scinder, en apparence du moins, lorsque le patrimoine est établi dans l'un et l'autre royaumes de France. Pour la plupart, il ne saurait y avoir qu'une attitude simple: plutôt les Anglais que, de nouveau, la guerre.

Bien des Armagnacs de cœur, qui ont quitté la France du nord et particulièrement Paris entre 1418 et 1420, reviennent à partir de 1424. C'est pour des raisons de famille, ou pour des raisons de santé, qu'ils ont naguère gagné le sud de la Loire. Ils le jurent. S'il le faut, ils le prouvent par de bons témoins. Nul n'est dupe. Veuves et enfants obtiennent sans peine la rémission qui les réintègre. Les hommes valides, et surtout ceux que l'on a plus ou moins vus mêlés à la vie politique, ont quelque mal à se faire croire.

Dès lors que la guerre continue, le point de vue du bourgeois change. Un boucher parisien se retrouve en prison parce qu'il a reçu de Tours une lettre de son vieux père, et l'on conduit au Châtelet un vieillard presque aveugle parce qu'il est venu de Vendôme à Paris pour finir ses jours au foyer de son fils. Jeannette Bonfils, dite La Bonnefille, se trouve en grand danger d'être punie pour avoir correspondu avec le maître de la Monnaie du Puy, lequel est tout simplement son amant. Elle ne s'en tire que parce qu'elle a une preuve : elle est enceinte...

Le Parisien prend également fort mal de devoir risquer sa vie quand il va vendanger sa vigne à Chaillot ou à Suresnes. L'insécurité bloque les routes comme elle fait fermer les portes. Le chômage s'établit : en 1430, la municipalité devra ramener de soixante à trente-quatre le nombre des vendeurs jurés de vin, parce qu'il n'y a pas de travail pour tout le monde ; en fait, ils seront seulement quatorze. On va même jusqu'à interdire aux crieurs publics d'annoncer chaque jour plus d'un mort chacun... Cela, naturellement, hors des temps d'épidémie.

Et puis, il y a le désenchantement. On a trop espéré d'un gouvernement bourguignon. La déception est trop forte pour ne pas se traduire dans la fidélité. Nul ne parle plus de ces réformes qui ont été tout le programme du parti de Bourgogne. Nul n'a même songé à promulguer de nouveau la grande ordonnance réformatrice de 1413, cette remise en ordre de l'administration royale imposée par les états et cassée pour compromission avec le mouvement cabochien. La seule réforme effective, c'est celle de la monnaie. Les créanciers sont les seuls à apprécier le renforcement.

Dans le même temps, se durcissent certaines adhésions à la cause anglaise. Car il est des milieux où l'on y a avantage, de même qu'il est des gens qui ont dépassé le point de non-retour dans leur fidélité au Lancastre. Face aux ultras du parti armagnac, qui savent que la réconciliation se ferait à leurs dépens, se dressent les ultras du parti bourguignon, qui sont allés trop loin pour que leur dévouement aux Anglais ne prenne aux yeux de Charles VII l'apparence d'une véritable trahison. Il y avait Tanguy du Châtel et ses semblables. Il y a Pierre Cauchon et les siens.

Le régime anglais fait évidemment la fortune de ceux auxquels la coupure du royaume permet de jouer un rôle jusqu'ici dévolu à d'autres. C'est le cas des avocats rouennais, qui peuvent maintenant rivaliser vraiment avec les Parisiens sans devoir se faire Parisiens eux-mêmes : la création d'un Grand Conseil de Normandie et le développement des prérogatives du vieil Échiquier de Normandie transfèrent à Rouen le règlement de bien des affaires auxquelles les juristes du cru trouvent plus d'intérêt que si tout s'était achevé à Paris. C'est aussi le cas des maîtres de Caen à qui la victoire anglaise vaut la création d'une Université que Paris leur refusait depuis un siècle. Comment tous ces gens-là souhaiteraient-ils la revanche de Charles VII ?

Ce que l'on donne aux uns, on le prend aux autres. La robe parisienne supporte avec amertume la perte de clientèle que signifie l'indépendance judiciaire de la Normandie. Les maîtres établis entre la montagne Sainte-Geneviève et la rue du Fouarre se jugent trahis dans l'affaire de Caen et le disent parfois. On se demande si Bedford n'est pas en train d'organiser sa conquête sans Paris. N'est-ce pas l'échec de la France lancastrienne que l'on aménage ainsi ? Dans beaucoup d'esprits, ces réactions tourneront, surtout après 1430, à l'avantage de Charles VII.

LE ROI DE BOURGES.

Celui-ci tient difficilement une position dont le moins qu'on puisse dire est qu'elle demeure ambiguë. Comme il convient au fils aîné du roi défunt, il a pris le titre de roi, mais il est encore, pour bien des gens, le dauphin. Il n'est pas encore sacré, mais il y a longtemps que le roi est roi par le droit du lignage, non par celui du sacre. Ceux qui disent « le dauphin » sont-ils pour autant convaincus de la bâtardise de Charles ? Certainement pas : s'il en était ainsi, ils useraient des locutions traditionnelles qui ont qualifié tant d'usurpateurs, comme « celui qui se dit... », ou « celui qui se comporte en... », ou « celui qui se fait passer pour... ». On dit « le dauphin » parce qu'on le tient pour le vrai fils de Charles VI. Mais on ne sait pas très bien ce qu'il est.

En apparence, il est le plus faible. Il le sait. Mais il vient de marquer un point essentiel, sans s'en douter : le traité de Troyes n'a pas fait céder toute la France.

Charles VII a ses fidèles. Il peut compter sur quelques princes, comme le duc d'Anjou, comte de Provence, ou comme le duc de Bourbon. Il peut aussi compter sur la maison d'Orléans et sur ses clients. Il profite du dévouement des officiers, ceux de la France méridionale et centrale, ceux qui ont abandonné la France des Anglo-Bourguignons. L'idée d'une cour languissante sur les bords du Cher ou de l'Indre correspond mal à l'activité dont portent témoignage les registres des affaires traitées par les hautes institutions qui siègent au sud de la Loire.

Les courbes inverses de la vitalité politique se dessinent assez bien si l'on examine les institutions que la brisure de 1418 a divisées. Il y a deux Chambres des comptes — Bourges et Paris — au lieu d'une, et deux Parlements — Poitiers et Paris — au lieu d'un. Au nord comme au sud de la Loire, les hommes de métier qui siègent dans les cours connaissent les mêmes difficultés matérielles, la même volonté royale d'oublier leur droit à se coopter, le même retard dans le paiement des gages.

Mais à Paris c'est la fronde, puis la révolte. Les conseillers du Parlement décident, dès 1420, de se payer eux-mêmes en prélevant leurs gages sur le produit des confiscations qu'ils décrètent. En 1421, ils parlent de « cesser », autrement dit de se mettre en grève. Après

1430, aucune année ne passera sans quelques semaines, voire quelques mois, de « cessation ». L'idée n'en vient pas à Poitiers.

Au départ, le déséquilibre qui résulte de la rupture de 1418 paraît favorable au Parlement bourguignon. Mais si l'on compte quatre-vingts magistrats à Paris autour du premier président Philippe de Morvilliers en 1418, l'effectif tombe à cinquante vers 1430. Ils seront vingt et un en 1435. A Poitiers, au contraire, on n'était au début que vingt et un autour de Jean de Vailly, puis de Jean Jouvenel ; mais il y a trente-trois magistrats au Parlement de 1430, quarante à celui de 1435. Dégradation constante d'un côté, constante croissance de l'autre, et cela bien avant Jeanne d'Arc. Celle-ci s'inscrit dans un mouvement et l'accélère ; elle ne le crée pas.

Soyons réalistes : l'inflation numérique reflète la puissance du groupe social plus que la croissance immédiate de l'activité. L'un pousse son fils, l'autre son frère. Il n'en est pas moins significatif que l'on s'active à faire carrière à Poitiers dans le même temps où l'on abandonne à Paris une Cour dont il faut bien croire que les perspectives apparaissent courtes. Il y a assurément beaucoup de calcul dans le dévouement des serviteurs de Charles VII. Derrière le calcul, il y a un jugement politique. Le roi que l'on peint volontiers comme pauvre et abandonné de tous n'est ni aussi pauvre ni aussi abandonné qu'une imagerie facile le ferait croire. Bien sûr, les Bourguignons racontent que le prétendu dauphin n'a pas les moyens de payer son bottier. Comme si les cours avaient jamais payé comptant les fournisseurs... Mais, à n'en croire que les documents, le revenu de Charles VII est deux ou trois fois supérieur au revenu continental d'Henri VI. Le fisc du Valois est bien servi, sa justice est rendue, ses troupes sont payées.

Charles VII n'est pas moins riche d'alliances. L'amitié du duc de Savoie, la neutralité épisodique du duc de Bretagne, les trêves avec la Bourgogne laissent souvent le roi de Bourges maître de concentrer ses forces contre l'Anglais.

On ne saurait dire en revanche que Charles VII soit vraiment maître de lui-même. A vingt ans passés, celui qui n'est devenu dauphin que tardivement, en 1417, après la disparition de ses deux frères aînés, n'a toujours pas surmonté sa propre faiblesse. Un père fou, une mère douteuse, un désaveu public, voilà qui suffit à le faire s'interroger sur lui-même. Influençable, versatile même, il n'a été élevé ni pour régner ni pour se battre. Ce craintif se réfugie dans la dissimulation. Incapable de gouverner vraiment, le jeune roi fait semblant de passer le temps en fêtes parce qu'au vrai il ne sait que faire.

Alors, il laisse agir ses proches. Et c'est là qu'est la catastrophe. La cour de Loches ou de Chinon est un bouillon de culture où fleurissent l'intrigue, la calomnie et le coup-fourré.

L'âme forte de cette agitation politique, c'est Yolande d'Aragon, la veuve du roi de Naples Louis II d'Anjou. Depuis qu'en 1422 Charles VII a épousé Marie d'Anjou, la reine Yolande est la belle-mère du roi de France. Depuis que le désastre de Verneuil a déconsidéré en 1424 l'entourage militaire du roi, elle domine une cour où elle peut se flatter de retrouver un rang et une influence perdus en Italie. Non seulement elle règne sur l'esprit de son gendre, mais elle le fournit en favoris qui deviennent des gouvernants.

La reine Yolande remporte en 1424 son premier succès. Les ultras du parti armagnac sont mis à l'écart : ceux-là mêmes qui ont organisé le guet-apens de Montereau et y ont compromis le dauphin. Le grand-maître de l'Hôtel Tanguy du Châtel, longtemps l'homme de confiance du dauphin, l'ancien prévôt de Paris des Armagnacs, l'auteur du guet-apens, s'en va finir sa carrière comme châtelain et viguier de Beaucaire. Robert Louvet, Pierre Frotier, Robert Le Maçon sont également évincés. Yolande d'Aragon peut alors mettre en place des hommes à elle dévoués, nouer de nouvelles alliances, appeler aux affaires des modérés capables de concevoir une politique royale au-dessus des simples règlements de comptes.

Le nouvel homme fort du gouvernement, c'est Arthur de Richemont. Frère du duc de Bretagne, Richemont est un capitaine de valeur, souvent brutal mais remarquable tacticien. Il sera l'organisateur de la victoire. Comme le connétable Jean Stuart, comte de Buchan, vient de mourir à la bataille de Verneuil, Richemont n'attend pas longtemps le titre qui signifiera sa puissance : le 7 mars 1425, il est connétable. Et de mettre immédiatement en place ses propres fidèles. Le Normand Jean de Graville remplace le Berrichon Jean de Torsay comme maître des arbalétriers. Le seigneur de Boussac, Jean de Brosse, devient maréchal.

La nomination de Richemont était importante pour la conduite des opérations. Elle l'était encore plus sur l'échiquier diplomatique. Le frère du duc de Bretagne avait épousé l'une des sœurs du duc de Bourgogne. Tout comme Bedford, Richemont était beau-frère de Philippe le Bon. Yolande était donc portée à voir en lui le médiateur d'une éventuelle réconciliation. En attendant, il faisait pièce au succès que représentait pour Bedford une alliance matrimoniale avec la maison de Bourgogne.

Le nouveau connétable était un fourbe. Il encombra vite la cour de ses agitations, de ses roueries, voire de ses complots. Charles VII se méfiait d'un homme qui avait trahi le roi d'Angleterre après lui avoir juré fidélité. Il se lassa d'un mentor qui jouait avec les hommes. Lorsqu'il fut évident que les intrigues de Richemont ne faisaient guère avancer la réconciliation avec la Bourgogne, sa faveur déclina.

Dans les derniers temps, le connétable avait poussé dans la faveur royale un autre comploteur-né, le Poitevin Georges de la Trémoille. L'homme était de grande lignée. Son père portait l'oriflamme au temps de Charles VI. Georges avait été de tous les partis, et ses contemporains l'avaient connu chambellan de Jean sans Peur, puis fidèle de Bernard d'Armagnac, puis partisan de la paix. En épousant en 1416 la comtesse Jeanne d'Auvergne, veuve du duc de Berry, il s'était hissé au niveau des grands barons ; mais le mariage avait fait long feu, et la comtesse avait fini ses jours dans l'isolement de son château de Saint-Sulpice, sur les bords du Tarn. La Trémoille était resté maître d'alliances ambiguës, cousin d'un peu tout le monde, mêlé à toutes les affaires. Jouant de l'un contre l'autre, il ne songeait vraiment qu'à ses propres intérêts. Richemont s'en avisa trop tard : La Trémoille avait pris sa place au pouvoir. La chose fut notoire en 1427, officielle en juillet 1428.

Jusque-là, la rivalité des courtisans et la succession des favoris ne mettait en danger que le sérieux du gouvernement. On avait vu Pierre de Giac, en faveur aux côtés de Richemont en 1425, subitement déchu de son piédestal, arrêté, jugé et noyé par arrêt d'une justice un peu rapide. Son successeur dans l'estime royale, Le Camus de Beaulieu, avait été impunément assassiné devant le château de Poitiers en 1427. Tout cela passait pour des effervescences de cour, non pour des crises politiques.

Avec Georges de la Trémoille, les choses changèrent. Le nouveau maître du gouvernement royal entendait bien n'être pas à son tour victime des revers de fortune. Il attaqua son ancien protecteur Richemont et déclara ouvertement la guerre aux fidèles du connétable. A priori, ils étaient tous suspects de fomenter un jour quelque complot.

Un capitaine énergique et sans scrupule, vieux complice de La Trémoille, fut institué sénéchal de Poitou ; son administration ne devait être qu'une longue suite d'exactions et de pillages. La terreur s'abattit sur le plat pays, faite de villages incendiés, de châtelains rançonnés, de filles violées. Même les collecteurs de l'impôt royal se voyaient à l'occasion soulagés de leur recette par les hommes de main du favori. Pendant que Richemont se retranchait dans ses châteaux de Fontenay-le-Comte et de Parthenay, où il se vengeait en frappant monnaie sans se soucier de l'autorisation royale, ses fidèles étaient littéralement persécutés avec l'aval du roi. Le vicomte de Thouars Louis d'Amboise fut jeté en prison. L'évêque de Luçon eut son temporel saisi. Pour lèse-majesté, André de Beaumont, seigneur de Bressuire, et Antoine de Vivonne, seigneur de Lazay, furent arrêtés, jugés par le Parlement et décapités à Poitiers en mai 1431. La lèse-majesté, c'était de porter ombrage au tout-puissant favori.

La cour devenait un champ clos. Le roi de Bourges laissait faire, incapable d'empêcher cette guerre marginale où s'affaiblissaient

LES FILLES DE JEAN SANS PEUR

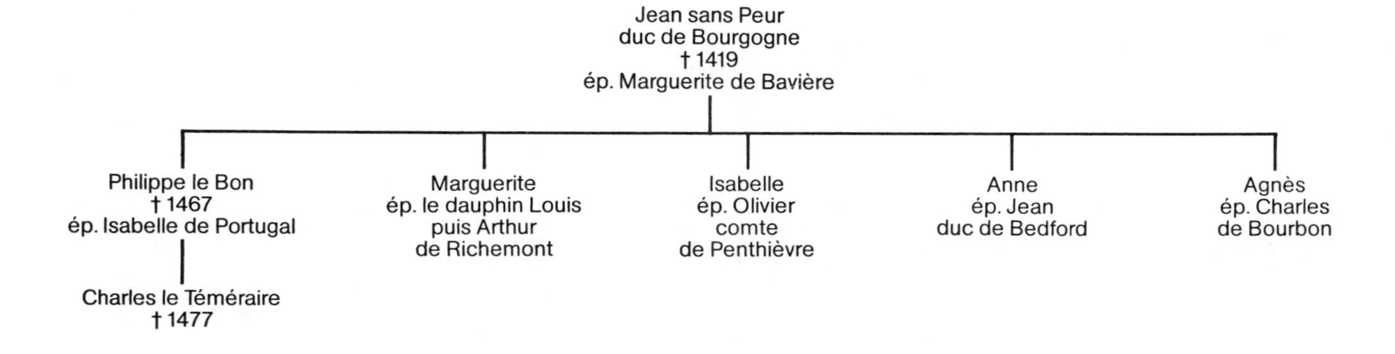
Jean sans Peur
duc de Bourgogne
† 1419
ép. Marguerite de Bavière
Philippe le Bon
† 1467
ép. Isabelle de Portugal
Charles le Téméraire
† 1477
Marguerite
ép. le dauphin Louis
puis Arthur
de Richemont
Isabelle
ép. Olivier
comte
de Penthièvre
Anne
ép. Jean
duc de Bedford
Agnès
ép. Charles
de Bourbon

encore ses fidèles. La reine Yolande d'Aragon se voyait dépassée par ses propres manœuvres. Les Armagnacs convaincus se prirent à craindre que le souci de ses seigneuries ne conduisît La Trémoille vers une paix à tout prix avec les Anglais. Beaucoup se virent déjà disgraciés en cas de réconciliation avec la Bourgogne. Quant aux modérés, ils craignaient les foucades du favori.

Dans ce foyer d'intrigues, bien des gens allaient penser que l'arrivée d'une pucelle envoyée par Dieu pour ranimer la guerre n'était autre chose qu'une mise en scène armagnaque, une ultime tentative des ultras naguère évincés. De toute manière, c'était un nouvel obstacle sur la voie d'un compromis.

Ce compromis, on l'avait frôlé en 1424. Après un an de négociations menées par l'intermédiaire d'Amédée VIII de Savoie, la trêve de Chambéry avait suspendu les hostilités entre Charles VII et Philippe le Bon. Celui-ci et Richemont s'étaient rencontrés, en décembre 1424, à Mâcon, et les deux princes avaient complété le réseau de connivences noué par les heureux mariages des sœurs de Bourgogne. Déjà beau-frère de Bedford et de Richemont, Philippe le Bon offrait une autre de ses sœurs – il en avait six – à Charles de Bourbon, comte de Clermont. En fait, il souhaitait surtout protéger ses provinces méridionales – Nivernais, Charolais et Mâconnais – d'une attaque toujours possible par le Bourbonnais. Tout le monde avait donc profit en la trêve, sauf l'Anglais, qui se trouvait seul dans sa conquête inachevée.

L'équilibre des faiblesses.

C'est la première chance de Charles VII. L'Angleterre est hors d'état de supporter la charge d'une véritable offensive. La France lancastrienne rapporte peu. Les impôts rentrent lentement, avec un énorme déchet de remises consenties et d'impayés inévitables. Henri V a rétabli en 1421 les aides indirectes supprimées à la fois, dans un moment de surenchère démagogique, par Jean sans Peur et par le dauphin Charles. Mais il est difficile de trouver des fermiers pour un impôt normalement impopulaire et dont les difficultés économiques ruinent de surcroît le revenu. L'impôt direct ne rentre pas mieux : taxé à huit mille livres parisis en 1423, le clergé parisien obtient une réduction à deux mille livres, et n'en paie que la moitié. Lorsqu'en 1424 on tente de lever un nouvel impôt sur la capitale, le bourgeois renâcle : on veut faire payer les fêtes du régent, et rien d'autre.

L'Angleterre porte donc avec peine le poids de sa victoire.

Vaincre à Azincourt ou à Verneuil est une chose, tenir la conquête et l'achever en est une autre.

Dire que l'occupation anglaise est déficitaire serait traduire en termes simples de comptabilité un échec autrement retentissant. Alors que les Français paient assez pour prendre en haine un gouvernement dont les exigences ne sont pas inférieures à celles du défunt Louis d'Orléans, les Anglais commencent de regretter à la fois leur demi-victoire et les tentatives que l'on fait pour la compléter. L'Échiquier anglais paie les gages des membres du Conseil royal de Paris, il paie les dépenses de l'hôtel du régent Bedford, il paie la solde des garnisons d'Ile-de-France ou de Normandie. Tous les Anglais de l'entourage de Bedford qui reviennent sur le continent après un séjour à Londres sont chargés de rapporter du numéraire. Les banquiers lombards de Londres, de Rouen ou de Paris ne cessent d'organiser des changes vers la France. Le Génois Jean Sac y fait fortune : il paie aux capitaines anglais quelques dizaines de milliers de marcs d'argent que la Trésorerie anglaise rembourse à son associé de Londres le banquier Spinola.

Les fidèles d'Henri VI passent leur temps à faire l'avance des sommes nécessaires à l'accomplissement de leur mission. Bon gré mal gré, toutes sortes de gens font ainsi sur le continent l'escompte des revenus futurs de la Trésorerie insulaire. En bien des occasions, le cardinal Beaufort avance lui-même le revenu à venir de la fiscalité anglaise : on le verra, en 1434, payer à lui seul, en France, 18 000 marcs remboursables en trois ans sur le produit de l'impôt indirect.

Les « esterlins » déferlent sur le continent. En décembre 1430, il ne faut pas moins de deux nefs — défendues par cent archers — pour porter la solde de Winchester à Dieppe.

A cette même époque, on l'a vu, la garnison de la Bastille, aux ordres de John Fastalf, est de huit hommes d'armes et dix-sept archers. Dans la même fonction, Thomas More dispose l'année suivante de neuf hommes d'armes et vingt-huit archers. Moins de trois cents Anglais dans Paris, voilà ce qu'on appelle l'occupation anglaise. Malgré la charge financière, écrasante pour l'Angleterre, la présence anglaise tient à la connivence des Français. L'arbalétrier qui, en septembre 1429, traite Jeanne d'Arc de paillarde et de ribaude avant de la « navrer » d'un carreau bien ajusté, cet arbalétrier est un honnête Parisien, non un soudoyer anglais. On en est encore au temps où le « Bourgeois de Paris » — sans doute un chanoine de Notre-Dame — écrit dans son journal « les traîtres Armagnacs » quand il veut parler des gens de Charles VII. Lorsqu'il les appellera « les Français », c'en sera fait du royaume d'Henri VI.

Les choses vont plutôt mal, pendant ce temps, en Angleterre. Bedford étant occupé à Paris, Beaufort et Gloucester se déchirent à Londres. Le cardinal fait occuper de force la Tour de Londres. L'affaire menace de tourner à la guerre civile. Obligé de revenir en Angleterre, Bedford doit y demeurer de décembre 1425 à mars 1427. Voilà qui ne laisse guère la possibilité de lancer en France l'offensive générale qui achèverait la construction de la double monarchie lancastrienne. Trop heureux est-on de voir Charles VII perdre son temps en Touraine.

Au sud de la Loire, les structures sont solides, mais la tête politique est faible. Au nord, ce sont les structures politiques et financières qui ne suivent pas une trop rapide conquête. Personne, dans ces années qui suivent la mort d'Henri V et celle de Charles VI, n'est vraiment décidé à faire la guerre.

D'un côté comme de l'autre, le bon peuple s'en accommode. Jusqu'à l'apparition de Jeanne d'Arc, le temps de Bedford et du roi de Bourges est celui d'une petite prospérité. Certes, ce n'est pas le mouvement des affaires que l'on a connu entre 1380 et 1405, en ces années où l'on pouvait croire la guerre terminée, alors que les hommes, les espèces et les marchandises circulaient à peu près librement. Il n'empêche que le Paris de Bedford commerce avec Arras et Lille comme Tours commerce avec Lyon et Rouen avec Londres. Des marchands de Rouen, de Dieppe, de Caen, de Saint-Quentin se font inscrire en 1424 dans la hanse de Paris pour pouvoir trafiquer sur la Seine moyenne. Quelques années plus tard, il n'y aura plus une seule inscription.

On voit alors des Normands aux foires de Genève ; il est vrai qu'il leur faut passer par la Flandre et la route du Rhin. La foire du Lendit, qui a cessé après les troubles de 1418, rouvre ses étals près de Saint-Denis en 1426 ; elle se tient encore en 1428, peut-être même en 1429. Le revenu du port commercial de Neuilly est affermé pour 36 livres en 1425, 48 livres en 1426, 66 livres en 1427, 80 livres en 1428. Bien sûr, nous sommes encore loin du bail de 1410 – 320 livres – mais la reprise est évidente. Petite prospérité, encore, que celle des drapiers de Saint-Lô ou celle des fabricants de toile de Fougères ; sur nos courbes séculaires, elle apparaît comme un éphémère sursaut, mais ceux qui l'ont vécue ont pu croire qu'ils sortaient de l'épreuve.

A la campagne, les plus audacieux ébauchent une reconstruction rurale faite de restauration des bâtiments, de remise en culture des champs, de reconstitution du cheptel. Reconstruction bien timide, limitée à quelques bonnes terres, et vite avortée. Mais elle fera plus durement ressentir l'effondrement des années 1430. Après les jeunes adultes de 1380, c'est une nouvelle génération qui perd ses illusions en 1430. Lorsque la tourmente sera passée, il faudra beaucoup plus de temps pour habituer chacun à l'idée que l'on peut réellement se remettre au travail et qu'il est vraiment raisonnable d'investir.

Voilà pour les régions où l'on a le sentiment quotidien du drame national, même s'il n'est pas vécu par tous comme national. C'est de cette Langue d'oïl exsangue que les députés aux états généraux de Poitiers feront en mars 1431 le sinistre tableau.

> En sont les gens d'Église et leurs bénéfices désolés et détruits, leurs maisons démolies et abattues... Les marchands qui ont accoutumé fréquenter foires et marchés n'osent aller par le pays pour faire et conduire le fait de leur marchandise. Les laboureurs n'osent et ne peuvent tenir bêtes à faire leurs labourages ni eux tenir au plat-pays, pour doute du péril de leur corps et de perdre le demeurant de leur héritage.

L'INSÉCURITÉ.

Dès lors que l'on s'éloigne de ces pays de la Seine et de la Somme, de la Loire et de la Vienne, la conjoncture s'améliore quelque peu. Mais bien peu. L'Aquitaine et le Languedoc, aussi bien que l'Auvergne et le Dauphiné, connaissent les effets de l'insécurité et le poids d'une fiscalité de guerre qui laisse peu de moyens aux volontés de reconstruction économique. C'est chaque année que des états généraux ou provinciaux — voire les uns et les autres — surimposent les aides indirectes et les tailles directes, autrement dit l'impôt qui écrase tout le monde et celui qui frappe les fortunes, grosses et petites. Pour la seule année 1425, au cœur de la brève accalmie, Charles VII exige 550 000 livres tournois de la Langue d'oïl, 250 000 de la Langue d'oc. Un port en crise comme La Rochelle doit 14 000 livres. Un pays agricole pauvre comme le Haut-Limousin en doit 13 000. Pour une petite prospérité, c'est beaucoup.

Quant à l'insécurité qui dissuade le marchand de s'aventurer sur les routes et le paysan d'aller tracer ses sillons, elle est le fruit de la faiblesse royale, de la confusion politique et de l'errance renouvelée des soldats sans embauche. La guerre de Cent Ans, ce n'est pas seulement la guerre de la France et de l'Angleterre.

Il est ainsi des conflits purement marginaux, mais qui ne laissent pas d'affaiblir le pays et de ruiner les trésoreries. Même lorsqu'ils n'ont aucun rapport direct avec l'affrontement des souverains, ils touchent à de plus vastes réseaux d'alliance ou de clientèle, et ils impliquent des hommes engagés d'autre part en d'autres conflits. Les uns et les autres se résolvent de la même manière : en villages incendiés, en villes rançonnées, en marchands détroussés, en impôts alourdis. La révolte du neveu de Grégoire XI est de ces affaires qui n'ont rien à voir avec la Couronne de France mais qui ont bouleversé la vie d'une région pendant le temps d'une génération.

Raymond Roger, comte de Beaufort et vicomte de Turenne, revendiquait tout simplement le paiement des créances de son oncle lorsqu'il prit, en 1386, les armes contre le pape Clément VII. En réalité, il voulait faire pièce à une alliance du Saint-Siège et des Angevins de Provence, alliance qui menaçait directement quelques-unes de ses places fortes, comme Saint-Rémy ou les Baux. Il recruta des routiers, vint menacer Avignon. Malgré plusieurs traités et de substantielles rançons, Raymond de Turenne et ses hommes ravagèrent le Comtat venaissin et la Provence occidentale pendant près de quinze ans. Le gouvernement de Charles VI tenta de mettre de l'ordre dans la seigneurie du pape, le comte Jean III d'Armagnac s'en mêla, et Turenne se retrouva finalement aux côtés de son gendre Jean Boucicaut, maréchal de Charles VI, venu organiser le siège d'Avignon au temps de la soustraction d'obédience. L'hostilité au duc d'Anjou parce qu'il était comte de Provence conduisait en définitive le neveu de Grégoire XI à se faire l'un des exécuteurs de la politique anti-pontificale du duc de Bourgogne.

De même voit-on renaître en Languedoc les éternels conflits qui opposent les princes pyrénéens. On a connu les révoltes du comte de Foix Gaston Fébus, à la fois candidat à l'autonomie politique et à la charge de lieutenant du roi en Languedoc au temps de Charles V et de ses frères. On a vu le comte de Pardiac et le sire de Barbazan en découdre sous Charles VI pour quelques terres en Toulousain. La guerre a éclaté lorsqu'Archambaud de Grailly — l'oncle du captal de Buch vaincu à Cocherel — a revendiqué en 1398 la succession de Foix à laquelle pouvait prétendre sa femme. Une autre guerre a opposé en 1403 le comte Bernard VII d'Armagnac — le futur maître de Paris — et son allié le comte de Pardiac à la comtesse de Comminges.

L'éclipse politique du duc de Berry a dressé l'un contre l'autre en 1411 un Jean de Grailly, comte de Foix, capitaine général du roi par la grâce de Jean sans Peur, et un Bernard d'Armagnac peu porté à laisser le Languedoc glisser dans l'obédience de Bourgogne. On a même vu Armagnac, en 1412, en appeler aux Anglais. C'était l'époque où, les Bourguignons gouvernant à Paris, Jean sans Peur passait pour défenseur de la couronne des Valois, donc pour l'ennemi naturel des Anglais. Rien d'étonnant à ce que Foix recrutât des routiers pour lutter contre l'Anglais. Armagnac s'inscrivait naturellement à l'encontre de cette politique.

Pour la population languedocienne, tout cela se traduit en quelques mots : impôts, insécurité, dévastations.

Les Armagnacs maîtres de la royauté, c'est le fils de Bernard VII, le vicomte de Lomagne, qui succède à Foix comme capitaine général en Languedoc. L'avidité armagnaque n'est pas moindre à Toulouse qu'à Paris : la population tire donc vers le parti de Bourgogne, s'entend avec Isabeau, négocie une adhésion avantageuse. Les villes languedociennes sont à Jean sans Peur quelques jours avant Paris.

Le comte de Foix triomphe, qui se retrouve bourguignon parce qu'il est l'ennemi héréditaire d'Armagnac, de la même manière que la Sorbonne s'est retrouvée bourguignonne par hostilité à Louis d'Orléans et au fisc pontifical. Les enchaînements de l'histoire sont imprévisibles.

Jean Ier de Foix révèle alors un extraordinaire talent politique. Loin de venger les vieilles querelles, il prend en main les intérêts communs du Languedoc. Il achète dès 1418 la dislocation des compagnies de routiers. Au lieu de prendre à revers le dauphin, il obtient de lui le titre de lieutenant et capitaine général en Languedoc et Guyenne, puis s'accorde avec Albret, Astarac et même Armagnac pour évincer les gens du prince d'Orange – un grand baron bourguignon – qui mènent à Toulouse avec les états de Languedoc des négociations aussi impopulaires que les exigences des prédécesseurs armagnacs. En 1419, un soulèvement toulousain donne la victoire au parti de Foix. Orange s'enfuit. Le gouvernement bourguignon de Charles VI n'a pas les moyens de discuter l'autorité qui s'établit de fait à Toulouse : le roi confirme à Jean de Foix la lieutenance que lui a déjà donnée le dauphin. Pour faire bonne mesure, on ajoute même l'Auvergne au Languedoc et à la Guyenne.

Pour la population du Midi, Anglais et pillard, c'est tout un. L'alliance de Bourgogne et du Lancastre fait donc basculer l'opinion publique du côté de Charles VII. Jean de Foix préside avec souplesse à cette adaptation politique qui n'est au vrai qu'un perpétuel désir de la paix. Éloignés des intrigues parisiennes et des coups-fourrés du Conseil, les bourgeois du Languedoc – et à plus forte raison les paysans – comprennent mal qu'on puisse s'interroger au sujet du roi et n'admettent pas que l'on cède aux Anglais la Couronne de France. Ils veulent la fin de la guerre et celle des razzias, la fin des impôts, aussi. Les chevauchées anglaises ont laissé trop de douloureux souvenirs entre Bordeaux et Carcassonne pour que le désir de paix puisse conduire vers le Lancastre.

Même si le temps des grandes chevauchées est passé, la menace anglaise est toujours là, souvent confondue avec la menace armagnaque. Analyser ces affaires en termes parisiens, c'est se condamner à n'y rien comprendre. En 1423, les Anglais assiègent Bazas.

André de Ribes, un routier plus ou moins à leur service mais qui se dit bâtard d'Armagnac, ravage le Toulousain et s'empare de Lautrec en 1426, se fait promettre sept mille écus en 1427 pour prix de son départ, recommence ses pillages l'année suivante pour tenter de se faire payer le solde de ce qu'on lui doit aux termes du traité de 1426. Il vient enfin menacer les terres albigeoises du comte de la Marche Jacques de Bourbon. Celui-ci embauche alors un rival du bâtard d'Armagnac, un routier castillan qui se révélera pire que Ribes : Rodrigue de Villandrando. Ribes est pris et exécuté. Villandrando reste.

S'estimant mal payé, le Castillan s'entend alors avec quelques routiers déjà tristement connus en Languedoc, comme Andrelin et La Valette, et constitue une véritable armée, basée entre le mont Lozère et la chaîne du Vivarais. Les hommes de Villandrando sillonnent le Bas-Languedoc, pillent le Velay, menacent Lyon.

Pour ne pas attaquer Lyon, le routier exige quatre cents écus. Bien que la somme soit modique, les Lyonnais considèrent que c'est mettre le doigt dans un dangereux engrenage que de céder ainsi au chantage. Ils refusent. Lorsqu'ils acceptent enfin de payer – pour ne pas voir dévasté tout le plat-pays – il est trop tard : c'est huit cents écus qu'il faut maintenant payer. Et Villandrando de placer, sans la moindre gêne, les fonds ainsi obtenus chez quelques financiers lyonnais chargés de les faire fructifier...

A la même époque, un ancien maçon devenu chef de bande, Perrinet Gressart, met en coupe réglée les pays de la Loire et du Cher, entre Bourges et La Charité. Il ravage les alentours de Sancerre, il menace un temps le roi dans Bourges. Charles VII est à ce point inquiet qu'il fait mettre le futur Louis XI à l'abri des épaisses murailles du château de Loches.

L'infortune des uns fait la fortune des autres. Une cour royale et une Chambre des comptes suffisent à faire de Bourges un marché de consommation d'une autre importance que naguère. Poitiers tire grand profit d'un Parlement, d'une Cour des aides et, bientôt, d'une Université. Cela fait le bonheur des financiers, mais aussi celui des merciers, des tapissiers et des orfèvres, tout comme celui des épiciers, des maçons et des ferrons. L'avantage des communautés urbaines n'est pas moindre que celui des particuliers, hommes d'affaires ou simples artisans : Poitiers achève son enceinte, construit un nouvel hôtel de ville, entreprend d'aménager le cours du Clain.

Quelques hommes d'affaires hardis tournent le dos à un marché régional bloqué et portent leur regard vers les ports méditerranéens et vers les cols alpins. Las de la pelleterie paternelle et peu soucieux de réitérer à Bourges des spéculations monétaires qui ont failli tourner fort mal, Jacques Cœur se lance sur les grandes routes économiques. Il fonde un comptoir à Montpellier. Il s'associe avec des Italiens. En 1432, il est en Syrie. La tempête qui, sur le retour, le livre à des bandits corses ne suffit pas à le décourager. Mais le temps de l'incertitude a passé, et Jacques Cœur juge désormais raisonnable de spéculer sur la victoire de Charles VII.

De-ci de-là, la vie économique connaît des regains. Ainsi pour les Lyonnais qui, en février 1420, obtiennent la création de deux foires annuelles jouissant de substantielles franchises fiscales. Mais ces regains sont précaires, et bien des marques de dynamisme sont autant de preuves d'une illusion commune. La bourgeoisie lyonnaise devra, vingt ans plus tard, reprendre entièrement l'affaire.

Pendant ces années d'incertitude politique autant qu'économique, les Anglais portent le plus lourd de la charge militaire : il leur faut attaquer. Charles VII peut rester sur la défensive. S'il ne va pas jusqu'au bout de sa conquête, le Lancastre, lui, s'est fourvoyé. La charge est d'autant plus lourde que, dans les pays déjà conquis, il lui faut faire face au harcèlement incessant des bandes et des garnisons « armagnaques » encore en place. Car les hommes de Charles VII ne perdent Compiègne qu'en juin 1422 et occupent le pont de Meulan dès le premier de l'an 1423. Orsay et Marcoussis, au sud de Paris, sont des repaires d'Armagnacs, et le bourgeois ne cesse de se plaindre parce que la route d'Orléans est aux mains des ennemis pendant que ses amis bourguignons ravagent la campagne.

> La veille de l'Épiphanie (1422), vint à Paris le duc de Bourgogne, qui amena foison de gens d'armes qui firent moult de mal aux villages d'entour Paris, car il ne demeura rien après eux qu'ils pussent emporter s'il n'était trop chaud ou trop pesant.
>
> Et les Armagnacs étaient du côté de la porte Saint-Jacques, de la porte Saint-Germain et de la porte Bordelle jusqu'à Orléans, qui faisaient des maux autant qu'onques firent les tyrans sarrasins.

Dans cette situation précaire, l'espionnage donne bien du tracas aux Anglais. Un espionnage que les capitaines anglais et les baillis français fidèles à Henri VI finissent par voir partout, mais qui n'a rien d'imaginaire. « Ses ennemis, qui toujours avaient des amis partout... » La phrase du bourgeois, bourguignon de cœur, n'est pas une simple excuse pour une défaite anglaise. Elle traduit une réalité : les Armagnacs rencontrent dans le plat-pays des connivences que trouverait aisément un duc de Bourgogne mais sur lesquelles ne peut compter un capitaine insulaire.

Avant de penser à terminer la conquête au sud de la Loire, l'Anglais doit donc en finir au nord. L'idée vient donc, tout naturellement, d'attaquer les possessions de la reine Yolande, le Maine et l'Anjou. Ces régions sont, pour l'un comme pour l'autre belligérant, la clé stratégique de toute alliance utile avec la Bretagne.

C'est à Clarence qu'il revient de conduire en Anjou la première offensive. Frère d'Henri V et de Bedford, Thomas de Clarence n'est pas fâché d'une occasion enfin donnée de s'illustrer un peu. Le 22 mars 1421, à Baugé, il se fait prendre dans un piège par les Français – ou plutôt par l'armée franco-écossaise – du futur connétable Stuart. Clarence croyait les « Armagnacs » moins nombreux. Stuart le joue sans peine. On trouvera le frère d'Henri V parmi les morts.

L'année 1423 voit enfin le nettoyage systématique de la région parisienne. Bedford entend être tranquille à sa porte, et ne reprendre la conquête qu'ensuite. Le pays chartrain, le Perche, la Brie, le Valois sont à peu près vidés de leurs garnisons armagnaques.

En sens opposés, deux offensives marquent cette année 1423. Les Anglais attaquent en Maine et sont repoussés. L'armée de Charles VII tente de joindre la Champagne et se fait battre. Car le roi de Bourges a une armée.

L'armée du roi de Bourges.

Dans ses structures humaines, cette armée ne ressemble guère à celle de Charles V et de Charles VI. C'en est fini des distinctions établies en fonction de l'origine sociale des combattants – telle solde pour l'écuyer, telle pour le chevalier – aussi bien qu'en raison de la spécialité militaire et de l'armement. L'arbalétrier entre dans le rang. Ceci signifie que l'arme de trait s'intègre dans la manœuvre à l'échelle de la compagnie, non plus à celle de la « bataille », autrement dit du corps d'armée. Il n'y a plus de compagnies d'hommes de trait, plus de capitaines ou de connétables d'arbalétriers. Le commandement unique, c'est – un siècle après le désastre de Crécy – la normalisation de l'arbalète.

Cette simplification des hiérarchies militaires est d'interprétation délicate. Ce qui est clair, c'est qu'on distingue de moins en moins – on ne distinguera plus après 1438 – le chevalier banneret, le chevalier simple, l'écuyer banneret, l'écuyer simple. Tout le monde est « homme d'armes » à douze livres par mois, ou « homme de trait » à six livres. Est-ce tout simplement parce que Charles VII ne trouve plus guère de chevaliers pour servir à son armée ? Ou parce que les gens du roi ne peuvent, faute des archives qui sont demeurées à Paris, ou faute de hérauts d'armes experts, savoir avec certitude qui mérite la paie d'un chevalier banneret ou celle d'un chevalier, l'une quadruple et l'autre double – au temps de Jeanne d'Arc encore – de la paie servie au simple écuyer ? N'est-ce pas que la distinction n'a plus de sens, que les uns et les autres sont semblablement équipés, et également efficaces ? Et que, depuis longtemps, le banneret ne conduit plus sous sa bannière les hommes de son contingent féodal ?

C'est pour le service qu'il en attend, non pour leur origine, que Charles VII recrute et paie des mercenaires. Peu lui importe qu'ils soient adoubés. Quant à la prime au commandement, elle va au capitaine responsable de sa compagnie, un capitaine choisi par le roi. Les capitaines de Charles V, déjà, percevaient un « état » qui s'ajoutait au total des soldes qu'on leur devait pour leurs hommes d'armes. Alors que ses hommes recevaient, selon leur condition et leur armement, de six à soixante livres par mois, Enguerran de Coucy, parce qu'il était capitaine retenu par le roi, et non parce qu'il était l'un des grands barons du royaume, avait en 1377 un « état » mensuel de cinq cents livres, lequel s'ajoutait à la pension que le Trésor lui servait, comme à bien d'autres hauts seigneurs, pour prix de sa fidélité et de ses services politiques.

Charles VII ne fait donc que tirer l'extrême conséquence de cette hiérarchie des paies : il ne rémunère plus que la véritable responsabilité, celle du capitaine.

En réalité, et bien qu'on sache parfaitement les inconvénients d'un tel recrutement, l'armée de Charles VII est faite en bonne partie de soudoyers venus du dehors : Écossais, Lombards, Piémontais, Aragonais, Castillans. Eux au moins, pour peu qu'on n'oublie pas de les payer, ne trahiront pas. Les querelles internes de la France leur sont indifférentes. Dès avant 1420, le dauphin s'est assuré des services de Jean Stuart et de Guillaume Douglas. Au pire moment du royaume de Bourges, c'est Stuart qui devient connétable : les Écossais sont déjà plus de six mille – dont quatre mille archers à la valeur éprouvée – dans l'armée du « gentil dauphin », et ce sont deux bateaux espagnols qui vont en Écosse chercher la relève.

N'allons pas croire que Charles VII méprise la chevalerie française. Il ne la trouve pas prête à le servir. Après vingt ans de guerre civile, la noblesse est lasse, peut-être sceptique, assurément prudente. Le seigneur reste chez lui et attend de voir dans quel sens va tourner le vent. Au siège d'Orléans, la moitié des hommes d'armes vient d'Outre-Mer et d'Outre-Monts. Il y a dix capitaines écossais, cinq espagnols et l'Italien Théaude de Valpergue, qui finira sa carrière dans l'administration royale comme bailli de Mâcon et sénéchal de Lyon.

Le poète Alain Chartier a beau se scandaliser d'une pareille abdication des défenseurs naturels de la chose commune, rien n'y fait. Ils préfèrent « les aises de leur maison ». Au vrai, Charles VII fait tout pour décourager la vertu militaire de sa noblesse. On fait plus rapide carrière dans les antichambres de Loches ou de Chinon que sur les champs de bataille, et le dynamisme du roi n'est point tel que l'on puisse craindre de prendre un mauvais parti en attendant. La cour vit dans l'irréel, et Dunois passe pour un original parce qu'il préfère s'en aller au combat.

Celui qui veut bien se battre a donc tous les droits, et le roi n'y regarde pas de trop près. L'heure n'est pas aux preuves de chevalerie. Tout le monde y trouve d'ailleurs son compte : le roi qui est servi, les grands qui font se battre des hommes à eux, les soldats qui gagnent leur vie. Ancien clerc et ancien charretier, le changeur et drapier auvergnat Pierre Begon se fait passer pour noble dès lors qu'il a fait de ses deux fils des capitaines au service du roi. Quoi d'étonnant à ce que, la même année, une paysanne lorraine parvienne à se faire confier des hommes d'armes ? Les cadres anciens ont éclaté, et l'on est prêt à tout. Bien après les premières victoires et la reprise de Paris, le connétable de Richemont n'hésitera pas à enrôler pour le siège de Meaux une bonne vingtaine de compagnies d'écorcheurs, autrement dit trois ou quatre mille soudoyers sans autre état social que de savoir se battre et de se battre volontiers.

La guerre indécise.

C'est donc une étrange armée que Charles VII lance en 1423 sur le chemin de Reims. Tant bien que mal, les troupes fidèles à Charles VII battaient en effet la campagne à l'est de Paris et menaçaient en particulier la ville du sacre. La chose ne pouvait laisser indifférent un roi qui n'attendait pas Jeanne d'Arc pour savoir ce que l'onction sacrée lui conférerait comme force politique. Entre ces bandes mal coordonnées, une jonction était souhaitable. Elle échoua le 30 juillet 1423 à Cravant, près d'Auxerre. Les Parisiens firent des feux de joie. On dansa dans les rues.

Parmi les hommes d'armes qui battent ainsi la campagne au nom de Charles VII, apparaît alors un certain Étienne de Vignolles. Son surnom, La Hire, passera dans la légende et même sur les jeux de cartes.

Deux mois après Cravant, Suffolk voyait son offensive contre le Maine brisée dans la lande de la Gravelle, le 26 septembre, par les hobereaux faméliques du comte d'Aumale. Les Anglais avaient sous-estimé ces « Armagnacs » en qui ils voyaient des brigands plus que des soldats réguliers. En réalité, les Angevins – et Yolande d'Aragon, comme veuve de Louis II d'Anjou – comptaient de solides fidélités parmi les nobles du Maine et de l'Anjou. Bien des hommes d'armes qui vivaient à l'écart dans leurs châteaux délabrés étaient prêts à se battre gratis pour le seul plaisir de donner des coups et pour le seul, mais réel, profit des rançons et des pillages. Brûler une ferme ne les gênait guère. Violer la vertu d'une fille leur semblait distrayant. Mais ils ne supportaient pas de recevoir un coup sans le rendre, et frapper le premier était le commandement fondamental de leur catéchisme. Pour rien au monde ils n'auraient rejoint Charles VII à Chinon. Se battre pour lui, chez eux, leur paraissait honorable.

> Mieux vaut notre métier que d'aller baguenauder à la cour et regarder qui a les plus belles pointes, les plus gros bourrelets ou le chapeau le plus pelé à la façon de maintenant.

C'est un vieux soldat qui formule ainsi, dans son roman *Le Jouvencel*, l'éthique de ces écuyers pauvres mais braves qui préféraient les équipées aux intrigues. A sous-estimer leur capacité de réaction, Suffolk était allé au désastre. Malheureusement pour Charles VII, ces « épées de fer » ne faisaient pas une armée permanente.

Bedford tira les leçons de l'expérience. Il fit préparer la campagne de 1424 comme les chevauchées de jadis. Dans le même temps, Charles VII escomptait le profit des froissements survenus dans l'alliance anglo-bourguignonne et celui des premiers ralliements bretons. Il mettait sur le pied de guerre une armée qui devait être celle de la reconquête. Aux hommes d'armes de la reine Yolande s'ajoutèrent ceux que l'on recrutait en Languedoc, en Dauphiné, en Auvergne. On enrôla des Génois, des Aragonais, des Écossais.

Les deux armées étaient de force, le commandement n'était pas égal. D'un côté Bedford, de l'autre une dizaine de chefs jaloux les uns des autres : Aumale, Alençon, Coulonces et quelques autres, qui allaient ruiner toute tactique d'ensemble pour ne pas donner l'impression qu'ils acceptaient une autorité.

La rencontre eut lieu le 17 août devant Verneuil-sur-Avre. Les Français étaient les plus nombreux. Ils attaquèrent les premiers : la cavalerie chargea, les sergents à pied suivirent mal. Les Écossais se firent tuer seuls. Les Italiens, qui devaient tourner l'ennemi, préférèrent piller les bagages. Comme jadis à Crécy, comme naguère à Azincourt, les archers anglais firent merveille. Aumale resta parmi les morts.

Charles VII s'était vu sur la route du sacre et sur celle de Paris. Il sentit s'effondrer son peu de courage. Au milieu des effervescences de la cour, il s'occupa désormais de ses maîtresses. Verneuil prolongeait la guerre de vingt ans. C'est alors que bien des Parisiens exilés depuis 1418 s'occupèrent de négocier leur retour.

Mais la victoire anglaise n'avait rien de décisif. Verneuil laissait à Charles VII son royaume de Bourges, négation permanente du traité de Troyes, donc de la présence anglaise à Rouen, à Caen ou à Paris. Le vrai résultat de la victoire, c'était l'enlisement de la guerre. Celle-ci ne pouvait avoir que deux termes : l'entrée de Charles VII à Rouen ou celle d'Henri VI à Toulouse.

Or Bedford avait d'autres soucis que le franchissement de la Loire. Gloucester menaçait l'alliance bourguignonne par ses ambitions dans les Pays-Bas et fomentait des troubles en Angleterre même. Pendant quatre ans, il ne put être question en France que d'engager des opérations limitées. Elles eurent pour principal effet d'asseoir l'autorité d'Henri VI dans le Maine : Salisbury entra dans Le Mans, après avoir canonné l'enceinte, le 2 août 1425. Les nobles fidèles à Charles VII gagnèrent le royaume de Bourges.

Dans ce marasme, le siège du Mont-Saint-Michel fit aisément figure de symbole. Les Anglais avaient commencé le 28 septembre 1424 le blocus d'une île dont ils savaient la faiblesse : la garnison était faite de deux cents hommes d'armes normands, de quelques habitants résolus et des moines. Une vingtaine de bateaux occupèrent la mer dès le début du printemps. Le bailli Nicolas Burdett bloquait la côte et tenait l'île de Tombelaine, qui devait être la base de départ de l'assaut final.

Le capitaine du Mont était un Normand, le chevalier Nicolas Paynel. Il joua la seule carte qui lui restât : le temps. Les murailles du Mont défiaient l'escalade, et une flotte improvisée de barques pontées parvenait à ravitailler les assiégés pendant les nuits sans lune. Menés par Yvon Prious, dit Vague-de-Mer, les marins du Mont et ceux des ports bretons du voisinage permirent ainsi aux défenseurs de laisser l'assiégeant s'épuiser.

Le duc Jean IV de Bretagne s'avisa que la chute du Mont allait déterminer le retour des Anglais dans le duché. Il était à peine décidé à intervenir que les marins de Saint-Malo le devancèrent : le 16 juin 1425, la flotte malouine prenait à l'abordage les navires anglais. Les défenseurs du Mont pavoisèrent. Ils allaient tenir, fidèles à Charles VII, sous l'autorité du nouveau capitaine Louis d'Estouteville, jusqu'à l'arrivée d'une armée française en 1444. Il n'en fallait pas plus pour que l'Archange saint Michel passât pour le protecteur des fleurs de lis.

La victoire de Dunois sur Warwick à Montargis prit de même, en 1427, l'allure d'un haut fait. Le Bâtard d'Orléans — il ne devait recevoir le comté de Dunois qu'en 1439 — était alors un jeune chevalier de vingt-quatre ans, désireux de défendre l'Orléanais de son demi-frère le duc Charles, captif depuis Azincourt, mais aussi de se faire un nom en contribuant à la victoire de ce qui avait été, contre les Bourguignons, le parti de son père Louis d'Orléans.

Bedford ne reprit vraiment en main la conquête qu'en 1428. Les bandes de « brigands » qui tenaient en échec son autorité entre Seine et Loire ne désarmaient pas, et l'on voyait bien que nulle démonstration militaire n'en verrait le bout. Les Anglais avaient à plusieurs reprises nettoyé le pays. A peine avait-on chassé les « Armagnacs » qu'on les revoyait. Dans les villes, et notamment à Paris, les complots se raréfiaient à mesure que se lassaient les partisans de Charles VII, mais ces complots demeuraient toujours aussi dangereux. Bedford le savait bien, il suffisait de quelques hommes pour ouvrir les portes de la ville, et la campagne fourmillait d'Armagnacs prêts à profiter de la moindre porte entrouverte. Seule, la réduction du royaume de Bourges pouvait conduire à la soumission des sujets d'Henri VI. Pour que nul ne se réclamât plus de Charles VII, il fallait qu'il n'y eût plus de Charles VII.

La décision d'occuper Orléans coûte que coûte et de passer la Loire fut prise au cours d'une séance tenue à Paris dans l'été de 1428 par le Conseil du régent. Quelques semaines plus tard, Thomas de Montagu, comte de Salisbury, débarquait à Calais avec une armée fortement équipée, armée qu'il compléta en France.

Le siège d'Orléans s'annonçait long et difficile. Bedford organisa le ravitaillement en blé et en viande, puis s'établit à Chartres, au cœur du dispositif. Le 12 octobre 1428, Salisbury était devant Orléans. Il avait pris le temps de nettoyer au passage les routes de l'arrière et d'occuper les places de la Loire les plus proches : Jargeau, Meung, Beaugency. Avoir le pont d'Orléans n'était plus qu'une affaire de patience.

Nul ne songea qu'Orléans était au duc Charles et que l'honneur chevaleresque interdisait de s'en prendre aux biens d'un prisonnier. Après tout, Philippe Auguste, jadis, ne s'était pas embarrassé de scrupules pendant la captivité de Jean sans Terre. Surtout, chacun comprenait bien que le siège d'Orléans était le moment décisif d'un conflit où Charles d'Orléans ne tenait plus sa partie. C'est à Charles VII que s'en prenait Bedford, non au poète prisonnier.

Parmi les assiégés, l'espoir était bien faible. Le meilleur homme de guerre de Charles VII était Richemont, et le connétable tenait alors guerre ouverte contre son roi, ou plutôt contre ceux qui l'avaient supplanté dans la faveur du roi. Les états généraux réunis à Chinon tentèrent une médiation, que les puissants du jour s'employèrent à faire échouer : La Trémoille s'arrangea pour gaspiller le produit de l'impôt voté à Chinon, au lieu d'en financer la levée de troupes nouvelles. Face à des capitaines d'expérience comme William de la Pole, comte de Suffolk ou comme John Talbot, les Français n'avaient que la fougue encore malhabile du jeune Dunois. Poton de Saintrailles, La Hire et les autres lieutenants de Dunois étaient de bons hommes d'armes, braves et endurants. Ce n'étaient pas des stratèges. Quant aux bourgeois, qui allaient jouer un rôle décisif à certains moments de la défense, ce n'étaient quand même que des bourgeois. Dunois n'avait, au vrai, qu'un petit millier de soldats. Sa première victoire fut de ne pas désespérer dès le premier jour.

Les gens d'Orléans avaient eu tout le loisir de fortifier leur position. Depuis le temps de Jean de Lancastre et du Prince Noir, ils savaient le prix d'un pont de pierre sur la Loire. Ils savaient aussi que les Anglais ne se contenteraient pas d'user du pont : la prise du pont, c'était le sac d'Orléans. Le plus clair du budget municipal était donc consacré, depuis quinze ans, à l'aménagement de fortifications exemplaires. Adossée au sud à la Loire, la ville avait une forte enceinte. Le pont lui-même était gardé en son centre par une bastide, « Saint-Antoine », et à son extrémité sud par un véritable fort, « les Tourelles ». Le pont n'aboutissait qu'à une langue de terre, elle-même reliée à la rive gauche par un pont-levis. Une fortification de terre, le « boulevard » des Tourelles, en protégeait l'accès. Sa porte, « Sainte-Catherine », était défendue par un ouvrage.

Le ravitaillement ne devait pas manquer : on savait bien que les Anglais ne canonneraient pas le pont par lequel passaient les convois venus du sud. C'eût été détruire l'objet de leur convoitise. Mais Salisbury eut l'habileté de faire passer en bateau sur la rive gauche une petite troupe qui s'empara, dès le 21 octobre, du fort des Tourelles. Dunois fit couper de lui-même le pont. La ville était bel et bien isolée.

Salisbury eut la malencontreuse idée d'aller voir sa conquête. Un boulet l'atteignit en plein crâne; il mourut trois jours plus tard. Comme il avait pillé, quelques jours plus tôt, l'église de Notre-Dame-de-Cléry, les Français voulurent voir là une punition du Ciel. Suffolk et Talbot se partagèrent le commandement et renforcèrent le blocus.

Un système de fortifications anglaises vint doubler les fortifications françaises, bloquant même sur la rive gauche l'accès du pont. Le dispositif était impressionnant. Il était inadéquat. Les Anglais s'établirent dans leurs propres bastides, mal reliées les unes aux autres, alors qu'il leur eût fallu prendre celles des Orléanais. Comme au Mont-Saint-Michel naguère, ils comptaient sur le temps. Mais Dunois comptait, aussi, sur le temps. Et le doublement des fortifications n'avait fait qu'allonger le périmètre : les Anglais n'étaient plus assez nombreux.

Affaire cruciale de tous les sièges, le ravitaillement venait aussi

LE SIÈGE D'ORLÉANS

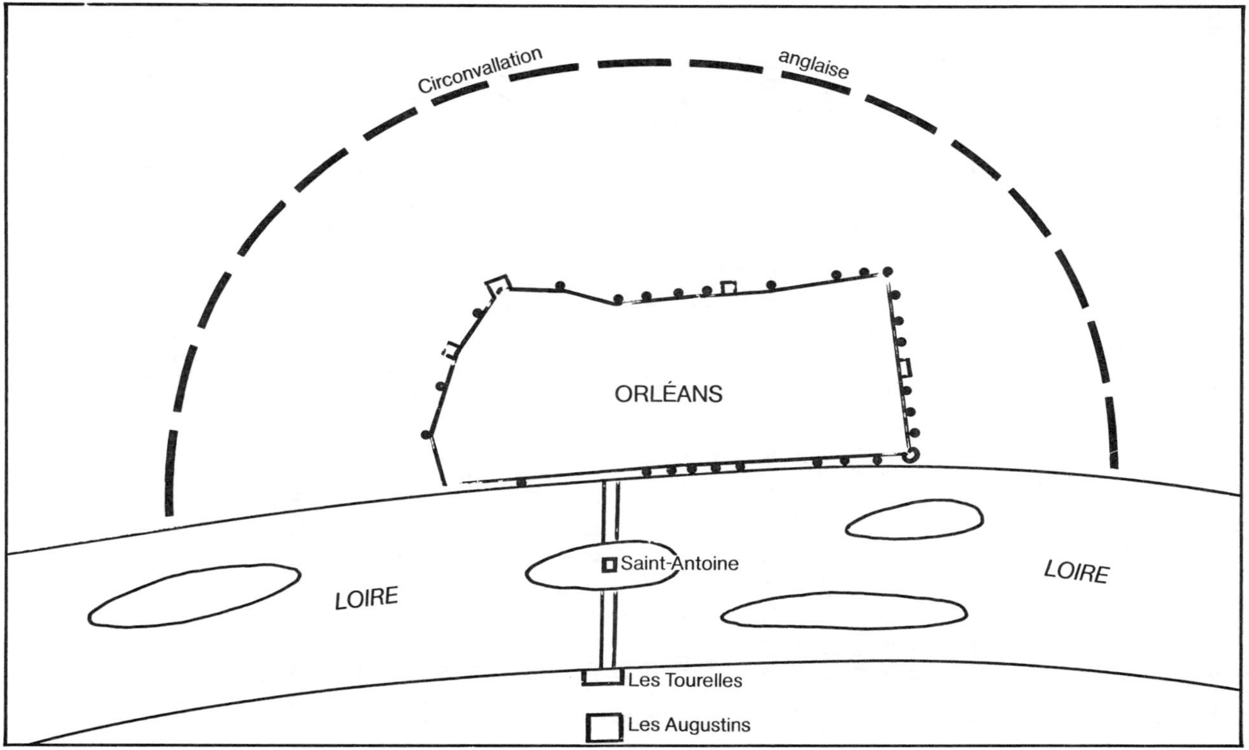

Circonvallation anglaise

ORLÉANS

LOIRE

Saint-Antoine

LOIRE

Les Tourelles

Les Augustins

mal aux assiégeants qu'aux assiégés. Passée l'armée de Salisbury, les bandes armagnaques étaient revenues sur les arrières des Anglais. Les vivres destinés aux assiégeants étaient menacés sur la route, ceux que l'on portait aux Orléanais franchissaient difficilement le blocus. Et le contenu des chariots pour lesquels on se battait était généralement perdu dans la boue : ce qui manquait aux uns ne faisait pas l'ordinaire des autres.

En février 1429, l'affaire des harengs acheva de déconsidérer les Français sans faire avancer le siège. Charles de Bourbon, comte de Clermont, était à Blois avec une armée. Il décida de couper la route d'un convoi de harengs — trois cents chariots, disait-on — que Fastalf conduisait à Orléans pour y assurer la subsistance des assiégeants en temps de Carême. Mais il eut la stupidité de lancer ses Écossais sans attendre une sortie des Orléanais sur laquelle il savait pouvoir compter. Les Anglais eurent le temps de le voir venir et de se retrancher, près de Rouvray-Saint-Denis, au milieu des chariots. La cavalerie du comte de Clermont se ridiculisa en se faisant tailler en pièces parmi les caques renversées. On ramassa les blessés puant le hareng. Lui-même blessé, Dunois s'en tira de justesse. Quant aux Orléanais qui étaient allés au-devant de Clermont, ils furent sauvés par l'inaction des assiégeants qui jugeaient n'avoir pas à couvrir un convoi de harengs : ils restèrent dans leurs bastides à regarder sortir et rentrer la garnison.

Clermont n'était même pas intervenu dans le combat. Il avait laissé faire les Écossais. Il se joignit cependant aux survivants de l'armée de Dunois pour entrer dans Orléans. Sa popularité n'était pas assurée dans la ville; il y resta fort peu. Mais il emmena avec lui ce qui restait de l'armée royale.

Les bourgeois restèrent seuls, osant à peine espérer qu'une nouvelle armée vînt débloquer la ville. Le moral était au plus bas. Le siège ne pouvait durer éternellement. Les défenseurs manquaient maintenant de vivres et de munitions. Mais ils savaient que la reddition, c'était le massacre, l'incendie, le pillage. Ils tentèrent de négocier une nouvelle protection : ils s'adressèrent au duc de Bourgogne. Charles VII n'était pas en état de s'y opposer : c'était un moindre mal.

Saintrailles et quelques bourgeois vinrent proposer à Philippe le Bon un étrange marché : il s'arrangeait avec les Anglais pour se présenter à leur place devant Orléans, et la ville se rendait à lui. Dunois excepté, tout le monde avait bien oublié qu'il y avait un duc d'Orléans.

Philippe le Bon accepta le marché. On le vit à Paris, où il tenta de convaincre Bedford. Le régent prit mal la chose.

> Je serais bien courroucé d'avoir battu les buissons pour que d'autres dussent avoir les oisillons !

Bedford pouvait bien refuser de partager, Orléans n'était pas encore à lui, et l'armée du siège n'était guère en meilleur point que les assiégés. Les Français s'étaient effondrés parmi les harengs, mais les harengs avaient fait défaut aux Anglais. Un second convoi fut dépêché. Un parti de paysans du Gâtinais lui barra semblablement la route. Devant Orléans, on était aussi las de la guerre que derrière les murailles.

Dunois songeait cependant à capituler. Quelques jours encore, et les Anglais pourraient réparer le pont. A eux l'Aquitaine et le Languedoc. La Guyenne anglaise ne serait plus isolée. Le royaume de Bourges serait anéanti.

Le Bâtard d'Orléans en était là de ses réflexions lorsqu'il apprit qu'on avait vu à Gien une étrange fille. Envoyée par Dieu, elle allait voir le roi. Charles VII était à Chinon. Dunois y dépêcha deux hommes de confiance.

A Chinon, Charles VII aussi était las. Certains lui suggéraient d'abandonner la partie, qui pour gagner le Dauphiné, qui pour se réfugier en Castille, qui pour rallier l'Écosse. Tel Charles V, jadis, prêt à quitter Meaux pour le Dauphiné quelques heures avant l'effondrement d'Étienne Marcel, Charles VII se préparait à l'abandon d'un royaume qu'il jugeait perdu.

CHAPITRE XVI

Jeanne d'Arc

LES VOIX.

Jeanne était née vers 1412. Elle allait avoir dix-huit ans, ou à peu près. Jacques d'Arc, son père, était un laboureur, un paysan aisé. Isabelle Romée, sa mère, était pieuse. Tous deux étaient fidèles au roi de France Charles VII. A Domrémy, dans le Barrois royal, cela passait pour normal. Malgré quelques incursions des Anglais et des Bourguignons, qui avaient fait pas mal de dégâts et avaient notamment brûlé Domrémy en 1428, le capitaine de Vaucouleurs Robert de Baudricourt avait maintenu sa châtellenie dans l'obédience du Valois. Un îlot de fidélité comme tant d'autres, voilà Domrémy.

Le jour où elle entendit des voix célestes lui conseiller d'obéir à Dieu, Jeanne s'émut mais ne s'étonna pas. Elle garda le message pour elle. Elle avait alors douze ou treize ans, l'âge où l'on ne s'embarrasse de rien. Lorsque ses voix – l'Archange saint Michel et les deux saintes Catherine et Marguerite – lui révélèrent qu'elle devait chasser les Anglais et faire couronner le roi, Jeanne sentit quand même les limites de ses forces. Elle fit la sourde oreille.

Elle finit par en parler à son oncle. Celui-ci la mena chez Baudricourt. Le brave soldat s'amusa, puis renvoya la fille qui lui faisait perdre son temps. On commençait de parler à Vaucouleurs du siège d'Orléans. L'événement était assez préoccupant pour qu'on oubliât une pucelle sans doute excitée mais point dangereuse.

Baudricourt vit revenir Jeanne à peu près vers le temps où le comte de Clermont se mettait en tête d'intercepter les harengs de Fastalf. Mais, cette fois, les bonnes gens de Domrémy faisaient escorte à l'envoyée de Dieu. Depuis un an, la jeune fille ne parlait que de sa mission : son entourage prenait cause pour elle. Au point où en était le royaume des fleurs de lis, que ne la laissait-on faire ?

Un incident vint à point ouvrir à Jeanne la route de Chinon. Le duc Charles de Lorraine était malade. Il apprit qu'une mystique faisait parler d'elle. Il la fit venir, pour qu'elle le guérît.

Charles de Lorraine était de ces princes que des liens familiaux tissés sur toute l'Europe tenaient à l'écart des engagements décisifs. Vieil ennemi de Louis d'Orléans et toujours adversaire des Armagnacs, jadis brouillé avec le parti de la « paix » parisien et son porte-parole Jean Jouvenel, ce Bourguignon de cœur n'avait pas moins lié amitié avec les Angevins de Naples. Sa fille et héritière, Isabelle, avait épousé René d'Anjou, fils de cette reine Yolande qui tirait les fils politiques du royaume de Bourges.

Le duc Charles avait espéré la santé. Il reçut une leçon. Jeanne lui conseilla de ne plus tromper sa femme. Ainsi irait-il mieux. Abasourdi, le duc fit de menus cadeaux à la fille, et la renvoya. Elle avait eu l'audace de demander — en vain — au futur roi René de l'escorter jusqu'à Chinon. Quand elle rentra à Vaucouleurs, on prit au sérieux une pucelle qui avait été reçue par le duc de Lorraine.

Baudricourt recourut aux grands moyens pour savoir à qui on avait affaire : il la fit exorciser par le curé. On vit qu'elle n'était pas possédée du démon. Après tout, ne racontait-on pas que la France avait été perdue par une femme — Isabeau, à l'évidence — et qu'une vierge allait la sauver ? Ne disait-on pas que la vengeance de Dieu s'accompagnerait de bien des miracles ? Dans la France de Charles VII comme dans celle d'Henri VI, les prophéties allaient bon train. Jeanne pouvait s'inscrire dans l'une ou l'autre de ces prédictions.

Des prophétesses, on en avait vu d'autres depuis cinquante ans. Le Grand Schisme d'Occident avait donné matière à bien des révélations, à bien des vues sur le salut du monde et la fin des temps. On n'avait guère suivi les conseils des saintes femmes inspirés par le drame de l'Église, ni ceux de sainte Catherine de Sienne ni les autres. Mais l'idée qu'une femme pût entrevoir la solution des maux communs de la Chrétienté n'était pas pour étonner les contemporains de Charles VII. Jeanne valait bien les précédentes, et ses proches étaient sans doute assez fiers que, pour une fois, l'événement se produisît sous leurs yeux. Les autres, on en parlait. Celle-là, on la connaissait. Deux écuyers s'offrirent pour conduire Jeanne d'Arc chez le roi.

Baudricourt offrit une épée et des vêtements de voyage, des vêtements d'homme que nul ne songea sur l'instant à reprocher le moins du monde à la jeune fille. Les habitants se cotisèrent pour le cheval. Jeanne prit la route de Chinon. Elle y fut le 6 mars.

Charles VII, d'abord, se méfia. Au bout de deux jours, il apparut que Jeanne n'était pas dangereuse. Elle fut reçue. La faveur n'était pas extraordinaire : Isabeau avait de même, en 1398, reçu la visionnaire Marie Robine, une bonne paysanne de Gascogne qui voulait mettre fin au schisme de l'Église.

Le roi continua cependant de se tenir sur ses gardes. Bien sûr, Jeanne avait dès le premier instant reconnu celui qui avait tenté de l'égarer en se mêlant à la foule des courtisans. Mais on avait vu d'autres sorcières. Le surnaturel impressionnait toujours les hommes du Moyen Age, mais le surnaturel pouvait n'être pas de bonne source. On chargea donc quelques théologiens d'interroger la fille, cependant qu'une mission de franciscains était dépêchée à Domrémy pour une rapide enquête. La conclusion fut que Jeanne était de bonne vie et mœurs pures, aussi pieuse qu'ignorante, vive d'esprit, « bien pensante » quant aux malheurs de la France. L'Anglais avait à s'en aller, le Bourguignon à se rallier. Point de demi-mesures dans l'analyse politique de Jeanne. « Dieu le veut » était sa devise, qui clarifiait tout.

Poussé par son confesseur Gérard Machet, Charles VII commençait à prendre l'affaire au sérieux. Jeanne lui avait-elle confié dès l'abord un secret ? Au procès de réhabilitation, en 1456, l'augustin Jean Paquerel, ancien chapelain de la Pucelle, rapporta qu'elle avait, de par Dieu, rassuré Charles VII quant à sa légitimité.

> De Messire, je te dis que tu es vrai héritier de France, et fils du roi. Et il m'envoie à toi pour te conduire à Reims.

Révélation un peu facile, jugeront certains. Si l'on se rappelle qu'en 1420 le traité de Troyes refusait à Charles son titre officiel de « fils de roi de France » et qu'en 1429 peu de gens misaient sur la victoire du Valois, et si l'on note que – Jeanne n'ayant pas voulu révéler à autrui le secret du roi – Charles VII n'avait aucun intérêt à inventer sur le tard une conversation qui soulignait le rappel de ses doutes, on peut penser qu'une telle déclaration a en effet bouleversé le roi de Bourges.

Jeanne fut envoyée à Poitiers. Il y avait là pléthore de docteurs. Ils furent frappés de l'extrême bon sens de la fille. Un Limousin qui parlait avec un fort accent – celui-là même que raillera Rabelais – demanda en quelle langue s'exprimaient ses saintes ; Jeanne répliqua sans fard : « Meilleure que la vôtre ! »

Les théologiens furent également frappés d'une chose : la jeune fille n'était pas seulement décidée à prier, elle était bien déterminée à se battre. On sortait du type connu de la prophétesse.

Pour plus grande sûreté, on fit examiner Jeanne par une sage-femme. On sut ainsi qu'elle n'était pas un homme, et qu'elle était vierge. Sorcière, le commerce avec le diable ne l'eût pas laissée intacte. La cause était donc entendue. Jeanne fut ramenée à Chinon. L'avis des docteurs était favorable.

ORLÉANS.

Orléans paraissait alors perdue. Pourquoi ne pas laisser Jeanne d'Arc tenter sa chance ? Autant dire qu'on la mit à l'épreuve. Elle reçut une armure, fit peindre sur un étendard le Christ entre deux anges ; brodé sur la soie, le cri « Jésus, Maria ! » donnait à l'entreprise un air de croisade. Jeanne avait vu en songe une épée : on la lui trouva, et un fourbisseur la remit à neuf. Le merveilleux continuait de nimber l'affaire.

Les ennemis de Jeanne semblaient avoir contre eux le jugement de Dieu. Un homme d'armes qui la voyait passer à Chinon dans l'antichambre royale avait fait le malin : qu'on la lui donnât une nuit, et l'on verrait si elle était pucelle. Jeanne avait entendu. Comme l'homme jurait pour assurer son pari, elle l'avait rabroué : « Tu renies Dieu, et tu es si près de la mort... » On avait retrouvé le blasphémateur noyé.

Pendant que les esprits s'échauffaient, les hommes de guerre entraient en scène. Le duc d'Alençon offrit ses services. Descendant direct de Charles de Valois, donc du roi Philippe III, Jean d'Alençon était de sang royal. Naguère vaincu et pris à Verneuil, puis libéré contre une rançon de vingt mille saluts d'or, il avait à se venger des Anglais. A tous égards, son ralliement confortait Jeanne d'Arc. D'autres, de moindre naissance, proposèrent tout simplement — mais non gratuitement — leur bras et leur compagnie : ainsi Poton de Saintrailles, Gilles de Rais, Étienne de Vignolles dit La Hire, Ambroise de Loré, Jean de Bueil. Tous avaient fait la guerre de Charles VII et des Angevins en Maine et en Anjou, en Champagne et en Gâtinais.

Les bonnes volontés ne manquaient pas. On vit même arriver les frères de Jeanne, Pierre et Jean. Rarement tactique fut moins subreptice que l'ultime tentative de Charles VII en faveur d'Orléans. Toute la France était au courant. Pour la plupart, les gens étaient sceptiques. Beaucoup suivirent Jeanne « pour en advenir ce qui pourrait, et en faire l'essai ». Au point où on en était...

On donna à Jeanne, pour plus grande sûreté, un écuyer qui devait être une sorte de mentor militaire : le bon Gascon Jean d'Aulon.

L'armée était à Blois, ou du moins ce qu'il en restait après l'affaire des harengs. Les troupes venues avec Jeanne s'y agrégèrent. Le maréchal de Boussac prit la tête de l'opération, Jeanne à son côté.

On passa la Loire, et l'on gagna Orléans par la rive gauche. Malgré l'avis de la Pucelle, les capitaines de Charles VII avaient décidé de contourner la ville par le sud et l'est et d'attaquer les assiégeants au nord, sur la route de Paris. C'est là que la défense des Anglais était le plus faible : ils se méfiaient naturellement du sud, non pas du nord.

Dunois sortit de la ville assiégée et rejoignit l'armée de secours en Sologne.

Jeanne avait raison de faire des réserves quant à la stratégie imaginée par Boussac : les eaux de la Loire étaient grosses. L'armée revint à Blois. Pendant ce temps, avec quelques compagnons seulement, Jeanne gagnait Orléans en barque ; elle y fut le 29 avril.

C'était un siège bien étrange que celui-ci, où la ville assiégée était réduite à la famine mais où les défenseurs entraient et sortaient presque librement, cependant que les assiégeants, établis dans les fortins d'un blocus incomplet, s'ennuyaient ferme et gaspillaient l'argent du contribuable anglais. La foule acclama Jeanne : les choses allaient peut-être changer.

La Pucelle tenta une ultime manœuvre diplomatique. Elle fit savoir à Henri VI, à Bedford et à Talbot qu'ils eussent à s'en retourner dans leur île.

> Rendez à la Pucelle ci envoyée de par Dieu les clés de toutes les bonnes villes que vous avez prises et violées en France...
>
> Je suis ci venue de par Dieu le roi du Ciel, corps pour corps, pour vous bouter hors de toute France !

A cette date, l'outrecuidance fit rire. Les assiégeants firent tenir à Jeanne d'Arc quelques belles grossièretés. Il en fallait plus pour décontenancer une fille qui parlait de par Dieu : elle alla en personne sommer William Glasdale d'évacuer le fort des Tourelles, sur la rive gauche. Naturellement, les Anglais se gardèrent d'obtempérer.

Dès lors, cependant, tout alla très vite. Le gros de l'armée royale revenait de Blois avec un convoi de vivres. Il arriva le 4 mai devant Orléans, contourna la ville par le nord et attaqua la bastide Saint-Loup, à l'est de l'enceinte anglaise. Le combat faisait déjà rage quand Jeanne et les siens apprirent la nouvelle ; au moment où les Anglais se ressaisissaient, une sortie menée par Jeanne donna la victoire aux Français. Le 4 mai au soir, l'une des principales pièces du dispositif de siège était tombée. Mais Jeanne avait fort mal pris qu'on eût engagé l'affaire à son insu. Elle le dit vertement.

En fait, les capitaines continuaient de se défier d'elle. C'est encore sans elle qu'ils délibérèrent, le 5, et décidèrent d'attaquer le lendemain la bastide des Augustins, sur la rive gauche. Dunois voulut lui faire croire qu'on attaquerait l'enceinte par le nord-ouest. Jeanne était fine mouche, et ne donna pas dans le panneau : le 6 au matin, elle lança elle-même l'assaut contre les Augustins. Le résultat fut que cette nouvelle victoire parut à tous être la sienne. La méfiance des capitaines se retournait contre eux.

Déjà, les Anglais cédaient à la panique. Les premières sommations de Jeanne avaient fait rire grassement. Maintenant, le bruit courait que d'excellents soldats avaient été, la veille battus par une femme. A une nouvelle lettre de la Pucelle, ils répondirent sans la moindre ironie : qu'elle allât garder ses vaches, ou on la brûlerait. En attendant, ils se claquemurèrent sottement dans leurs bastides. Ils oubliaient que, dans un siège, c'est l'assiégeant qui est l'attaquant.

La journée du 7 mai fut décisive. Les Français souhaitaient quelque repos et le capitaine de la ville, Raoul de Gaucourt, refusait de laisser sortir une nouvelle vague d'assaut. Jeanne les força à donner l'assaut à la bastide des Tourelles, celle qui verrouillait le pont vers le sud. Se portant elle-même en première ligne, elle y joua un rôle capital : elle fit honte aux soldats. Lorsqu'on la vit, grièvement blessée d'un carreau d'arbalète qui lui avait transpercé l'épaule — elle se crut morte et pleura — et cependant capable d'aller ficher son étendard sur l'enceinte de terre, les Français déferlèrent sur la défense anglaise. Jeanne hurlait « Tout est à vous, et y entrez ! » C'est ce qu'ils firent.

Le pont était dégagé, Orléans débloqué. Persister sur la rive droite eût été un suicide. Le 8 mai, Talbot leva le siège.

Le temps des victoires.

L'effet dépassa la cause. Les Anglais avaient manqué une victoire, mais le front restait ce qu'il était six mois plus tôt. Faute de savoir coordonner leur défense au long d'une ligne de siège beaucoup trop étirée, les assiégeants avaient laissé prendre leurs bastides l'une après l'autre. Mais leur recul était plus sensible que ne l'était l'avance des Français. En ce mois de mai 1429, Charles VII n'avait en rien progressé et Bedford gouvernait toujours, à Paris, un bon tiers de la France. Il n'empêche que le salut d'Orléans apparut comme le premier coup d'arrêt donné depuis longtemps à la progression anglaise. A Baugé comme à la Gravelle, Bedford n'avait que médiocrement investi. Le Mont-Saint-Michel ne pouvait passer pour un point stratégique. A Orléans, face à un royaume d'Angleterre las de financer la guerre, le régent avait joué le tout pour le tout.

La propagande des partisans de Charles VII s'organisa toute seule. Jeanne n'avait-elle pas dit aux théologiens de Poitiers qu'elle allait libérer Orléans pour leur donner le signe qu'ils exigeaient, le signe d'une mission divine qui devait aboutir au miracle, à peine de n'être pas divine ? Orléans, maintenant, était dégagé. On avait le signe.

L'Anglais avait reculé devant une femme. Jeanne avait encouragé les soldats ; elle fit figure de capitaine. L'essentiel était que les Anglais fussent ridicules. La cour et le peuple avaient eu trop souvent peur. On chansonna jusqu'en Dauphiné.

> Arrière, Anglais couards, arrière !
> Ayez la goutte et la gravelle,
> Et le cou taillé rasibus !

Versifiant tant bien que mal en sa vieillesse la joie du renouveau entrevu, Christine de Pisan s'en mêla.

> L'an mil quatre cent vingt et neuf
> Reprit à luire le soleil.
> Il ramène le bon temps neuf
> Que on n'avait vu du droit œil
> Depuis longtemps...

A Avignon, les clercs se demandèrent si cette fille n'était pas l'instrument de la Croisade. Réfugié à Lyon depuis la défaite du parti de la « paix », le chancelier de l'Église de Paris, le théologien Jean Gerson, étudiait attentivement ce que l'on savait de Jeanne. Elle était pieuse, modeste, généreuse. Selon ce qu'il en savait, on pouvait soutenir le fait de la Pucelle,

> parce que sa cause finale est des plus justes : rendre le roi à son royaume, repousser et vaincre justement les plus odieux des ennemis.

Le brave écuyer Jean d'Aulon s'embarrassera moins de casuistique lorsqu'il déposera en 1456 :

> Tous les faits de la dite Pucelle lui semblaient plus faits divins et miraculeux qu'autrement. Il était impossible à une si jeune pucelle de faire telles œuvres sans le vouloir et conduite de Notre Seigneur.

L'enthousiasme de Jean d'Aulon ira jusqu'à imputer à la Providence le fait que, dans la promiscuité des camps, nul n'ait eu pour Jeanne le moindre désir amoureux.

> Non obstant qu'elle fût jeune fille belle et bien formée, et que par plusieurs fois, en aidant icelle à armer ou autrement, il lui ait vu les tétins et aucunes fois les jambes toutes nues en la fai-

> sant appareiller de ses plaies, et que d'elle approchât souventes fois, et aussi qu'il fût fort, jeune et en sa bonne puissance, toutefois, jamais, pour quelque vue ou attouchement qu'il eût vers la dite Pucelle, son corps ne s'émut à nul désir charnel vers elle. Et pareillement ne faisait nul autre quelconque de ses gens et écuyers, ainsi que celui qui parle leur a ouï dire et relater par plusieurs fois.

Anglais et Français furent tout de suite d'accord sur ce point: le surnaturel faisait irruption dans la guerre. Dieu ou diable, la question était là. Les Anglais ne pouvaient oublier qu'ils avaient cru voir Jeanne morte de son carreau d'arbalète, et ils n'en revenaient pas de l'avoir entendue ordonner l'assaut. Surtout, si elle n'avait été sorcière, ils eussent été des vaincus. Le surnaturel excusait assez bien la défaite. Bedford l'écrira plus tard à son neveu Henri VI pour se justifier :

> Le motif du désastre se trouve en grande partie, selon moi, dans les idées folles et la peur déraisonnable inspirées à votre peuple par un disciple et séide du diable appelé la Pucelle.

Les Français, eux, se souvenaient de l'ordre de retraite donné par Dunois quelques minutes avant ce qui allait être leur victoire. Et Jeanne n'était-elle pas devineresse ? N'avait-elle pas annoncé à Charles VII qu'elle serait blessée à Orléans avant de libérer la ville ? On l'avait entendue qui prédisait une mort étrange — « sans saigner... » — au capitaine des Tourelles, Glasdale, qui l'avait insultée. Et Glasdale était mort noyé...

Cependant que de nouvelles énergies — nombre de jeunes chevaliers et écuyers — venaient s'enrôler sous la bannière aux fleurs de lis, bien des capitaines qui, le 7 mai 1429, s'étaient sentis dépassés par les événements en gardaient quelque rancune à Jeanne. A quoi bon leur expérience des armes si une pucelle leur faisait la leçon ? Jeanne n'arrangeait d'ailleurs rien, qui ne se privait pas de leur rappeler leur responsabilité tout en leur dictant leur stratégie. A Guillaume Aimery, qui lui demandait à Poitiers pourquoi Dieu avait besoin d'hommes d'armes s'il voulait libérer le royaume, elle avait répliqué d'un trait :

> En nom Dieu, les gens d'armes batailleront, et Dieu donnera la victoire.

Aide-toi, le Ciel t'aidera. C'était bien là sa politique et son catéchisme. Le propos était dur pour les anciens vaincus de Cravant et pour ceux de Verneuil. On mesura l'agacement des professionnels de la guerre lorsqu'au Conseil on discuta de l'éventuelle poursuite de la campagne. Les chefs de l'armée opinèrent qu'on pouvait licencier les troupes. Les maîtres de la politique royale se prirent à craindre pour leur position. La Trémoille se vit supplanté dans la faveur du souverain. L'archevêque de Reims Regnaut de Chartres s'inquiéta d'entendre quelqu'un qui n'était ni évêque ni docteur parler « en nom Dieu ». Orléans était débloqué; cela suffisait pour l'année. Sans l'intervention d'un Dunois désormais acquis à Jeanne, c'eût été la fin de l'équipée. Le Bâtard d'Orléans emporta la décision.

Cette fois, Charles VII précisa l'objectif, ainsi que les structures du commandement. On devait nettoyer l'Orléanais. Le commandement allait au duc d'Alençon, qui aurait à consulter la Pucelle en tout et pour tout.

Alençon attaqua d'abord Jargeau, où s'était retranché Suffolk; la petite ville tomba le 12 juin. Le pont de Meung fut occupé le 15, Beaugency le 17. Talbot se sauva à temps, et rejoignit l'armée que regroupait déjà Fastalf. Les Français les attaquèrent le 18 à Patay, malgré les réticences de certains compagnons de Jeanne d'Arc, encore sous le coup des défaites qu'ils avaient essuyées en rase campagne, à Verneuil comme à Azincourt. Mais le dynamisme avait changé de camp. La charge française ne laissa pas aux archers anglais le temps de s'embusquer. Talbot se retrouva prisonnier. Fastalf sauva une partie des troupes en faisant sonner la retraite.

Tout, désormais, semblait possible. A Guy de Laval, qui s'en vint alors la voir, Jeanne promit, en lui offrant une coupe de vin, de lui en faire boire de meilleur à Paris. A la même époque, Bedford mettait la capitale en état de siège. Malgré les efforts de l'entourage royal pour diminuer le rôle de la Pucelle dans les récentes victoires, l'assurance de Jeanne faisait maintenant beaucoup plus que toute autre considération politique pour ramener l'esprit de victoire dans le camp de Charles VII.

Le roi, cependant, demeurait indécis. Avoir échappé au pire lui semblait déjà une bien grande fortune, et il hésitait à aller au-delà. Jeanne parlait du sacre. Beaucoup avaient d'autres idées en tête. Alençon, en particulier, qui voulait attaquer Paris et délivrer la Normandie, autrement dit dégager son duché d'Alençon. La Trémoille savait que Richemont avait voulu se joindre à l'armée française de Patay et que Jeanne poussait le roi à oublier la trahison du connétable. Pour le favori, Jeanne représentait donc, désormais, une menace: chacun savait ce que signifierait pour La Trémoille le retour de Richemont. Dunois intervint heureusement pour aider Jeanne à forcer la volonté du roi: on irait à Reims.

La panique régnait à Paris. Il y avait déjà deux mois que l'ardente prédication du cordelier frère Richard entretenait une excitation populaire qui n'avait aucun rapport avec les événements d'Orléans mais aggravait la nervosité générale. Bedford pouvait tout craindre. Il crut habile d'écrire à Philippe le Bon pour lui demander de venir au plus vite visiter sa ville fidèle. Le duc était déjà venu avant la chute d'Orléans, et l'on sait que Bedford l'avait mal reçu. Il revint, mais en maugréant, et ne resta que cinq jours.

Le bon peuple était trouble. Ennemi juré des Armagnacs, le « bourgeois de Paris » fait écho – en assurant qu'il n'y croit pas – à la légende d'une Jeanne d'Arc quelque peu confondue avec saint François d'Assise :

> Ils affirment que, quand elle était bien petite et qu'elle gardait les brebis, les oiseaux des bois et des champs, quand elle les appelait, venaient manger son pain dans son giron.

La chance manquait vraiment à Bedford : à une semaine d'intervalle, on vit naître en la Chanvrerie, près de Saint-Eustache, un veau qui avait deux têtes, huit pieds et deux queues, et un porcelet qui avait deux têtes.

> Mais il n'avait que quatre pieds.

Tout ceci annonçait évidemment de grands bouleversements. On doubla le guet, on mit des canons sur les murs. Il y eut une grande procession. Les villages alentour se vidèrent. Clamart, Meudon, Bourg-la-Reine se retrouvèrent dans Paris. Aux bourgeois assemblés, le 14 juillet, devant le palais de la Cité, on fit pour la centième fois le récit de la trahison de Montereau. Puis Philippe le Bon s'en alla, emmenant avec lui sa sœur la duchesse de Bedford. Le régent restait seul dans Paris. Le 4 août, il alla prudemment s'établir à Pontoise. Les Parisiens se sentirent abandonnés.

Tout ce qu'on trouva pour calmer les esprits fut de faire partir frère Richard. Le peuple retourna à ses tavernes, à ses boules, à ses dés. On jeta aux orties les médailles que le cordelier avait fait distribuer. Frère Richard trouva refuge à Troyes.

Charles VII entra en campagne le 29 juin. Il contourna Auxerre, atteignit Troyes le 10 juillet, alors que frère Richard venait d'y arriver. Il se vengea des Bourguignons qui l'avaient exilé en expliquant aux Champenois que Dieu était avec cette Pucelle. Il en donna pour preuve le fait qu'elle volât par-dessus les fortifications.

Pendant ce temps, Jeanne l'emportait au Conseil sur les attentistes parmi lesquels il était curieux de devoir compter l'archevêque de Reims. On décida de donner l'assaut à Troyes. Les habitants limitèrent à temps les dégâts : moyennant une amnistie et un sensible accroissement de leurs privilèges commerciaux, ils ouvrirent leurs portes. A partir de ce moment, Charles VII ne devait plus rencontrer la moindre résistance. Le 16 juillet, il était à Reims.

Jeanne y retrouva son père, qui avait naturellement oublié son ancien propos : noyer lui-même sa fille si elle partait jamais avec des soldats. Elle rencontra aussi René d'Anjou, duc de Bar et futur roi de Naples ; on se rappelle qu'elle avait naguère demandé en vain la protection de ce prince pour gagner Chinon. Six mois seulement avaient passé depuis les démarches incertaines auprès de Baudricourt.

Charles VII offrit à Jeanne une place à ses côtés pendant le sacre. Elle y fut, avec l'étendard qui avait joué un tel rôle devant les Tourelles.

Le 17 juillet 1429, Charles VII recevait en effet l'onction. Il n'en avait aucun besoin pour être roi de France. Depuis plus de deux siècles, l'hérédité faisait le roi, non le sacre. Discuté dans sa légitimité, le fils de Charles VI et d'Isabeau en avait besoin pour être reconnu. Dans le royaume du Lancastre, on s'étonna sincèrement : Dieu permettait le sacre d'un « soi-disant roi ». De braves gens, qui n'étaient point naïfs, ironisèrent sur le fait qu'il y avait un vrai roi — Henri VI — et un faux, mais que seul le faux était sacré.

Les complots se raréfiaient à Paris depuis cinq ou six ans : depuis que les Parisiens exilés en 1418 avaient commencé de rentrer. A partir du sacre de Reims, les complots se multiplièrent. Visiblement, la confiance revenait chez les partisans silencieux de Charles VII. On commenta dans les tavernes l'amnistie accordée aux habitants de Troyes. La foi bourguignonne commençait de fondre. Le duc Philippe s'était peu compromis lors de sa dernière visite, et la population en avait été frappée. La police jeta en prison un maçon qui avait trop ironiquement demandé à un fidèle du parti de Bourgogne pourquoi le duc était venu à Paris.

Était-ce pour s'opposer au sacre du Dauphin ?

En ranimant la guerre, Jeanne troublait la petite tranquillité que l'on pouvait à certains égards prendre pour la paix. Dans les régions proches de Paris, ce fut la catastrophe. Les temps les plus noirs s'annonçaient maintenant pour l'économie rurale comme pour les échanges commerciaux. Métiers au chômage, champs en friche, ports désertés, foires ruinées, voilà les années 1430.

Mais, parce qu'elle remettait la France en guerre, Jeanne rompait le syllogisme des pusillanimes : la prospérité c'est la paix, et la paix c'est le statu quo. Dès lors qu'on supportait de nouveau les effets de la guerre, la paix ne passait plus obligatoirement par la victoire du Lancastre. Charles VII gagnait, dans le malheur des temps, nombre de partisans prêts à l'oublier quand était encore possible un oubli favorable aux affaires.

Car la guerre continuait. Sacré, Charles VII avait à rentrer dans sa capitale. Politiquement, c'était indispensable. Stratégiquement c'était décisif. Bedford comprit l'enjeu. Il obtint de son oncle Beaufort le secours des troupes levées à grand frais pour la croisade de Bohême, la croisade prêchée contre les fidèles du théologien hérétique Jean Huss, mort sur le bûcher quinze ans plus tôt.

Pendant que Bedford mettait son armée sur pied, Charles VII et Jeanne d'Arc approchaient de Paris. Soissons, Laon, Château-Thierry, Provins se soumirent sans hésitation. Compiègne marchanda sa capitulation. La fidélité bourguignonne des villes picardes se prit à chanceler. A la fin de juillet, des pourparlers franco-bourguignons s'ouvraient à Arras. Ils aboutirent à une trêve. L'essentiel était qu'on négociât. Tout le monde avait bien vu que Philippe le Bon ne tentait même pas d'empêcher Charles VII de gagner Reims.

La Trémoille et les partisans de la conciliation haussèrent le ton au Conseil : plutôt que de continuer à se battre, ne pouvait-on s'entendre définitivement avec la Bourgogne ? Ensuite, les Anglais partiraient bien d'eux-mêmes. Jeanne et ses amis – entre autres le duc d'Alençon – enragèrent quand ils entendirent décider le retrait de l'armée royale. Dès lors, c'en était fait : quinze jours après le sacre, la Pucelle n'avait plus derrière elle toute la France de Charles VII, elle était le porte-étendard du parti des Armagnacs.

Bedford crut marquer un point en coupant la route de la Loire à ses ennemis. Il alla tenir Montereau et fit occuper Bray-sur-Seine. Charles VII rebroussa chemin. On allait à Paris.

Plutôt que d'attaquer tout de suite la capitale, l'armée verrouilla d'abord la position. Compiègne, Senlis, Beauvais furent occupés. Le 26 août, Jeanne était à Saint-Denis. Avec le duc d'Alençon, elle prépara l'action contre Paris. Surtout, elle attendit le roi : c'est lui qui devait entrer dans Paris.

LE TEMPS DES ÉCHECS.

Charles VII était resté à Compiègne. Il y reçut les envoyés de Philippe le Bon. Pour Jeanne et les siens, le coup était dur : le duc de Bourgogne faisait mine de négocier tout en durcissant son attitude au fur et à mesure que les succès de Jeanne en Champagne et en

Valois lui faisaient craindre pour la Picardie et pour les relations entre Bourgogne et Pays-Bas. Le 28 août, la trêve fut prolongée jusqu'à Noël.

Les Anglais étaient, pour l'instant du moins, exclus de cette trêve, mais les termes de l'accord étaient extrêmement ambigus. Les villes-ponts de la Seine, dont Paris, étaient laissées hors de la trêve, et le duc de Bourgogne gardait la faculté de défendre Paris. La trêve s'étendait en revanche aux villes de Picardie et de Valois, autrement dit aux villes qui se préparaient à se rendre au roi de France. L'accord de Compiègne gelait la situation là où elle était en train d'évoluer en faveur de Charles VII, et ne laissait à celui-ci que le droit de se battre là où l'évolution était moins favorable. On pouvait toujours prendre Paris ou Rouen, mais ces villes n'étaient nullement disposées à ouvrir leurs portes. A Paris, en particulier, le souvenir de la terreur armagnaque n'était pas effacé, et l'on craignait la vengeance des vaincus de 1418. Le mieux qu'avait à faire le roi était de rentrer en Berry.

Le duc d'Alençon brusqua les choses : il alla chercher Charles VII, le ramena à Saint-Denis, fit donner l'ordre d'attaquer la capitale. Le 8 septembre, un peu avant midi, l'armée royale enlevait sans peine les premières défenses de la porte Saint-Honoré.

Sur l'enceinte, il y avait des Parisiens, des Bourguignons, de rares Anglais. Le dispositif militaire était aux ordres d'un capitaine bourguignon qui avait, en 1418, fait figure d'homme de confiance de Jean sans Peur avant d'être aux yeux de tous le fidèle de Bedford : Jean de Villiers, seigneur de l'Isle-Adam. Un homme d'armes digne de la réputation des pires routiers, et qui s'était taillé dans Paris une belle popularité en égorgeant force Armagnacs. Il n'avait pas négligé d'assurer sa fortune en ajoutant les cadeaux de Bedford au produit de ses pillages. Il eût été le premier étonné si on lui avait dit qu'il entrerait dans Paris, sept ans plus tard, à la tête des soldats de Charles VII. Ceux qui le tenaient pour un brigand eussent été ébahis s'ils avaient su que son petit-fils serait un jour grand-maître de l'ordre de Rhodes.

L'assaut tournait court. Les soldats du roi avaient pris le « boulevard » de terre battue et franchi le fossé sec, mais il restait à passer le fossé plein d'eau et la haute muraille. On allait raconter que Jeanne avait, jusqu'au dernier moment, ignoré l'existence de ce second fossé, et que certains s'étaient bien gardé de lui en parler. Dans Paris, cependant, les partisans de Charles VII n'osaient guère se démasquer. La porte Saint-Honoré ne s'ouvrait pas. On emporta Jeanne d'Arc, blessée à la cuisse. L'arbalétrier qui l'avait insultée avant de tirer était un bon Parisien, non un occupant. Et le « bourgeois » de noter ce soir-là dans son journal :

> Une créature en forme de femme, avec eux, qu'on nommait la Pucelle. Qui c'était, Dieu le sait.

Le miracle d'Orléans ne se reproduisait pas. Le porte-étendard de Jeanne reçut un vireton d'arbalète dans le pied, leva sa visière pour y voir un peu mieux et ôter le dard, prit un second vireton entre les deux yeux.

Vers quatre heures, les Parisiens déclenchèrent un tir d'artillerie qui fit détaler les assaillants. Ceux-ci se rattrapèrent en mettant le feu à la grange qu'avaient les mathurins au large de la porte Montmartre. Cela n'était pas glorieux.

La popularité de Jeanne tomba d'un coup dans l'armée royale. Les pertes étaient sévères. On ne couchait pas dans Paris. Le roi s'opposa à une nouvelle tentative, et il lui sembla même qu'il était sage de quitter Saint-Denis. L'automne venait : c'en était fini pour l'année. Charles VII était fatigué. Il accepta d'étendre la trêve à Paris. Cela signifiait l'abandon de toute prétention immédiate.

L'Anglais se rengorgea. Bedford revint à Paris le 18 septembre, fit ses dévotions à Notre-Dame, laissa ostensiblement une pièce d'or sur l'autel. Philippe le Bon vint à son tour, le 30, avec une cour nombreuse qui défila de la porte Saint-Martin jusqu'à l'hôtel Saint-Paul en passant par Beaubourg. Enfin, au début d'octobre, on vit arriver le cardinal Beaufort. Tout ce monde tint conseil le 13 octobre. Philippe le Bon fut nommé lieutenant du roi Henri VI, Bedford gouverneur de Normandie. Devant quelques bourgeois assemblés dans la grande salle du palais, on proclama la trêve.

On avait eu assez peur pour ne garder que l'envie d'un coup d'éclat sans risque. Bedford fit saccager Saint-Denis. Les habitants de la petite ville avaient un peu vite ouvert leur porte à Jeanne d'Arc.

La politique bourguignonne était tout aussi incohérente que celle de Charles VII. Comme le roi son adversaire, le duc était entouré de conseillers qui tiraient à hue et à dia. A la relative victoire des partisans d'une entente avec Charles VII, ceux de l'alliance anglaise à tout prix répliquèrent en laissant entendre aux Anglais que le duc ne s'opposerait peut-être pas au passage de leur armée à travers le Nivernais. C'était mettre à leur disposition le pont de la Charité-sur-Loire, un pont que tenait depuis six ans le routier Perrinet Gressart, dont on savait qu'il opérait pour son propre compte mais qu'il était tout acquis aux Anglais.

Bedford vit la possibilité de prendre Charles VII dans un étau : attaquer par La Charité, confier l'attaque de revers à Richemont, qui se morfondait en Poitou et remâchait sa disgrâce. Le connétable gardait quelque humeur d'avoir été écarté du pouvoir d'abord, du combat ensuite, quand il avait voulu se battre pour Charles VII, Bedford pouvait compter sur son intervention.

Charles VII et son conseil apprirent ce qui se tramait. Le meilleur moyen d'empêcher l'affaire était de déloger Gressart de ses trois places fortes, Cosne, La Charité et Saint-Pierre-le-Moûtier. L'opération offrait bien des avantages, outre qu'elle privait les Anglais d'un pont. Elle écartait la menace qui planait toujours sur Bourges, celle d'un simple raid de pillage. Elle libérait la navigation sur la Loire. Elle fournissait une occupation à Jeanne d'Arc. D'aucuns virent surtout ce dernier avantage. Ils se consolèrent de l'échec final en pensant que l'essentiel était que Jeanne les eût laissés tranquilles pendant quelques semaines. Au fond, l'échec diminuait l'auréole de la Pucelle. A la cour de Charles VII, tout le monde n'en fut pas fâché.

La campagne sur la Loire se soldait en effet par une débâcle. Saint-Pierre-le-Moûtier avait été pris d'assaut, mais La Charité avait résisté. Une sortie de Perrinet Gressart, en décembre, jeta la panique dans le camp des assiégeants. L'armée royale n'eut même pas le loisir d'emporter son artillerie. En cas de succès, Charles d'Albret et le maréchal de Boussac eussent tiré à eux la victoire; ils laissèrent à Jeanne la défaite. Charles VII crut s'en tirer en anoblissant toute la famille d'Arc. Les frères de Jeanne furent contents. Elle, n'avait rien demandé.

Au nord de la Loire, Charles VII marquait en revanche des points. La Hire occupait Louviers, puis Château-Gaillard. Laval tombait à son tour aux mains des Français. Mais il était tard dans la saison. On s'en tint là.

L'hiver fut triste pour tout le monde. La population se sentait plus que jamais en guerre. Les Bourguignons étaient mal à l'aise devant leur allié anglais comme devant le roi sacré à Reims. Charles VII se trouvait bien d'en rester là d'une impossible reconquête. Le parti de la reine Yolande l'emportait au Conseil et l'on se faisait à l'idée que toute solution du conflit passait par la réconciliation avec la Bourgogne. Jeanne se vit interdire d'aller se battre en Normandie aux côtés du duc d'Alençon. Bien des gens, et La Trémoille en premier lieu, tenaient surtout à ce qu'on commençât d'oublier la Pucelle d'Orléans. On alla jusqu'à faire venir une autre visionnaire, une certaine Catherine de la Rochelle, qui annonça fort opportunément que Dieu allait ménager la réconciliation franco-bourguignonne.

Le parti de la guerre, celui de Jeanne d'Arc, n'était plus seulement le parti de la vengeance, des Armagnacs, des anciens complices de Tanguy du Châtel. Pour la première fois, grâce aux victoires de 1429 et malgré l'échec devant Paris, il devenait raisonnable de ne pas céder sur tous les points pour avoir la paix. Pour des hommes comme le duc Jean d'Alençon, le temps de la défensive était passé, et la trêve de Compiègne apparaissait comme un marché de dupes. On ne s'arrête pas quand on est sur le chemin de la victoire.

Lassitude des uns, amertume des autres, tel fut l'hiver 1429-1430. Le seul contentement fut celui de Perrinet Gressart à qui Bedford donna quelques terres en Normandie.

Le seul qui gagnât vraiment était toutefois le duc de Bourgogne. Sa politique de bascule, qu'inspirait le chancelier Nicolas Rolin, n'avait d'incohérent que les apparences. Philippe le Bon jouait sa place dans le concert des princes européens, et il n'avait aucun avantage à attendre à cet égard de la victoire de l'un ou l'autre roi de France. Henri VI et Charles VII avaient un égal besoin du duc de Bourgogne, lequel en était parfaitement conscient. Philippe jouait au souverain, et mettait ostensiblement sa couronne à l'écart des royautés en crise. Il épousait en grande pompe, le 10 janvier, à Bruges, la fille du roi de Portugal et d'une princesse anglaise. Il créait à cette occasion un ordre de chevalerie, la Toison d'Or, qui devait être le symbole politique du lien encore très personnel qui unissait les différents membres de l'état bourguignon. La Toison d'Or, c'était une élite, trente et un chevaliers, mais une élite largement recrutée des pentes du Jura aux rives du Zuiderzee.

Philippe le Bon leurrait pendant ce temps Charles VII en prolongeant les trêves jusqu'en mars. Il marchandait, contre espèces trébuchantes, son appui militaire à l'Anglais. Pendant qu'il proposait une conférence à trois pour le mois d'avril, il massait des troupes sur l'Oise et préparait la reprise de Compiègne.

Compiègne.

Refusant d'obtempérer aux clauses de la trêve, les habitants de Compiègne tenaient bon, depuis l'été, dans leur fidélité à Charles VII. Or Compiègne menaçait les relations de la Bourgogne et de la Picardie, aussi bien que celles de Paris avec la Flandre et l'Artois. On ne comprit pas, dans l'entourage de Charles VII, que le duc de Bourgogne ne s'accommoderait pas longtemps d'une telle menace.

C'est donc de sa propre initiative — et sans autre armée qu'une petite troupe de fidèles — que Jeanne d'Arc quitta, à la fin de mars, Sully-sur-Loire, où elle venait de passer une partie de l'hiver, pour gagner la région parisienne et tenter d'y ranimer la résistance des villes conquises huit mois plus tôt. Elle allait, en réalité, devoir les défendre. Heureusement, elle avait pour elle l'opinion publique : les bourgeois qui avaient supporté, dix ou douze ans durant, la domination bourguignonne et s'étaient un peu vite ralliés à Charles VII savaient fort bien ce qui les attendait si les troupes du duc Philippe revenaient. Les gens de Compiègne avaient eux-mêmes chassé les Bourguignons : ils étaient sans illusions, et tout les portait vers Jeanne.

Le 20 mai 1430, l'armée de Bourgogne mettait le siège devant Compiègne. Guillaume de Flavy commandait la garnison. Le 23, malgré le blocus, Jeanne d'Arc le rejoignait. Flavy était un brave, un bon capitaine, mais il n'aimait pas qu'on pût le croire incapable de diriger à lui seul la défense de la ville, et il était lié avec La Trémoille. Il semble bien qu'il ait trouvé Jeanne un peu encombrante.

Il n'y avait pas de temps à perdre, et la Pucelle avait accoutumé d'attaquer au lieu de palabrer. Devant Soissons, quelques jours plus tôt, elle était arrivée alors que le capitaine venait d'ouvrir les portes aux Bourguignons. A Compiègne, elle décida immédiatement d'une contre-attaque. Vers six heures du soir, ce même 23 mai, la garnison fit une sortie.

Les Bourguignons cédèrent quelques quarts d'heure. Ils attendaient du renfort, ce qu'ignorait Jeanne. Elle laissa ses troupes s'éloigner de la ville : la sortie repoussait les assiégeants, nul ne songeant alors à veiller sur les voies de la retraite. Soudain, Jeanne et les siens se trouvèrent pris à revers. Ce fut la débandade. Jeanne tenta d'éviter la panique, se porta à l'arrière de sa troupe qui refluait. Elle se trouva vite isolée, avec quatre ou cinq compagnons, au cœur de la mêlée bourguignonne. Un archer picard se glissa jusqu'à elle, tira sur la selle, fit tomber la cavalière. Jeanne était prise. Pierre d'Arc, son frère, et le fidèle Jean d'Aulon étaient pris avec elle.

Flavy n'avait eu aucune part à l'affaire. Il ne fit rien pour délivrer une fille qui s'était mêlée du métier des hommes.

L'archer était au bâtard de Wandonne, qui était à Jean de Luxembourg. Malgré un grand nom, celui-ci n'était qu'un seigneur peu fortuné, incapable de négocier lui-même une telle prise. Il s'empressa de vendre son bien à plus fort que lui. D'ailleurs, l'usage reconnaissait au souverain un droit de préemption pour tout prisonnier de valeur — valant dix mille francs ou plus — et l'évêque Pierre Cauchon était venu, dès les premières heures de la capture, faire des offres de la part du régent Bedford. Jean de Luxembourg garda Jeanne quelques jours, puis constata qu'elle était encombrante : n'avait-elle pas tenté de s'évader du château de Beaurevoir-en-Cambrésis ? La corde avait cassé, et l'on avait retrouvé la Pucelle, blessée et évanouie, dans le fossé. Morte, elle eût été de nulle valeur. Luxembourg pensa qu'il convenait de hâter la transaction.

Pour dix mille livres tournois, Jeanne devint prisonnière des Anglais. Charles VII ne tenta même pas de s'introduire dans la négociation. Au vrai, le droit des armes laissait au vainqueur la faculté de proposer le choix entre la captivité et la rançon. L'Anglais, pas plus que Jean de Luxembourg, n'était nullement tenu d'offrir à Jeanne la chance d'un rachat. Mais il semble bien que nul n'ait vraiment songé à racheter la Pucelle pendant qu'il en était temps : pendant qu'elle était un prisonnier de guerre, un soldat vaincu mais dûment rançonnable ou échangeable. Les Anglais allaient s'employer à faire d'elle autre chose : un coupable.

Si l'on excepte quelques fidèles, la capture de Jeanne d'Arc fit soupirer tout le monde de soulagement. Le soir même, Philippe le Bon fit partir les premiers courriers chargés de porter la nouvelle aux bonnes villes de son obédience. Pour les Anglais et les Bourguignons, ce n'était pas seulement une victoire et la fin d'une menace, c'était le désaveu de la mission divine de Jeanne. Dieu n'était pas avec elle. S'il avait été avec elle, ils eussent été contre Dieu. Les soldats apprirent avec joie qu'ils ne la trouveraient plus sur leur chemin les jours de combat. Les politiques – notamment les clercs et les universitaires – ne devraient plus compter avec elle dans leurs crises de conscience. Philippe le Bon voulut la voir de ses yeux, en prison.

Pour Charles VII et son entourage, le soulagement n'était pas moindre. La chute de Jeanne, c'était la fin du règne des ultras. On allait pouvoir tenter la grande réconciliation. Bien sûr, on n'oubliait pas encore Orléans, Patay et Reims. Mais, passés les premiers jours de victoire, Jeanne n'avait pas fait mieux que les autres. Les modérés se donnaient bonne conscience en observant que la politique de la Pucelle ne débouchait sur rien, sinon sur la guerre perpétuelle.

L'archevêque de Reims Regnaut de Chartres n'était guère enthousiaste, l'année précédente, d'aller jusqu'à la ville du sacre. Il crut mettre un point final à la légende de Jeanne en fournissant à ses diocésains sa version des faits :

> Elle ne voulait croire conseil, mais faisait tout à son plaisir.

Le seul responsable de son malheur, c'était elle. Il y avait, dans cette vue des choses, une part de vérité. Il y avait surtout l'exact reflet de ce qui se disait à la cour. D'ailleurs, on venait de trouver mieux : un berger du Gévaudan, nommé Guillaume, qui fit des prédictions et se retrouva à la tête d'une troupe. Les Anglais le prirent et le noyèrent dans la Seine sans lui faire l'honneur d'un procès. L'archevêque-chancelier en avait fait grand cas :

> Il disait ni plus ni moins qu'avait fait Jeanne la Pucelle.

Visiblement, l'archevêque ne gardait aucun souvenir de la libération d'Orléans et du sacre d'un roi de France. Un traître, Regnaut de Chartres ? Certes pas. Un clerc borné, qui se croyait fin politique.

Charles VII eut-il quelque pensée pour celle à qui il devait d'être « vrai roi » ? Rien ne permet de confirmer le dire du Vénitien qui raconta, quelques mois plus tard, la colère du roi et son désir de vengeance. Jeanne était passée. Jeanne était oubliée. Charles VII avait l'habitude des favoris qui se succédaient. Savait-il encore ce qu'il devait à Richemont ? On ne parla plus de Jeanne, pas plus le roi que les autres. Il devait n'en dire même pas mot, un quart de siècle plus tard, à l'époque de la réhabilitation.

La disparition de Jeanne d'Arc ne renversa cependant pas la conjoncture politique et militaire. Sur le terrain, l'effritement de la puissance lancastrienne se poursuivait sous les coups des partisans de Charles VII, souvent inorganisés, toujours favorisés par la complicité croissante de la population. Le Maine échappait désormais aux Anglais, qui reculaient en Normandie comme en Champagne. A Paris, à Rouen, à Caen, à Cherbourg, les complots se multipliaient.

La Normandie grommelait. Des états réunis à Rouen en août 1430 Bedford exigea une aide exceptionnelle de 120 000 livres tournois. On devait employer ainsi la somme :

> Dix mille livres tournois au paiement de l'achat de Jeanne la Pucelle, que l'on dit être sorcière, personne de guerre conduisant les osts du dauphin,
>
> dix mille livres tournois pour le fait du siège de Louviers, ou celui de Bonmoulins si Louviers se peut délivrer sans siège,
>
> et le demeurant au paiement des gages des capitaines et soudoyers du dit duché de Normandie et pays de conquête.

Les contribuables avaient l'habitude de payer le prix des défaites : rançon de leur roi vaincu, rançon de leur ville prise ou en danger d'être prise. Ils trouvèrent mauvais d'avoir à payer le prix de l'ennemie vaincue. Les moins suspects de complaisance envers Charles VII trouvèrent qu'on se moquait d'eux dans le Conseil de Bedford.

Philippe le Bon tirait de l'alliance anglaise moins d'avantages que les Anglais de l'alliance bourguignonne. Il voyait en revanche fort bien ce que lui rapportait son engagement aux côtés des Anglais : la rébellion de Cassel, la révolte du prince-évêque de Liège Jean Heinsberg et l'hostilité du duc Frédéric d'Autriche, le futur empereur Frédéric III. Le traité franco-autrichien du 22 juillet 1430 n'avait pas d'autre objet que de contenir des deux côtés la poussée bourguignonne. Et l'on devinait la main du roi de France — déjà — dans le mouvement liégeois. Une tentative faite en juin 1430 par les Bourguignons du prince d'Orange pour s'emparer du Dauphiné se brisa net à Anthon, où le gouverneur Raoul de Gaucourt – l'ancien défenseur d'Orléans – et le routier Rodrigue de Villandrando les coincèrent dans un chemin forestier comme dans une nasse, puis leur infligèrent une telle défaite que les routiers de Villandrando purent s'offrir le luxe de saccager impunément pendant quatre ans le Charolais et le Mâconnais.

Bedford venait enfin d'avoir une idée qui fût mieux venue quelques années plus tôt : on allait sacrer Henri VI roi de France. Le jeune roi avait reçu, l'année précédente, la couronne d'Édouard le Confesseur ; il lui manquait celle de saint Louis. Encore fallait-il organiser une véritable expédition et, surtout, avouer l'irréparable : la route de Reims était fermée. L'échevinage parisien fit savoir à Londres qu'on garantissait l'ordre à Paris. Le Conseil royal surestima l'effet politique d'un sacre dont il était cependant évident qu'il apparaîtrait comme un sacre au rabais, hors de la ville de saint Remi, sans la Sainte-Ampoule : bref, le sacre dont n'avait pas voulu Charles VII. Le Valois avait attendu plutôt que d'avoir un mauvais sacre. Le Lancastre avait attendu et avait un mauvais sacre.

Les Anglais n'avaient en vérité qu'une chose en tête : faire désavouer Jeanne d'Arc par l'Église et la faire mourir. C'était le seul moyen de mettre un terme aux maléfices de celle qui ne pouvait plus être qu'une sorcière puisqu'on ne voulait pas qu'elle vînt de Dieu. Les défaites continuaient. C'était donc que Jeanne jetait encore des sorts depuis sa prison, comme naguère sur les champs de bataille. L'affaire n'était donc pas de se venger, mais bien de se protéger. La malfaisance de Jeanne était la seule explication honorable des défaites, et l'on commettrait un grave anachronisme en suspectant la part de ce type de raisonnement dans les comportements des hommes du Moyen Age. Bedford lui-même le disait : rien n'allait plus depuis que Jeanne était apparue. De la sorcière, les fer-vêtus du régent avaient encore peur, alors même qu'elle était à leur merci.

Il ne suffisait pas de la tuer. Encore fallait-il qu'elle eût tort. Un procès ecclésiastique était donc souhaitable, et l'accusation était toute trouvée : hérésie, sorcellerie, mauvaises mœurs. L'affaire devait être là moins hasardeuse que devant un tribunal laïc, capable de ne pas retenir le seul crime qui pût conduire Jeanne à l'échafaud, celui de trahison. Invoquer l'hérésie était plus aisé. Quant aux mœurs de Jeanne, il faut bien dire qu'elles entraient mal, à en juger par tous ses comportements, dans les canons du temps.

PIERRE CAUCHON.

Or l'Université prenait les devants. Les maîtres avaient en dépôt l'orthodoxie de la foi. Ils entendaient juger l'attitude de Jeanne et faire déférer la coupable devant l'Inquisition. Le 26 mai 1430, trois jours après la capture de la Pucelle, ils la dénonçaient comme « soupçonnée véhémentement de plusieurs crimes sentant hérésie ». Le 21 novembre, ils écrivaient à Bedford pour s'étonner d'une « si longue attente ».

Le hasard faisait bien les choses. Prise à Compiègne dans le diocèse de Beauvais, Jeanne était, en matière de foi, justiciable de l'évêque de Beauvais. Et Pierre Cauchon, évêque de Beauvais depuis déjà dix ans, avait été jadis de ces maîtres de Sorbonne réformateurs par idéal et bourguignons par opportunisme. Autant dire que Cauchon était l'homme de la situation. Ajoutons que Beauvais était désormais à Charles VII et que l'évêque vivait en exil à Rouen, où le chapitre cathédral lui donna toutes les autorisations nécessaires pour qu'il tînt là son tribunal.

Bedford consentit à confier Jeanne aux clercs pour qu'elle fût jugée, mais il n'était pas question de la céder. Innocente ou coupable, elle serait rendue aux Anglais. Condamnée, on l'exécuterait. Innocente, on chercherait autre chose...

Le régent prenait d'ailleurs ses précautions. A l'Université, qui voulait un procès à Paris, il opposa un refus catégorique. La ville était mal protégée d'un éventuel coup de main, et Bedford n'était nullement garanti contre une éventuelle manifestation d'indépendance universitaire. A Rouen, et avec Cauchon comme juge, le gouvernement était tranquille.

Ne classons pas trop vite l'évêque de Beauvais parmi les âmes noires de notre histoire. Cauchon n'est ni un imbécile ni un scélérat. Sans doute a-t-il payé trop cher, au regard de l'histoire, un patronyme facilement considéré comme une étiquette. Mais c'est un homme de parti pris, dont les raisonnements sont verrouillés par le syllogisme sans faille du théologien qu'il est profondément. Homme de science et maître en la science de Dieu, il ne peut avoir tort que dans le péché. S'il s'est trompé et s'il a trompé les autres, alors il est rebelle à Dieu.

L'engagement politique de Cauchon s'inscrit dans la rigueur des chaînes logiques. Ce sexagénaire a déjà vécu bien des combats, et cela sans beaucoup sortir de sa fonction première, celle de maître à l'Université, Maître ès arts, licencié en droit canonique, docteur en théologie, il a gravi tous les échelons d'une belle carrière qui a fait de lui le recteur de l'Université à la fin de 1403, le vidame de Reims en 1410, un père conciliaire à Constance en 1414, un évêque de Beauvais en 1420.

Dans le temps où l'Université de Paris, multipliant traités et prédications pour hâter la réforme de l'Église, contre la réserve au pape des bénéfices ecclésiastiques et contre les abus de la fiscalité pontificale, cherchait dans la soustraction d'obédience à Benoît XIII le moyen de sortir enfin du Schisme d'Occident, un homme se dressait en protecteur du pape d'Avignon, en champion de son pouvoir temporel, en censeur de ses adversaires. Cet homme, c'était le duc Louis d'Orléans. La soustraction de juillet 1398 – l'Église de France organisée sans pape – était une victoire des maîtres parisiens, la restitution d'obédience à Benoît XIII était en mai 1403 une victoire de Louis d'Orléans et de ses partisans – parmi lesquels le théologien Gerson – contre la majorité des maîtres dont Cauchon allait être, cinq mois plus tard, le recteur.

Pour tout le monde, dans le Paris de ces années-là, être contre Orléans, c'est être à Bourgogne. Les deux ducs rivalisent pour le Conseil, pour le Trésor, pour le pouvoir. Philippe le Hardi a mené au Conseil le combat contre la cause de Benoît XIII. Son fils Jean sans Peur, le héros malchanceux de la croisade de Nicopolis, prend le même parti. Il trouvera, après l'assassinat de Louis d'Orléans, ses meilleurs avocats dans les rangs de l'Université. L'*Apologie du tyrannicide* prononcée devant la cour par le maître théologien Jean Petit est un modèle de dialectique universitaire.

Les maîtres de province supportent fort mal l'hégémonie politique des Parisiens. Ceux d'Orléans, ceux de Toulouse surtout, jouent un rôle déterminant dans la restitution d'obédience. Pour un Cauchon, comme pour tant d'autres, la grande crise de la Chrétienté, la crise politique du royaume de France et la rivalité congénitale des universités ne peuvent former qu'une seule trame, sur laquelle s'inscrivent les raisonnements et les engagements personnels. En réalité complexe, cette trame est en apparence des plus simples. En ces termes simples, Cauchon se retrouve Bourguignon.

Que Jean sans Peur exige des réformes profondes du système administratif, et cela pour lutter contre la dilapidation financière d'Isabeau de Bavière et de Louis d'Orléans, et voilà l'équation encore mieux posée pour des maîtres portés à dessiner les traits d'une future réforme de l'Église. Comment n'être pas du côté du réformisme politique quand à Paris on songe à réformer l'institution ecclésiale et quand à Constance on parvient à le faire ? Comment de simples clercs ne se croiraient-ils pas tout permis quand, après avoir disserté de l'union des chrétiens, on la réalise à Constance par l'arbitrage des pères conciliaires à l'encontre des trois papes ?

Bien sûr, le réformisme tourne vite à la démagogie, les espoirs des intellectuels croulent sous les excès des écorcheurs de la boucherie parisienne, l'alliance anglaise compromet la pureté de la ligne politique. Mais il est alors trop tard : les choix définitifs sont faits. En février 1409, Pierre Cauchon entre au conseil du duc de Bourgogne. En février 1413, il est de la commission chargée par les états de préparer l'ordonnance réformatrice. Nous le retrouverons au Conseil royal de Bedford.

La terreur armagnaque – à laquelle Cauchon échappe de justesse avant de gagner Constance – et l'assassinat de leur protecteur Jean sans Peur en septembre 1419 ne font qu'ancrer les maîtres, juristes et théologiens, du parti de Bourgogne dans une haine profonde pour tout ce que représente le dauphin Charles. Vues de la Sorbonne, ou du siège épiscopal de Beauvais, les oscillations politiques du royaume de Bourges – Yolande, Richemont, La Trémoille – ne sont que de simples rides. Tout ce monde de Bourges ou de Chinon n'a qu'un nom : les traîtres armagnacs.

Pour un homme comme Cauchon, Jeanne ne saurait donc venir de Dieu. Comment Dieu l'aurait-il chassé, lui, l'évêque, de sa propre cathédrale ? Si la mission de Jeanne est de nature divine, Cauchon a voué trente ans de sa vie au mal.

Dans ses engagements, il n'y a jamais rien eu de bas, et sa fidélité bourguignonne n'a pas l'intérêt pour fondement. Dans le procès de Jeanne, Cauchon voit maintenant l'occasion de tenir sa place dans le combat contre ce qu'il croit être l'émanation de l'enfer. Il mènera l'affaire avec une passion qui l'égare, avec un dévouement qui tient de la servilité, avec une haine qui l'aveugle.

Pris dans le syllogisme de sa vie, il se refuse à voir la vérité, parce que celle-ci le condamne dans la mesure où il ne sort pas des catégories mentales qui ont été celles de toute sa vie. La guerre eût-elle été autre qu'il verrait sans doute en Jeanne une ennemie vaincue. Après tant de déchirements fratricides, la guerre échappe ici au droit des armes. Pour le théologien Cauchon, Jeanne, c'est le Mal. Et puis, pour l'évêque, qu'est-ce que cette chrétienne qui donne des leçons aux clercs et dont la religion s'accommode mieux d'un dialogue direct avec les saints que de l'intermédiaire obligé de l'Église ?

Pour extirper le Mal, tous les moyens sont bons, y compris les pires, ou du moins ceux qui sont tels à nos yeux. Car il ne sert à rien de discuter de la procédure. Plus ou moins bien mise en œuvre par des juges partiaux, c'est la procédure du temps. Jeanne mourra parce que relapse, comme jadis les Templiers. Comme tant d'autres. Et il serait vain de disserter sur la cruauté du supplice final. En une année moyenne du temps de paix, le Parisien voyait pendre ou décapiter, brûler ou bouillir, rouer vifs ou traîner derrière un cheval quelque cinquante condamnés dont beaucoup n'avaient à se reprocher que des larcins. Pour avoir volé un tonneau dans le cellier d'un monastère, une femme était enfouie vivante. Pour fait de proxénétisme, une autre montait sur le bûcher. On n'hésitait pas à pendre par les aisselles ceux qu'on avait d'abord décollés à la hache, et le pendu que les larrons descendaient pour lui prendre ses braies était derechef pendu pour faire bonne mesure.

L'homme du Moyen Age sait fort bien que le démon, seul, est responsable de la possession. Mais il trouve normal de brûler une sorcière. Coupable ne veut pas dire responsable. Juge et moraliste sont, au XVe siècle, deux métiers distincts.

Cauchon se fait le valet des Anglais parce que la cause de Bourgogne n'aurait pas triomphé sans eux. Pour l'évêque, l'alliance anglaise est une assurance contre les émules de Bernard d'Armagnac et de Tanguy du Châtel. C'est aussi la garantie contre les officiers prévaricateurs jadis dénoncés par les états généraux, et contre les chrétiens qui s'accommodaient trop facilement du schisme. Alors, mieux vaut fouler aux pieds quelques règles de droit, laisser le capitaine anglais de Rouen, le comte de Warwick, tenir Jeanne aux fers en sa prison alors qu'elle devrait être en la prison de l'archevêque de Rouen. Mieux vaut engager la procédure sans attendre l'Inquisition, autrement dit la justice du pape. Mieux vaut faire chuter la naïveté de Jeanne dans le piège peut-être tendu avec des vêtements d'homme, et revenir sur la chose jugée parce que la sentence déplaît au gouvernement anglais... Tout cela vaut mieux que ce que représentent Charles VII et les siens. Cauchon apparaît comme un serviteur sans dignité parce qu'il croit servir ceux qui défendent la bonne cause.

Entre Jeanne et ce clerc sévère, l'incompréhension règne. D'abord parce que Jeanne est, dans le parti qu'elle a pris, comptée pour ce qu'elle n'a jamais été : un Armagnac. Ensuite parce que Cauchon, qui n'est pas sot, ne sait cependant rien de la psychologie d'une jeune fille, d'une fille simple dont le manque d'instruction n'est pas un manque de bon sens. Le dialogue est impossible entre une scolastique pourtant fondée sur le raisonnement logique et un robuste bon sens à base de parallélismes intellectuels et de courts-circuits logiques.

Enfin, il faut bien dire que Jeanne, sûre de sa vocation, est tout aussi entière en sa conviction que le sont en la leur Cauchon et ses assesseurs. Pas une nuance, pas une concession dans la foi politique et religieuse de Jeanne. « Tous ceux qui guerroient au saint royaume de France, écrit-elle au duc de Bourgogne après la libération d'Orléans, guerroient contre le roi Jésus, roi du Ciel et de tout le monde. » Comme elle s'est aliéné bien des courtisans de Charles par son refus de tout accommodement avec Bourgogne — le duc Philippe n'avait qu'à se soumettre — elle heurterait à Rouen les meilleures volontés par son refus d'admettre même la bonne foi du Lancastre. L'un des conseillers de Cauchon le dira en privé :

> Ils la prendront, s'ils peuvent, par ses paroles, c'est à savoir dans les assertions où elle dit « Je sais de certain... » ce qui touche les apparitions. Mais si elle disait « Il me semble... » il m'est avis qu'il n'est homme qui la puisse condamner.

Cauchon compléta son tribunal en désignant une cinquantaine d'assesseurs : chapelains anglais d'Henri VI, chanoines normands, avocats de l'officialité, moines bénédictins, frères mineurs, carmes, dominicains. Quelques évêques, quelques abbés siégèrent aussi. On remarqua parmi eux l'évêque de Lisieux Zanon de Castiglione, un Milanais venu naguère en France dans le sillage d'un oncle cardinal. Zanon était fort connu dans le milieu des humanistes parisiens. Naturellement, Cauchon n'avait pas oublié ses camarades d'études, ses anciens collègues de l'Université. Il en trouvait quelques-uns sur place. Il en fit venir d'autres, et ce fut une véritable délégation de l'Université que l'on vit arriver de Paris pour participer à ce jugement de Jeanne que les maîtres auraient volontiers revendiqué pour eux seuls. C'est ainsi que siégea le recteur Thomas de Courcelles, l'un des grands théologiens de son temps, qui devait être l'un des principaux acteurs du futur concile de Bâle.

LE PROCÈS.

Le tribunal ouvrit sa première séance le 9 janvier 1431. Pour exercer contre Jeanne le ministère public, on fit choix du promoteur de l'officialité de Beauvais, Jean d'Estivet. Le choix était normal. Plus tard, lorsque vint le temps des audiences publiques, Cauchon fit appeler le représentant de l'Inquisition pontificale à Rouen, le dominicain Jean Le Maître. Celui-ci était médiocrement content de se trouver associé à pareille affaire. Il fit la sourde oreille. Le tribunal de Cauchon siégeait « en territoire emprunté ». Inquisiteur de Rouen, Le Maître ne l'était pas de Beauvais. Il fallut un ordre formel de l'inquisiteur de France Jean Graverent pour que Le Maître, à partir du 13 mars, acceptât de siéger aux côtés de Cauchon. Son premier acte fut d'organiser son propre ministère public. Il le confia, lui aussi, à Jean d'Estivet. En apparence, les choses étaient claires.

Présent à Rouen pendant le procès, le cardinal Beaufort suivit l'affaire de très près, mais en se tenant ouvertement à l'écart. Peut-être les excès du zèle déployé par Cauchon agaçaient-ils le grand-oncle d'Henri VI. C'est lui qui, en accord avec Warwick, ordonna que Jeanne d'Arc, malade, fût soignée. Il est vrai qu'on voulait la condamner, non la laisser mourir toute seule. C'est encore Beaufort qui, le 24 mai, à l'instant de l'abjuration, tenta d'imposer la solution la plus humaine pour Jeanne. Les autres Anglais se firent discrets tout au long du procès. Cauchon suffisait à la tâche. L'un des assesseurs, Nicolas de Houppeville, devait le dire clairement vingt-cinq ans plus tard :

> L'évêque n'a pas engagé le procès en matière de foi pour le bien de la foi ou par zèle pour la justice, afin d'y ramener Jeanne, mais par haine à son égard, parce qu'elle soutenait le parti du roi de France. Il n'a pas agi par crainte ou par l'effet d'une contrainte, mais volontairement.

L'enquête occupa plus d'un mois. Certains avaient en vain fait observer qu'elle ne servait à rien. Jeanne n'avait-elle pas été interrogée par les maîtres de l'Université de Poitiers dont les juges de Rouen pouvaient penser qu'ils étaient dans le mauvais parti mais dont nul ne mettait en doute la science théologique ou juridique ? Les uns et les autres avaient reçu leurs grades sur les pentes de la montagne Sainte-Geneviève. On remarqua même que Jeanne avait été examinée par Regnaut de Chartres, dont nul ne discutait qu'il fût archevêque de Reims, donc l'archevêque de l'évêque de Beauvais...

Les enquêteurs firent le tour des témoins de l'enfance et de la carrière militaire de Jeanne. On dépêcha en Lorraine et en Champagne, on interrogea la famille et le village. On questionna d'anciens soldats. Malheureusement pour l'accusation, tous les témoins concordaient en faveur de la Pucelle. Cauchon ne s'embarrassa pas : il détruisit le rapport des enquêteurs. Fait extraordinaire, la plupart des juges ne surent même pas qu'il y avait eu une enquête. La notoriété des crimes de Jeanne semblait à l'évêque de Beauvais bien suffisante pour fonder le procès.

L'ignominie ne s'arrête pas à la destruction de l'enquête : le promoteur Jean d'Estivet allait se servir des éléments de cette information pour nourrir les soixante-dix articles de son acte d'accusation d'un certain nombre de détails véridiques qui furent accablants pour Jeanne dans la mesure où ils donnaient au factum une teinture d'authenticité.

L'accusée comparut enfin, le mercredi 21 février, dans la chapelle du château royal de Rouen. Cauchon lui avait au préalable refusé le droit d'entendre la messe : les crimes de Jeanne étaient trop énormes, et, de surcroît, elle avait porté des vêtements d'homme. On introduisit la jeune fille, et l'interrogatoire commença.

Tout de suite, on buta sur l'essentiel : après avoir juré qu'elle répondrait aux questions relatives à sa famille et à son activité publique, Jeanne annonça qu'elle se ferait plutôt couper la tête que de dire ce qu'elle avait révélé à Charles VII de la part de Dieu.

Les incidents se succédèrent. On demanda à Jeanne de réciter un *Pater noster* pour prouver qu'elle le savait; elle refusa parce que Cauchon ne voulait pas l'entendre lui-même en confession. Ayant juré le mercredi de dire la vérité, elle n'accepta pas de répéter son serment le jeudi :

> Je le fis hier! Vous me chargez trop!

Elle ne cachait pas son intention de répondre à certaines questions, d'éluder les autres. Ainsi quand on lui demanda s'il lui arrivait de communier à d'autres fêtes qu'à Pâques :

> Passez outre!

La colère des juges allait croissant. Cette fille simple et ignorante leur tenait tête, sûre d'elle comme si le débat avait été égal. Ils tentèrent de l'embrouiller, lui tendirent des pièges. Elle les déjoua. En revanche, elle les provoquait volontiers, comme lorsqu'on lui demanda si Domrémy tenait le parti bourguignon ou armagnac :

> Répondit qu'elle ne connaissait qu'un Bourguignon, qu'elle eût bien voulu qu'il eût la tête coupée, voire, s'il eût plu à Dieu.

Le théologien Jean Beaupère relaya Cauchon pour interroger Jeanne. Beaupère était un camarade de faculté de Cauchon. On l'avait vu recteur de l'Université au plus fort de la domination bourguignonne, pendant le mouvement cabochien. Depuis, il n'avait pas quitté le service du duc de Bourgogne. Manchot depuis une attaque de brigands qui pourraient bien avoir été des Armagnacs, Jean Beaupère était aussi hostile à Jeanne que son ami Cauchon.

L'enquête publique fut brusquement déclarée close, le 3 mars, alors qu'on en était à interroger Jeanne sur le voyage de Reims. L'évêque de Beauvais convoqua les juges à son hôtel dès le lendemain, fit relire les procès-verbaux et prétexta de ses obligations pour charger le juriste Jean de la Fontaine de poursuivre l'interrogatoire à l'abri des regards. Ce qui se fit dans la prison. Nul ne parla d'entendre quelque témoin que ce fût. La Fontaine opéra pendant deux semaines, avec moins de parti pris que Cauchon. L'évêque s'en avisa, et accusa son suppléant d'aider l'accusée.

Celle-ci fut en revanche victime d'une machination assez sordide : on introduisit auprès d'elle le chanoine Nicolas Loiseleur, qui ne craignait pas de se faire passer en la circonstance pour un prêtre lorrain. Il parvint à confesser la prisonnière à plusieurs reprises, et fit bon marché du secret de la confession. L'horrible personnage se garda bien de dire à Jeanne qu'il siégeait parmi ses juges.

Le dernier interrogatoire eut lieu le 17 mars. On en était à l'évasion de Beaurevoir, que les juges eussent volontiers fait passer pour une tentative de suicide. Ils réussirent seulement à convaincre Jeanne d'avoir en cette occasion désobéi à ses voix. Pour un tribunal qui niait l'existence des voix, c'était un coup manqué. On s'en tira en posant une ultime question, propre à convaincre d'orgueil une accusée dont l'aplomb était irritant : pourquoi avait-elle fait porter au sacre son étendard, non celui des autres capitaines ? Elle esquiva :

> Il avait été à la peine. C'était bien raison qu'il fût à l'honneur.

Cauchon réunit les assesseurs, fit relire les procès-verbaux. Et Jean d'Estivet se mit au travail. Le 27 mars, devant le tribunal qui se retrouva au complet dans la grande salle du château, et en présence de Jeanne, le promoteur annonça qu'il était prêt à soutenir l'accusation. Jeanne devait répondre par oui ou non à soixante-dix propositions en lesquelles se résumaient sa vie, ses actes et sa foi. Estivet voulait qu'elle s'y engageât d'avance et par serment. Certains juges opinèrent avec bon sens qu'on devait d'abord lire les articles. Il y en eut même pour observer que l'accusée n'était pas tenue de répondre aux questions dont le rapport avec le procès était incertain : grave réserve que celle-là, car Jeanne niait que les révélations faites à Charles VII fussent en cause devant le tribunal. La majorité se montra modérée : il fut décidé qu'Estivet lirait les accusations et que le tribunal apprécierait lorsque Jeanne refuserait de répondre ou demanderait à réfléchir.

Jean d'Estivet prêta serment : il parlerait sans flatterie, sans rancune, sans crainte et sans haine. Le tribunal lui avait imposé de traduire chaque article en français après l'avoir lu en latin. Cauchon exhorta Jeanne et, comme elle ignorait tout du droit, il lui offrit de choisir des conseillers. Sinon, le tribunal y pourvoirait. Jeanne refusa : Dieu lui suffisait comme conseil. La réponse vexa les moins mal intentionnés.

Il fallut deux jours pour passer en revue les soixante-dix articles. Ce furent ensuite les vacances : On était le Jeudi Saint, puis le Vendredi Saint. Le tribunal se retrouva le samedi pour entendre les réponses aux questions sur lesquelles Jeanne avait demandé un délai de réflexion.

Le lundi de Pâques, 2 avril, Cauchon fit réduire l'accusation à douze propositions principales. Le théologien Nicolas Midi eut charge de les mettre en forme. Puis on fit des copies, qui furent envoyées d'urgence à divers experts, juristes et théologiens pour la plupart. Beaupère, Midi et Jacques de Touraine – qui retoucha les propositions – allèrent eux-mêmes à Paris pour éclairer leurs collègues et recueillir la consultation des deux facultés de droit canonique et de théologie. Le chapitre cathédral de Rouen délibérait de son côté.

Cauchon avait cependant assemblé à Rouen, sans plus attendre, un groupe de vingt-deux théologiens pris parmi ses assesseurs. Ils donnèrent un premier avis sur les propositions, avis qui fut transmis aux consultants. On demandait aux experts de se prononcer, mais on leur faisait tenir une expertise. La plupart des destinataires furent impressionnés et trouvèrent commode de se rallier à cette consultation préalable. Ainsi fit le chapitre de Rouen.

De quoi était donc accusée Jeanne ? Laissons de côté les soixante-dix articles d'Estivet, ramassis incohérent de propos déformés, de racontars inconsistants et de jugements sommaires où transparaissent des bribes de l'enquête préalable dissimulée dans son ensemble par Cauchon, voire des citations tronquées empruntées aux interrogatoires. Jeanne y avait pour une bonne part répondu lors des audiences du 27 et du 28 mars. Les douze propositions de Nicolas Midi offraient au contraire une clarification du débat.

En premier lieu, les juges s'attachaient aux « voix » de Jeanne. La plupart y voyaient une preuve de possession : les voix étaient réelles, mais elles venaient de l'enfer. Quelques juges opinèrent que Jeanne avait tout bonnement rêvé. On chercha à la faire trébucher sur la description de saint Michel, de saint Gabriel, de sainte Catherine et de sainte Marguerite, sur les lieux et les moments des apparitions, sur leur persistance jusqu'au cours du procès. En réalité, habitués qu'ils étaient à invoquer le surnaturel dans leur explication du monde, bien peu mettaient vraiment en doute les visions de Jeanne ; leur fidélité bourguignonne ne pouvait donc s'accommoder que d'une explication : le Malin. Dès lors, la sorcellerie était prouvée. Gerson lui-même, l'ennemi déterminé des fanatismes bourguignons, l'avait écrit dans un traité : le caractère divin d'une vision se prouve par la justesse de ses objets. C'était, au fond, l'application du précepte évangélique : on juge l'arbre à ses fruits. Pour Cauchon et les siens, l'engagement armagnac de Jeanne suffisait à prouver le caractère diabolique.

Deuxième accusation fondamentale : l'emprise de Jeanne sur le roi de France. On parla de la révélation faite à Chinon, du « signe » donné au dauphin. Jeanne n'entendait pas en disconvenir, mais on n'en saurait pas plus. Le secret de Charles VII n'appartenait qu'à lui. On parlait d'une couronne apportée par un ange. Vingt ans plus tard, on pensera que Jeanne avait connaissance de la prière faite un soir d'angoisse par le dauphin incertain de sa légitimité. Le « signe » de Jeanne n'était peut-être tout simplement que la victoire devant Orléans et la route du sacre ouverte en quelques jours. Quoi qu'il en fût, les juges restèrent sur leur curiosité et ne purent guère utiliser contre la Pucelle ce qu'elle avait dit.

Troisième affaire, ridicule à nos yeux, scandaleuse à ceux des clercs du XVe siècle : le port des vêtements masculins. On savait bien que la Bible l'interdisait aux femmes, au livre 22 du Deutéronome, et l'incessant balancement du vêtement long et du vêtement court pour les hommes reflète assez bien, au cours des siècles du Moyen Age, le plus ou moins grand laxisme des interprétations de l'Écriture quant à l'expression publique de l'appartenance à un sexe. Ce que la morale réprouvait chez une femme du XVe siècle, ce n'était pas le vêtement masculin en soi, c'était une tenue inconvenante. Les clercs de l'entourage de Charles VII s'étaient déjà posé la question à l'arrivée de Jeanne : il n'avait pas semblé que, pour chevaucher, Jeanne eût tort de porter des chausses. En prison, c'était une autre affaire : Jeanne faisait de son habit d'homme une question de fidélité à ses voix.

Je ne les déposerai pas sans le congé de Dieu.

Les juges l'entendaient d'ailleurs bien ainsi : ils ne forçaient pas Jeanne à porter la robe, ils attendaient qu'elle y vînt d'elle-même. Ce devait être le signe de sa soumission. La robe devenait un symbole. Comme tel, le refus de prendre habit de femme devenait une insubordination à l'Église. C'est en ce sens qu'il faut comprendre le fait que ce retour au vêtement féminin ait été la condition imposée à Jeanne quand elle demandait à recevoir la communion. Porté à ce niveau d'interprétation, le refus répété passait pour persévérance dans l'erreur.

Finalement, la grande accusation est bien celle-là : Jeanne se tient hors des règles posées par l'Église. La hiérarchie n'aime pas que le chrétien assure son salut tout seul. Le salut est dans l'Église, dans la communion des saints, cette forme suprême de la solidarité face à la Rédemption. Le salut ne saurait être dans l'œuvre individuelle, fût-elle le reflet d'un dialogue direct avec Dieu. Le plus grave des crimes de Jeanne n'est pas d'avoir gagné des batailles et assuré, un temps, le succès du parti de Charles VII. De cela, nul n'ose lui faire ouvertement grief : ce serait la traiter en soldat vaincu, donc renoncer à tous les fondements juridiques du procès. Le crime impardonnable qu'on ose lui reprocher, c'est son indiscipline religieuse. Tout y aboutit et tout en découle. Le *Credo* de Jeanne a beau être celui de l'Église, son comportement est celui que dictent ses voix, selon l'interprétation de sa conscience.

La jeune fille sait que, si elle se soumet à l'Église, celle-ci aura pour elle le visage de Cauchon ; et Cauchon se dresse contre la mission dictée par les voix saintes. Le dilemme est là : Jeanne ne peut se soumettre pour le présent sans renier le passé. Dans sa réponse du 27 mars à Jean d'Estivet, elle distingue – mais en vain – le domaine de la foi et celui de l'action politique.

> Répond qu'elle croit bien que notre saint père le pape de Rome et les évêques et autres gens d'Église sont pour garder la foi chrétienne et punir ceux qui défaillent. Mais quant à elle, de ses faits elle ne se soumettra, fors seulement à l'Église du Ciel, c'est à savoir à Dieu, à la Vierge Marie et saints et saintes de Paradis.

On a brûlé des hérésiarques pour moins que ces propos. Au vrai, sans conseil juridique et sans autre dogme que le *Pater* et le *Credo*, n'ayant pas la moindre idée des fondements théologiques de l'institution ecclésiale, Jeanne est incapable de distinguer l'Église de ces quelques clercs qui sont ses juges. La confusion du magistère et du tribunal fait d'ailleurs l'affaire de Cauchon. Jusqu'à l'avant-dernier moment, Jeanne tente maladroitement de demeurer fidèle à Dieu en tout : à l'Église hiérarchique en un domaine, à ses voix en un autre.

Quelqu'un suggéra qu'à défaut de se soumettre au tribunal elle pouvait se soumettre au Concile qui siégeait à Bâle. Cauchon s'arrangea pour ne pas entendre son timide acquiescement. L'ancien partisan de la soustraction d'obédience, l'ancien recteur d'une Université en lutte contre la papauté et pour les « libertés », l'ancien champion d'une Église de France organisée pour vivre sans autre autorité que celle des évêques et des docteurs, cet homme-là n'allait pas, maintenant, sa crosse en main, incliner son autorité d'évêque et de docteur.

Plus qu'une soumission, c'est un aveu qu'espéraient les juges. Dans l'opinion publique – et même hors de France – l'aveu d'une imposture eût fait meilleur effet que la condamnation d'une coupable morte sans repentir. Le théologien Jean de Châtillon tenta, le 2 mai, d'admonester Jeanne. Elle lui fit les réponses habituelles, peut-être plus sèches encore qu'à l'ordinaire. Jeanne était visiblement lasse.

> Je m'attends à mon juge. C'est le roi du Ciel et de la terre.

Elle fit cependant une concession : elle offrit de prendre robe et chaperon de femme pour aller communier, pourvu qu'on lui rendît ses habits d'homme après la messe. Elle les abandonnerait définitivement quand elle aurait fini d'accomplir sa mission. On la renvoya au cachot.

Cauchon et ses conseillers pensèrent en avoir raison par la menace. Le 9 mai, on la conduisit dans la grosse tour du château. On lui montra les chaînes et les roues toutes prêtes. Elle allait être torturée. La jeune fille eut un trait de génie : elle désavoua d'avance tous les aveux qu'elle pourrait faire « dans les tourments ».

> Même si vous me deviez faire détraire les membres et faire partir l'âme hors du corps, je ne vous dirais autre chose. Et si je vous disais autre chose, je dirais après que vous l'auriez fait dire par force.

C'était bien répondu. Cauchon convoqua ses assesseurs chez lui dès le lendemain matin : que fallait-il faire ? Les théologiens Thomas de Courcelles et Nicolas Loiseleur et l'avocat Aubert Marcel furent pour la torture : ainsi saurait-on si elle mentait. Pour eux, les « tourments » étaient toujours l'une des formes du « jugement de Dieu », comme l'avaient été le fer rouge et le duel judiciaire. Les neuf autres assesseurs présents chez Cauchon opinèrent qu'on n'en avait aucun besoin. « Pour le moment », précisèrent certains. Guillaume Erart jugeait la torture inutile : « On a bien assez de matière comme cela. » Raoul Roussel fit entendre l'argument décisif : l'affaire allait bien sans la torture, celle-ci nuirait plutôt.

> Un procès aussi bien fait que celui-ci risquerait d'être calomnié.

L'inquisiteur Le Maître parla le dernier : il préférait une nouvelle admonestation. Cauchon s'inclina : Jeanne ne serait pas torturée.

On en était là quand parvint la réponse des maîtres parisiens à la consultation sur les douze articles du 2 avril. Pour la Faculté de théologie, Jeanne était idolâtre, sorcière, schismatique et apostate. Pour les canonistes, elle était menteuse, devineresse et « très véhémentement » suspecte d'hérésie. Très véhémentement, c'était le degré supérieur. En assemblée générale, l'Université avait confirmé le 14 mai les conclusions des deux facultés.

VERS LE BÛCHER.

Le 19, à Rouen, Cauchon réunit ses assesseurs, avec tous les docteurs et maîtres présents dans la ville, et leur communiqua ce qui apparaissait comme la sentence des maîtres parisiens. Tout le monde approuva. Beaucoup ajoutèrent qu'ils faisaient confiance « aux juges », autrement dit à l'évêque Cauchon et à l'inquisiteur Le Maître.

Jeanne fut prévenue le 23 mai. Le procès s'achevait, et la sentence ne faisait aucun doute pour quiconque savait le prix de l'hérésie. Jeanne répondit en quelques mots : verrait-elle le bourreau prêt à mettre le feu au bûcher qu'elle ne changerait rien à ses dires.

Le lendemain, il y avait foule au cimetière Saint-Ouen pour entendre le jugement. On n'avait pas choisi l'endroit par goût du macabre, mais parce que c'était une vaste place. Il n'empêche que ce choix constituait une véritable mise en scène. Les juges, les assesseurs étaient là, mais aussi les bourgeois et le menu peuple de Rouen, longtemps tenus à l'écart de cette affaire : ces braves gens étaient désireux de voir enfin, une fois au moins, cette Pucelle dont on parlait tant.

Dans la nuit, Jean Beaupère et quelques autres étaient allés à la prison : si Jeanne se soumettait, si elle avouait ses fautes, alors elle aurait la vie sauve. On lui enlèverait ses fers. Elle pourrait entendre la messe. Quelqu'un alla plus loin, oubliant la décision de Bedford, qui n'avait évidemment pas renoncé à reprendre Jeanne si elle échappait à la peine capitale : on lui promit de la faire transférer en prison d'Église. Jeanne souffrait beaucoup de la promiscuité imposée par ses gardiens anglais, des soldats pour le moins grossiers. A de telles promesses elle ne pouvait que tendre l'oreille.

Henri Beaufort présidait. Le cardinal d'Angleterre, comme on l'appelait, ajoutait à la solennité. Trois évêques, huit abbés, onze docteurs entouraient Cauchon sur l'estrade dressée au cimetière Saint-Ouen. Guillaume Érart fit un sermon, puis harangua une dernière fois la Pucelle. Celle-ci répliqua qu'elle s'en remettait à Dieu et au pape. Que les pièces du procès fussent envoyées à Rome, et le pape jugerait.

Même si le concile n'avait été en gestation – il s'ouvrit à Bâle le 23 juillet 1431 – Cauchon et l'inquisiteur ne pouvaient l'entendre ainsi. A quoi bon des juges dans les diocèses, si tout devait remonter jusqu'au successeur de Pierre ? D'ailleurs, le pape était loin. Le tribunal fit semblant de ne pas tenir la demande de Jeanne pour un appel en bonne et due forme. On observa plus tard que Jeanne n'était pas encore condamnée au moment de cette déclaration, et qu'elle n'était donc pas encore reconnue hérétique : l'appel était recevable en droit. Mais l'Inquisition n'avait d'autre raison d'être que de juger sur place et en dernier ressort. Au vrai, Jeanne avait le tort de n'avoir pas d'avocat – Dieu lui suffisait comme conseil – et d'ignorer les formes juridiques requises pour en appeler au pape.

Déjà, on pensait à autre chose : à un bûcher, inévitable si la coupable persistait à ne pas se soumettre. Trois fois, la question lui fut posée. En vain.

Cauchon commença de lire la sentence. Peut-être Jeanne avait-elle espéré une intervention divine qui ne venait pas. Peut-être, simplement, se rappela-t-elle qu'elle était une fille de vingt ans et qu'elle allait brûler vive. Cauchon approchait de la fin de sa lecture quand elle l'interrompit. Elle se soumettait.

L'évêque ne s'attendait plus à la chose. Il se tourna, interdit, vers le cardinal Beaufort. Que faire ? Beaufort déclara qu'il convenait de recevoir l'abjuration de Jeanne et de lui imposer pénitence. Une courte formule d'abjuration fut rédigée en hâte. On la lut à Jeanne, qui répéta les mots, à haute voix. « Pourvu qu'il plaise à Notre-Seigneur », précisa-t-elle en signant le document improvisé, peut-être d'une simple croix. La pauvre fille ne savait plus, à ce moment-là, où étaient le Bien et le Mal.

Sur l'estrade, le tumulte était à son comble. Jeanne fut prise d'un rire nerveux. Un prêtre anglais observa qu'elle se moquait du monde et reprocha vivement à Cauchon d'être dupe. Le cardinal fit taire son compatriote.

L'évêque de Beauvais s'était ressaisi. La veille, par précaution, on avait quand même préparé deux sentences. On lui passa la seconde, celle qui absolvait Jeanne. Pour pénitence, la jeune fille était condamnée à la prison perpétuelle, au pain et à l'eau. La condamnation à mort n'était plus possible. L'inquisiteur Jean Le Maître en fut bien d'accord : Dieu veut le salut du pécheur repenti, non sa mort. Le Maître veilla d'ailleurs à la première manifestation du repentir de Jeanne : dans l'après-midi, elle mit une robe de femme.

Les Anglais s'étranglèrent de fureur. La sorcière les avait dupés. Quel besoin avaient donc ces juges de la pousser au repentir au lieu de constater tout simplement ses crimes ? Vivante, elle allait poursuivre ses maléfices. Lorsque Jean Beaupère et Nicolas Midi se présentèrent à la prison pour exhorter Jeanne à la pénitence, ils furent violemment pris à partie par les soldats. Menacés d'être jetés à la Seine, les deux docteurs jugèrent opportun de prendre la fuite.

Trois jours plus tard, on apprenait que Jeanne avait de nouveau ses vêtements masculins. Ses voix l'avaient tancée. Elle avait eu une faiblesse à Saint-Ouen. La faiblesse était passée.

Avait-on laissé, par piège, un habit d'homme dans la geôle? L'avait-on ostensiblement rendu à Jeanne? Sans doute les soldats anglais n'étaient-ils pas des parangons de vertu, et Jeanne se sentait-elle ainsi mieux protégée contre leur manque de tact. Warwick l'avait, naguère, sauvée du viol, mais on ne pouvait la protéger à chaque heure de simples indélicatesses.

Ce sont là, néanmoins, des aspects secondaires de l'affaire. Si Jeanne était revenue à ses chausses et à son gippon, c'est qu'elle entendait manifester son remords pour la trahison qu'avait été son abjuration. Elle devait le dire le lendemain : elle était prête à remettre sa robe, à faire tout ce qu'on voudrait, mais non à renier ses voix. Pour cette fille simple, il y avait des moments où tout se tenait. Pour sauver sa vie, elle avait trahi sa vocation. Elle se damnait.

Et puis, les terreurs se suivent et se contrarient. Le 24, sur l'échafaud du cimetière Saint-Ouen, Jeanne avait peur de la mort. Peut-être était-elle victime d'une autre terreur dans la solitude d'une prison qui n'était pas la prison d'Église annoncée par certains de ses juges, d'une prison qu'on lui disait devoir être perpétuelle. « Elle aimait mieux mourir que d'être dans les entraves de fer », consignèrent au procès-verbal ceux qui l'interrogèrent le lendemain.

> Si on lui permet d'aller à la messe et d'être hors des entraves de fer, et si on lui donne une prison convenable, elle sera bonne et fera ce que l'Église voudra.

Elle sut très vite qu'elle allait mourir. Le 28 mai, au cours d'un interrogatoire de pure forme, elle fit la synthèse de ses certitudes. Le 29, il y eut une brève audience pour la déclarer relapse en son hérésie. Elle était retombée dans le péché. Le droit ne prévoyait qu'une peine pour les relaps, celle dont les cathares et les templiers avaient fait l'expérience : le bûcher. Vingt-sept juges étaient là ; vingt-six votèrent la mort. Un seul — un juriste — déclara s'en remettre aux théologiens. Chef de file des partisans de l'abandon au bras séculier, l'abbé de Fécamp Gilles de Duremort demanda qu'on expliquât d'abord à Jeanne le sens de sa peine. Thomas de Courcelles exprima le vœu qu'on l'admonestât encore pour le salut de son âme, en lui expliquant qu'elle n'avait plus rien « à espérer pour sa vie temporelle ».

Avant de céder la condamnée au bras séculier, Cauchon l'autorisa quand même à se confesser et à communier, quitte à ne pas mentionner une telle inconséquence dans la sentence définitive. Absoute en confession, Jeanne allait mourir sans absolution publique. L'ambiguïté allait être précieuse.

Le 30, sur la place du Vieux-Marché, Jeanne mourut en invoquant ses saints. Ses voix ne l'avaient pas trompée. Elle le dit à son dernier instant, après l'ultime harangue de Nicolas Midi.

Huit jours plus tard, on apprit le contraire. Cauchon avait trouvé sept juges pour affirmer qu'ils avaient été les témoins d'une deuxième abjuration. L'ignoble Loiseleur osa ajouter qu'elle avait regretté d'avoir « fait tuer et mis en fuite » tant d'Anglais. Les notaires rouennais étaient gens modestes, mais honorables. Ils refusèrent de signer l'acte.

Bedford ne se gêna pas pour si peu : il écrivit à tous les princes chrétiens et à tous les prélats, barons et bonnes villes du royaume de France — ou ce qu'il en gouvernait — pour leur faire savoir que Jeanne était morte en reconnaissant que ses voix l'avaient « moquée et déçue ». L'Université de Paris s'empressa d'écrire la même chose au pape et au Sacré-Collège.

> Ici est la fin des œuvres. Ici est l'issue d'icelle femme, que présentement vous signifions.

Le commandement anglais décida de donner l'assaut à Évreux, où s'était établi La Hire. Maintenant que la sorcière était morte, la conquête lancastrienne pouvait reprendre. Mais nul ne s'y trompa vraiment. « Nous avons brûlé une sainte » disait un Anglais présent le 30 mai 1431 au Vieux-Marché. Un autre Anglais avait observé, quelques jours plus tôt, pendant le procès :

> La brave femme. Que n'est-elle anglaise !

CHAPITRE XVII

Le retournement

UN SACRE A NOTRE-DAME.

Voici que j'envoie mon ange...

L'antienne avait du mal à passer, malgré les fleurs de lis brodées sur les tentures bleues. En vérité, c'était une bien étrange liturgie que celle du sacre d'un roi de France célébré pour la première fois en leur capitale, à Notre-Dame de Paris, ce 16 décembre 1431, pour l'onction d'un roi d'Angleterre incapable de gagner Reims. Des prélats du royaume, la plupart étaient absents. Le cardinal d'Angleterre conféra l'onction sacrée, entouré des évêques de Paris, Beauvais et Noyon, et du chancelier Louis de Luxembourg, évêque de Thérouanne. Il y avait aussi un évêque anglais, familier du jeune roi. Le peuple nota que c'était peu. Même l'archevêque de Sens ne s'était pas déplacé, et Paris était dans la province de Sens.

L'évêque de Paris Jacques du Châtelier rageait ouvertement : c'est à lui qu'il revenait de sacrer le roi, non au cardinal Beaufort. Il oubliait un peu que, sans les Anglais, le sacre eût été célébré à Reims.

On avait annoncé un légat. Nul ne le vit. Le clergé renâclait publiquement. Les chanoines de Notre-Dame députèrent à Beaufort pour protester contre la dépense que leur occasionnait la cérémonie.

Où étaient les pairs de France ? On voyait bien le comte de Salisbury, celui de Warwick et celui de Stafford. Mais le duc de Bourgogne lui-même avait négligé de se déplacer. Ce fut une maigre compensation pour le jeune Henri VI que de voir, en passant devant l'hôtel Saint-Paul, sa grand-mère Isabeau de Bavière à la fenêtre. Nul ne sut pourquoi, elle pleurait.

Il y avait tant de monde au banquet que l'Université et le Parlement rebroussèrent trois fois chemin avant de parvenir à la grande salle. La populace occupait les lieux depuis le matin, et l'on volait à l'envi les bourses, les chaperons, les écuelles et les viandes. Quand la robe parisienne atteignit la salle du festin, il ne restait que quelques places en bout de table.

> Ils s'assirent aux tables qui étaient ordonnées pour eux, mais ce fut avec savetiers, moutardiers, vendeurs de vin de buffet ou aides à maçon. On tenta de les faire lever ; mais, quand on en faisait lever un ou deux, il s'en asseyait six ou sept d'autre côté.

Déjà furieux, les notables qui avaient été l'âme du parti de Bourgogne s'indignèrent encore plus quand on passa les plats. Les Anglais servaient les rôtis réchauffés. Cet aspect de la fête avait semblé secondaire aux organisateurs.

> Le plus de la viande, spécialement pour le commun, était cuite dès le jeudi de devant – on était dimanche – qui moult semblait étrange chose aux Français. Car les Anglais étaient maîtres de la besogne, et peu leur importait l'honneur qu'il y avait, pourvu qu'ils en fussent délivrés.
>
> Personne ne s'en loua. Même les malades de l'Hôtel-Dieu disaient qu'ils n'avaient de leur vie à Paris vu si pauvre ni si nu relief.

Bedford et les siens venaient de se faire quelques ennemis de plus. Il est juste de dire que l'on avait murmuré lorsqu'il avait employé en fêtes le produit de l'impôt. En tout cas, on le lui pardonna pas d'avoir laissé ses gens considérer en France la cuisine comme une corvée.

Les bourgeois l'avaient-ils fait exprès ? Lors de l'entrée solennelle, deux semaines plus tôt, on avait représenté un mystère devant le Châtelet, au passage du jeune roi qui gagnait le palais de la Cité par la rue Saint-Denis et le pont au Change. Et ce mystère montrait un enfant-roi, coiffé d'une double couronne et entouré de tous les princes des fleurs de lis. Tous les princes...

Le bourgeois nota la petitesse des frais qu'on avait faits pour lui. Petit banquet, petites joutes, petites générosités. Le Parlement ne put même obtenir à cette occasion le paiement de ses gages. Henri VI ne fit pas grâce aux prisonniers. Il ne révoqua pas les impôts. On ne se gêna pas pour observer qu'on s'amusait davantage au mariage d'un enfant de bourgeois.

Les gens du roi avaient voulu s'approprier, à l'Offertoire de la messe, l'aiguière d'argent doré qui avait contenu le vin. Les chanoines s'étaient interposés, l'avaient finalement emporté, mais gardaient rancune de l'incident. Le bon peuple en jasa. Cela faisait mauvais effet.

Il pleuvait, les jours étaient courts, le fagot était cher : le Parisien fit son mécontentement de tout. Henri VI partit après les fêtes de Noël. Paris eut l'impression d'en avoir trop fait pour lui.

Dans ce même temps, la France apprenait qu'à Lille, au terme de longues négociations, les ambassadeurs de Charles VII et ceux de Philippe le Bon s'étaient accordés, le 13 décembre, pour une trêve générale de six ans. Succès pour le cardinal Albergati, légat du pape Eugène IV, la trêve était un camouflet pour Bedford. On attendait un légat à Paris, et il était à Lille. On attendait de Philippe le Bon qu'il attaquât la Champagne à lui offerte par les Anglais à charge de reconquête, et il mettait bas les armes. Le gouvernement anglais sut qu'en Ile-de-France et en Normandie il allait se retrouver seul. Le temps des vues lointaines sur le sud de la Loire était révolu.

La résistance.

Les Anglais avaient cru, après la mort de Jeanne d'Arc, que la chance revenait. L'illusion avait été de courte durée. Ayant acheté la reddition de Louviers après cinq mois d'un siège inefficace, les soldats anglais avaient aussitôt violé les promesses faites aux bourgeois. La chose fit mauvaise impression en Normandie, et même à Paris. Dans le Maine, dans la Normandie occidentale, les troupes d'Ambroise de Loré, celles de Richemont, celles de Dunois menaient des actions ponctuelles qui n'avançaient guère les affaires de Charles VII mais ancraient dans l'esprit des Normands l'idée que Henri VI n'assurait pas l'ordre. En Champagne, Barbazan et la garnison de Troyes suffisaient à mettre au pas les quelques Anglais qui n'avaient pas vidé les lieux en 1429. La Hire opérait autour de Paris, razziant les convois de ravitaillement, brûlant les villages, empêchant moissons et vendanges.

Au service de Georges de la Trémoille, Rodrigue de Villandrando trouvait de nouveaux emplois. Il alla faire la guerre en Auvergne à la comtesse Marie, héritière de sa cousine la comtesse Jeanne, dont La Trémoille était veuf. Puis le routier tourna ses troupes vers l'Anjou, où il attaqua les possessions de la reine Yolande.

Les féodaux s'en donnaient à cœur joie. Dans l'Ouest, la guerre renaissait à chaque occasion entre Richemont et La Trémoille. Le duc d'Alençon faisait campagne contre le duc de Bretagne. Le sire de Preuilly Pierre Frotier rossait les moines du voisinage. Dans le

Centre, les nobles du Velay et du Gévaudan ne cessaient d'en découdre. En Languedoc, Foix et Armagnac continuaient.

Bedford tenta de réagir contre une anarchie où il avait plus à perdre que son adversaire. Ambroise de Loré avait échoué devant Caen en 1431, mais Ricarville et ses hommes avaient pris et tenu Rouen en février 1432, avant de finir sous la hache du bourreau. La nouvelle de la trêve de Lille ne pouvait qu'encourager les amateurs de complots. Il ne passait pas de mois sans qu'un groupe de Parisiens ou un autre imaginât un moyen de faire entrer dans la capitale ceux que les anciens fidèles du parti bourguignon commençaient d'appeler « les Français ». On vit même, en cette année 1432, comploter l'abbesse de Saint-Antoine-des-Champs.

Le 10 août, la hardiesse des bourgeois assiégés, combinée avec une attaque fulgurante de Rodrigue de Villandrando, forçait les Anglais à lever le siège de Lagny. On raconta que le siège interrompu avait coûté cent cinquante mille saluts d'or. Le gouvernement de Bedford passa pour responsable de la vie chère.

Bedford ne trouva que l'idée de renforcer ses propres garnisons et d'offrir une alliance aux deux frères de Bretagne, le duc Jean V et le connétable de Richemont. Il obtint l'effet contraire de ce qu'il espérait. La Trémoille jugea que la menace était sérieuse, et fit sa paix avec Richemont. Les conseillers de la reine Yolande s'avisèrent du risque qu'avait fait courir au roi un favori aussi entreprenant. Ils préparèrent sa chute. La reine Marie d'Anjou et son frère Charles d'Anjou, comte du Maine, organisèrent la conspiration. En juin 1433, alors qu'il logeait chez le roi à Chinon, La Trémoille fut poignardé dans son lit, puis enlevé à demi mort, et emprisonné à Montrésor. On ne le libéra, moyennant une honnête rançon, qu'à la condition de se tenir désormais à l'écart. Charles VII avait supporté le malheur de son favori comme naguère celui de Jeanne d'Arc : sans rien dire.

Les choses, cependant, tournaient à son avantage. Le pouvoir était maintenant à la reine Yolande, au comte du Maine et surtout à Richemont. Le gouvernement anglais, au contraire, s'évanouissait. Bedford vieillissait. Henri VI s'en était retourné. Le chancelier Louis de Luxembourg était des plus impopulaires. Les Parisiens en firent le bouc émissaire de la paix impossible.

> On disait en secret, et bien souvent ouvertement, qu'il ne tenait à lui que la paix fût en France. Ils en étaient autant maudits, lui et tous ses complices, que jamais fut l'empereur Néron.

Une nouvelle fois, le régent tenta de reprendre l'initiative. Il organisa la défense de la Normandie par les Normands eux-mêmes.

Arondel et Talbot eurent mission de reprendre les places fortes perdues dans la région parisienne.

D'abord, on compta les succès. Les paysans normands acceptèrent d'assurer la police et, pour commencer, s'exercèrent tous les dimanches à l'arc. Malheureusement, Talbot et Arondel s'arrêtèrent après leur première victoire, attendant sans doute des instructions qui ne venaient pas. Quant au dynamisme des paysans normands, il inquiéta les hommes d'armes des garnisons. Allait-on continuer à les solder, si les vilains faisaient le soldat gratis ? Les capitaines complotèrent contre cette concurrence nouvelle. Un guet-apens fut tendu à une forte troupe de paysans qui se trouvèrent massacrés, près de Saint-Pierre-sur-Dives, avant d'avoir compris quoi que ce fût à la tactique. A travers toute la Normandie, la préparation militaire tourna alors à l'insurrection. Bedford eut beau faire exécuter publiquement à Rouen les fauteurs du massacre, les Normands, en cet été de 1434, prirent les armes contre l'occupant. L'énormité de l'impôt exigé en septembre des états de Normandie – 334 000 livres – détermina les plus indécis. Quelques chefs émergèrent, comme le paysan Cantepie ou le sire de Merville. Cette Jacquerie d'un nouveau genre ressemblait à bien des égards à celle du siècle précédent : l'organisation n'était pas le fort de ces braves gens. Ils s'en allèrent donner l'assaut à Caen, se laissèrent surprendre et furent taillés en pièces par les Anglais.

Ce même été, les hommes de Talbot reprenaient Beaumont-sur-Oise, mal défendu par Amado de Vignolles, le frère de La Hire, et entraient dans Creil après six semaines de siège. Ceux qui avaient animé la défense de ces deux places furent pendus. Voilà qui assurait la soumission des survivants, non leur adhésion.

Nul ne prenait plus Bedford et les siens pour les alliés du duc de Bourgogne, et l'on en venait à oublier la tyrannie armagnaque. Maintenant, l'Anglais était vraiment considéré comme un occupant. Le poids de son fisc y était pour beaucoup. Celui de la répression aussi, car le peuple avait quelque peine à compter comme « larrons » tant de braves gens – du compagnon à l'échevin – que l'on pendait pour leur apprendre à comploter. Celui des maladresses, enfin, dont la moindre ne fut pas de vexer l'Université de Paris.

Les maîtres – les théologiens de Sorbonne comme les juristes du Clos Bruneau – vivaient d'une certaine hégémonie intellectuelle et d'une clientèle internationale, toutes deux garanties par l'éloignement de la concurrence – Oxford, Toulouse, Montpellier – et toutes deux menacées par la longueur de la guerre. La France du nord et l'état bourguignon, voilà ce qu'était après 1420 l'aire du rayonnement parisien. Les maîtres s'en accommodaient, parce qu'ils ne pouvaient nier qu'ils avaient eu quelque part au conflit et quelque responsabilité au traité de Troyes, mais ils en souffraient. La faveur du régent Bedford et la flagornerie des recteurs entretinrent toutefois, pendant quelques années, un semblant de prospérité universitaire. Lorsqu'en juin 1428 la faculté de droit canonique reçut quatre nouveaux docteurs, dont deux Anglais, Bedford vint présider le banquet. Les maîtres ne manquaient pas une occasion de féliciter le gouvernement anglais et de faire son éloge à l'intention de leurs correspondants. On les entendit crier très haut la gratitude du monde de l'esprit envers un roi qui venait enfin visiter son royaume de France et s'y faire sacrer. L'avis qu'ils donnèrent contre Jeanne d'Arc fut à la mesure de leur fidélité. En fait, ils n'eussent pu s'en dédire. Prisonniers de leur orgueil et de leurs premiers engagements, ils étaient liés par leur propre histoire.

C'est dire leur déception quand ils virent que le gouvernement anglo-bourguignon prêtait la main à une entreprise maudite entre la Seine et la montagne Sainte-Geneviève : la multiplication des universités. Ni Bedford ni Philippe le Bon n'avaient délibéré de ruiner la position des Parisiens, mais il appartenait désormais à l'honneur d'un prince de créer son université, pour le rayonnement de son état et pour la formation de ses cadres administratifs. D'ailleurs, l'un et l'autre se méfiaient quelque peu de Paris, où la succession des complots « armagnacs » laissait penser qu'une surprise était toujours possible. Il était sage de prendre des dispositions pour se passer, le cas échéant, de Paris.

En 1422, Philippe le Bon obtenait de Martin V la création d'une université à Dole. Le duc Jean V de Brabant l'imitait en 1425 en faveur de Louvain. On sait les vues qu'avait sur le Brabant le duc de Bourgogne.

Charles VII n'était pas en reste, et n'avait pas à ménager les amis de Pierre Cauchon et de Thomas de Courcelles. Une université fut créée en 1431 à Poitiers : c'était une institution complète, avec ses cinq facultés, où se retrouvèrent très vite les survivants du parti de la « paix » parisien, établis pour la plupart à Poitiers depuis l'exode de 1418. Douze des quatorze examinateurs de Jeanne d'Arc, en 1429, étaient d'anciens maîtres parisiens. En fondant une université à Poitiers, Charles VII leur rendait tout simplement une chaire, mais il ouvrait une concurrence durable pour Paris. Yolande aggrava le coup en obtenant, quelques mois plus tard, que l'Université d'Angers, jusque-là limitée au seul droit, eût à son tour une gamme complète d'enseignements.

Les Parisiens furent touchés au vif. Mais Poitiers et Angers étaient en pays adverse. Ils ne s'étonnèrent pas. Quant à Dole et à Louvain, c'étaient là des villes d'empire. Il était difficile de protester.

Soudain, ces mêmes maîtres se trouvèrent trompés. En janvier

1432, une ordonnance d'Henri VI créait à Caen une université dont l'objet politique était avoué. Non seulement Caen prenait à Paris une bonne part de sa clientèle, mais la naissance même de Caen était un aveu de défiance envers l'avenir du Paris des Lancastres. Huit ans de combats et de réfutations, depuis la première esquisse de cette création en 1424, n'avaient servi de rien. Les maîtres de Paris avaient écrit au régent, au pape, au concile de Bâle. Ils avaient obtenu que Philippe le Bon intervînt lui-même au Conseil, élevant d'ailleurs le débat au niveau d'un conflit d'intérêts plus généraux. Les Parisiens craignaient ou feignaient de craindre :

> La dissipation de notre étude et aussi la dépopulation de cette bonne cité.

Quand on sait que, depuis 1418, les bannissements, la grippe et la petite vérole n'avaient cessé de frapper la capitale, quand on voit qu'en 1425, déjà, les deux tiers des maisons du pont Notre-Dame — 43 sur 65 — étaient vides et qu'en dix ans, de 1422 à 1432, la plupart des maisons parisiennes avaient perdu 90 % de leur valeur locative, on comprend que les angoisses des maîtres n'étaient pas feintes. Certes, ils étaient vexés, mais ils avaient très réellement peur de la faillite.

En corps, ils protestèrent auprès du Parlement. Le prévôt des marchands Hugues Rapiout appuya leur demande. Ils allèrent jusqu'à proposer ce qu'ils avaient toujours refusé : l'extension de leurs enseignements juridiques au droit civil, pour lequel Paris dépendait d'Orléans. Tout cela ne servit à rien.

La vieille Université de Paris perdait encore un peu de son universalisme. Elle perdait aussi de sa substance. Bourguignons et Comtois avaient déjà disparu, mais la Normandie fournissait maintenant un bon tiers des effectifs : on pouvait deviner les conséquences de la victoire de Caen. Celle-ci ne fit d'ailleurs pas le bonheur de tous les Normands : Rouen et la Haute-Normandie allaient continuer de peupler la « nation normande » de l'Université de Paris. Mais Bedford venait de perdre à Paris le soutien du seul corps qui se fût vraiment compromis pour lui.

Le traité d'Arras.

Pour le duc de Bourgogne, les choix étaient faits. Il n'avait rien tenté pour empêcher le sacre de Charles VII et il n'avait pas honoré de sa présence celui d'Henri VI. Les trêves qui se succédaient depuis cinq ans ne faisaient pas une paix, mais Français et Bourguignons s'étaient en définitive peu battus les uns contre les autres. Et l'on avait vu se réunir, déjà à Arras, dès les lendemains du sacre de Reims, les plénipotentiaires de Charles VII et ceux de Philippe le Bon. La négociation reprit au printemps de 1432. Elle ne devait plus cesser.

Le duc Philippe n'oubliait ni l'assassinat de son père ni son propre engagement dans le traité de Troyes. Mais l'alliance anglaise se révélait désormais inutile, et d'autres dangers guettaient maintenant l'état bourguignon. Lié d'amitié avec Charles VII, l'empereur Sigismond manifestait son intention de contenir l'expansion bourguignonne vers le Rhin. La Flandre renâclait contre les effets économiques d'une guerre qui privait Bruges d'une bonne part de son marché européen. Alors que le développement de l'industrie drapière anglaise conduisait les tissages continentaux à remplacer la laine anglaise par la laine des moutons mérinos de Castille, la fortune des places flamandes tenait de moins en moins aux relations avec l'Angleterre, et de plus en plus à un réseau continental de distribution des produits du grand commerce maritime. Vers le sud, il y fallait la paix avec la France. Vers le nord, il y fallait la connivence de l'empereur. Et celui-ci était l'allié du roi de France.

Ajoutons que les troupes de Charles avoisinaient maintenant, au nord de l'Ile-de-France, les possessions bourguignonnes d'Artois et de Picardie, où régnait l'insécurité et où se multipliaient les incursions « armagnaques ». Tout le monde aspirait, de ce côté-là, à la paix franco-bourguignonne.

Charles VII, toutefois, n'était pas prêt à s'aventurer. Avec une patience où se reflète assez bien son habituelle indécision mais où la détermination se marquait de mieux en mieux, il refaisait l'union de son royaume. A Vienne, au printemps de 1434, il tint une cour dont l'enjeu politique dépassait la simple affirmation de son droit dans le Dauphiné de Viennois. On vit reparaître là parmi les grands le connétable de Richemont, accompagné de son protégé Charles d'Anjou. On vit aussi venir les envoyés du concile de Bâle, le cardinal Louis Aleman — le cardinal d'Arles, comme on l'appelait — et le cardinal Hugues de Lusignan, plus connu sous le nom de cardinal de Chypre parce qu'il était de la lignée des Lusignan qui régnaient à Chypre depuis la fin du XIIe siècle. Le roi retrouva même pour quelques jours son homme de confiance des jours mauvais, l'ancien chef de bande des Armagnacs de Montereau et du royaume de Bourges naissant : Tanguy du Châtel.

De quoi parla-t-on à Vienne ? En apparence, de la reprise des hostilités contre la Bourgogne. En réalité, de son opportunité. On n'en était pas encore à traiter. On s'y préparait.

Il en alla de même lorsque s'ouvrit à Tours, le 12 août 1434, l'assemblée des états de Langue d'oïl. La guerre reprenait sur tous les fronts. Il n'était pas question de traiter comme si le roi était vaincu. Associer les prélats, les barons et les bonnes villes, ce n'était pas seulement se donner le moyen de financer la guerre. C'était manifester la cohésion de ce qui avait été le royaume de Bourges et qui, même si le roi logeait à Chinon ou à Poitiers, redevenait le royaume de France.

Les pourparlers décisifs s'ouvrirent à Nevers en janvier 1435. Philippe le Bon y était. Charles VII avait envoyé le duc de Bourbon, l'archevêque-chancelier Regnaut de Chartres, le connétable de Richemont, le maréchal de La Fayette et quelques-uns de ses meilleurs juristes. Bourgogne retrouvait là sa sœur Agnès, la duchesse de Bourbon, qu'il n'avait pas vue depuis de longues années. Ces retrouvailles facilitèrent la tâche des diplomates. Les ennemis festoyèrent dans l'allégresse, burent pas mal, trinquèrent à la paix. Des témoins observèrent que bien fol était celui qui s'était fait tuer pour eux.

Le duc Philippe fit comprendre qu'il était prêt à abandonner son allié anglais s'il trouvait le moyen de ne pas trahir la mémoire de Jean sans Peur. Rendez-vous fut pris à Arras. On se sépara avec l'idée que la paix était faite.

Charles VII ne baissa pas sa garde pour autant. Venu rendre compte à Chinon, Richemont se vit nommé « lieutenant général du roi entre l'Yonne et la Seine ». Dans le même temps qu'il désignait ses ambassadeurs à Arras, le roi acceptait la proposition de Dunois : le Bâtard d'Orléans se disait prêt à prendre Saint-Denis. En attendant Paris...

Ces dispositions offensives n'étaient pas vaines paroles. Au début de mai, Saintrailles et La Hire avaient battu en Beauvaisis, à Gerberoy, l'armée anglaise du comte d'Arondel. Le 1er juin, Dunois entrait dans Saint-Denis. Il y resta, attendant des instructions pour l'assaut final contre la capitale.

Philippe le Bon n'était pas en reste. Il alla prendre le pouls de Paris, y retrouva sa popularité, intacte dès lors qu'on le voyait. De ce voyage, il tira une leçon d'importance pour la suite des événements : sa position politique dans le royaume de France ne devait rien à l'alliance anglaise. Mais on lui cria « La paix ! » Philippe le Bon n'avait pas vécu la terreur cabochienne ; il ne put entendre dans ce cri la moindre allusion au passé. Il comprit en revanche qu'il avait tout à gagner s'il était celui par qui la guerre finissait.

Les Anglais prirent peur. La paix séparée entre France et Bourgogne, c'était leur ruine. Les membres anglais du Conseil assurèrent qu'ils étaient prêts à la paix, mais rappelèrent leur attachement à un règlement général des affaires. Bedford avait quitté Paris pour

Rouen. Le duc de Bourgogne ne put le voir. Il se contenta d'envoyer en Angleterre une ambassade, chargée de montrer à Henri VI qu'on n'en finirait jamais par la force. Aucune victoire n'était plus possible. Il fallait négocier.

Les Anglais se méfièrent. Le duc n'était-il pas en train de trahir ses engagements ? Son serment de 1420 le liait à la cause d'Henri VI. On le lui fit rappeler. Une ambassade fut dépêchée en Italie pour savoir si Eugène IV n'avait pas délié secrètement quelque prince français de ses serments. Le pape rassura les Anglais : nul ne lui avait jamais demandé pareille chose.

Le 5 août 1435, le congrès final s'ouvrit à Arras. Les cardinaux de Sainte-Croix et de Chypre – Albergati et Lusignan – présidaient, l'un comme légat du pape, l'autre comme représentant du Concile. Au vrai, la présence d'Hugues de Lusignan manifestait aussi l'intérêt que portait l'Église à une paix qui demeurait la condition première de toute croisade. Son nom symbolisait à lui seul la détresse de l'Orient latin. Son neveu Jean III de Lusignan n'était-il pas, à Chypre même, aux prises avec les Turcs ?

Les pères du concile de Bâle s'étaient fait représenter : l'affaire prenait les dimensions de la Chrétienté. On vit bientôt à Arras des ambassadeurs du roi de Naples et du duc de Bretagne, des envoyés de Charles d'Orléans et de Jean d'Alençon. L'Université de Paris envoya ses procureurs. Les grandes villes de France firent de même.

Pendant un mois, on eut l'impression d'une négociation franco-anglaise. Aux côtés du cardinal Beaufort, il y avait l'archevêque d'York, le comte de Suffolk et quelques conseillers comme le sénéchal de Guyenne, l'évêque Pierre Cauchon et le docteur en théologie Guillaume Érart. L'ambassade française était plus nombreuse : Bourbon, Regnaut de Chartres, Richemont s'y retrouvaient, mais flanqués d'une foule de conseillers politiques et juridiques comme le premier président du Parlement Adam de Cambrai, le conseiller Guillaume Chartier et le doyen de Paris Jean Tudert.

Les gens de Charles VII firent des concessions qui n'étaient pas minces : le Lancastre garderait la Normandie – sauf le Mont-Saint-Michel et la Guyenne, mais il tiendrait ces provinces en fief, à charge d'hommage au Valois. Le cardinal Beaufort, qui avait indisposé le légat et agacé les Bourguignons en arrivant en retard, le 23 août, après d'interminables tergiversations, manifesta qu'il n'était guère disposé à laisser à Charles VII autre chose que ce qu'il tenait en ce mois d'août 1435. Le sort de Paris était là en jeu. Les Anglais prenaient donc une position calquée à l'inverse sur celle des Français : ce qu'il garderait, Charles VII le tiendrait en fief du roi Henri VI. Autrement dit, Charles VII cesserait d'être roi de France. Au mieux serait-il le premier des barons dans le royaume du Lancastre.

La situation militaire ne permettait plus aux Anglais de telles exigences. Le légat les jugea déraisonnables. Il lui parut même que Charles VII faisait assez pour la paix quand il offrait en fief le tiers de son royaume, et le meilleur tiers. Furieux contre Beaufort et les siens, le légat déclara qu'il valait mieux ne plus songer à une paix générale; on pouvait toujours s'occuper d'une paix particulière. La paix de la Chrétienté y gagnerait plus sûrement.

Nul ne crut au hasard quand on apprit, le 25 août, que La Hire et Saintrailles venaient de passer la Somme à la tête d'une armée royale et qu'ils marchaient vers Arras. Philippe le Bon envoya les barons de son entourage à leur rencontre. Bourbon leur fit savoir d'urgence qu'ils avaient à se retirer. La Hire et Saintrailles obtempérèrent. En apparence, le roi de France venait de désavouer une initiative intempestive; tout le monde comprit qu'il s'était agi de rappeler que la roue avait tourné depuis le temps où l'on se demandait si les Anglais passeraient la Loire.

Bedford était à Rouen, cloué au lit par la maladie. Le vieux cardinal Beaufort se rendait mal compte du risque qu'il prenait en bloquant la négociation au moment où Bourguignons et Français discutaient ouvertement de ce que pourrait être un arrangement.

Philippe le Bon tenait une cour magnifique, avec son beau-frère le duc de Gueldre et son neveu de Clèves, et avec quelques dizaines de seigneurs de Bourgogne, de Flandre, de Hainaut et d'Artois. Le 1er septembre, il offrit un banquet en l'honneur du cardinal d'Angleterre. A la fin, il prit à part son invité. C'était pour lui assener la conclusion d'une longue méditation : par son obstination, l'Anglais était seul responsable de la rupture d'une alliance sans laquelle s'effondrait l'édifice politique scellé à Troyes en 1420. Beaufort piqua une colère. L'archevêque d'York et lui gesticulèrent pendant une heure. Le cardinal suait à grosses gouttes. On tenta vainement de le calmer en passant les épices pour le vin.

Les cris ne firent rien à l'affaire. Le duc de Bourgogne ne revint pas sur un propos aussi longuement mûri. A la nuit, accompagné seulement du chancelier de Bourgogne Nicolas Rolin et de deux chevaliers discrets, il se rendit incognito chez le cardinal légat. Le secret n'avait qu'une raison: les Anglais eussent été de trop dans l'entretien.

Le 6 septembre, les plénipotentiaires anglais quittaient Arras. Officiellement, ils allaient porter à Henri VI les propositions des Français. En réalité, leur départ signifiait la rupture, et nul ne le cachait. Les cardinaux Albergati et Lusignan dressèrent procès-verbal.

La nouvelle de l'échec hâta la fin de celui dont l'énergie et la lucidité avaient si longtemps maintenu en vie la double monarchie. Le

14 septembre, Bedford mourait dans ce château de Rouen où s'était déterminé, naguère, le sort de Jeanne d'Arc.

Pendant ce temps, c'est Richemont qui, à la nuit, faisait au duc de Bourgogne des visites que favorisait la connivence du chancelier Rolin. Le 8 septembre, une messe pour la paix réunissait tout le congrès. Le surlendemain, le conseil du duc se prononçait à la quasi-unanimité pour une paix séparée avec le roi de France. L'évêque d'Auxerre nota le miracle : on était à l'anniversaire de l'assassinat de Jean sans Peur. Le 11, le congrès reprit ses travaux, sans les Anglais : il n'y avait plus qu'à mettre en forme le traité. L'accord était fait quant au fond.

Et le 21 septembre 1435, en l'église Saint-Vaast d'Arras, après une messe célébrée par le légat, un sermon de l'évêque d'Auxerre et une lecture publique du traité, on vit s'avancer dans le chœur le juriste Jean Tudert, un vieil homme qui avait servi au Parlement de Charles VI et que l'on avait vu, maître des requêtes de Charles VII, dans toutes les négociations avec la Bourgogne. Il y avait quelque douze ans que Jean Tudert poussait à la paix. Il s'agenouilla aux pieds de Philippe le Bon. Les termes de l'amende honorable qu'il récita figuraient au traité.

> La mort de monseigneur le duc Jean de Bourgogne fut iniquement et mauvaisement faite par ceux qui perpétrèrent le cas, et par mauvais conseil. Il en a toujours déplu au roi, et il lui déplaît à présent de tout son cœur. Il l'eût empêché s'il avait eu l'âge et l'entendement qu'il a à présent, mais il était bien jeune et avait pour lors petite connaissance, et ne fut point assez avisé pour y pourvoir.

Le duc de Bourgogne répondit qu'il pardonnait, releva le procureur du roi de France, l'embrassa. Puis il jura la paix. Les Français en étaient passés par toutes ses exigences. A peu de chose près, c'est ce que l'entourage politique de la reine Yolande proposait déjà de concéder lors des premières entrevues d'Arras, en août 1429, aussitôt après la victoire d'Orléans et le sacre de Reims. Beaucoup, qui avaient apprécié à sa juste valeur le service rendu par Jeanne d'Arc en débloquant la situation en mai et juin 1429, ne purent s'empêcher de penser que son obstination après les premières victoires avait, sans le moindre profit, retardé la paix de cinq ans. Le roi cédait, comme s'il avait été vaincu par les Bourguignons.

Le traité d'Arras comportait trois séries de clauses, les unes de pure réparation morale, les autres d'indemnisation territoriale, les troisièmes à haute portée politique.

Des messes de *Requiem,* la fondation d'une chartreuse à Montereau, un monument commémoratif sur le pont du guet-apens, voilà qui levait les scrupules du duc Philippe quant à son serment de vengeance. Charles VII s'engageait de surcroît à punir les fauteurs du meurtre de Montereau. Toutes autres « injures » étaient abolies. Les deux cardinaux déclarèrent officiellement Philippe le Bon relevé d'un serment qui était le seul ciment juridique de l'alliance anglo-bourguignonne.

Nul n'observa alors que les luttes des factions avaient fait d'autres morts que le duc de Bourgogne Jean sans Peur, et que le premier assassinat avait été celui du duc Louis d'Orléans, assassiné certain soir de 1407 sur l'ordre de son oncle de Bourgogne. Pour ce meurtre-là, il n'y avait ni amende honorable ni réparation. A son retour en France, Charles d'Orléans allait éprouver quelque amertume en voyant que la raison d'état couvrait du voile de l'oubli la mort de son père.

Les clauses territoriales du traité étaient dures : Charles VII cédait les comtés d'Auxerre et de Mâcon, les châtellenies de Bar-sur-Seine, Péronne, Roye et Montdidier, enfin les villes « de et sur la vallée de Somme » et tout ce qui séparait la Somme de l'Artois déjà bourguignon. Il était seulement accordé au roi qu'il pourrait racheter les villes de la Somme pour 400 000 écus. En d'autres termes, Philippe le Bon obtenait une indemnité de guerre gagée sur la Picardie. Si l'on pensait aux exigences anglaises — deux semaines plus tôt comme jadis à Brétigny — on pouvait néanmoins estimer que le duc de Bourgogne avait la convoitise raisonnable. Vainqueur, il eût été dans le cas d'exiger la moitié du royaume. Les Anglais avaient échoué à l'obtenir parce qu'ils n'étaient pas vainqueurs.

L'enjeu était ailleurs, et le duc était aussi avisé en sachant se contenter de ces quelques cessions territoriales que l'était Charles VII en ne les refusant pas. Le véritable enjeu, pour l'un comme pour l'autre, c'était la souveraineté. Le roi de France gardait la sienne, intacte sur toutes les terres qu'il conservait et sur toutes celles qu'il pourrait reconquérir sur les Anglais. Le duc de Bourgogne s'en faisait reconnaître une sur l'ensemble de ses états : tant que vivrait Charles VII, Philippe le Bon ne prêterait aucun hommage au roi de France. S'il était le survivant, il ferait hommage au nouveau roi de France. Ses héritiers prêteraient l'hommage comme par le passé.

Justifiée en 1435 par le refus du duc de s'agenouiller à son tour — la disparité des traitements était de ce fait éclatante — devant celui qui avait été le roi des assassins de Jean sans Peur, l'exemption d'hommage n'était que viagère. Nul ne mettait en doute que les états bourguignons fussent toujours du royaume de France pour la partie qui en mouvait de toute ancienneté. Le premier président Adam de Cambrai et le chancelier Nicolas Rolin avaient exactement mesuré, chacun pour son maître, la portée juridique des termes du traité. On plaçait simplement entre parenthèses l'hommage d'une génération. Mais, dans la réalité politique, tout le monde voyait que, délié de ses obligations envers Henri VI et franc de toute obligation envers Charles VII, maître par conséquent de toutes ses alliances, Philippe le Bon était bel et bien souverain.

Le traité le gardait d'ailleurs des propos imprudents et des inadvertances de style dues à la routine des chancelleries ou simplement à la courtoisie des cours. Mais, par là même, le traité en venait à appeler les choses par leur nom.

> Comme, au présent traité ou dans d'autres lettres ou de bouche, le duc nomme et pourra nommer le roi « son souverain », les ambassadeurs déclarent que cette désignation ne porte aucun préjudice à l'exemption personnelle dont il jouira sa vie durant.

En échange, le roi avait maintenant, pour sa couronne, la garantie du duc de Bourgogne. Il avait sacrifié dans l'immédiat son amour-propre, et il perdait pour un temps une part de son royaume. Mais il assurait l'essentiel, dont beaucoup avaient désespéré aux temps sombres du royaume de Bourges : sa légitimité. Le seul qui menaçât la couronne des Valois, le seul qui se prétendît roi de France, celui qui régnait à Paris, c'était l'Anglais, non le Bourguignon. Le prix payé pour isoler Henri VI ne pouvait être trop élevé.

De part et d'autre, les ultras étaient mécontents. On oubliait un peu vite le meurtre de la porte Barbette, la terreur cabochienne, l'interminable captivité de Charles d'Orléans. On faisait bon marché — trop, au gré de bien des Bourguignons — des avantages réels qu'avait le duc Philippe, et notamment de l'alliance des Parisiens. Le comte de Ligny sortit de Saint-Vaast sans prêter serment. Jean de Lannoy mania l'ironie :

> Voici la main qui a prêté serment pour cinq paix, dont aucune n'a été observée. Moi, je promets à Dieu que celle-ci sera observée pour ma part...

En définitive, on entendit surtout se manifester la joie, celle des barons comme celle des bourgeois. Le cardinal de Chypre entonna le *Te Deum*. Bourgogne et Bourbon se donnèrent le bras pour la sortie. Le peuple criait « Noël ! » La fête dura huit jours, pendant lesquels les juristes travaillèrent à préciser les détails de l'application du traité. Les messes d'action de grâces se succédaient. Les banquets aussi. On avait rarement festoyé autant, et aussi bien mangé. On était loin des viandes réchauffées du sacre d'Henri VI.

Le profit du duc et celui du roi différaient. Mais il y avait en l'affaire un perdant. C'était l'homme qu'on venait d'enterrer dans la cathédrale de Rouen après quinze ans d'un gouvernement sage et pragmatique fondé sur la contrainte et sur des illusions. Lorsque les ambassadeurs anglais traversèrent Londres, ils furent conspués. Une émeute mit à sac les hôtels des gros marchands flamands établis à Londres.

Un temps, on put croire que le conflit allait vers un rapide dénouement. Bourguignons et Anglais se trompèrent, chacun pour soi, d'adversaire. Philippe le Bon voulut prendre Calais. Les Anglais attaquèrent sans profit le comté de Flandre et le duché de Bourgogne. Charles VII ne pouvait aider les mouvements spontanés qui se produisaient en sa faveur à travers toute la France du Lancastre, pas plus l'action militaire d'un chef de bande audacieux comme Charles des Marets, qui enlevait Dieppe le 28 octobre 1435, que le mouvement insurrectionnel qui secouait peu après les campagnes normandes à l'appel de quelques nobles parmi lesquels se distinguait le sire de Montivilliers.

Charles VII à Paris.

La reprise de Paris était évidemment le premier des objectifs, tant pour le carrefour économique qu'offrait la capitale que pour sa valeur déjà symbolique. Au reste, Paris était à prendre, et les complots anti-anglais se tramaient presque au grand jour, maintenant que la fidélité du parti bourguignon ne soutenait plus la présence anglaise. L'occupant vit le péril, exigea des bourgeois un nouveau serment de fidélité que le chancelier Louis de Luxembourg reçut en grande pompe le 15 mars 1436 et qui ne voulait rien dire. Le prévôt Simon Morhier, trop compromis avec les Anglais pour s'en dédire, était à ce point sûr de la trahison des bourgeois qu'il leur enjoignit de rester chez eux en cas d'assaut. Mal payée, la petite garnison anglaise renâclait. Le gouverneur autorisa ses soldats à aller piller les villages voisins. On raconta qu'ils s'étaient empiffrés d'œufs et de fromages à Notre-Dame-des-Champs, et qu'un Anglais n'avait pas craint, à Saint-Denis, d'arracher le calice doré des mains du prêtre, à peine celui-ci avait-il fini de communier.

Les vieux fidèles du parti de Bourgogne révisaient leur vocabulaire. On ne parlait plus des Armagnacs. On attendait les Français, et le roi de France.

Le gouvernement de la capitale, c'était maintenant une équipe de quatre évêques, tout aussi haïs l'un que l'autre : Louis de Luxembourg, que son évêché de Thérouanne n'occupait guère, Pierre Cauchon, qui s'était fait donner l'évêché de Lisieux parce qu'il désespérait de jamais rentrer à Beauvais, Jacques du Châtelier, qui gardait quelque amertume du mépris manifesté lors du sacre pour ses prérogatives d'évêque de Paris, et le tout nouvel évêque de Meaux Pasquier de Vaux. Aucun d'entre eux n'était capable d'empêcher le retournement de la population.

Richemont et son armée tenaient déjà l'est et le nord de la région. Melun, Lagny, Saint-Denis, Pontoise verrouillaient Paris. En ce début de printemps 1436, Richemont réussit à bloquer l'autre côté, de Charenton à Saint-Germain-en-Laye en passant par Corbeil. Cette fois, le blocus était total.

Dans Paris, le parti de Charles VII s'organisait autour d'un maître des comptes, Michel de Laillier, jadis victime de la répression bourguignonne et connu pour avoir comploté dès 1422 contre le régent Bedford. Apparemment rallié au nouveau régime, cependant que ses frères Jacques et Guillaume suivaient, l'un en Picardie, l'autre au Parlement de Poitiers, le destin du parti armagnac, Michel de Laillier avait tout simplement attendu, sans tapage, que vînt l'heure d'une action qui ne fût pas seulement un complot de cabaret.

A l'aube du 13 avril, les hommes de Laillier déclenchèrent une émeute. Dans les rues étroites de la capitale, les Anglais furent lapidés à coups de pierres, de bûches et de pots cassés. Le bombardement venait des fenêtres. Les soldats ne savaient où se réfugier. Ils se portèrent qui aux Halles, qui à la porte Saint-Denis, puis se regroupèrent dans la Bastille, tout contre cette porte Saint-Antoine qui passait pour l'une des plus menacées et qui demeurait l'une des rares portes non murées. Depuis leur entrée dans Paris, les Anglais et les Bourguignons savaient bien qu'ils n'étaient pas entrés par sape ou par escalade : il leur avait fallu une porte, ouverte subrepticement. L'ennemi ne pouvait manquer de faire de même. Pour n'avoir pas à surveiller quinze portes, on en avait, selon les moments, muré huit, dix ou douze. Il en était quelques-unes que l'on laissait presque toujours ouvrables, la pierre et le plâtre n'y ayant pas remplacé les vantaux de bois ferré : Saint-Denis, Saint-Honoré, Saint-Antoine, Saint-Jacques.

Les capitaines anglais avaient entendu que Jean de Villiers, sire de l'Isle-Adam, était à Saint-Denis. La veille, il avait rossé les pillards et s'était montré au nord de la ville, devant la porte Saint-Denis. L'Isle-Adam avait été gouverneur de Paris pour Bedford et le duc de Bourgogne. Mieux que quiconque, il savait la faiblesse de la défense parisienne : l'impossibilité d'une manœuvre rapide en ville. Faute d'un boulevard circulaire à l'intérieur de l'enceinte, il fallait passer par le centre pour aller d'une porte à l'autre. Il n'y avait que quatre ponts – deux sur chaque bras de la Seine, et ils étaient engorgés du matin au soir. Et le lacis de ruelles qui formait, entre la place de Grève et le Châtelet, la « croisée de Paris » interdisait tout mouvement tactique un peu important. En attaquant par la porte Saint-Jacques, sur la rive gauche, à l'heure où Laillier organisait le tumulte dans les rues, L'Isle-Adam neutralisait les Anglais qui veillaient à la Bastille sur la porte Saint-Antoine.

Les gardes de la porte Saint-Jacques étaient de bons bourgeois en armes, de ceux qui sentaient fondre leur hostilité envers Charles VII et qui, tel Villiers, avaient été Bourguignons plus qu'Anglais. A la première sommation, ils décidèrent d'ouvrir la porte. Résister leur paraissait dérisoire. Pour hâter les choses, l'un des défenseurs fit descendre une échelle le long du mur. Villiers de l'Isle-Adam grimpa le premier. Lorsque la porte s'ouvrit, les hommes de Charles VII étaient déjà dans la place.

Le troupe qui défila devant les Jacobins avant de descendre la rue Saint-Jacques était significative du rassemblement opéré depuis dix ans. A côté du connétable de Richemont, dont la fidélité n'avait cessé d'osciller au gré de la faveur royale, on voyait le Bâtard d'Orléans, futur comte de Dunois, fils de la première victime des Bourguignons et compagnon fidèle de Jeanne d'Arc. On voyait aussi Villiers, naguère défenseur de Paris contre cette même Jeanne d'Arc et instrument longtemps efficace de la domination anglo-bourguignonne sur Paris. A ce moment d'avril 1436, les Parisiens purent comprendre que la guerre était vraiment devenue une affaire nationale. C'en était fini d'un conflit aux racines dynastiques et aux ressorts féodo-vassaliques. On était fatigué des interminables séquelles d'un affrontement des princes dégénéré en guerre civile. Il n'y avait plus qu'une guerre : celle des Français contre les Anglais.

Charles VII et ses conseillers avaient tiré la leçon du demi-siècle écoulé, un demi-siècle où les exils avaient répondu aux exils, les bannissements aux bannissements, les exécutions aux exécutions. Les nouveaux vainqueurs publièrent une amnistie générale, empêchèrent le pillage, évitèrent les règlements de comptes. On traita avec les assiégés de la Bastille. Le dimanche 15 avril, moyennant finance, les Anglais et leurs derniers fidèles sortirent sous les quolibets et prirent la route de Normandie. Les badauds leur conseillèrent vivement de n'y plus revenir.

C'est ainsi que s'en allèrent les derniers serviteurs du Lancastre, le chancelier Louis de Luxembourg, le prévôt Simon Morhier et son prédécesseur Pierre Le Verrat, le lieutenant criminel Jean L'Archer, le prévôt des marchands Hugues Le Coq. Le grand boucher Jean de Saint-Yon, dont la puissance politique était peut-être l'un des ultimes vestiges du mouvement cabochien, allait finir sa vie sergent du roi d'Angleterre, cependant que son vieux complice Jean Turgis, fils d'un tavernier et homme à tout faire des Anglais, trouvait son dernier emploi à Londres comme harpiste de la reine.

L'entrée dans Paris avait été une opportunité plus qu'une victoire. On le vit bien lorsqu'un complot fut découvert, ourdi par un clerc des comptes et un avocat au Parlement, dont le propos était d'ouvrir les portes aux gens d'Henri VI. Charles VII disposait de sa capitale, mais Talbot la bloquait tout autant que naguère Richemont. A la fin de janvier 1437, une troupe anglaise reprit Ivry. Le 13 février, les Anglais étaient de nouveau dans Pontoise. Ils tenaient le Vexin. Montargis tomba en leurs mains deux mois plus tard. Charles VII réagit à l'automne, emporta Nemours, enleva de haute lutte Montereau.

Le roi avait été à la tête de ses troupes lors de l'assaut final contre Montereau le 10 octobre. Il en tira grand gloire, une gloire excessive : la prouesse était médiocre. Mais c'est avec la réputation d'un vainqueur qu'il fit, un mois plus tard, son entrée solennelle dans Paris.

Les Parisiens jouaient désormais le roi gagnant. Lorsqu'il fut à La Chapelle, en vue de la porte Saint-Denis, ce 12 novembre 1437, le prévôt des marchands Michel de Laillier lui offrit les clés de la ville : cérémonie alors toute nouvelle, qui voulait simplement rappeler à qui voulait l'entendre — et au roi en premier lieu — que l'on n'avait pas eu à prendre la capitale d'assaut et que les portes s'étaient ouvertes d'elles-mêmes devant le souverain légitime. Le roi comprit le symbole. Il confia les clés au connétable.

Les bourgeois avaient organisé la fête. Cortège, tableaux vivants, chants, tout manifestait l'alliance du roi et de sa capitale. Nul ne devait s'y tromper : Charles VII n'entrait pas dans une ville prise, mais dans une ville libérée. La joie du peuple et l'allégresse des notables en étaient la preuve.

> Au Poncelet, il y avait une fontaine, dans laquelle il y avait un pot où était une fleur de lis, laquelle fleur de lis jetait bon hypocras, vin et eau.

A Notre-Dame, le roi prêta le serment des rois de France à leur retour du sacre. Il ne s'agissait là que de confirmer les privilèges de juridiction de l'évêque et du chapitre. En réalité, la cérémonie marquait la place de cette joyeuse entrée dans le déroulement du règne : Charles VII, enfin, revenait de Reims. Soutenus par l'orgue, les choristes entonnèrent le *Te Deum*.

L'enthousiasme retomba vite. On levait sur la ville une lourde taille. Les églises durent alimenter la Monnaie en métal précieux :

encensoirs, plateaux, burettes, chandeliers se transformèrent en « gros blancs » qui n'avaient de blanc que le nom – cinq deniers d'aloi, cinq douzièmes d'argent fin, cela faisait au vrai de la monnaie noire – mais qui représentaient quand même un effort de redressement monétaire. La sécurité n'était pas assurée aux portes mêmes de Paris. Les Anglais pillaient tous les convois de ravitaillement. Le bourgeois se trouvait bien désabusé :

> Les larrons étaient toujours embusqués auprès de Paris. Ni roi ni duc ni comte ni prévôt ni capitaine n'en tenait compte, comme s'ils avaient été à cent lieues loin de Paris.

Lorsque Charles VII repartit, après trois semaines, on jugea qu'il était simplement venu voir la ville. La visite coûtait cher. Le moral était de nouveau au plus bas, et tout portait à la grogne. On racontait que les Anglais n'avaient point peur de la guerre tant que Richemont commanderait en face. Au vrai, Richemont fit en juillet 1438 une reconnaissance devant Pontoise : on le jugea « très mauvais ou très couard » parce qu'il s'en était tenu à regarder les tours. Quelques mois plus tard, les Anglais reprenaient Saint-Germain-en-Laye.

Les officiers de Charles VII voulurent jouer de la propagande. Aux portes de Paris on pendit trois toiles peintes représentant trois chevaliers anglais pendus par les pieds pour crime de parjure... envers Tanguy du Châtel. Le Parisien s'en ébahit, mais nota que le blé enchérissait. L'épidémie de petite vérole vint compléter le tableau à l'automne. Il fallut compter des milliers de morts, peut-être cinquante mille. L'évêque Jacques du Châtelier fut des victimes. Nul ne le pleura.

L'hiver fut rude. Les loups entraient dans la capitale à la nage, attaquaient les chiens, dévorèrent un enfant du côté des Innocents. Il est vrai qu'à Rouen on avait vu les chiens et les porcs manger des enfants morts de faim. Du moins le disait-on à Paris pour se consoler : les choses n'allaient pas mieux chez l'ennemi.

Paris s'était bien trompé en croyant que Charles VII ramenait la prospérité. La ville était un désert. La valeur des loyers, qui ne cessait de diminuer depuis 1422, s'effondra encore en 1438. En plein centre de la ville, une boutique sur deux était vide. Les maisons inoccupées menaçaient ruine et offraient de dangereux asiles à la population marginale. Une ordonnance royale donna le choix aux propriétaires : réparer ou démolir complètement. On accéléra la procédure d'adjudication des immeubles hypothéqués. Des investisseurs avisés achetèrent alors à bon compte les terrains sur lesquels, quelques mois plus tard, ils pourraient asseoir leur fortune immobilière.

Les serviteurs de la monarchie.

Charles VII était astreint par le traité d'Arras à faire part aux Bourguignons dans le gouvernement du royaume. Il eut la sagesse de ne pas ruser. Chacun avait servi la cause qu'il croyait juste, et chacun avait sa place marquée dans le nouvel ordre politique, fût-ce au prix d'une inflation administrative sans précédent. Le Parlement « bourguignon » de Paris et le Parlement « armagnac » de Poitiers fusionnèrent à Paris : dix-huit conseillers parisiens restèrent en place ou furent réintégrés après quelques mois, vingt-six conseillers de Poitiers vinrent prendre leur siège, d'ailleurs sans se précipiter, puisque onze seulement étaient arrivés à la Saint-Sylvestre de 1436 et que l'on attendit cinq ans les derniers. Il en alla à peu près de même à la Chambre des comptes : les deux maîtres et les deux clercs qui demeuraient à Paris prirent rang parmi les huit maîtres et les douze clercs venus de Bourges.

Charles VII nomma un nouveau prévôt, Philippe de Ternant, qui était un fidèle du duc de Bourgogne, le flanqua d'un homme à lui comme lieutenant criminel et conserva dans sa fonction de lieutenant civil l'excellent juriste Jean de Longueil, qui était un juge de métier et non un homme politique. Lui aussi nommé par Bedford en 1430, le procureur du roi Jean Chouart devint le serviteur de Charles VII après avoir servi en Henri VI le roi de France et non le Lancastre.

Prudemment conseillé par Richemont, Charles VII eut le courage d'empêcher ses partisans de confisquer la victoire. Compte tenu des mœurs de l'époque, c'était une sagesse hors du commun. On laissa Tanguy du Châtel se parer à nouveau du titre de prévôt, mais on lui interdit d'aller au Châtelet exercer son ancienne fonction. Les principaux responsables de la tuerie de 1418 avaient disparu, morts ou partis avec l'Anglais. On laissa tranquilles les plus modestes. Nul ne demanda aux bourgeois qui avait crié en 1413 et qui avait crié en 1418.

La France évitait ainsi vingt ans de rancunes. Elle faisait aussi faire dans le même temps un pas décisif à la notion d'un service public stable, étranger aux remous de la vie politique. La faveur de la fonction publique — notamment dans la société parisienne — doit beaucoup à cette constatation faite après 1436 : on risquait moins et l'on gagnait autant à servir le roi sans savoir quel était le bon qu'à spéculer sur les cours du blé ou à risquer son avoir sur les routes maritimes et terrestres. Dans les dix ans qui suivirent l'entrée de Richemont dans la capitale, la prépondérance des hommes d'affaires s'effondra, à l'Hôtel de Ville, devant celle des magistrats, des officiers de finance, des avocats.

Les voies de la fortune et celles de la noblesse étaient les mêmes, et c'étaient celles où l'investissement en temps, en talent et en argent se révélait le moins hasardeux. Le milieu des affaires avait connu l'effondrement des spéculations liées aux aléas politiques des années 1405-1420. Il y avait eu les déconvenues nées de l'instabilité monétaire des années 1417-1421. Que de faillites, de ruines, d'exils précipités, parmi les marchands qui tentaient leur chance en ce temps troublé ! Le financier italien Giovanni Ser Cambi estimait à 80 % la perte subie en 1421 par les Lucquois de Paris à la suite d'une dévaluation. Les temps avaient été durs pour les banquiers, alors que la coupure en deux du royaume mettait à l'abri les débiteurs en détresse au prix d'une simple fuite. Le propre frère du prévôt des marchands bourguignons Hugues Le Coq, Pierre, n'avait pas d'autre raison, en 1422, de gagner la France de Charles VII que l'accumulation de ses dettes sur la place de Paris. En cette année 1436 où tout le monde se retrouvait dans la capitale, les hommes d'affaires savaient qu'il avait suffi, pendant quinze ou vingt ans, de se réfugier à Étampes ou à Montlhéry pour éluder ses obligations.

A se ranger dans l'un ou l'autre camp, on avait bel et bien risqué sa fortune, sa clientèle, sa maison même. Au moins pouvait-on croire que tous étaient logés à la même enseigne. Jamais le service public n'avait été aussi spéculatif qu'en l'année 1418 où il avait fallu choisir de demeurer auprès d'un roi fou ou de rejoindre un dauphin à la légitimité discutée. Et voilà que les hommes d'affaires découvraient en 1436 que les risques n'avaient pas été les mêmes. Celui qui avait à Paris rendu ses arrêts au nom de Henri VI et celui qui avait à Poitiers rendu les siens au nom du dauphin qui n'osait pas se dire roi n'avaient ni l'un ni l'autre couru de véritable risque.

Faite à l'improviste dans les années 1440, cette découverte allait être lourde de conséquences. Le roi de France serait bien servi. Et une bonne part des dynamismes sociaux allait se détourner de l'entreprise économique.

La Praguerie.

La noblesse comprit vite que la monarchie venait de marquer un point dans l'affrontement séculaire des forces politiques. Les princes du Midi – Armagnac, Albret, Foix – menaient assez librement leurs affaires et tenaient plutôt le roi de France pour un partenaire que pour un souverain. Le comte de Foix venait de mourir ; Charles VII

LE ROI RENÉ

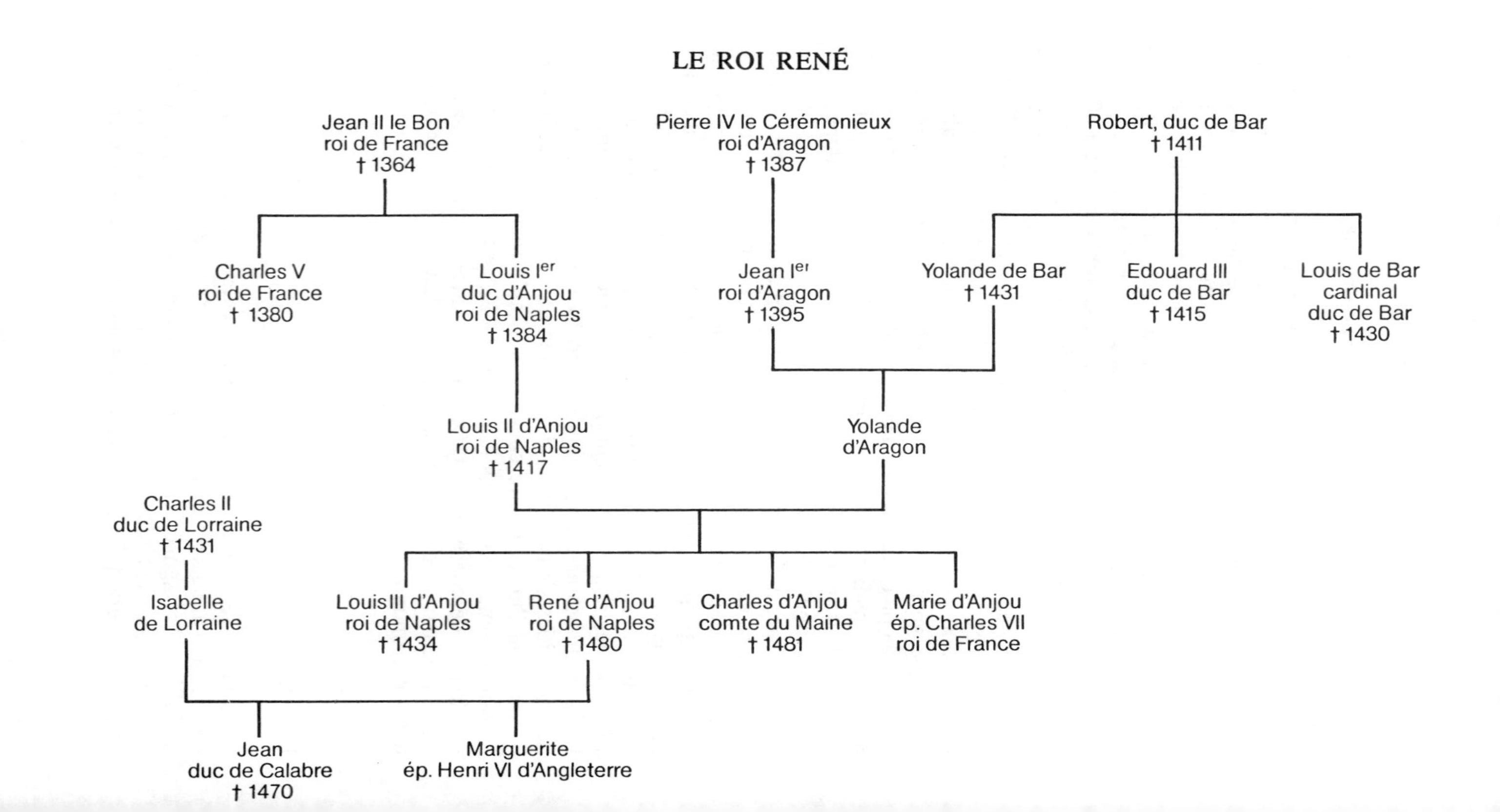

Jean II le Bon
roi de France
† 1364
Pierre IV le Cérémonieux
roi d'Aragon
† 1387
Robert, duc de Bar
† 1411
Charles V
roi de France
† 1380
Louis Ier
duc d'Anjou
roi de Naples
† 1384
Jean Ier
roi d'Aragon
† 1395
Yolande de Bar
† 1431
Edouard III
duc de Bar
† 1415
Louis de Bar
cardinal
duc de Bar
† 1430
Louis II d'Anjou
roi de Naples
† 1417
Yolande
d'Aragon
Charles II
duc de Lorraine
† 1431
Isabelle
de Lorraine
Louis III d'Anjou
roi de Naples
† 1434
René d'Anjou
roi de Naples
† 1480
Charles d'Anjou
comte du Maine
† 1481
Marie d'Anjou
ép. Charles VII
roi de France
Jean
duc de Calabre
† 1470
Marguerite
ép. Henri VI d'Angleterre

en profita pour laisser vacante la charge de lieutenant du roi en Languedoc. Cela signifiait une reprise en main des affaires méridionales. Les princes sentirent fort bien la menace. Dans le Nord, Bourgogne et Bretagne jouaient eux-mêmes au souverain, Anjou était roi à Naples et prince d'empire en Provence, à Bar et en Lorraine ; quant à Bourbon, il ne laissait pas oublier qu'il avait couvert à l'est l'indépendance du royaume de Bourges. Charles d'Orléans rimait dans sa prison anglaise, mais son demi-frère Dunois tenait à juste titre que le roi lui devait plus qu'il ne devait au roi. En bref, les princes n'étaient pas décidés à se laisser dominer par celui qu'ils avaient connu si faible.

Le traité d'Arras avait réconcilié Charles VII et Philippe le Bon. Cela ne faisait que médiocrement l'affaire de ceux qui avaient investi leur énergie et parfois leur fortune dans la lutte contre la Bourgogne. Les ducs d'Alençon et de Bourbon étaient de ceux-là. Jean d'Alençon avait tout perdu en Normandie par le fait des Anglais : ses biens confisqués, lui-même rançonné après Verneuil, il attendait de la victoire un substantiel dédommagement. L'amnistie des Bourguignons lui fit perdre tout espoir de dépouilles et la rente de 12 000 livres que le roi lui donna lui laissa surtout penser qu'on sous-estimait ses services. En fait, contre Charles d'Anjou et contre Richemont, ce que voulait Alençon, c'était le pouvoir avec ses profits.

Quant à Charles de Bourbon, il avait gardé au roi la fidélité du Bourbonnais, de l'Auvergne, du Forez. Face à la maison de Bourgogne, celle de Bourbon avait été un rempart. Appuyé au Conseil sur l'archevêque Regnaut de Chartres et sur Christophe d'Harcourt, le duc Charles entendait bien faire son affaire de l'éviction rapide des fidèles de la dernière heure, de ceux qui tenaient le haut du pavé dans le Paris de Charles VII après l'avoir tenu dans celui d'Henri VI.

Dunois lui-même flanchait. La gratitude n'était pas la vertu première du roi. Certes, désormais grand chambellan de France et comte de Dunois – par lettres patentes du 21 juillet 1439 – le Bâtard d'Orléans dominait le Conseil avec l'aide des clients angevins de la reine Yolande et du comte Charles du Maine. C'était l'alliance, indéfectible, des vieux ennemis de La Trémoille, Bourbon compris. Mais rien ne pouvait empêcher Dunois de penser que le suzerain ne faisait pas grand-chose pour accélérer la libération du duc Charles d'Orléans, pris à Azincourt pour avoir servi son seigneur le roi de France. Depuis vingt ans, les versements se succédaient pour la rançon du duc. Dunois pensait que Charles VII aurait pu y ajouter du sien.

Le roi René remâchait une semblable amertume. Pris par les Bourguignons en 1431, il avait attendu six ans sa libération, et Charles VII n'y avait guère aidé. René d'Anjou avait payé une forte rançon. Il oublia facilement qu'il avait été vaincu dans une guerre pour la possession de l'héritage lorrain, également convoité par son cousin Vaudémont. Que Vaudémont bénéficiât de l'alliance anglo-bourguignonne ne changeait rien à l'affaire : le roi de France n'y avait rien à voir. René estima quand même qu'on aurait pu le comprendre dans la paix d'Arras. Il n'avait pas tort.

Une première coalition se forma, dès 1437, autour de Bourbon et d'Alençon, que soutenaient le roi René, le duc Jean V de Bretagne et le comte Jean IV d'Armagnac. Le complot péchait par manque d'imagination : les princes crurent avoir trouvé une idée originale en projetant d'enlever deux des favoris du jour, Christophe d'Harcourt et l'évêque Martin Gouge. Le projet était stupide : Charles VII n'était pas homme à s'engager bien loin pour sauver ses fidèles, et Harcourt comptait parmi les clients du duc de Bourbon. Le roi eut vent de l'affaire. Bourbon n'osa pas aller plus loin, et demanda pardon.

Le complot reprit en 1439 lorsque le roi manifesta son intention de réorganiser le pouvoir monarchique sur de nouvelles bases administratives, autrement dit de compter pour rien la féodalité dans le gouvernement de la France d'après-guerre. Dans l'immédiat, toutes les dispositions prises par le gouvernement concouraient à la reconquête des provinces encore occupées par l'Anglais. Nul ne s'y trompait, cependant : c'étaient là des renforcements définitifs du pouvoir royal.

Malgré l'infamie qui s'y attachait aux yeux de bien des barons, l'idée d'une substitution de personnes analogue à celle qu'avait organisée le traité de Troyes, le remplacement du roi semblait moins inconcevable à cette génération qu'à d'autres. Dans l'hiver 1439-1440, quelques princes songèrent qu'il était temps de confier le pouvoir au jeune dauphin. Le futur Louis XI était un jeune homme nerveux et impatient qui arrivait à l'âge adulte — il avait seize ans — sans grand espoir d'une prochaine couronne. Son père, son grand-père avaient eu le pouvoir avant le poids des ans. Louis savait son père en excellente santé, et riche en bonnes fortunes. Il entra sans peine dans les vues de conjurés qui faisaient le rêve de lui confier la régence et de garder pour eux le pouvoir.

Bourbon, Bretagne, Alençon menaient l'affaire. La Trémoille les rejoignit. Dunois aussi. Par l'intermédiaire du duc de Bretagne, les Anglais promirent leur appui. Jean V offrit en revanche son aide à la garnison anglaise d'Avranches que menaçaient les troupes de Charles VII. Le complot touchait à la trahison.

Les coalisés s'établirent à Niort, au cœur d'une province accoutumée de longue date aux querelles féodales et dans laquelle — paradoxe et naïveté — Charles VII venait de confier au dauphin Louis le soin de mettre un terme aux guerres locales. La présence de La Trémoille parmi les chefs de la rébellion inscrivait cette dernière dans la continuité d'une agitation qui n'avait pratiquement pas cessé en Poitou depuis vingt ans.

Les accords passés entre les princes faisaient référence aux « profit, bien et utilité, état et honneur du roi et de sa seigneurie ». Mais le dauphin ne cachait pas son jeu : il allait faire « très bien le profit du royaume ». La révolte était patente. Elle eut rapidement son surnom. Le monde politique avait encore en tête l'insurrection déclenchée en Bohême, en 1419, contre le roi Sigismond que les nationalistes accusaient d'avoir trop facilement abandonné le réformateur Jean Huss à la colère du concile de Constance. Chassé de Prague, destitué de son trône de Bohême, Sigismond de Luxembourg avait dû lutter pendant douze ans contre les coalitions d'une petite féodalité tchèque très attachée à son indépendance et d'une paysannerie séduite par le programme de réformes sociales des Hussites. Devenu empereur, Sigismond avait cédé sur un point de liturgie à haute valeur symbolique, donc politique : le concile de Bâle avait accepté, en 1436, que la communion fût donnée en Bohême sous les deux espèces – le Corps et le Sang du Christ – alors que le catholicisme romain n'acceptait pour les fidèles que la communion au Corps. Concession secondaire ? Certes pas. L'esprit d'uniformité avait reculé, dans l'Église comme dans l'Empire. La base universaliste du pouvoir souverain cédait devant la volonté particulariste des féodaux. C'est en pleine conscience de la valeur de cette référence historique pour d'autres temps et d'autres lieux que les gens bien informés baptisèrent la rébellion des princes français : « la Praguerie ». Le dauphin Louis n'était là qu'un instrument aux mains de feudataires peu soucieux de voir leur victoire sur l'Anglais se transformer en victoire de la Couronne.

Les maîtres de la Praguerie oubliaient deux choses. La France était lasse de la guerre, et les Français n'avaient rien à gagner aux convulsions de la féodalité. Charles VII joua à merveille de ces réticences. En février 1440, il écrivait aux bonnes villes pour les mettre en garde contre ceux qui voulaient

> faire aucuns brouillis ou nouvelletés au fait de notre seigneurie, qui serait la totale destruction de notre royaume, retardement de l'union de l'Église, paix de notre royaume et délivrance de notre frère d'Orléans.

Le roi s'occupait peu de son cousin Charles d'Orléans. Les gens des bonnes villes s'en souciaient moins encore. Mais on n'avait aucune envie de voir resurgir la guerre alors qu'on pouvait la croire sur sa fin. Face à la féodalité, Charles VII retrouvait l'alliance traditionnelle – depuis les débuts du mouvement communal au XIe siècle – des bourgeoisies plus hostiles au pouvoir local du comte et de l'évêque qu'à l'intervention toujours intéressée mais souvent équitable des agents du roi. Bien sûr, dans les moments d'apogée, le pouvoir souverain avait buté sur les villes, ou plutôt sur les contribuables. Ainsi au temps de la Harelle et des Maillotins. Dès que l'emportaient à nouveau les forces féodales d'un fractionnement politique, les villes jouaient le jeu du roi. La Praguerie en fit rapidement l'expérience.

C'est alors que Charles VII montra sa force. Les trois messagers qu'il envoya au duc de Bourbon n'étaient ni des juristes ni des légats portés à la conciliation. C'étaient Richemont, Saintrailles et Gaucourt : le connétable, flanqué de deux capitaines à l'énergie réputée. Dans le même temps, le roi bloquait Loches, dont le capitaine s'était imprudemment rallié à la Praguerie. Richemont revint, simplement porteur des « outrageuses et déshonnêtes paroles » du duc de Bourbon. Charles VII acheva de réunir son armée sur la Loire. Comptant de surcroît sur une armée qui devait venir du Languedoc, il marcha, en mars, sur le Poitou. Nul ne pouvait ignorer quel était l'enjeu : une couronne d'or était peinte sur les pennons des « lances ».

L'armée de Charles VII, c'était l'armée qui avait fait reculer l'Anglais. Il y avait là Richemont et les autres chefs de l'armée naguère entrée dans Paris. Il y avait Charles d'Anjou, comte du Maine, et Bernard d'Armagnac, comte de la Marche. On les avait vus plus souvent en campagne que la plupart des coalisés. En cinq jours, ils furent devant Niort. Le « gentil duc » d'Alençon était très seul, face à cette armée, pour organiser une défense. Comme il était le neveu de Richemont aussi bien que celui d'Armagnac, il négocia sans peine une trêve. Puis il tenta de mettre ce répit à profit : il appela à l'aide les Anglais.

L'énergie déployée par le roi ne laissa pas d'étonner. On le vit en personne à la tête de la brusque chevauchée qui reprit Saint-Maixent quelques heures après un coup de main du duc d'Alençon. On le vit à la tête de son armée lorsque le gros des forces se dirigea vers Niort. Les princes se le tinrent pour dit. Passait encore de comploter, mais être pris en armes face au roi pouvait conduire à l'échafaud. Ils évacuèrent leur quartier général.

On était à la mi-avril 1440. La Praguerie avait encore le temps de changer le théâtre des opérations. Le dauphin et les ducs se retrouvèrent en Auvergne. Charles VII les poursuivit, fit gronder son artillerie, occupa trente forteresses, conforta ses bonnes villes dans leur prudente fidélité. La petite noblesse se méfiait de ces jeux de princes : elle se tint tranquille.

L'armée de Languedoc approchait, que commandait pour le roi le vicomte de Lomagne. C'étaient précisément des compagnies sur lesquelles les coalisés avaient longuement compté. Il devenait dans le même temps évident que bien des villes étaient prêtes à entrer dans la guerre du roi. Les états d'Auvergne venaient d'en décider ainsi, malgré Bourbon. Le mouvement favorable à la Couronne faisait tache d'huile.

Les princes avaient plus à gagner dans une négociation que dans la poursuite d'une guerre où ils ne cessaient de reculer. Déjà, Dunois les avait abandonnés, laissant entendre qu'il s'était fourvoyé sans y voir clair dans les machinations du duc de Bourbon. Le duc de Bourgogne s'était tenu à l'écart de l'affrontement; il offrit ses bons offices. Philippe le Bon n'avait pas fait sa paix séparée avec le roi pour voir la guerre s'éterniser par le fait des autres, et il était assez lucide pour savoir que l'intérêt de sa principauté ne pouvait plus être, après sa rupture avec les Anglais, dans une reprise de la conquête anglaise.

Tout le monde se trouva d'accord pour traiter. Les pourparlers eurent lieu entre Clermont et Montferrand, d'abord chez les cordeliers, puis chez les jacobins. Chaque parti fit alterner ses exigences. Le roi rompit les négociations, prit Vichy, occupa Roanne. Le comte d'Eu s'entremit pour de nouvelles offres de paix. La coalition se désagrégeait. Alençon fit sa paix et se retira chez lui. Le dauphin et le duc de Bourbon demandèrent pardon au roi.

Charles VII feignit d'oublier l'écart de son héritier, admonesta sévèrement son cousin, refusa de rendre sa confiance aux seigneurs de moindre importance, à La Trémoille en particulier. Ce menu fretin du baronnage s'estima content de pouvoir se retirer sur ses terres. L'amnistie était générale, mais Charles VII avait bonne mémoire des trahisons.

Entre le père et le fils, c'était le premier accroc. Lorsqu'il osa parler de ses obligations envers ceux qui l'avaient servi, le futur Louis XI se fit rabrouer.

> Vous êtes mon fils. Vous ne pouvez vous obliger à quelque personne que ce soit sans mon congé.
>
> Si vous voulez vous en aller, allez-vous-en! Car, au plaisir de Dieu, nous trouverons aucuns de notre sang qui nous aideront mieux à maintenir notre honneur et notre seigneurie que vous n'avez fait jusqu'ici.

A la fin de juillet, l'affaire semblait terminée. Le dauphin alla prendre possession de son Dauphiné, que Charles VII avait en réalité gardé jusque-là pour lui-même. Bourbon reçut une pension. La

Trémoille fut enfin chargé d'une ambassade. Le temps passait, et Charles VII entendait jouer la clémence. Mal lui en prit.

Reprise de la reconquête.

Il profita cependant de ce temps pour ranimer la guerre contre l'Anglais. Dreux fut occupé en 1438. La même année, Villandrando faisait une percée fulgurante vers Bordeaux : parti des bords du Lot, il prit Fumel, puis Issigeac et Lauzun, regagna le sud pour franchir la Garonne à Tonneins et marcha soudain vers le Médoc. Il enleva Blanquefort, aux portes de Bordeaux, et s'établit au cœur du Médoc, à Castelnau. Saintrailles attaquait de son côté, avec Albret et le bâtard de Bourbon, par le sud. Bordeaux trembla. On vit pendant quelques jours l'armée de Charles VII camper à Saint-Seurin. Mais il eût fallu, pour prendre Bordeaux, une artillerie dont la chevauchée française ne disposait pas. L'ordre de retraite fut donné. Les Français ne gardèrent que Tartas.

Les gens de Charles VII n'étaient guère populaires en Bordelais. Le dégât fait dans le vignoble par les soudards de Villandrando et de Saintrailles renforça l'hostilité d'une population accoutumée de longue date à considérer que sa prospérité était liée aux exportations vers Londres et vers Bruges. Les grands clients du vignoble gascon, c'étaient évidemment les pays dépourvus de bonnes vignes, non une France moyenne assez riche en crus estimables. Les Bordelais étaient donc plus soucieux de leurs relations avec Londres que de la route vers Paris : Paris avait ses fournisseurs — de Beaune ou d'Auxerre, d'Orléans ou de Saint-Pourçain, d'Argenteuil ou de Suresnes — alors que ceux de Londres ou de Southampton étaient en Gascogne.

De Blanquefort à Lesparre en passant par Castelnau et Saint-Laurent, le saccage du Médoc par les soldats de Charles VII se tourna contre celui-ci. Il n'allait pas trouver en Guyenne la connivence populaire qui lui était si précieuse en Normandie.

Prisonnier depuis Azincourt, le comte d'Eu Charles d'Artois venait d'être libéré par échange avec Somerset, lui-même prisonnier de Charles VII depuis 1421. Il prit la tête d'une petite armée et s'en alla faire la guerre aux Anglais dans le pays de Caux. Il plaça dans Harfleur une garnison des plus gênantes pour les communications de Rouen avec l'Angleterre. Mais c'étaient là des victoires toutes relatives : gains et pertes s'équilibraient en définitive sur l'ensemble des opérations. C'est ainsi que le bilan des années 1439-1440 apparaît étrangement négatif pour tous. Certes, Richemont était entré en triomphateur dans Meaux. Ç'avait été le premier siège sérieux depuis celui de Paris : Richemont avait de l'artillerie, et la circonvallation construite sur son ordre n'avait pas moins de sept bastilles. William Chamberlain ne sut pas profiter d'un secours envoyé par Somerset et Talbot ; la ville – la rive droite – capitula le 12 août. Mais le marché fortifié résistait encore, sur la rive gauche, et les Anglais tentèrent de forcer le blocus. Hâtivement levée en Normandie, l'armée de secours de Somerset et Talbot ne fit que procurer un répit aux défenseurs du marché. Les Anglais auraient volontiers livré bataille, jouant là à quitte ou double. Richemont esquiva, s'enferma dans la ville et, de là, continua de tenir le pont sur la Marne. Le 15 septembre, Chamberlain se rendait.

La réserve des princes assombrissait la victoire. Le duc Charles de Bourbon avait engagé les écorcheurs qui ravageaient la Lorraine à ne pas accepter les propositions de Richemont, donc celles du roi. Les routiers gagnèrent donc la Bourgogne et le Centre, où ils mirent les villages à feu et à sang. Bourbon, cependant, négligeait d'aller porter le fer à Meaux contre les Anglais. Pendant que le connétable assiégeait le marché, un grand conciliabule réunissait à Orléans Charles de Bourbon, le maréchal de La Fayette, Dunois et quelques autres.

Saintrailles et Brézé avaient occupé Louviers, puis Conches. Les Anglais prenaient dans le même temps Lillebonne et occupaient à nouveau Harfleur, malgré l'héroïque défense de Jean d'Estouteville et l'envoi d'une armée de secours que commandaient le comte d'Eu et le comte de Dunois. Prise dans l'été de 1439 par les Anglais, la place de Saint-Germain-en-Laye fut reprise en décembre 1440 par les Français. Tout cela semblait ne jamais devoir finir.

La situation bascula en 1441 lorsque Charles VII put enfin dégager Paris. Déjà, la prise de Meaux avait grandement soulagé le ravitaillement de la capitale. En mai 1441, Creil était enlevé. Beaumont-le-Roger le fut en juin. Le 19 septembre, enfin, après trois mois de siège, Pontoise tombait. Le roi était maître de l'Ile-de-France.

CHAPITRE XVIII

Le temps des écorcheurs

La duperie de Nevers.

A peine entamée, la reconquête fut interrompue : les princes – et non des moindres – reprenaient leurs intrigues. Deux mécontents de taille s'ajoutaient en effet à ceux qui, naguère, poussaient à l'insurrection le dauphin Louis : l'un était le duc de Bourgogne, l'autre le duc d'Orléans.

Charles d'Orléans avait beaucoup rimé pendant sa captivité, mais il gardait quelque rancune de son aventure personnelle. Pris à Azincourt à l'âge de vingt et un ans, il avait mis vingt-cinq ans à réunir l'argent de sa rançon, et Charles VII n'avait manifesté qu'un faible zèle pour aider en la circonstance un cousin qui était aussi, à bien des égards, le premier de ses alliés sur l'échiquier politique. Le duc Charles n'était-il pas le fils de celui en qui tous les Armagnacs voyaient la première victime du parti bourguignon ? N'était-il pas le gendre de Bernard d'Armagnac, fer de lance de la résistance anti-bourguignonne ? Charles craignait d'avoir passé sa vie en prison. Et finalement, c'était le duc de Bourgogne qui, après une négociation menée par la duchesse de Bourgogne, avait fait l'avance des versements encore nécessaires. Habilement manœuvré, Charles d'Orléans avait été amené à se dire « tout bourguignon de cœur ». Philippe le Bon lui fit fête, l'invita à siéger parmi les chevaliers de la Toison d'Or.

Le délicat poète de l'amour était au vrai un homme furieux, qui se sentait trompé et humilié. Rentré en France à l'automne de 1440, il s'était empressé de sourire à son nouvel ami, narguant ainsi son cousin Charles VII. Le duc Charles avait en particulier épousé une nièce du duc de Bourgogne, Marie de Clèves, une jeune princesse de quatorze ans qui commençait elle-même de taquiner la muse.

Or Philippe le Bon portait sur le roi de France des jugements sévères. Les troupes débauchées — les écorcheurs — ruinaient sa campagne, et cette guerre qui n'en finissait pas ne laissait d'espoir ni quant à l'ordre public ni quant à l'activité économique. Le duc Philippe avait à Arras fait sa paix avec Charles VII, mais c'était pour hâter la paix générale. Certes, il en savait les difficultés : sa brouille de 1435 avec les Anglais suffisait à en témoigner. Mais il pouvait espérer que, libre du côté de la Bourgogne, Charles VII achèverait rapidement son affaire. Au reste, les Bourguignons eux-mêmes avaient aidé à l'effort de guerre français : n'avait-on pas vu Villiers de l'Isle-Adam entrer dans Paris ? En récompense, Charles VII ne cessait de soutenir les sujets les plus indociles du duc, les Liégeois en particulier. Il n'était pas suffisamment vainqueur, mais on lui reprochait déjà de reprendre, à la faveur de son timide relèvement, la vieille politique des rois de France toujours prêts à intervenir dans les affaires intérieures des grands fiefs.

Bref, le duc de Bourgogne songeait que l'intérêt de ses états passait peut-être par un renversement des alliances. A tout le moins convenait-il de reconsidérer l'attitude bourguignonne envers Charles VII. Dès son arrivée en France, Charles d'Orléans entra dans ces vues. Bourbon et Alençon y étaient déjà. Bretagne fut pressenti. Charles d'Orléans alla le voir à Nantes ; il y retrouva Jean d'Alençon. Les princes feignirent de vouloir jouer les arbitres entre Charles VII et Henri VI. Ouvertement, tout le monde se mit à négocier avec l'Angleterre. On se retrouva enfin à Nevers, en janvier 1442, pour une grande conférence du baronnage français. Même le valeureux chef de l'armée de Normandie, le comte d'Eu, fut de la coalition.

Charles VII fut informé : on lui remit une lettre du roi d'armes de la Jarretière au chancelier d'Angleterre, lettre que les Français avaient eu la bonne fortune d'intercepter. On la fit traduire par le capitaine de la garde écossaise, Chamber, qui savait l'anglais aussi bien que le français. La lettre rapportait par le menu les allées et venues des messagers des princes. Les sentiments politiques des coalisés étaient analysés avec finesse. Une trahison du duc d'Alençon était même rapportée : l'ancien compagnon de Jeanne d'Arc avait donné avis au capitaine anglais d'Argentan que l'on allait livrer sa ville par surprise. Bref, la lettre du roi d'armes fut l'instrument de la Providence pour le roi de France.

Les conseillers de Charles VII étaient d'avis que le roi ne devait pas relever la provocation. Au lieu de condamner les ligueurs, il allait les jouer. Dunois les prévint, en toute candeur, que le roi ne s'opposait pas à leur réunion. Orléans affecta de demander la permission de gagner Nevers ; il ne s'étonna pas de la liberté qu'on lui laissait de comploter. Bourbon ne marqua pas davantage de surprise lorsqu'il reçut deux convocations, l'une de Charles d'Orléans, l'autre du roi. Le seul qui s'étonna d'être ainsi invité fut le duc de Bretagne : Jean V avait toujours le sentiment de lutter contre le roi et crut à une erreur.

> Je ne puis connaître l'intention de mon seigneur le roi sur notre assemblée. Mais il me semble qu'il y a mutation de termes et autre latin, comme par ses lettres vous pourrez le voir à plain.

A la fin de janvier, tout le monde était à Nevers. Il y avait en effet « autre latin ». On découvrit que Charles VII s'était invité lui-même. Le chancelier Regnaut de Chartres et le chevalier Louis de Beaumont étaient là pour le roi. Ils prirent la direction du débat. Les princes, éberlués, entendirent énoncer les conditions que mettait Charles VII au mariage de Charles du Maine avec Marie de Gueldre, nièce de Philippe le Bon. Puis ils eurent un aperçu de l'agenda royal : Charles VII souhaitait que tout fût rapidement mené : il avait l'intention de conduire en personne l'expédition de Guyenne, et celle-ci ne pouvait, comme on le verra, attendre après le 1er mai. Charles VII fixait le terme d'une assemblée originellement conçue comme un complot !

Les princes firent quelques remontrances, afin de n'être pas venus pour rien. Ils discutèrent la dot de Marie de Gueldre. Ils assurèrent les gens du roi de leur dévouement à la Couronne.

Que pouvaient-ils faire ? Jean V de Bretagne ne s'était finalement pas joint à la réunion, et Charles VII n'était plus une puissance négligeable. Chacun dressa le catalogue de ses griefs. C'était un long tissu de justes critiques d'un gouvernement à bien des égards malhabile et de revendications particulières où s'étalait toute la gamme des rancunes féodales. Avant tout, ce que les princes demandaient, c'était qu'on les consultât sur les affaires publiques.

Et les grands féodaux de dessiner le schéma contradictoire d'une royauté assez forte pour assurer l'ordre et la prospérité, assez faible pour devoir négocier avec les princes sa politique et avec les états généraux ses moyens d'action.

Charles VII et ses conseillers eurent la sagesse de ne point repousser le memorandum. Ils répliquèrent point par point. Au plus glissa-t-on dans la réponse que l'agitation des grands n'avait fait qu'aggraver le trouble de la France. Le roi avait bien intention de « vider toutes gens faisant pilleries », mais ses moyens étaient chichement mesurés. S'il n'a pu y pourvoir, c'est que « lui ont été faites plusieurs traverses ». Les auteurs de la dernière « traverse » comprirent ce que parler voulait dire.

Pour le reste, le roi avait bonne conscience, et se justifiait envers chacun des plaignants, lançant même à l'occasion une pique au duc de Bourgogne. Il avait en son Conseil des notables appartenant à tous les partis d'hier : les divisions de la France étaient oubliées. Il est certain que, dans le Conseil de Charles VII, les anciens Bourguignons étaient plus nombreux que les anciens Armagnacs dans le Conseil de Philippe le Bon. L'argument dispensa le roi de répondre à la principale revendication des ligueurs : une participation effective au gouvernement du royaume.

Le roi se gardait d'attaquer, de juger, de condamner. Il feignit de croire à la loyauté des princes. Ceux-ci se trouvèrent contraints à la loyauté. Ils se séparèrent.

Distillées l'une après l'autre, des pensions sur le Trésor royal assurèrent la paix politique. Elles avaient l'avantage d'être révocables à chaque instant, ce que n'eussent pas été des concessions en terres. C'est ainsi que Charles VII aida Charles d'Orléans à financer les arrérages de sa rançon, rémunéra largement les services de Dunois, aida René d'Anjou à rétablir sa situation financière. La mort de Jean V de Bretagne et l'avènement de son frère François Ier en 1442 firent définitivement basculer le duché dans le sillage politique du roi de France. On envoya le dauphin Louis soumettre Jean IV d'Armagnac qui avait envahi le Comminges et reniait son hommage au roi.

Le seul qui ne se le tînt pas pour dit fut le « gentil duc » Jean d'Alençon, qui avait si efficacement servi Charles VII aux temps sombres du royaume de Bourges et qui cherchait, maintenant, dans une alliance anglaise le moyen d'une meilleure fortune.

La journée de Tartas.

Charles VII était libre de s'occuper à nouveau des Anglais. L'Ile-de-France dégagée, le temps semblait venu de porter l'effort sur la Guyenne. La place forte de Tartas, sur la rive droite de l'Adour, avait été prise par les Anglais en 1441, mais elle était aux Albret et le traité qui établissait pour vingt ans l'autorité anglaise sur la maison d'Albret laissait une chance au roi de France : une « journée » avait été fixée, le 1er mai 1442. En attendant cette journée, le fils aîné de Charles d'Albret était remis en otage aux Anglais. Si Charles VII acceptait la « bataille », au sens chevaleresque du terme, le sort de Tartas et de la seigneurie d'Albret dépendrait des armes.

Constamment talonné par le douteux Jean IV d'Armagnac, Charles d'Albret était, entre Tartas et Nérac, le seul espoir du roi de

France sur la rive gauche de la Garonne. S'il l'abandonnait, Charles VII perdait la face en même temps que toute possibilité d'une alliance de revers contre la Guyenne anglaise. Se rendre en personne à la « journée » de Tartas – finalement reportée à la Saint-Jean – c'était assurément perdre beaucoup de temps. N'y pas aller, c'était perdre la considération des barons. Après la Praguerie et l'assemblée de Nevers, la dérobade eût été fatale.

L'armée royale s'assembla devant Limoges. On occupa l'Angoumois, où Dunois s'était habilement entremis pour hâter le départ des compagnies – celle de Guyot de la Roche en particulier – qui tenaient les forteresses beaucoup plus pour leur propre compte que pour celui des Anglais. Le 8 juin 1442, le roi faisait en grande pompe son entrée dans Toulouse. Les capitouls portèrent le dais. Le comte d'Armagnac était là, à côté de Gaston de Foix et de Charles d'Albret. L'affaire commençait par un succès politique, succès fragile, mais succès quand même.

L'armée royale avait de quoi impressionner le peuple. Le connétable et les deux maréchaux accompagnaient le roi. Jean Bureau menait l'artillerie. Le dauphin Louis était là, aussi, à la droite de son père Charles VII. On ne remarqua pas moins les comtes du Maine et d'Eu : tout le monde savait leur rôle à la tête des armées royales au nord de la Loire. Par leur seule présence, tous ces barons, tous ces capitaines illustraient assez bien le fait que Charles VII n'était plus sur la défensive à la frontière normande. A l'heure même où le roi et son armée parvenaient devant Tartas, la petite troupe du bailli d'Évreux Robert de Floques – on l'appelait familièrement Floquet, et lui-même signait ainsi – mettait en déroute devant Évreux des Anglais qui attendaient encore les renforts promis par Talbot.

Rangés en « bataille », les Français passèrent la journée de la Saint-Jean. On ne vit pas un Anglais. Charles VII fit occuper Tartas, alla le lendemain prendre Saint-Sever où l'on trouva le sénéchal anglais Thomas Rampton, celui-là même qui avait ratifié le traité stipulant une « journée ». Il était porteur du grand sceau du duché de Guyenne. Que le sceau fût tombé dans les mains des Français sembla de mauvais augure aux Anglais.

Après l'occupation de Saint-Sever et celle de Dax, la route était coupée, qui unissait par terre les deux têtes de la Guyenne anglaise, Bordeaux et Bayonne. Dès lors, Charles VII pouvait resserrer l'étau vers Bordeaux. Tonneins et Marmande tombèrent à leur tour. Royan fut occupé. Une flottille française pénétra dans le port de Bordeaux et y arraisonna deux navires de ravitaillement. En ville, c'était la panique. Les Bordelais se jugeaient abandonnés. L'archevêque Pey Berland qui, jusque-là, avait été l'âme de la résistance à toute idée de ralliement au Valois exhorta ses fidèles à tenir bon en attendant les secours. Puis il s'embarqua pour Londres. En fait de secours, le plus sûr était d'aller les chercher. Pey Berland était porteur de l'espoir ultime de tous les défenseurs : Henri VI oserait-il refuser son aide à l'archevêque de Bordeaux ?

Le 7 décembre, après quatre jours de siège, la ville de La Réole capitulait. On vit à nouveau les Français aux portes de Bordeaux. La crainte d'un complot qui ouvrirait les portes de Bordeaux n'avait rien de chimérique, et certains se prenaient déjà à penser qu'on paierait moins cher des siècles de fidélité aux Plantagenêts et aux Lancastres si l'on savait ne pas exaspérer les hommes du Valois.

A l'approche de l'hiver, les Anglais rétablirent la situation. En août ils avaient repris Dax, puis Saint-Sever. L'arrivée de quelques secours permit, en octobre, une contre-offensive autour de Bordeaux. Pey Berland revint en décembre, annonçant la venue prochaine de Somerset et d'une armée. Les Français avaient perdu beaucoup de temps à La Réole, où le château – une fois prise la ville – avait tenu bon pendant cinquante-sept jours. Le roi lui-même y était demeuré jusqu'à la fin du siège, manquant finalement de périr carbonisé dans l'incendie de son logis, volontairement allumé par des habitants soumis mais non ralliés.

Charles VII avait dispersé sa force en attaquant toutes les petites forteresses qui tenaient le pays. Il ne pouvait, en une seule campagne, occuper vingt places et enlever Bordeaux. Il s'en rendit compte trop tard.

Un hiver rude compromit la poursuite de l'opération. Le 23 décembre 1442, laissant l'amiral de Coëtivy à La Réole, Charles VII ordonna la retraite vers le Languedoc. Les Bordelais étaient sauvés.

Les Français pouvaient tirer les leçons de l'affaire. Pour en finir avec la Guyenne anglaise, il leur avait manqué une véritable flotte et une armée ravitaillée douze mois sur douze. Mais ils avaient sondé la défense ennemie, mis à l'épreuve, pour la première fois depuis Jeanne d'Arc, le dispositif d'une forte armée. Ils avaient semé la crainte chez les Gascons fidèles à l'Anglais et démantelé le réseau de complicités – celles de Charles d'Armagnac avant tout – grâce auquel pouvait subsister cette principauté bicéphale – Bordeaux et Bayonne – qui était le vestige de la grande Aquitaine.

La victime de l'affaire fut le comte d'Armagnac. Il avait imprudemment occupé le comté de Comminges à la mort de la vieille comtesse Marguerite. Le roi avait négocié avec celle-ci la dévolution du comté à la Couronne. Le dauphin Louis fut chargé de punir le rebelle. Jean IV d'Armagnac fut pris, dans l'Isle-Jourdain, et proprement emprisonné. L'une après l'autre, le futur Louis XI occupa les forteresses d'Armagnac. Au printemps de 1444, les Anglais de Guyenne étaient seuls face au roi de France.

Somerset avait bien tenté de tenir les promesses faites à l'archevêque Pey Berland, promesses dont le contribuable anglais ressentait déjà fort amèrement le prix. Henri VI avait dû taxer, tailler, emprunter. Il avait mis en gage une partie de ses joyaux. Les réquisitions de navires avaient irrité les marchands, déjà hostiles à cette guerre qui n'en finissait pas de coûter et d'embarrasser le commerce. Mais Somerset, pour duc qu'il fût maintenant, était un sot. Parti de Normandie avec six cents hommes d'armes et quatre mille archers, il ne songea même pas qu'il devait avant tout dégager la Guyenne. Il s'attarda en Normandie, affectant de croire que ses troupes pouvaient bien razzier le pays puisqu'elles y étaient à l'évidence traitées en armée étrangère : vivre sur l'habitant coûtait moins qu'une solde, et le retard de la solde atteignait dix-huit mois. Dans le même temps, l'ancien prévôt de Paris Simon Morhier devenait trésorier de Normandie et mêlait âprement la cupidité la moins déguisée à la haine que lui inspiraient des compatriotes aux yeux desquels il apparaissait de plus en plus comme un traître. Puis Somerset alla ravager l'Anjou, et jugea bon de saccager la petite ville bretonne de La Guerche pour le seul profit du pillage. Le duc de Bretagne en conçut une légitime fureur, dont profita la diplomatie française.

Ayant battu en Anjou une petite armée française, puis pris Beaumont-le-Vicomte, Somerset regagna Rouen. Visiblement, le « capitaine général de Guyenne » avait oublié sa mission. Il se fit conspuer au retour.

En Normandie, la situation n'était pas meilleure qu'en Guyenne. Talbot avait, en 1442, acheté à prix d'or la reddition de la garnison française de Conches, mais dans le même temps le routier François de Surienne – « l'Aragonais » – vendait à Dunois la place de Gallardon. Les Français avaient obtenu Graville par surprise.

Talbot tenta de compenser ses échecs en reprenant Dieppe. Après neuf mois d'un siège épuisant, il dut lâcher prise lorsque apparut, le 14 août 1443, l'armée du dauphin Louis qu'assistait Dunois. Les navires bretons n'avaient cessé de ravitailler la ville. Il sembla que le roi de France et ses alliés entraient en Normandie quand ils le voulaient. A Londres, on jugea que la cause du continent venait encore d'empirer.

Les écorcheurs.

Au vrai, le royaume de France était une nouvelle fois exsangue, et nul n'y trouvait son compte, sinon les soldats sans embauche qui vivaient allégrement de pillages et de rançons en colorant très vaguement leur banditisme des couleurs d'un prince ou d'un autre.

Ces écorcheurs, ce sont les petits-neveux des routiers de la Grande Compagnie, des chenapans jadis emmenés en Espagne par Du Guesclin. Soldats ils sont, soldats ils restent, même lorsque la guerre s'apaise ou s'enlise, et que les princes embauchent moins et pour moins longtemps. N'allons pas distinguer l'homme d'armes du roi, l'homme d'aveu et de discipline, de l'écorcheur hors la loi et hors le ban du roi. C'est le même homme, tantôt payé, tantôt sans solde. Quand il est sous la férule des maréchaux, il paie un peu mieux ce qu'il prend, il pille un peu moins. Et il ne fait la guerre qu'au gré des ordres reçus. Quand il est sans embauche, il se débrouille. L'essentiel est de garder ses armes et son cheval.

> La nuit venue, ils se couchent à peu de distance les uns des autres. Ils mangent mal, se contentent souvent de noix et de pain. Mais ils nourrissent bien leurs chevaux.

Ils vont au gré des fortunes et de l'idée qu'ils se font de la région. On a pu reconstituer les divagations de ceux qui se sont fait le plus tristement remarquer, semant la terreur avant même le passage de leur horde, une horde où les femmes ne sont pas les moins ardentes au pillage.

On les a vus tour à tour dans l'armée de Bedford et dans celle de Richemont, aux côtés de La Trémoille et à ceux du dauphin Louis. Ils sont à qui les paie. Quand on ne les paie pas, il leur faut bien vivre. Patriotes ou bandits, l'alternative ne les effleure même pas. Ne voit-on pas en 1444 Floquet et l'Anglais Mathew Gough ratisser ensemble la campagne picarde? Épouvantables écorcheurs à ce moment de leur histoire, le bâtard de Bourbon et le bâtard d'Armagnac sont de haute lignée quoique illégitime. Saintrailles et La Hire ont rivalisé d'héroïsme pour la cause de Charles VII. Rodrigue de Villandrando en a donné au même pour son argent dans les campagnes de Guyenne. Il serait anachronique de voir en eux des hors-la-loi : ils sont des hommes de guerre prêts à servir mais tout aussi capables de mener la guerre pour leur propre compte. Quand Floquet prend Évreux, quand La Hire bat la campagne normande, ce n'est sur l'ordre de personne.

La différence serait si les armées du roi — de l'un comme de l'autre — s'abstenaient de vivre sur l'habitant. Il faudrait pour cela les payer régulièrement et ne pas les mettre six mois par an au chômage. Le capitaine de Compiègne Guillaume de Flavy compte parmi les plus redoutables chefs de bande, le comte de Foix Jean de Grailly sème la terreur dans ce même Languedoc dont il est cependant le gouverneur jusqu'à sa mort en mai 1436, le sire de Pons ravage la Saintonge, le viguier royal de Toulouse Pierre Raymond du Fauga détrousse lui-même les voyageurs et La Trémoille passe pour plus fort en rapine que fin en politique.

Chacun tire son épingle du jeu comme il le peut. Philippe le Bon envoie contre les écorcheurs de Bourgogne des troupes que le bon peuple a tôt fait d'appeler les « retondeurs » parce qu'ils tondent et retondent le pays comme un drap que l'on tond et retond pour le priver de sa bourre après chaque foulage.

Bien des hommes d'armes avaient perdu tout espoir de solde avec la conclusion du traité d'Arras : on voyait bien que le duc de Bourgogne sort peu à peu de la guerre, et bien des garnisons – françaises ou bourguignonnes – n'avaient plus que de faibles raisons d'être. De la Picardie à l'Auvergne et du Languedoc à l'Anjou, la population se mit à craindre les soldats sans embauche comme ailleurs on craignait les compagnies en service. La peur se transférait, mais elle ne faisait que croître.

Espérant en avoir ainsi raison, Charles VII enjoignit à ceux qui l'avaient servi à Meaux de gagner une ville de garnison et de s'y tenir. On leur promettait une paie régulière. Les routiers refusèrent cependant d'obtempérer. Comme chaque fois qu'il tentait de remettre un peu d'ordre dans son royaume, le roi trouvait en travers de son chemin l'hostilité des princes. Ceux-ci firent entendre aux écorcheurs que l'on trouvait meilleure paie ailleurs qu'à garder La Ferté-Bernard, Laval ou Sablé.

Les écorcheurs se dispersèrent à nouveau, les uns quittant Meaux pour chercher l'aventure, les autres acceptant d'abord de suivre Richemont dans une assez vaine campagne en Basse-Normandie. L'Anjou fit en définitive les frais de leur désœuvrement. La morale y gagna au moins que le roi René se mordit les doigts de n'avoir pas suivi son cousin Charles VII dans sa malheureuse tentative de fixation des compagnies.

Suivons l'un de ces écorcheurs, ce capitaine de Castille déjà rencontré au service de Charles VII à travers le Languedoc et l'Aquitaine : Rodrigue de Villandrando, l'homme qui a vainement dirigé, en 1433, à la demande du concile de Bâle, une contre-attaque en Languedoc pour aider à la défense d'Avignon que menaçait alors l'armée du comte de Foix. Il a ensuite ravagé le Rouergue et le Limousin, rançonné Millau et Ussel, prêté dans le même temps mille écus au vicomte de Comborn et six mille au duc de Bourbon... Il achète des terres, fait des placements. Il épouse en 1436 la demi-sœur bâtarde de Bourbon, Marguerite. Voilà qui ne le gêne nullement pour saccager ensuite le Bas-Languedoc, assiéger les villes – Béziers, Cabrières – et réduire en cendres les villages. On l'a vu entre-temps en Berry et en Touraine. Les Tourangeaux sont prêts à tout pour ne plus le revoir.

Villandrando réussit, en 1438, à se faire engager et payer par les états de Basse-Auvergne : il s'agit de chasser d'autres routiers. Puis, de concert avec Poton de Saintrailles et ses gens, il s'en va passer l'hiver en Guyenne. Charles VII en est réduit à lever un impôt sur le Languedoc pour assurer dans la Guyenne reconquise le vivre de ses anciens soldats. On les nourrit pour qu'ils ne pillent pas une région dont on sait le ralliement fragile. L'idée des compagnies d'ordonnance n'est pas loin de germer : payer les soldats en campagne pour qu'ils se battent et les payer entre les campagnes pour qu'ils ne saccagent pas le royaume. Systématique, Charles VII va exploiter l'idée en incitant les états provinciaux au vote de contributions qui semblent à tous égards préférables à la ruine.

> Pour aider notre pays de Languedoc et afin qu'ils n'y entrent ni n'y viennent hiverner, comme déjà aucuns d'eux ont commencé et y sont entrés, ce qui serait la destruction du dit pays et de nos sujets et habitants d'icelui, nous leur avons mandé très expressément qu'ils demeurent en notre duché de Guyenne et pays de Gascogne toute cette morte saison.
>
> Et pour ce est nécessaire certaine somme d'argent pour les aider à vivre aux dits duché et pays, laquelle nous avons mandé être mise, imposée et levée sur nos dits sujets et habitants de notre dit pays de Languedoc...
>
> Sans avoir prestement la dite somme, il n'est possible à nos dits cousins Rodrigue et Poton de demeurer et de s'entretenir aux dits pays, en raison de la cherté des vivres qui y est et d'autres nécessités qu'ils ont.

L'année suivante, Villandrando unit ses forces à celles du bâtard de Bourbon. Cependant que d'autres sèment la ruine autour d'Albi et de Carcassonne, il ravage le Toulousain, occupe Villemur sur le Tarn, Seil et Bouzelle sur la Garonne, prend Braqueville aux portes de Toulouse. Il intercepte les convois de ravitaillement, rançonne les marchands, terrorise les villageois. Les capitouls desserrent l'étau en payant deux mille écus à Rodrigue, mille au bâtard. Et notre homme d'armes d'aller immédiatement gagner sa vie et celle de ses soldats en extorquant deux mille moutons d'or aux états de Gévaudan pour prix de ne pas dévaster la région de Mende. Cela ne l'empêche pas de conclure, tel un grand feudataire, un traité d'alliance avec Foix et Comminges, traité qui régularise en droit les rapines du routier : le comte de Comminges et son neveu de Foix rachètent en fait les villes occupées en Comminges par les hommes de Villandrando. Moyennant une rente annuelle, le vieil ennemi des deux comtes offre même son alliance.

Sur ce, le voilà qui regagne la Castille à l'appel du roi Jean II, en mal de troupes à engager contre une révolte de ses barons. Villandrando se bat donc pour le roi, cependant qu'une partie de sa compagnie reste en deçà des Pyrénées et met le Quercy en coupe réglée. Comte de Ribadeo, Rodrigue est maintenant un grand seigneur. Il a sauvé le roi Jean II devant Tolède ; celui-ci lui accorde, pour lui et ses héritiers, le droit de dîner à la table royale tous les ans au jour anniversaire de ce haut fait, et de recevoir en cadeau le vêtement porté pendant ce repas annuel par le roi de Castille. Dès lors, sans oublier de gérer sa fortune et d'investir dans le commerce maritime avec l'Angleterre, Villandrando entretient sa légende de héros national. Garcia de Resende en fera un poème. On lui donne du « monseigneur ». Nul ne songerait à voir en lui un bandit, même repenti. C'est un homme d'armes, qui a fait la guerre.

Pendant ce temps, le dauphin Louis est venu en Languedoc, et a rengagé une partie des routiers – Poton de Saintrailles entre autres – ce qui détermine les autres, dorénavant isolés, à prendre du champ. Le bâtard de Bourbon disparaît. Il mourra peu après.

Pour le malheur du pays, et particulièrement pour celui des campagnes du Lauragais, le lieutenant de Villandrando, Jean de Salazar, a repris en mains les troupes restées en Languedoc et celles qui, après la conclusion de l'affaire d'Espagne, refluent en deçà des Pyrénées. Charles VII s'en tire habilement : il l'engage. Et l'on voit flotter côte à côte la bannière du roi et celle que tout le monde connaît comme la bannière de Villandrando. Jean de Salazar sera l'un des capitaines de l'ordonnance. A la fin du règne de Louis XI, encore, il commandera la « compagnie des Espagnols ».

A la même époque, « l'Aragonais » François de Surienne manque l'occasion de se rallier contre finance au roi de France qu'il a, toujours fidèle au plus offrant, constamment combattu dans les rangs anglo-bourguignons. Son ancien chef Perrinet Gressart sort prudemment d'une guerre dans laquelle il a, jusque-là, toujours tiré son épingle du jeu. L'Aragonais, lui, choisit délibérément le parti anglais. Le voilà conseiller militaire du Conseil anglais de France. En réalité, il se laisse exploiter par Somerset et Suffolk, trop heureux d'avoir sous la main un homme à tout faire pour les mauvaises besognes. Il garde jusqu'au dernier moment Montargis, tient Saint-Germain-en-Laye, s'établit à Verneuil. En bref, il recule en jouant les arrière-gardes de cette retraite qu'est le lent repli vers la Manche d'une frontière anglo-française qui n'en est pas une. C'est lui que l'on charge d'enlever Dreux, d'occuper Fougères.

Un soldat régulier, donc, du moins en apparence, que ce capitaine dûment soldé par l'Anglais pour s'opposer au progrès en dents de scie de la France des Valois. La prise de Montargis – gardée jusque-là par Charles VII – en juin 1433 lui a rapporté dix mille saluts d'or; une solde permanente lui est assignée en 1436 par Suffolk. Rien du bandit, donc, dans ce seigneur de bonne lignée qui prend en 1437 le titre de chevalier auquel l'ancien maçon Perrinet Gressart n'a jamais osé prétendre.

Mais Surienne et ses hommes vivent sur l'habitant, tout autant que les compagnies du roi de France avec lesquelles ils se disputent le Gâtinais, l'Ile-de-France ou la Normandie. Ce qu'on ne vole pas, on le brûle pour ne pas le laisser à l'ennemi. Les moissons sont en cendres, les ceps coupés jonchent les vignobles, les arbres abattus coupent les routes autour de Montargis tout autant que plus tard autour de Dreux. Dans un cas, ce sont les hommes de Dunois et de Poton de Saintrailles, alors soldat régulier, et dans l'autre ce sont les gens de l'Aragonais.

Surienne ne dédaigne pas de toucher des deux côtés. Payé plus de trois mille livres par l'Anglais pour garder Montargis, il reçoit de Dunois douze mille royaux d'or pour rendre la ville à Charles VII et s'enrôler dans l'armée française. Mais il s'établit ensuite dans la petite ville percheronne de Longny, c'est-à-dire chez l'Anglais, oubliant qu'il est à la fois payé par Henri VI pour défendre Montargis et par Charles VII pour venir à son service.

Neuf ans plus tard, Surienne récidive : pour onze mille saluts d'or, il livre au même Dunois la place de Gallardon, alors qu'il est payé par les Anglais pour la défendre. On ne lui en voudra pas.

Au vrai, les Anglais n'ont déjà plus le droit d'être exigeants quant à ceux qui les servent. La cause du Lancastre n'est guère assurée d'un avenir. On ne se bat pour lui que si l'on y trouve le plus immédiat des profits. Un des membres du Conseil anglais l'écrit, non sans amertume, en 1439 :

> Ils ne veulent rien ou peu faire s'ils n'ont gages ou solde. Et encore, quand ils sont payés, ils sont tôt las de besogner.

Une France ruinée.

A cette guerre d'embuscades, de coups de main, de « surprises », le pays s'épuise. L'impôt pour battre les écorcheurs s'ajoute à l'impôt pour battre les Anglais – ou les Français – et à l'impôt pour que les écorcheurs aillent ravager ailleurs. Petites et grandes villes, villages défendus et hameaux isolés, tout est menacé. Nul n'est à l'abri : c'est ainsi que l'on voit un jour se présenter à pied devant une porte de Sens l'archevêque Louis de Melun, détroussé par des écorcheurs à portée de voix de l'enceinte de sa ville archiépiscopale. Les hommes de guerre ne sont pas mieux garantis contre l'adversité : le maréchal Jean de Rieux finira ses jours dans le cachot de Guillaume de Flavy.

Au moins les villes peuvent-elles résister, contre-attaquer, plus souvent se racheter, quitte à recommencer le jeu sans limite du chantage et de la concession. C'est ainsi que Toulouse, ayant acheté en 1438 le départ des Anglais établis à Clermont-Dessus, puis celui du bâtard de Bourbon, doit acheter celui de Villandrando en 1439. La bourgeoisie est cependant prête à payer pour faire cesser, ne serait-ce qu'un temps, l'entrave à la reprise économique qu'est l'insécurité. Charles VII s'entend donc sans grand-peine à faire voter par les états provinciaux les contributions nécessaires à la défense ou à la tranquillité. Les états de Langue d'oc, ceux d'Auvergne, ceux de Bourgogne même, sont prêts aux « patis » que demandent les routiers.

Les campagnes, elles, n'ont qu'à trembler. On n'arrive même pas à relever les ruines entre deux menaces. Les paysans se réfugient, qui dans le château, qui dans la forêt. Des villages languedociens se fortifient tant bien que mal. L'église sert de forteresse, et des bottes de foin transforment les nefs en dortoirs. A Notre-Dame Bourg-Dieu, en Berry, les accouchements perturbent les offices. Mais rien n'est sûr, et les routiers ne se gênent pas, en Picardie, pour mettre le feu à l'église de Lihons après y avoir enfermé deux ou trois cents manants. D'autres églises reçoivent une affectation nouvelle : l'une est convertie en écurie, l'autre en bordel.

La fumée des villages en feu et des granges incendiées s'élève à tous les horizons. Dans ces conditions, nul n'ose sortir de sa ville, se risquer sur les routes, aventurer son avoir. La paralysie s'établit sur l'économie française. Le dépeuplement n'est pas moins sensible que l'engourdissement. Des villages entiers sont abandonnés, le pauvre Hurepoix et le riche Valois apparaissaient comme de véritables déserts, tout autant que l'Auvergne ou le Quercy, le Maine ou l'Angoumois. Limoges est vide d'habitants. Les rues les plus commerçantes de Toulouse sont désertes, et de surcroît inhabitables.

Le port parisien de l'École-Saint-Germain — trafics vers l'aval, bois, blé, foin — n'accueille plus un seul bateau à ses appontements proches de Saint-Germain-l'Auxerrois. Le port de Grève n'est guère mieux loti, et l'on réduit de moitié le nombre des intermédiaires commerciaux de la place de Paris.

Partout, la vie des affaires et la vie municipale s'organisent sur une nouvelle échelle. Les Toulousains réduisent le nombre des capitouls. A Montauban, en 1442, on ne trouve plus un volontaire pour assumer les fonctions de consul.

L'épidémie ne laisse jamais d'accompagner la guerre et ses séquelles de sous-alimentation. La variole ravage l'Ile-de-France en 1438, la peste frappe à nouveau le Languedoc en 1440. Les citadins se sauvent souvent en gagnant la campagne, mais que vont-ils y faire, sinon grossir le nombre des vagabonds ?

La désolation s'exprime à tous les niveaux de la société, et dans tous les styles. Un jour de 1438 où les routiers ont montré une particulière hardiesse, le brave Parisien qui habite la Cité note dans son journal :

> Le jour de l'Épiphanie, les larrons de Chevreuse, environ vingt ou trente, vinrent à la porte Saint-Jacques et entrèrent dans Paris, et tuèrent un sergent à verge qui était assis à un huis. Et ils s'en rallèrent franchement, et prirent trois des portiers gardant la porte et plusieurs autres pauvres gens, sans compter le butin, qui ne fut pas petit. Et il n'était que douze heures de jour, ou environ. Et ils disaient : « Où est votre roi ? Hé ! Est-il caché ? »
>
> A cause des courses que faisaient les dits larrons, enchérirent tant le pain et le vin que peu de gens mangeaient de pain leur saoul. Les pauvres gens ne buvaient point de vin et ne mangeaient point de chair si on ne la leur donnait : ils ne mangeaient que navets et trognons de choux mis à la braise, sans pain.
>
> Toute la nuit et tout le jour criaient les petits enfants et les femmes et les hommes : « Je meurs ! Hélas ! Las, doux Dieu, je meurs de faim et de froid ! » Chaque fois qu'il venait à Paris des gens d'armes pour convoyer des biens qu'on amenait, ils emmenaient avec eux deux ou trois cents familles du peuple, pour ce qu'elles mouraient de faim à Paris.

En un autre style, l'évêque de Beauvais Jean Jouvenel des Ursins glose, l'année suivante, à l'intention de Charles VII les malheurs du patriarche Job. Le propos est plus savant que celui du bourgeois ; l'idée est la même.

Du vrai et du faux, le partage est difficile. Les routiers ont-ils commis tous les crimes que rapportent les contemporains, et dont Jouvenel dresse complaisamment un catalogue auquel fait écho le tableau dramatique brossé en son histoire de Charles VII par le futur évêque de Lisieux Thomas Basin ? Il est probable que non. Mais parce qu'on les raconte, on tremble. Comme au temps des Jacques, la rumeur enfle et multiplie ces histoires de femmes enceintes empalées, d'enfants jetés à la rivière — « sans baptême », précise-t-on pour aggraver le cas — et de paysans attachés à des pieux en attendant l'arrivée des loups. La contagion de la terreur n'est cependant pas imaginaire, et Jouvenel n'a pas tort de dénoncer une faiblesse royale qui encourage l'homme d'armes à se faire brigand : dès lors qu'on ne trouve pas d'autre remède que de payer les routiers pour qu'ils se tiennent un temps tranquilles, chacun entend bien avoir sa part de la distribution.

> Incapables de payer, les pauvres gens se sont absentés, tellement que le pays est demeuré tout inhabité. Et il n'y est pas demeuré de cent personnes une, ce qui est chose très piteuse.
>
> Et parce qu'aucuns n'avaient pas de lieu pour aisément détruire le peuple, ils se sont emparés de places, feignant que ce soit pour faire la guerre aux ennemis... Mais c'est pour soi allier des ennemis, et détruire les bienveillants et sujets du roi. On le voit évidemment, car ils sont à certaine petite usance avec les ennemis, et ils font bonne chère ensemble, et votre pauvre peuple est ainsi tyrannisé.
>
> Et parce que dans les villages il ne demeure plus personne, ils s'en prennent aux gens des villes... Ils viennent, aucunes fois, dans les dites villes et y font bonne chère, et au partir ils prennent et emmènent les chevaux de labour et ceux de harnois, voire les femmes et les enfants, dont se pourra ensuivre la totale destruction des dites villes, et par conséquent après celle du royaume.

Aux états généraux réunis à Orléans en octobre 1439, les procureurs de l'Université de Paris le déclarent sans ambages : si l'on ne fait rapidement la paix, tout le monde finira par quitter le royaume. C'est ce qu'en son langage fleuri veut exprimer l'évêque Jouvenel :

> Toute la beauté de France s'en est allée et partie, et sont les princes aussi ébahis comme moutons qui ne trouvent point de pâture.

Les trêves de Tours.

Mettre bas les armes, on y songeait depuis plusieurs années. Bien des princes y avaient intérêt, et le duc de Bretagne ne ménageait pas ses efforts pour une paix à laquelle, pris qu'il était entre les deux adversaires par l'enchevêtrement des affaires bretonnes depuis un siècle, il devait plus que tout autre trouver avantage. La duchesse de Bourgogne Isabelle de Portugal favorisait dès 1439 la reprise des négociations entre la France et l'Angleterre. Les conférences de Gravelines, en juillet 1439, furent une répétition de la scène jouée en 1435 à Arras. Regnaut de Chartres offrit à l'Anglais la Guyenne et une partie de la Normandie, pour être tenues du roi de France en fief. Toujours conciliateur mais croyant aller assez loin dans la concession, Beaufort offrit à Charles VII de garder ce qu'il avait déjà, le tout en fief tenu du roi anglais.

A tout le moins l'Anglais était-il sincèrement prêt à la trêve. Les Français subordonnèrent cette trêve à une renonciation officielle du Lancastre à son titre de roi de France. Comme toute l'affaire était là, on achoppa.

L'échec final de l'expédition menée en 1443 par Somerset ramena les Anglais vers la négociation. Le comte de Suffolk William de la Pole conduisait cette fois les affaires : il lui parut que l'Angleterre avait besoin de souffler.

Les conférences qui se tinrent à Tours du 16 avril au 28 mai 1444 en présence de l'évêque de Brescia, légat du pape, ne permirent pas d'entrevoir le règlement général d'un conflit alors plus que séculaire. Pour ce qui était de la division territoriale de la France, chacun restait sur ses positions. Mais les Anglais n'osaient plus revendiquer la Couronne. Ils n'en réclamaient pas moins la Guyenne et la Normandie en pleine souveraineté. C'était le partage de la royauté. On ne pouvait évidemment s'accorder là-dessus.

Il y avait toutefois un effort de concession. On pouvait discuter. Le 20 mai, Charles VII accepta le principe d'une trêve, qui fut conclue pour vingt-deux mois. Les alliés des deux parties étaient compris dans la trêve : la Castille, Naples et l'Écosse d'une part, aux côtés du roi de France, l'empire, le Portugal et les royaumes scandinaves d'autre part. Les plénipotentiaires anglais trouvèrent une garantie pour leur fragile échafaudage de paix : ils demandèrent pour le roi Henri VI lui-même la main de Marguerite d'Anjou, fille du roi René et par là nièce de Charles VII. La trêve n'était pas encore conclue qu'on célébrait déjà, dans la liesse générale, ces fiançailles prometteuses

Cette trêve, Suffolk allait en obtenir avant le terme une première prorogation, moyennant renonciation à tous les droits anglais sur le Maine. Au premier abord, tout le monde gagnait à la trêve. En réalité, le profit était pour Charles VII : ce temps lui permettait d'organiser sa revanche. De prorogation en prorogation, la trêve de Tours dura jusqu'en 1449. A cette date, la France était prête.

Le vieux lutteur qu'était Regnaut de Chartres, l'archevêque qui avait sacré Charles VII aux heures sombres où le roi de Bourges émergeait à peine d'une résignation qui touchait à la malédiction, n'était plus là pour voir poindre une paix honorable. Le chancelier Regnaut de Chartres était mort, le 4 avril 1444, à Tours même, où il était venu pour traiter avec le roi de la négociation qui s'ouvrait. On le pleura. « Il était prudhomme. »

Au cours d'une audience solennelle à Montils-lès-Tours, Suffolk avait remis à Charles VII des lettres patentes d'Henri VI qui étaient avant tout des lettres de créance. Elles étaient aussi un geste politique. Il n'y était plus question de « celui qui se dit roi de France ». Le Lancastre écrivait à son « très cher oncle de France ». La Couronne n'était plus en cause.

CHAPITRE XIX

Charles le Victorieux

UNE GUERRE NATIONALE.

Charles VII n'a pas attendu la trêve de Tours pour entreprendre la réorganisation du royaume. Certes, les structures administratives ont tant bien que mal résisté à l'écartèlement, mais elles ont, dans la crise, perdu une part de leur efficacité. Les réformes amorcées par Charles V et reprises avant 1413 par le mouvement réformateur ont pâti d'une compromission pourtant fortuite avec les excès de la rue parisienne. Depuis son semblant d'avènement au lendemain du traité de Troyes, Charles VII n'a fait que vivre au jour le jour, sans oser la moindre action en profondeur.

Depuis 1435, l'ennemi, c'est l'Anglais et lui seul. Le conflit prend une couleur nationale dont l'autorité monarchique peut sortir renforcée. Le temps s'éloigne où le Valois voyait se dresser contre lui — en même temps que le Plantagenêt écarté du trône de France parce que les barons voulaient un roi « natif du royaume » — un duc de Bretagne, un roi de Navarre qui pour beaucoup était le comte d'Évreux, un duc de Bourgogne, un duc de Bourbon enfin. L'ennemi ne s'appelle plus Plantagenêt, Harcourt et Grailly, Marcel et Le Coq, Cauchon et L'Isle-Adam. En 1444, il s'appelle Lancastre, Talbot, Somerset.

En janvier 1437, moins d'un an après l'entrée de Richemont dans Paris, le Parlement — un Parlement où siégeaient tant de Bourguignons — a dû juger d'une malencontreuse promesse de mariage entre un soldat de Talbot et la fille d'un bourgeois de la rue Saint-Antoine. La fille voulait rejoindre son fiancé, jurant que de sa vie elle n'accepterait d'en épouser un autre. Pas tellement fiers de cette preuve d'une ancienne largeur d'esprit qui commençait à passer pour collaboration, les parents s'opposaient au projet. Le Parlement jugea que la nommée Jeannette ne pourrait pas s'en aller avec son promis et

« devenir anglaise » tant que durerait la guerre. Les contemporains de Geoffroy d'Harcourt eussent estimé différemment la situation. Au temps de Talbot, « Anglais » s'oppose à « Français ». Celle qui épouse un Anglais devient anglaise.

On parla d'arrêter Jeannette; elle se tint tranquille. Denise Le Verrat ne pouvait en faire autant: elle était mère de quatre enfants, et le père était à Rouen. C'était le marchand lucquois Jacques Bernardini, un homme d'affaires trop lié aux milieux anglais et aux trafics avec Londres pour n'avoir pas intérêt à se replier avec l'occupant. A peine établi à Rouen, Bernardini fit venir Denise, qui se procura sans peine un laissez-passer. Le Châtelet s'avisa de la chose. On confisqua les biens des époux, et notamment ceux de Denise Le Verrat, qui était fille de notable.

Vainement l'avocat de la famille plaida-t-il qu'une mère ne laisse pas partir son époux et ses enfants: une bête ne le ferait pas. Le Parlement jugea que le devoir du sujet l'emportait sur celui de la mère. D'ailleurs, Denise avait aggravé son cas en ayant quatre enfants d'un homme désormais réputé Anglais: cela faisait quatre Anglais de plus, quatre contribuables anglais pour l'avenir. L'avis général fut qu'en temps de guerre on ne met pas au monde de nouveaux Anglais.

Bourgeois et filles de bourgeois fussent demeurés étrangers aux vieux conflits féodaux, comme à de simples jeux de prince. Dans ce qui prenait figure d'affrontement de deux nations, il n'y avait plus de neutres. Le procureur du roi allait le dire en une autre affaire:

> Chacun est astreint et obligé à la tuition et défense du pays où il demeure, et tellement que on est plus astreint que à ses parents.

C'est donc en maître du royaume et en tenant de la Couronne de saint Louis que Charles VII se pose lorsqu'il remet en forme, au fil des opportunités, l'appareil politique de la monarchie. Et, parce qu'il saisit toutes les occasions, celui que l'on a connu velléitaire et désabusé dans son exil berrichon devient soudain, autour des années 1440, l'animateur d'une construction aux formes multiples, qui développe dans tous les domaines les moyens de la puissance royale.

On l'a souvent dit, on ne reconnaît plus le roi de Bourges dans le Charles VII de ce milieu du siècle. Certains ont fait honneur de cette mutation au charisme de Jeanne d'Arc et à l'exemple donné. D'autres ont préféré voir dans l'amour d'Agnès Sorel le révélateur d'un homme nouveau. Faut-il rappeler que Jeanne est un peu oubliée au temps de la trêve de Tours, et qu'Agnès Sorel n'apparaît dans la vie du roi qu'à un moment où, déjà, le gentil dauphin a fait place à l'homme d'État. Il serait plus juste d'évoquer l'influence d'hommes comme Richemont – grossier personnage mais politique énergique – ou comme l'étonnant Pierre de Brézé.

Charles VII « le bien servi » ne peut se passer de conseillers, de favoris, de courtisans. Il n'est pas, comme plus tard son fils Louis XI, homme à prendre seul ses décisions. Mais le jeune prince, humilié à Troyes et écrasé par ses responsabilités, se laissait dominer par sa belle-mère Yolande et mettre en tutelle par des médiocres comme La Trémoille. Le roi adulte – il a quarante ans à l'époque de la trêve – ne se laisse plus que conseiller, et il choisit lui-même ses conseillers. Bien sûr, le grand Charles VII de la reconquête ne laisse pas d'être la proie des hésitations, des craintes, des louvoiements. C'est bien le même homme, et il a gardé, à tous les égards, les épaules étroites. Mais la confiance en soi lui vient avec les premiers succès. En ce sens, l'homme nouveau qu'est le Charles VII de 1440 – un homme nouveau qui ne s'est pas fait en un jour – doit beaucoup à Jeanne d'Arc.

La pragmatique sanction.

La première des « masses de granit » sur lesquelles va s'asseoir l'autorité royale, c'est le concile de Bâle qui en procure involontairement l'occasion. Charles VII a besoin du clergé pour son entreprise, et il ne lui est pas indifférent d'appuyer les prétentions antipontificales des évêques. Depuis que le pape et le concile sont en conflit ouvert – en gros depuis 1433 – le roi tient pour le concile. Face à un roi d'Angleterre traditionnellement opposé aux exigences de la papauté, toute autre attitude aliénerait au roi de France les quelques sympathies qu'il trouve dans son clergé.

La grande affaire, c'est la nomination des évêques. Le pape a depuis longtemps accaparé le droit de pourvoir aux évêchés et le roi s'est fait volontiers complice, tant que les provisions faites par le pape ont laissé la part belle aux candidats du gouvernement. Il est finalement plus aisé de s'entendre avec une papauté soucieuse de ne pas voir le roi s'opposer en France à la fiscalité pontificale, que de s'entendre avec des électeurs souvent indociles. Car les officiers royaux n'ont guère de véritables moyens de pression sur les chanoines. Encore faut-il que le clergé apporte à ces accommodements du pape et du roi un minimum de consentement. Au temps du concile de Bâle, ce n'est plus le cas.

Après le traité d'Arras, les ambitions viennent à Charles VII. Il rêve de jouer les arbitres. En 1436, il propose au concile une sorte de compromis que le pape et le concile prennent aussi mal l'un que l'autre. Les gens du roi, dès lors, regardent la situation qui évolue sans eux, et ils attendent le moment d'en tirer profit.

Les canons réformateurs se succèdent, publiés par fournées dans les sessions générales du concile. L'essentiel de la fiscalité pontificale est supprimé, les élections épiscopales et abbatiales sont rétablies, les évêques retrouvent leur droit de nommer aux bénéfices mineurs. Et, le 24 janvier 1438, la 29e session du concile décrète la suspension d'Eugène IV.

Cette fois, le roi ne peut éviter de prendre parti. Il y a ceux qui se rangent derrière le concile, et ceux qui continuent de reconnaître le pape. Dans l'incertitude générale, Charles VII convoque à Bourges pour le 1er mai une assemblée générale du clergé, qui se réunit finalement en juin.

Il s'en faut que tout le clergé soit là, aux côtés du roi, du dauphin, du duc de Bourbon et de quelques hauts barons. Quatre archevêques seulement se sont déplacés, avec vingt-cinq évêques : pour cent dix-sept diocèses que compte le royaume, c'est peu, même en faisant la part de ce que dominent encore les Anglais. Il y a quelques abbés, beaucoup de prieurs et de chanoines, des docteurs en droit canonique et des maîtres en théologie. La France du midi est peu représentée, la France du nord l'est incomplètement. On est fort loin d'un concile national, mais en cette année 1438 où le royaume du Valois est encore en difficulté, la représentation du clergé français peut passer pour suffisamment significative.

Le concile a envoyé son « orateur ». C'est Thomas de Courcelles, ce théologien que nous avons vu se distinguer parmi les juges de Jeanne d'Arc en opinant pour la torture. Mais il était en 1435 des ambassadeurs de Charles VII à la conférence d'Arras. On l'entendra au procès de réhabilitation, prétextant de sa mauvaise mémoire pour ne se souvenir de rien. Il fera à Notre-Dame de Paris l'oraison funèbre de Charles VII.

Pour l'heure, Courcelles jouit d'une flatteuse réputation en la « Sacrée Page » : c'est le nom officiel de la théologie universitaire. On l'a souvent entendu à Bâle, et les canons les plus importants doivent beaucoup à ses avis. Les pères conciliaires savent ce qu'ils font en le chargeant de leurs intérêts à Bourges. Courcelles a l'oreille du roi, et la vue qu'a le concile de la future organisation de l'Église a toutes chances de se trouver ainsi favorisée dès l'abord.

Le confesseur du roi n'est pas moins décidé. C'est Gérard Machet, un humaniste à la nouvelle mode, connu pour ses positions politiques fort modérées. Il est évêque de Castres, mais on s'abuserait en croyant qu'il représente le Languedoc : il est l'homme de la Sorbonne et du collège de Navarre. Il est, surtout, l'homme du roi. A Paris, jadis, il répliquait à Jean Petit qui voulait justifier l'assassinat de Louis d'Orléans. A Poitiers, naguère, il présidait à l'examen de Jeanne d'Arc. Comme il est de ces Armagnacs qui n'ont pas de sang sur les mains, de ces gens qui en tout temps ont formé le parti de la « paix », à Paris comme à Poitiers, il est réputé sage et les plus acharnés Bourguignons ne peuvent voir en lui un adversaire. Et voilà qu'à Bourges, Gérard Machet déclare fermement qu'il faut suivre le concile.

Le chancelier Regnaut de Chartres – l'un des rares archevêques présents – peut alors conclure avec toutes les nuances nécessaires pour ne placer le roi ni dans le parti du pape ni dans celui du concile : l'assemblée du clergé français va examiner les canons de Bâle et décider de ce que le royaume de France peut en accepter.

Charles VII, ce faisant, se sépare du pape sans obéir aveuglément au concile. Il écoute l'avis du clergé, mais du clergé de son royaume. La nuance n'échappe à personne : comme naguère au temps des soustractions d'obédience, le roi s'érige en chef de l'Église de France.

Parce qu'il le faut pour manifester qu'on n'est pas seulement au niveau des principes, le roi et son clergé se trouvent alors d'accord pour modifier quelques détails des textes élaborés à Bâle. Nul ne s'y trompe, cependant : la forme, ici, prend la valeur d'une preuve. Les quelques corrections apportées aux canons conciliaires affirment le droit du roi à faire la loi pour l'Église de France. Les évêques et les docteurs ne jouent à Bourges, que le rôle de conseillers. Et c'est comme une ordonnance royale que sont publiés, le 7 juillet 1438, les canons du concile de Bâle acceptés par la France.

Cette « Pragmatique sanction » est le fait des circonstances. Charles VII a été porté par la dynamique du concile. A la même époque, le clergé anglais et le clergé allemand font ce que font les Français : ils examinent les canons de Bâle et les adaptent à leurs vues. Mais Henri VI n'y gagne pas grand-chose, et Albert de Habsbourg n'a rien à y gagner, alors que Charles VII de France, à peine rentré dans sa capitale et encore si peu maître de son royaume, gagne tout à faire de l'Église l'un des organes de la France monarchique. Que les chapitres et les couvents soient invités à tenir compte, lors des élections épiscopales et abbatiales, des « sollicitations bénignes et bienveillantes du roi en faveur de personnes de mérite, zélées pour le bien de l'État et du royaume » n'est qu'un succès théorique ; il demande encore à être vérifié dans la pratique. Mais qu'une ordonnance royale en forme de lettres patentes, prise à la demande des prélats et des docteurs, puisse réglementer la discipline ecclésiastique, condamner le concubinage des clercs, limiter l'usage de l'excommunication, préciser les formes de la récitation du bréviaire et interdire les fêtes profanes dans les églises, la chose est à peine croyable. L'acceptation par le clergé en fait un précédent.

Que les pères de Bâle acceptent à leur tour – sans enthousiasme

– ce simple fait que la France a retouché les canons et les a sanctionnés de l'autorité royale suffit à donner la garantie du concile à cette nouvelle vue d'une Église de France. Comme l'écrira bientôt un juriste, « le roi de France est la première personne ecclésiastique du royaume ».

Dans le long mouvement qui, depuis saint Louis et Philippe le Bel, construit ce qu'on appellera plus tard le Gallicanisme, Charles VII a la chance, en 1438, de pouvoir marquer un point capital. Cette chance vient étayer fort à propos le redressement monarchique.

A la même époque, l'archevêque Pey Berland tente à Bordeaux de faire pièce à cet accroissement de prestige que Charles VII trouve dans sa fonction ecclésiale. Isolée de Toulouse comme d'Orléans et de Paris, la Guyenne du Lancastre n'a plus les moyens universitaires de la formation de ses élites. En 1439, l'archevêque annonce qu'il fonde une université. Les statuts en sont promulgués en 1441. Et Pey Berland de doter sur-le-champ un collège pour douze écoliers pauvres, sous le patronage de saint Raphaël. Le chapitre de Bordeaux et les marguilliers des églises paroissiales rivalisent aussitôt avec l'archevêque : on pose, au chevet de la cathédrale, la première pierre d'une tour monumentale, et on entame la restauration de l'église Saint-Michel. Il faut bien montrer que l'on a confiance en l'avenir.

Le redressement économique.

Porté par les circonstances dans ses relations avec l'Église, le roi prend en revanche quelques initiatives dans le domaine économique. Seule, une économie saine peut supporter la réorganisation du royaume et la reconquête : elle assurera l'adhésion du peuple aussi bien que le rendement des impôts. Les états, et en particulier ceux de Languedoc, ne manquent jamais une occasion de rappeler que leur plaidoyer pour la prospérité va, à long terme, dans le sens des intérêts du roi, même s'il conduit dans l'immédiat à un dégrèvement fiscal.

Il faut reconstruire, les villes comme les campagnes. Pour ce qui est du monde rural, l'affaire ne saurait être que fort longue – elle prendra un bon demi-siècle – et le roi n'a que des moyens d'action limités sur la seigneurie d'autrui. Un pas essentiel sera cependant fait lorsqu'en 1447 Charles VII s'arrogera, dans l'intérêt général, le droit d'autoriser les seigneurs à consentir de nouveaux baux pour les terres abandonnées, sans devoir craindre le retour éventuel des ayants droit du dernier tenancier. Car nul ne se donnerait la peine de défricher — et de payer le cens — s'il savait devoir un jour céder la place au petit-fils d'un paysan parti au temps des grandes compagnies. Il suffira désormais de quatre « cris publics », quatre annonces de quinzaine en quinzaine à la grand-messe, pour libérer la terre de tout droit.

Dès la conclusion de la trêve, cependant, on assiste à un mouvement général de remise en ordre de la possession rurale. Dans toutes les seigneuries, et même dans ce qui reste de Guyenne aux Anglais, on fait l'inventaire des terres, on dresse l'état des droits, on compte les investissements possibles et souhaitables. Les plus malins n'attendent pas pour profiter de baux encore avantageux en ces années où les terres désertes sont trop nombreuses pour que le seigneur puisse hausser ses exigences s'il ne veut pas régner sur un désert. Trop content est-il de trouver, moyennant des redevances diminuées, les nouveaux bras qui mettront en valeur sa terre.

Pour les villes, les choses vont plus vite, et le roi a des atouts : les privilèges fiscaux, commerciaux, monétaires. Relever les ruines, rénover l'habitat, renforcer les ponts, rétablir les chenaux navigables, restaurer les quais, tout cela demande de l'argent, et le fisc en prend, ou en procure. Il suffit de détaxer un trafic, d'exempter des contribuables, de céder à une communauté d'habitants le produit d'impôts levés sur eux-mêmes ou sur d'autres. Comme la prospérité attire la population, il est aisé de prévoir que le manque-à-gagner immédiat se transformera très vite en plus-value. Charles VII se plaît à le répéter : son intérêt n'est pas de laisser « petitement peuplées » des villes comme Paris ou Toulouse, Troyes ou Meaux, Dieppe ou Louviers.

C'est ainsi qu'il aide les bourgeois de Narbonne à restaurer les vingt-sept ponts qui leur appartiennent sur tout le cours de l'Aude et à refaire les chaussées sans lesquelles on ne saurait tirer les bateaux. Ils auront à cette fin, pendant vingt ans, le revenu d'un impôt d'un « blanc » de cinq deniers par quintal de sel vendu aux salines de la région — Narbonne, Capestang, Sigean, Lapalme, Peyriac — et celui d'un « barrage » établi sur le Pont-Fermé, à deux lieues de la ville : un denier par homme à pied, deux par homme à cheval, cinq par bête de somme.

Ailleurs, on se contente parfois d'exempter le commerce local ou les trafics régionaux de tel impôt ou de telle charge qui les alourdissaient et aggravaient le handicap des infrastructures en ruine. La mesure la plus générale de la sorte est l'abolition, en 1444, de tous les péages établis pendant la guerre sur la Seine et ses affluents.

Il faut aussi libérer les affaires des entraves qu'a fait naître la crise. Les marchands parisiens ont ainsi pallié quelque temps la mévente en empruntant sur le revenu futur de leurs boutiques. Les rentes constituées sur les étals des halles sont, au terme du marasme, à ce point disproportionnées avec le revenu possible – celui d'un commerce convalescent dans une ville encore à repeupler – que mieux vaut, pour beaucoup, se désintéresser de leurs affaires. L'hypothèque mange le revenu. Pour sortir d'une telle impasse, le gouvernement de Charles VII emploie les grands moyens : il autorise la banqueroute. Le roi casse toutes les rentes constituées sur les étals des halles. Ses juristes lui ont trouvé un excellent argument : de telles hypothèques ont été jadis interdites par Philippe le Bel. Les créanciers ne protesteront guère : ils ont depuis longtemps renoncé à percevoir quoi que ce soit sur des négoces fermés. Mais chacun espère que la banqueroute ramènera vers les halles des marchands, des marchandises et, partant, des clients.

Le gouvernement de Charles VII tente aussi de rendre vie aux courants commerciaux asphyxiés par la guerre, voire d'en créer de nouveaux pour tenir compte de la carte politique du jour. Jacques Cœur, qui entre au Conseil royal en 1443, est sans doute l'artisan le plus actif de cette politique. Il n'est pas le seul. Mais c'est bien Jacques Cœur qui donne alors au commerce méditerranéen de la France une impulsion toute nouvelle. Il crée une compagnie des « Galées de France » pour s'affranchir de l'onéreux intermédiaire italien dans les relations avec l'Orient, et il affirme la vocation de Montpellier comme porte méditerranéenne d'un royaume qui ne comprend pas encore Marseille. Pour sceller l'entreprise, Charles VII donne à son argentier le monopole des exportations françaises vers le monde musulman. Puis il favorise les ports d'Aigues-Mortes et La Rochelle en les exemptant d'un impôt nouveau qui frappe les importations d'épices et autres denrées orientales, importations qui sont interdites en 1446 par toutes les routes terrestres. Le roi a bel et bien dessiné la carte d'un trafic obligé.

La politique des foires ressortit à la même préoccupation, au même dirigisme que dicte la nécessité d'une aide au décollage économique. Les foires sont depuis longtemps au plus bas. Des six concentrations annuelles qui réunissaient en quatre villes champenoises les marchands de l'Europe entière, il n'est plus qu'un vague souvenir. Les foires du Lendit ont subsisté, à côté de Saint-Denis, jusqu'au cœur de l'occupation anglaise, mais comme un marché régional d'approvisionnement, non comme un centre d'affaires. Les foires créées à Lyon au fort de la crise n'ont fait que végéter. Quant aux foires languedociennes de Pézenas et de Montagnac, elles demeurent les grands centres du commerce des draps entre Languedoc et Roussillon, mais elles supportent mal les effets d'une insécurité due aux écorcheurs de tout poil plus qu'aux armées anglaises en chevauchée.

C'est l'époque où Charles VII croit habile – il déchantera – de multiplier les foires à travers le pays. Au moins a-t-il la bonne idée de ranimer les anciennes foires en concédant à l'une des franchises fiscales, à l'autre des monopoles commerciaux. C'est ainsi qu'il entretient l'illusion d'une résurrection des foires de Champagne : une ordonnance de 1445 rétablit les six foires, confirme les anciens privilèges, en établit de nouveaux. Mais cela ne saurait compenser l'ouverture, désormais bien assurée, des routes terrestres du Saint-Gothard et du Brenner, et celle de la route maritime de Gibraltar qui a bouleversé dans les années 1300 la carte des relations commerciales entre le monde méditerranéen et les pays de la Mer du Nord.

Lyon a deux foires par an, et moribondes. Qu'à cela ne tienne. On en établit une troisième, et l'on édicte la libre circulation à ces foires de toutes les monnaies françaises et étrangères. C'est là débrider un marché qui, dans l'étroitesse habituelle du change monétaire, souffrait de l'obligation faite aux marchands de convertir les espèces étrangères.

De même Charles VII rend-il aux foires du Lendit, en sommeil depuis quinze ans, une certaine prospérité grâce à des exemptions fiscales qui suffisent pour attirer les marchands de Flandre et d'Artois, de Champagne et de Bourgogne. Le Lendit ne saurait plus être qu'un nœud économique purement régional. Au moins va-t-il profiter d'une situation géographique exceptionnelle, celle du carrefour fluvial et routier de Paris, mais hors des contraintes corporatives qui s'exercent à l'intérieur de la capitale et y limitent les initiatives.

Le gouvernement royal entend aussi valoriser le carrefour lyonnais et favoriser la ville royale dans sa lutte commerciale contre Genève. Une ordonnance de 1445 interdit à tous les marchands d'exporter quelque denrée que ce soit vers les foires de Genève sans l'avoir préalablement exposée — c'est-à-dire offerte à la vente — aux foires de Lyon. Politique des ports et politique des foires ne font qu'un : Charles VII dessine bien la carte du commerce français.

Ce faisant, on anticipe sur le retour de la prospérité. C'est le 15 avril 1444, six semaines avant la trêve de Tours, que le roi rétablit les foires du Lendit. Au vrai, tout est encore à faire, et il faut en premier lieu repeupler les villes.

> Augmenter et accroître de peuple, de gens de tous états et de richesses, laquelle chose ne se pourrait promptement ni aisément faire sans grande fréquentation de peuple et de fait de marchandise.

Le plus aisé est peut-être, à ce moment, de repeupler la capitale. L'administration royale, en y revenant, rétablit une clientèle à haut pouvoir d'achat, toujours génératrice d'affaires, même lorsque les gages se paient en retard. Il n'est que de donner à la migration des petites gens la légère incitation qui déclenchera la reprise d'un mouvement déjà ancien. C'est ce que fait Charles VII quand il exempte pour trois ans de tout impôt – sinon de l'impôt sur le vin – les Normands qui fuiront la domination anglaise et se fixeront à Paris. Il gagne sur deux tableaux : davantage de Parisiens, moins de contribuables dans la Normandie du Lancastre. Pour accélérer la déconfiture économique de l'adversaire, le roi décrète même le blocus de toutes les importations de drap anglais, normand ou bordelais.

Le rétablissement financier.

La restauration économique du royaume va permettre le rétablissement financier. Les enjeux de celui-ci ne sont pas tellement dans le volume des finances mobilisées – Charles VII n'a jamais vraiment manqué de ressources – mais ils sont dans la régularité d'un financement possible de l'État. A chaque occasion, et en fait une ou deux fois par an, force est de négocier avec des députés à des états généraux ou provinciaux le principe et le montant de l'aide « octroyée pour le fait de la guerre ». Considéré comme un mal incessant, l'impôt ne l'est ni comme le fondement régulier d'un fonctionnement permanent des rouages civils du gouvernement, ni comme la base assurée d'un maintien de l'ordre douze mois sur douze. La guerre est faite de campagnes successives, les ressources royales le sont d'impôts successifs, pour chacun desquels on détermine des modalités propres et des organes distincts d'assiette et de levée.

Ainsi le nommé Pierre Mandonnier est-il « commis au bas pays d'Auvergne à recevoir la portion de l'aide de deux mille francs ordonnée par le roi notre seigneur être mise sus en ses pays de Langue d'oïl au mois de juin 1437 pareillement que fait avait été l'année dernièrement passée ». Mandonnier a beau se retrouver, année après année, receveur d'à peu près tous les impôts qui s'abattent sur la Basse-Auvergne, il n'est pas tout simplement receveur de l'impôt en Basse-Auvergne. Chaque impôt est un tout, avec son nom, son taux, sa date. Tant pis si le titre de l'officier prend trois lignes, et si la cohérence perd ses droits.

Les écorcheurs viennent à point pour offrir, bien involontairement un magnifique argument aux gens du roi qui s'efforcent d'acclimater l'idée d'un impôt régulier. Car les écorcheurs rendent permanente, sinon la guerre, du moins la menace des gens de guerre et le coût du maintien de l'ordre. La chose apparaît clairement lorsqu'il faut donner de l'argent à des capitaines – on l'a vu pour Villandrando –

pour qu'ils ne ravagent pas le pays l'hiver, alors qu'ils ont été payés l'été pour le défendre.

La permanence s'établit donc peu à peu, dans les esprits plus que dans les principes. En janvier 1436, les états de Poitiers – qui sont une assemblée bien limitée malgré son nom – votent les aides indirectes pour quatre ans, et certains députés de protester, les Tourangeaux en tête: il y faudrait de véritables états généraux. Une assemblée insuffisante peut parer à l'urgente nécessité, non disposer pour l'avenir de la guerre. On tergiverse, on remplace les aides par un impôt direct, on revient aux aides. Finalement, les états de mai 1436 confirment le principe de ces aides. Mais tout le monde est las de l'affaire. Le roi ne cessera plus de lever l'impôt indirect, mais nul n'évoquera plus en Langue d'oïl la nécessité d'un consentement.

La Langue d'oc, dans le même temps, se débat contre l'impôt, et ses états se préparent à empêcher le rétablissement des aides. Prenant les devants, Charles VII rétablit ces aides au début de 1437, sans même attendre l'ouverture de la session. Les députés pourront bien protester, pour la forme, mais les bonnes gens n'en paieront pas moins douze deniers pour livre – cinq pour cent – sur tout le commerce, excepté celui du vin au détail, spécialement taxé à un huitième.

L'impôt indirect est celui qui se prête le mieux à la permanence, et les gens du roi s'en sont de longtemps aperçus. Les aides sont bel et bien établies pour l'avenir.

Pour ce qui est de l'impôt direct, on continue de disputer. Une dernière fois, à Orléans en octobre 1439, Charles VII convoque les états généraux de Langue d'oil, qui votent une subvention de cent mille francs. Mais la guerre n'a pas cessé depuis la dernière session, celle de Poitiers en 1436, et le gouvernement royal a dû supposer le consentement des contribuables. On a levé deux cent mille livres en 1437, autant en 1438, trois cent mille en 1439. L'octroi consenti par les états d'Orléans affirme le maintien d'un principe, mais ceux qui n'ont cessé de payer pourraient rire de cette affirmation visiblement inutile. Aussi bien se passera-t-on dorénavant des états généraux de Langue d'oïl. Quelque temps encore, on fera semblant de négocier avec des assemblées locales faciles à intimider. Après 1450, il n'en sera plus question.

Dans cette histoire du consentement à l'impôt, un consentement nécessaire en droit parce que l'impôt est une solution extraordinaire à des difficultés financières hors de l'ordinaire ou réputées telles, Charles VII a le mot de la fin en 1442:

> Il n'est pas besoin d'assembler les trois états pour mettre sus les tailles... Ce n'est que charge et dépense au pauvre peuple,

> qui a à payer les frais de ceux qui y viennent. Plusieurs notables seigneurs du pays ont requis qu'on cessât de faire de telles convocations. Pour cette cause, ils sont contents qu'on envoie la commission aux élus selon le bon plaisir du roi.

Autrement dit, à tant que de payer l'impôt, point n'est besoin de payer en plus pour en discuter. L'absentéisme qui sévit dans le même temps aux états de Langue d'oc suffit à montrer que le roi n'exagère guère.

Vers l'armée permanente.

La trêve n'a aucun sens si elle ne permet de préparer l'assaut final contre ce qui demeure à l'Anglais en Normandie aussi bien qu'en Guyenne. Le souci de finances régulières prélude à celui d'une armée régulière, cette armée permanente à laquelle Charles V était pratiquement parvenu, sans oser le dire vraiment, et dont — la guerre civile ayant emporté la belle organisation du sage roi — l'absence faisait des lendemains de campagne un temps encore plus dangereux que celui des combats. La divagation, on l'a souvent vu, est chose pire que la chevauchée.

L'armée intermittente, c'est aussi le gaspillage tactique. Telle place forte se prend et se perd en quelques mois. La guerre s'éternise à l'échelle du royaume comme à celle du village, parce que rien n'est jamais définitif. Il devient évident que celui des adversaires qui, le premier, parviendra à consolider ses positions douze mois sur douze l'emportera.

Ses finances le lui permettent : Charles VII prend les devants. Mais l'ordonnance publiée en février ou mars 1445 n'apparaît pas, au premier abord, comme une réforme fondamentale. Elle stipule simplement la « retenue » permanente d'un certain nombre de compagnies, appelées à constituer l'armée « ordonnée » par le roi. Quinze compagnies, mille cinq cents « lances », effectif vite porté à dix-huit compagnies et mille huit cents lances, voilà la « grande ordonnance » — ou « grande retenue » — qui va mener à bien dans les années 1450 la reconquête du royaume valois.

Conserver quinze compagnies, c'est faire, parmi les capitaines ayant plus ou moins servi le roi jusqu'à la trêve, quinze heureux et beaucoup plus de mécontents. Pour les simples hommes d'armes, le service du roi devient un privilège, qui justifie des exigences accrues quant à la qualité.

Qui sont les élus ? Les deux maréchaux, André de Lohéac et Philippe de Culant en sont naturellement, ainsi que de vieux fidèles, anciens compagnons de Jeanne d'Arc et meneurs des dernières campagnes, Poton de Saintrailles, Olivier de Coëtivy, Charles de Culant. Certains de ces capitaines « de l'ordonnance » sont promis à de belles carrières : homme du dauphin Louis, Joachim Rouault finira maréchal. D'autres feront parler d'eux, comme le prévôt Tristan l'Hermite. Des étrangers figurent en bonne place, pour regrouper les meilleurs des hommes d'armes naguère recrutés hors de France par Charles VII : les Écossais Robin Pettylow et Robert Cunningham, l'Espagnol Martin Garcia, l'Italien Boniface de Valpergue. Un Valpergue, déjà, servait à Orléans au temps de Jeanne.

Quelques grands seigneurs tiennent le haut du pavé dans cette grande ordonnance de Charles VII. On trouve ainsi parmi les capitaines le propre père de l'ordonnance de 1445, Pierre de Brézé. Le sire d'Orval Arnaud-Amanieu d'Albret et le duc Charles de Bourbon ne dédaignent pas non plus de conduire leur compagnie dans la grande ordonnance du roi.

Liste longuement mûrie que celle-ci, qui élimine la plupart des princes – ils n'accepteraient pas de s'éloigner des cours – et qui laisse à l'écart quelques barons incommodes, Comminges en particulier. Bien des capitaines sont rendus à la vie civile et chargés de renvoyer eux-mêmes leurs hommes d'armes. Les plus chanceux trouveront du service dans l'administration royale, et l'on verra d'anciens capitaines faire carrière comme baillis ou sénéchaux. Les simples soldats chercheront de plus modestes embauches, retrouvant bien souvent une condition sociale au-dessus de laquelle, depuis Charles V, la guerre les a élevés. Les écorcheurs enrôlés faute de mieux en 1439 retrouvent l'insécurité des lendemains.

C'est ainsi que sortent de l'armée royale des centaines de hobereaux sans terre, bâtards de haute et surtout de basse noblesse, soi-disant écuyers à la noblesse douteuse, déracinés en tout genre. C'est la fin de ceux que l'on a familièrement appelés les « épées de fer ». La guerre cesse pour longtemps d'être une aventure.

Après le tri de 1445, la cavalerie du roi de France redevient ce qu'elle était au temps des premiers Valois, une armée de nobles. Sinon dans le recrutement local que pratiquent bien des capitaines dans les villages de leur seigneurie, cette armée n'a plus rien de féodal. La noblesse y est maîtresse, mais chacun y doit tout au roi : sa place et sa paie.

Au roi et à ceux qui parlent pour le roi. Car les capitaines de l'ordonnance sont des clients : Brézé appartient au vieux clan angevin, comme Coëtivy, Broons et les autres Bretons sont au connétable de Richemont, qui pousse par ailleurs Tristan l'Hermite. Nul ne se fait cependant d'illusions, depuis la fin de la Praguerie : l'armée est au roi, et il n'y a d'autre guerre que la guerre du roi.

Quinze cents, dix-huit cents lances, qu'est-ce à dire ? Une lance, c'est un homme d'armes, noble deux fois sur trois et presque toujours considéré comme tel, mais rarement chevalier. C'est aussi le page – futur homme d'armes – ou le valet. Ce sont enfin deux archers à cheval, avec un valet pour deux, et un coutillier. Au total, six hommes, dont trois cavaliers : un groupe tactique autonome, capable de manœuvre et de riposte par la seule complémentarité de ses combattants et de son armement. Alors qu'il se soucie d'un effectif de combattants professionnels dont les revues assurent le contrôle périodique, le roi limite donc la masse des non-combattants, des serviteurs, du « fretin » agrégé de façon plus ou moins éphémère aux lances des anciennes compagnies, toutes gens plus aptes à manger et à piller qu'à se battre ou à servir effectivement les combattants. On se méfie des valets en excès, portés à changer trop souvent de maître, querelleurs par vocation et valets de guerre par fainéantise. On limite la prolifération des filles suiveuses, plus souvent « ribaudes » qu'infirmières. La force de la lance ne tient pas au nombre des bouches à nourrir mais à celui des bras armés : ce qui compte, ce sont de bons hommes d'armes de métier – certains servent depuis vingt ou trente ans – et des archers expérimentés, servis à pied par un coutillier brave et vigoureux. La lance, c'est cela.

Au fort de la guerre, vers 1450, l'ensemble de la cavalerie royale compte donc quelque dix à douze mille hommes, dont sept à huit mille combattants. Une armée très stable, que le roi conserve, à peine réduite, passé le temps des grandes opérations. Les finances royales, désormais, le permettent. Face aux menées de la féodalité, face à la Bourgogne, Charles VII et Louis XI s'en trouveront bien. On s'arrangera simplement, au temps de la guerre contre le Téméraire, pour porter la grande ordonnance à près de trois mille lances.

Voilà pour l'armée en campagne. Les garnisons, elles, forment la « petite ordonnance » : des gens à pied, mais des combattants quand même. Établis dans les places reconquises, ils assureront les étapes successives de la victoire finale. Ils assureront ensuite, tout bonnement, l'ordre urbain. Ce sont les « gens à la morte-paie », ainsi appelés parce qu'ils sont immobiles. Mise en place au fur et à mesure des progrès de la reconquête, la petite ordonnance est organisée dès 1451 en Normandie, à l'effectif de cinq cent cinquante hommes d'armes ; elle l'est après 1454 en Guyenne, à l'effectif de trois cent cinquante hommes d'armes. Chacun a son page et ses deux archers. Pour tenir la France reconquise, Charles VII a donc trois ou quatre mille hommes : une véritable force si l'on pense aux effectifs des maigres garnisons anglaises du temps de Bedford.

La grande et la petite ordonnances ne sont d'ailleurs pas toute l'armée. Elles en sont le noyau stable, que renforcent à l'occasion les contingents des princes alliés – Armagnac et Foix, dans la guerre de Guyenne – et que grossit parfois le recrutement à l'ancienne mode de quelques compagnies soldées pour le temps d'une campagne. Dans l'été de 1451, alors que la Normandie est conquise et que l'effort porte sur la Guyenne, le roi de France dispose de quelque vingt mille combattants – mi-cavaliers, mi-piétons – et peut affecter trois mille soldats à l'occupation des villes.

Pour cinq mois de guerre, il en coûte six ou sept cent mille livres tournois. L'efficacité de la nouvelle armée royale tient à celle du nouveau système financier, lui-même fruit de la restauration politique de l'autorité.

Ce n'est pas une raison, aux yeux de Charles VII et de ses conseillers, pour abandonner le service gratuit, ce ban et cet arrière-ban en vertu duquel, depuis Philippe le Bel, les souverains ont tant bien que mal convoqué à leur armée les vassaux de la Couronne et leurs hommes, ou obtenu de ces combattants en puissance le paiement de « subventions » en rachat du service militaire. Charles VII en tente encore l'expérience en 1453 : il convoque la noblesse du royaume pour la campagne d'été. Mais il la paie.

Autre tentative, plus lente à faire long feu : une ordonnance du 28 avril 1448 crée les « francs-archers ». Ils sont francs parce qu'exempts des impôts directs, et archers parce que prétendument exercés au maniement de l'arc ou de l'arbalète. A raison d'un homme pour quatre-vingts feux, chaque paroisse doit désigner ses archers. Sur le papier, cela vaut au roi quelque huit mille archers prêts à tirer à travers tout le royaume.

Cette idée d'une infanterie de réserve est en soi excellente, mais le bourgeois moyen n'en retient guère que la franchise fiscale. L'institution va dépérir, à peine imaginée, parce qu'elle favorise dans les villes l'exemption des plus riches sans assurer vraiment la capacité militaire des archers. On voit des malades, des infirmes, des vieillards, qu'attire le privilège plus que le goût du combat. Pour certains, il est amusant de jouer à l'homme d'armes. On se plaît à retrouver ses amis en des réunions où l'exercice militaire est simple prétexte et où l'essentiel est que le vin blanc soit frais. En bien des villes, les francs-archers ne sont autre chose que les notables les plus astucieux. Mais au combat, le roi ne retrouve plus ses troupes. On plaisante le *Franc-archer de Bagnolet* et l'aptitude de ses semblables à la débandade. L'histoire finit par des chansons. Louis XI supprimera l'institution en 1480.

Enfin, l'artillerie devient tout autre chose que l'appoint tactique avec lequel on devait déjà compter au temps de Philippe VI. Sous la direction de Pierre Bessonneau jusqu'en 1444, puis des frères Gaspard et Jean Bureau, elle commence d'être un élément décisif de la victoire. Les fondeurs de canons se multiplient dans les villes, anciens fondeurs de cloches pour la plupart, qui s'emploient plus souvent à réparer les pièces endommagées qu'à en fondre de nouvelles. Car le canon est chose fragile, et l'on recommande bien aux servants de combattre en état de grâce.

> Craindre d'offenser Dieu plus que nul autre homme de guerre, car chaque fois qu'il fait jouer sa pièce il est en danger d'être brûlé vif.

On imagine des canons de toutes tailles, depuis la légère serpentine qui lance des boulets de cinq ou six livres et la couleuvrine encore aisément maniable – on l'épaule après avoir posé le canon sur une fourche fichée en terre – jusqu'aux veuglaires et aux courtauds, aux bombardes et aux « gros canons » que l'on arrime sur un échafaudage de bois. Pour faciliter la manœuvre, on aménage de-ci de-là des chariots à roues qui remplacent avantageusement les caissons anciens ; l'ingénieur génois Louis Giribault en invente un fort commode, grâce auquel l'artillerie à feu s'adaptera désormais aux hasards de la bataille. On est bien loin des balistes et des trébuchets dont les ressorts et les balanciers s'orientaient une fois pour toutes.

Les alchimistes améliorent dans le même temps la qualité de la poudre : six parties de salpêtre, une de soufre, une de charbon. Nul ne jurerait que la recette n'est pas quelque peu magique.

L'effet de masse est désormais possible. Dans les dernières batailles de la guerre de Cent Ans, l'artillerie ne sert pas simplement à terroriser l'ennemi par la flamme et par le bruit. Des grêles de boulets vont écraser la cavalerie anglaise, victime de son inadaptation comme l'était un siècle plus tôt une cavalerie française insuffisamment préparée à la mobilité des archers. Pour les sièges, le temps n'est plus des énormes masses de pierre balancées en tir courbe par des trébuchets incapables d'assurer par corrections successives un tir précis, de ces quartiers de rocher qui terrorisaient les populations en défonçant les toitures mais qui faisaient peu de mal aux enceintes maçonnées. Pendant que les petites pièces tirent des boulets de plomb ou de fonte, les bombardes continuent de tirer des boulets de pierre, mais leur tir s'ajuste, souvent en une trajectoire tendue qui permet d'enfoncer une courtine ou d'arracher une porte. Et l'on voit au siège de Bordeaux, en 1452, exploser des boulets creux porteurs d'une charge explosive.

La crise anglaise.

Le temps travaille pour Charles VII. Pendant qu'il reconstitue sa force, l'Anglais voit s'amenuiser la sienne. Le roi de France a eu raison de la Praguerie, son ennemi reste en proie à une agitation féodale qu'encouragent les princes et qui conduit l'Angleterre à la guerre intestine. Oncle du roi, le duc Humfrey de Gloucester conspire ouvertement. Il attaque devant le Parlement la politique de son propre oncle le cardinal Beaufort. Il se pose en rival, pour le pouvoir, du comte de Suffolk. Le mariage d'Henri VI et de Marguerite d'Anjou, qui a scellé la trêve de 1444, passe aux yeux de tous pour une défaite de Gloucester. Il lui faut rétablir sa position.

Le jeune roi d'Angleterre – il a vingt-deux ans à l'époque de la trêve – ne peut songer à reprendre la guerre. Gloucester a beau dénoncer l'erreur qu'est la temporisation face à un adversaire qui s'arme, Suffolk fait la sourde oreille. Artisan de cette trêve qui pourrait être le pas décisif vers la paix, il craint les répercussions intérieures d'une guerre de plus en plus impopulaire chez les Anglais. Mais le peuple n'aime pas pour autant sa reine française, et l'on crie au scandale lorsque Henri VI propose de rendre le Maine à son beau-père Charles d'Anjou, effectivement comte du Maine. Plus à l'aise dans la critique que Suffolk dans le gouvernement, Gloucester gagne à tout coup.

Exaspéré, Suffolk convoque le Parlement de février 1447 en un lieu tout à fait inusité, à Bury Saint Edmund's, où il peut se garder aisément des surprises et où il ose faire arrêter l'oncle du roi. Cinq jours plus tard, on apprend que Gloucester est mort dans sa prison. On parle d'une attaque d'apoplexie : son arrestation l'a frappé de « déplaisance », telle sera la version officielle. Beaucoup parleront d'assassinat. Sans doute auront-ils tort. Il n'empêche que Gloucester était fils de roi, et que sa mort fait un beau tapage dans l'Angleterre de 1447. Lorsque le vieux Beaufort disparaît à son tour, le 11 avril, nul ne s'interdit de penser que le cardinal de Winchester vient d'expier.

Toute une génération sort ainsi de scène en quelques jours. Henri VI et son mentor Suffolk restent seuls au pouvoir, mais ils sont loin d'avoir en main l'Angleterre. La féodalité ne cesse de s'agiter. Somerset se prend à guigner le premier rang. Le duc Richard d'York commence de s'aviser que, par sa mère, il est d'une branche aînée par rapport aux Lancastres. Henri VI tient aussi mal ses capitaines qu'il domine mal ses barons et il ne maîtrise même pas ses alliances. Ce qui s'annonce à l'horizon de l'Angleterre, c'est la

YORK ET LANCASTRE

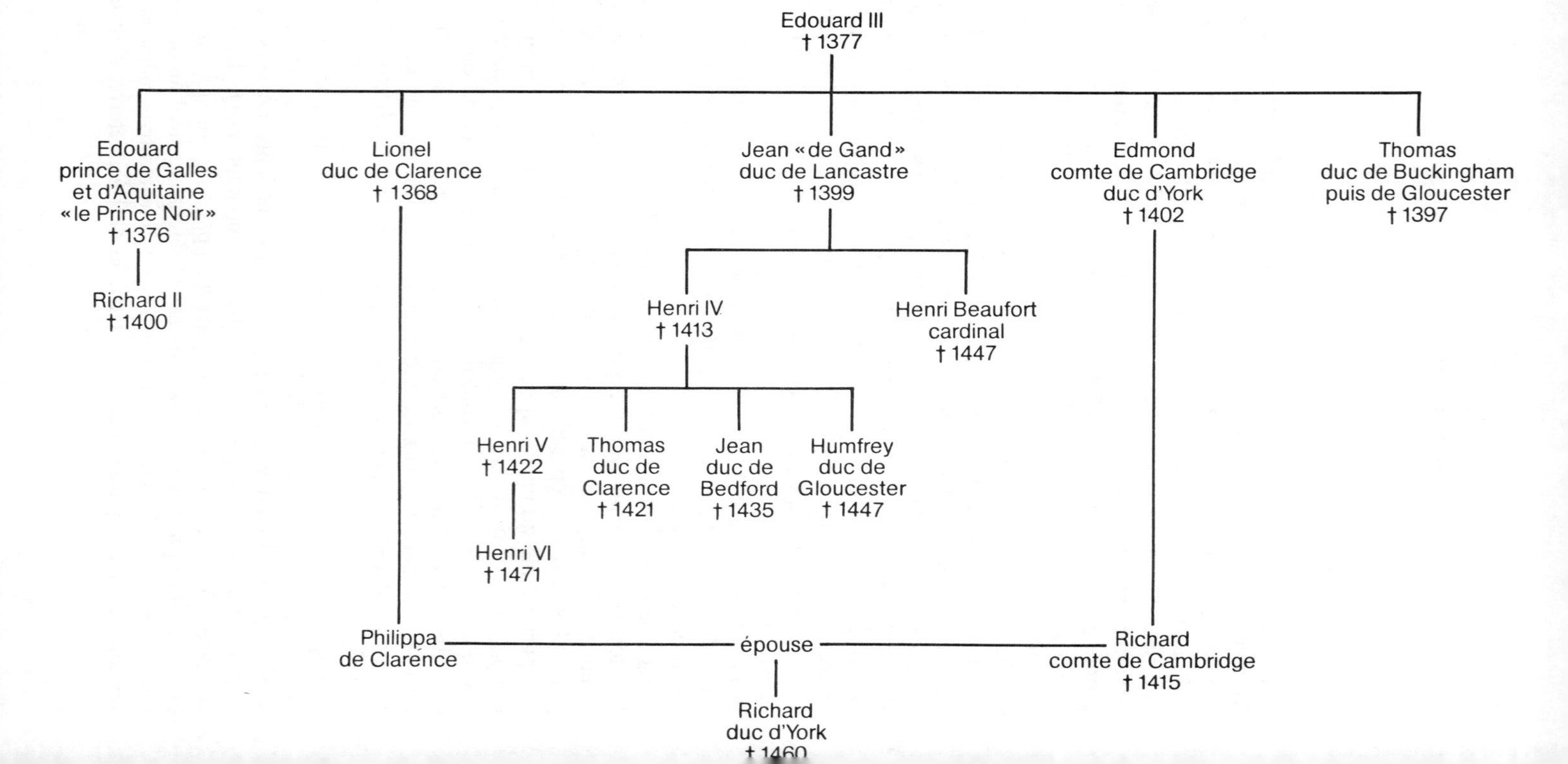

Edouard III
† 1377
Edouard
prince de Galles
et d'Aquitaine
« le Prince Noir »
† 1376
Richard II
† 1400
Lionel
duc de Clarence
† 1368
Jean « de Gand »
duc de Lancastre
† 1399
Henri IV
† 1413
Henri Beaufort
cardinal
† 1447
Henri V
† 1422
Henri VI
† 1471
Thomas
duc de
Clarence
† 1421
Jean
duc de
Bedford
† 1435
Humfrey
duc de
Gloucester
† 1447
Edmond
comte de Cambridge
duc d'York
† 1402
Thomas
duc de Buckingham
puis de Gloucester
† 1397
Philippa
de Clarence
épouse
Richard
comte de Cambridge
† 1415
Richard
duc d'York
† 1460

« guerre des Deux Roses », la rose d'York et la rose de Lancastre. Les prodromes ne sont pas pour affermir la domination anglaise sur le continent. La perte du continent ne fera qu'aggraver la situation dans l'île.

Les erreurs de Somerset.

Charles VII, cependant, cherche-t-il la guerre ? Ce n'est même pas sûr. Il montre sa force nouvelle, mais c'est surtout afin de l'emporter dans les inévitables négociations où l'on peut penser que l'Anglais se montrera plus conciliant qu'au temps de Bedford. Car on ne cesse de négocier, plus ou moins de bonne foi, entre 1445 et 1447. On échange les lettres, les ambassades. Dunois se rend à Londres. La trêve est à plusieurs reprises prorogée, mais la paix achoppe sur l'exécution des promesses faites lors du mariage d'Henri VI et de Marguerite d'Anjou. C'est ainsi que le capitaine du Mans Osbern Mundeford trouve sans cesse de nouveaux prétextes pour ne pas céder la ville. Au printemps de 1448, Dunois et Brézé doivent conduire devant Le Mans une petite armée et occuper les faubourgs en menaçant de prendre la ville d'assaut. Mundeford tient tête crânement, offre même le combat, évacue finalement la place. Mais il s'en va avec ses hommes occuper Mortain et Saint-James-de-Beuvron, deux petites villes qui ont beaucoup souffert de la guerre et qui ne sont plus défendues.

François Ier de Bretagne proteste sur-le-champ : son duché est menacé. Au vrai, le duc François déteste les Anglais. Il est visible que l'opération de Mundeford était un coup d'éclat isolé, mais le capitaine anglais a entrepris de fortifier Mortain et Saint-James. Crier à la violation des trêves est donc chose aisée, et Charles VII ne s'en prive pas : la trêve exclut qu'on fortifie de nouvelles places sur la frontière.

Français et Anglais négocient encore, mais le ton monte. Chacun dresse la liste de ses griefs. On dénombre avec complaisance les entorses faites à la trêve. Somerset se fait « arrogant » et ses interlocuteurs doivent le rappeler aux usages. Réunis à Louviers, Guillaume Cousinot et l'évêque de Chichester Adam Moleyns rivalisent d'ingéniosité dans un affrontement juridique où chacun tire à soi les termes de la trêve. On en vient à discuter pour savoir si la Bretagne est ou n'est pas comprise dans la convention. Et les Français de rappeler que le duc François est bel et bien sujet, vassal et neveu du roi Charles VII. Le temps est passé, où Jean V de Bretagne louvoyait entre les deux camps. François Ier se range délibérément du côté du

Valois. Mais l'évêque Moleyns n'est pas à court d'arguments : les villes en litige sont normandes. Le duc de Bretagne n'est pas fondé à se dire menacé.

Au vrai, les Anglais ne sont pas mécontents de gronder un peu sur la frontière bretonne. Le duc François les a nargués en allant spontanément prêter hommage à Charles VII, et il a fait arrêter son propre frère, Gilles, qui ne cachait pas son penchant pour le Lancastre. Henri VI a assez mal pris la chose. Le coup de main d'Osbern Mundeford sert en définitive la revanche anglaise.

Pendant que les conférences de Louviers occupent les esprits, Somerset prépare un coup d'éclat de grande envergure. Le 18 mars 1449, Henri VI écrit à Charles VII pour lui proposer une nouvelle conférence, qui pourrait avoir lieu le 15 mai à Pont-de-l'Arche. On y traiterait en général de la paix, et en particulier des récentes violations de la trêve. Et, le 24 mars, François de Surienne, dit l'Aragonais, occupe par surprise la ville de Fougères.

L'Aragonais, c'est l'un des meilleurs capitaines d'Henri VI. En Angleterre, il est maintenant membre du Conseil royal et chevalier de la Jarretière. Il gouvernait en dernier lieu la garnison de Verneuil, mais on l'a vu, par deux fois au cours des derniers mois, faire le voyage d'Angleterre. On sait qu'il a longuement conféré avec Suffolk. Sa garnison de Verneuil a été renforcée, par prélèvement sur d'autres garnisons ni plus ni moins menacées en Normandie. Un supplément de munitions a même été porté à Verneuil sur l'ordre de Somerset. Bref, l'affaire de Fougères ne saurait passer pour le coup de main fortuit d'un capitaine agissant de sa propre initiative.

Guillaume Cousinot était alors à Rouen, en pleine négociation avec Somerset. Il comprit la provocation. Par lettre, il prévint Charles VII.

Le maréchal de Lohéac se porta sur la frontière bretonne avec trois cents lances. L'amiral de Coëtivy était en renfort : il passait pour spécialiste des sièges. Lorsque Somerset écrivit à son tour au roi de France, à la fin d'avril, pour le prier de ne point se mêler de l'affaire, il était trop tard. Somerset disait regretter le coup de Fougères, mais ne se montrait nullement disposé à rendre la ville. Charles VII ne donna pas dans le panneau : il fit semblant de poursuivre les négociations au sujet de la trêve, affecta de demander conseil au duc de Bourgogne, et prépara la riposte.

Le 13 mai, il fit savoir à Somerset qu'on ne l'amuserait pas avec les détails mineurs de l'exécution des trêves tant que durerait la plus grave des violations.

> Besogner présentement aux autres attentats et laisser le fait de Fougères derrière, qui est si grand et si énorme et si directe-

ment contre la teneur des dites trêves, est chose bien claire que ce serait petitement pourvoir à l'entretenement de ces trêves.

Dans la nuit du 15 au 16 mai, aux cris de « Saint Yves! Bretagne! », la petite place forte de Pont-de-l'Arche était enlevée par Jean de Brézé et Robert Floquet. Charles VII ne rompait pas la trêve : c'était une simple réplique à l'affaire de Fougères. Mais tout le monde savait Brézé intime du roi et Floquet bailli d'Évreux. Le cri ne trompa personne. C'est bien ce que voulait le roi.

Les jours suivants, les hommes de Charles VII mirent la main en Beauvaisis sur Gerberoy, en Normandie sur Conches, en Guyenne sur Cognac. C'était plus qu'une semonce. Somerset fut assez stupide pour s'en étonner vraiment. Oubliant Fougères et feignant d'ignorer qu'il avait vainement envoyé une troupe contre Saintes, il se prit de panique à l'idée d'une guerre reprise en situation défavorable. Il fit savoir à Londres qu'il tenait la Normandie pour indéfendable.

La reconquête de la Normandie.

« Grave et prudent », selon les termes de son futur historien l'évêque Thomas Basin, Charles VII tissait maintenant sa trame. Le 17 juin 1449, un traité d'alliance était conclu avec François de Bretagne ; il stipulait qu'on entrerait en guerre contre les Anglais si Fougères n'était rendue à bref délai. Dans le même temps, Philippe le Bon faisait savoir au roi qu'il l'approuvait, souhaitant seulement qu'on ne reprît pas la guerre sans consulter les princes du sang de France. Le duc de Bourgogne se disait dans ses actes officiels « duc par la grâce de Dieu », et Charles VII avait vainement protesté là contre. En se comptant ostensiblement comme prince du sang, il donnait à la dernière phase de la guerre de Cent Ans sa couleur résolument nationale.

Les légistes du roi n'avaient pas perdu leur temps, qui multipliaient depuis quelques années les affirmations de l'ancienne alliance du roi et de la nation. Dans un traité truffé de citations empruntées à des documents authentiques conservés aux archives royales, Jean Jouvenel des Ursins démontrait l'inanité des droits du Plantagenêt sur la couronne des Capétiens. Les hagiographes dévoués à la cause royale commençaient de faire passer en transparence le visage de Charles VII derrière celui de « saint » Clovis : les deux rois les mieux portés par la Providence, les deux fondateurs de la nation française. Les deux libérateurs de l'Aquitaine, aussi...

Charles VII faisait maintenant les choses en ordre. Le 17 juillet, dans son château des Roches-Tranchelion, près de Chinon, il assembla son Grand Conseil. Les princes du sang étaient là, comme l'avait souhaité Philippe le Bon. Chacun parla à son tour. L'avis général fut que le roi de France avait fait plus que n'exigeait la justice. Le viol des trêves n'était pas son fait. Le chancelier Guillaume Jouvenel des Ursins — le frère de Jean — avait préparé les voies de la sagesse : les princes opinèrent qu'il y aurait déshonneur pour le roi à ne pas défendre son peuple en expulsant les Anglais. C'était bien poser le conflit en termes nationaux, sans abandonner pour autant les vieilles notions chevaleresques : le devoir de protection du seigneur envers ses hommes venait fort à propos justifier une guerre qui n'était plus un acte de force du seigneur-roi contre son vassal le duc, puisque le Lancastre n'était plus le vassal du Valois comme l'avait été le Plantagenêt.

Ce même jour, Dunois était nommé « lieutenant général des marches au-delà des rivières de Somme et d'Oise jusqu'à la mer ». Oncle du duc François, le connétable de Richemont avait en charge la frontière de Bretagne.

Le 31 juillet, en présence de la cour, Charles VII reçut les ambassadeurs anglais Jean Lenfant et Jean Cousin. On leur notifia que le temps des discussions était passé.

Il était sage d'attaquer d'abord la Normandie. Alors que les Anglais étaient sûrs d'une bonne partie de l'opinion publique en Guyenne, ils n'avaient guère été que trahis par la majorité des Normands. Du pays de Caux au Cotentin, l'administration anglaise n'avait rencontré que des réticences, des entraves, voire des embûches. Même les prélats — l'évêque d'Avranches en 1437, l'abbé de Cherbourg en 1442 — se déclaraient incapables de faire le dénombrement de leurs domaines, tant pour l'insécurité des routes que pour la mauvaise volonté des gens. Les coups de main tentés et souvent réussis par les bandes de partisans de Charles VII avaient tous bénéficié de complicités dans les villes et de l'appui des campagnes. Depuis trente ans, l'occupant vivait sur ses gardes.

Ne nous y trompons pas. L'Anglais, c'était le désordre. C'était le fisc, et le soldat. Le parti de Charles VII passait un peu facilement pour l'ennemi du fisc — anglais — et pour l'ennemi du pillard. Les moins suspects d'hostilité à Henri VI ne manquaient pas de regretter à bon compte le temps de Henri V : alors, l'ordre régnait. Du moins certains le croyaient-ils, de même qu'ils croyaient un peu vite que l'ordre régnait du côté de Bourges. La belle ordonnance des troupes de Charles VII, disciplinées et payées, entretenait le zèle des résistants normands : on savait que l'armée du Valois s'abstenait — désormais — de piller. A ne pas payer ses garnisons, Henri VI perdait sur les deux tableaux : ses hommes étaient impopulaires, et ils étaient prêts à négocier des redditions rapides. Certains capitaines anglais crurent mater les connivences françaises en multipliant les exécutions capitales. Ils n'y gagnèrent rien.

La campagne commença vers le 20 juillet. Dunois lança Brézé contre Verneuil, dont un guetteur complice ouvrit les portes. Puis, laissant la garnison anglaise retranchée dans une tour, Dunois marcha au-devant de l'armée de secours qui venait de Rouen, avec à sa tête le vieux Talbot. En fait de secours, Talbot s'empressa de sonner la retraite dès qu'il sut les Français à sa recherche. Il finit par s'enfermer dans Rouen.

Dunois était désormais tranquille. Il s'établit à Évreux, puis fit sa jonction avec l'armée que le comte de Saint-Pol amenait de Picardie. A la mi-août, la plupart des villes de Normandie s'étaient livrées : Pont-Audemer, Pont-l'Évêque, Lisieux, Bernay. Dunois se fixa à Lisieux, noua des relations avec des partisans prêts à l'action dans Caen, fit savoir à Charles VII qu'on l'attendait. Le 30 août 1449, à Louviers, le roi de France tint pour la première fois depuis longtemps son Conseil en Normandie.

Mantes et Vernon venaient de tomber. Saint-Pol alla réduire les dernières résistances anglaises dans le pays de Bray, Dunois fit de même sur la rive gauche. L'un prit Gournay et Neufchâtel, l'autre poussa jusqu'à Argentan. Le duc d'Alençon entrait alors en campagne, et occupa sans peine Séez et Alençon. On apprit que la garnison de Dieppe avait mis la main sur Fécamp. Il restait à prendre Rouen pour en finir avec le blocage de la Seine par les Anglais.

Ceux-ci étaient prostrés. Consommé en deux mois, cet effondrement n'était que trop conforme aux pires prévisions de Somerset. La nouvelle de l'entrée en scène des Bretons ne fit, en septembre, qu'aggraver la situation. François Ier de Bretagne avait à venger l'affaire de Fougères, et il était flanqué de son oncle Richemont. Bloqué dans Rouen, Somerset ne pouvait songer à intervenir en Cotentin. Il dut se contenter d'envoyer à Londres un appel au secours.

Le duc de Bretagne ne s'attarda pas devant Fougères, que son frère Pierre entreprit d'assiéger. Il pénétra en Normandie, occupa Coutances et Granville, puis Saint-Lô. Carentan et Valognes firent mine de résister. A la mi-octobre, l'affaire était terminée. François Ier revint vers Fougères, aida son frère à enlever la ville, qui tomba le 5 novembre. Il prit enfin ses quartiers d'hiver. L'affront était lavé.

Dans Rouen, l'agent secret de Charles VII faisait du bon travail. Il s'appelait frère Jean Convin et était augustin. Plus tard, le roi devait lui servir une rente de quinze écus pour avoir fait pendant deux mois la navette entre Rouen et Louviers. Par lui, Charles VII était informé de la situation en ville. Il était également à même de concerter son action avec celle que les Rouennais entendaient mener pour leur part.

L'armée royale se présenta devant Rouen le 9 octobre. Charles VII commandait en personne, accompagné du roi René, du comte du Maine, des maréchaux de la Fayette et de Jalognes et de toute la cour. Mais il ne suffisait pas de montrer sa force ; Dunois dut songer à l'assaut. Il reparut devant Rouen le 16, fit opérer une diversion au nord devant la porte Beauvoisine, se lança un peu plus à l'est contre la porte Saint-Hilaire que des bourgeois complices ouvraient à l'instant même. Talbot, cependant, eut le temps de réagir. Dunois recula. Mais les Anglais eurent le tort de massacrer sur-le-champ les bourgeois suspects d'avoir trempé dans le complot : l'opinion publique prit le parti des victimes. Il apparut aux Rouennais que mieux valait s'entendre avec Charles VII, ne fût-ce que pour éviter un éventuel pillage par les vainqueurs.

Un parti de bourgeois s'assembla donc ouvertement à l'hôtel de ville et fit savoir au roi que l'on était prêt à lui faciliter les choses en échange de quelques promesses. Somerset était paralysé : il ne put empêcher cette collusion. Au moins tenta-t-il de se mêler à la négociation. Charles VII voulut bien promettre de laisser partir librement les Anglais, pourvu qu'ils ne s'opposent pas à la remise de la ville. L'affaire était claire : si la garnison résistait, on serait moins généreux envers elle.

Somerset refusa de capituler. Il était d'ailleurs trop tard. Le 19 octobre au matin, l'insurrection éclatait. Les Anglais se retranchèrent dans le château. Le soir même, Dunois faisait son entrée dans Rouen par la porte Martainville.

Assiégé sans espoir de secours, dépourvu d'artillerie alors que les Français écrasaient le château sous les boulets, Somerset tenta encore de négocier sa reddition, puis en passa par les conditions du vainqueur : c'était la cession immédiate de Caudebec, Tancarville, Honfleur, Arques et Montivilliers. Le 29 octobre, les Anglais sortaient du château et prenaient le chemin de Caen.

Les gens du roi de France veillèrent à ce que l'entrée de leur armée dans Rouen ne fût l'occasion d'aucun excès. Les Anglais avaient été impopulaires. Charles VII tenait à s'en distinguer. L'entrée solennelle qu'il fit, le 10 novembre 1449 vers trois heures de l'après-midi, fut un triomphe à la mesure de la victoire. Le pardon était général. Il suffisait au roi de l'emporter.

Le badaud, auquel on avait appris à mépriser le roi de Bourges, sut que les temps avaient changé. Car le cortège était vraiment extraordinaire. Après le clergé et les hommes d'armes, après les archers et les joueurs de trompette, on voyait s'avancer derrière les hérauts un magnifique cheval blanc sans cavalier, conduit à la main. Sur la haute selle – une selle d'écuyère ornée d'un drap brodé de fleurs de lis – étincelait le coffret d'orfèvrerie qui renfermait le grand sceau de France. Guillaume Jouvenel des Ursins, en grande robe fourrée de chancelier, suivait sur son palefroi, précédant immédiatement le roi Charles, « tout armé à blanc » sur un petit cheval paré du même drap d'or aux fleurs de lis que la haquenée porteuse du sceau.

On se montra Poton de Saintrailles, qui portait la grande épée du roi, et Jean Havart, qui tenait le pennon royal aux trois fleurs de lis d'or sur champ d'azur. Quatre pages à cheval portaient la lance, la javeline, la hache et le cranequin du roi. Quatre bourgeois de Rouen soutenaient le dais.

Le bon peuple admira le chapeau de Charles VII, un chaperon de castor gris aux retroussis de satin vermeil gansé d'or et de soie. Sur le devant, une boucle s'ornait d'un énorme diamant. On en parla longtemps.

On vit passer Dunois. L'épée du Bâtard d'Orléans valait, disait-on, vingt mille écus par sa seule garniture. On reconnut le roi René, les princes, les grands barons. Les bourgeois découvraient aussi le visage d'un homme dont le seul nom faisait de plus en plus souvent rêver les milieux d'affaires : l'argentier du roi Jacques Cœur.

Derrière l'étendard royal de satin cramoisi brodé d'un saint Michel cantonné de soleils d'or, s'avançait l'armée : quelque trois cents lances aux ordres de l'Italien Théaude de Valpergue, un ancien fidèle des temps difficiles, six cents autres, à la fin du cortège, aux ordres de Charles de Culant, et six cents archers menés par le sire de Preuilly Pierre Frotier. En même temps que sa dignité, le roi de France montrait sa force.

On alla chanter le *Te Deum* à la cathédrale. Mitre en tête, l'archevêque de Rouen et les évêques d'Évreux, Lisieux et Coutances accueillirent Charles VII. Devant le portail, sur une estrade, deux jeunes filles tenaient un cerf blanc, qu'elles offrirent au roi. Le cerf s'agenouilla. Du moins crut-on le voir.

Un nouveau bailli de Rouen avait été nommé dès l'été : Guillaume Cousinot, l'ancien plénipotentiaire de Charles VII. Il présenta au roi les notables. Le souverain reçut les clés de la ville, les confia sur-le-champ au nouveau capitaine : c'était Pierre de Brézé. Les bourgeois chantèrent le *Te Deum* de bon cœur : ils s'en tiraient sans trop de mal.

Les choses avaient été bien faites. A un carrefour, un mouton – de bois peint, sans doute – jetait du vin par les cornes et par les narines, « et dessous eau ». On sut qu'il y avait pour ce faire dix ou douze tuyaux...

D'une fenêtre, Talbot avait assisté au triomphe. Le vieux soldat demeurait à Rouen, compris parmi les otages qu'avait exigés

Charles VII. La tristesse ne l'empêcha pas d'admirer en connaisseur l'armée qu'on lui montrait. Peu de temps après, on l'envoya en résidence surveillée à Dreux. Il avait tenu sur le roi des propos admiratifs qui furent répétés. Il fut libéré.

Le milieu de la marchandise tira vite de la campagne d'automne les conséquences qui s'imposaient. Dès les premiers jours de 1449, les deux clercs de la ville de Paris, Martin de la Planche et Thibaut Tude, achetaient un registre tout neuf pour y porter les « compagnies françaises » — ces associations obligatoires des marchands « forains » avec des bourgeois de Paris — que l'on ne manquerait pas de faire enregistrer après la victoire. La prise de Rouen, après celle de Dieppe, c'était la réouverture du grand commerce fluvial débouchant sur la Manche comme sur la France centrale et sur la Bourgogne. Le premier qui se présenta au bureau de la Maison aux piliers de la place de Grève fut, le 8 octobre, un marchand de Troyes qui mit en compagnie française une cargaison de cent milliers de harengs achetés à Dieppe.

La Seine allait désormais charrier le vin de Suresnes et celui d'Auxerre, le blé picard et le blé normand, les harengs saurs et les harengs salés en caque des pêcheurs normands et artésiens. Les bateaux allaient la sillonner, portant « amont » et « aval » les bûches et les fagots de Sèvres, les poutres de Villers-Cotterêts, les pavés de grès et les meules de La Ferté-sous-Jouarre, le foin de la Basse-Seine, les pommes et les poires de Normandie, les figues d'Espagne, les pelles et les cuillers de bois des artisans du Vexin, les draps de Rouen et les outils de Caen. Dans l'entourage du prévôt des marchands, on avait compris, dès ce mois d'octobre 1449, que la guerre de Cent Ans finissait. Le registre était prêt.

La campagne n'avait cependant pas cessé avec la prise de Rouen. Charles VII alla passer le fort de l'hiver à Jumièges. Il y eut la douleur de voir mourir Agnès Sorel. Dunois poursuivait pendant ce temps l'avantage pris pendant l'été. Harfleur capitula le 1er janvier 1450 après trois semaines d'un siège où s'illustrèrent seize grosses bombardes. Honfleur tomba le 18 février après un mois de siège, Fresney-le-Vicomte le 22 mars après une semaine de siège.

On apprit alors que les Anglais contre-attaquaient. L'appel au secours lancé en septembre par Somerset avait été entendu, et Thomas Kyriel venait de débarquer, le 15 mars, à Cherbourg avec une armée. Par Valognes et Caen, il allait marcher sur Rouen. L'histoire recommençait. Comme en 1346, comme en 1415. C'était la victorieuse chevauchée partie du Cotentin pour aboutir à l'écrasement des Français quelque part du côté de Crécy ou d'Azincourt. « A notre tour ! » s'écria Somerset.

Au milieu d'avril 1450, cette armée anglaise marchait sur Caen.

Kyriel avait méthodiquement reconquis les places fortes enlevées à l'automne par Richemont. Le capitaine de Valognes, Abel Rouault, avait en vain attendu qu'on le débloquât : François de Bretagne et Arthur de Richemont avaient décidé de ne pas se presser.

Charles VII s'énerva et chargea le comte Jean de Clermont, fils du duc de Bourbon, de prendre en main la situation dans le Cotentin. Le roi n'était d'ailleurs pas mécontent de substituer son propre lieutenant général à un duc de Bretagne qui pouvait, à la longue, être tenté de se croire chez lui en Normandie. Clermont marcha sur le Cotentin. Il rencontra les Anglais sur la Vire avant d'avoir fait sa jonction avec Richemont, qui était encore du côté de Saint-Lô.

Clermont se fût volontiers dispensé d'engager le combat avant d'avoir le gros de ses forces. Il ne se résolut à l'attaque, le 25 avril, que pour éviter la mutinerie de ses soldats, furieux de voir les Anglais passer tranquillement la Vire et s'engager sans encombre dans le Bessin. Kyriel allait rallier Somerset dans Caen. Mieux valait affronter sur l'heure Kyriel, sans attendre le renfort de Richemont, qu'affronter plus tard Kyriel et Somerset sans être même assuré qu'à ce moment-là Richemont aurait rallié.

Les Anglais cantonnèrent, le 14 avril au soir, sur la route de Carentan à Bayeux, à Formigny. Clermont tenta une dernière liaison avec le connétable, lui dépêcha un messager, lui donna rendez-vous à Formigny au petit matin. Les Anglais, eux, étaient sans méfiance. Quand ils aperçurent l'avant-garde du comte de Clermont, ils crurent à l'imminence d'un engagement local. Il leur fallut un instant pour admettre que c'était la bataille.

Clermont attendait le connétable au petit matin. Il ne se risqua donc pas à ordonner la charge. Kyriel profita de cette matinée pour se retrancher. Quelques fossés furent creusés en hâte, quelques pieux fichés en terre. Avec cela, la cavalerie française était jouée.

Kyriel se croyait à Crécy. Il oubliait l'artillerie. Vers midi, les couleuvrines du Génois Giribault commencèrent de faire pleuvoir sur les Anglais une grêle de petits boulets qui eussent été insignifiants contre une enceinte mais se révélaient meurtriers contre des hommes et des chevaux. Pour s'emparer des couleuvrines, les Anglais prirent l'initiative du combat.

Celui-ci était encore indécis lorsque apparut à l'horizon une forte armée. Les cris de joie qui, dans les rangs anglais, saluaient l'arrivée de Somerset s'étranglèrent lorsqu'il fut évident que c'était Richemont, avec ses trois cents lances et ses huit cents archers.

Craignant d'être tournés, les Anglais quittèrent la position qu'ils avaient aménagée et se rangèrent en bataille devant Formigny. Une charge de la cavalerie française, menée par Brézé, bouscula leur aile gauche. Richemont les attaqua de front.

Les paysans normands s'en mêlèrent alors. Ils voulaient contribuer à la victoire. Ils y furent pour beaucoup, égorgeant à l'envi les cavaliers démontés et les archers que leur armement désavantageait dans le corps à corps.

Au soir du 15 avril 1450, la Normandie était perdue pour les Lancastres. Le désastre était total. On compta soigneusement 3 774 morts anglais, et les chroniqueurs disputèrent gravement pour savoir si les morts français étaient cinq, six, huit ou douze. Coëtivy tira la leçon de l'affaire :

Dieu nous amena monseigneur le connétable.

Sans Richemont, les Anglais eussent en effet gardé l'avantage du nombre et de la position retranchée.

Les garnisons anglaises n'avaient plus de secours à attendre. Avranches se rendit à François Ier, enfin entré en campagne. Clermont et Dunois firent leur jonction pour entrer dans Bayeux. Charles VII arriva pour le coup final : le 5 juin 1450, il logeait aux portes de Caen, à l'abbaye d'Ardennes. Le siège s'organisa : Dunois au sud-est, du côté de Vaucelles, Richemont et Clermont à l'ouest vers l'abbaye aux Hommes, Eu et Nevers au nord-est par l'abbaye aux dames. L'artillerie ouvrit alors des brèches dans l'enceinte. Le 24 juin, Somerset offrit de capituler sans attendre le carnage qu'eût été une entrée en force. Le 1er juillet, Dunois recevait les clés de la ville. Le 6 août, Charles VII faisait une entrée qu'il eut l'habileté d'accompagner d'une amnistie générale, comme si Caen avait joué le même rôle que Rouen. Le roi pardonna même aux marchands de Bernay qui avaient ravitaillé l'armée anglaise. La page était tournée. Somerset s'embarqua pour Calais.

Charles VII se trouvait embarrassé pour poursuivre. La guerre n'avait pas cessé depuis l'été précédent, et les coffres étaient vides. Jacques Cœur avança quarante mille écus. On s'aperçut plus tard qu'il lui avait fallu, pour cela, s'endetter lui-même.

Falaise se rendit le 21 juillet. On y trouva Talbot, qui sauva encore une fois sa liberté en promettant — c'était l'Année sainte — d'aller à Rome en pèlerinage. Trois jours plus tard, Domfront capitulait. La dernière place anglaise était Cherbourg, qu'il fallut assiéger avec toute la force de l'artillerie royale. Les frères Bureau allèrent jusqu'à établir sur la plage des bombardes qu'on devait encapuchonner de cuir deux fois par jour pour les protéger de la marée. Cherbourg ouvrit ses portes le 12 août.

Les Anglais s'embarquèrent pour leur île. Il y avait un an, jour pour jour, que Dunois avait occupé Pont-Audemer. A solder son armée douze mois sur douze, Charles VII avait rompu le cycle traditionnel des raids annuels et des sièges à recommencer chaque année. Quinze ans de réformes administratives, financières et militaires venaient de porter leur fruit.

Richemont fut nommé gouverneur de Normandie, Pierre de Brézé grand sénéchal. Guillaume Cousinot était bailli de Rouen, Robert Floquet bailli d'Évreux.

François de Surienne — l'Aragonais — fit oublier qu'il avait eu quelque part à l'affaire de Fougères. Il se rallia à Charles VII, renvoya dignement sa Jarretière à Henri VI. Il se faisait l'homme du vainqueur, lequel avait besoin de soldats comme celui-ci. On l'employa. L'Aragonais devait finir ses jours bailli de Chartres.

La reconquête de la Guyenne.

En Guyenne, les choses se présentaient plus mal pour le roi de France. La population n'était nullement complice. La Praguerie n'avait guère encouragé les barons à jouer, comme jadis en faveur de Charles V, la carte de celui qui n'était même plus leur suzerain. Les bourgeois savaient quelle part de leur prospérité revenait au trafic avec l'Angleterre : on les avait déjà vus hostiles sous Charles V. Quant au clergé, il faisait bloc autour de Pey Berland. Autant les Normands s'étaient sentis occupés par l'Anglais, autant les Gascons se sentaient maîtres chez eux. Le seul reproche qu'ils faisaient à l'Anglais touchait à son absence, à son indifférence, non à sa présence.

S'ils avaient dû choisir, les Gascons eussent sans doute hésité à se prononcer pour le roi d'Angleterre contre le roi de France. Mais à leurs yeux l'affaire ne se présentait pas ainsi. Le roi de Londres ne les opprimait guère, et ils craignaient de tout perdre en étant les hommes du roi de Paris. On craignait le fisc royal, les officiers parlant la langue d'oil, les juges imbus de la coutume de Paris, les garnisons étrangères. Bordeaux se sentait quelque peu capitale, et les Bordelais n'entendaient pas y renoncer. La Jurade avait, depuis le temps du Prince Noir, pris l'habitude de se passer de maître.

Les Bordelais avaient également cru à la paix. Les trêves n'avaient rendu au négoce qu'une prospérité fragile, mais cette prospérité n'était pas feinte. Treize mille tonneaux de vin avaient été exportés vers Hull dans le seul hiver 1444-1445 : rien de moins que le chargement de cent trente-six navires. Le maintien des relations privilégiées avec l'Angleterre combinait ici ses effets avec le libre accès au vignoble d'amont, déjà conquis par le Valois : un accès que la trêve procurait aux marchands anglais. Depuis 1444, les Bordelais

LA RECONQUÊTE DE LA GUYENNE

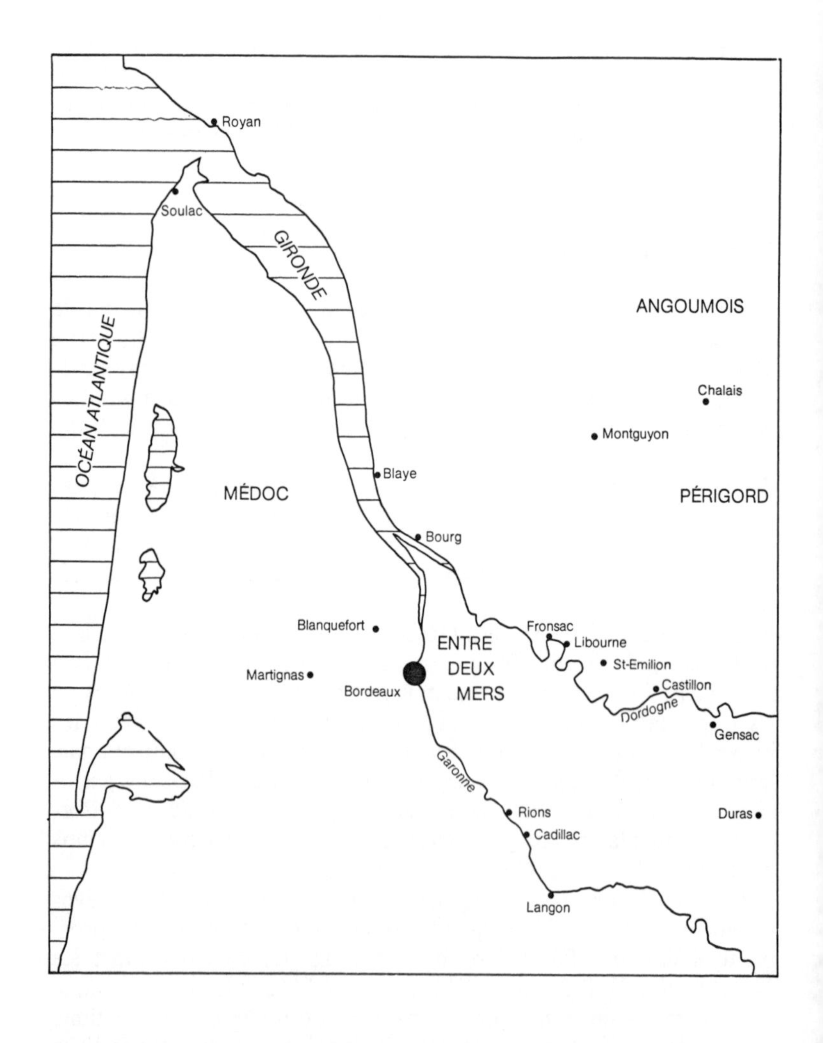

croyaient à la paix tout en voyant le roi de France s'armer. Ils ne pouvaient être que furieux d'une reprise des hostilités dont ils imputèrent le tort à Charles VII.

Pendant que s'achevait l'affaire de Normandie, la Guyenne avait attendu. Les Français – non plus que les Anglais – ne pouvaient véritablement tenir deux fronts à la fois. Albret et Foix, vite relayés par le comte de Penthièvre, avaient dirigé les opérations en se gardant bien des grandes entreprises : elles eussent été prématurées tant que la Normandie n'était pas entièrement réduite. Cognac et Saint-Mégrin étaient tombés, puis Mauléon et Guiche, puis Bergerac et Bazas. Le 1er novembre 1450, l'armée levée par le maire de Bordeaux s'était fait écraser par Arnaud Amanieu d'Albert, sire d'Orval. Rien de tout cela n'était décisif.

L'arrivée de Dunois, au printemps de 1451, donna le signal de l'assaut véritable contre la seigneurie des Lancastres. Jean Bureau et son artillerie étaient cette fois de la partie. Montguyon tomba en mai. Attaquée par terre et bloquée par mer, Blaye céda peu après. La flotte de secours envoyée par les Bordelais fut dispersée et pourchassée jusqu'au large de Royan. Bourg, Libourne, Castillon et Saint-Émilion ouvrirent leurs portes autour du 1er juin. Fronsac tomba à son tour. Dunois tenait l'entrée de la Dordogne. Il envoya Jacques de Chabannes dans l'Entre-Deux-Mers.

Charles, sire d'Albret, occupait pendant ce temps les positions méridionales du Lancastre : Dax, Duras, Rions tombèrent en quelques jours.

En Angleterre, Henri VI était politiquement paralysé. Suffolk était en prison, Somerset ouvertement accusé d'incapacité. Le duc Richard d'York se dressait maintenant en rival avoué du roi, et non plus en simple candidat au Conseil. Bordeaux comprit qu'il n'y avait rien à attendre de Londres.

Le captal de Buch servit d'intermédiaire. Chacun dut réduire ses prétentions. Les Bordelais mirent officiellement le roi d'Angleterre en demeure de les secourir, faute de quoi ils traiteraient avec Charles VII, en règle avec leur conscience puisque leur seigneur manquerait à son devoir de protection. Nul, au vrai, n'était désireux d'un siège qui durcirait les attitudes, et nul ne voulait détruire Bordeaux. Jean Bureau fut désigné comme le futur maire de la ville. Il y entra, avec un sauf-conduit, pour avancer la négociation.

Pey Berland intervint pour ménager l'intérêt de ses fidèles : ceux qui se rallieraient à Charles VII bénéficieraient d'une amnistie totale, les autres auraient six mois pour quitter Bordeaux. On parla exemption fiscale, droit de monnayage. La création d'un Parlement à Bordeaux fut même envisagée. Les Bordelais eussent été bien sots de refuser de tels avantages.

On était convenu d'une reddition si les secours anglais n'étaient pas là le 23 juin. Rien ne vint; au coucher du soleil, un héraut constata le défaut. Et le 30 juin, Dunois fit son entrée. Armagnac, Nevers, Angoulême et Vendôme l'accompagnaient. A travers Nevers et Vendôme, c'étaient les dynasties de Bourgogne et d'Anjou qui assistaient au triomphe du Valois. Les jurats prêtèrent serment de fidélité à Charles VII. Pey Berland fit de même.

Restait la base méridionale de l'ancienne seigneurie du Plantagenêt. Le 7 août, Dunois était devant Bayonne; la ville se rendit le 20. Le peuple s'émerveilla d'un nuage qui monta dans le ciel pendant l'entrée de l'armée française, le 21 août; il était en forme de croix blanche, l'emblème du parti de Charles VII. Le nuage se déforma. On y vit une couronne, puis une fleur de lis. Le vent dispersa le tout. On en parla longtemps dans la région.

Charles VII nomma gouverneur de Guyenne le comte de Clermont et fit sénéchal Olivier de Coëtivy.

Henri VI n'avait pas bougé pour Bordeaux. Il s'émut à l'idée que ç'allait être le tour de Calais et envoya là quelques renforts. Calais était la porte continentale du commerce anglais, un commerce que le roi s'entendait à taxer. L'Angleterre faisait la prospérité de Bordeaux, Calais la prospérité de l'Angleterre. Toute la différence était là.

Déjà, Philippe le Bon se mêlait de l'affaire de Calais. Les Pays-Bas bourguignons, et spécialement Bruges et Anvers, avaient tout intérêt à ce que le commerce anglais fût privé d'un accès direct au marché continental. Henri VI savait bien que les Anglais ne lui pardonneraient pas de perdre Calais. Il se tint prêt.

Olivier de Coëtivy sauva Calais par sa maladresse. Les Gascons avaient pris note des concessions faites en 1451. Ils s'étonnèrent lorsque le sénéchal prétendit leur faire payer un impôt pour l'entretien de ses troupes. La situation promise par le roi de France était sensiblement plus favorable que ce à quoi l'on était accoutumé sous le Plantagenêt ou le Lancastre. La situation réelle, après un an seulement, l'était beaucoup moins. Une députation partit pour Bourges; elle y fut éconduite. On fit savoir aux envoyés de Bordeaux qu'il leur fallait bien participer à la défense de la Guyenne.

Les Bordelais jugèrent qu'on les avait dupés. Ils prenaient d'autre part fort mal la colonisation administrative liée à l'établissement du nouveau régime. Les Gascons se sentaient en tutelle, et la coterie bretonne qui entourait Coëtivy se laissait difficilement supporter. Quand le comte de Clermont annonça qu'il convoquerait le ban et l'arrière-ban en cas de péril, il fit l'unanimité des mécontents. Il avait été entendu que la conquête serait défendue aux frais du roi, et les Bordelais n'avaient pas compris que le roi ne pouvait payer sans l'argent des contribuables. Le doyen de Saint-Seurin prit la tête d'un complot auquel participèrent la plupart des nobles gascons. En août 1452, Gaston de Foix et le seigneur de Lesparre gagnèrent Londres, où Somerset venait de reprendre en main les rênes du pouvoir. York était, pour un temps, écarté. Il était temps de redorer le blason du roi. La menace que l'on sentait planer sur Calais n'en serait que mieux écartée.

Talbot fut investi du commandement. Une flotte était prête à cingler vers Calais, où l'attendaient Dunois, Richemont et Brézé. Elle appareilla le 17 octobre pour la Gironde, et toucha terre le 20 devant Soulac. Le 23, les Anglais entraient dans Bordeaux sans rencontrer de véritable résistance. Coëtivy avait beaucoup parlé de la défense, mais il n'avait rien prévu. Il fut pris avant d'avoir pu se battre. Le comte de Clermont faillit tomber dans un piège et se sauva de justesse. La domination française s'effondrait comme un château de cartes.

Tout fut à l'avenant. En deux semaines, les Anglais furent à Libourne, à Castillon, à Rions, à Cadillac, à Langon. Rouault garda Fronsac et Boniface de Valpergue put tenir Blaye.

Charles VII accueillit froidement la nouvelle du désastre. Il s'attendait à voir sa victoire remise en cause en Normandie ; elle l'était en Guyenne. On se prépara pour le printemps.

Talbot ouvrit la campagne en mars 1453. Fronsac tomba entre ses mains. Il reçut le renfort d'une armée que commandait son propre fils, le vicomte Lisle. On allait maintenant reprendre la grande Aquitaine, celle des Plantagenêts, celle de Brétigny.

C'était compter sans la force nouvelle de Charles VII. Le roi de France était en état de lever une armée.

Le comte de Clermont attaqua par le sud. Il avait avec lui Saintrailles, Orval, Valpergue et quelques autres de ces capitaines éprouvés dont on avait eu l'habileté de faire les piliers de la défense permanente du royaume. Le comte de Foix rejoignit par le Béarn. Le Bazadais fut repris sans peine en avril et mai 1453. A la Saint-Jean, Clermont et Foix occupaient le Médoc. Les deux maréchaux, Lohéac et Jalognes, se chargaient pendant ce temps du Périgord et de l'Angoumois. Aidés de Joachim Rouault et de Jean Bureau, ils prirent Chalais, puis Gensac. Au début de juillet, ils mirent le siège devant Castillon. La garnison anglaise envoya à Bordeaux un appel au secours. Talbot affecta de le tenir pour un vain affolement.

On peut bien les laisser encore approcher de plus près !

Talbot sacrifiait donc Castillon et attendait de tout jouer autour de Bordeaux. Mais les bonnes gens savaient fort bien ce qui attendait des Gascons un peu rapides à violer en 1452 le serment de fidélité prêté en 1451 à Charles VII. Ils furent aussi furieux contre Talbot qu'ils l'avaient été contre Coëtivy.

Et cependant, le vieil homme de guerre n'était pas indifférent à la misère d'un pays tant de fois ravagé par la guerre. A l'approche de Clermont, il avait songé à limiter les dégâts par une « bataille » en règle, un affrontement en champ clos digne d'un chevalier. Il avait proposé aux Français une « journée ».

> Nous ne pouvons avoir de nouvelles certaines de vous, car chaque jour vous changez de logis et de pays. Afin que Dieu n'en soit déplaisant et que le pauvre peuple n'en soit grevé ou détruit, si vous voulez demeurer et attendre en un lieu raisonnable et champ ouvert et y avoir affaire l'un avec l'autre, nous vous faisons savoir que dedans trois jours prochains nous y serons en notre personne. Ainsi, ne vous reculez ! Et que la faute soit en vous !

On était le 21 juin. Clermont accepta et attendit trois jours devant Martignas. Talbot s'avança, marqua un temps d'arrêt à deux lieues des Français, fit paître ses chevaux et ordonna la retraite vers Bordeaux. Les archers étaient fatigués de la route ; ils ne purent suivre. Clermont et ses cavaliers les trouvèrent au repos et les occirent.

Talbot avait simplement jugé que les Français étaient trop nombreux. Son propos de « bataille » était mal informé. Mais il avait eu le tort d'annoncer, en quittant Bordeaux, que son retour serait triomphal. Les Bordelais haussèrent les épaules.

L'Anglais ne pouvait attendre que les maréchaux occupés sur la Dordogne fissent leur jonction avec le comte de Clermont : les Français seraient, alors, encore plus nombreux. Talbot s'avisa que les circonstances n'étaient plus les mêmes qu'avant la « journée » manquée. S'il permettait la jonction, le temps qui passait jouait maintenant pour les Français. Mais s'il laissait Clermont en mal de nourrir ses troupes dans un Médoc assez souvent ravagé pour être dépourvu de toute ressource, ce même temps jouait contre les Français. Talbot changea d'avis : il fallait débloquer Castillon.

CASTILLON.

A quatre-vingts ans passés, le vieux capitaine faisait peu de cas des innovations. Il avait bien l'intention de tailler en pièces, avec ses lances à cheval, l'infanterie qui faisait le plus gros de l'armée de siège française. Quant à l'artillerie de Bureau et de Giribault, que pouvait-elle contre la mobilité d'une charge de cavalerie ? Talbot raisonnait comme jadis les chevaliers de Philippe VI ou de Jean le Bon face aux archers anglais.

Devant Castillon, Lohéac, Jalognes, l'amiral Jean de Bueil et le grand-maître Jacques de Chabannes avaient regroupé leurs hommes en quelques points forts et dans un camp léger fortifié à la hâte : une palissade et des fossés. Le 17 juillet 1453 au matin, Talbot donna l'assaut. Chabannes et Rouault purent tout juste protéger le resserrement de leur dispositif : ils ramenèrent toutes leurs forces dans le camp, laissant seulement, sur des hauteurs à l'écart, deux détachements bretons. L'Anglais avait l'initiative, et il sembla bien qu'il était en train de gagner.

Les Français le jouèrent : ils libérèrent leurs chevaux. On vit les bêtes s'enfuir dans un grand nuage de poussière. Beaucoup, dans l'armée anglaise, crurent à un début de fuite. L'affaire était cependant inattendue, et certains furent d'avis qu'on devait prendre le temps d'observer, voire de se renseigner, avant de reprendre l'attaque. Talbot n'écouta pas ces sages. Il voulut bousculer les fuyards. Aux cris de « Talbot ! Saint-Georges ! » la cavalerie anglaise chargea pour commencer le camp retranché, autrement dit ce que l'on pouvait prendre pour l'arrière-garde, encore en place, d'une armée en fuite.

Devant la palissade, la cavalerie anglaise fut accueillie par un déluge de plomb. Ses pièces soigneusement pointées vers l'endroit où il attendait l'ennemi, Giribault venait d'ouvrir le feu. A découvert, les Anglais tentèrent de passer le fossé sous les boulets. L'arrivée des cavaliers bretons, jusque-là embusqués sur la hauteur, les contraignit à faire volte-face. Les Anglais étaient désormais pris entre la charge des Bretons et une sortie des Français. Il leur fut impossible de se dégager. Quelques fuyards s'en tirèrent, que l'on retrouva du côté de Saint-Émilion. Talbot et son fils trouvèrent la mort dans l'hécatombe. Trois jours plus tard, Castillon capitulait.

Dès lors, Bordeaux était perdu. Charles VII avait reçu un messager de Jacques de Chabannes, porteur de la gorgerette d'acier du brave Talbot. Il eut une pensée pieuse pour le mort, fit chanter le *Te Deum* pour la victoire et prit la route de Bordeaux avec les troupes gardées en réserve pour l'assaut final. Dans toutes les villes du royaume, on fit des processions pour célébrer la déconfiture de l'Anglais.

Le comte de Foix alla assiéger Cadillac, le comte de Clermont se chargea du siège de Blanquefort. Ailleurs, il n'y avait plus de résistance. A la mi-août, Bordeaux était en état de siège, et une flotte bloquait le port. Jean de Bueil établit son artillerie à Lormont. Le roi vint loger au cœur de l'Entre-Deux-Mers.

Castillon avait anéanti l'armée anglaise. Il ne pouvait plus être question que d'organiser un semblant de défense. Les Bordelais craignaient la vengeance du roi de France et n'hésitèrent pas à se ranger derrière leur nouveau sénéchal, Roger de Camoys, qui tentait de rallier les derniers fidèles et de secourir les forteresses assiégées. Mais tout ceci était vain. Cadillac tomba le 19 septembre. Ce fut ensuite le tour de Rions, et enfin celui de Blanquefort.

Les Anglais de Cadillac avaient tenté de composer comme de coutume, offrant dix mille écus pour prix de leur libre départ. Charles VII dédaigna l'offre : il avait assez d'argent comme cela, et le leur fit savoir. Les Anglais furent envoyés en prison. Le capitaine de la ville était un Gascon : il fut, pour trahison, décapité sur-le-champ. Le temps était passé des forteresses prises l'une après l'autre et défendues l'une après l'autre par les mêmes hommes d'armes. Les soldats anglais furent proprement ébahis de ne pouvoir chercher ailleurs une meilleure fortune.

Devant Bordeaux, la situation n'était guère brillante. Les Français cherchaient en vain des vivres dans un pays ravagé. C'est bien ce qu'avait voulu Talbot, mais il n'était plus là pour en profiter. Une épidémie de peste vint aggraver la détresse des assaillants. Quant aux assiégés, ils en étaient à mourir de faim. Les Anglais parlèrent de capituler : ils risquaient tout juste la prison. Les Gascons savaient qu'ils risquaient la corde ou la hache; ils hésitèrent plus longtemps. Finalement, ils envoyèrent à Charles VII des parlementaires : des nobles, des bourgeois et des clercs. Ils se disaient prêts à tout, pourvu qu'on laissât aux Bordelais la vie et leurs biens. Le roi les toisa : il ferait d'eux ce qu'il voudrait.

Bureau commença de canonner la ville. Les habitants flanchèrent. Le 8 octobre, à Lormont, leurs députés acceptaient les conditions du roi. Bordeaux paierait cent mille écus, perdrait tous ses privilèges. Ceux qui voudraient gagner l'Angleterre seraient libres de s'en aller. Le roi bannissait vingt Gascons qu'il tenait pour plus coupables que les autres. C'étaient ceux qui se voyaient les premiers pendus. Ils furent trop contents d'avoir la vie sauve. Moyennant quoi, Charles VII pardonnait.

Le 19 octobre 1453, les Anglais sortirent en armes et gagnèrent leurs bateaux. Charles VII s'offrit le luxe de faire donner à chacun un écu pour son vivre. Quelques heures plus tard, la bannière aux fleurs de lis flottait sur Bordeaux. Mais le roi dédaigna d'entrer dans la ville. Laissant Clermont et Bureau veiller sur la conquête, il alla s'installer à Lusignan.

La guerre de Cent Ans était finie. Vue de Bordeaux, c'était une lutte de trois siècles qui s'achevait.

On en fut bien conscient, de nouveaux temps venaient pour la France. Une médaille fut frappée, à l'effigie de Charles le bien servi. Une médaille avait été frappée dès 1451, en l'honneur de Charles le Victorieux. Autour de l'écu aux trois fleurs de lis, on lisait sur deux lignes cette légende très simple :

Quand je fus faite, sans différence,
Au prudent roi ami de Dieu
On obéissait partout en France,
Fors à Calais qui est fort lieu.

C'était vrai.

Sources historiques

La guerre de Cent Ans n'a jamais manqué d'historiens. Témoins ou curieux de leur temps, inspirés par le désir d'être lus ou simplement par le besoin d'écrire, les hommes du XIVe et du XVe siècles ont beaucoup écrit. L'historien ne saurait nier l'aide que lui apportent ces récits, ces vies, ces chroniques et ces journaux qui procurent à la fois une trame et un essai d'explication plus souvent éclairant que convaincant. Le témoin ou l'analyste d'engagements, de combats et de difficultés qui furent plus ou moins les siens travestirait-il les faits de la manière la plus éhontée, et sans y rien comprendre, qu'il livrerait déjà, par là même, le secret de l'idée qu'il se fait de son histoire et des comportements d'autrui.

La composition historique fait d'ailleurs de grands progrès en ces deux siècles où les hommes s'efforcent de mettre en mémoire les temps difficiles qu'ils vivent. On voit finir un genre littéraire : celui des chroniques qui se recopient l'une l'autre et qui, sous couleur de récit universel, donnaient surtout dans la compilation et l'invention. L'infléchissement est acte, volontaire ou non, de partisan, non d'auteur désinvolte. Systématique et parfois aux limites de l'imagination pure, il devient instrument de la polémique. L'histoire intègre l'écrit doctrinal, le pamphlet, le mythe même. Mais, parce qu'elle participe du débat public où il prend force d'argument, le récit historique se vérifie de lui-même. La critique est nécessaire, mais elle est possible. L'historien moderne ne saurait accepter que sous bénéfice d'inventaire l'œuvre de son lointain confrère, mais il aurait grand tort de s'en priver.

L'histoire officielle, l'histoire solennelle et dynastique, continue d'offrir ses *Grandes Chroniques de France*. Le chancelier Pierre d'Orgemont, qui tient la plume au temps de Jean le Bon et de Charles V, truffe habilement de citations empruntées aux archives royales un récit qui ne se cache pas d'être un discours à la gloire du Valois. Avec Orgemont, l'histoire entre dans l'arsenal de la propagande politique. Elle l'est encore lorsqu'au temps de Charles VII Jean Jouvenel des Ursins, frère du chancelier Guillaume, conduit jusqu'à son propre témoignage un récit des événements récents qu'il nourrit d'observations et de réflexions à l'accent profondément personnel. L'histoire officielle s'assouplit aussi lorsqu'à une compilation des *Grandes Chroniques* et de quelques autres récits antérieurs le clerc normand qui rédige la *Chronique des quatre premiers Valois* ajoute le produit d'une collecte singulièrement moderne d'informations orales, souvent sévères dans leurs jugements à l'égard de la chevalerie française et de ses conceptions tactiques. Sans grand intérêt à ses débuts, cette chronique devient précieuse pour le temps de Charles V et pour le début du règne de Charles VI : elle est souvent originale en ce qui concerne les affaires normandes et les mouvements parisiens, mouvements pour lesquels l'auteur ne cache nullement sa sympathie.

Laissons les autres « continuations ». La plupart d'entre elles, comme celle du moine Richard Lescot, de Saint-Denis, pour le début du règne de Philippe VI, ne font que s'inscrire dans la tradition des Guillaume de Nangis et des Géraud de Frachet.

Les Grandes Chroniques de France, éd. Jules Viard. Paris, 1920-1953. 10 vol. (Société de l'Histoire de France).

Le Religieux de Saint-Denis. Chronique de Charles VI, éd. L.-F. Bellaguet. Paris, 1839-1852. 6 vol. (Collection de documents inédits).

Jean Jouvenel des Ursins, *Histoire de Charles VI,* éd. Michaud et Poujoulat, *Nouvelle collection des mémoires pour servir à l'histoire de France*, II (Paris, 1836).

Chronique des quatre premiers Valois, éd. Siméon Luce. Paris, 1862 (Société de l'Histoire de France).

Richard Lescot, *Chronique (1328-1344) suivie de la continuation de cette chronique,* éd. J. Lemoine. Paris, 1896 (Société de l'Histoire de France).

La chronique offre en revanche le plus vif intérêt dès lors que l'auteur porte son attention sur son entourage immédiat. Qualifier d'histoires locales ces textes, dont le propos est plus ample mais qui témoignent surtout pour la vie d'une ville ou d'un quartier, serait les ramener sévèrement à un intérêt restreint. En réalité, ils nous permettent de comprendre les forces profondes de la société, en même temps que l'exacte perception qu'ont eue les contemporains d'événements souvent difficiles à analyser dans l'horizon court des hommes.

C'est ainsi que le prieur des carmes parisiens de la place Maubert, Jean de Venette, tient de 1340 à 1368 – et au jour le jour à l'époque d'Étienne Marcel – une chronique très partisane, hostile aux princes et à la noblesse, un temps favorable au prévôt des marchands, mais où passe toute la vie parisienne vue du couvent des carmes. De même l'auteur de la *Chronique normande du XIVe siècle*, écrite à la fin du règne de Charles V mais dont le récit remonte jusqu'au début de la guerre, fait-il place à des considérations militaires qui ne sont autre chose que les souvenirs d'hommes d'armes ayant participé aux campagnes de Normandie. Jacques de Hemricourt lui fait écho dans son *Miroir des nobles de Hesbaye.*

Le chanoine de Reims, Jean Le Bel, compose une *Histoire vraie et notable* des années 1426-1461, histoire dans laquelle il s'efforce de critiquer les informations reçues et de juger objectivement les comportements. Mais on y voit percer le goût de l'auteur pour les prouesses de chevalerie, tout autant que son mépris pour les intérêts bourgeois. De ce récit, favorable à l'Anglais dans son ensemble, Jean d'Outremeuse — Jean des Preis — s'inspire peu après dans son *Miroir des histoires,* et Froissart en fera grand cas, lui empruntant dès l'abord la substance de son récit pour le temps de Jean le Bon.

Autre point de vue limité, mais riche d'informations personnelles et d'anecdotes vécues, le *Livre du chevalier de la Tour Landry,* que compose, en 1371, pour l'instruction de ses propres enfants un ancien soldat, le chevalier Geoffroy de la Tour Landry. L'historien aurait tort de le négliger.

Jean de Venette, *Continuatio chronici Guillelmi de Nangiaco,* éd. Hercule Géraud. Paris, 1843 (Société de l'Histoire de France).

Chronique normande du XIVe siècle (1294-1376), éd. Auguste Molinier. Paris, 1882 (Société de l'Histoire de France).

Chronique de Jean Le Bel, éd. Jules Viard et Eugène Déprez. Paris, 1904-1905. 2 vol. (Société de l'Histoire de France).

Œuvres de Jacques de Hemricourt, éd. C. de Borman, A. Bayot et E. Poncelet. Bruxelles, 1910-1931. 3 vol. (Académie royale de Belgique).

Œuvres de Jehan des Preis, éd. A. Borgnet et S. Bormans. Bruxelles, 1864-1887. 7 vol. (Collection des chroniques belges).

Le livre du chevalier de la Tour Landry, éd. A. de Montaiglon. Paris, 1854.

On ne saurait se contenter des historiens « français ». Le recours aux auteurs anglais est indispensable pour comprendre les premières décennies de la guerre de Cent Ans. L'*Historia sui temporis* d'Adam de Murimuth nous a transmis, jusqu'à l'année 1347, les souvenirs d'un clerc fort mêlé aux affaires politiques, ambassadeur d'Édouard II à Avignon, observateur judicieux de la marche simultanée des deux royaumes vers le conflit.

Garde des registres de la cour de Canterbury, Robert de Avesbury fait dans le *De gestis mirabilibus regis Edwardi tertii* un récit scrupuleux de la guerre et des démarches diplomatiques qui conduisirent au traité de Brétigny.

Adam de Murimuth, *Continuatio chronicarum, 1307-1347,* éd. E. M. Thompson. Londres, 1889 (Rolls Series).

Robert d'Avesbury, *De gestis mirabilibus regis Edwardi tertii,* éd. E. M. Thompson. Londres, 1889 (Rolls Series).

Dans cette cohorte de chroniqueurs soucieux de faire œuvre historique sans se priver d'exprimer une opinion personnelle, il en est trois qui ont une place à part. Ils la doivent à leur volonté de porter témoignage, à leur sympathie raisonnée pour leurs héros, à leur souffle épique même. Froissart, Chandos et Cuvelier dominent nettement la littérature historique de leur temps, même si l'historien moderne doit entourer de grandes précautions l'usage qu'il fait de leur récit.

Né à Valenciennes d'une famille bourgeoise, Jean Froissart se trouve très tôt, comme jeune clerc, puis comme prêtre, dans l'entourage immédiat des protagonistes de son temps. Familier de la reine Philippa de Hainaut, compagnon de mission du duc de Clarence, puis attaché à Robert de Namur, il est ensuite chapelain du comte de Blois Guy de Châtillon, rend visite au comte de Foix Gaston Fébus, se lie avec le gouverneur de Hainaut, le comte Guillaume d'Ostrevent, finit enfin ses jours à la cour de Richard II, où il meurt peu après 1404.

Froissart a donc connu tous les points de vue, entendu tous les arguments, vécu le drame de son temps de tous les côtés. Très favorable aux Anglais jusque vers 1370, il adhère assez vite à la fidélité française du comte de Blois, tempère ses jugements à fréquenter Gaston Fébus, vire au Bourguignon sous l'influence de Guillaume d'Ostrevent, partage le tempérament conciliateur de Richard II.

Homme engagé dans les luttes de son siècle, il n'en a pas moins les scrupules d'un véritable historien. D'avoir beaucoup voyagé – il connaît même l'Italie – et d'avoir tout entendu lui donne le sens du relatif. Il interroge, il lit. Il cherche des témoins. Il se déplace pour consulter des archives. A mesure qu'il se documente et qu'il avance dans sa rédaction, il nuance et complète son texte. Il récrit son livre premier, en particulier, dont plusieurs rédactions se succèdent en trente ans.

Froissart n'est cependant ni très intelligent ni très sagace. Partial par engagement, crédule par naïveté, il s'encombre de détails et perçoit mal l'essentiel. Il confond les lieux, il emmêle la chronologie. A l'historien moderne de savoir ce qu'il peut demander à ce conteur au style coloré, incapable de hausser la vue mais bon connaisseur des hommes et observateur subtil des réalités quotidiennes de la guerre. Son jugement est celui des chevaliers qui l'entourent et pour qui le pillage est un divertissement et le viol un délassement. Il est sensible aux beaux coups, aux belles armures, aux prouesses dignes de mémoire. Il ne faut lui demander que ce qu'il a su voir.

Si Froissart a connu tous les partis, le héraut Chandos est le féal du Prince Noir. *Vie et faits d'armes d'un très noble prince de Galles et d'Aquitaine* est un long poème, composé vers 1386, où les souvenirs personnels sont mis au service d'un souffle poétique limité, pour la plus grande gloire d'un prince. Le héraut Chandos était en Aquitaine comme il était en Espagne. Son panégyrique est celui d'un compagnon.

On n'en peut dire autant, dans l'autre camp, de Jean Cuvelier. Le dernier des trouvères de langue d'oïl met dans sa *Vie de Bertrand du Guesclin* la mémoire des autres plus que la sienne propre. Il emprunte aux *Grandes Chroniques*, il exploite des chroniques aujourd'hui disparues, en particulier des chroniques bretonnes sans doute dignes d'intérêt, et il joint à tout cela quelques observations glanées en interrogeant les témoins de l'action. Des notations intéressantes surnagent, qu'il est fort utile de repêcher dans le flot d'une compilation le plus souvent erronée.

Chroniques de Froissart, éd. Siméon Luce, Gaston Raynaud, Léon Mirot et Albert Mirot. Paris, 1869-1975. 15 vol. (Société de l'Histoire de France).

Le Prince Noir. Poême du héraut Chandos, éd. Francisque Michel. Londres-Paris, 1883.

La vie de Bertrand du Guesclin par Cuvelier, éd. E. Charrière. Paris, 1839 (Collection de documents inédits).

L'œuvre de Christine de Pisan est de tout autre nature. Femme de lettres avant le nom, vivant de sa plume parce qu'il lui faut élever ses enfants et parce qu'enfin elle a pris goût à l'indépendance intellectuelle, la fille du médecin-astrologue de Charles V n'écrit, après 1404, son *Livre des faits et bonnes mœurs du sage roi Charles le Quint* que pour plaire au duc de Bourgogne. En réaction contre un temps que domine son neveu Louis d'Orléans, Philippe le Hardi veut en effet laisser un monument à la gloire de son frère Charles V : un catalogue historié des vertus du roi sage. Les anecdotes que rapporte Christine de Pisan sont celles qui courent Paris vingt ans après la mort du roi. Tout autant que sous Charles V, elles renseignent sur la société politique qui les cultive et les transmet. Mais la spontanéité est absente de cette œuvre de commande.

Le livre des fais et bonnes meurs du sage roi Charles V, éd. Suzanne Solente. Paris, 1936-1941. 2 vol. (Société de l'Histoire de France).

Les poètes portent un témoignage plus intéressant lorsqu'ils ne cherchent pas à raconter mais seulement à évoquer. A cet égard, les guerres fratricides et la misère du peuple ont également inspiré Guillaume de Machaut dans son *Jugement du roi de Navarre* et, à la génération suivante, Alain Chartier dans son *Lay de Paix*, Eustache Deschamps dans sa *Ballade de la Paix avec les Anglais*, et Christine de Pisan qui trouve ici plus justement sa place avec sa *Lamentation sur les maux de la guerre civile.* Mais il faut bien dire que les jugements d'Eustache Deschamps ne sont pas seulement ceux d'un poète, disciple de Guillaume de Machaut. Ils sont aussi ceux d'un bailli royal, d'un homme d'expérience, d'un officier bien informé des situations et des événements pour y avoir lui-même eu part.

Les œuvres de Guillaume de Machaut, éd. E. Hœpffner. Paris, 1908-1921. 3 vol. (Société des anciens textes français).

Eustache Deschamps, *Œuvres complètes*, éd. de Queux de Saint-Hilaire et Gaston Raynaud. Paris, 1878-1904. 11 vol. (Société des anciens textes français).

Christine de Pisan, *Œuvres poétiques,* éd. Maurice Roy. Paris, 1886-1896. 3 vol. (Société des anciens textes français).

Au XVe siècle, les témoins prolifèrent. Déjà, au temps de la minorité de Charles VI, le chancelier de Louis Ier d'Anjou, l'évêque Jean Le Fèvre, tenait un journal dont l'intérêt est grand pour l'histoire des débuts et des développements du Grand Schisme d'Occident. Plus tard, ce sont deux greffiers du Parlement de Paris qui notent, sur les registres mêmes de leurs audiences et entre les transcriptions de plaidoyers et de renvois, les faits menus et graves dont ils sont quotidiennement les témoins. L'historien moderne en tirera un véritable journal.

Dans le même temps, un Parisien qui pourrait bien avoir été le chanoine Jean Chuffart tient ce « Journal d'un Bourgeois de Paris » qui, par la minutie des observations de la vie matérielle – prix des légumes, incidents de la rue – aussi bien que par la transcription méthodique des bruits qui courent et la formulation, souvent implicite, de sa propre opinion, offre à l'historien ce qu'aucune autre source ne lui apporte au même point pour ce temps : les pensées du Français moyen.

Jean Le Fèvre, *Journal,* éd. Henri Moranvillé. Paris, 1887.

Journal de Nicolas de Baye, greffier du Parlement de Paris, 1400-1417, éd. Alexandre Tuetey. Paris, 1885-1888. 2 vol. (Société de l'Histoire de France).

Journal de Clément de Fauquembergue, greffier du Parlement de Paris, 1417-1436, éd. Alexandre Tuetey. Paris, 1903-1915. 3 vol. (Société de l'Histoire de France).

Journal d'un Bourgeois de Paris, 1405-1449, éd. Alexandre Tuetey. Paris, 1881 (Société de l'Histoire de Paris et de l'Ile-de-France).

D'autres, cependant, font œuvre littéraire. Que cette histoire composée et souvent commandée soit partiale, cela ne fait aucun doute. La lecture doit s'en faire prudente.

Du côté de Charles VII, trois noms l'emportent : Jean Jouvenel des Ursins et Jean Chartier, déjà cités, et le héraut Berry. L'*Histoire de Charles VI* de Jouvenel, les *Chroniques de Charles VII* de Jean Chartier et les deux ouvrages de Gilles Le Bouvier dit le héraut Berry, la *Chronique du roi Charles VII* et le *Recouvrement de Normandie,* sont des œuvres classiques, dans la droite lignée des chroniques à la gloire du souverain. Chaque auteur fait cependant entrer dans ses analyses, en raison de ses fonctions ou de sa position sociale, des préoccupations et des jugements qui confèrent finalement à l'œuvre une indéniable originalité. L'histoire selon un héraut d'armes n'est pas l'histoire selon un grand bourgeois devenu président du Parlement.

Histoire de Charles VI. Voir ci-dessus.

Chronique de Charles VII, roi de France, par Jean Chartier, éd. Vallet de Viriville. Paris, 1858. 3 vol. (Bibliothèque elzévirienne).

Les chroniques du roi Charles VII par Gilles Le Bouvier dit le héraut Berry, éd. Henri Courteault et Léonce Célier. Paris, 1979 (Société de l'Histoire de France).

J. Stevenson, *Narratives of the expulsion of the English from Normandy.* Londres, 1863 (Rolls Series).

Sans nous attarder à quelques textes secondaires, précieux dans le détail de leur information pour certains moments de la guerre, comme la *Chronique de la Pucelle* ou l'œuvre du notaire normand Pierre Cochon, venons-en aux historiens bourguignons. Chantres de la cour de Philippe le Bon, Enguerrand de Monstrelet, Mathieu d'Escouchy et Georges Chastellain mettent un réel talent au service de la grandeur dynastique de celui qui leur fait un état. Encore le bon poète Chastellain, dont la chronique ne nous est qu'en partie connue, s'efforce-t-il à l'impartialité. Il n'en va pas de même pour l'évêque Jean Germain, dont le *Liber de virtutibus* n'est qu'un portrait idéalisé du meilleur des princes. L'historien moderne trouve finalement meilleur compte à des œuvres de moindre envergure, plus attentive à la réalité des choses et aux arrière-plans du décor : ainsi les récits du diplomate Gilbert de Lannoy ou ceux du héraut Jean Le Fèvre dit Toison d'Or.

Auguste Vallet de Viriville, *Chronique de la Pucelle ou de Cousinot, suivie de la chronique normande de Pierre Cochon.* Paris, 1859 (Bibliothèque gauloise).

La chronique d'Enguerrand de Monstrelet, éd. Louis Douët d'Arcq. Paris, 1857-1862. 6 vol. (Société de l'Histoire de France).

Mathieu d'Escouchy, *Chronique,* éd. G. du Fresne de Beaucourt. Paris, 1863-1864. 3 vol. (Société de l'Histoire de France).

Œuvres de Georges Chastellain, éd. Kervyn de Lettenhove. Bruxelles, 1863-1866. 5 vol.

Œuvres de Ghillebert de Lannoy, voyageur, diplomate et moraliste, éd. Ch. Potvin. Louvain, 1878 (Académie royale de Belgique).

Chronique de Jean Le Fèvre, seigneur de Saint-Rémy, éd. François Morand. Paris, 1876-1881. 2 vol. (Société de l'Histoire de France).

En ce temps où la chevalerie ne fait plus toujours ses preuves sur les champs de bataille et alimente surtout le faste des ordres princiers ainsi que l'imagination des auteurs de romans à succès plus ou moins bien renouvelés de la Table ronde, chaque prince tient à s'attacher le talent d'un chroniqueur, à la fois mémorialiste des grandes actions et chantre de la grandeur des cours. C'est à ce prix que le prince prendra rang parmi les preux de la légende. Charles d'Orléans a Guillaume Cousinot, Louis de Bourbon a Jean Cabaret, Jean d'Alençon a Perceval de Cagny, Gaston de Foix a Guillaume Leseur.

L'histoire touche presque, ici, à la biographie. L'œuvre de Commines en sera l'aboutissement. Déjà, au début du siècle, le *Livre des faits du maréchal Boucicaut* et l'*Histoire de Charles V* de Christine de Pisan avaient renoué avec un filon littéraire jamais interrompu depuis Joinville en passant par Chandos et Cuvelier. La *Chronique d'Arthur de Richemont* de Guillaume Gruel est l'exemple même de l'œuvre partielle et partiale. N'était la qualité intellectuelle de l'auteur, on en dirait autant de l'histoire de Charles VII composée par l'évêque Thomas Basin pour exalter la figure d'un roi qui prenait conseil de Thomas Basin et amoindrir en comparaison celle d'un Louis XI qui a relégué l'évêque. Œuvre tardive et œuvre de polémique insidieuse, le récit de Thomas Basin nous en apprend plus par ses observations occasionnelles que par le témoignage qu'il veut porter à l'appui de ses jugements.

N'oublions pas celui qui n'écrit que pour lui-même et pour les siens. Comme le « Bourgeois de Paris » pour la vie d'une capitale troublée par la guerre, le chevalier Jean de Bueil, amiral de Charles VII à la fin de la guerre, témoignera dans son *Jouvencel,* qui se veut une initiation pratique du jeune noble à l'art et à la morale de la guerre, pour la vie des camps telle qu'il l'a vécue et pour l'idée qu'il se fait de la noblesse des armes. A mi-chemin de l'histoire et de la pédagogie, ce livre à clés a la valeur d'un témoignage sincère dont les gauchissements sont eux-mêmes révélateurs d'une mentalité. Loin des compositions systématiques des hérauts d'armes – Berry comme Toison d'Or – le *Jouvencel* est l'œuvre d'un auteur comme il y en eut mille : Bueil ne se savait pas témoin pour l'histoire.

La chronique du bon duc Loys de Bourbon par Jean Cabaret d'Orville, éd. Alphonse-Martial Chazaud. Paris, 1876 (Société de l'Histoire de France).

Chroniques de Perceval de Cagny, éd. Henri Moranvillé. Paris, 1902 (Société de l'Histoire de France).

Histoire de Gaston IV, comte de Foix, par Guillaume Leseur, éd. Henri Courteault. Paris, 1893-1896. 2 vol. (Société de l'Histoire de France).

Le livre des faicts du bon messire Jean Le Maingre dit mareschal de Boucicaut, éd. Michaud et Poujoulat, *Nouvelle collection des mémoires...,* t. II, Paris, 1836.

Guillaume Gruel, Chronique d'Arthur de Richemont, connétable de France, duc de Bretagne (1393-1458), éd. Achille Le Vavasseur. Paris, 1890 (Société de l'Histoire de France).

Thomas Basin, *Histoire de Charles VII,* éd. Charles Samaran. Paris, 1933-1944. 2 vol. (Les classiques de l'Histoire de France au Moyen Age).

Jean de Bueil, *Le Jouvencel*, éd. C. Favre et Léon Lecestre. Paris, 1887-1889. 2 vol. (Société de l'Histoire de France).

Ainsi, une cinquantaine d'œuvres historiographiques sont la base de notre connaissance des faits, de leur déroulement, de leurs implications. Il convient d'y joindre quelques grands ouvrages de doctrine politique, à la fois importants par le rôle qu'ils jouent dans la détermination des protagonistes et par l'idée qu'ils nous donnent des mobiles et des mentalités.

L'œuvre maîtresse est ici, au temps de Charles V, le *Songe du Verger*, allégorie en vers où se définissent les pouvoirs qui s'exercent en concurrence sur la société chrétienne et les sources de la souveraineté, en même temps que les critères de la légitimité de la puissance publique. Les idées qui fusent dans ce dialogue d'un clerc et d'un chevalier dont l'auteur n'a pas cru bon de se dévoiler, ce sont les idées qui gouvernent Charles V et son Conseil. Les préoccupations perceptibles au fond des raisonnements sont l'exact reflet de celles qui occupent l'esprit des hommes ayant quelque responsabilité dans la France de 1376. Plus tard, l'humaniste Nicolas de Clamanges met dans son traité *De la ruine de l'Église* toute son expérience des erreurs commises et toute son espérance en des réformes salvatrices. Une génération plus tard, d'autres formulations sont données au même idéal lorsque l'évêque de Beauvais, Jean Jouvenel des Ursins, compose le long libelle *Très révérends pères en Dieu...,* qu'il destine à une session avortée des états généraux.

Parmi l'abondante production de la scolastique, il convient de faire une place particulière au très grand théologien qu'est Jean Gerson, souvent interprète des aspirations profondes du peuple que lassent les jeux des princes. A l'opposé, la partialité de Jean Petit ne doit pas priver l'historien de recourir à des pamphlets dont l'argumentation met au net les fondements politiques et religieux de l'un des partis. Les deux hommes se retrouvent dans leur désir de sauver l'Unité de l'Église, et la *Complainte de l'Église* que compose l'auteur de l'*Apologie du tyrannicide* fait curieusement écho au traité *Du schisme et de la papauté* que publie à la même époque Gerson.

La France a vécu bien des drames depuis le *Songe du Verger*, et le traité de Troyes conduit les théoriciens du pouvoir à s'interroger à nouveau sur la nature exacte de la Couronne et des droits qui s'exercent sur celle-ci. Le Normand Robert Blondel donne, dans la *Réponse d'un bon et loyal Français au peuple de France* une analyse critique du traité de 1420. Dans son grand ouvrage *Des droits de la Couronne en France*, il définit les principes à la lueur d'une situation très réellement vécue. Jouvenel fait de même dans le discours qu'il destine aux états de 1440. Un autre juriste, Jean des Terres Rouges, démontre dans le *Traité de la succession à la Couronne* l'inanité des prétentions du Lancastre. Toute cette littérature aux développements austères – dont une bonne part est encore d'accès difficile en des manuscrits dispersés ou en des éditions anciennes – nous en apprend tout autant sur les hommes que sur le fond du problème politique.

Il faut encore mentionner un véritable traité de droit international : l'*Arbre des batailles* d'Honoré Bonet. Codification du droit des armes, et moins vaine qu'il y paraît au premier abord, l'ouvrage est précieux pour la connaissance des ressorts psychologiques qui sous-tendent bien des négociations et bien des décisions politiques.

Jean-Louis Brunet, *Traitez des droits et liberté de l'Église gallicane.* Paris, 1731. 2 vol. – Comprend la seule édition intégrale du *Songe du Verger*. Rééd. anast. Strasbourg, 1957.

Nicolas de Clamanges, *Le traité de la ruine de l'Église,* Paris, 1936.

Écrits politiques de Jean Juvénal des Ursins, éd. Peter S. Lewis. Paris, 1978 (Société de l'Histoire de France).

Alain Chartier, *Le Quadriloge invectif*, éd. E. Droz. 1923.

Les œuvres latines d'Alain Chartier, éd. Pascale Bourgain-Hemeryck. Paris, 1977.

Jean Gerson, *Opera omnia*, éd. Mgr. Palémon Glorieux. 1960-1973. 10 vol.

Honoré Bonet, *L'Arbre des batailles,* éd. Ernest Nys. Bruxelles-Leipzig, 1883.

Nous ne pouvons passer ici en revue toutes les sources documentaires de l'histoire séculaire d'un conflit franco-anglais aux implications féodales telles qu'il faudrait citer toutes les archives européennes et les publications auxquelles elles ont donné matière. Même l'histoire intérieure de la France en guerre, qui se fonde avant tout sur les documents conservés aux Archives nationales, dans la plupart des Archives départementales et dans bien des Archives municipales, ne saurait être écrite sans un recours aux Archives belges – Archives générales du royaume, Archives de l'État à Gand, Archives municipales de Bruges, etc. – et aux Archives anglaises, en particulier aux séries financières du *Public Record Office,* sans lesquelles il nous manquerait l'essentiel des sources relatives à l'administration des régions gouvernées par le Plantagenêt puis le Lancastre. Il est enfin nécessaire de rappeler que toute étude sur ce temps appelle un recours aux Archives vaticanes.

On ne trouvera donc ici qu'une brève liste des principales publications systématiques. Nombre de documents se trouvent d'autre part en annexes ou en pièces justificatives dans les ouvrages cités plus loin en bibliographie.

Ordonnances des rois de France de la troisième race. Paris, 1723-1849. 22 vol.

Archives nationales. Registres du trésor des chartes. Paris, 1958-1979. 5 vol. parus.

Léopold Delisle, *Mandements et actes divers de Charles V.* Paris, 1874 (Collection de documents inédits).

Jules Viard, *Documents parisiens du règne de Philippe VI de Valois.* Paris, 1899-1900. 2 vol.

E. Cosneau, *Les grands traités de la guerre de Cent Ans.* Paris, 1889.

Nicholas H. Nicolas, *Proceedings and ordinances of the Privy Council of England.* Londres, 1832-1837. 7 vol.

Calendar of the Close Rolls preserved in the Public Record Office. Londres, 1892-1963, 45 vol. parus.

Calendar of the Patent Rolls preserved in the Public Record Office. Londres, 1893-1973. 70 vol. parus.

Calendar of Signet Letters of Henry IV and Henry V (1399-1422), éd. J. L. Kirby. Londres, 1978.

Letters and papers illustrative of the War of the English in France, éd. J. Stevenson. Londres, 1861-1864. 2 vol. (Rolls Series).

Thomas Rymer, *Foedera, conventiones, litterae...* La Haye, 3e éd. 1739-1745. 9 vol.

Registres des papes d'Avignon publiés par l'École française de Rome. Paris, 1884-1979. 120 vol. parus.

Henri Denifle et Émile Chatelain, *Chartularium Universitatis Parisiensis.* Paris, 1889-1897. 4 vol. – *Auctarium chartularii Universitatis Parisiensis,* t. I et II. Paris, 1894-1897. 2 vol.

Charles Samaran et Émile Van Moë, *Auctarium chartularii Universitatis Parisiensis.* Paris, 1935-1942. 3 vol.

Les documents judiciaires ne font pas seulement connaître les affaires portées devant les juridictions. Grâce aux exposés historiques présentés par les parties et partiellement repris dans les arrêts, les registres des cours de justice sont une mine d'informations sur les structures sociales, la démographie, les mentalités. Aucune édition systématique n'est actuellement concevable pour les milliers de registres que l'on conserve en France et que mettent souvent à profit les historiens, mais le lecteur pourra se reporter à quelques publications suggestives, voire à l'édition de quelques documents exceptionnels, comme les deux procès de Jeanne d'Arc.

Pierre-Clément Timbal, *La guerre de Cent Ans vue à travers les registres du Parlement (1337-1369).* Paris, 1961 (Centre national de la Recherche scientifique).

Alexandre Tuetey, *Testaments enregistrés au Parlement de Paris sous le règne de Charles VI.* Paris, 1880 (Collection de documents inédits, Mélanges historiques, III).

Henri Duplès-Agier, *Registre criminel du Châtelet de Paris.* Paris, 1861-1864. 2 vol.

Auguste Longnon, *Paris pendant la domination anglaise.* Paris, 1878 (Société de l'Histoire de Paris et de l'Ile-de-France).
Procès de condamnation et de réhabilitation de Jeanne d'Arc dite la Pucelle, éd. Jules Quicherat. Paris, 1841-1849. 5 vol.
Procès de condamnation de Jeanne d'Arc, éd. Pierre Tisset. Paris, 1960-1971. 3 vol. (Société de l'Histoire de France).
Procès en nullité de la condamnation de Jeanne d'Arc, éd. Pierre Duparc. Paris, 1977-1979. 2 vol.

L'histoire de la guerre – et celle des difficultés connues par la ville et la campagne hors des temps de combat – est étroitement reflétée par les documents financiers. Les *Ordonnances* et les *Calendars* déjà cités contiennent l'essentiel des textes réglementaires en matière fiscale et monétaire. Les livres de compte et les rôles d'impôt permettent de préciser ce qu'il en fut dans la réalité des recettes et des dépenses.

Aucune publication systématique n'a encore été procurée des importantes séries de quittances et de « montres » conservées dans les fonds *Exchequer* du *Public Record Office* et parmi les « pièces originales » de la Bibliothèque nationale. On n'a, de même, que quelques éditions partielles des comptes locaux des collecteurs pontificaux, qui forment l'essentiel de la série *Collectorie* des Archives vaticanes. En revanche, les épaves de la comptabilité générale de la royauté française sont en cours d'édition, de même qu'un substantiel échantillonnage des comptes généraux bourguignons.

Il faudra sans doute attendre longtemps avant que soit épuisée la matière des comptes locaux, comptes domaniaux aussi bien que municipaux. On doit noter que ces comptes municipaux, riches d'informations quant au coût réel de la guerre pour les populations menacées, sont fort heureusement complétés par de belles séries de registres de délibération des échevinages et consulats.

Nous ne pouvons citer ici que quelques exemples, que les bibliographies régionales compléteraient utilement.

Robert Fawtier, *Comptes du Trésor.* Paris, 1930.
Barthélemy – A. Pocquet du Haut-Jussé, *La France gouvernée par Jean sans Peur. Les dépenses du receveur général du royaume.* Paris, 1959 (Société de l'École des chartes).
Jules Viard, *Les journaux du Trésor de Philippe VI de Valois.* Paris, 1899 (Collection de documents inédits).
Michel Mollat, *Comptes généraux de l'état bourguignon entre 1416 et 1420.* Paris, 1965-1976. 4 vol. (Recueil des historiens de la France, Documents financiers, 5).
Jean Favier, *Les contribuables parisiens à la fin de la guerre de Cent Ans.* Genève, 1970.
Anne Chazelas, *Documents relatifs au Clos des galées de Rouen et aux armées de mer du roi de France de 1293 à 1418.* Paris, 1977-1978. 2 vol. (Collection de documents inédits).

Arlette Higounet-Nadal, *Les comptes de la taille et les sources de l'histoire démographique de Périgueux au XIVe siècle.* Paris, 1965.
Philippe Wolff, *Les « estimes » toulousaines des XIVe et XVe siècles.* Toulouse, 1956.
Albert Rigaudière, *L'assiette de l'impôt direct à la fin du XIVe siècle. Le livre d'estimes des consuls de Saint-Flour pour les années 1380-1385.* Paris, 1977.
Comptes du domaine de la Ville de Paris, éd. Al. Vidier, L. Legrand et P. Dupieux, puis J. Monicat. Paris, 1948-1958. 2 vol. (Histoire générale de Paris).
Monique Chauvin, *Les comptes de la châtellenie de Lamballe,* 1387-1482. Rennes, 1977.

On sait combien les correspondances sont éclairantes pour la compréhension des démarches ou, à tout le moins, de l'idée que s'en sont faite les auteurs de ces démarches. L'historien de la guerre de Cent Ans est malheureusement mal pourvu de sources aussi explicites, et la plupart des ensembles documentaires de la sorte n'ont pas encore fait l'objet d'éditions exhaustives. C'est le cas de la série *Ancient Correspondence* du *Public Record Office* et des quelques correspondances commerciales qui nous informent de l'état des choses et de l'opinion.

Les documents qui supportent l'analyse de la situation économique ont été plus souvent étudiés que publiés. Les pièces fiscales évoquées ci-dessus en sont l'exemple. Les sources seigneuriales sont en la matière privilégiées, cependant que les grandes séries de documents relatifs à l'histoire du commerce français attendent encore leur éditeur. L'érudition anglaise est ici fort en avance.

On se fera cependant une bonne idée de la diversité de ces sources historiques à travers quelques ouvrages dont la courte liste ne veut être que significative.

René Fédou, *Le terrier de Jean Jossart, coseigneur de Châtillon-d'Azergues, 1430-1463.* Paris, 1966 (Collection de documents inédits).
Michel Mollat, *Les affaires de Jacques Cœur. Journal du procureur Dauvet.* Paris, 1953. 2 vol.
Jean Favier, *Le commerce fluvial dans la région parisienne au XVe siècle. I, le registre des compagnies françaises, 1449-1467.* Paris, 1975 (Histoire générale de Paris).
Christiane Villain-Gandossi, *Comptes du sel de Francesco di Marco Datini pour sa compagnie d'Avignon, 1376-1379.* Paris, 1969 (Collection de documents inédits).
H. S. Cobb, *The local port book of Southampton, 1439-1440.* Southampton, 1961.
O. Coleman, *The Brokage Book of Southampton, 1443-1444.* Southampton, 1960.

Aucune des œuvres littéraires de ce temps n'est indifférente à la société qui en est, selon les genres, le principal objet ou le simple cadre. A côté des dernières chansons de geste et des premiers romans, des poèmes lyriques et des traités de l'art de bien mourir, on peut citer deux ouvrages dont la lecture éclaire l'art de vivre de deux milieux sociaux bien caractérisés.

Le livre de la chasse de Gaston Phoebus, éd. (en français *moderne*) par Robert et André Bossuat. Paris, 1931.

Le mesnagier de Paris. Traité de morale et d'économie domestique, éd. Jérôme Pichon. Paris, 1847. 2 vol. (Société des Bibliophiles français).

Bibliographie

ÉTUDES GÉNÉRALES

Ernest Lavisse, *Histoire de France*. T. IV, par Alfred Coville et Charles Petit-Dutaillis. Paris, 1902. 2 vol.

Édouard Perroy, *La guerre de Cent Ans*. Paris, 6e éd., 1945.

Philippe Contamine, *La guerre de Cent Ans*. Paris, 1968 (Que sais-je ?).

Peter Lewis, *La France à la fin du Moyen Age*. Paris, 1977.

Kenneth A. Fowler, *Le siècle des Plantagenêts et des Valois. La lutte pour la suprématie. 1328-1498*. Paris, 1968.

Michel Mollat, *Genèse médiévale de la France moderne*. Paris, 1970.

J. Huizinga, *Le déclin du Moyen Age*. Paris, rééd., 1967.

HISTOIRE POLITIQUE ET AFFAIRES FINANCIÈRES

Bernard Guenée, *L'Occident aux XIVe et XVe siècles. Les états*. Paris, 1971 (Nouvelle Clio).

Françoise Autrand, *Pouvoir et société en France, XIVe-XVe siècle*. Paris, 1974.

Jean Favier, *Finance et fiscalité au bas Moyen Age*. Paris, 1971.

Bernard Guenée, « État et nation en France au Moyen Age », dans *Revue historique*, 237, 1967, p. 17-30.

André Bossuat, « L'idée de nation et la jurisprudence du Parlement de Paris au xve siècle », dans *Revue historique*, 204, 1950, p. 54-61.

Raymond Cazelles, *La société politique et la crise de la royauté sous Philippe de Valois*. Paris, 1958.

Alfred Coville, *Les états de Normandie, leurs origines et leur développement au XIVe siècle*. Paris, 1894.

Henri Gilles, *Les états de Languedoc au XVe siècle*. Paris, 1965.

René Lacour, *Le gouvernement de l'apanage du duc Jean de Berry (1360-1416)*. Paris, 1934.

André Leguai, *Le Bourbonnais pendant la guerre de Cent Ans*. Moulins, 1969.

Pierre Tucoo-Chala, *Gaston Fébus et la vicomté de Béarn, 1343-1391*. Bordeaux, 1959.

Jean-Bernard Marquette, *Les Albret*. Bazas, 1975-1979. 5 vol. (Cahiers du Bazadais).

John B. Hennemann, *Royal taxation in fourteenth Century France*. Princeton, 1971-1976. 2 vol.

Maurice Rey, *Les finances royales sous Charles VI. Les causes du déficit. 1388-1413*. Paris, 1965.

Martin Wolfe, *The fiscal system of Renaissance France*. New Haven-Londres, 1972.

Françoise Humbert, *Les finances municipales de Dijon du milieu du XIVe siècle à 1477*. Paris, 1961.

Charles Samaran et Guillaume Mollat, *La fiscalité pontificale en France au XIVe siècle*. Paris, 1905 ; rééd. anast. 1968 (Bibliothèque des Écoles françaises d'Athènes et de Rome).

Jean Favier, *Les finances pontificales à l'époque du Grand Schisme d'Occident*. Paris, 1966 (Bibliothèque des Écoles françaises d'Athènes et de Rome).

Gustave Dupont-Ferrier, *Études sur les institutions financières de la France à la fin du Moyen Age*. Paris, 1930-1932. 2 vol.

Édouard Maugis, *Histoire du Parlement de Paris de l'avènement des rois Valois à la mort d'Henry IV*. Paris, 1913-1916. 3 vol.

Henri Jassemin, *La Chambre des comptes de Paris au XVe siècle*. Paris, 1933.

M. M. Postan, « The cost of the Hundred Years War », dans *Past and Present*. 27, 1964, p. 34-53.

J. F. Willard et W. A. Morris, *The english Government at work, 1327-1336*. T. I. Cambridge (Massachusetts), 1940.

J. H. Ramsay, *A history of the revenues of the Kings of England*. Oxford, 1925. 2 vol.

Finance and trade under Edward III, éd. George Unwin. Manchester, 1918 ; rééd. 1962.

Gerald L. Harris, *King, Parliament and public finance in medieval England to 1369*. Oxford, 1975.

GUERRE ET SOCIÉTÉ

J. Barnie, *War in Medieval English Society. Social values and the Hundred Years War. 1337-1399.* Londres-Ithaca, 1974.

War, Literature and Politics in the late Middle Ages, éd. C. T. Allmand. Liverpool, 1976.

Siméon Luce, *La France pendant la guerre de Cent Ans.* Paris, 1890-1893. 2 vol.

Dominique Boutet et Armand Strubel, *Littérature, politique et société dans la France du Moyen Age.* Paris, 1979.

Le métier d'historien au Moyen Age. Études sur l'historiographie médiévale, dir. par Bernard Guenée. Paris, 1977.

Pierre Champion, *Histoire poétique du XVe siècle.* Paris, 1923. 2 vol.

La noblesse au Moyen Age. XIe-XVe siècles. Essais à la mémoire de Robert Boutruche, réunis par Philippe Contamine. Paris, 1976.

R. L. Kilgour, *The decline of Chivalry as Shown in the french Literature of the late Middle Ages.* Cambridge (Massachusetts), 1937.

Michel Mollat, *Les pauvres au Moyen Age.* Paris, 1978.

Études sur l'histoire de la pauvreté (Moyen Age-XVIe siècle), dir. par Michel Mollat. Paris, 1974. 2 vol.

Alfred Coville, « Documents sur les Flagellants », dans *Histoire littéraire de la France,* XXXVII, 1938, p. 390-411.

Philippe Ariès, *L'homme devant la mort.* Paris, 1977.

Alberto Tenenti, *La vie et la mort à travers l'art du XVe siècle.* Paris, 1952.

ORGANISATION DE LA GUERRE

Philippe Contamine, *Guerre, état et société à la fin du Moyen Age. Études sur les armées des rois de France, 1337-1494.* Paris-La Haye, 1972.

Herbert J. Hewitt, *The organization of war under Edward III, 1338-1362.* Manchester, 1966.

Brice D. Lyon, *From fief to indenture. The transition from feudal to non-feudal contract in western Europe.* Cambridge (Massachusetts), 1957.

Maurice R. Powicke. *Military obligation in medieval England.* Oxford, 1962.

The Hundred Years War, éd. Kenneth Fowler. Londres, 1971.

Claude Gaier, *L'industrie et le commerce des armes dans les anciennes principautés belges du XIIIe à la fin du XVe siècle.* Paris, 1973.

A. Chatelain, *Architecture militaire médiévale. Principes élémentaires.* Paris, 1970.

Raymond Ritter, *L'architecture militaire médiévale.* Paris, 1974.

Gabriel Fournier, *Le château dans la France médiévale. Essai de sociologie monumentale.* Paris, 1978.

Bertrand Gille, *Les ingénieurs de la Renaissance.* Paris, 1964.

ART DE LA GUERRE

Philippe Contamine, *La guerre au Moyen Age.* Paris, 1980. (Nouvelle Clio).

Ferdinand Lot, *L'art militaire et les armées au Moyen Age en Europe et dans le Proche-Orient.* Paris, 1946. 2 vol.

J. R. Hale, *The art of war and Renaissance England.* Washington, 1961.

M. H. Keen, *The Laws of war in the late Middle Ages.* Londres, 1965.

T. Wise, *Medieval Warfare.* New York, 1976.

H. W. Koch, *Medieval Warfare.* Londres, 1978.

Philippe Contamine, *L'oriflamme de Saint-Denis aux XIVe et XVe siècles. Étude de symbolique religieuse et royale.* Nancy, 1975.

DÉMOGRAPHIE ET PESTE NOIRE

Roger Mols, *Introduction à la démographie historique des villes d'Europe du XIVe au XVIIIe siècle.* Gembloux, 1954-1956. 3 vol.

La démographie médiévale. Sources et méthodes. Nice, 1972 (Actes du congrès de l'Association des historiens médiévistes de l'enseignement supérieur public, Nice, 15-16 mai 1970).

Édouard Baratier, *La démographie provençale du XIIIe au XVIe siècle.* Paris, 1961.

Arlette Higounet-Nadal, *Les comptes de la taille et les sources de l'histoire démographique de Périgueux au XIVe siècle.* Paris, 1965.

Élisabeth Carpentier et Jean Glénisson, « La démographie française au XIVe siècle », dans *Annales (E.S.C.),* 1962, p. 109-129.

Jean-Noël Biraben, *Les hommes et la peste en France et dans les pays européens et méditerranéens.* Paris-La Haye, 1976. 2 vol.

Élisabeth Carpentier, « Autour de la Peste noire : famines et épidémies dans l'histoire du XIVe siècle », dans *Annales (E.S.C.),* 1962, p. 1062-1092.

Alfred Coville, « Écrits contemporains sur la Peste de 1348 à 1350 », dans *Histoire littéraire de la France*, XXXVII, 1938, p. 325-390.

Jean Glénisson, « La seconde peste : l'épidémie de 1360-1362 en France et en Europe », dans *Annuaire-bulletin de la Société de l'Histoire de France,* 1968-1969 (1971), p. 27-38.

CRISES ET TROUBLES

Wilhelm Abel, *Crises agraires en Europe (XIIIe-XXe siècle).* Paris, 1973.

Michel Mollat et Philippe Wolff, *Ongles « bleus », Jacques et Ciompi. Les révolutions populaires en Europe aux XIVe et XVe siècles.* Paris, 1970.

Villages désertés et histoire économique. XIe-XVIIIe siècle. Paris, 1965 (École pratique des Hautes Études, VIe section).

Marie-Thérèse de Medeiros, *Jacques et chroniqueurs.* Paris, 1979.

Henri Denifle, *La guerre de Cent Ans et la désolation des églises, monastères et hôpitaux en France.* Paris, 1899.

Henri Denifle, *La désolation des églises, monastères et hôpitaux en France vers le milieu du XVe siècle.* Mâcon, 1897.

Siméon Luce, *Histoire de la Jacquerie.* Paris, 1894.

Léon Mirot, *Les insurrections urbaines au début du règne de Charles VI (1380-1383), leurs causes, leurs conséquences.* Paris, 1905.

DES ORIGINES A CHARLES V

Jean Favier, *Philippe le Bel.* Paris, 1978.

Eugène Déprez, *Les préliminaires de la guerre de Cent Ans : la papauté, la France et l'Angleterre, 1328-1342.* Paris, 1902.

H. S. Lucas, *The Law Countries and the Hundred Years War, 1326-1347.* Ann Arbor, 1929.

A.H. Burne, *The Crécy War. A military history of the Hundred Years War from 1337 to the peace of Bretigny, 1360.* Londres, 1955.

Roland Delachenal, *Histoire de Charles V.* Paris, 1909-1931. 5 vol.

J.-M. Tourneur-Aumont, *La bataille de Poitiers et la construction de la France.* Poitiers-Paris, 1940.

Herbert J. Hewitt, *The Black Prince's expedition of 1355-1357.* Manchester, 1958.

Actes du colloque international de Cocherel, 16, 17 et 18 mai 1964. Vernon, 1966 (Les cahiers vernonnais).

P. E. Russell, *The english intervention in Spain and Portugal in the time of Edward III and Richard II.* Oxford, 1955.

CRISE POLITIQUE ET CRISE RELIGIEUSE

Michael Nordberg, *Les ducs et la royauté. Études sur la rivalité des ducs d'Orléans et de Bourgogne, 1392-1407*. Upsal, 1964.

Alfred Coville, *Jean Petit, La question du tyrannicide au commencement du XVe siècle*. Paris, 1932.

Alfred Coville, *Les Cabochiens et l'ordonnance de 1413*. Paris, 1888.

Étienne Delaruelle, Edmond-René Labande et Paul Ourliac, *L'Église au temps du Grand Schisme*. Paris, 1962-1964. 2 vol. (Histoire de l'Église, XIV).

Noël Valois, *La France et le Grand Schisme d'Occident*. Paris, 1896-1901. 4 vol.

Victor Martin, *Les origines du Gallicanisme*. Paris, 1939. 2 vol.

Jean Favier, *Les finances pontificales à l'époque du Grand Schisme d'Occident*. Paris, 1966.

Genèse et débuts du Grand Schisme d'Occident (1362-1394). Paris, 1980.

Alfred Coville, *Gontier et Pierre Col et l'humanisme en France au temps de Charles VI*. Paris, 1934.

John B. Morral, *Gerson and the Great Schism*. Manchester, 1960.

Ezio Ornato, *Jean de Muret et ses amis Nicolas de Clamanges et Jean de Montreuil. Contribution à l'étude des rapports entre les humanistes de Paris et ceux d'Avignon*. Genève, 1969.

Pierre-Yves Badel, *Le Roman de la Rose au XIVe siècle. Étude de la réception d'une œuvre*. Genève, 1980.

LA REPRISE DE LA GUERRE

John J. N. Palmer, *England, France and Christendom, 1377-1399*. Londres, 1972.

Michael Jones, *Ducal Brittany, Relations with England and France during the reign of duke John IV*. Oxford, 1970.

G. A. Knowlson, *Jean V, duc de Bretagne, et l'Angleterre*. Cambridge-Rennes, 1964.

Léon Mirot, *Une tentative d'invasion en Angleterre pendant la guerre de Cent Ans (1385-1386)*. Paris, 1915.

Malcolm G. A. Vale, *English Gascony, 1399-1453*. Oxford, 1970.

Philippe Contamine, *Azincourt*. Paris, 1964.

A. H. Burne, *The Agincourt War. A military history of the latter part of the Hundred Years' War from 1369 to 1453*. Londres, 1956.

C. Hibbert, *Agincourt*. Londres, 1964.

Nicholas H. Nicolas, *History of the battle of Agincourt and of the expedition of Henry the Fifth into France in 1415*. Londres, 1832, rééd. 1970.

R. H. Newhall, *The english conquest of Normandy, 1416-1424*. New Haven-Londres, 1924.

Ernest F. Jacob, *The fifteenth Century, 1399-1485*. Oxford, 1961. 2 vol. (Oxford History of England).

Ernest F. Jacob, *Henry V and the invasion of the France*. Londres, 1947.

LA RECONQUÊTE FRANÇAISE

André Bossuat, *Jeanne d'Arc*. Paris, 1967 (Que sais-je ?).

G. du Fresne de Beaucourt, *Histoire de Charles VII*. Paris, 1881-1891. 6 vol.

Paul Le Cacheux, *Rouen au temps de Jeanne d'Arc et pendant l'occupation anglaise (1419-1449)*. Rouen-Paris, 1931.

Roger Jouet, *La résistance à l'occupation anglaise en Basse-Normandie (1418-1450)*. Caen, 1969.

Auguste Longnon, *Paris pendant la domination anglaise, 1420-1436*. Paris, 1878.

J. G. Dickinson, *The Congress of Arras, 1435*. Oxford, 1955.

Marie-Rose Thielemans, *Bourgogne, Angleterre. Relations politiques et économiques entre les Pays-Bas bourguignons et l'Angleterre, 1435-1467*. Bruxelles, 1966.

ÉTUDES BIOGRAPHIQUES

Jules-Marie Richard, *Une petite-nièce de saint Louis. Mahaut comtesse d'Artois et de Bourgogne (1302-1329)*. Paris, 1887.

André Plaisse, *Charles le Mauvais, comte d'Évreux, roi de Navarre, capitaine de Paris*. Évreux, 1972.

Émile Molinier, *Étude sur la vie d'Arnoul d'Audrehem, maréchal de France. 1302-1370*. Paris, 1883.

Jules Chavanon, *Renaud VI de Pons, vicomte de Turenne et de Carlat*. La Rochelle, 1903.

Siméon Luce, *Histoire de Bertrand du Guesclin et de son époque. La jeunesse de Bertrand du Guesclin. 1320-1364*. Paris, 1876.

Kenneth A. Fowler, *The King's Lieutenant : Henry of Grosmont, first duke of Lancaster*. Londres, 1969.

Henry de Surirey de Saint-Remy, *Jean II de Bourbon, duc de Bourbonnais et d'Auvergne*. Paris, 1944.

Henri-Philippe Terrier de Loray, *Jean de Vienne, amiral de France (1341-1396)*. Paris, 1977.

Françoise Lehoux, *Jean de France, duc de Berri (1340-1416)*. Paris, 1966-1968. 4 vol.

Henri Moranvillé, *Étude sur la vie de Jean Le Mercier*. Paris, 1888.

Eugène Jarry, *La vie politique de Louis de France, duc d'Orléans (1372-1407)*. Paris, 1889.

Louis Battifol, *Jean Jouvenel, prévôt des marchands de la ville de Paris (1360-1431)*. Paris, 1894.

A. de Bouillé, *Un conseiller de Charles VII, le maréchal de la Fayette (1380-1463)*. Paris, 1955.

E. Cosneau, *Le connétable de Richemont (Artur de Bretagne), 1393-1458*. Paris, 1886.

Pierre Champion, *Guillaume de Flavy, capitaine de Compiègne*. Paris, 1906.

Albert Lecoy de la Marche, *Le roi René*. Paris, 1875. 2 vol.

Gustave Dupont-Ferrier, *Gallia Regia, ou état des officiers royaux des bailliages et des sénéchaussées de 1328 à 1515*. Paris, 1942-1965. 7 vol.

COMPAGNIES ET ÉCORCHEURS

C. Guigue, *Les Tard-Venus en Lyonnais, Forez et Beaujolais. 1356-1369*. Lyon, 1886.

Jacques Monicat, *Histoire du Velay pendant la guerre de Cent Ans. Les Grandes Compagnies en Velay. 1358-1392*. Paris, 2e éd. 1928.

Alexandre Tuetey, *Les Écorcheurs sous Charles VII*. Montbéliard, 1874. 2 vol.

Philippe Contamine, « Les compagnies d'aventure en France pendant la guerre de Cent Ans », dans *Mélanges de l'École française de Rome*, 1975, p. 365-396.

Aimé Chérest, *L'Archiprêtre*. Paris, 1879.

André Bossuat, *Perrinet Gressart et François de Surienne, agents de l'Angleterre*. Paris, 1936.

Jules Quicherat, *Rodrigue de Villandrando*. Paris, 1879.

ÉTUDES RÉGIONALES

Guy Fourquin, *Les campagnes de la région parisienne à la fin du Moyen Age*. Paris, 1964.

Jean Favier, *Le commerce fluvial dans la région parisienne au XVe siècle*. Paris, 1975.

Michel Mollat, *Le commerce maritime normand à la fin du Moyen Age*. Paris, 1952.

André Plaisse, *La baronnie du Neubourg*. Paris, 1961.

Henri Touchard, *Le commerce maritime breton à la fin du Moyen Age*. Paris, 1967.

Robert Boutruche, *La crise d'une société : seigneurs et paysans du Bordelais pendant la guerre de Cent Ans*. Paris, 1947.

Jacques Bernard, *Navires et gens de mer à Bordeaux (vers 1400-vers 1550)*. Paris, 1968.

Charles Samaran, *La Gascogne dans les registres du Trésor des chartes*. Paris, 1966.

Philippe Wolff, *Commerces et marchands de Toulouse (vers 1350-vers 1450)*. Paris, 1954.

Pézenas, ville et campagne, XIIIe-XXe siècles. Montpellier, 1976 (Fédération historique du Languedoc méditerranéen et du Roussillon).

Édouard Baratier et Félix Reynaud, *Histoire du Commerce de Marseille*. T. II, de 1291 à 1480. Paris, 1951.

Marie-Thérèse Lorcin, *Les campagnes de la région lyonnaise aux XIVe-XVe siècles*. Lyon, 1974.

Jean-François Bergier, *Genève et l'économie européenne de la Renaissance*. Paris, 1963.

Henri Dubois, *Les foires de Chalon et le commerce dans la vallée de la Saône à la fin du Moyen Age (vers 1280-vers 1430)*. Paris, 1976.

Le rôle du sel dans l'histoire, sous la dir. de Michel Mollat. Paris, 1968.

Yves Renouard, *Études d'histoire médiévale*. Paris, 1968. 2 vol.

SOCIÉTÉ ET ÉCONOMIE URBAINES

Raymond Cazelles, *De la fin du règne de Philippe Auguste à la mort de Charles V*. Paris, 1972 (Nouvelle histoire de Paris).

Jean Favier, *Paris au XVe siècle*. Paris, 1975 (Nouvelle histoire de Paris).

Bronislaw Geremek, *Le salariat dans l'artisanat parisien aux XIIIe-XVe siècles*. Paris, 1968.

Bronislaw Geremek, *Les marginaux parisiens aux XIVe-XVe siècles*. Paris, 1976.

Bernard Chevalier, *Tours, ville royale*. Paris, 1974.

Robert Favreau, *La ville de Poitiers à la fin du Moyen Age*. Paris, 1978.

Jean Schneider, *La ville de Metz aux XIIIe et XIVe siècles*. Nancy, 1950.

Pierre Desportes, *Reims et les Rémois aux XIIIe et XIVe siècles*. Paris, 1979.

André et Sylvie Plaisse, *La vie municipale à Évreux pendant la guerre de Cent Ans*. Évreux, 1978.

Arlette Higounet-Nadal, *Périgueux aux XIVe et XVe siècles. Étude de démographie historique*. Bordeaux, 1978.

Yves Renouard, *Bordeaux sous les rois d'Angleterre*. Bordeaux, 1965 (Histoire de Bordeaux dir. par Charles Higounet).

Repères chronologiques

1152 Aliénor d'Aquitaine épouse Henri Plantagenêt.
1204 Conquête de la Normandie par Philippe Auguste.
1259 Traité franco-anglais de Paris.
1277 Liaison maritime entre Gênes et Bruges.
1297 Alliance anglo-flamande.
1302 Mahaut, comtesse d'Artois à la mort de son frère.
1305 Paix franco-flamande ; traité d'Athis.
1314 Les Écossais vainqueurs des Anglais à Bannockburn.
Mort de Philippe le Bel.
1317 Crise frumentaire aggravée et mortalité.
1323 Révolte en Flandre maritime.
1324 Confiscation de la Guyenne.
1328 Avènement de Philippe de Valois.
La révolte flamande écrasée à Cassel.
1329 L'hommage d'Amiens : Édouard III vassal de Philippe VI.
1332 Robert d'Artois condamné par la Cour des pairs.
Naissance de Charles « le Mauvais ».
1336 Début de la guerre des laines entre Angleterre et Flandre.
Alliance franco-castillane.
1337 Confiscation de la Guyenne.
Alliance anglo-impériale.
1338 Jacques Van Artevelde, capitaine de Gand.
1339 Offensive anglaise et alliance anglo-flamande.
1340 Victoire de la flotte anglaise à l'Écluse.
Trêves d'Esplechin.
1341 Mort du duc Jean III de Bretagne.
1343 États généraux du royaume.
Trêve de Malestroit.
1344 Fête de la Table ronde à Windsor.
1345 Reprise de la guerre.
Assassinat de Jacques Van Artevelde.
Mort de Jean de Montfort.
1346 Élection de Charles de Luxembourg à l'empire.

1346 Défaite française à Crécy.
Saisie temporaire du comté d'Artois.
1347 Prise de Calais par Édouard III.
1348 La Peste noire.
Fondation de l'ordre de la Jarretière par Édouard III.
Accord anglo-navarrais.
1349 Crise d'antisémitisme.
Les Flagellants.
Cession du Dauphiné à la France.
1350 Mort de Philippe VI. Jean II, roi de France.
1351 Réglementation de l'embauche et des salaires.
Création de l'ordre de l'Étoile par Jean le Bon.
Réorganisation de l'armée royale.
Combat des Trente.
1353 Boccace achève le *Decameron.*
1354 Crise franco-navarraise.
1355 Traité franco-navarrais de Valognes.
Chevauchée du Prince Noir en Languedoc.
États généraux : le gouvernement de l'impôt aux états.
1356 Coup de force de Jean le Bon à Rouen.
Dérobade anglaise à Laigle.
Jean le Bon vaincu et pris à Poitiers.
Les états généraux revendiquent le pouvoir politique.
Le dauphin Charles rencontre l'empereur à Metz.
1357 Réforme du système monarchique par les états.
Négociations préliminaires à Londres.
1358 Insurrection parisienne. Étienne Marcel.
La Jacquerie.
Alliance anglo-navarraise.
1359 Deuxièmes préliminaires de Londres.
Vaine chevauchée d'Édouard III en France.
1360 Traités franco-anglais de Brétigny et Calais.
1361 Les compagnies. Les Tard-Venus.
Mort du duc de Bourgogne Philippe de Rouvre.
1362 L'armée royale vaincue par les compagnies à Brignais.
Jean le Bon à Avignon.
1363 L'étape des laines anglaises à Calais.
Grave reprise de la peste.
Nouvelles hostilités en Bretagne.
1364 Stabilisation monétaire; création du franc.
Mort de Jean le Bon. Charles V, roi de France.
Du Guesclin bat les Navarrais à Cocherel.
Jean IV de Montfort vainqueur à Auray.
1365 Traité de Guérande. Victoire des Montfort.
1366 Traité anglo-navarrais de Libourne.
1367 Le Prince Noir vainqueur à Najera.
Organisation de la défense en France.
1368 Hommage lige du sire d'Albret à Charles V.

1368 Acceptation des appels gascons par le Conseil de Charles V.
1369 Entrée d'Hue de Châtillon dans Abbeville.
Édouard III revendique la couronne de France.
Mariage de Philippe de Bourgogne et de Marguerite de Flandre.
Chevauchée de Lancastre en Picardie et Normandie.
Confiscation de l'Aquitaine.
1370 Début de la construction de la Bastille.
Chevauchée de Robert Knolles jusqu'en Bretagne.
Victoires françaises en Aquitaine et en Bretagne.
1372 Victoire de la flotte castillane devant La Rochelle.
Occupation du Poitou, de l'Aunis et de la Saintonge.
1373 Désastreuse chevauchée du duc de Lancastre.
Campagne de Du Guesclin contre Salisbury en Bretagne.
1375 Trêve franco-anglaise de Bruges.
Capitulation de Saint-Sauveur-le-Vicomte.
Épidémie de peste et disette.
1376 Mort du Prince Noir.
1377 Mort d'Édouard III.
1378 Visite de l'empereur Charles IV à Paris.
Début du Grand Schisme d'Occident.
Insurrection des Ciompi à Florence.
Confiscation du duché de Bretagne.
1379 Agitation en Flandre.
1380 Mort de Du Guesclin et de Charles V.
Chevauchée de Buckingham.
1381 Ordonnance de Charles VI contre les Juifs.
Deuxième traité de Guérande sur la succession de Bretagne.
Révolte des Travailleurs en Angleterre.
Émeute à Béziers. Début de l'affaire des Tuchins.
1382 La Flandre insurgée. Philippe Van Artevelde à Gand.
La Harelle à Rouen.
Les Maillotins à Paris.
L'armée royale écrase les Flamands à Roosebeke.
1383 Répression à Paris et Rouen.
Croisade de l'évêque de Norwich en Flandre.
Sac de Gand par les Anglais.
1385 Mariage de Charles VI et d'Isabeau de Bavière.
1386 Insurrection de Raymond de Turenne contre Clément VII.
1389 Jean Jouvenel, garde de la Prévôté des marchands.
1392 Débuts de la maladie de Charles VI.
1393 Conférences franco-anglaises de Leulinghen.
1394 Expulsion des Juifs.
1395 Conférences franco-anglaises de Paris.
1396 Charles VI et Richard II à Ardres.
Gênes se donne au roi de France.
1397 Cession de Brest par les Anglais au duc de Bretagne.
1399 Christine de Pisan, *Épître au Dieu d'Amour.*
Concile français : soustraction d'obédience.

1399 Déchéance de Richard II.
1403 Restitution d'obédience à Benoît XIII.
Guerre entre Armagnac et Comminges.
1404 Mort de Philippe le Hardi. Jean sans Peur, duc de Bourgogne.
1405 Débarquement anglais en Cotentin.
Les princes en armes autour de Paris.
1407 Assassinat de Louis d'Orléans.
1408 *Apologie du tyrannicide* par Jean Petit.
1409 Paix de Chartres entre les princes.
1410 Attaque anglaise contre Fécamp.
Les très riches heures du duc de Berry.
1411 Jean sans Peur à Paris.
Conflit entre Foix et Armagnac.
1412 Reconstitution de la municipalité parisienne.
Paix d'Auxerre entre les princes.
Chevauchée de Clarence du Cotentin à Bordeaux.
1413 États généraux et mouvement « cabochien ».
Réaction et terreur armagnaque.
1414 Ouverture du concile de Constance.
1415 Débarquement anglais et prise d'Harfleur.
Victoire anglaise à Azincourt.
1417 Destruction de la flotte française devant La Hougue.
Conquête de la Normandie par les Anglais.
Élection de Martin V. Fin du schisme.
1418 Les Anglais à Falaise, Évreux et Louviers.
Entrée des Bourguignons dans Paris. Émeutes.
Grave épidémie de variole.
1419 Prise de Rouen par les Anglais.
Assassinat de Jean sans Peur.
Soulèvement toulousain en faveur du comte de Foix.
1420 Grave peste en Languedoc et Provence.
Traité de Troyes. Henri V héritier de France.
1421 Victoire armagnaque à Beaugé.
1422 Prise de Compiègne par les Anglais.
Mort de Henri V et de Charles VI.
Création de l'université de Dole.
1423 Victoires armagnaques à Meulan et La Gravelle.
Victoire anglaise à Cravant.
1424 Tentative du duc de Gloucester contre le Hainaut.
Victoire anglaise à Verneuil-sur-Avre.
Début du siège du Mont-Saint-Michel.
Trêve de Chambéry entre Charles VII et les Bourguignons.
1425 Richemont connétable.
1426 Saccage du Toulousain par le bâtard d'Armagnac.
1427 Dunois bat Warwick à Montargis.
1428 Siège d'Orléans.
1429 La « bataille des harengs ».
Délivrance d'Orléans par Jeanne d'Arc.

1429 Victoire française à Patay.
Sacre de Charles VII à Reims.
Échec de Jeanne d'Arc devant Paris.
1430 Capture de Jeanne d'Arc devant Compiègne.
1431 Procès et bûcher de Jeanne d'Arc.
Création de l'université de Poitiers.
Ouverture du concile de Bâle.
Sacre de Henri VI à Notre-Dame de Paris.
1432 Création de l'université de Caen.
Tentative de Ricarville à Rouen.
Échec anglais devant Lagny.
Van Eyck achève l'*Agneau mystique.*
1435 Traité franco-bourguignon d'Arras.
Mort de Bedford et d'Isabeau de Bavière.
Prise de Dieppe par Charles des Marets.
1436 Entrée de Richemont dans Paris.
1437 Coalition des princes contre Charles VII.
1438 Villandrando mène la guerre en Auvergne.
Épidémie de variole.
Pragmatique Sanction de Bourges.
1439 Conférences franco-anglaises de Gravelines.
Nouvelle coalition des princes; la Praguerie.
Fin du consentement à l'impôt par les états généraux.
1440 Peste en Languedoc.
Prise de Meaux par Richemont.
1442 Conférences de Nevers. Échec d'une coalition des princes.
La « Journée » de Tartas.
1443 Échec de Talbot devant Dieppe.
Vaine chevauchée de Somerset en Normandie.
1444 Trêves franco-anglaises de Tours.
1445 Privilèges royaux aux foires de Lyon.
Création des « compagnies de l'ordonnance ».
1448 Création des « francs archers ».
1449 Reprise de la guerre.
1450 Reconquête de la Normandie. Formigny.
1451 Première reconquête de la Guyenne.
1452 Retour des Anglais en Guyenne.
1453 Reconquête définitive de la Guyenne. Castillon.
Procès de Jacques Cœur.
1456 Réhabilitation de Jeanne d'Arc.
1465 Ligue du Bien Public contre Louis XI.
1469 Fondation de l'ordre de Saint-Michel.
1475 Débarquement anglais.
Traité de Picquigny.
1477 Défaite et mort de Charles le Téméraire.
1482 Traité d'Arras. La Bourgogne réunie à la France.

Table des illustrations

Index

B

D

E

F

H

M

N

S

T

U

V

W

Y

Z

Table des matières

DANS LA MÊME COLLECTION

Pierre Aubé	*Godefroy de Bouillon*
	Thomas Becket
Françoise Autrand	*Charles VI*
Jean-Pierre Babelon	*Henri IV*
Michel Bar-Zohar	*Ben Gourion*
Jean Bérenger	*Turenne*
Jean-François Bergier	*Guillaume Tell*
Guillaume de Bertier de Sauvigny	*Metternich*
Jean-Paul Bled	*François-Joseph*
François Bluche	*Louis XIV*
Michel de Boüard	*Guillaume le Conquérant*
Michel Carmona	*Marie de Médicis*
	Richelieu
Duc de Castries	*Mirabeau*
Pierre Chevallier	*Louis XIII*
	Henri III
Eugen Cizek	*Néron*
Ronald W. Clark	*Benjamin Franklin*
André Clot	*Soliman le Magnifique*
	Haroun al-Rachid
Ivan Cloulas	*Les Borgia*
	Catherine de Médicis
	Laurent le Magnifique
	Henri II
André Corvisier	*Louvois*
Liliane Crété	*Coligny*
Daniel Dessert	*Fouquet*

Jean DEVIOSSE	*Jean le Bon*
Michel DUCHEIN	*Marie Stuart*
Jacques DUQUESNE	*Saint Éloi*
Georges-Henri DUMONT	*Marie de Bourgogne*
Danielle ELISSEEFF	*Hideyoshi*
Jean ELLEINSTEIN	*Staline*
Paul FAURE	*Ulysse le Crétois*
	Alexandre
Jean FAVIER	*Philippe le Bel*
	François Villon
Marc FERRO	*Pétain*
Lothar GALL	*Bismarck*
Max GALLO	*Garibaldi*
Louis GIRARD	*Napoléon III*
Pauline GREGG	*Charles Ier*
Pierre GRIMAL	*Cicéron*
Pierre GUIRAL	*Adolphe Thiers*
Léon E. HALKIN	*Érasme*
Brigitte HAMANN	*Élisabeth d'Autriche*
Jacques HARMAND	*Vercingétorix*
Jacques HEERS	*Marco Polo*
	Machiavel
François HINARD	*Sylla*
Michel HOÀNG	*Gengis khan*
EBERHARD HORST	*César*
Gérard ISRAËL	*Cyrus le Grand*
Jean JACQUART	*François Ier*
	Bayard
Paul Murray KENDALL	*Louis XI*
	Richard III
	Warwick le Faiseur de Rois
Yvonne LABANDE-MAILFERT	*Charles VIII*
Claire LALOUETTE	*L'Empire des Ramsès*
	Thèbes
André LE RÉVÉREND	*Lyautey*
Évelyne LEVER	*Louis XVI*
	Louis XVIII
Robert K. MASSIE	*Pierre le Grand*
Pierre MIQUEL	*La Grande Guerre*
	Histoire de la France
	Poincaré
	La Seconde Guerre mondiale
	Les Guerres de religion

Inès Murat	*Colbert*
	La IIe République
Daniel Nony	*Caligula*
Stephen B. Oates	*Lincoln*
Joseph Pérez	*Isabelle et Ferdinand, Rois Catholiques d'Espagne*
Régine Pernoud	*Jeanne d'Arc*
	Les Hommes de la Croisade
	Richard Cœur de Lion
Jean-Christian Petitfils	*Le Régent*
Claude Poulain	*Jacques Cœur*
Bernard Quilliet	*Louis XII*
Jean Richard	*Saint Louis*
Pierre Riché	*Gerbert d'Aurillac*
Jean-Paul Roux	*Babur*
Yves Sassier	*Hugues Capet*
Klaus Schelle	*Charles le Téméraire*
William Serman	*La Commune de Paris*
Daniel Jeremy Silver	*Moïse*
Jean-Charles Sournia	*Blaise de Monluc*
Laurent Theis	*Dagobert*
Jean Tulard	*Napoléon*
Bernard Vinot	*Saint-Just*

Cet ouvrage
a été achevé d'imprimer en juillet 1996
sur presse CAMERON,
par Bussière Camedan Imprimeries
à Saint-Amand-Montrond (Cher)
pour le compte de la librairie Arthème Fayard
75, rue des Saints-Pères — 75006 Paris

35-65-6668-10/4
ISBN 2-213-00898-1

Dépôt légal : juillet 1996.
N° d'Édition : 6667. — N° d'Impression : 4/596.

Imprimé en France

35-6668-4